ULRICH GAIER · SATIRE

ULRICH GAIER

Satire

STUDIEN ZU NEIDHART, WITTENWILER, BRANT

UND ZUR

SATIRISCHEN SCHREIBART

Max Niemeyer Verlag Tübingen

1967

© Max Niemeyer Verlag Tübingen 1967
Alle Rechte vorbehalten · Printed in Germany
Satz und Druck: Bücherdruck Wenzlaff KG, Kempten/Allgäu
Einband: Heinr. Koch, Tübingen

VORBEMERKUNG

Das dritte Kapitel der vorliegenden Untersuchungen ist Teil meiner Habilitationsschrift, von der weitere Kapitel als „Studien zu Sebastian Brants Narrenschiff" 1966 erschienen sind.

Mein Dank für förderndes Interesse gebührt vor allem den Professoren Friedrich Beißner, Wolfgang Preisendanz und Edwin Zeydel. Der University of California in Davis danke ich auch hier wieder für großzügige Unterstützung während der Arbeit und bei der Drucklegung.

Tübingen, im August 1967   Ulrich Gaier

INHALTSVERZEICHNIS

X

III. SEBASTIAN BRANTS ‚NARRENSCHIFF‘

XII

EINLEITUNG

> "There wouldn't be much exaggeration
> in saying that everybody recognizes sat-
> ire and that nobody knows what it is."
> Edgar Johnson, A Treasury of Satire, 3.

1 Die Möglichkeit, viele Werke der jüngeren und jüngsten Literatur als Satiren zu verstehen, und der spezifisch satirische Einschlag einiger dieser Werke haben den Sinn für diese Schreibart in Deutschland geschärft und der Literaturwissenschaft den Impuls gegeben, die wegen ihrer Wirklichkeitsbindung seit der „Kunstperiode"[1] nie ohne ästhetisches Vorurteil betrachtete Satire näher ins Auge zu fassen. Wie stark die deutsche Germanistik von der Ästhetik der Goethezeit immer noch beeinflußt ist und wie wenig es ihr deshalb gelingen kann, literarische Phänomene wie die Satire, genau genommen aber auch die Lyrik, mit völlig adäquaten Maßstäben zu messen, zeigt sich gerade an den beiden Untersuchungen, die die Satire und das Satirische neuerdings ins Zentrum ausführlicher Betrachtungen gestellt haben.[2] Die eine möchte Auskunft darüber bekommen, „wie der Autor sich als Satiriker, wie der Satiriker sich als Dichter zu bewähren vermag",[3] die andere will klären, „ob es erlaubt sei, die Satire in die Zuständigkeit der Ästhetik zu überführen. Dabei müßte gezeigt werden, ob die Frage nach dem Satirisch-Schönen den Vorrang vor dem Gesichtspunkt der Zweck-

---

[1] Heinrich Heine: „Die romantische Schule" in Heinrich Heines Sämtliche Werke, hrsg. von Ernst Elster. Bd. 5. – Leipzig und Wien o. J. [1890]; 253f. über die Goethezeit.

[2] Helmut Arntzen: Satirischer Stil. Zur Satire Robert Musils im ‚Mann ohne Eigenschaften'. – Bonn 1960 (Abhandlungen zur Kunst-, Musik- und Literaturwissenschaft, Bd. 9). – Klaus Lazarowicz: Verkehrte Welt. Vorstudien zu einer Geschichte der deutschen Satire. – Tübingen 1963 (Hermaea N.F. 15). Fast gleichzeitig sind auch in den USA zwei bedeutende Untersuchungen zur Satire erschienen – Robert C. Elliott: The Power of Satire. Magic, Ritual, Art. – Princeton U.P. 1960. – David Worchester: The Art of Satire. – New York 1960. Diese beiden Werke bieten wertvolles Material und sind unbelastet von dem erwähnten Vorurteil.

[3] Arntzen, Satirischer Stil 3.

mäßigkeit und der Nützlichkeit beanspruchen darf".[4] Die eine nennt die Satire „als *literarische* Erscheinung solange uninteressant und unergiebig ..., bis sie sich die vielfältigen Möglichkeiten der Sprache zunutze macht"[5] und als „dichterisches Sagen"[6] erscheint – was übrigens nicht „seit der Aufklärung",[7] sondern seit jeher zum satirischen Stil gehört –, und will die literarisch interessante Satire auf eine ihrer Methoden, nämlich die Ethopoiie, einschränken; die andere möchte den Begriff Satire nur da angewandt wissen, „wo der künstlerische Aufbau einer verkehrten Welt angestrebt und wenigstens ansatzweise (auf jeden Fall aber: deutlich erkennbar) geleistet worden ist",[8] wo die Satire also einem „*Kunst*-Prinzip" gehorcht.[9]

Es gibt meines Erachtens zwei Kriterien, denen eine Definition der Satire unterworfen ist: erstens muß sie dem Wirklichkeitsbezug, dem Angriffscharakter dieser Schreibart gerecht werden, der die Satire unmittelbar kenntlich macht;[10] zweitens muß sie unter irgendeinem Gesichtspunkt gestatten, die Werke der römischen Satiriker als Satiren zu bezeichnen, denn diese sind es schließlich, für die der Name ursprünglich galt und heute noch gilt; hat man eine Definition, die die römischen Satiren ganz oder teilweise ausschließt, so kann man ohne ernste Begriffsverwirrung den Namen Satire für das Definierte nicht beibehalten.

Beide Untersuchungen versagen am zweiten Kriterium, nicht, weil die Verfasser die römischen Satiriker nicht erwähnen, sondern weil der satirische Stil und die verkehrte Welt zwar die eine oder andere römische Satire, keinesfalls aber alle Werke des Lucilius, Horaz, Persius, Juvenal, des Varro, Seneca und Petron bestimmen.[11] – Aber auch dem ersten Kriterium werden beide Untersuchungen nicht gerecht, wenn sie Satire untersuchen wollen, sofern sie „künstlerisch", „dichterisch" ist und sich damit in die

---

[4] Lazarowicz, Verkehrte Welt 26. Einen gewaltigen Schritt weiter tut Lazarowicz wenig später: „In Frage steht also die Existenz der autonomen, zwecklosen Satire." (27)

[5] Arntzen, Satirischer Stil 8.   [6] Ebd. 2.   [7] Ebd. 2.

[8] Lazarowicz, Verkehrte Welt 312.   [9] Ebd. 309.

[10] Vgl. Robert C. Elliott: "The Definition of Satire: A Note on Method." Yearbook of Comparative and General Literature 11 (1962), 19–23; 22: "If I could find an essential property, it would be so general as to be useless for purposes of definition: 'All satire attacks something', for example."

[11] Von Ennius, der die Bezeichnung *satura* zuerst ins Literarische wandte, sind zu wenige Fragmente überliefert, als daß sein Werk bei der Definition der Satire bestimmend einbezogen werden könnte. Immerhin heißt es von ihm: „Kritik, nur ruhigere [als die des Lucilius], konnte doch immer einmal wieder an Menschentypen und Sitten geübt sein, und die Fragmente lassen auch noch Spuren davon erkennen." Otto Weinreich (Hrsg.): Römische Satiren. – Hamburg 1962 (Rowohlts Klassiker, Lateinische Literatur Bd. 4); 301.

Zuständigkeit der Ästhetik überführen läßt. Daß damit die Ästhetik der „Kunstperiode" gemeint ist, gegen die schon Heine kämpft, wird durch die Tendenz zur „autonomen, zweck-losen Satire" [12] und durch die Einschränkung der Benennung Satire auf „künstlerische" Mittel und Strukturen [13] deutlich. Wo die Satire aber „zweck-los" wird, greift sie nicht mehr an und ist nicht mehr das, was man unmittelbar darunter versteht. Swifts ‚Gulliver', als Kinder- und Unterhaltungsbuch gelesen, ist eben keine Satire. Der ‚Reineke Fuchs', als Tierfabel verstanden und nicht rückübersetzt in den „Hof- und Regentenspiegel", ist keine Satire. Soll die Satire „auf die Aufhebung ihrer selbst aus" sein, [14] dann kann sie kein „dichterisches Sagen" im Sinne jener Ästhetik sein; denn dort wird jene „einzige zweite Welt in der hiesigen" konstituiert, die zur Geschlossenheit und Unabhängigkeit von der Wirklichkeit, nicht aber zur „Aufhebung ihrer selbst" und zum Angriff auf das Wirkliche tendiert. Sofern die Satire „künstlerische" Mittel und Strukturen verwendet, stehen diese gerade nicht als solche in ihr, sondern werden in den Dienst der Destruktion und Konstruktion des Wirklichen gestellt. [15]

2   Satire ist offenbar nicht mit dem Maßstab zu messen, den die Ästhetik der Goethezeit an das Kunstwerk anlegte, denn es finden sich unschwer Satiren, die jedermann als künstlerisch empfinden wird, ohne daß sie ihre aggressive, auf das Wirkliche gerichtete Natur zu verleugnen brauchten – man denke an die *Sermones* des Horaz, das ‚Lob der Torheit' von Erasmus, den ‚Reineke Fuchs' im spätmittelalterlichen wie im neueren Gewande, das ihm Goethe verlieh. Dabei ist es in diesen Werken durchaus nicht immer „das Ideal", das „Notwendige", dem die Wirklichkeit als

---

[12] Lazarowicz, Verkehrte Welt 27.   [13] Arntzen, Satirischer Stil 4.

[14] Helmut Arntzen: „Nachricht von der Satire." Neue Rundschau 74 (1963) 4, 561–76; 576.

[15] „Seine [des satirischen Textes] Intention ist die Destruktion, aber er selbst als Kunstleistung ist die Konstruktion, und zwar nicht als isoliertes Spiel, sondern insofern er in seiner Darstellungsweise davon kündet, was sein sollte" (ebd. 572). Was Arntzen als künstlerische Mittel der Satire bezeichnet, scheinen einfach die Mittel der ungelenkten oder indirekten Satire zu sein. Weil sie nur indirekt andeuten und vom Leser erst aufgelöst werden müssen, sind sie jedoch nicht dichterischer (im Sinne der Kant-Schillerschen Ästhetik) als die Strafrede und Didaxe der Satiren des 17. und 18. Jahrhunderts, sondern sie sprechen ebenso die Wirklichkeit an und „erziehen" den Leser, wenn auch implizit. In gewissem Sinn widerspricht Arntzen sich also selbst, wenn er Satire einmal als „dichterisches Sagen" bezeichnet, einmal mit destruktiver Intention ausgestattet sieht. Auch Lazarowicz verwickelt sich in Widersprüche, indem er, der ja nach der „zweck-losen Satire" forscht, am Ende den Satiri-

Mangel gegenübergestellt wird und das Schiller fordert, um „das Unendliche" des poetischen Gehalts und die „Freyheit des Spiels" in der poetischen Form auch in der Satire wahren zu können;[16] eher spielt in diesen Werken die unmittelbare Bedrohlichkeit des Wirklichen die konstitutive Rolle, indem sie sprachlich vernichtet werden muß, ohne daß das Ideal unbedingt für diese Vernichtung nötig wäre: Horazens Satiren wachsen aus den „Erschütterungen und der inneren Unsicherheit der Kriegs- und Krisenjahre",[17] das ‚Lob der Torheit' ist der Angriff auf die Gedankenträgheit und Enge, die die Entfaltung des freien christlichen Humanismus gefährdet; Goethes ‚Reineke' ist die Antwort auf das „Ungeheure" oder „Gräßliche" der revolutionären Umwälzung in Frankreich, deren Grund er in den „Ungerechtigkeiten der Großen" sah.[18] Die Wirklichkeit ist nicht ein „Mangel" gegenüber einem Ideale, sondern eine Bedrohung und Gefährdung des menschlichen Wesens und Bewußtseins, und die erste Aufgabe der Satire ist immer die Vernichtung oder Schwächung dieser Bedrohung. Daß die Sprache Mittel hat, diese Aufgabe auf „unideale" Weise zu lösen, wird sich im Laufe dieser Untersuchungen zeigen; es ist natürlich auch eine, aber eben nicht die einzige, Möglichkeit der Satire, auf dem Grunde der entgegenstehenden Notwendigkeit und des Ideals das gefährliche Wirkliche zu schwächen oder zu vernichten. Es handelt sich bei der Satire nie bloß um die „*Darstellung* empörender Wirklichkeit", wie Schiller es formuliert,[19] sondern bis in die fabelhafte Distanz des ‚Reineke Fuchs',[20] bis in die Dürre des Zitats bei Karl Kraus[21] hinein um den *Angriff* auf die „empörende Wirklichkeit", und dieser läßt sich mit dem Kunstdenken der Goethezeit nicht vereinbaren. Es muß also ein neuer Begriff der Satire gewonnen werden, der von der ästhetischen Theorie der „Kunstperiode" unabhängig ist, will man Satire als Schreibart und als Einzelwerk richtig einschätzen.

---

ker „durch die Anstrengung der Form ... indirekt zu erkennen" geben läßt, „daß er nie auf die *heilende Wirkung* seiner *Züchtigung* zu hoffen aufgehört hat", und erkennt, „daß die kritische und die polemische Negation nicht in derselben Weise gerechtfertigt werden kann wie die *satirische Destruktion.*" (Verkehrte Welt 317; Hervorhebung von mir.)

16 „Über naive und sentimentalische Dichtung" in: Schillers Werke, Nationalausgabe, Bd. 20. – Weimar 1962; 442.

17 Weinreich, Römische Satiren 319; vgl. unten Kap. III, Abschnitt 16.

18 Zitiert bei Lazarowicz, Verkehrte Welt 271.

19 Nat.-Ausg. 20, 443 (Hervorhebung von mir).

20 Ernst Beutler bezeichnet das Werk als „bissige Satire auf den Lauf der Welt" (zitiert bei Lazarowicz, Verkehrte Welt 271).

21 „Ich schimpfe nicht, ich verstümmle" (Karl Kraus), zitiert bei Arntzen, Nachricht 572.

3 Diesen Begriff vorzubereiten und einzukreisen, machen sich die hier vorgelegten vier Untersuchungen zur Aufgabe. Die drei Werkanalysen sollen dabei dem Definitionsentwurf am Ende eine Basis schaffen. Damit dies optimal geleistet werde, sind die beiden ersten über Neidharts Lieder und über Wittenwilers ‚Ring‘ gewissermaßen monographisch gehalten; sie beschränken sich nicht auf die Heraushebung eines schon präkonzipierten Satirischen; vielmehr werden beide Male in ausführlichen Untersuchungen Struktur, Formen und Gedankengänge beschrieben, deren Zusammenspiel dann auf eine bestimmte, in beiden Fällen ähnliche, Haltung und Schreibart führt, die vorläufig als „Satire“ bezeichnet wird. Das dritte Kapitel [22] weist nach, hauptsächlich durch einen Vergleich mit den Satiren von Horaz, Persius und Juvenal, daß Brant sein ‚Narrenschiff‘ als Satire in der römischen Tradition geplant und ausgeführt hat. Dabei zeigt sich, gewissermaßen als Rechtfertigung des monographischen Charakters der vorhergehenden Kapitel, daß Satire auf bestimmten Grundhaltungen des Autors zu seiner Wirklichkeit und zum Leser beruht, die sich nicht nur den Formen, sondern auch den Gedankengängen des Werkes aufprägen; um eine Satire zu begreifen, muß man also alle Komponenten in ihrem Zusammenwirken ins Auge fassen.

Die zeitliche Beschränkung der analysierten Werke auf Mittelalter und frühe Neuzeit scheint mir aus zwei Gründen gerechtfertigt: einmal war der Betonung der neueren Satire durch Arntzen und Lazarowicz ein Gegengewicht zu geben, das vor allem als Korrektiv der moralischen Tendenz der Satire notwendig ist, die von beiden Forschern überbetont und fast zum Bestimmungsgrund des Satirischen gemacht wird, historisch jedoch erst seit dem 17./18. Jahrhundert eine größere Rolle spielt. Zweitens bieten Sätze wie der Arntzens „in Mittelalter und Humanismus ist der Dichter kein Satiriker, der Satiriker kein Dichter, was gerade in den Fällen deutlich wird, wo beides vereinigt scheint“,[23] ein zu schiefes Bild von der Geschichte der deutschen Satire, als daß man sie unbeantwortet stehen lassen könnte.

Eine erste Ausdehnung erfährt der eingeschränkte Bereich der analysierten Beispiele durch die Einbeziehung der römischen Satiriker und ihrer Werke, soweit es der Vergleich mit dem ‚Narrenschiff‘ zuläßt. Dadurch wird es möglich, den Definitionsentwurf auch auf diese namengebenden Werke zu beziehen und so dem oben genannten zweiten Kriterium gerecht zu werden. Der Definitionsentwurf endlich versucht, unabhängig von der

---

[22] Ursprünglich Teil meiner Habilitationsschrift, von der drei weitere Kapitel als „Studien zu Sebastian Brants Narrenschiff“ (Tübingen 1966) erschienen sind. Ich bin gezwungen, häufig auf diese Veröffentlichung zu verweisen.

[23] Arntzen, Satirischer Stil 2. Vgl. Lazarowicz, Verkehrte Welt 310f.

Kant-Schillerschen Ästhetik, die Möglichkeiten eines sprachlichen Werkes zu erforschen, dessen Grundcharakter der Angriff auf eine bedrohliche Wirklichkeit ist, und die Stellung der Satire in den vielfältigen Koordinationssystemen der Werkschichten – Objektstruktur, Sprachprozeß, Bedeutung, Wirkungsform etc. – zu ermitteln und so das Verständnis der Satire schließlich mit dem der wichtigsten andern Schreibarten auf eine gemeinsame Basis zu stellen. Der Begriff der Schreibart wird dabei in einen überzeitlichen – das „Satirische" – und in einen historisch sich wandelnden Teilbegriff gespalten; dadurch gelingt es zum Beispiel, die römischen und die modernen Satiren als Ausprägungen des Satirischen zu verstehen, die durch ihre Entstehung in verschiedenen (historischen) Erfahrungsstrukturen von verschiedenen strukturbildenden Energien geformt und deshalb sowohl vergleichbar als auch verschieden sind. Mit diesem differenzierten Begriff der Schreibart lassen sich auch Fragen in der Poetik anderer Gattungen lösen; das versucht der letzte Paragraph anzudeuten, wo das Verhältnis der Schreibarten zu den verschiedenen Erfahrungsstrukturen unter historischem Gesichtspunkt betrachtet wird.

I. NEIDHARTS LIEDER

§ 1 Die exemplarische Situation

1 „Bisher ... scheint eine zureichende Deutung der Kunst Neidharts und ihrer literatur-soziologischen Funktion noch nicht gelungen zu sein. Aber so viel ist sicher, daß Neidhart mit seiner Dörperdichtung einen unbegreiflichen Modeerfolg gehabt hat." Mit diesen Sätzen schließt Richard Kienast eine Besprechung des Dichters ab.[1]

Wenn hier eine Deutung unter dem Aspekt der Satire versucht wird, so scheint gerade dieser Gesichtspunkt nicht mehr viele neue Einblicke liefern zu können. Denn die Existenz eines satirischen und parodistischen Elements in Neidharts Dichtung ist eine vielerwähnte, altbekannte Tatsache, der zudem schon Spezialuntersuchungen gewidmet worden sind.[2] Es zeigt sich jedoch bei näherem Zusehen, daß die Breite der Neidhartschen Satire nirgends ganz erfaßt und ihre Richtung kaum diskutiert worden ist. Die Richtung jedoch, also der Gesichtspunkt, unter dem Zustände kritisiert, Menschen getadelt und verspottet werden, bestimmt unmittelbar die „literatur-soziologische Funktion" einer satirischen Dichtung, nämlich die beabsichtigte Wirkung auf das Publikum, die Stellung des Dichters und des Gedichts in der Gesellschaft. Wenn es gelingt, Neidharts Dichtung als Satire zu erkennen und die Stoßrichtung dieser Satire zu erfassen, wird Kienasts Forderung wenigstens annähernd zu erfüllen sein.

Eine der Hauptschwierigkeiten beim Verständnis der Lieder Neidharts ist die Einzigartigkeit ihres szenischen Gehalts, sowohl im Vergleich mit allem Vorhergehenden, das uns bekannt ist, wie auch im Vergleich mit den meisten Produkten der Folgezeit, auch der sogenannten Neidhart-Schule. Bei Neidhart liegt mit ganz wenigen Ausnahmen immer eine spezifische Situation vor: der einzelne Ritter unter vielen Bauern, in bäuerlicher Umgebung und in intimem Umgang mit den Bauern. Diese Grundsituation

---

[1] Richard Kienast: „Die deutschsprachige Lyrik des Mittelalters." Stammlers Aufriß der deutschen Philologie II, Sp. 1–131; 95.

[2] Ferdinand Schürmann: Die Entwicklung der parodistischen Richtung bei Neidhart von Reuenthal. – Düren 1898.
Johannes Günther: Die Minneparodie bei Neidhart (Diss. Jena). – Halle 1931.

wird in einer Vielfalt von Darstellungsformen ausgedrückt – im Gespräch über den Ritter, in der Anrede des Ritters an die Bauern, in dem nachträglichen Bericht des Ritters über seine Erlebnisse.

Dieser grobe Umriß der Grundsituation genügt schon, um die immer wieder diskutierte Verwandtschaft der Lieder Neidharts mit der Pastourelle und mit der Vagantendichtung zu klären. „Die Pastourelle schildert das Abenteuer eines Herrn, des Dichters, mit einem einfachen Mädchen: Begegnung im Freien, Werbung, Gespräch, Erhörung oder Ablehnung; in Nebenrolle ein Dritter, der Liebhaber des Mädchens."[3] Hier fehlt also das massive Auftreten des Bäuerlichen und der dadurch unabwendbare Kontrast des einzelnen Ritters mit einem ausgeprägten System sozialer Bindungen, fremder Wertbegriffe und andersartiger Strebungen. In der Pastourelle sind Ritter und Mädchen außerhalb des Kontexts ihrer Gesellschaft, bei Neidhart ist der Ritter ein Fremdkörper in einem andersartigen Kontext, faszinierend für die einen, verhaßt bei den andern. „Das einzigemal, wo er die Pastourellensituation hat",[4] nämlich in dem Lied von der Flachsschwingerin (46,28), ist durch die strenge *muome* (47,18f.) der soziale Kontext der Bauernmagd stark betont, und daß die Versöhnung bei dem Haus der Muhme hinter einer Hecke geschieht (47,35f.), bedeutet eine pointierte Durchbrechung des Sozialnexus durch den frechen Ritter und impliziert damit wiederum den Wertzusammenhang, in den der Adlige sich eindrängt.[5] Die Grundsituation bei Neidhart ist also wesensverschieden von der Pastourellensituation; das schließt nicht aus, daß der Dichter aus dieser Tradition wohl manches gelernt und übernommen hat.[6] Besonders die

---

[3] Theodor Frings: „Minnesinger und Troubadours." In: Der deutsche Minnesang. Aufsätze zu seiner Erforschung, hrsg. von Hans Fromm. – Darmstadt 1963 (Wege der Forschung XV), 1–57; 7. Ähnliche Definitionen bei Alfred Jeanroy: Les origines de la poésie lyrique en France au Moyen Age. – Paris [3]1925; 2–5. Ebenso bei E. Piguet: L'évolution de la pastourelle du XIIe siècle à nos jours. – Basel 1927 (Publications de la Société suisse des traditions populaires, 19); 9: »La pastourelle est une chanson dialoguée dans laquelle un galant d'une classe élevée tente, avec ou sans succès, de séduire une bergère.« Diese Definition übernommen von Mia I. Gerhardt: La pastorale. Essai d'analyse littéraire. – Assen 1950; 31f.

[4] Samuel Singer: Neidhart-Studien. – Tübingen 1920; 9.

[5] Singers Argumentation (Neidhart-Studien 9) kommt zwar zum gleichen Ergebnis, ist mir aber unverständlich. Er scheint anzunehmen, in der französischen Pastourelle werde der Ritter nie erhört, und Neidharts Lied von der Flachsschwingerin stelle daher eine Umbiegung des Normalfalles dar. Dagegen vgl. die oben zitierte Pastourellendefinition von Frings.

[6] Richard Brill: Die Schule Neidharts. Eine Stiluntersuchung. – Berlin 1908 (Palaestra xxxvii), 6, nimmt gegen Bielschowsky den Einfluß der französi-

picardische Ausprägung der Pastourelle mit ihrem größeren Realismus[7] mag der *vlaemischen hövescheit* des Dichters[8] Anregungen gegeben haben.

Auch mit der Lyrik der Vaganten hat Neidhart eine ganze Reihe von Motiven gemeinsam;[9] den Vagantenliedern fehlt jedoch durchweg die starke Spannung, die durch die Gegenüberstellung des Ritters mit den Bauern entsteht. Während in der französischen Pastourelle diese Spannung im Sinne des sozialen Prestiges ausgenützt wird,[10] zieht der Vagant komische Wirkungen höchstens aus dem Bildungsgefälle zwischen Bauern und gelehrten Poeten.[11] Neidhart dagegen, so wird sich im folgenden ergeben, gewinnt seine Einzigartigkeit dadurch, daß er die Spannung zwischen Ritter und Bauern im Sinne von Wertsystemen, *ordenungen* sieht, die sich durch die Konfrontierung und unordentliche Vermischung gegenseitig korrumpieren. Bei ihm, so wird zu zeigen sein, tritt in der motivisch weitgehend vorbereiteten Dorfpoesie das Bäuerliche zum erstenmal als soziale Werteinheit auf und damit dem Ritterlichen vollwertig gegenüber.

Nicht nur gegenüber dem Vorhergehenden und Gleichzeitigen, sondern auch gegenüber der in seiner Nachfolge sich entwickelnden „Neidhart-Schule" wahrt der Dichter seine Eigentümlichkeit. Stilistische Züge der Vergröberung und Übertreibung ins Groteske sind schon festgestellt worden[12] und haben der Textkritik zur Sonderung des Echten vom Unechten gedient.[13] Aber auch die szenische Situation verändert sich in bedeutsamer

---

schen Pastourelle an. Was viele äußere Motive angeht, so ist diese Vermutung sicher nicht abzuweisen, vgl. die gute Diskussion des Problems bei Fritz Martini: Das Bauerntum im deutschen Schrifttum von den Anfängen bis zum 16. Jahrhundert. – Halle 1944; 65–69.

[7] Jeanroy, Les origines 41–44.

[8] 54,36 von einem Bauernburschen gesagt, vgl. aber 102,34. Martini, Das Bauerntum 68, weist mit A. Mack: Der Sprachschatz Neidharts von Reuenthal. – Diss. Tübingen 1910 auf die zahlreichen von Neidhart eingeführten französischen Fremdwörter hin.

[9] Untersucht von Johanne Osterdell: Inhaltliche und stilistische Übereinstimmungen der Lieder Neidharts von Reuental mit den Vagantenliedern der »Carmina Burana«. – Diss. Köln 1928. Sie kommt zu dem Ergebnis, daß „um 1200 bereits ein allgemeiner Bildungskomplex verschiedenartiger Elemente vorauszusetzen ist, der den Gebildeten jener Zeit, Geistlichen wie Rittern, geläufig war" (126), daß also keine direkte Beeinflussung anzunehmen ist. Dagegen vgl. Günther, Minneparodie 9f. Zu dem Problem auch Martini, Das Bauerntum 62–64.

[10] Gerhardt, La pastourelle 37; Jeanroy, Les origines 38.

[11] Belege bei Martini, Das Bauerntum 63.

[12] Vgl. besonders Brill, Die Schule Neidharts.

[13] Der Text, auf den sich die vorliegende Untersuchung stützt, ist neben Edmund Wießners Überarbeitung der Ausgabe Moriz Haupts (Neidharts Lieder, hrsg.

Weise. Bestehen bleibt zwar die Grundsituation der Konfrontierung zwischen Rittertum und Bauernwelt. Der Ritter jedoch wird sehr bald als *her Nithart* bezeichnet, wie schon in einigen Trutzstrophen, während Neidhart selbst nur vom *Riuwentaler* spricht oder ein lyrisches Ich zu Worte kommen läßt. In den Schwänken und Spielen kommt es auch öfter vor, daß Neidharts ritterliche Freunde sich an seinen Abenteuern beteiligen. Mit der allgemeinen Vergröberung werden die Drohungen und Klagen, die in Neidharts Liedern nie zur Ausführung kommen, an den Bauern zum Teil mit größter Grausamkeit wahrgemacht. Das Interesse verschiebt sich offenbar auf das Geschehen, während es bei Neidhart ganz auf der Ethopoiie ruht, also der „subjektiven" und objektiven Charakterdarstellung. Der ethisch durchlebte Kontrast zwischen Ritter und Bauern bei Neidhart verwandelt sich später meist in bloße Neckerei und üble Streiche. Im ‚Neidhart Fuchs' zum Beispiel [14] bildet der eine Bauernstreich mit dem falschen Veilchen den Ausgangspunkt einer kaum endenden Serie von Neckereien Neidharts und seiner Kumpane. Das Minnemotiv, bei Neidhart fast der einzige Anlaß der Anwesenheit unter den Bauern, tritt später immer mehr in den Hintergrund. Wahrscheinlich schlagen ältere kultische Traditionen, die der Dichter für seine Zwecke umgeformt hatte wie die Pastourellen- und Vagantentraditionen, in den Dichtungen der Neidhart-Schule wieder durch [15] und werden von der Welle des Stoff- und Schwankhungers im späten Mittelalter weitergetragen.

Neidhart hat für seine Lieder aus verschiedenen Quellen geschöpft — aus der Gelehrtendichtung, dem Volkstum, der Aristokratendichtung in französischer Pastourelle und heimischem Minnesang —, aber nichts davon erscheint in seiner Dichtung in ursprünglicher Form und Bedeutung. Die Verwandlungstendenz, die alle diese Züge zur individuellen Einheit verschmilzt, ist die Satire.

2 Was bisher in der Form thematischer Behauptungen über Neidharts Lieder ausgesagt worden ist, soll nun, zunächst an einigen einzelnen Gedichten, dann in Überblicken über die Gesamtheit, nachgewiesen werden.

Moriz Haupt, neu bearb. v. Edmund Wießner. – Leipzig 1923) die kleine Textausgabe, die Wießners Konjekturen und Strophenordnungen enthält: Die Lieder Neidharts, hrsg. von Edmund Wießner. – Tübingen 1955 (Altdeutsche Textbibliothek 44).

14 Herausgegeben von Felix Bobertag, Narrenbuch. – Berlin, Stuttgart 1884 / Darmstadt 1964 (Kürschners deutsche National-Literatur Bd. 11).

15 Singer, Neidhart-Studien 1, fordert wohl mit Recht, daß zur Erforschung der Voraussetzungen Neidharts „die unechten Neidharte in weit höherem Maße herangezogen werden müßten, als das bisher geschehen ist".

Fast jedes Lied trägt seine individuelle satirische Note in dem Zusammenspiel der Formen, Darstellungsmethoden und Inhalte; deshalb sind wenigstens einige Analysen unbedingt notwendig, wenn sie sich auch nur auf das
hier Diskutierte beschränken müssen. Da bezüglich der normalen Sommerlieder und Winterlieder fast jeder Punkt umstritten ist, bieten die Kreuzlieder eine Möglichkeit, sozusagen auf festem historischem Boden einige
Kriterien zur Beurteilung Neidhartschen Dichtens zu gewinnen.

11,8

Dieses Lied vom Kreuzzug, mit ziemlicher Sicherheit im April 1219
entstanden,[16] fällt ganz aus der höfischen Tradition der Kreuzlieder heraus, wo sich die Dichter sonst immer auf der Höhe idealen Strebens um die
Formulierung des heiligen Zweckes und Gottesdienstes bemühen, vor dem
sogar die Minnepflicht zurücksteht.[17] Neidharts Lied ist kein Zeugnis des
idealistischen Aufbruchs zum Dienst an heiliger Sache, es stammt mitten
aus der Misere des Kampfes in mörderischem Klima, unter Seuchengefahr
und mit hochnäsig-gehässigen Bundesgenossen. Es verfolgt ein präzises
politisches Ziel: Neidhart rät zur Heimfahrt in unmittelbarer Zukunft
und richtet sich damit wahrscheinlich gegen die Ankündigung des päpst-
lichen Legaten Pelagius vom Sonntag nach Ostern 1219, „der allen, die bis
zum Herbst im Heere verblieben, Ablaß für sie und ihre Angehörigen in
Aussicht stellte".[18] Dieses politische Ziel ist in der Schlußstrophe zusammengefaßt:

> *Er dünket mich ein narre,*
> *swer disen ougest hie bestât.*
> *ez waer mîn rât,*
> *lieze er sich geharre*
> *und vüer hin wider über sê:*
> *daz tuot niht wê;*
> *nindert waere baz ein man dan heime in sîner pharre.* (13,1–7)

Der Ton ist scharf, desillusionierend; nicht nur wird der ein *narre* genannt,
der sich von dem Ablaßversprechen des Kardinals verführen läßt, länger
beim Kreuzheer zu bleiben – auch die Schlußpointe, die die *pharre* als
kleinste kirchliche Einheit als den besten Ort für jedermann nennt, ist ein
Schlag gegen die Idee des großen zu erringenden Glaubensreiches. Über-

---

16 Vgl. die Anm. zu 13,7 bei Edmund Wießner: Kommentar zu Neidharts Liedern. – Leipzig 1954. Vgl. ebenso die Anm. zu 11,8 bei Haupt-Wießner, Ausgabe 192.
17 Wießner, Kommentar zu 13,7 führt nur den späteren bürgerlichen Freidank
   mit einer vergleichbar illusionslosen Aussage an.
18 Wießner, Kommentar ebd.

dies bezeichnet er die im Gang befindliche Belagerung von Damiette als *siech geharre*. Drei Invektiven gegen den Kreuzzugsgedanken, mit raffinierter Kunst vorgetragen: die kräftigsten sinntragenden Wörter dieses dreifachen Angriffs stehen im ersten, mittleren und letzten Vers der Strophe im strukturbildenden Reim.

Dies scheint eine der wenigen Stellen in Neidharts Liedern zu sein, wo man ihn mit unverstellter Stimme sprechen hört. Schon die vorhergehenden Strophen des Liedes sind anders in Ton, Charakter und Darstellungsform.

Der Frühlingseingang des Gedichts ist nicht wie in den übrigen Sommerliedern freudige Feststellung, sondern Vermutung, ausgesprochen in dem zweimaligen *wol* (11,8.16).[19] Dies wird ganz deutlich in der zweiten Strophe, wo die Vögel wohl den Freunden zuhause singen, die sich auch über Neidharts Gesang freuen würden, während *hie die Walhen* nicht darauf achten. Zwei verschiedene Welten werden gegeneinander gestellt: dort Vogelgesang, Freude und Verständnis, hier (vor Damiette) Fremdheit, Unverständnis, Arroganz. Aber er lebt eben in dieser fremden Welt und kann die Zustände in der Heimat nur vermuten. Ebenso in der ersten Strophe: seine *sendiu nôt* mahnt ihn an die zu Haus gebliebene *guote,* von der er getrennt ist[20] und deren Frühlingsumgebung er sich vorzustellen sucht. Beide Strophen sind parallel gebaut: eine glückhafte Vorstellung wird am Ende der Strophe durch einen unsanften Rückfall in die herbe Wirklichkeit des Hier und Jetzt in ihrer Wahnhaftigkeit aufgedeckt und zerstört. In der zweiten Strophe bricht die Vorstellung früher um als in der ersten: die hypothetischen Konjunktive (11,18f.) machen schon den Wahncharakter deutlich, spinnen aber die Vorstellung weiter aus – Zeichen der Wunschhaftigkeit der Vorstellung, die bewußt das Unwahre noch eine Weile hegt, bevor die Wirklichkeit wieder vernichtend einbricht und nur noch in der Ironie distanziert werden kann (11,21, vgl. Walther 9,8).

In den folgenden fünf Strophen erhebt sich die Vorstellung wieder, nun zu größerer Höhe, längerer Dauer, um am Ende um so härter in die

---

19 Edmund Wießner: Vollständiges Wörterbuch zu Neidharts Liedern. – Leipzig 1954; s.v. *wol* führt die beiden Stellen unter der Bedeutung „schön, gut" auf, hält aber die Bedeutung „gewiß, vermutlich" in den dafür erbrachten Belegen auch „hie und da" für möglich.

20 Das *manen* (erinnern an) läßt sich logisch mit *scheiden* in der Bedeutung des Abschiednehmens nicht vereinbaren. Ich verstehe die Stelle nur, wenn Scheiden in der Bedeutung von „Getrenntsein" aufgefaßt wird, d. h. wenn das Praesens in perfektiver Bedeutung zu nehmen ist. Grammatisch gesehen gibt es diese Möglichkeit als Form des emphatischen Sich-Versetzens in die Vergangenheit. Cf. Hermann Paul: Deutsche Grammatik. – 3. Aufl. Halle 1957; Bd. 4, § 371.

Wirklichkeit zurückzufallen. Zunächst bewegt sich der Wünschende nur in der Vorstellung, einen Boten senden zu wollen, wobei die Bewußtheit des Wahnes sich wieder im hypothetischen Konjunktiv ausdrückt. Von der vierten bis zur siebten Strophe werden aber der Bote, die Aufträge an ihn, sein Reisen und Ankommen durchaus als Wirklichkeit genommen: der Wunsch ist so stark, daß er die Unterscheidung von Wahn und Wirklichkeit durchbricht. Die Tatsachen der Trennung (11,35) und der Arroganz der *Walhen* (12,10f.) kommen nicht mehr wie in den beiden ersten Strophen direkt als schlimme Wirklichkeit auf den Dichter selbst zu, sondern sie erscheinen gebrochen im Auftrag des Dichters an den fiktiven Boten; sie stehen wie dort am Strophenende. Auch Str. VII (12,12–18) bewegt sich zunächst noch in der Fiktion, lenkt aber fein abgestuft wieder zur Wirklichkeit zurück: der Inhalt des Auftrags ist abgeschlossen, die Ermahnung des Boten zur Schnelligkeit führt den Blick von den anzuredenden Personen in der Heimat auf den Dichter und den Knaben zurück; Neidharts Versicherung, selbst so bald wie möglich nach zu kommen, läßt bereits den Boten aus den Augen; der Wunsch, Gott möge *uns,* also die *pilgerîne,* den Tag der Heimkehr erleben lassen, ist so formuliert, daß dahinter schon die Gefahr des Todes in Schlacht oder Seuche droht: die Botenfiktion ist aufgegeben, ja sinnlos geworden, denn was soll der Bote, wenn sein Auftraggeber nicht am Leben bleibt und heimkehren kann? Die Botschaft vom Wunsch nach Rückkehr, von treuer Liebe, guter Gesundheit und *Walhen*-plage wird absurd, wenn der Dichter nicht selbst heimkehrt. Nicht nur die Illusion wird als solche vernichtet durch das Eindringen der Wirklichkeit, sondern auch ihr Inhalt, das Absenden eines Boten als Heilmittel für die Sehnsucht, wird als sinnlos erkannt.

Ironisch[21] nimmt deshalb Str. VIII an, der Bote könnte die Ausführung des Auftrags verzögern; der Dichter schlägt dafür sich selbst vor. In der Ironie, selbst als sein eigener Bote reisen zu wollen, kommt zum Ausdruck, daß es ihm wesentlich um seine Person, weniger um den Auftrag geht, und das ist gerechtfertigt, den *daz her ist mêr dan halbez mort* (12,23). Hier ist die Gefahr, auf die 12,17f. nur implizit hingewiesen wurde, unmittelbare Drohung und Wirklichkeit geworden.

Nach dieser krassesten Wahrheit des ganzen Gedichts, im Innern der Strophe, sich selbst im Ausruf *Hey!* den Schwung gebend, tut das Wunschdenken den weitesten Sprung in den Wahn: der Dichter stellt sich vor, daheim zu sein, in seinem Zimmer, bei der *wolgetânen.* Dieser grelle Kontrast zwischen harter Wirklichkeit und schöner Vorstellung entblößt den Wunsch nicht nur als Wahn wie seither, sondern regelrecht als Flucht vor der Härte der Wirklichkeit. – Aber die Hypothese steigert sich noch weiter: sie be-

---

[21] Vgl. Wießners Kommentar zu 12,19 und 11,22.

trifft nicht mehr nur das Dortsein in der Heimat, sondern schon die Zukunft; der Dichter stellt sich vor, wie er lange mit der Liebsten zusammenbleibt und für diesen Fall noch viele Lieder wüßte. Der Schluß der Strophe IX spricht nicht mehr in hypothetischem, sondern in realem Bedingungssatz über die Zukunft seines Sängertums.

Einen Abstieg bringt der Beginn der Strophe X (12,33–39): die Vorstellung ist nur noch im Praesens formuliert, das *oder* (12,33) weist darauf hin, daß dieses Praesens nur jeweilige Möglichkeit bedeutet. Die zweite Hälfte der Strophe kehrt ganz in die Wirklichkeit zurück: der Dichter redet auf einmal sein Kreuzfahrerpublikum an und meint mit ironischem *understatement,* bevor man zuhaus herum stolziere, müsse man in Österreich sein. Und die Redensart *vor dem snite sô setzet man die phlanzen* (12,39) ist ein präziser Hinweis darauf, daß man um Erwünschtes zu erreichen etwas unternehmen müsse, daß Wunsch und Wahn allein nicht helfen. Folgerichtig schließt Neidhart deshalb seinen Rat an, das Heilige Land möglichst schnell zu verlassen und nach Haus in die eigene Pfarre zu fahren.

Zwei zentrale Prozesse führt das Gedicht durch: die Wunschträume und Vorstellungen des Ritters werden mit der harten Wirklichkeit konfrontiert; gesteigerter Vorstellung begegnet härtere Wirklichkeit. Dadurch werden die Vorstellungen als Wahn und endlich als Flucht vor der Wirklichkeit entblößt. Diesem destruktiven Prozeß schließt sich ein konstruktiver an: wenn jetzt Heimweh und Wunschdenken als Flucht in den Wahn und damit als *siech* (13,4) erkannt sind, muß man etwas tun, um diesen Zustand zu ändern, und zwar Schritt für Schritt planend, nicht im Wunschtraum nur um das Ziel schwebend. Neidharts Rat paßt genau in die Lücke, die seine destruktive Kritik aufgerissen hat. Das Gedicht ist vom Natureingang her auf die letzte Strophe hin geplant; alles dient einem Ziele, nämlich die Aufnahmebereitschaft seiner Mitkämpfer für seinen Rat zu erzeugen. Seine Technik ist dabei interessant: bis in die zehnte Strophe hinein spricht der Dichter nur von sich, seinen Wünschen und Vorstellungen. Dann, unvermittelt, im Augenblick des Übergangs in die konstruktive Phase, spricht er von *wir.* Die Zeile *ê wir heime geswanzen* (12,36) beweist nun, daß die andern, die Gemeinschaft dieses *wir,* dieselben Wünsche nach Heimkehr hegen wie der Dichter. Neidhart stellt an seiner Person, seinem Erlebnis das Erlebnis aller dar. Denn noch größer wird die angesprochene Gemeinschaft in der Schlußstrophe: sie betrifft mit dem *swer ... ein man* alle Kreuzfahrer überhaupt. Es ist nun bemerkenswert, daß der Dichter während der destruktiven Phase nur sich selbst im Blickfeld hat, daß er die Falschheit, Sinnlosigkeit, Schwäche seines eigenen Wünschens und Denkens nur bloßstellt, wo doch die andern mindestens ebenso gemeint sind. Ja, sie sind noch mehr gemeint, denn der Dichter analysiert ja das *siech*

14

geharre und weist den Weg aus dem Übel. Und hier wird noch mehr klar: wenn Neidhart, wie gezeigt, das Gedicht von Anfang an auf diesen destruktiven und konstruktiven Prozeß hin geplant hat, dann kann das sprechende Ich gar nicht mit dem dichterischen Ich identisch sein, denn das Auf und Ab zwischen Traum und Wirklichkeit und die präzis steigernde Planung dieses Auf und Ab können nicht gleichzeitig im selben Ich vorgehen. Damit ist nachgewiesen, was selbstverständlich sein sollte für einen Dichter aus der Zeit des Minnesangs: daß das sprechende Ich eine *persona* ist, das Gedicht eine Art Rollengedicht, keinesfalls Erlebnislyrik biographischen Inhalts. Die *persona* in Neidharts Kreuzlied ist dem am Ende eigentlich sprechenden und lehrenden Neidhart zunächst genau entgegengesetzt, kommt aber dann durch den ständig wiederholten Rückfall in die Wirklichkeit am Ende von Str. X der richtigen Haltung nahe, und die Zeile *ich sage iz bî den triuwen mîn* (12,37) klingt wie das Erstaunen über eine eben gewonnene Einsicht, von Neidhart ironisch formuliert. Was bei Neidhart als Ich spricht, darf nicht als identisch mit dem Dichter genommen werden, und das ist um so wichtiger, als Neidhart weiter geht als seine Minnesängerkollegen: bei ihm ist dieses Ich oft nicht repräsentativ für die richtige Haltung wie etwa bei Reimar, sondern repräsentativ für das Falsche, und Neidhart übt an dieser *persona* Kritik. Mit solcher Kritik an einer repräsentativen *persona* stellt er aber zugleich die Gesellschaft bloß, die sie repräsentiert. Hier im Kreuzlied wird das klar an der Stelle, wo das *ich* sich mit dem *wir* identifiziert und ähnliche Erlebnisse in ihm voraussetzt. Aber es scheint bedeutsam, daß das *wir* erst in der konstruktiven Phase auftritt: die Haltung des Schwankens zwischen schönem Traum und leidvoll-bedrohlicher Wirklichkeit, die in der destruktiven Phase als falsch und *siech* bloßgestellt wird, ist eine Sache des Einzelnen, ist persönliche *inordinatio*; die Gemeinschaft als Ganzes wird angerufen als der Grund des Richtigen, der Sitz und die Quelle der *ordinatio*. Das ist vielleicht eine der kühnsten Neuerungen Neidharts im Bereich der höfischen Lyrik: das lyrische Ich kann sich vom Ethos der aristokratischen Gesellschaft dissoziieren, nicht weil das Ethos nicht mehr bestünde, sondern weil nach Neidharts Ansicht die Gesellschaft sich davon dissoziiert hat, die die *persona* repräsentiert. Durch diese Dissoziation innerhalb einer seither fest verbundenen Dreiheit wird Kritik, Bloßstellung möglich und Belehrung nötig – kurz: Satire entsteht.

Der beschriebene dichterische Prozeß mit seiner destruktiven und seiner konstruktiven Phase ist das Muster eines satirischen Prozesses, wie sich später in allgemeiner Form zeigen lassen wird. Es handelt sich hier um die Distanzgewinnung von einer subjektiven Wirklichkeit, die Flucht in Wahn und Wunschtraum, in der man bis zum Siechtum befangen ist, und die Erlangung einer realistischen, objektiveren Haltung, die die Situation endlich so meistern wird, daß der Inhalt der Wünsche wahr werden kann. Wenn die Träume immer wieder durch Konfrontierung mit der harten Wirklichkeit zerstört werden, so zeigt sich die Tendenz der Bloßstellung bereits auf das Ideal des Realismus, der Objektivität gerichtet: der Prozeß ist tatsächlich nicht in zwei successiven Phasen zu sehen, sondern als ein einziger Vorgang. Die Tendenz der Kritik, des Spottes, der Bloßstellung enthält bereits das konstruktive Element, und so kann in den meisten Liedern Neidharts die explizite Lehre wegbleiben. Nur hier, wo ein präziser politischer Vorschlag zu machen ist, wird sie expliziert, aber auch nicht als Lehre, die hier „Seid doch realistisch" heißen müßte, sondern eben als Rat, heimzufahren.

Neidhart zeigt sich in diesem Lied nicht nur „von unbezähmbarem Heimweh erfüllt ..., von der Sehnsucht nach den Freunden und der Geliebten, die allenthalben emporlodert",[22] sondern insbesondere von dem Willen beseelt, über die bloße Stimmung und Sehnsucht hinweg zu kommen, die Wirklichkeit in ihrer Härte zu erkennen und den Traum von ihr zu sondern. Sehnsucht und Traum sind weniger die Neidharts, sondern der Kreuzfahrergemeinschaft, auf die der Dichter über die Darstellung der *persona* einwirken möchte. Wenn wir die Schlußstrophe recht verstanden haben, gehört zu den abzuwerfenden Träumen auch der Kreuzzugsgedanke.

Mehr könnte noch gesagt werden über das Dörperelement, die kunstvolle Form, das Zusammenspiel zwischen Strophenform[23] und Inhalt.[24] Worum es jedoch ging, ist gezeigt worden: was als biographisches Faktum mißverstanden werden kann (und wurde), wird von Neidhart in den satirischen Prozeß einbezogen. Das lyrische Ich ist nicht notwendig identisch mit Neidhart; es kann vielmehr bewußt zum Gegenbild dessen umgestaltet werden, was Neidhart für richtig hält, und so dem Spott und der entblößenden Kritik ausgesetzt sein.

22,38

3 Dieses Lied beginnt mit einem dreistrophigen Frühlingseingang: Wald, Heide und Nachtigall sind die Boten des Mais, der sie den Munteren und

---

22 Wießner, Kommentar zu 13,7.
23 Wießner, Kommentar zur Strophenform (S. 27) zitiert Günther Müller, Beitr. 48,494, der von einer ausgesprochenen Rondo-Form der Strophe spricht. Diese kehrt im Inhaltlichen wieder als ständig neuer Aufschwung in den Traum und Rückkehr in die Realität, mit harten oder weichen Übergängen.
24 Vgl. Walter Weidmann: Studien zur Entwicklung von Neidharts Liedern. – Basel 1947 (Basler Studien zur deutschen Sprache und Literatur, 5); 58f. zu Komposition, Strophenbindung, höfischen Motiven (letztere auch bei Wießner, Kommentar zu 11,22).

Hochgemuten zur Erweckung der Freude sendet; der Dichter ist der Interpret dieser Vorgänge, und er übernimmt es zugleich, den Frühling zu ehren und willkommen zu heißen. Unmittelbar seine Rede aufgreifend spricht ein Mädchen, aber während die Rede des Dichters im Praesens erscheint, wird die des Mädchens als in der Vergangenheit geschehen eingeführt (23,17). Eine Freundin fällt ein, ihr Gespräch erhitzt sich zum Streit, und der Sänger bricht es mit der Ohnmachtsformel ab: *niemen kunde ir wehselrede volrecken an den lieden* (24,2). Dann führt er aus der Vergangenheit in die Gegenwart zurück, verflucht die Neider und endet mit einem Anruf an die zuhörenden Freunde.[25]

Das Mädchengespräch ist von besonderem Reiz, denn die Hauptrednerin ist von einer preziös gespreizten Dummheit, wie sie sich nur noch bei Molière findet. Schon in ihrer ersten Rede macht sie zwei unfreiwillige Witze: wer den Tanzsprung könne, den sie sich erwählt habe, sei lange jung (23,19f.) – statt etwa: der zeige seine Jugend. Wenn sie ihn springe, *sô vreut sich mîn gedinge* (23,22). Diese Formulierung ist logisch ebenso falsch wie die obige, denn Hoffnung kann sich nicht freuen. Das Mädchen meint wohl die höfische Formel *vreut iuch des gedingen* (31,15), erinnert sich aber nicht mehr so recht. In ihrer nächsten Rede, um den Namen dessen befragt, der solche Sprünge lehren könne, antwortet sie: ob die Freundin ihn lobe oder schelte, er werde nicht genannt (23,27f.) – wie soll ihn die Freundin loben oder schelten, wenn sie ihn nicht kennt? Den Gipfel erreicht ihr dummer Stolz mit den Worten:

> *ich weiz einen ritter, der mich an sîn bette trüege,*
> *daz er mich niht enwürfe hin.* (23,36f.)

Daran also mißt sie ihren Wert und wird, spätestens an dieser Stelle, dem Gelächter des Publikums ausgeliefert. Die Komik dieser Person entsteht dadurch, daß sie trotz ihrer primitiven Maßstäbe, ihrer Dummheit und Unbildung höfisches Vokabular und höfische Denkformen zu verwenden versucht und dabei eben immer ausgleitet.

Solche Parodie ist nur dann rein komisch, wenn sie bewußt, also nicht unfreiwillig ist. Sobald eine Person eingeführt wird, die unfreiwillige Fehler in der Verwendung eines preziösen, gelehrten oder sonstwie schwie-

---

25 Die Zeitverhältnisse der verschiedenen Reden, vor allem der Übergang zwischen Natureingang und Mädchenrede, werden verständlich, wenn man den Natureingang (Str. I–III) in Anführungszeichen setzt, so daß also der Sänger eine eigene vergangenheitliche Rede in seinem gegenwärtigen Lied zitiert. Es wäre überhaupt wünschenwert, in einer zukünftigen Ausgabe auch die öfter erscheinenden Selbstzitate in Anführungszeichen zu setzen, um ihre zeitliche oder räumliche Entfernung von der gegenwärtigen Singe-Situation anzudeuten.

rigen Sprach- und Formenschatzes macht, dessen sie sich zu bedienen sucht, kommt sofort ein Element der Satire herein: bei Personen, die ein ranghöheres Vokabular verwenden, wird die Arroganz lächerlich und kritisierbar, mit der sie sich ohne Qualifikation auf das höhere Niveau drängen; bei Personen, die dem Niveau angehören, dessen Sprache sie verstümmeln, wird der Mangel an Bildung lächerlich und tadelhaft, die man erwarten sollte. Hier handelt es sich deutlich um den ersten Fall: das Bauernmädchen scheitert beim Versuch, höfisches Vokabular zu verwenden; die *inordinatio*, sich in den höheren Stand eindrängen zu wollen, rächt sich in der Sprache. Ihre Freundin ist etwas glücklicher in der Wortwahl, aber derselbe Vorwurf muß sie treffen, denn auch sie verwendet höfisches Vokabular. Außerdem fängt sie einen höchst unhöfischen Zank mit der Tänzerin an und fällt damit unter denselben Gesichtspunkt des Tadels.

Wenn Bauerndirnchen sich als Ritterfräulein aufspielen wollen, so ist ihre Darstellung zunächst nur im Hinblick auf sie selbst satirisch zu nennen: nur wenn sie selbst zuhören, werden Kritik und Satire wirksam. Für Unbeteiligte, also vor allem das imitierte Rittertum, ist der Anblick ihres Ausgleitens auf dem höfischen Parkett zunächst nur komisch. So ist Neidharts Dichtung bisher weitgehend verstanden worden: Bauernsatire als höfische Unterhaltung.[26]

Es gibt aber zwei Fälle, in denen auch das Rittertum zum Objekt der „Bauernsatire" wird: wenn in den Liedern Hinweise eingeflochten sind, daß die *inordinatio* der Bauern metaphorisch für die der Ritter steht, oder wenn die Ritter für die *inordinatio* der Bauern verantwortlich zu machen sind. Beide Fälle kommen bei Neidhart vor, und es gibt kein satirisches Lied Neidharts, das nicht in eine der beiden Kategorien fällt oder das Rittertum direkt angreift wie etwa das besprochene Kreuzlied 11,8.

Im vorliegenden Lied wird der Ritter unmittelbar mit der Perversion im Vokabular der Bauernmädchen verbunden: unter seinem Einfluß reden sie so, ihm wollen sie damit gefallen. Dies wird an dem Übergang zwischen Natureingang und Gespielengespräch raffiniert deutlich gemacht: die erste Sprecherin geht mit ihrem ersten Satz *„die wil ich gerne hoeren* (23,17) auf eine Formulierung aus dem Natureingang ein: *Swer nu sîne brieve hoeren welle* (23,11).[27] Sie fällt also in Wort, Haltung und Ausdruck in die höfisch gezierte Ausdrucksweise des Ritters ein, der hier offenbar den Natureingang singt. Dies wäre nicht verwunderlich, wenn das Gespielengespräch nicht so stark den Charakter der heimlichen Unterredung von Vertrauten trüge. So aber widerspricht es dem öffentlichen Charakter des Natureingangs, den der Dichter durch *wir* (23,6) und *uns allen* (23,7) stark

---

26 Einen Überblick über die Forschungslage gibt Anm. 179.
27 Vgl. außerdem 23,12 *sîn lop* mit 23,18 *im ze lobe*.

betont. Vom Szenischen her passen also Natureingang und Gespielenge-spräch nicht zusammen; infolgedessen klingt der Übergang vom einen zum anderen künstlich und erzwungen. Das fällt einesteils zu Lasten der Bauern-maid, die sich mit ihrem pseudohöfischen Geplapper in die Worte des Sän-gers eindrängt. Andernteils fällt es zu Lasten des Sängers, denn es wird durch den unmittelbaren Anschluß klar, daß er es ist, der dem Dirnchen die höfischen Flausen in den Kopf gesetzt hat; er wird also für ihre *inordi-natio* verantwortlich; die Satire richtet sich gegen ihn, der sich mit Bauern-mädchen abgibt, deren Unwert eben daran sichtbar wird, daß sie anders scheinen wollen als sie sind. Die *inordinatio* ist demnach zuerst bei dem Ritter da und greift von ihm auf die Mädchen über, die ihm gefallen wol-len. Von diesem Gesichtspunkt aus ist es wahrscheinlich nicht falsch, den künstlichen, erzwungenen Übergang von Szene zu Szene auch als formalen Ausdruck seiner geistigen Verwirrung zu verstehen: wir haben beim Kreuzlied 11,8 gesehen, mit wie subtilen formalen Mitteln Neidhart arbei-tet und wie er sie zum Ausdruck seiner satirischen Tendenzen zu machen versteht.

Während der Zusammenhang von Natureingang und Gespielengespräch die festgestellten satirischen Bezüge in der Schwebe läßt, da der Sänger sich als Urheber des Natureingangs nicht nennt, wird gegen Ende des Liedes die Satire auf den Ritter immer stärker und deutlicher. Zunächst macht die dummstolze Prahlerei des Mädchens, von ihrem Ritter (in dem man natür-lich den Sänger vermutet) nicht ins Bett geworfen, sondern getragen zu werden, nicht nur das Mädchen lächerlich, sondern auch den Ritter, der an so etwas Gefallen finden kann.

Nach der Bemerkung, das Gezänk der Mädchen nicht ausführlich er-zählen zu können, bringt der Sänger sich explizit in Zusammenhang mit den Mädchen: *eine ich mir ze trûte nam, die ich immer triute* (24,4f.). Der Liebhaber ist nicht ein anonymer Ritter, sondern der Sänger selbst. Auf ihn ist also die *inordinatio* der Mädchen zurückzuführen, er hat der einen den Sprung beigebracht und allen zusammen sein höfisches Vokabular, mit dem sie nichts anzufangen wissen. Nun ist bezeichnend, daß er gar nicht spezifiziert, welche der beiden Damen er *ze trûte nam*. Da beide nicht mit Namen genannt sind, würde der Sänger das höfische Gebot nicht verletzen, nach dem man den Namen der Dame nicht preisgeben darf. Wenn er aber nicht einmal durch die Erwähnung eines Charakteristikums zu erkennen gibt, welches der beiden Mädchen er erwählt hat, bringt er sich in den Verdacht, daß es ihm gleichgültig ist. Man kann allerdings vermuten, daß er ausgerechnet die dummstolze Prahlerin liebt, denn sie kann einen von des Reuentalers Sprungtänzen.[28]

---

[28] Vgl. Wießners Kommentar zu 23,19.

Um so lächerlicher wird deshalb seine Versicherung *daz nîdent ander liute* (24,6). Der Neid der Bauernburschen auf die Erfolge des ritterlichen Sängers bei den Bauernmädchen ist Thema der Winterlieder; die einzige Erwähnung der Sommerlieder in dieser Hinsicht ist die von Engelmars Spiegelraub (26,19–22). Es ist deshalb unwahrscheinlich, daß Neidhart mit den Neidern seines Liebesverhältnisses Bauernburschen meint: sicher sind es die Ritter, die er im Auge hat, die demnach einen ebenso schlechten Geschmack haben wie der Sänger und ebenso der Satire wegen ihrer *inordinatio* zu unterwerfen sind. Daß Ritter gemeint sind, macht auch der höfische Ausdruck *herzenliep* (24,9) wahrscheinlich.

Angesichts des Unwertes der Erwählten ist des Sängers Fluch über die Neider lächerlich (24,7–10). Im Blick auf die Tatsache jedoch, daß die Liebe des Sängers eine unordentliche, falsche Liebe ist und daß man alle seine Aussagen sozusagen gegen den Strich lesen muß, erhält der Fluch eine eigenartig positive Bedeutung: wer den Sänger um eine so dumme verdorbene Person auch noch beneidet, der verdient wirklich keine *herzenliebe*, jene Form der Minne, die für Walther und auch für Neidhart die wertvollste darstellt. Genau so doppeldeutig wie der Fluch ist die Schlußanrede: *vriunt, nu sprechen âmen, daz wir sîn alle râmen* (24,11f.). Sie gehört einerseits zu der Rede des Sängers, der sich im Grunde selbst verflucht und seine Freunde gegen sich hetzt; andererseits ist sie ein Aufruf des Satirikers an seine verständnisvollen Freunde, die *inordinatio* zu bekämpfen und mit ihm einer Meinung zu sein. Die Freunde des Sängers im Lied sollen an seinem unidealen Verhalten teilnehmen, die Freunde des Satirikers sollen mit ihm das unideale Verhalten anderer anprangern. Diese Doppelbödigkeit in der Verfluchung und Werbung ist eine der raffiniertesten Methoden des Satirikers; sie setzt ein ungemein feinsinniges und geschultes Publikum voraus.

Wie im Kreuzlied 11,8 zeigt sich die Dissoziation des im Liede sprechenden Ich von Neidhart. Das Ich wird mit seiner unordentlichen unstandesgemäßen Liebe zu wertlosen Dirnen lächerlich gemacht und der Satire unterworfen. Die Methode ist die der Ethopoiie, in der das Ich sich durch seine eigene Rede, sein Verhältnis zu den pseudohöfischen Bauerndirnen, seinen Haß gegen die Neider kompromittiert. Die Existenz von Neidern und die Werbung gleichdenkender Freunde beweisen, daß die *inordinatio* des sprechenden Ich eine häufige Erscheinung in der ritterlichen Gesellschaft ist, daß also wie im Kreuzlied 11,8 das Ich des Liedes repräsentativ für eine große Gruppe steht.

Neidhart selbst dagegen ist vom sprechenden Ich zu trennen. Es ist nur seine *persona*, die Maske des Falschen, Unordentlichen, durch die er mit verstellter Stimme redet, um sie mit Sicherheit sich selbst vernichten zu lassen. Seine Hand wird nur sichtbar in der ungemein kunstvollen Anlage des

Liedes, in der alles dem Zwecke der Satire dient. Das tragende Medium der Satire ist hier die Ethopoiie, in der zunächst das Mädchen die eigene *ungevüege* (23,29.35) herausarbeitet, dann der Sänger das Falsche seiner Haltung zeigen darf. Aber auch formale Kriterien werden im satirischen Prozeß anwendbar: der erzwungene Übergang von Natureingang zu Gespielengespräch indiziert u. a. die gequälte Künstlichkeit des redenden Mädchens; die Reienstrophe mit ihrer sicher verhältnismäßig primitiven Melodie tritt in Kontrast zu der raffinierten Kunst Neidharts in der Führung seiner Satire.

7,11 [29]

4 Das Lied enthält ein Gespräch zwischen Mutter und Tochter, dessen Handlungsergebnis am Ende episch angedeutet wird. Es ist eines der wenigen Lieder, die ganz im bäuerlichen Bereich zu spielen scheinen; unser Interesse wird sich deshalb darauf zu richten haben, wie die satirische Beziehung zum Rittertum hergestellt wird und was es etwa damit auf sich hat, daß statt des Reuentalers, Sängers oder Knappen in diesem Sommerliede der Bauernbursch Merze den Reigen anführt und das Objekt des weiblichen Liebesstrebens ist (7,17f.).

Zwischen diesem Bauernburschen und der Bezeichnung *vrouwe* für das Bauernmädchen, das den Natureingang der ersten Strophe spricht, entsteht sofort die Diskrepanz zwischen höfischem Vokabular und grobschlächtigem Charakter, besonders bei der *vrouwe*. Wenn hier das Mädchen zu dem Bauern Merze strebt, so wird die höfische Wesensart, die ja die Bezeichnung *vrouwe* impliziert, geradezu parodiert, denn die hochhöfische Dame strebt nicht zum Ritter. Das bestätigt sich in der vierten Strophe, wo die junge Dame die Warnung der Mutter vor den aus der Wiege schreienden Folgen ihres Tanzens mit dem entwaffnenden Argument abtut: *wîp diu truogen ie diu kint ... diu wiege var verwâzen* (7,38–8,3). Eine höfische Dame würde niemals die schändlichen Folgen eines Verhältnisses erwähnen, die hier sprechende *vrouwe* ist wie selbstverständlich darauf gefaßt, hat also eindeutig Absichten, die über das Tanzen um die Linde hinausgehen; zugleich aber wünscht sie die Wiege zum Teufel: für sie soll es keine Zukunft geben, nur die momentane Lust des Augenblicks, die sie leichtsinnig und rücksichtslos zu genießen beabsichtigt.

Bezeichnend ist vor allem die Verwendung des zweiten betont höfischen Wortes: *vröude*. Die Tochter meint, sie wolle wegen eventueller Folgen

---

[29] Vgl. die schöne Interpretation dieses Liedes von Karl Otto Conrady: „Neidhart von Reuental: Ez meiet." In: Die deutsche Lyrik. Form und Geschichte. Hrsg. von Benno von Wiese. – Düsseldorf 1962, 90–98. Uns geht es hier nur um eine Herausarbeitung des satirischen Charakters, nicht aber um eine Gesamterfassung des Liedes wie bei Conrady.

ihrer *fröude niht enlâzen* (7,39) – der höchste Ausdruck höfischen Lebens-
gefühls ist travestiert in die momentane sexuelle Lust eines leichtfertigen
Bauernmädchens. Die Mutter jedoch gebraucht den Begriff zuerst (7,31);
um die Unerfreulichkeit der Folgen für die Tochter recht einleuchtend zu
machen, kündigt sie ihr das Ende ihrer *vröude* an. Man könnte vermuten,
die Mutter setze *dîn fröude* sozusagen in Anführungszeichen, spreche verächtlich von der Lust der Tochter mit deren falschem Begriff. Aber einmal
benützt die Mutter den Ausdruck als erste, zum andern sind alle ihre Argumente ganz äußerlich: sie warnt nur vor den äußeren Folgen eines un-
vorsichtigen Liebeshandels; ihre Moral ist also nicht besser als die ihrer
Tochter: sie trifft nur Vorkehrungen, damit die Lust wiederholbar sei.
Kriegt die Tochter ein Kind, so ist sie in ihren Augen nicht etwa geschändet, sondern ihr Lustverlangen ist betrogen (7,28–30). Und es ist nur konsequente Weiterführung der Charakterschilderung, wenn Mutter und Tochter einander endlich schlagen.

Im Kontrast zu dieser rohen Wesensart steht die Sprachgewandtheit
beider Damen. Die Tochter begründet ihr Streben zu Merze auf einen hüb-
schen kleinen Bericht über das Frühlingsgeschehen. Die Antwort der Mutter läuft genau parallel: sie faßt ihre Warnung zunächst metaphorisch in
das Naturbild: *wende dînen muot von dem touwe ... warne dich engegen
dem scherpfen winder!* (7,19f.23). Dann erst kommt sie auf den Burschen
und seine gefährlichen Absichten zu sprechen. Bezieht man ihr Naturbild
auf den jungen Bauern, so vereinigt er die lebenbringende Kraft des Taus
mit der tötenden Schärfe des Winters – er kann „Freude" geben, sein Betrug nimmt sie aber auch weg. Conradys Ansicht, auf Meyers Vorgang
gestützt,[30] „die Verwandtschaft mit dem Monatsnamen [dürfe] wohl nicht
so einfach geleugnet werden, wie Wießner es in seinem Kommentar tut",[31]
bestätigt sich hier offenbar. Der März hat eben auch die winterlichen und
vorfrühlinghaften Züge, die die Mutter dem Bauernburschen Merze hier
zuschreibt. Unter diesem Gesichtspunkt erhält aber auch das Bild der
Bauernmagd eine neue Dimension: sie identifiziert sich mit der Erde, die
das steigende Jahr blühend empfängt und die Folgen zu tragen bereit ist.
Unter diesem Gesichtspunkt ist die Unmoral der Tochter gerechtfertigt, ja
notwendig. Durchblicke auf alte Fruchtbarkeitskulte tun sich auf.[32]

Aber zu solchen chthonischen Gestalten, die ihr Recht in sich selbst tragen, passen die höfischen Ausdrücke und Formen nicht. So wenig die ge-

---

[30] Richard M. Meyer: Die Reihenfolge der Lieder Neidharts von Reuental. –
Diss. Berlin 1883; 48.
[31] Conrady, Ez meiet 92; Wießner, Kommentar zu 7,17.
[32] Vgl. Conrady, Ez meiet 92. Eine ähnliche Identifikation der Frau mit der
Welt wird sich bei der Besprechung von Wittenwilers ‚Ring‘ zeigen (II,25).

22

naue und kunstvolle metaphorisch-allegorische Abwandlung des Natur-
bilds in eine Charakteristik des Bauernburschen zu der charakterlichen
Roheit der Mutter paßt, so falsch klingt das Wort *vröude* in ihrem Munde.
So grell der Begriff *vröude* gegen die Lustbarkeit der Tochter absticht, so
wenig ist sie eine *vrouwe*.

Doch dafür ist der Sänger verantwortlich; er nennt sie so. Auch in die
erzählende Schlußstrophe greift er tendenziös ein. Seine Einleitung lautet:
Nu hoeret, wie ez ir ergie! (8,4). Die Zuhörerschaft wird um das Schicksal
der lebenslustigen Tochter besorgt gemacht, auf die der Vers sich bestimmt
bezieht, und sieht den Rechen ihr schon großen Schaden zufügen. Dabei
reißt die Tochter der Mutter den Rechen *ûz der hant,* und die Alte scheint
die einzige zu sein, die *stoeze* empfängt. Wie durch die Bezeichnung *vrouwe*
will der Sänger durch seine Einführung für die Tochter werben, die es gar
nicht verdient, eine Stimmung erzeugen, die ganz unberechtigt ist. Hinzu
kommt, daß er für das Lied eine relativ komplizierte, wenn auch nicht
stollig gebaute Strophe verwendet, daß er die Strophen I–II und III–IV
durch genaue Parallelismen verbindet (7,12 = 7,20; *fröude* 7,31 an gleicher Strophenstelle wie 7,39)[33] und daß die in den Parallelen stehenden
Begriffe *tou* und *fröude* sich wie Metapher und eigentlicher Ausdruck zueinander verhalten und die ganze Problematik des Liedes einschließen: ob
nämlich der höfische Begriff der *vröude* auf eine Naturerscheinung wie die
momentane Lust und Erregtheit im Frühjahr verwandt werden dürfe.

Die Antwort ist: nein. Denn zwischen dem höfischen Aufwand des Sängers, seinen Versuchen der Stimmungsmache für die Dame und dem wirklichen Charakter des Bauernmädchens besteht ein solcher Kontrast, daß die
Versuche des Sängers als Verschwendung guter Formen am falschen Objekt
erscheinen müssen. So falsch wie sein Ausdruck *vrouwe* für das Mädchen
ist auch ihr Ausdruck *vröude* für die momentane Lust. Kritisierbar sind
also beide, der Sänger und das Bauernmädchen, für die Korruption ihrer
Begriffe, für die Verfehlung gegen das reine Sein der im Begriff gefaßten
(realen) Idee, das mit einer rohen Wirklichkeit gekoppelt und so pervertiert wird.

Der Sänger bildet die Brücke zwischen Bauernhandlung und höfischer
Gesellschaft. Er tritt nicht als Ich auf, sondern macht sich nur durch seine
Erzählerhaltung, die Anrede an das Publikum und die feine höfische Kunst
als ritterlicher Dichter bemerkbar. Durch das Fehlen des dichterischen Ich
wird der Vorwurf der Begriffskorruption von der Person des Dichters ab
und generell auf die höfische Gesellschaft hingeleitet, der er entstammt und
für die er offenbar singt. Sein Eingreifen in das Lied bildet nur den Hinweis, daß die Bauernhandlung nicht nur also solche, sondern zugleich als

---

[33] Vgl. Weidmann, Studien 50.

Metapher für die höfische Gesellschaft verstanden werden soll, wie ja die Mutter im Liede ihrerseits einen metaphorischen Bezug zwischen Naturgeschehen und Liebhaber herstellt.

Die Satire, die den Gebrauch höfischer Begriffe zur Bezeichnung ungeschlachter Menschen und roher Gefühlsregungen in seiner ganzen Falschheit entblößt und brandmarkt, trifft also wieder beide Seiten, die bäurische und die höfische, und es kommt nur auf das Publikum an, welcher Gesichtspunkt unmittelbar satirisch wirksam wird und welcher aus metaphorischer Distanz wirkt. Da höfisches Publikum bei Neidharts Liedern anzunehmen ist, wird hier die Bauernhandlung zur Metapher für die Verwirrung der Begriffe, die Dekadenz der Maßstäbe und Sitten am Hofe, bleibt aber zugleich in seiner direkten Richtung gegen die Bauern und ihr ebenso falsches Streben nach der Verwendung höfischer Begriffe für ihre andersartige Wirklichkeit bestehen.

25,14

5 Die Zeitverhältnisse in diesem Lied sind etwas verwirrend und bedürfen wohl zunächst der Klärung. Der Sänger beginnt mit einem Bericht über die Fortschritte des Frühlings in der Natur, also einer allgemeinen Gegenwart der Jahreszeit; diese ist jedoch durch einen futurischen Hinweis auf die *kunft* des Mais (25,20f.) und durch einen vergangenheitlichen Hinweis auf den in diesem Jahre besonders langen Winter (25,22f.) unterbrochen. Für beide aus der Gegenwart führenden Gedanken zitiert der Sänger fremde Autoritäten: die Nachtigallen für die Freude auf den Mai, ein anonymes[34] *si sprechent* für die Ansicht, der Winter sei lang gewesen. In dieser Frühlings-Gegenwart, die schon Heiderosen zeitigt, geschehen nun zwei verschiedene Dinge, das eine in der persönlichen Gegenwart des Sängers, das andere in der persönlichen Vergangenheit des Sängers.

Zunächst das Geschehen in der Vergangenheit: von den Heiderosen sandte der Sänger einen Kranz an Friderun (25,28f.). Als aber alles sich zum Tanze zu versammeln begann, hätte der Sänger vorsingen sollen; er aber merkte den Moment nicht, in dem die Freude über den neuen Frühling in die Herzen kommt (26,7–14). Friderun tanzte mit den andern; Engelmar beobachtete sie heimlich von anderer Stelle aus (26,2–6).[35] Danach(?) riß Engelmar zum Ärger des Sängers Friderun ihren Spiegel von der Seite (26,19–22). Die vier Ereignisse erscheinen jedoch nicht in derselben Folge wie hier: auf die Übersendung des Kranzes folgt der Tanz Frideruns, der von Engelmar beobachtet wird, dann die Versäumnis des Vorsingens, dann der Spiegelraub. Ob die vier Ereignisse im angegebenen Sinne

---

34 Ich nehme an, daß 25,22 nicht mehr die Nachtigallen zitiert werden, sondern daß die Formulierung *si sprechent* mit „man sagt" zu übersetzen wäre.

35 Vgl. Wießner, Kommentar zu 26,6.

zusammenhängen, ist nicht auszumachen. Fest ist nur, neben dem gemeinsamen Praeteritum, daß der Sänger sich um Friderun bemühte – das zeigt der Kranz – und daß auch Engelmar sich für sie interessierte – er beobachtete sie heimlich und entriß ihr den Spiegel, um eine Verbindung zwischen ihm und ihr zu schaffen. Der Sänger ärgert sich demnach über einen Nebenbuhler. Es ist ungewiß, ob Frideruns Tanz und des Sängers Versäumnis des Vorsingens zeitlich zusammengehören. Beide stehen im Praeteritum und sind damit dem gegenwärtigen Geschehen entgegengesetzt. Beide handeln vom Tanz, und es scheint sinnvoll, daß er als Vorsänger tätig sein möchte, wo seine Angebetete tanzt. Wenn er aber nicht zum Vorsingen erschien, woher weiß er dann, daß Friderun *als ein tocke* (26,2) sprang und Engelmar sie beobachtete? Woher kann er überhaupt von Engelmars Beobachtung wissen, wenn sie *vil tougen* geschah (26,6)? Diese Unstimmigkeiten sind nicht auflösbar, und es wird sich als wahrscheinlich erweisen, daß sie bewußt gesetzt sind. Der Sänger diskreditiert sich, indem er zuerst über einen Tanz genaue Einzelheiten erzählt, von dem er gleich darauf gestehen muß, er sei nicht dabei gewesen. Selbst wenn man annimmt, daß die zwei Ereignisse – Frideruns Tanz und des Sängers Versäumnis – zeitlich nicht zusammengehören, wird der Sänger diskreditiert: dann bricht die vermutbare Konsequenz der Ereignisse in der Vergangenheit ganz auseinander, und das Lied spiegelt in der Verwirrung des Ausgesagten nur die Verwirrung des Sängers, der nicht weiß, wie er *gebâren* soll (26,18). Gehören die zwei Ereignisse zusammen (was ich annehme), so zeigt sich die Verwirrung auch, nur auf anderer Ebene: der Sänger kann wie in vielen Winterliedern nicht mehr die subjektive Vorstellung, den Wahn von der Wirklichkeit trennen und widerspricht sich selbst.

Nimmt man an, daß die zwei Ereignisse zusammengehören, dann ergibt sich ein Begründungsverhältnis: da der Sänger die Stunde versäumte, konnte Engelmar die Tänzerin unbemerkt beobachten und den günstigen Augenblick für den Spiegelraub ungehindert nützen. Doch auch hier ist nicht klar, ob der Spiegelraub wirklich bei dem Tanze Frideruns vorkommt oder irgendwann in der Vergangenheit. Terminus post quem ist jedenfalls die Übersendung des Kranzes, denn der Sänger kann sich offenbar nach dem Spiegelraub nicht mehr um Friderun bemühen, da der Dörper für ihn mit dem Pfand ihre Liebe an sich gerissen hat.[36] Aus demselben Grunde kann man auch den Tanz, bei dem der Sänger anwesend sein wollte, als terminus post quem für den Raub nehmen. So käme man vermutungsweise zu dem angedeuteten Lauf der Ereignisse: Tanz mit Beobachtung Engelmars in Abwesenheit des Sängers, deshalb Spiegelraub. Auch hier ist also

---

[36] So etwa die Erklärung bei Hans Naumann: „Frideruns Spiegel." – ZfdA 69 (1932), 297–99.

der Zusammenhang der Begebenheiten unklar und kann nur vermutet werden – das fällt wieder zu Lasten des verwirrten Sängers, dessen emotionales Engagement, in Verbindung mit dem Spiegelraub genannt (26,19f.), einen Teil des Durcheinanders begründen mag.

Die vergangenheitliche Erzählung ist aber nicht nur in sich selbst gebrochen, sondern überdies zwischen gegenwärtige Rede des Sängers hineingestückt, und auch diese zerfällt in drei Ebenen, zwischen denen er hin und her springt.

Der Natureingang nämlich läuft über fast zwei Strophen ohne Nennung eines Ich oder Anrede an ein Gegenüber einfach als Bericht über den Frühling (die Nachtigallen und anonyme Sprecher werden zitiert). Erst am Ende der zweiten Strophe nennt sich der Sänger im Zusammenhang mit dem Kranz und identifiziert sich damit auch als denjenigen, der den Bericht über den Frühling spricht. Sein Publikum ist aber immer noch unbestimmt: sind es ritterliche Zuhörer, sind es Dorfmädchen? Statt nun in dem angefangenen Praeteritum fortzufahren und etwa mehr über den Kranz zu erzählen, fällt der Sänger in seinen Naturbericht zurück, doch nur für zwei Zeilen (25,30f.). Dann folgt plötzlich die Anrede an ein Publikum, das der Bauernmägde, für eineinhalb Strophen, bis auch sie durch die vergangenheitliche Erzählung unterbrochen wird. Erst der Anfang der Schlußstrophe kehrt noch einmal in die Gegenwart zurück; nun wird aber von den Bauernmädchen in der dritten Person gesprochen: der Sänger wendet sich offenbar an eine höfische Zuhörerschaft, die er auch um Rat in der gegenwärtigen Schwierigkeit bittet (26,15–18). Vier verschiedene Zeitebenen des Sängers erscheinen demnach: a) die unbezogene und deshalb zeitlose des Natureingangs, b) die nächste Gegenwart der Anrede an die höfischen Zuhörer, c) die wahrscheinlich zitierte Gegenwart der Anrede an die Mägde und d) die vermutlich sich entwickelnde Vergangenheit der Friderunerzählung. Diese Zeit- und Bezugsebenen sind in dem Lied mit großer Kunst in harmonischen Verhältnissen verwirrend durcheinander geworfen. Ich stelle die Abfolge der Zeitebenen a–d mit ihren Verszahlen zusammen:

$$14 : 2 : 2 : 9 : 13 : 4 : 4$$
$$a : d : a : c : d : b : d$$

Man sieht ohne weiteres das rhythmische Gesetz von längeren und kürzeren Teilen, das hier waltet. Das Durcheinander der Zeit- und Bezugsebenen ist also wahrscheinlich nicht künstlerisches Unvermögen des Dichters Neidhart, der sein Vorhaben formal nicht meistert,[37] sondern raffiniert

---

[37] So vermutet Albert Bielschowsky: Geschichte der deutschen Dorfpoesie im 13. Jahrhundert. I. Leben und Dichten Neidharts von Reuenthal. – Berlin 1891 (Sonderabdruck aus Acta Germanica II,2); 160.

unaufdringliche Darstellung der Verwirrung des Sängers, der am Ende seines Liedes seine Hilflosigkeit eingesteht, die, aus inneren Gründen stammend, sich in der äußeren Form seines Liedes niederschlägt.

Untersucht man nun die Ursache der Verwirrung und Ratlosigkeit des Sängers, so klären sich verschiedene der aufgeworfenen Probleme. Dem Eingeständnis seiner Hilflosigkeit *wie sol ich gebâren?* (26,18) geht die Darstellung seines Pflichtenwiderstreits unmittelbar voraus:

> *Nu heizent sî mich singen;*
> *ich muoz ein hûs besorgen,*
> *daz mich sanges wendet manegen morgen.*   (26,15–17)

Der höfischen Pflicht des Singens um der Freude willen steht die wirtschaftliche Sorge um das *hûs* gegenüber, Dienst an der Allgemeinheit und der Idee des Ritterlichen dem privaten egoistischen Zweck. Dabei macht der Sänger deutlich, daß die höfische Pflicht bei ihm vor der ökonomischen zurücksteht. Der Vergleich mit Hartmanns Krautjunker im ‚Iwein‘ drängt sich auf,[38] dessen *rîterschaft* sich in wirtschaftliche Sorgen auflöst (2806), dessen *vreuden* in Gedanken an Kornkauf und Baureparaturen ertränkt werden (2814.29–33). Nun ist jedoch keineswegs anzunehmen, Hartmann verpöne die Sorge um das *hûs* gänzlich:

> *daz hûs muoz kosten harte vil:*
> *swer ez ze rehte haben wil,*
> *Der muoz diu dicker heime sîn:*
> *so tuo ouch under wîlen schîn*
> *ob er noch rîters muot habe,*
> *unde entuo sich des niht abe*
> *ern sî der rîterschaft bî*
> *diu im ze suochenne sî.*   (*Iwein*, 2851–58)

Pflege des eigenen Gutes ist also richtig und notwendig. Tadelhaft wird sie nur, wenn sie den ritterlichen *muot*, die höfische Lebenshaltung und Idealität schwächt oder stört. Genau das scheint nun bei dem Sänger in Neidharts Lied der Fall zu sein. Weniger die Tatsache, daß er sein Eigenes pflegt, macht ihn unritterlich, sondern daß er überhaupt daran denkt, der Privatsorge den Vorrang zu geben (wie er es *manegen morgen* schon tut), wenn man ihn um die Erfüllung einer höfischen Pflicht bittet. Hier ist also eine Wandlung in der Haltung im Werden und weitgehend schon vollzogen, wie sie Hartmann am Krautjunker tadelt. Die Frage *wie sol ich gebâren?* ist präziser Ausdruck des Zustandes, in dem der Sänger noch nicht

---

[38] Hartmann von Aue: Iwein (Studienausgabe nach Benecke-Lachmann-Wolff 1959). – Berlin 1965; v. 2807–44.

ganz verbauert ist und deshalb noch eine solche Frage stellt, in dem er aber Wert und Rang der höfischen Lebenshaltung schon so sehr vergessen hat, daß ihn die Frage überhaupt beschäftigt.

Diese Korruption der höfischen Haltung im Sänger scheint nun verantwortlich für das Mißgeschick mit Engelmar und Friderun. Der Sänger hätte den Reien singen sollen,

> *wan daz ich der stunde*
> *niht bescheiden kunde*
> *gegen der zît,*
> *so diu summerwünne*
> *manegem herzen vreude gît.*   (26,10–14)

Faßt man *stunde* mit manchen Erklärern[39] als vorherbestimmten, verabredeten Zeitpunkt, so kann man die Stelle so verstehen, daß der Sänger wegen seiner Haushaltarbeit nicht kommen konnte, obwohl er den Termin wußte, an dem er für die angebetete Friderun singen konnte. Das ist möglich, da ihn seine Sorgen *manegen morgen* vom Gesang abhalten, aber es ist nicht wahrscheinlich, da er sich für seine Friderun wohl einmal davon befreit hätte. Eher scheint mir, daß es sich bei der *stunde* um einen vorher nicht verabredeten Zeitpunkt handelt, an dem alle, deren Herzen die Sommerwonne Freude gibt (26,12–14), spontan sich zum Tanze sammeln, um den Frühling gebührend zu empfangen. Die *stunde* scheint mir also durch 26,12–14 näher bestimmt zu sein; nimmt man *stunde* als „verabredeten Zeitpunkt", so haben diese Verse nur den Wert der Floskel. Diesen einzigartigen Augenblick, den man als καιρός im Gefühl haben muß, konnte der Sänger nicht *bescheiden,* unterscheidend erkennen, d. h. er hatte einfach das Gefühl nicht dafür, das diesen Moment sonst spontan verkündet und bewußt macht. Sonst ist es gerade der Sänger, der diesen Augenblick in besonderer Feinfühligkeit erkennt: die Frühlingseingänge sind oft nichts anderes als Verkündigungen dieses einzigartigen Augenblickes, in dem es gilt, den Sommer oder den Mai zu begrüßen und feierlich einzuholen.[40] Der Frühlingseingang des vorliegenden Liedes ist später anzusetzen schon wegen der Rosen, von denen der Sänger bereits Kränze verschicken konnte; es fehlt auch der Aufruf, den Sommer zu empfangen. Besonders tragisch ist, daß der neue Reie, den der Sänger eigens für den großen Zeitpunkt komponiert hatte (26,9), nun zu spät kommt: Friderun hat schon mit den andern getanzt, als er nicht dabei war, und nun muß er sein Werk bei einem sekundären Ereignis uraufführen (25,32).

Wenn sich gezeigt hat, daß der Sänger wegen seiner wirtschaftlichen

---

[39] Vgl. Wießners Zusammenstellung im Wb. s.v. *bescheiden.*
[40] Vgl. Belege bei Wießner, Wb. s.v. *enpfâhen.*

Privatinteressen die Idealität seiner höfischen Haltung verloren hat, so scheint der Verlust seines feinen Gefühls für den Moment der Freude nur ein Ausdruck derselben inneren Korruption zu sein. Daß der Sänger in seinem Liede haltlos von Zeitebene zu Zeitebene taumelt, daß er die Anrede an die Mädchen durch eine Reminiszenz an ein anderes Mädchen unterbricht, daß er unfähig ist, die Episoden einer Geschichte in sinnvollem Zusammenhang zu erzählen, das alles zeigt sich jetzt als der formale Ausdruck seiner inneren Wirrnis und Verderbnis. Sobald der Sänger sich besinnt, ob er nicht statt zu singen sein Haus besorgen müsse, kann er schon nicht mehr singen, sein Lied zerfällt in ein Durcheinander unzusammenhängender Berichte, Episoden, Anrufe, Reminiszenzen und Fragen.

Aber nicht nur sein Singen mißlingt ihm, sondern auch seine Minne. Engelmar konnte ja nur beobachten und handeln, weil der Sänger nicht anwesend war wegen seiner Unfähigkeit, den rechten Moment zu erkennen. Damit bekommt Engelmars Spiegelraub den Charakter der gerechten Strafe, und des Sängers Klage darüber wird lächerlich. Aus diesem unmittelbaren Zusammenhang von Engelmars Tat mit den Haushaltsorgen des Sängers erklärt sich die unmittelbare Zusammenstellung der beiden Dinge in der letzten Strophe des Gedichts, die bisher „ungeklärt" geblieben war:[41] Engelmars Tat wird erst dadurch möglich und als eine Art Strafe dafür sinnvoll, daß der Sänger seine höfische Idealität an seine wirtschaftlichen Privatinteressen verrät. Die Schlußstrophe enthält also, obwohl die Ethopoiie des verwirrten Sängers weitergeführt wird, die zentralen Punkte der Satire: der Grund der Verwirrung wird sichtbar, wie auch ihre Folgen. Zur Ethopoiie gehört aber, daß der Sänger diesen Zusammenhang gar nicht erkennt: der Spiegelraub liegt in der Vergangenheit, und immer noch ist dem Sänger sein *hûs* wichtiger als das Singen, durch dessen Versäumnis es erst so weit gekommen ist. Der Sänger klagt über Engelmar, statt sich selbst auf seine innere Korruption zu besinnen, und fällt so der Satire anheim.

Zugleich zeigt sich, wie unbeständig und oberflächlich die Verhältnisse sind, die der Sänger mit den Bauernmädchen hat: Friderun ist für ihn nach Engelmars Spiegelraub verloren; das vorliegende Lied bestätigt es in der Klage über die Untat Engelmars, in der keine Hoffnung auf Wiedergewinnung des Mädchens enthalten ist, und die späteren Lieder erwähnen Friderun immer nur im Zusammenhang mit dem verlorenen Spiegel, nie aber als Objekt weiterer Bemühungen des Sängers. Naumann hat ganz richtig auf die Parallele des Spiegelraubs zu der Jeschutehandlung in Wolframs ‚Parzival' hingewiesen.[42] Sie wird in ihrem symbolischen Sinne für den ritterlichen Sänger gelten, der sich vom Zeitpunkt der Tat an nur in Klagen ergeht, aber keinen Versuch macht, die Schöne wieder zurückzugewinnen.

---

[41] Wießner, Kommentar zu 26,19–22.   [42] Naumann, Frideruns Spiegel, 298f.

Dies um so mehr, als Engelmar ja kein *toerscher knabe* mehr ist, der nur aus naiver Befolgung einer Lehre seiner Mutter *fürspan* und *ring* an sich reißt, sondern ein ausgewachsener wirklicher Nebenbuhler des Ritters und Werber um die junge Dame. Es bestehen jedoch Unterschiede zu Wolfram in Neidharts Behandlung des Raubes von Liebespfändern, die Naumann übersehen hat. Es gibt in Neidharts Liedern noch fünf weitere Episoden, in denen einem Mädchen ein Liebespfand gewaltsam entrissen wird.[43] Drei davon geschehen den vom Sänger jeweils angebeteten Mädchen: einmal ist es ein Ball, einmal Hut und Schleier, einmal ein Ring. Der Sänger reagiert in jedem Fall mit Drohungen, die ungemein gefährlich klingen, doch nach seiner Art offenbar nie ausgeführt werden. Engelmar jedoch droht der Ritter nie,[44] er freut sich nur darüber, wenn es ihm schlecht geht (61,8–16), und stimmt im übrigen eine Klage über seinen Spiegelraub an, die weltweite Ausmaße annimmt (96,6–11). Es besteht also ein Unterschied zwischen den vier Vorfällen, der auch dadurch betont wird, daß der Spiegelraub zum Leitmotiv wird, während die drei andern Gewalttaten nur ephemere Bedeutung zu haben scheinen. – Eine Episode spielt ganz unter Bauern: dem Mädchen des Sängers wird von Hildebolt eine Ingwerwurzel geschenkt, von Willegêr sogleich wieder entrissen; ein Streit entsteht, bei dem Hildebolt erschlagen wird (74,18–24; 91,4f.). Hier werden also nicht lang Drohungen oder Klagen ausgestoßen; man schreitet zur Tat. Besonders wichtig scheint zum Verständnis von Neidharts Auffassung und Absicht die fünfte Episode, bei der der Sänger selbst einem Mädchen einen gläsernen Griffel raubt (48,10–28), der für sie gekauft worden war. Hier protestiert aber das Mädchen, sie werde nicht mehr an seinen Tänzen teilnehmen, wenn er den Griffel nicht zurückgebe; der Sänger gehorcht. Dieses Mädchen akzeptiert also keinesfalls den Raub eines Pfandes als symbolisch unabwendbare Tat, durch die sie in irgendeiner Weise gezwungen würde. Näher betrachtet, akzeptieren die raufenden Bauernburschen und der Sänger selbst, der ja mit Mord und Totschlag droht, den Raub auch nicht als das magische Faktum, das er bei Wolfram offenbar darstellt. Vielmehr werden alle diese Fälle als reversibel betrachtet; nur der Spiegelraub genießt die Sonderstellung, die ihn wohl so zitierbar macht. Hier wehrt sich weder Friderun noch der Sänger; beide akzeptieren den Raub und trennen sich. Angesichts des Mädchens mit dem roten Griffel hätte man von Friderun eine ähnliche Reaktion gegenüber Engelmar erwarten können – warum erfolgt sie nicht?

Ist es der Spiegel des Sängers, der bisher das Mädchen in dem Glauben gehalten hat, sie sei eine höfische Dame, und dessen Raub sie nun zur Be-

---

[43] Aufgezählt bei Wießner, Kommentar zu 26,19–22.

[44] 71,5 wünscht er, *daz diu hant erkrumbe, diu die spiegelsnuor zerbrach.*

sinnung bringt, daß sie nicht zu dem Ritter paßt? [45] Aber es geht aus keiner Stelle hervor, daß der Sänger ihr den Spiegel geschenkt hat. Nicht alle geraubten Liebespfänder sind Geschenke anderer; nur bei dem Griffel und bei dem Ingwer erwähnt der Dichter, daß es Geschenke waren – Ball, Ring, Spiegel, Schleier und Hut bleiben unbestimmt oder werden als Eigentum des Mädchens bezeichnet. Der Spiegel hat also wahrscheinlich nicht als zeichenhaftes Objekt das Gewicht, das erforderlich wäre, um einen derartigen Aufwand an Gefühlserregung aufzuwiegen.

Ist der Vorfall biographisch zu nehmen, wie es so oft geschehen ist? [46] Selbst wenn biographische Hintergründe vorhanden sein sollten, was kaum anzunehmen ist bei der Dissoziation Neidharts von seinem lyrischen Ich, geben sie doch keine schlüssige Erklärung. Warum wird der Spiegelraub so wichtig genommen und nicht der des Rings oder des Balls oder des Hutes samt Schleier? Die Biographen müssen eine zusätzliche Vermutung einfügen, um gerade diese wichtigste Frage zu lösen: Friderun war eben reich, ein besonders guter Fang für den armen Ritter, der ihm durch Engelmars Eingreifen verloren ging. Wenn man vermutet, daß die andern Mädchen ebenso reich waren – das ist ja ebenso zulässig wie bei Friderun –: warum wird der Spiegelraub so wichtig genommen? Damit kommt man nicht weiter bei der Erklärung von Neidharts Gedichten.

---

[45] So Frederick Goldin: "Friderun's Mirror and the Exclusion of the Knight in Neidhart von Reuental." Monatshefte LIV (Dec. 1962), No 7, 354–59. Goldin interpretiert hauptsächlich das Lied 58,25; der Mangel seiner Beweisführung liegt in drei Dingen: 1. Daß er annimmt, Neidhart hätte Friderun den Spiegel geschenkt – sonst reflektiert der Spiegel sie nach Goldins Theorie (357) nicht höfisch –; das ist aber nirgends nachzuweisen. 2. Daß er annimmt, der Bauernbursch habe das Mädchen „gegen ihren Willen gezwungen" (357), in den Spiegel in seinem Schwertknauf zu sehen, während 59,15 und 24f. nur von seiner aufdringlichen Bitte trotz der verächtlichen Abwendung der Dame gesprochen wird; offenbar hat sie nie in den Spiegel geblickt. 3. Daß er einerseits die Möglichkeit sieht, daß „der Höfling sie gewonnen hatte, indem er fälschlich seine eigene Höfischheit auf sie reflektierte" (357) und das ohne Spiegel geschehen kann, daß aber der Raub Engelmars mit dem Objekt Spiegel den ganzen Einfluß des Ritters auf Friderun wegnehmen soll. – Goldins Anschauungen sind sonst sehr richtig und wertvoll, nur der Spiegel scheint mir bei Neidhart nicht die von ihm angenommene symbolische Rolle zu spielen.

[46] Zum Beispiel Wilhelm Wilmanns: „Über Neidharts Reihen." ZfdA 29 (1885), 64–85; 68 und 84. – Friedrich Keinz: Die Lieder Neidharts von Reuental. Auf Grund von M. Haupts Herstellung, zeitlich gruppiert, mit Erklärungen und einer Einleitung. – 2. verb. Aufl. Leipzig 1910; 5f. – Bielschowsky, Dorfpoesie 64. – Konrad Gusinde: Neidhart mit dem Veilchen. – Breslau 1899 (Germanistische Abhandlungen 17); 125. – Brill, Neidhartschule 34. – Heinrich Wilhelm Bornemann: Neidhart-Probleme. – Diss. Hamburg 1937; 13.

Die bei unserer Interpretation zum Vorschein gekommenen Gesichtspunkte halten den gestellten Fragen jedoch stand. Der Vorfall ist für den Sänger aus dem Grunde so ungemein wichtig, weil hier zum ersten Mal ein Mädchen nicht mehr zu ihm hält. Es muß das erste Mal sein, denn später datiert er den Anfang des Trauerns auf Engelmars Spiegelraub zurück (96,6ff.; 70,37ff.); vorher war er gewohnt gewesen, daß die Mädchen ihm zuflogen und um seinetwillen die Bauern verachteten, wie es viele Sommerlieder beweisen. Mit der Klage über Engelmars Spiegelraub bezeichnet er – und verdeckt er vor sich – drei Fakten: daß er die Bauernmädchen nicht *ad libitum* halten (und wieder loslassen) kann; daß Friderun sich nicht für ihn eingesetzt hat, indem sie etwa Engelmar den Spiegel wieder abnahm wie das Mädchen ihm selbst den Griffel; daß er selbst an dem ganzen Mißgeschick schuld ist, denn er hatte versäumt, zu dem Tanz zu kommen, hatte deshalb Friderun Gunst zu Recht verloren und seine höfische Aufgabe den Privatinteressen geopfert. Dem Sänger selbst in seiner Verwirrung und inneren Korruption kommt der Zusammenhang zwischen dem Mißgeschick und der eigenen Schuld nicht zum Bewußtsein; seine Klage erstreckt sich bewußt nur auf den unerklärlichen Verlust eines Mädchens durch den Spiegelraub.

Aber während der Sänger sich die Zusammenhänge nicht klarmacht und bezeichnenderweise es auch nie versucht, ist durch den Bau des Liedes, die unmittelbare Zusammenstellung von Grund (Haushaltsorgen) und Folge (Eindringen des Dörpers in seine Liebe) für den Hörer die lächerliche Verächtlichkeit des Sängers deutlich geworden, der um krautjunkerlich-ökonomischer Privatinteressen willen die höfische Aufgabe des Sängers versäumt und auch innerlich nicht mehr leisten kann. Zu diesem Bild paßt auch, daß er die höfische Aufgabe und Pflicht an die Bauernmädchen verschwendet, und es will wiederum als gerechte Strafe erscheinen, wenn diese sich beim ersten Anzeichen des Nachlassens seiner höfischen Bemühungen von ihm abziehen lassen. Die Frau, im Rittertum der Hort höfischen Denkens und höfischer Idealität, ist hier bloß passiv; wenn ihre Eitelkeit nicht mehr befriedigt wird, läßt sie sich anderswohin ziehen. Die Verschwendung seines höfischen Seins und Singens an diese wertlosen Gegenstände ist der erste Grund der Korruption der Maßstäbe, Ideale und Begriffe in dem Sänger. Daraus folgt die Bevorzugung des Materiellen vor dem höfisch Ideellen, wie sie sich in diesem Liede an den dominanten Haushaltsorgen gezeigt hat, als nächste Entwicklungsstufe in Richtung auf die totale Verbauerung und die Aufgabe jedes höfischen Ideals. Wenn der Sänger hier auf dieser Stufe gezeigt wird, so ist es nur sinnvoll, wenn die *vröude* und *vrômuot* von diesem Zeitpunkt ab immer mehr schwinden und schließlich der Trauer gänzlich Platz machen. Durch das Repräsentationsverhältnis zwischen dem sprechenden Ich und der Gesellschaft, in der und für die es spricht, ist die Kritik dieses Liedes an dem einzelnen Sänger wieder allgemein zu nehmen: sie gilt für das Rittertum im allgemeinen; die adlige Gesellschaft steht in Gefahr, die ritterliche Idealität an Privatinteressen und partikulare Bestrebungen zu verlieren. Entsprechend ist es keine Übertreibung, wenn es in einem Winterliede heißt:

> *sît der ungevüege dörper Engelmâr*
> *der vil lieben Vriderûne ir spiegel nam.*
> *dô begunde trûren vreude ûz al den landen jagen,*
> *daz si gar verswant.*
> *mit der vreude wart versant*
> *zuht und êre; disiu driu sît leider niemen vant.*   (96,6–11)

Der bei dem Sänger beispielhaft aufgedeckte Mangel an höfischem *muot*, an Zucht und Idealität ist eine Krankheit, die das ganze Rittertum befallen hat und sich immer weiter ausdehnt, wie man an dem Verschwinden von *vreude, zuht* und *êre ûz al den landen* ersehen kann. Für den Hörer, der Neidharts Satire versteht, ist die Geschichte von Engelmars Spiegelraub ein Beispiel, an dem die Korruption des Rittertums aufgedeckt wird, ihre ständige Wiederholung eine leitmotivische Abbreviatur, die auf die satirische Tendenz dieses Liedes 25,14 zurückweist, denn nirgends sonst wird das Motiv erklärt. Die Schlüsselstellung dieses Liedes machte seine ausführliche Besprechung notwendig und sinnvoll.

62,34

6   Nach dem Wintereingang in der ersten Strophe werden in der zweiten die persönliche Trauer über den Winter und über den seit Jahren ungelohnten Minnedienst kunstvoll miteinander verflochten. Nach einer Reflexion über die rechte Minnehaltung schiebt der Sänger die Schuld an seinem Unglück in der Minne auf zwei bäuerliche Nebenbuhler, deren Verhalten bei einem Tanze er beschreibt. Dann kommt er wieder auf seine ungelohnte Minne zurück und die Nebenbuhlerei der Burschen (Str. V). Endlich leitet er auch seinen Mißerfolg im Singen darauf zurück.

Das Zentralthema ist also der Mißerfolg, in Minne und Gesang; das könnte auch das Thema eines Reimarschen Liedes sein. Aber während dort die Unbeugsamkeit der Minneherrin der Grund des Hindernisses ist, sind es hier die Bauernburschen. Die Parodie ist unverkennbar, vor allem deshalb, weil bis kurz vor das Ende der dritten Strophe das Lied nach Vokabular, Gedanken und Haltung ganz in höfischem Tone gestaltet ist. Die dreiteilige Strophenform und der kunstvolle Bau[47] sind im ganzen Gedicht

---

[47] Strophenbindung zwischen I–II durch den weiterlaufenden Wintereingang, zwischen III–IV durch die Behandlung der zwei Bauern, zwischen V–VI

durchgeführt; so entsteht eine Dissonanz zwischen Form und Bauerninhalt im zweiten Teil des Gedichts.

Die Bauernburschen werden als üppig und prahlerisch geschildert; sie haben *vreude,* wo der Sänger keine hat (63,31; 64,2–4). Sie bezahlen vier Musikanten (63,30), wo der Sänger allein singt. Sie streichen um des Sängers *vrouwe* herum, raunen mit ihr (64,8.12) und brüsten sich damit, daß sie den Sänger bald von ihr verdrängen würden.

Die Dame läßt nun den Sänger konsequent seit Jahren unbelohnt, obwohl er ihr nach seiner Aussage treulich gedient hat (63,12–16). Dagegen läßt sie sich ohne Widerstand von den Burschen zuraunen, ja, der Sänger deutet an, daß sie von ihr belohnt werden: *singen unde rûnen habent ungelîchen lôn* (64,12): wenn er für sein Singen ohne Lohn bleibt, dann müssen nach dieser Aussage die Burschen glücklicher sein. Jedenfalls haben sie es fertig gebracht, die Ohren des Mädchens gegenüber dem Sänger gänzlich zu schließen (63,26f.; 64,13–15).

Der Minnedienst des Sängers ist also lächerlich. Wenn die Dame auf üppige, prahlerische Bauernburschen hört, so disqualifiziert sie sich als *vrouwe*; Raunen klingt ihr besser als höfischer Sang: sie ist nicht das, als was sie der Sänger im ersten Teile des Liedes preist, nämlich eine höfische Dame. Er nennt sie zwar nur *wîp* und *guotez wîp* (63,8.18), aber sein Dienst, seine Klage, sein Vokabular sollen sie zur Minneherrin machen. Schuld an seinem ganzen Unglück ist also nur er selbst, denn er baut mit Worten und Gedanken um ein Mädchen einen Bezugsraum, in den es gar nicht hineinpaßt; er verschwendet seine höfische Idealität an ein Objekt, das vom höfischen Gesichtspunkt her wertlos ist; er erkennt nicht das Mädchen und nicht sich selbst in seiner Lächerlichkeit.

Die Verdrängung von dem *wibe* wird als Prozeß geschildert: früher fand sein Singen noch Anklang (64,13), wenn auch keine Belohnung, jetzt haben es die Bauernburschen so weit gebracht, daß auch ihr Ohr oft taub (63,27) und ihr Herz nie aufgeschlossen ist (64,6f.). Man kann daraus schließen, daß die Burschen mit der Zeit größeren Einfluß auf das Mädchen gewonnen haben. Der einzige Grund, den dieses Lied dafür angibt, ist das *rûnen.* Hier formuliert der Sänger mit einem allgemeinen Satze, Singen und Raunen würden verschieden belohnt. Die öffentliche Form des Minnesangs, die das Verhältnis zwischen Mann und Frau in konsequentem Zusammenhang mit der Idealität dieses Verhältnisses zu einem Anlaß gesellschaftlicher Freude und Erhebung gestaltet, wird hier der privaten Form des Liebesgeflüsters gegenübergestellt, das nur einem egoistischen Inter-

---

durch Erwähnung von *lôn* in der parallelen Zeile (64,1.12) und durch die Gegensatzpaare *vreuden : ungelücke* und *zwîvel : lob* ebenfalls in parallelen Zeilen (64,4.15).

esse dient. Das Mißlingen der Bemühungen des Sängers um das *wîp* hat also seinen Grund darin, daß das Mädchen nicht so sehr seine Person wie seine Art der Liebe ablehnt, die eben nicht handfest, exklusiv und privat ist. Ein wesentlicher Unterschied zwischen den Sommerliedern und den Winterliedern scheint sich hier zu klären: die Ereignisse im Frühling tragen gemeinsamen Charakter, sind brauchtümliches geselliges Fest, und die Liebesbeziehungen, die sie einschließen, sind chthonisch-allgemeiner Natur. Die Winterlieder dagegen haben keine brauchtümliche Gesellingkeit als Hintergrund, die Anlässe sind spezifisch, die Liebesbeziehung trägt individuelleren Charakter. Der Sänger hat „Erfolg" mit seinen gesellschaftlich gerichteten Liedern nur im Frühling, während im Winter das Raunen, die private Beziehung, überwiegt. Nicht ohne Grund scheint deshalb in dem einzigen Sommerliede, wo ein Bauernbursch auftritt und des Sängers Erfolg vereitelt, *der winder ... gelenget* (25,22f.). Der Parallelismus zwischen Jahreszeit und Liebeserfolg, den Neidharts Lieder entgegen dem höfischen Minnesang oft zeigen, scheint also mit der Liebe zu Bauernmädchen und deren verschiedenem Verhalten zu tun zu haben.

Wenn das Bauernmädchen auf das Singen des Ritters nicht mehr hört, sondern das Geflüster der Bauernburschen bevorzugt, so kehrt es damit zugleich in die Harmonie mit seiner sozialen Umgebung zurück; seine Bildung und sein Wertsystem stimmen wieder mit seiner Herkunft, Umgebung und den Werbern überein. Der singende Ritter wird nicht nur von den Nebenbuhlern aus ihrer Nähe verdrängt, sondern verliert auch durch ihre Nichtachtung jeglichen Anlaß, unter den Bauern zu sein. Der Bericht über seine Anwesenheit wird peinlich für den Zuhörer, besonders wenn er selbst dem Rittertum angehört. Seine Bemühungen, Klagen und Drohungen, seine kindisch-ohnmächtige Schadenfreude über den Mißerfolg eines bäuerlichen Nebenbuhlers (63,38) werden lächerlich.

Die Satire wird am schneidendsten dadurch, daß der Sänger seine allgemein unerwünschte, aufdringliche, sinnlose Anwesenheit als Minnedienst reinsten Wassers versteht und bezeichnet, daß er in Lehren (63,17–20.39f.) und Klagen sich ergeht, die ein echter Minnesänger angesichts seiner wirklichen höfischen *vrouwe* äußern könnte. Dies ist oft als Parodie zur bloßen Unterhaltung und Abwechslung vom eintönigen Minnesang interpretiert worden. Zweierlei aber gibt der Parodie eine ethisch-satirische Richtung von hoher Potenz: Erstens ist der Sänger, der hier höfische Ideale schändet und sich überdies gerade damit bei allen unerwünscht macht, ein Ritter; er ist als lyrisches Ich außerdem traditionell repräsentativ für die höfische Gesellschaft. Neidharts Lied enthüllt sich von hier aus als schroffe Kritik an der Tendenz der höfischen Gesellschaft, ihre Ideale zu schänden, die Werte an wertlose Objekte zu verschwenden. Diese Kritik ist wirksam in allen Winterliedern, in denen der Sänger sich bei Bauern eindrängt und bei seiner Angebeteten erfolglos bleibt. Zweitens ist im vorliegenden Liede die allgemeine Formulierung des Satzes *singen unde rûnen habent ungelîchen lôn* (64,12) sicher nicht zufällig gewählt; sie scheint eine Reflexion auf alle Frauen, auch auf die höfischen. Während der Satz, auf das Bauernmädchen angewandt, keinen Tadel enthalten kann, da in der bäuerlichen Umgebung der Minnesang keinen spezifischen Wert darstellt, ist er in bezug auf die höfischen Damen herbste Kritik; denn sie werden damit beschuldigt, die Idealität, die ihre Pflicht und ihr Wesen in der höfischen Gesellschaft ausmacht, zugunsten niederer privater Liebschaften aufgegeben zu haben. Sie selbst, nicht nur die Bauernmädchen, zeigen sich hier als die wertlosen Objekte sinnloser Minnesingerei.

Einen besonderen satirischen Witz leistet Neidhart sich in der letzten Strophe: der Sänger geht auf das Gelächter ein, das die Zuhörer über seine eigene peinliche Lächerlichkeit anstimmen. Da er aber im Liede als zu dumm, zu maßstablos, zu begriffskorrupt erschienen ist, als daß er seine peinliche Unerwünschtheit und Lächerlichkeit hätte merken können, darf er natürlich auch nicht merken, worauf sich das Gelächter wirklich richtet. Er bezieht es auf den Mangel am *rehten lobes dôn*, auf den *zwîvel* (64,15) in seinen Liedern, der eben auf seine unerhörte Liebe zurückzuführen sei. Nun ist tatsächlich das Lied des Sängers, der ja im Ernst singt, nicht besonders gut. Er ist unfähig, einen Ton im Liede durchzuhalten; immer wieder, besonders am Strophenende (III, V, VI; IV ganz),[48] gleitet er aus dem höfischen Ton aus ins Dörperliche; dabei ist die Strophe höfisch, und die dörperlichen Partien dissonieren damit. Er beweist ferner einen völligen Mangel an Selbsterkenntnis, Erkenntnis anderer Menschen und Erfassung seiner Lage; er zeigt Maßstablosigkeit und Korruption der Begriffe, die er ohne Bedenken auf völlig inadäquate Gegenstände anwendet. Der immer ausgleitende Ton und die Dissonanzen zwischen Inhalt und Form erscheinen als Ausdrucksformen der inneren Wirrnis und Dissonanz. Wenn der Sänger unter dem Eindruck öffentlichen Gelächters also zugibt, sein Gesang sei jetzt im Vergleich zu früher *geswachet* (64,14), so geht seine Selbsterkenntnis wieder nicht weiter als bis zu dem Punkt, wo er das Unglück auf andere schieben kann. Neidhart dagegen, dessen Absicht dahingeht, den Sänger und mit ihm die höfische Gesellschaft der Satire zu unterwerfen, hat ein hervorragendes Gedicht geschrieben, in dem jeder Aspekt dazu dient, eine neue Verächtlichkeit am Sänger zu entblößen, und seine Erwähnung des Gelächters der Zuhörer beweist, daß er sich des Erfolges seiner Satire sicher war. Wieder zeigt sich seine Technik, am Schluß des Gedichts durch eine Wendung von äußerster Raffinesse bei durchgehender Ethopoiie des lyrischen Ich einen Bezug zu sich selbst, dem Satiriker, herzustellen, wie

---

[48] Vgl. Wießners Kommentar zu 64,8.9.

sich schon bei der Besprechung von 22,38 erwies. In vielen Gedichten erfüllt die Nennung von *Riuwental* dieselbe Doppelfunktion: einerseits wird es als Name und Eigen des lyrischen Ich verwendet, andererseits weist es als sprechender Name, mit dem oft allegorisch gespielt wird, auf die dahinter stehende satirische Absicht Neidharts.

86,31

7 Zwei Klagen werden am Anfange dieses Weltsüßetones laut, eine über das unveränderliche Faktum, daß der Winter die Freude des sommerlichen Lebens in Trauer verwandelt (Str. I), die andere darüber, daß ein sündloses Leben in der Welt unmöglich ist und daß es mit der Christenheit immer mehr abwärts geht. Hier ist aber *bezzerunge* möglich, und der Sänger äußert die Klage gegenüber seinen Freunden ausdrücklich um dieser Besserung willen (87,3–7).[49] Dann folgt, beispielhaft für die geforderte Besserung der andern, die eigene Auseinandersetzung mit der Welt (87,8 bis 88,12).

Die Grundgedanken sind dabei folgende: das Verhältnis zur Welt wird als Minnedienst verstanden. Dabei ist aber die *vrouwe* über tausend Jahre alt und dümmer als ein siebenjähriges Kind; sie verkehrt ihre Rolle als Minneherrin so sehr, daß sie dem Sänger einen Boten sendet, der ihn ihres Dienstes und ihrer Minne *offenbâr*, also ohne alle Scham und jeden Umschweif, versichern soll (87,33–40). Der Minnedienst an einer so uralten und das Ideal so pervertierenden *vrouwe* ist nicht nur lächerlich, sondern verabscheuungswürdig: sie ist eine Betrügerin, die sich in die an sich gute Konzeption der Minne einschleicht und sie pervertiert.

Diesem Dienst am wertlosen Gegenstand wird der Gottesdienst gegenübergestellt. Diesem Herrn ist er *eigen* (87,25), er kann besser lohnen (87,32), denn sein Lohn ist Seelenheil, immerwährende Wonne und die Versammlung zu den Kindern Gottes (88,3–12). Gottesdienst ist Weisheit, Weltdienst Torheit (88,3–6), Gott muß um Hilfe seiner Kraft und *süeze* gebeten werden (88,7–12), die Welt verführt und lockt und wendet sogar Gewalt an, um den Sänger in ihrem Dienst zu halten (87,13–15.22.36). Gerade der Weltdienst ist es aber, der die Seele von Gott abzieht (87,19.27f.).

Der Dienst an der *vrouwe* ist für das sprechende Ich, ihr Sänger zu sein (87,26); sein Sang ist dabei *üppiclîch* (87,20), seine Tanztritte dazu *geil* (87,27). Der Sänger übt also Selbstkritik an seinem früheren Gesange und Verhalten.

Sein Lied ist nun auf einen andern Ton gestimmt: er will seine Freunde bessern, will, daß sie die Wahrheit seiner Klage und Anklage bestätigen

---

49 Vgl. Haupt-Wießner, Anm. zu 86,37.

(87,4f.), er verabscheut die Freude, die nicht von Herzen kommt (87,9f.). In genauem Gegensatz dazu scheinen jedoch die beiden Schlußstrophen zu stehen, die von den beiden Dörpern Limizûn und Holerswam berichten. Hier scheint er doch wieder dem *üppiclîchen sange* zu huldigen und den Verführungen der Welt zu verfallen trotz der guten Vorsätze. Nicht ohne Absicht scheinen die Anfänge der Strophen III und VII parallel aufeinander bezogen:[50] einmal der gute Vorsatz, das andere Mal der vergessene Vorsatz. Auch die *vröude* taucht wieder auf: hatte er vorher abgelehnt, *vröuden* zu *phlegen,* die nicht von Herzen kommen, so wird er nun aufgefordert, den Freunden *vröudehelfe schîn* zu tun (88,15), obwohl er doch in seinem Gemüte traurig ist (88,13). Auch die Verlockung fehlt nicht: der Sprecher weist auf die früher so viel besseren Lieder des Sängers hin, die von den Dörpern auf dem Tullner Feld handelten (88,17–20): hier wird also seine Eitelkeit gekitzelt, die auch über die jüngeren Lieder so gute Urteile hören möchte wie über die älteren. Der Sänger verfällt also genau den Lockungen der Welt, die er zuvor so kräftig von sich gestoßen hatte.

Wie ist dann das Lied zu verstehen und mit ihm die andern Weltsüßelieder? Ist es ein „ernster Klagegesang",[51] ist es „alles wirklichen Ernstes bar",[52] muß man die Dörperstrophen als nicht zu dem Liede gehörig abtrennen?[53]

Zunächst muß geklärt werden, daß der Ernst der Lehre keinesfalls angetastet wird, selbst wenn der Sänger wieder den Lockungen der Welt zum Opfer fällt. Eine Wahrheit wird dadurch nicht unwahr, daß ein Narr sie ausspricht. Die Klage über Sündhaftigkeit des Weltdienstes, Falschheit, Betrug und Verführung in diesem Dienste behält ihre Wahrheit und Richtigkeit. Wenn der Sänger trotz seines Vorsatzes wieder der Welt verfällt, dann richtet sich die Kritik nur gegen ihn und die Schwäche des Menschen im allgemeinen. Es ist also falsch, etwa eine Verspottung der Lehre durch den rückfälligen Sänger anzunehmen und dem Liede allen Ernst abzusprechen.[54] Vielmehr wird die Schwäche des Sängers erst darstellbar durch den schroffen Wechsel in seinem Verhältnis zu der Lehre. Der Mensch versagt an der Idealität seiner Vorstellung – und das ist im Grunde der Zentralgedanke der Satire Neidharts. Nur richtet sie sich hier auf das Versagen am religiösen Vorsatz, während sie sonst meist auf den Verrat an den

50 Vgl. Wießner, Kommentar zu 88,13.14; in der Ausgabe der Altdeutschen Textbibliothek gleicht er die Stellen einander auch textlich noch weiter an.
51 Günther, Minneparodie 50 und Weidmann, Studien 122 zu 82,3.
52 Schürmann, Parodie 31 zu 82,3; Edmund Wießner: „Berührungen zwischen Walthers und Neidharts Liedern." ZfdA 84 (1952/53), 241–64; 263.
53 Max Rieger: „Zu Neidhart von Reuental." ZfdA 48 (1906), 450–70; 469.
54 Auf dasselbe Problem stößt das Verständnis der Lehre in Wittenwilers ‚Ring‘, die meist von närrischen Bauern vorgetragen wird.

Werten der höfischen Kultur gerichtet ist. Nun zeigt sich, daß unter diesem Aspekt das Lied denselben Aufbau hat wie die meisten übrigen Winterlieder: dem Natureingang folgen einige Strophen, die im reinen Tone des Ideals gehalten sind (sonst der höfische Minneton, hier die Reue), dann bringt der Schluß den Verrat an diesem Ideale. So wie in den Minne-Winterliedern nicht das Konzept der höfischen Minne als Idee kritisiert wird, sondern nur der Sänger, der daran versagt (und mit ihm die Gesellschaft, die er repräsentiert), so wird auch hier nicht der Gedanke des Gottesdienstes und der Sündigkeit des Weltdienstes ironisiert, nur der Sänger, der rückfällig wird. Die Dissoziation zwischen Neidhart und dem sprechenden Ich, zwischen dem Satiriker und seinem Sündenbock, tritt also auch in diesem Liede auf und bestimmt seinen Charakter. Allerdings dissoziiert Neidhart sich von dem Sänger ziemlich spät, erst am Ende der siebten Strophe; bis zu diesem Punkt kann man von einer Identität der beiden sprechen, da die Wandelbarkeit des Sängers noch keinen Anlaß der Versuchung gefunden hat. Von da ab ist der Unterschied jedoch deutlich, schon allein durch die Dörperstrophen, die 88,21f. angekündigt werden, dann aber auch durch die eigenartige Führung der Ethopoiie in der siebten Strophe. Die Aussage *Swenne ich ..., so* (88,13) deutet doch darauf hin, daß der Versucher immer dann vor ihn hintritt, wenn er einmal so recht traurig sein will. Was in der Vielzahl all dieser Fälle geschieht, weiß man nicht, wenn man nicht der Parallelstelle entnimmt, er erwehre sich der Versuchung immer *mit verzîhen* (87,15). Hier hat ihn nun im Liede trotz seines „traurigen" Anfangs ironischerweise noch niemand derartig angesprochen – was ja bei der Dialogfreudigkeit Neidharts durchaus möglich wäre –, sondern ganz freiwillig fängt der Sänger mit seinen Dörperstrophen an. Es wird also ziemlich unglaubwürdig, daß er sonst nicht auch rückfällig wird, und es kann gar keine Rede davon sein, daß er hier „nur gezwungen" über die Dörper singt.[55] Er widerspricht sich einfach: seine Intentionen sind stark, aber seine Eitelkeit stärker. An einem kleinen Widerspruch wird das noch einmal köstlich sichtbar: zuerst will er nur von einem einzigen Dörper singen, dann hat der aber plötzlich doch noch einen Gesellen (88,21.24). „Einmal ist keinmal" – und „auf einem Bein kann man nicht stehen". Diese hier ganz bewußt betonte Widersprüchlichkeit beweist, daß Neidhart sich von Strophe VII ab von seiner *persona* dissoziiert.

Man muß allerdings dem Sänger zugute halten, daß er nicht ganz in die frühere Dörperei zurückfällt: er beschränkt sich darauf, die Burschen zu beschreiben. Die erhitzte Subjektivität, die das ganze Gehabe, Wollen und Handeln der Bauernburschen mit krankhafter Ängstlichkeit und niedrigem Haß auf sich bezog, fehlt völlig und ist einer distanzierten Ironie gewi-

---

55 Weidmann, Studien 125.

chen. Das Tanzen der *vrou Süezel* mit Limezûn, das früher Anlaß zu Klage und Schelte gewesen wäre, wird mit mildem Kopfschütteln bedacht (88,38–40).[56] Es fehlt den Dörperstrophen also die gewohnte Erregtheit, Selbstbezogenheit, der Eifer und die Eifersucht, Rachgelüste und Liebesgier, die den Sänger einst gekennzeichnet hatten. Ein gut Teil dessen, was er als die *üppekeit* seines Gesanges bezeichnen mag (87,20), ist also verschwunden. Wenn er jetzt die *üppekeit* der Dörper *meldet* (88,22), so ist er fast seiner damaligen Haltung untreu geworden und in das Lager der Satiriker übergegangen: konnte man ihn damals eine Art Pasquillanten nennen, der die Schärfe seiner Feder benutzte, um persönliche Feinde (die Bauernburschen) anschwärzen zu wollen, so nimmt er jetzt die distanzierte Haltung des Satirikers ein, der nur das Übel und nicht die Person ansieht. Man erkennt damit auch eine Entwicklung in Neidharts Satire: hatte sie sich früher gegen eine *persona* gerichtet, die nicht nur durch den Verrat der Ideale, sondern auch als persönlich engagierter Pasquillant verächtlich war, so richtet sie sich hier gegen einen unverächtlichen „Gegner", in dessen Satire auf Limizûn und Holerswam Neidhart einstimmen könnte und der mehr aus menschlicher Schwäche als aus innerer Korruption von seinem Ideal und Vorsatz abfällt. Man könnte sagen, daß Neidharts Schärfe sich am Ende zum Humor mildert, daß er seinem gegnerischen Ich gegenüber mehr Verständnis gewinnt, aber auch, daß dessen Versagen aus einer tieferen Quelle gespeist ist: der Schwäche und Ohnmacht des Menschen, die ohne den Beistand der *kraft ob allen kreften* darniederliegt.

8 Damit möchte ich die Interpretation einzelner Lieder abschließen, nicht als ob die übrigen Lieder weniger interessant wären: jedes einzelne bietet wieder neue Aspekte, Formen und Methoden von Neidharts Satire. Doch würde in der gegenwärtigen Untersuchung eine Einzelinterpretation aller Lieder zu viel Raum einnehmen und den notwendigen Überblick zu sehr an den Rand drängen.

Die interpretierten Lieder wurden nicht gewählt, weil bei ihnen Neidharts Satire besonders sichtbar wäre – sie ist in allen satirischen Liedern gleichermaßen erfaßbar –, sondern weil sie als repräsentativ gelten können, entweder für große Gruppen, oder für bestimmte Ausnahmen. Das Kreuzlied 11,8 und das Weltsüßelied 86,31 sind „Ausnahmen", sofern sie den Sänger nicht mit dem dörperlichen Milieu beschäftigt zeigen, obwohl es in

---

[56] Vgl. Rieger, Zu Neidhart 469. Die Theorie von den symbolischen Namen kann ich allerdings mit Wießner, Kommentar zu 88,23–27 nicht annehmen. Außerdem besagten die sprechenden Namen nichts für den besonderen Charakter der Strophen, da Neidhart schon früher nicht damit gespart hat.

beiden erwähnt wird. Das Gespielinnengespräch 22,38 ist ziemlich repräsentativ für die Reien mit gleicher Situation,[57] das Gespräch zwischen Mutter und Tochter 7,11 erwähnt zwar statt des Ritters einen Bauernburschen, ist aber sonst typisch,[58] das Lied des Sängers 25,14 ist bezeichnend für eine ganze Anzahl von Reien, obwohl die Haushaltsorgen eine spezielle Begründung seines Verrats an höfischen Werten darstellen.[59] Für die Altenlieder[60] und die Mädchenmonologe[61] wurden keine Beispiele analysiert, da die satirische Methode ungefähr gleich ist wie bei den Gesprächen unter Gespielen oder zwischen Mutter und Tochter. – Für die Situation der Winterlieder ist ziemlich repräsentativ das analysierte Lied 62,34; Ausnahmen bilden etwa das Lied von der Flachsschwingerin 46,28, die drei Weltsüße-töne 82,3, 86,31 und 95,6, und das Preislied auf den Fürsten Friedrich 101,20, das als Lehrgedicht ohne Satire angesehen werden kann.

Wie hier sich andeutet, sind nicht alle Lieder satirisch; meine Analysen zeigen von den 66 Liedern neun, die ich nicht als satirisch auffassen möchte, davon sieben in den insgesamt 29 Sommerliedern, zwei in den insgesamt 37 Winterliedern. Es ist vielleicht interessant, die verschiedenartigen Richtungen dieser Lieder zu überblicken. Schwache Satire, übertönt von Frühlingsfreude findet sich in 6,1 und in dem zweiten Kreuzlied 13,8. Die Satire in 6,1 wird durch den Kontrast zwischen dem höfischen Vokabular des Sängers und der dörperlichen Strophe gestiftet; in 13,8 möchte ich eher von harmloser Ironie sprechen, wenn der Sänger schon in Gedanken die jungen Mägde und *alle stolze leien* auffordert, zum Tanze sich zu versammeln, wenn er noch gar nicht zu Hause ist; das Thema des Wahnes ist gleich wie in 11,8, nur ist es dort Instrument scharfer, zweckvoller Satire, hier ins Humorvolle gewandt und ein Zeichen der freudigen Erwartung.

---

[57] 10,22; 15,21; 22,38; 28,36; 29,27; 32,6. Das Lied 10,22 allerdings ist nicht satirisch; bei den Bauernmädchen zeigen sich feste Maßstäbe, klares Verhalten; der Sänger wird nicht erwähnt. Umgekehrt ist 29,27 gänzlich höfisch und also auch nicht satirisch (Günther, Minneparodie 28 hält ohne Grund das Gespräch für parodistisch, vgl. dagegen Wießner, Kommentar S. 68f.). Die Lehre in 15,21 und 32,6 bleibt durch die Satire unangetastet wie in 86,31 (dagegen vgl. Weidmann, Studien 40.42 zu 15,21; Günther, Minneparodie 29 zu 32,6).

[58] 3,22; 6,19; 7,11; 8,12; (16,38); 18,4; 20,38; 21,34; 24,13; 26,23. Bis auf kleine Verschiebungen in den Argumentationen scheint diese Gattung ziemlich einheitlich. 16,38 vereinigt mehrere Formen.

[59] 5,8; 6,1; 25,14; 31,5; 33,15. Die beiden letzten sind nicht satirisch, sondern reine Lehrgedichte. 6,1 hat nur schwachen satirischen Kontrast zwischen höfischem Vokabular und der bäurischen Reienform.

[60] 3,1; 4,31; 9,13; 19,7. Alle bis auf 4,31 sind Gesprächslieder.

[61] 14,4; 28,1.

Einsinnig, ohne auch nur implizierten Kontrast der bäuerlichen und adligen Gesellschaftsschichten und deshalb ohne Satire sind die Reien 10,22 und 29,27, der erste ganz in der bäuerlichen Umgebung, der zweite ganz höfisch.[62]

Die fünf weiteren, späte Sommerlieder (31,5; 32,6; 33,15) und zwei Winterlieder (65,37; 101,20), sind Lehrgedichte; 65,37 enthält gegen Ende schwache satirische Ansätze, 101,20 ist das Preislied auf Friedrich. Die Lehre ist ja ein Teil des satirischen Prozesses und ist in jeder Satire wenigstens als Richtung des Angriffs und der Bloßstellung implizit enthalten, kann aber auch wie in den Weltsüßeliedern explizit in die Satire einbezogen werden. Rein didaktisch ist die Lehre nie bei Neidhart: so wie die „reine" Bloßstellungstendenz implizit die Lehre enthält, so enthält auch seine Lehre in all diesen Liedern die Distanzierungs- und Entblößungstendenz in der Klage über gegenwärtige Not und Trauer, in dem Ratschlag zur Überwindung von Mißständen, in der Gegenüberstellung von Richtig und Falsch. So gehört die Lehre Neidharts im Grunde mit zu seiner Satire, und die Zahl der Lieder, in denen keine Spur von Satire zu finden ist, reduziert sich damit auf zwei (10,22 und 29,27).

9 Die Satire in Neidharts Liedern entzündet sich fast immer an dem Gegensatz zwischen dem Ritter und den Bauern. Wenn der Ritter nicht szenisch anwesend geschildert wird, so ist er das Ziel der Gedanken des Mädchens oder der Mutter. Unter den Sommerliedern gibt es vier, in denen das bäuerliche Element fehlt[63] und ein weiteres, in dem es nicht zum satirischen Kontrast ausgenützt wird.[64] Unter den Winterliedern gibt es wohl kein Lied, in dem die dörperliche Sphäre nicht irgendwie in den satirischen Prozeß einbezogen würde. – Umgekehrt gibt es unter den Sommerliedern fünf, in denen der ritterliche Gegensatz fehlt oder nicht in die Satire einbezogen ist;[65] bei den Winterliedern ist ohne Ausnahme das Ich des Sängers Teil und meist Ziel der Satire.

Diese Situation – ein Ritter bei vielen Bauern und in dörflicher Umgebung – wird von Neidhart nach allen möglichen Richtungen ihrer Spannung abgetastet. Der Ritter tritt als derjenige auf, der höfisch singen und

---

[62] Vgl. Bielschowsky, Dorfpoesie 116; Wießner, Kommentar S. 68f.

[63] 6,1; 29,27; 32,6; 33,15.

[64] 31,5. Man könnte auch die beiden Kreuzlieder 11,8 und 13,8 dazu rechnen, doch scheint mir die bäuerliche Tendenz des nach Hause drängenden Ritters ein Teil seines Wahns, der ja in beiden Liedern satirisch-ironisch entblößt wird.

[65] 4,31; 7,11; 8,12; 9,13; 10,22. In 7,11 wird, wie gezeigt, der Sänger durch seine höfische Bezeichnung der Bauerndirn als *vrouwe* lächerlich; in 9,13 setzt sich der Sänger am Ende betont höfisch gegen die Dörperszene ab.

elegant tanzen kann, der ausländische Geschenke macht (21,16) und höfisch minnen kann. Er ist aber zugleich untreu, läßt Mädchen sitzen, die ein Kind von ihm haben, und versucht durch Schläge und Grobheiten die Mädchen wieder loszuwerden, wenn er sie einmal gewonnen hat. Er ist ferner arm, hat nichts zu essen und ist zu Hause unter der Fuchtel einer strengen *meisterinne*. Während die Mädchen ihn als den sonnigen Minner sehen, betrachten die warnenden Mütter ihn hauptsächlich von der negativen Seite. Gegenüber den Bauernburschen in den Winterliedern ist der Ritter ängstlich – er nimmt schon Reißaus, wenn sie unter sich zu streiten anfangen (74,19f.) –, er droht mit großen Worten, führt aber offensichtlich nie etwas aus; er klagt herzbewegend über ihre Versuche, ihn von der Bauernmaid abzudrängen, ohne aber je einzusehen, daß sie vielleicht im Recht sein könnten; er macht sich lustig über ihre stillosen Versuche, ritterlich zu wirken, und freut sich kindisch, wenn ihnen etwas zustößt. Der ritterliche Sänger ist also ein niedrig gesinnter elender Krautjunker, der den höfischen Flitter nur umhängt, um die Bauerndirnen leichter verführen und verderben zu können. Schon diese aus den Liedern einfach zusammenzufügenden Charakterzüge müßten zum Nachweis genügen, daß der ritterliche Sänger, der sich in genau einem Drittel der Lieder als den von Riuwental bezeichnet oder diesen Namen seines Besitztums angibt, nicht mit Neidhart identisch ist, sondern eine von ihm gebildete *persona* und Maske ist, die er als satirischen Spiegel der höfischen Gesellschaft vorhält.

Neidhart nahm mit dieser *persona* bestimmt diejenigen aufs Korn, die sich von den Anstrengungen und vergeblichen Bemühungen der höfischen Minnekonvention bei den weniger schwierigen Frauen niederen Standes erholten, eine Tendenz, die ja bei Hartmann MF 216,29 und bei Walthers Liedern der niederen Minne durchdringt. Walther „störte" mit diesen Liedern „die festgelegten gesellschaftlichen Spielregeln des Frauendienstes",[66] und es ist anzunehmen, daß er damit nicht der einzige blieb. Er hatte sich in diesen Liedern um eine Emporhebung des niederen Mädchens bemüht, aber schon seine Lieder der *ebenen minne* zeigen, daß er mit dieser Lösung unzufrieden war. Sein Lied *Owê, hovelîchez singen* (Kraus 64,31) setzt sich mit einer in Masse auftretenden[67] Unterhaltungsdichtung auseinander, die von den *gebûren* hergekommen sei und an den großen Höfen nichts zu

---

[66] Helmut de Boor und Richard Newald: Geschichte der deutschen Literatur. Bd. 2. Die höfische Literatur 1170–1250. – München ⁵1962; 364. De Boors Ansicht, Neidhart habe „die Formen der späten Hofkultur nicht angegriffen", sondern „nur damit gespielt, indem er sie zu dissonierendem Effekt benutzte" (ebd.) muß m.E. dahingehend ergänzt werden, daß er die in diesen Formen gefaßten Werte verteidigte und vor dem Verfall zu bewahren suchte.

[67] So betont richtig Wießner, Walther und Neidhart 248.

suchen habe. Ob ihr Inhalt etwa dörperlich war, geht aus dem Liede nicht hervor; es wendet sich nur gegen die *ungefüegen doene* (64,32) und den frechen Klang (65,17), die wie Froschgesang die Nachtigall oder wie Mühlengeklapper die Harfe das *rehte, hovelîche* Singen übertönen. Man kann aber vermuten, daß die Unterhaltungsdichtung Hartmanns und Walthers pikant auszuwertende, von der Pastourelle schon vorgebildete Gedanken an oder Situationen mit Mädchen niederen Standes begierig aufgriff und dem stofflich viel weniger interessanten höfischen Minnesang damit Konkurrenz machte. Die Forschung rätselt nun seit 1822 an dem Problem herum, ob Walther sein Lied gegen Neidhart gerichtet habe,[68] ob Neidhart der Urheber der *ungefüegen doene* sei. Erst Wießner macht darauf aufmerksam, daß das Lied sich ja gegen eine „kompakte Majorität" und nicht gegen einen Einzelnen richte, unmöglich also nur auf Neidhart bezogen sein könne. Wießner kommt dann zu dem Schluß, daß „64,31 bei Walther der ganzen Gilde der höfischen Dorfpoeten den Kampfhandschuh hinwirft, nicht Neidhart für sich".[69]

Hält man sich nun das Ergebnis unserer bisherigen Untersuchungen vor Augen, nämlich die Zeichnung eines verächtlichen ritterlichen Sängers, der bei Bauern und Hofleuten von Bauern singt, der die höfischen Ideale und Werte verrät und sie nur als Flitter umhängt, um bei den Bauerndirnen Erfolg zu haben –, nimmt man ferner dazu, daß Neidhart der Satiriker sich deutlich von dieser *persona* dissoziiert und sie zum Hauptziel und Sündenbock seiner Satire macht, so wird damit klar, daß Neidhart im Kampf gegen die *ungefüegen doene,* gegen den Verrat höfischer Werte auf der Seite Walthers stand, nur daß seine Kampfart eben die der satirischen Ethopoiie und kaum je die der direkten Aussage ist. So erklärt sich einmal, daß die beiden großen Dichter nie gegeneinander persönlich polemisieren,[70] zum andern aber auch, daß sie außer ganz wenigen Anspielungen bei Neidhart überhaupt nicht aufeinander Bezug nehmen: die Kampfarten der beiden sind zu verschieden; ein Zitat aus der direkten Aussage Walthers wäre in Neidharts Satire verzerrt und verspottet worden, und das konnte nach allem Neidharts Absicht nicht sein. Es ist auch gut möglich, daß die beiden Männer trotz der Ähnlichkeit ihrer Ziele charakterlich zu verschieden waren, als daß sie einander zustimmend zitiert hätten – man denke nur einmal an die Verschiedenheit der Kreuzlieder, wo Walther gleichsam mit einem „Seid idealistisch!" die Ritter zum Kreuzzug ruft und Neidhart mit einem „Seid realistisch!" sie wieder nach Hause treibt. Es soll also nicht gesagt sein, daß Neidhart und Walther etwa überall eines

---

[68] Wießner, Walther und Neidhart 244–248 bringt einen ausführlichen Forschungsüberblick.

[69] Wießner ebd. 251.   [70] Wießner ebd. 264.

Sinnes gewesen wären, sondern nur, daß sie beide in gleichem Ernst um die Erhaltung und Lebendigkeit der höfischen Kultur und ihrer Werte bemüht waren.

10   Was nun das Glück des Sängers bei den Bauernmädchen angeht, so ist zwischen Sommerliedern und Winterliedern zu unterscheiden. Wo die Sommerlieder vom Verhältnis des Sängers zu den Mädchen handeln, ist er glücklich und begehrt (mit Ausnahme von 25,14); in den Winterliedern hat er gewöhnlich keinen Erfolg oder muß starke Hindernisse überwinden, bis er am Ziele ist. Das liegt nicht nur am Widerstand der Bauernburschen in den Winterliedern, denn die Sommerlieder kennen ja auch den Widerstand der Mutter; vielmehr zeigt sich in vielen Winterliedern ein stärkerer Gehorsam, eine tiefere Bindung der Mädchen im Verhältnis zu ihrer bäuerlichen Welt.

Im Frühling dagegen werden alle Widerstände eingerissen, das Mädchen beschimpft und mißhandelt die Mutter, demoliert Einrichtungsgegenstände und schlägt alle Warnungen bezüglich übler Folgen für die Zukunft in den Wind. Bezeichnend für diese Haltungs ist folgendes Stück aus dem Mädchenmonolog 28,1:

> „Wie holt
> im daz herze mîn vor allen mannen waere",
> sprach Uodelhilt, ein magt unwandelbaere,
> „der mir lôste mîniu bant! . . ."   (28,22–25)

Die Aussage geht dahin, daß sie ihre Liebe an jeden verschenken will, der ihre *bant* löst, daß es ihr also gar nicht auf Individuum, Charakter, Art und Qualität des Liebhabers, sondern eben auf einen Liebhaber überhaupt ankommt. Daß sie unter diesen Umständen *unwandelbaere* genannt wird, wirft ein bezeichnendes Licht auf das verdorbene Vokabular des Sängers, der sie so nennt, und ironisiert zugleich das Mädchen. Daß sie bezüglich der Erlösung aus den Fesseln besondere Hoffnung auf den Riuwentaler hat und ihn unverwandt liebt, ist ein ironischer Widerspruch zu ihrer vorhergehenden Aussage, der aber gerade als Widerspruch bestätigt, wie *wandelbaere* das Mädchen ist und mit welchen Dirnen sich der Ritter abgibt. – Die Stelle ist so bezeichnend vor allem auch durch die Unbestimmtheit der *bant*: es geht einfach im Frühling um die Befreiung aus jeder Fessel.

Die Mädchen wollen zunächst einmal tanzen und folgen deshalb dem Ruf des Sängers hinaus auf den Anger und zur Linde. Aber mit diesem Tanz, bei dem man, wenn es der erste im Jahr ist, den Sommer empfängt und Kränze schenkt, ist für die Mädchen und die sie warnenden Mütter offenbar ganz automatisch die geschlechtliche Ausschweifung verbunden. So kann eine Mutter mit dem Beispiel der Jiute warnen,

> *„der wuohs von sînem reien ûf ir wempel*
> *und gewan ein kint, daz hiez si lempel:*
> *alsô lêrte er sî den gimpelgempel."*   (21,10–12)

Bezeichnend ist nun, daß die Mütter dem Triebverlangen ihrer Töchter im Grunde durchaus verständnisvoll gegenüberstehen. Ja, sie gehören sogar zu denen, die in den Altenliedern selbst von der Minne geplagt zum Ritter hinausstreben und beim Tanze die groteskesten Heldentaten vollführen. Aber auch die warnenden Mütter beschränken ihre Argumentation auf durchaus äußerlich-praktische Gesichtspunkte, wie schon 7,11 gezeigt hat: Warnung vor dem Betrug der Männer, die das schwangere Mädchen sitzen lassen, Warnung, ein schreiendes Kind werde das nächste Mal die Freude stören. Nur einmal taucht der Gesichtspunkt auf, ein Ritter sei dem Bauernmädchen nicht *ze mâze* (27,17), und das Mädchen entferne sich aus der Gemeinschaft seiner Freunde (27,29). Das sind die tiefsten Argumente, die gebracht werden; kein Wort von Ehre, von Schande oder gar von Sünde. Man könnte, wenn man Neidharts Dichtung als kulturhistorisches Dokument auffassen wollte, feststellen, daß die Lehren der Kirche auf das deutsche Bauerntum des 13. Jahrhunderts noch keinerlei sittigenden Einfluß ausgeübt haben. Aber hier wird eben deutlich, wie stark der Satiriker überzeichnet, wie animalisch die Mädchen für einen Sänger à la Riuwental sein sollen. Für diesen müssen sie das genaue Gegenteil der höfischen *vrouwe* sein: sie sollen alle Hindernisse durchreißend ihm zufliegen, sollen keine *staete*, keinen langen Dienst von ihm verlangen, sollen ihm für ein Lied, ein paar rote Stiefel, einen Kranz Rosen ohne viel Zögern und Umschweif lohnen.

Wenn er also an ihnen rasche tierhafte Hingabe schätzt, so ziehen sie ihn den bäurischen Standesgenossen vor wegen seines feinen Benehmens, gepflegten Singens, eleganten Tanzens und aufregenden Minnens. Von ihm lernen sie das höfische Vokabular, den feinen Ton in überaus preziöser Weise gebrauchen, obwohl sie leicht stolpern und beim kleinsten Anlaß in grobschlächtige Flüche und Ungehörigkeiten umschwenken können. Keine Rede kann davon sein, daß sie mit dem Vokabular auch die Begriffe oder gar Haltungen übernommen hätten, deren Ausdruck es ist. Aber von wem hätten sie es lernen können? Der Sänger verrät ja allein dadurch, daß er sich um sie bemüht und sie zu Tieren degradiert, schon die wesentlichen Werte, Begriffe und Haltungen der höfischen Kultur. Der korrupte Sänger, hinter dessen feiner Fassade alle Idealität dem gröbsten Materialismus gewichen ist, korrumpiert also auch die Bauernmädchen, indem er ihnen den billigen höfischen Flitter umhängt, um sie aus ihren eigenen Wertbindungen

46

zu lösen und damit leichter gewinnen zu können. Die *inordinatio* auf der einen zieht *inordinatio* auf der anderen Seite nach sich. (Diese Vorwürfe klingen hier zu grimmig, wird man einwerfen; Neidharts Sommerlieder haben doch eher heiteren Ton –: das Lachen kann nur entstehen, weil Neidhart die Vorwürfe nie direkt formuliert, sondern immer den Verächtlichen sich selbst dem Spottgelächter ausliefern läßt; in der kunstvollen Führung der Ethopoiie haben wir jedoch Neidhart den Satiriker beobachtet, der die *persona* durch Lächerlichkeit vernichtet, nie durch direkte Aussage, wie sie hier notwendig ist.)

Die Winterlieder zeigen die Bauernmädchen von ganz anderer Seite als die Sommerlieder. Der Sänger dringt kaum einmal zu der Angebeteten durch, so viele Hindernisse bauen sich um sie und in ihr gegen ihn auf, ja, oft entschwindet sie dem Blick ganz, verdeckt von den Hindernissen und dem seelischen Aufwand, den sie den Sänger kosten.

Die Hindernisse sind zum Teil die gleichen wie in den Sommerliedern: Arbeit und Verbot. Im Sommerlied wirft die Dirne der Mutter die Näharbeit einfach hin und eilt zum Tanz (8,12), im Winterlied quittiert die Flachsschwingerin die Zudringlichkeiten des Ritters mit einem Faustschlag vor die Brust, daß ihm die Luft wegbleibt (47,15), denn sie ist stärker als er (47,5) und will weiterarbeiten (47,9.16). Erst später, beim Flachsdörren, wo es also Pausen in der Arbeit gibt, versöhnt sie ihn. Das Verbot, mit dem Ritter zu raunen, wird im Winterlied eingehalten, obwohl ungern (37,33 bis 38,8); hier wird auch dem Ritter direkt verboten, daß er sich einem Mädchen nähere, wenn auch das Mädchen nur scheinheilig die Mutter beruhigt (45,21–46,27).

Ein großes Hindernis, das sich im Sommerlied nur in der Gestalt Engelmars andeutet, bilden die Bauernburschen. Sie verdrängen den Ritter physisch von dem Mädchen. Ihre Methoden sind verschieden: entweder verfolgen sie ihn, wie er klagt, mit Heeresgewalt, obwohl nie der Anschein eines direkten Angriffs erweckt wird, oder sie spielen seinem Mädchen einen Streich, drohen mit fürchterlichen Waffen und prahlerischen Worten. Sie kleiden sich aufwendig und versuchen, höfisch zu tanzen und gar zu sprechen: all das bereitet dem Sänger seelische Qualen; plötzlich Ästhet geworden, was man bezüglich der Mädchen nicht merkte, muß er sich ob ihres *ungelimphes* (78,37), ihres *oedeclîchen* Halswindens beim Tanzen (60,16f.) und ihres zuchtlosen Beisammensitzens (41,27f.) schämen. Doch nicht nur diese Dinge an sich sind ärgerlich, sondern besonders der Erfolg, den die Burschen haben: ihr *rûnen* gewinnt die Herzen der Mädchen und wendet sie von dem Ritter ab; auf einmal muß er nun jahrelang ohne sichtbaren Fortschritt und Lohn dienen. Wenigstens er sieht es so an und wird damit lächerlich, denn die Mädchen sind ja keine Minneherrinnen, wie er sie in den Winterliedern klagend ansingt, sondern sie haben sich für die in ihrer Kraft, ihrem glänzenden Aufwand und ihrem vertraulichen Raunen überzeugenderen Bauernburschen entschieden. Die Minnesituation, in der sich der Sänger sieht, existiert also überhaupt nicht, seine Hoffnung und Aufregung, sein Klagen und Singen sind sinnlos, er selbst ist unerwünscht, niemand will ihn halten und er bleibt doch. Sein Rittertum, mit dem er in den Sommerliedern so viel Erfolg hat, verfängt hier nicht; die Bauernburschen ahmen es, wenn auch verzerrend, so doch offenbar dem Geschmack der Mädchen entsprechend, nach.

Das Bauernmädchen als langjährige Minneherrin muß für die Zeitgenossen Neidharts der Anlaß unerhörten Gelächters gewesen sein, denn die literarische Tradition – und wahrscheinlich auch die Sitte – sah in ihm höchstens den Gegenstand eines kurzen Zusammentreffens, ob „erfolgreich" für den Ritter oder nicht, und die Sommerlieder bewahren diesen Aspekt. Der Sänger aber, den Neidhart von Kind auf einem solchen Mädchen dienen, über ihre Hartherzigkeit und Strenge klagen und seine Freunde um Rat befragen läßt, ist eine Parodie des höfischen Minnesängers. Seine Feigheit macht ihn verächtlich, die Verschwendung höfischer Werte in sinnlosen niedrigen Situationen verabscheuungswürdig. Hier liegt die Satire weit offener zutage als in den Sommerliedern: der Sänger ist in diesen als Ursache für die Korruption der Mädchen das eigentliche, aber nur indirekt belichtete Objekt der Satire, während er in den Winterliedern unmittelbar im Scheinwerferlicht steht.

Es ist jedoch nicht nur die größere Geschlossenheit der Bauernwelt, die den Sänger in eine hoffnungslose Lage bringt; auch in ihm selbst gehen Verwandlungen vor. Zunächst wird sein Auge schärfer: er sieht die schrundigen Füße, den beim Gerstenschneiden verwundeten Finger des Mädchens und stellt fest, daß sie eben einen *rôsenvarwen triel* (37,32) hat. Neidhart läßt ihn die absurdesten Zusammenjochungen höfischer Phrasen mit derb realistischen Ausdrücken wählen:

> *si ist unwandelbaere:*
> *wîten garten tuot sie rüeben laere.* (43,3f.)

> *mîner ougen wünne greif er an den füdenol.*
> *tumber gouch, des mehte joch den keiser Friderîch genüegen.*
> (65,12f.)

Vor allem aber läßt Neidhart ihn zum Pasquillanten werden. Des Sängers Lieder verspotten, verhöhnen die Bauernburschen; seine Klagen über sie und ihre Untaten, die Hilferufe an seine Freunde, seine Drohungen und ungestillten Rachegelüste: das alles sind die Zeichen des verächtlichen Schelters, der die Gewalt seines Wortes benutzt, um diejenigen anzuschwärzen, die ihn an der Ausführung seiner unsauberen Pläne hindern. Neidhart der Satiriker macht sich also lustig über den Pasquillanten, macht den korrupten, nur Privatzwecken folgenden Satiriker zum Objekt seiner Satire, entlarvt den Bauernspott des Sängers als persönlichen Haß. Zugleich jedoch muß erkannt werden, daß wie die direkte Lehre auch die Satire im Munde des Narren in ihrem Werte unangetastet bleibt. Zieht man die subjektiven, haßerfüllten Kommentare des Sängers ab, so bleibt von seinem Dörperspott noch die Kritik an der *inordinatio,* die die *getelinge* genauso trifft wie die Mädchen und den Sänger: sie tragen sich in Kleidung, Haartracht und Waffen wie Hofleute, obwohl das alles ihrem Stande verboten ist. Dies ist auch der Gegenstand unverstellter Rede Neidharts in dem Preislied auf Friedrich (102,2–21).

Damit hat sich gezeigt, daß Neidhart an der exemplarischen Situation des ritterlichen Sängers bei den Bauern vielfältige Formen der *inordinatio* sich entwickeln läßt, für die der ritterliche Sänger verantwortlich ist, da er sich in die geschlossene bäuerliche Welt eindrängt. Er ist deshalb in seiner Verächtlichkeit das Hauptziel von Neidharts Satire. Die stets durchgehaltene Ich-Form garantiert zwar eine konsequente Ethopoiie und gibt ihm den Charakter des traditionellen Repräsentanten der Gesellschaft, die damit auch der Satire verfällt. Aber sie macht die Verwechslung mit Neidhart dem Satiriker sehr leicht, und so ist es kein Wunder, daß Neidhart in der sogenannten Neidhart-Schule mißverstanden wurde und daß seine feine Satire in groben Abenteuern und Schwänken unterging. Nun, da sich aus der szenischen Situation die satirische Haltung Neidharts zu seiner *persona* ergeben hat, ist genauer zu untersuchen, in welcher Richtung seine Kritik verläuft, welches die Gesichtspunkte seines Tadels, welches die Werte und Ideale sind, die er mit seiner Satire verteidigt.

§ 2 Werte und Wirklichkeit

11 Wer sich vornimmt, in Neidharts Gedankenwelt einzudringen und die Gesichtspunkte seiner Kritik zu erfassen, muß zuerst die Vorfrage klären, ob die Gedanken und Lehren in seinen Liedern überhaupt ernstzunehmen sind. Diese Frage muß auf zwei Stufen beantwortet werden:

1. Angenommen, Neidhart glaube an die höfischen und religiösen Werte: werden sie nicht durch die Parodie und Persiflage in seinen Liedern angetastet, unernst, lächerlich?

2. Hat Neidhart überhaupt an diese Werte geglaubt?

Die Möglichkeit, daß Neidhart ernsthafte Gedanken in einem „alles wirklichen Ernstes baren Ton" vorträgt, sieht Wießner bezüglich der Weltfluchtstrophen. Er weist auf die „burlesken Strophen" hin, in denen der Weltdienst unter der Metapher des Minnedienstes erscheint, wobei die *vrouwe* in einer für den Minnedienst ganz ungehörigen Weise „maßlosen

Beschimpfungen" ausgesetzt werde. Doch anerkennt Wießner durchaus den Ernst von Neidharts Gedanken, daß seine Sangeskunst sein Seelenheil bedrohte, und vergleicht den Dichter darin mit Hartmann.[71] Wießner trennt also scharf zwischen den vorgebrachten Gedanken und der Form, in der sie erscheinen. Daß aber auch die Spiegelung des Weltdienstes im Minnedienst nicht nur dem burlesken Zwecke dient, wird später zu besprechen sein.

Weidmann dagegen meint, Neidhart nehme in 15,21 „der *lêre,* die den *tugentlîch* Minnenden als Vorbild preist, . . . wieder das Gewicht, indem er sie den Bauernmägden in den Mund legt".[72] Weidmann anerkennt jedoch die Ernsthaftigkeit der Minnelehre in 32,6;[73] dort ist zwar unwahrscheinlich, daß die Sprecherinnen Bauernmägde sind, aber bei näherer Betrachtung zeigt sich, daß Ton, Inhalt und Charakter der Lehre in beiden Fällen fast gleich sind. Der Unterschied liegt also nicht im Ernst und Wahrheitsgehalt der Lehre, sondern in denen, die sie vortragen. Wenn in 15,21 die *tougen minne* (16,26f.) gepriesen wird und das eine Mädchen sich gleich darauf um einen Gürtel den Namen ihres Liebhabers von Riuwental ablocken läßt, so macht nur sie sich lächerlich – einmal durch den Bruch der Heimlichkeit, zum andern durch den Liebhaber, der dem Publikum als unsteter Schwerenöter bekannt ist –; die Richtigkeit der Lehre wird durch ihr und des Riuwentalers negatives Beispiel sogar noch betont; die Kraft der Satire wird verstärkt, wenn gerade die an der Lehre versagt, die sie vorträgt und verteidigt. – Es darf hier das schon einmal vorgebrachte Argument wiederholt werden, daß eine Wahrheit dadurch nicht verändert wird, daß ein Narr oder ein Unwürdiger sie ausspricht. Dies war ja auch eines der wichtigsten Argumente der katholischen Kirche in ihrem Kampf gegen die Kritiker, die aus dem unwürdigen Leben mancher Priester auf die Unzulänglichkeit des Dogmas schließen wollten.

Auch über die zweite Frage, ob Neidhart seine Lehren ernst und als Wahrheit nehme, sind die Meinungen geteilt. Böckmann etwa hält Neidhart für das erste Beispiel „des Strafers, des Satirikers, der nicht mehr meint, bessern und belehren zu können, sondern der jedem Formanspruch gegenüber auf die Hinfälligkeit und Unverbesserlichkeit des Menschen hinweist".[74] Wenn Böckmann jedoch zugleich feststellt, Neidharts Drastik und Parodie diene dazu, „den der Sünde verfallenen Menschen sichtbar zu machen",[75] so scheint er doch einen religiösen Standpunkt für den Dichter zu beanspruchen. Ähnlich sieht Martini den Dichter „entscheidungslos zwi-

---

[71] Wießner, Walther und Neidhart 263.

[72] Weidmann, Studien 40.   [73] Weidmann, Studien 64.

[74] Paul Böckmann: Formgeschichte der deutschen Dichtung. I. Von der Sinnbildsprache zur Ausdruckssprache. – Hamburg 1949; 178.

[75] Ebd. 179.

schen beiden Sphären" des Hofes und der Bauernwelt, stellt aber zugleich fest: „Den einzigen fraglosen Beziehungspunkt bietet ihm die höfisch-ritterliche Welt."[76] De Boor dagegen betont, Neidhart habe „die Formen der späten Hofkultur nicht angegriffen; er hat nur damit gespielt, indem er sie zu dissonierenden Effekten benutzte", während Walther „die festge-legten gesellschaftlichen Spielregeln des Frauendienstes" gestört habe.[77] Spielt Neidhart bloß?

Wie schon angedeutet (Abschnitt 8), sind nicht alle Lieder Neidharts aggressiv satirisch zu nennen; in einer ganzen Reihe fehlt die Kontrast-situation, an der die Satire sich entzündet. Über die Hälfte der Lieder, denen der satirische Angriff fehlt, sind Lehrgedichte. Sie sind jedoch nicht rein didaktisch: die bedrängende Wirklichkeit, die sonst immer den An-griff herausfordert, wird hier nur kurz genannt, es kommt auf eine Lehre zur Bewältigung oder Besserung dieser Wirklichkeit an. Auch diese Lieder gehören also dem satirischen Prozeß an, nur fehlen in ihnen die verzer-renden, distanzierenden und umkehrenden Darstellungsmethoden, die durch die Bloßstellungstendenz in die Satire eingeführt werden. Ein sol-ches Lied soll hier kurz analysiert werden, nämlich das Preislied auf Her-zog Friedrich II. von Österreich (101,20).[78] Es wird sich zeigen, daß der Ernst Neidharts sich im Gedanklichen nicht von seiner Satire unterscheidet.

Das Lied ist dreiteilig: Wintereingang und Minneklage, Drohung an die Bauernburschen mit *des keisers komen*, Lob auf Friedrich.[79] Der Fürst übernimmt nach Aussage der beiden Schlußstrophen die Aufgabe, dem Kaiser den Weg zu bereiten. Offenbar bewußt wählt Neidhart eine alte Formulierung, die auf Johannes den Täufer und seine Wegbereitung für Christus anspielt:[80] die übernommene Aufgabe hat religiösen Charakter. Entsprechend verfährt Friedrich auch auf zweierlei Weise: sein *rihten* (241,17, vgl. 102,31) hat den positiven Aspekt der *milte* (241,18f.) und den negativen der Einschränkung und Grenzsetzung (102,23); Güte und Strenge, Barmherzigkeit und Gerechtigkeit bezeichnen genauer das heilige Amt, das eine Spiegelung der Ordnertätigkeit Gottes darstellen kann. Das Kommen des Kaisers, der alle Fürsten an Würde und Tatkraft übertrifft, bedeutet dann nur noch eine Besiegelung der von Friedrich geschaffenen

---

[76] Martini, Das Bauerntum 46.

[77] De Boor-Newald, Literaturgeschichte II 364.

[78] Text nach Wießners Ausgabe in ATB; vgl. Wießners Anmerkungen in Haupt-Wießner und in seinem Kommentar; ferner vgl. Edmund Wießner: „Die Preislieder Neidharts und des Tannhäusers auf Herzog Friedrich II. von Babenberg." ZfdA 73 (1936), 117–30, bes. 121–23.

[79] Wießner, Kommentar zu 101,20, Einleitung.

[80] Vgl. Wießner, Kommentar zu 241,11–20, und die Anmerkung in Haupt-Wießner.

Ordnung, so wie der Gottessohn den bereiteten Weg beschreitet und heiligt. Auch die übrigen Fürsten schaffen im gleichen Sinne Ordnung in ihren Ländern (241,14), der Kaiser selbst in seinen Stammlanden *um den Rîn* (102,31); Neidharts Hoffnung geht also auf eine große Neuerfüllung der Idee des Reiches, und die religiösen Assoziationen zeigen, daß er wie Walther eine heilige Idee darin sah.

Zu diesem Plane Friedrichs stimmt nun die Drohung an die Bauern in den Strophen IV und V. Niemand von ihnen wird mehr zum Tanze singen, ihre *vreuden* werden verschwinden, weil der Kaiser sich angesagt hat (102,2–8). Speziell nennt Neidhart das Gebot, die alte Haar- und Kleiderordnung für die Bauern wieder einzuführen[81] und empfiehlt, es mit aller Strenge durchzusetzen (102,12–21). Dies kommt für ihn der Wiederherstellung der alten Sitte gleich, so wie man es in der guten alten Zeit *bî künc Karel* gehalten hatte (102,17f.). Lange Haare und prunkhafte Kleider sind für Neidhart nur die äußeren Erscheinungen des Übermuts und der Üppigkeit, wie er sie an den Bauernburschen in den Winterliedern unermüdlich kritisiert. Als Bruch einer gesetzlichen Kleiderordnung und einer alten Sitte stellen sie eine *inordinatio* dar, eben das also, was Friedrich in seinen Landen bekämpfen, einschränken und in seine Grenzen zurückweisen will. Der besprochene religiöse Charakter von Friedrichs Handlung zeigt, daß Neidhart in der üppigen Haar- und Kleidertracht der Bauern nicht bloß das Aufmucken gegen ein willkürliches Menschengesetz sieht, sondern einen Verstoß gegen die göttliche Ordnung, auf der das Reich als Ganzes ruht, und die es mit Strenge wieder herzustellen gilt. Deshalb auch der Hinweis auf die mythische Vergangenheit des Königs Karl: damals ist für ihn dieses Gegenwärtige entstanden, das nun der Verantwortung der Nachgeborenen übergeben ist. Was sich dagegen auflehnt, ist Üppigkeit und Übermut. Martini hat mit Recht darauf hingewiesen, die langen Haare der Bauern seien „nicht ein Erweis der putzsüchtigen Eitelkeit, sondern alte Abzeichen des freien Mannes".[82] Was sich für den Ritter Neidhart in den langen Haaren zeigt, ist der alte Freiheitssinn des germanischen Bauern, der die ständische Ordnung, die Aufgabenverteilung und ihre zeichenhafte Erscheinung in Kleidung und Haartracht nicht anerkennen will und der sich damit titanisch gegen das heilige Reich auflehnt, das auf dieser Ordnung beruht. Man greift bei Neidhart offensichtlich zu kurz, wenn man in den Ausfällen gegen die üppigen *sprenzelaere* nur den Zorn des unglücklichen Liebhabers und den Futterneid des armen Ritters sieht; das mag auf das Zerrbild des Riuwentalers zutreffen, nicht aber auf Neidhart selbst, wie dieses Lied zeigt.

---

81 Dazu vgl. Martini, Das Bauerntum 4,57. Vgl. Haupt-Wießner, Anm. zu 102,10.
82 Martini, Das Bauerntum 57.

Wenn die beiden letzten Teile des Gedichts so genau ineinanderpassen, obwohl sie stofflich stark differieren, so fragt sich nun, ob die Minneklage im ersten Teil nur ein konventioneller Eingang ist. Bei näherer Betrachtung zeigt sich jedoch, daß der Gedankengang hier ganz anders verläuft als sonst, wo über die Hartherzigkeit der Minneherrin und den langen vergeblichen Dienst Klage geführt wird. Das hier geschilderte Verhältnis ist gar kein Minneverhältnis im hochhöfischen Sinn, wie es besonders durch Reimar formuliert wird, sondern das genaue Gegenteil davon. Wenn dort der Ritter sich in freier Entscheidung zum Dienste für die *vrouwe* bindet, selbst wenn er keinen Lohn erwarten darf, so fühlt er sich hier gezwungen, und zwar so sehr, daß er sich vor der Gewalt (101,29) eines Zaubers (241,2.5) schützen (241,4) und aus dem Verhältnis ausbrechen möchte (241,9). Die Gewalt anwendende Zauberin ist die *vrouwe,* auch dies also wieder ganz im Gegensatz zum hohen Minnesang Reimars und Walthers.[83] Die Macht, den Ritter aus dem Zwangsverhältnis zu lösen, liegt bei der *vrouwe* (101,27–29); sie muß ihm den Sinn verwandeln, ehe er wieder von ihr wegkommt (241,9f.). Er sucht jedoch gleichzeitig nach einem Gegenzauber, um sich zu befreien. Das Minneverhältnis ist hier also völlig, in jeder Einzelheit, umgekehrt. Man denkt unwillkürlich an Veldekes Lied:

> *Tristrant mûste âne sînen danc*
> *stâde sîn der koninginnen,*
> *want poisûn heme dâ tû dwanc*
> *mêre dan dî cracht der minnen.* (MF 58,35–59,2)

Es ist dieselbe Zauberminne, die etwa Eilharts ,Tristrant' und Veldekes ,Eneit' bestimmt, die sublimiert in Morungens Venusminne und Gottfrieds ,Tristan' wieder auftritt. Der hochhöfische Minnesang und die hochhöfische Epik benutzen das Motiv der Zauberminne nur noch im metaphorischen Sinne für die Kraft ihrer ethisch bestimmten *herzenliebe*: schon Veldeke betont im Fortgang der zitierten Strophe, er habe keinen Zaubertrank genossen und minne sie wennmöglich noch stärker als Tristrant. Eine magische Form der Liebesbeziehung, durch den zwingenden Trank jede individuelle Entscheidung und ethische Bewährung ausschließend, steht gegen die höfische Minnebeziehung, die auf freier Entscheidung beruht und eine ständige ethische Neuentscheidung im Sinne von *triuwe* und *staete* verlangt. Es scheint nicht unbegründet, daß der Minnesang sich in der Form der Metapher stets das Gegenbild der sinnzwingenden Zauberminne vor

---

[83] Walther 115,30 (vgl. Wießner, Kommentar zu Neidhart 101,30) spielt nur mit dem Gedanken des Zaubers, denn es ist ja die *schoene* und *êre* der Dame, die diesen „Zauber" auf ihn ausüben; das Verhältnis bleibt ein ethisches, und die Magie ist Metapher.

Augen hält,[84] denn es ist ihre physische, personlose, bewußtlose Gewalt, die die echte Minne stets von unten her bedroht.

Man könnte nun argumentieren, Neidhart verwende die Zauberminne auch nur metaphorisch. Dafür scheint zu sprechen, daß die *vrouwe* den Ritter ja gar nicht an sich bindet, um seine physische Liebe zu gewinnen oder zu erhalten, sondern daß sie sich ihm nur Tag und Nacht vorgaukelt und seinen *lieben wân,* sie *minneclîch* zu umfangen, betrügt (101,30–38). Ein Zauber, von dem gar kein Gebrauch gemacht wird, scheint doch sinnlos. Nimmt man einmal an, der Zauber sei metaphorisch für die Macht ethischer Minne, so verwundert die Abwesenheit jedes Wertbegriffes aus dem höfischen Minnevokabular, mit dem wie etwa bei Walther das Rätsel gelöst würde. Keine Rede von Dienst, Lohn und Hoffnung, von *zuht, êre, triuwe* oder *staete,* von Schönheit oder *hövescheit.* Statt des *ungemach* oder der *nôt,* in die der hochhöfische Ritter kommt, dessen Minne ungelohnt bleibt, erscheint hier ein Wort aus der Frühzeit des Minnesangs, von demselben Veldeke eingeführt, der auch die Unterscheidung zwischen Zauberminne und ethischer Minne geliefert hatte: *pîn,* bei Neidhart *kumberpîn* (101,28).[85] Wenn Hûsen beim Erwachen seine Traumliebste verliert (MF 48,23–27), so klagt er über seine Augen, deren Aufgehen den Traum verlöscht (48,30f.); Morungen sieht an seiner Traumliebsten *ir werden tugende, ir liehten schîn, schône und für alle wîp gehêret,* bei ihm ist es die Minne, die seine *vrouwe* ihm vor die Augen führt, und er beklagt nur, daß er sie mit einem versehrten *mündelîn* geträumt hat (MF 145,9–21). Neidhart dagegen protestiert beinahe gegen den Betrug, den sie, die *vrouwe* persönlich, ihm antut (101,34–38).[86] In keiner Hinsicht kann man also behaupten, daß Neidhart die Zauberminne als Metapher für eine starke höfische Minne gebrauche, wie es im Minnesang oft getan wird.

Man kann jedoch in Neidharts Lied eine gewisse Metaphorik der Zauberminne erblicken, durch deren Erfassung sich die oben angedeutete Schwierigkeit vom unausgenützten Zauber auflösen läßt. Um ihn aus

---

84 Walthers zitiertes Lied (Anm. 83) scheint geradezu eine didaktische Erprobung des Gegensatzes zu sein, denn erst in der Schlußzeile löst er die Zauberminne, an die der Hörer zuvor allein denken muß, als Metapher von der wirklich gemeinten individuell-ethischen Minne ab. – Vgl. ebenso Morungen MF 126,8, wo die bezaubernde *vrouwe* durch sämtliche höfischen Tugenden glänzt (126,29f.).

85 Vgl. Wießners Kommentar zu 101,28.

86 Darüber hinaus bringt die zweite in c überlieferte Strophe 240,11–20, gegen deren Echtheit „kein entscheidender Grund" spricht (Haupt-Wießner, Anmerkung zu 102,1), Hinweise auf die Untugend, Unehre und Unsinnigkeit dieser *vrouwe* Neidharts. Wenn die Strophe echt ist, so nähert sich die *vrouwe* der *werltsüeze.*

seinem Banne zu befreien, müßte die *vrouwe* ihm *den muot verwenden* (241,10), den Sinn verwandeln. Man kann daraus entnehmen, daß der physische Aspekt, den die archaische Zauberminne mit ihren magischen Substanzen und Sprüchen hat und der hier durch die Wörter *stüppe, zouberlüppe* und *segen* angedeutet wird (241,1.2.6), in Neidharts Lied gar keine Rolle spielt. Sie hat nicht auch seinen Körper, nur seinen Sinn völlig gefangen und zwingt ihn, ständig ihrem Betrug zum Opfer zu fallen, ständig zu wissen, daß er betrogen wird, ohne von ihr loszukommen. Neidhart spricht mit Recht von *ungefüegen zouberlisten* (241,5): die *vrouwe* spielt auf bösartige Weise mit ihm, mit seinem Traum, geliebt zu sein, und mit seinem Bewußtsein, betrogen zu werden. Dadurch, daß es der Dame offenbar gerade darauf ankommt, die Wirklichkeit des Verhältnisses nur Schein bleiben zu lassen, wird der physisch-magische Aspekt dieser Zauberminne metaphorisch, und das oben angedeutete Problem des ungenutzten Zaubers erweist sich gerade als der Sinn des Zaubers. Der Mann soll gebunden werden an den bloßen Schein, Wahn und Betrug, und erst eine Verwandlung des Sinns und Gemütes kann ihn retten. Wir sind damit sehr nahe an die Weltsüßelieder gekommen, wo ja auch unter dem Bild der *vrouwe* die scheinhafte Welt beschimpft und der Dienst an ihr beklagt wird. Doch dort wie hier ist die *vrouwe* nicht bloß eine Personifikation, der Minnedienst nicht bloß eine Allegorie des Weltdienstes – der Minnedienst in seiner pervertierten Form ist für Neidhart vielmehr gleich mit dem Weltdienst, nur eine Synekdoche, eine *pars pro toto* dafür. Im vorliegenden Liede jedenfalls deutet höchstens die von Wießner nicht aufgenommene Strophe 241,11–20 in Richtung der Weltsüßestrophen; alles andere ist auf einen sinnlosen Minnebezug gemünzt, in dem die idealen Verhältnisse gänzlich verkehrt sind und in dem der Ritter bei vollem Bewußtsein an ein Scheinbild gebunden ist, von dem er sich mit eigener Kraft nicht lösen kann.

In diesem Sinne nun ist die hier beschriebene Minnebeziehung ein zweites Beispiel der *inordinatio,* der Pervertierung des Ideals, neben der bäuerlichen Ordnungslosigkeit. Nur betrifft dieses Beispiel den Ritterstand selbst. So wie bei den Bauern Haar- und Kleidertracht als Anzeichen einer drohend gegen die gradualistische Ständeordnung und Pflichtenteilung gerichteten titanischen Macht erschienen, so wird nun die falsche Minnebeziehung als Verrat des Rittertums an seinen Ideen und Werten und damit auch an der Ordnung dargestellt, die das Reich stützt und zusammenhält. Der Ursprung der falschen Minne und der Perversion der Idee liegt, wie die Metapher der Zauberminne wohl andeutet, in dem archaischen Bereich physischen Zwanges, in der Unterwelt der Triebe, die keine freie Entscheidung nach Werten und Idealen zulassen und den Menschen zugleich in der Vorstellung binden und in Wirklichkeit betrügen.

Ordnung gilt es also nicht nur bei den Bauern zu schaffen, sondern auch im Rittertum. Neidharts Formulierung *Füeget iuch, arm unde rîche* (241,11) ist deshalb völlig berechtigt. Er sieht die *inordinatio* allenthalben, stellt sie bloß und ruft zur Besserung, die er von dem heiligen Einzug des Kaisers und von seinem Täufer Johannes, dem Herzog Friedrich, erhofft. Der Ernst des Liedes ist durch den Bezug auf diesen Fürsten verbürgt. Die behandelten Themen der *inordinatio* jedoch bei Rittern und Bauern stimmen genau mit den Themen seiner satirischen Lieder überein; das wird im folgenden noch klarer werden. Wenn diese Klarheit vollends geschaffen ist, dann kann als bewiesen gelten, daß hinter der Parodie und Ironie der satirischen Lieder der Ernst Neidharts steht, daß Parodie und Ironie Teile des satirischen Prozesses sind und daß Neidharts Ziel die Verwandlung seiner Zuhörer zur Wahrhaftigkeit und zu den Idealen der *ordinatio* ist. Damit haben wir übrigens nach den Einzelinterpretationen und der Erfassung der exemplarischen Situation zum drittenmal den Hinweis darauf gewonnen, daß Neidhart der Satiriker sich von dem lächerlichen und verächtlichen Ich des Sängers in seinen Liedern dissoziiert.

12   Dadurch, daß diese Tatsache von der bisherigen Forschung nicht erkannt worden ist, hat man vieles als direkten Meinungsausdruck Neidharts genommen, was er in Wirklichkeit als falsch und negativ kennzeichnet, und hat andererseits die Passagen als Parodie aufgefaßt, in denen er seine Meinung ausdrückt.

Das gilt besonders für die Liebesbeziehung, die ja in praktisch allen Liedern in irgendeiner Form behandelt wird. Meistens wird die Liebe bei Neidhart von den Forschern als „Zug von Geschlecht zu Geschlecht" erklärt, „ohne Ansehen der Person";[87] als „reiner Naturtrieb",[88] als „triebhaftes, geschöpfliches Verlangen"[89] und „sinnliche Liebe"[90] verstanden. Zugleich sieht man, besonders in den Winterliedern mit ihren Minnestrophen, „die Idee der Minne ... zersetzt",[91] den Minnesang negiert,[92] die Liebe ihrer „sittigenden Macht" entkleidet und zur reinen „Lebensgewalt" herabgesetzt.[93] Der Dichter wird sogar verantwortlich gemacht für einen Beitrag zum „Verfall des Minnedienstes", und erst im Alter darf er, hilf-

---

87 G. Rosenhagen: „Neidhart von Reuental." In: Wolfgang Stammler und Karl Langosch: Die deutsche Literatur des Mittelalters. Verfasserlexikon. – Bd. III, Berlin 1943; 501–510; 506.
88 Günther, Minneparodie 24, über die Sommerlieder.
89 Martini, Das Bauerntum 48.
90 Weidmann, Studien 30,48f. zu Sommerliedern.
91 Martini, Das Bauerntum 46.   92 Günther, Minneparodie 5.
93 Conrady, Ez meiet 94 (zu einem Sommerlied).

los geworden, diesen Verfall erkennen.[94] Man geht mit diesen Feststellungen meistens über die vielen Strophen hinweg, in denen Neidhart über echte und falsche Minne theoretisiert, oder man erklärt sie als Scherz oder Parodie.[95]

Triebhaftes Liebesverlangen tritt hauptsächlich in den Sommerliedern auf. Besonders die Altenlieder dienen Neidhart dazu, die Naturgewalt des Triebes zu zeigen; das Alter der Liebesgierigen bewirkt dabei ein Gefühl der Ungehörigkeit und Unschicklichkeit. In 9,13 weist der Dichter sogar pointiert darauf hin: nachdem er die Alte ausführlich über ihre Verwundung durch die pfeilschießende Minne hat berichten lassen, schließt er in der letzten Strophe:

> *Wol verstuont diu junge,*
> *daz der alten ir gedanc*
> *nâch vröuden ranc –*
> *als ich gerne runge,*
> *ob mich ein sendiu sorge niht entwunge*
> *unde an herzenliebe mir gelunge.*   (10,16–21)

Er kann also nicht wie die Alte nach *vröuden* streben, da für ihn die Gewinnung von *herzenliebe* eine notwendige Voraussetzung der Freude ist. Deutlich wird hier die anonyme Triebleidenschaft der Alten von der höfischen Minne des Ritters abgesetzt und dadurch kritisiert, wie auch schon eine Formulierung wie *Der was von der Minne allez ir gemüete erwagt* (9,37f.) und die Gegenwart der staunend zuhörenden stolzen Magd ein ironisches Licht auf die Ausführungen der Liebekranken werfen.

Mit der triebhaften Minne der Sommerlieder ist die Tanzlust fast notwendig verbunden; oft wird das Liebesverlangen als Tanzverlangen kaschiert, aber die erfahrenen Mütter warnen ohne Umschweif vor den Männern überhaupt (3,22; 6,19) und vor dem Ritter insbesondere (20,38; 24,13).

Die Frühjahrstänze sind die Feier des Wiedererwachens der Natur; der rituelle Empfang des Sommers[96] ist ihr Ziel. Oft wird dementsprechend das Geschehen in der Natur mit dem aufkommenden Triebverlangen in Parallele gesetzt, am eindrucksvollsten vielleicht in der folgenden Mädchenrede, die mitten im Lied Naturmotive bringt:

> *ze dem sô wil ich gâhen.*
> *er ist genant von Riuwental: den wil ich umbevâhen.*
>
> *Ez gruonet an den esten,*
> *daz alles möhten bresten*
> *die boume zuo der erden.*   (4,19–24)

---

94 Weidmann, Studien 118.   95 Weidmann, Studien 41f. zu 15,21.
96 Vgl. die Belege in Wießners Wörterbuch s.v. *enpfâhen*.

Dagegen betont der Sänger manchmal, seine Liebe sei nicht von dem Naturgeschehen abhängig, so etwa im Sommerlied 29,27, wo er durch eine
tougen senediu sorge gehindert wird, an der Freude aller Welt teilzuhaben
(29,35–30,3). Zwei späte Sommerlieder, in denen das burleske Element
ganz fehlt, bringen offenbar Neidharts unverfälschte Ansicht über die
rechte Wirkung des Naturgeschehens auf den Menschen. In 31,5 folgt auf
die Klage über die schändlichen und freudlosen Zustände in *Ôsterlande*
die Strophe:

> *Liebiu kint, nu vreut iuch des gedingen,*
> *daz got mit sîner güete mange swaere kan geringen!*
> *uns kumt ein schoeniu sumerzît,*
> *diu nâch trûren vröude gît.*
> *ich hoer diu vogelîn singen ...*   (31,15–19)

Den Trauernden erleichtert Gott ihre Not, indem er ihnen durch seinen
Frühling Freude gibt.[97] Nicht als ob der Anlaß zur Trauer damit aufgehoben wäre – aber immerhin ist die lastende *swaere* erleichtert. In dieser
Weise von der Jahreszeit beeinflußt zu werden, ist also gerechtfertigt; die
Freude der Menschen im Frühling[98] ist ein Geschenk aus der Güte Gottes.
So sieht es wenigstens der späte Neidhart, und hier läßt sich vielleicht ein
wesentlicher Unterschied des alternden Dichters von der Minnesangtradi-
tion erfassen: kritisiert wird in den Sommerliedern mit der im Frühling
auftretenden Tanzlust und Liebesfreude auch die allgemeine Beeinflussung
durch die Jahreszeit. Die Mädchen und alten Frauen werden lächerlich,
wenn sich in ihnen plötzlich mit den ersten Sonnenstrahlen die Minne
regt, wenn sie sich vom Totenbette erheben, um Bocksprünge zu tun, oder
wenn sie Einrichtungsgegenstände demolieren, um zu den Tanzkleidern zu
gelangen. Der Ritter selbst zeigt sich nicht persönlich affiziert durch diese
Frühjahrsminne, nur wächst zu dieser Jahreszeit das Betätigungsfeld für
seine Verführungskünste besonders stark. Er distanziert sich an manchen
Stellen sogar von dieser Parallelisierung innerer Dispositionen mit Natur-
vorgängen – die eben aus den Dispositionen Naturerscheinungen macht –
und begnügt sich damit, zur Freude aufzurufen, was für höfische Begriffe
weit weniger Konkretes bedeutet als für die Bauernmädchen und alten
Frauen. Er benutzt hier wie so oft einen Terminus, der von einem höfischen
Standpunkt ideal, vom Standpunkt der Mädchen ganz irdisch verstanden
werden kann, und erreicht so sein Ziel, ohne die Etikette zu verletzen und
etwas „Falsches" zu sagen. In der beobachteten Dissoziation Neidharts von
dem sprechenden Ich wird es dadurch möglich, die Triebminne der Mäd-

---

[97] Eine ähnliche Argumentation 33,15.

[98] In Wießners Kommentar zu 8,12 sind die Stellen gesammelt, in denen zur
Freude aufgefordert wird.

chen lächerlich zu machen, die Korruption eines höfischen Begriffes bloßzustellen, des Sängers korrumpierende Techniken aufzudecken und zugleich all das mit dem Richtigen, dem höfischen Ideal zu konfrontieren.
Wenn nun der späte Neidhart dem Frühling eine besondere Freudenwir-
kung durch die Güte Gottes zugesteht, so bedeutet das ein Abgehen von
dem Prinzip der *staete* im Minnesang, die sowohl in der Minne wie auch
in der seelischen Stimmung eingehalten werden und nicht von Jahreszeiten
abhängig sein soll. Diesem Prinzip hat, wie gezeigt, auch der jüngere Neidhart gehuldigt.[99] Hier scheint sich also eine späte Wandlung zur Anerkennung des triebhaften, unbewußten Wesens anzudeuten, das er zeitlebens
mit seiner Satire verfolgt und bloßgestellt hatte, das ihn aber, wie die unablässige Beschäftigung seiner Satire mit diesem Thema zeigt, auch als
wirkliches Problem beschäftigt, als bedrohliche Wirklichkeit zu immer
neuen Distanzierungsversuchen getrieben hatte. Wenn er also in diesen
späten Liedern die Gottgegebenheit dieser jahreszeitlich bedingten Freude
anerkennt, so scheint er sich mit dieser bedrohlichen Wirklichkeit zu ver-
söhnen, scheint sie aus seiner distanzierenden Ironie zu entlassen und sie
anzuerkennen, soweit es ihm möglich ist. Denn man darf nicht an eine Unterwerfung Neidharts denken; es heißt deutlich:

> *herze wurden vröuden vol,*
> *die mägden wol gezâmen.*   (31,33f.)

Neidhart anerkennt nur die geziemenden Freuden, zu denen die Liebes-
vergnügungen sicher nicht gehören. Man kann also hier eine Harmonisierung des geistigen *staete*-Prinzips mit dem physischen Triebwesen, der
zeitlosen Idealität mit der zyklischen Frühlingsfreude beobachten.

Eine weitere Form der sinnlich-physischen Liebe ist die Zauberminne,
die in der Analyse des Preislieds 101,20 (Abschnitt 11) schon erwähnt
wurde. Es gibt noch einige wichtige Beispiele dafür, die Neidharts Einstellung dazu erhellen können. Das Lied 16,38 beginnt mit einer ungewöhn-
lichen Lehrstrophe:

> *Alle, die den sumer wellen lobelîche enphâhen,*
> *die lâzen in ze guote mîne lêre niht versmâhen:*
> *ich râte, daz die jungen hôchgemuoten*
> *mit schoenen zühten sîn gemeit und vürhten schâme ruoten.*

>   (16,38–17,2)

---

[99] Eine Ausnahme scheint 5,8 mit den Versen 5,32–37 zu machen. Doch ist hier
das Wortspiel mit Riuwental so stark, daß die damit assoziierte Verächtlichkeit und Lächerlichkeit des Ritters, sein Mangel an wirklicher höfischer Haltung hinter den höfischen Worten, eine Verhöhnung dieses Prinzips der
staete nur herausfordern.

Was die Einschränkung der Frühlingsfreude auf das Schickliche betrifft, so zeigt sich hier große Ähnlichkeit mit den oben zitierten Versen 31,33f.; hier fehlt aber jede tiefere Rechtfertigung der Frühlingsfreude, wie sie in 31,5 durch Gottes Güte gegeben ist. Das Lied 16,38 bringt in der fünften Strophe die Klage einer *magt*, die im Gegensatz zu *aller werlde* keine Freude haben darf. Der Grund stellt sich in dem anschließenden Gespräch mit ihrer Mutter heraus: sie ist dem Geschwätz einer Kupplerin zum Opfer gefallen, ein Ritter hat sie *nâhen zim gevangen,* und nun ist sie seinem Zauber verfallen, hat ihre Jungfernschaft und ihre Freude verloren. Sie erscheint damit als Gegenbeispiel zu der Lehre am Eingang des Liedes. Sie hat die Scham nicht gefürchtet, die Zucht vergessen und muß nun bereuen (18,1). Die Minne, der sie zum Opfer fiel, ist in Neidharts Augen und nach seiner Aussage also unhöfisch, denn die Lehre faßt „in der denkbar knappsten Form die wichtigsten Gebote höfischer Lebenshaltung".[100] Der Ritter wird diskreditiert als derjenige, der unhöfisch minnt; die Zauberminne wird verurteilt – ob nun das Mädchen die Wurzel erfunden hat oder nicht, spielt für das Faktum der bloß physischen Begegnung keine Rolle.

Tiefer geht das Winterlied 99,1. Die Anziehungskraft der *vrouwe* auf den Sänger wird dort mit einem Magneten verglichen; die Anspielung auf die Episode vom Magnetberg im Herzog Ernst betont das Fremdartig-Monströse dieser tückisch anziehenden Gegenstände. In beiden Fällen, bei *vrouwe* und Magnet, wirken unsichtbare unheimliche Kräfte, die – wenigstens im Falle des Magnets – physische Anziehungskraft ausüben. Noch in anderer Beziehung wird die *vrouwe* mit drohenden physischen Kräften identifiziert: mit der alljährlich geschehenden Beraubung durch den Winter wird die Art verglichen, wie sie ihn seiner Sinne beraubt hat (99,6–12). Was es bedeutet, wenn Neidhart einen Vorgang mit einem zyklischen Naturgeschehen identifiziert oder parallelisiert, hat sich an den Sommerliedern gezeigt: es handelt sich dann um einen „von unten her" bedrohlichen triebbedingten Vorgang. Das wird nun durch die sechste Strophe des Liedes bestätigt (100,31–101,5). Der Sänger rügt hier sein Herz, daß es den Augen zu schnell folge und schon auf das Äußere anspreche, bevor es noch die inneren Qualitäten der Schönen erkannt habe:

> *wirt dîn wille ervollet, sô geriuwet dich der wîf,*
> *ist diu liebe gast,*
> *dâ diu schoene ist ingesinde.*
> *iemer saelic, der si beide an einem wîbe vinde!*
> *solhes fundes mir an schoenen wîben ie gebrast.*   (101,1–5)

---

100 Weidmann, Studien 28; vgl. Haupt-Wießner, Anm. zu 17,2 (Haupt), und Wießner, Kommentar zu 17,2.

Es zeigt sich am Ende also, daß er sich einer unwürdigen *vrouwe* hingegeben hat. Um so negativer für ihn ist dann, daß sie ihn so binden kann, daß er an sie allein durch ihre Schönheit, durch Äußerlich-Physisches gefesselt ist, während er sich zugleich ihres inneren Unwerts bewußt ist. Aber er inkriminiert sich noch mehr: wenn er über die abenteuerlichen Sprünge seines Herzens berichtet, die es offenbar immer tut, wenn seine Augen eine Schönheit erspähen, dann kann es mit den großtönenden Versprechungen nicht weit her sein, er wolle sie bis zum Tode lieben und darauf vor all ihren Freunden einen feierlichen Eid schwören (100,17–21). Denn wenn er so von seinen Augen abhängt, kann er gar nicht *staete* sein, und das ist genau der Vorwurf, den ihm die *vrouwe* macht (100,16). Letzten Endes ist also wieder einmal der Sänger an seinem eigenen Unglück schuldig: die Zauberminne wird hier als physische Bezauberung durch äußere Schönheit entlarvt; daß der äußeren Schönheit keine ethische Qualität entspricht, kann von der hier besprochenen Schönen nicht gesagt werden, denn sie lehnt die *unstaeten* Männer ab und insbesondere den Sänger – also eine sehr richtige Entscheidung. Sicher ist aber, daß die ethische Qualität bei dem Sänger fehlt, denn er klagt sich ja gerade an, daß er nur der äußeren Schönheit folge; das Bewußtsein seines Fehlers ist schwach: schnell schiebt er es auf die Frauen ab, von denen er noch keine getroffen habe, die zugleich schön und liebevoll sei.

Die Zauberminne wird also hier entlarvt als eine Bindung des Ritters an bloße Äußerlichkeit ohne Berücksichtigung der inneren ethischen Qualität. Das Ergebnis ist ganz ähnlich dem, das wir in der Analyse des Preislieds 101,20 hatten (Abschnitt 11); dort war es die Zauberbindung an Wahn und Schein, was dann den Weg zu den Weltsüßeliedern öffnet. Man versteht nun, warum Neidhart in den drei Weltsüßeliedern den Weltdienst im Minnedienst spiegelt und in 95,6 sogar noch zwei Strophen allein über die Minne anschließt: es besteht ein bruchloser Übergang zwischen dem unethischen Dienst an der bloßen Schönheit, der bloßen Triebleidenschaft, und dem Weltdienst in seiner Üppigkeit, seiner Gefahr für die Seele, diesem Dienst an einer wandelbaren, ehrlosen, betrügerischen *vrouwe*. So wie Neidhart in seinen späten Liedern die rechte Frühlingsfreude an Gott bindet, so verknüpft er den falschen, veräußerlichten, triebunterspülten Minnedienst metonymisch mit dem Weltdienst, dessen Ende die Hölle ist.

Diskussion der echten und der falschen Minne nimmt in Neidharts Liedern entsprechend einen ziemlich großen Raum ein. Immer geht es dabei um die Verderbnis der Minneidee, an der Männer und Frauen, besonders aber die Männer, Schuld tragen. Die Frauen werden in den Winterliedern zweimal getadelt. Einmal hat er beim Rosenbrechen zu schnell zugegriffen und sich gestochen – in Zukunft will er besser zusehen, ob er eine *der rehten* vor sich habe, denn *rehte rôsen die sint aller wandelunge vrî* (94,31–95,5).

Hier wird die Frau also allegorisch mit der Rose verglichen; treue Frauen haben keine Dornen; der Tadel jedoch richtet sich, genauer betrachtet, gegen den Sänger, der wieder in der Jähe seines Herzens (100,31) zu schnell zugegriffen hat, ohne die inneren Qualitäten der Dame zu kennen. – Am Ende des Liedes 95,6 wirft der Sänger der Minne in der Gestalt einer bäuerlichen *vrouwe*[101] vor, daß sie ihre Gunst den *swachen vriunden,* nämlich einem Knechte (96,38) gebe und damit unehrenhaft werde. Seine Theorie von den Entscheidungen der Minne, die nicht nach Gesichtspunkten der Ehre fallen (97,5–8), mag richtig sein, doch inkriminiert gerade er sich wieder mit seinem Gesichtspunkt: denn sein Vorschlag

> *Daz siz niht dem ritter an den vinger stiez,*
> *dô iz in der niuwe und in der wirde was!*
> *dannoch hete siz dem knehte wol vür vol gegeben.* (96,39–97,2)

ist höchst unehrenhaft, auch wenn es sich um ein Bauernmädchen handelt und er ein Ritter ist. Wenn er beteuert *ich weiz rehte niht, war umbe sî daz liez* (97,3), dann zeigt sich, daß er die betrügerische Unehrenhaftigkeit seines Vorschlags gar nicht einsieht, daß er also völlig korrupt ist und sich über die Handlungsweise der Minne-*vrouwe,* die nun durch seinen Unwert geradezu gerechtfertigt wird, ganz zu Unrecht beklagt. Bei ihm wäre die Ehre der Minne mindestens ebenso *unbehuot* (97,8) wie bei dem Knechte.

Die Frauen, hier und oft in den Winterliedern sogar die Bauernmädchen, erscheinen also bezüglich der Minne eher gerechtfertigt als die Männer.[102] Diese werden als *wandelbaere* (16,11) und ehrlos (33,5) bezeichnet, sie minnen nicht heimlich (33,6), sind mit dem Herzen nicht beteiligt (33,12) und lassen sich nicht mit Frauen ein, durch die sie *getiuwert* würden (16,12). In jedem der beiden Sommerlieder, aus denen diese Zitate genommen sind (15,21 und 32,6), wird den Anschuldigungen widersprochen, in 15,21 mit dem Hinweis auf den Riuwentaler – das ist natürlich bittere Ironie Neidharts. In 32,6 macht ein Mädchen den Unterschied zwischen solchen Männern, die *mit triuwen* dienen, und den *boesen,* die die Minne veräußerlichen, *âne herze holt* sein wollen und damit das Kupfer dem Golde vorziehen (33,9–14). Nach den beiden Gesprächstrophen greift Neidhart jedoch selbst ein,[103] erweitert die gegen die Männer gerichteten

---

[101] Ihr *riutelstab* (96,34) ist ein bäuerliches Abzeichen. Vgl. Wießner, Wb. s.v. *riutel.*

[102] Die *vrouwe* der Weltsüßelieder darf wohl in diesem Zusammenhang außer Betracht bleiben; die Gründe für ihre Verurteilung betreffen mehr als den Minnebereich, wenn auch der Minnedienst als Vehikel der Anklage benutzt wird.

[103] Das ist verbürgt durch die langsame Überleitung in den Strophen V–VIII

Argumente und vergleicht die Gegenwart mit der Vergangenheit. Früher kam es den Herren auf hohe Minne und *herzenliebe* an, der Minnedienst war nicht verdrießlich, weil Liebe sein Zentrum war (32,36–38). Nun hat sich unter ausländischem Einfluß alles ins Gegenteil verkehrt; die Liebe der Männer gibt den Frauen keinen *hôhen muot* mehr, sie schändet sie vielmehr, weil sie ohne inneren Bezug nur das Physisch-Äußerliche im Auge hat.[104] In diesem späten Lied findet sich also Neidharts direkte Aussage dessen, was durch fast alle früheren satirischen Lieder hindurch der herbe Vorwurf gegen den Sänger war: daß er sich nur um Frauen und Mädchen bemüht, sofern sie ihm durch Schönheit und Hingabe momentane Befriedigung seiner Sinnlichkeit geben, daß er sich nicht scheut, Bauernmädchen durch höfischen Firlefanz zu verführen, daß er die Sitten, die Werte und Ideale der höfischen Kultur pervertiert, veräußerlicht, profan macht. Angesichts der klaren Aussage Neidharts in diesem Lied ist es wunderlich, daß die bisherige Forschung an der Identität der Vorwürfe vorbeiging und in Neidhart selbst den verächtlichen Prahler und das *arge minnerlein* sah statt dessen unermüdlichen Kritiker.

Vier Strophen des Tones 69,25 gehen auf dasselbe Problem ein und legen wiederum die Hauptschuld den Männern bei (71,11–72,23). Die Aussagen in den Strophen VI und VII sind nicht leicht zu verstehen; erst in der zweiten Hälfte der Strophe VII werden klare Aussagen gemacht. Dort heißt es, die Männer hätten zwei Fehler:[105] sie seien nicht keusch und machten einen Unterschied zwischen *herzenliebe* und *minne*, und zwar so, daß ihnen die (innerliche, ethische) *herzenliebe*, die Bemühung um das Wohlwollen *guoter wîbe*, weniger wichtig sei als die (äußerliche, formale, viel-

---

von der verkehrten *site* in der Minne über die allgemeine Notsituation in der Welt bis zu der bestimmten Notsituation, die durch die drohende Achtvollstreckung entsteht (vgl. Wießners Kommentar zu 32,30). – Was die Strophenfolge des Liedes betrifft, so scheint mir die Anordnung Wießners die sinnvollste.

104 Wießners Lesung von 32,23 ist wohl vorzuziehen, da die ursprüngliche auf die Päderastie führen würde; vgl. Wilmanns, Reien 80. Dieser Vorwurf würde jedoch von den übrigen des Liedes (33,5f.; 33,12; 32,36–39) ganz abweichen, die alle in die gleiche Richtung zeigen: die Männer bemühen sich zwar weiterhin um die Frauen, aber lustlos, ohne Liebe und nur unter ganz äußerlichen Gesichtspunkten. Die Päderastie würde doch wohl eine totale Vernachlässigung der Frauen durch die Männer mit sich bringen, und von diesem Vorwurf ist nichts zu spüren.

105 So muß man wohl *abe gân* 71,30 verstehen, denn die doppelte Negation (bei der Bedeutung „fehlen, nicht haben") würde die Männer ganz entschuldigen. Dagegen sprechen aber 72,2 und die schon in andern Liedern aufgezeigten Vorwürfe gegen die Männer.

leicht sogar bloß sinnliche[106]) Minne (71,30–36). Von hier aus wird der Anfang der Strophe verständlich. Auch hier geht es um den Anteil der *herzenliebe* an der Minne (71,25). Früher, als die Männer noch mit *herzenliebe* minnten, war ihre Minne wertvoller als die der Frauen;[107] heute ist es umgekehrt. Der Grund für den früher höheren Wert der männlichen Minne mag wohl in dem Handlungs- und Richtungscharakter der Minne zu suchen sein, der für den Mann eher zutrifft als für die *vrouwe*, die den seienden Wert statisch verkörpert. Jedenfalls scheint heute durch die Unkeuschheit und Äußerlichkeit der Männer das alte gute Verhältnis verkehrt und zerstört.

Die verwirrende Aussageform der Genitive, die sowohl subjektiv als auch objektiv verstanden werden können, scheint mir bewußt gewählt zu sein, denn Neidhart versichert, nicht zu wissen, *wer die wâren schulde habe*, und so muß wohl der männlichen Selbstanklage eine ähnliche von weiblicher Seite gegenübergestellt werden. Das geht auch aus der Empfehlung hervor: *valschelôsiu minne waere beidenthalben guot* (72,2). Als Anklage gegen die Frau muß auch der Vorwurf in Strophe VI verstanden werden, daß *diu liebe niht gemeiner triuwen pfligt* (71,14) und daß die *vrouwe* seiner Liebe nicht antwortet. Allerdings scheint sie Berechtigung dazu zu haben, denn der Sänger bezieht sich in die Selbstanklage wegen Unkeuschheit und Äußerlichkeit ein (71,30f. *uns, wir*) und nimmt sich selbst damit die Rechtfertigung der Anklage gegen sie. Das Ergebnis und die genaue Verteilung der Schuld bleiben also unbestimmt; fest steht nur die Beschuldigung der Männer, die ja mit den Vorwürfen aus anderen Liedern übereinstimmt; wenn man die triebhaft minnenden Bauernmädchen als Spiegelung höfischer *kinde* nimmt, so ergeben sich da ähnliche Vorwürfe. Ganz klar geht aus der Diskussion hervor, daß die wahre höfische Minne von der Verkehrung in Sinnlichkeit und von der Veräußerlichung bedroht ist. Das ist um so gravierender, als das Zusammensein eines *reinen wîbes* und eines rechtschaf-

---

[106] Vgl. 32,38, wo die Minne als verdrießlich dargestellt wird und daher nur die äußere Form des Minnedienstes bezeichnen kann; andererseits etwa 17,33, wo allein der sinnliche Aspekt gemeint ist. Die Unterscheidung zwischen *valscher* und *werder minne* (z. B. 32,39/33,1; hier im Lied wird *valschelôsiu minne* empfohlen) bedeutet, daß der Begriff Minne sich zu Bösem und Gutem gebrauchen läßt; Neidhart macht deutlich, daß zur rechten Minne eben *herzenliebe* gehört.

[107] Ich verstehe die Genitive 71,24.26.27 als subjektive, entgegen Rieger, Zu Neidhart 467 und Wießner, Kommentar zu 71,24. Denn was sich nach 71,30–33 verändert hat, ist die Qualität der männlichen Minne. Wenn also früher etwas schwerer wog und heute leichter wiegt als das andere (71,26f.), so muß es die Minne der Männer sein, *mannes minne* (71,26), während die der Frauen vielleicht (71,28!) gleichgeblieben ist.

fenen Mannes in echter Minne als der Höhepunkt der Schöpfung bezeichnet wird (72,11–17). Die Depravation und Korruption der Minne in Neidharts zeitgenössischer höfischer Gesellschaft ist also nicht nur ein Verrat des höchsten Wertes der höfischen Kultur, sondern zugleich ein Verrat an der göttlichen Ordnung der Dinge. Rechte Minne, so wird deutlich, ist geheiligt durch diese Ordnung, falsche Minne zerstört sie. Wieder wird verständlich, warum Neidhart den zur Hölle führenden Weltdienst in der Form des Minnedienstes an einer *êrelôsen vrouwe* aussagt (87,23): die *valschiu minne* ist nichts anderes als ein Teil dieses sündhaften Weltdienstes.

Neidhart erweist sich demnach ganz im Gegensatz zu dem Bilde des frivolen Hofunterhalters, das man sich bisher meist von ihm gemacht hat,[108] als der herbe verantwortungsbewußte Kritiker der höfischen Depravation, nur daß er selten direkte Aussagen macht, sondern meist die Dekadenz im Bilde des verächtlichen Sängers oder der preziös-brünstigen Mädchen selbst zu Worte kommen läßt, damit sie sich selbst dem vernichtenden *spottelachen* (64,11) aussetzen.

13 Die Ansichten über Neidharts Verhältnis zur höfischen Kultur und ihren Werten im ganzen gehen so weit auseinander wie die zu seiner Minneauffassung. Unklarheit herrscht zunächst darüber, wo Neidhart eigentlich stehe, auf seiten der Bauern oder des Rittertums, und zwar nicht so sehr in biographischer, sondern in geistiger Hinsicht. Günther zum Beispiel meint, Neidhart stehe „innerlich ... der höfischen Welt fern",[109] während nach Alewyns Ansicht Neidhart „die eigene, und das ist die höfische, Norm als die wahre und natürliche erscheint".[110] Martini stellt in Neidharts Dichtung diesbezüglich eine Entwicklung fest: „Den einzigen fraglosen Beziehungspunkt bietet ihm die höfisch-ritterliche Welt ... Hier scheint Neidhart den einzigen sichernden Lebensort zu suchen und auch zu finden, bis sich auch hier die Klage über den höfischen Gesittungsverfall einschiebt."[111] Geistiger Bezugspunkt könnte ja die höfische Welt auch trotz ihres Verfalls für Neidhart bleiben; Martini deckt aber noch einen

---

[108] Zum Beispiel Martini, Das Bauerntum 46–49. – Dagegen vgl. Rochus von Liliencron: „Über Neidharts höfische Dorfpoesie." ZfdA 6 (1848), 69–117; 70: „Neidhart, der mit graziöser derbheit keck und lustig in den sehnsüchtig klagenden chor hineintönt, im innersten herzen aber bezaubert von demselben wunder der Liebe wie sie alle."

[109] Günther, Minneparodie 14,15,23. Vgl. Bornemann, Neidhart-Probleme 50f.

[110] Richard Alewyn: „Naturalismus bei Neidhart von Reuental." ZfdPh 56 (1931), 37–69; 61.

[111] Martini, Das Bauerntum 46.

gegensätzlichen Aspekt auf: „Er selbst erweist sich als dieser feindlichen Welt [des „triebhaft-vitalen Daseins"] zugehörig, ihren Reizen und Gebärden, selbst ihrer Sprache bis zu den als Beleidigung alles Höfischen verpönten Schimpfreden und Eindeutigkeiten hin – obwohl er ihr zugleich immer wieder das Kulturbewußtsein des Ritters entgegenhält, den Untergang der guten alten Übung in enttäuschter Klage im Alter bejammert." [112] Andererseits begegnet Weidmann „überall ... dem Spiel des Dichters mit einer Tradition und einer Konvention, die er nicht mehr ernst nehmen kann",[113] zögert jedoch nicht, ihn an anderen Stellen als „Erzieher seiner offenbar höfischen Zuhörer" [114] und als „Dichter der höfischen Gesellschaft" zu bezeichnen, dessen „Lehre ... jetzt völlig eins mit dem Grundgedanken der ritterlichen Ethik" sei.[115] Für Böckmann endlich lösen sich „alle höfischen Ansprüche der *êre*, der *triuwe* und *mâze* ... vor diesen vitalen Mächten in einen bloßen Schein auf, der parodistisch umspielt werden kann, ohne daß darum ein neuer begründender Lebenswert sichtbar würde".[116]

Eigenartig ist die manchmal gegebene Deutung des Verhältnisses zwischen Rittertum und Bauertum. „Die Bauern zersprengen die geschlossenste kulturelle Äußerung der höfischen Bildung",[117] „die ritterliche Welt weicht vor der von außen andringenden Kraft zurück und vermag sich auch innerlich nicht mehr zu behaupten." [118] „Der Spiegelraub wird geradezu das Symbol für den Einbruch der bedrohlichen außerritterlichen Welt in Kreis und Recht des Rittertums." [119] Dabei muß es doch aus der oberflächlichen Betrachtung der in Neidharts Liedern fast immer geschilderten Situation klar sein, daß der Ritter zu den Bauern kommt, in „Kreis und Recht" der Bauern eindringt und deshalb mit voller Berechtigung von ihnen bedrängt und bedroht wird. So einfach und oberflächlich dieses Argument scheint, muß es doch als Ausgangspunkt jeder Spekulation dienen, denn es ist auf der szenischen Wirklichkeit fast aller Gedichte begründet. Kämen die Bauern umgekehrt an den Hof oder irritierten die Ritter in ihrem eigenen Bereich,[120] könnte mit Recht von einem Einbruch in Kreis und Recht des Rittertums gesprochen werden. Wenn sich nachweisen ließe, daß der von dem Sänger beklagte Brand seines Eigentums Riuwental von

---

112 Martini, Das Bauerntum 51f.   113 Weidmann, Studien 14.
114 Ebd. 28.   115 Ebd. 66.   116 Böckmann, Formgeschichte 178.
117 Martini, Das Bauerntum 57. Er betont allerdings, daß die Bedrohung „auch von innen heraus" komme (ebd.).
118 De Boor, Literaturgeschichte 366; 374 und 367 wird deutlich, daß De Boor die Bauern als „symbolischen Ausdruck einer drohend empordrängenden, ungeformten, aber dynamischen Macht" versteht, die vielleicht auch in den Rittern selbst wirkt.
119 De Boor, Literaturgeschichte 366.
120 So etwa in Neidhart mit dem Veilchen.

einem Bauern gestiftet wurde, so ließe sich von einem direkten Angriff sprechen, aber es ist ein unidentifizierter *ungetriuwer* (52,12). Damit soll nicht gesagt sein, Neidhart kritisiere die Bauern nicht – darüber soll in Abschnitt 17 ausführlich gehandelt werden. Aber es muß festgehalten werden, daß die Zerstörung der ritterlichen Welt nach Neidharts Deutung allein von innen heraus geschieht, daß der Ritter, der sich bei den Bauern eindrängt und sich ihnen aufdrängt mit dem Ziel, die Mädchen zu verderben, ein krasses Beispiel für diese innere Korruption ist, von dem sich Neidhart in seiner Satire dissoziiert.

Daß Neidhart tatsächlich so denkt und daß der Schluß aus der szenischen Situation seiner Lieder richtig ist, zeigt die dreimal aufkommende Frage, ob das Bauernmädchen dem Ritter *ze mâze* sei oder umgekehrt, ob also der ständische Unterschied nichts Ungehöriges in das Liebesverhältnis bringe. In dem Sommerlied 28,36 lehnt das Mädchen entrüstet das Ansinnen ab, einen Bauern zu heiraten; der von Riuwental dagegen komme ihr *wol ze mâze*. Bedeutsam ist es, daß sie mit dem *gebûwer* auch die der Bauersfrau zukommende Verpflichtung und Obliegenheit, für das häusliche Anwesen zu sorgen, rundheraus ablehnt und das Ballspiel mit dem Ritter vorzieht (29,12–26). Das Bauernmädchen gibt unter der Wirkung der ritterlichen Einflüsterungen jegliche Bindung an ihren Stand und dessen Aufgaben in der mittelalterlichen Gesellschaft auf; ein Standesgenosse erscheint ihr als verächtlicher *gebûwer*, sie hält sich dem Ritter für ebenbürtig. In ähnlicher Situation behauptet in 26,23 die Bauerndirne:

> *jâ trûwe ich stolzem ritter wol gehersen:*
> *zwiu sol ein gebûwer mir ze man?* (27,22f.)

Sie will sogar über den Ritter herrschen, vor allem über einen so *stolzen* wie den Riuwentaler. Auch in diesem Liede löst sich das Mädchen bewußt nicht nur aus der Wertwelt ihres Dorfes, sondern auch aus der sozialen Gemeinschaft: *ich wil mîne vriunde durch in wâgen* (27,34). In diesem Liede macht übrigens die Mutter das Mädchen darauf aufmerksam, daß die Ritter[121] ihr *niht ze mâze ensulen sîn* (27,17f.). Bei den Bauern ist demnach ein definitives ständisches Bewußtsein vorauszusetzen, ein Gemeinschaftsgefühl, ein *triuwe*-Verhältnis (22,36), das die Mädchen unter dem verderblichen Einfluß des ritterlichen Sängers verraten, bloß um wieder sitzengelassen zu werden, nachdem sie ihm zu Willen gewesen sind.

Umgekehrt beteuert der Ritter in zwei Winterliedern, die Bauernmädchen seien zu schade für die Bauernburschen, sie kämen ihnen nicht *ze mâze*

---

[121] Diese Mehrzahl, wie auch *knappen* 18,24 deutet darauf hin, daß Neidhart an eine häufigere Erscheinung in ritterlichen Kreisen denkt, und daß der Sänger nur ein Prototyp ist.

(81,32), ja noch stärker, sie wären einem Grafen gerade recht *ze minne* (41,14–16). Der Ritter dringt also in eine festgefügte Gemeinschaft und Wertwelt ein und korrumpiert sie durch die Faszination, die er als Fremdling auf die Mädchen ausübt. Er geht aber zu den Bauern, weil er selbst von der natürlichen Triebliebe fasziniert ist, die ihm die Mädchen zuteil werden lassen. Diese ist im Normalfall in dem sozialen Gefüge des Dorfes relativ eingedämmt (bis auf die rituellen Frühlingstänze), wie die häufigen Warnungen der Mütter, viele Winterlieder und etwa der Bericht von der Werberszene im Sommerlied 28,36 zeigen. Der Ritter, indem er die Mädchen aus dem sozialen Gefüge herausreißt, entfesselt die Triebliebe völlig, indem er sie mit dem neuen Begriff der höfischen Minne betitelt, dessen ideelle Hintergründe das Mädchen nicht kennt. Indem er sie also zur preziösen Verhaltensweise mit denaturierten Begriffen erzieht, formt er sie sich gleichzeitig zu den animalischen Liebhaberinnen, die er nach dem verdrießlichen höfischen Minnedienst braucht.

Eine ganze Reihe von höfischen Begriffen erscheint demnach häufig in Zusammenhängen, die ihren Gebrauch vom Standpunkt höfischer Inhalte nicht rechtfertigen: sie dienen zur sprachsatirischen Entblößung des Sängers und seiner Fräulein. Wenn da als *frouwe* eine fluchende und ihre Mutter schlagende Bauernmagd bezeichnet wird (7,13), als *fröude* die momentane Lust (7,31.39; 10,18), als *Minne* die Frühjahrsgeilheit einer Alten (9,37–10,15), so ist das Sprachsatire, besonders da Neidhart ja an anderen Stellen klarmacht, daß er die Werthaftigkeit dieser Begriffe aufrechterhalten möchte. Wenn eine Bauernmagd das Selbstlob formuliert *stolzlîchen springe ich an der schar* (18,23; vgl. 22,18), so ist ihre Eitelkeit schon unhöfisch, die subjektive Verwendung des in ein objektives Urteil gehörigen Adverbs dissonant; lächerlich wird sie aber vollends, wenn sie beim *stolzlîchen* Springen immer ängstlich darauf bedacht sein will, nicht mit den Zehen am Boden zu schlurren (18,27). Lächerlich ist auch das Mädchen, das dem Ritter einen geschworenen Eid halten will, aber auf ihre Ehre nicht achtet (21,24f.). Bei den Bauernburschen ist es weniger die höfische Redeweise und das Radebrechen mit unverstandenen Begriffen, als vielmehr der Versuch, durch Kleidung, Waffentragen, Frisur und vlämischen Accent den Ritter nachzuahmen. Auch hier sind die Stilwidrigkeiten häufig: Kleider aus grobem Tuch in höfischem Schnitt, groteske Mischungen zwischen Wams und Brustpanzer, überlange und altertümliche Schwerter mit allerlei aufwendigen und witzlosen Verzierungen, widerwärtige Halsbewegungen und Schlenkereien mit den Beinen – alles Anlaß für den Ritter, sich zu ärgern. Dabei ist er derjenige, der durch seine Abwerbung der Mädchen einen solchen Aufwand nötig macht und den Nachahmungstrieb erst recht weckt. Die Burschen behängen ebenso geschmacklos wie die Mädchen bäurische Denkart und Verhaltensweise mit einigen Flittern ritterlichen Stils und erzeugen so den monströsen, grotesken, lächerlichen Mischmasch, den Neidhart immer vor Augen führt und den Sänger bei den Mädchen mit Wohlgefallen, bei den Burschen mit galligem Zorn beobachten läßt.

Neben dieser häufigen Darstellung korrupter Begriffe und Verhaltensweisen gibt es bei Neidhart wie bezüglich der Minne auch bezüglich der übrigen höfischen Begriffe einige Stellen, wo sie deutlich mit dem vollen Wertgehalt des höfischen Ideals erfüllt sind. So zum Beispiel in der folgenden Strophe:

> *Alle, die den sumer wellen lobelîche enphâhen,*
> *die lâzen in ze guote mîne lêre niht versmâhen:*
> *ich râte, daz die jungen hôchgemuoten*
> *mit schoenen zühten sîn gemeit und vürhten schame ruoten.*
>
> (16,38–17,2)

Hier sind auf kleinem Raume die meisten der höfischen Ideale versammelt; der Ernst der Strophe wird verbürgt durch das negative Beispiel der verführten Maid, die eben den *schame ruoten* verfällt und keine Freude im neuen Frühling haben darf (17,19–25). Zentrale Begriffe neben der Minne sind Freude und Ehre, und alle drei erweisen sich als untereinander verbunden. Fast programmatisch heißt es im Sommerlied 15,21:

> *vreude und êre ist al der werlde unmaere.*
> *die man sint wandelbaere:*
> *deheiner wirbet umbe ein wîp, der er getiuwert waere.*
>
> (16,10–12)

Das Mädchen, das diese Aussage macht, wird lächerlich, weil es sich für ein solches hervorragendes *wîp* hält;[122] aber ihre wohl bei dem Ritter aufgeschnappte Lehre ist richtig; die falsche Minne der Männer läßt Freude und Ehre schwinden. Das wird bestätigt durch das oben zitierte Beispiel von dem verführten Mädchen, das unter der Zauberminne des Ritters steht, und dem keine Freude *erloubet* ist. In der ausführlichen Lehre über echte und falsche Minne in 32,6 wird ebenfalls das Schwinden der Freude in unmittelbarer Verbindung mit der ehrlosen falschen Minne der Männer gesehen (33,4–8); gerade die Pervertierung der Minne hat im letzten Menschenalter Trauer über Neidhart gebracht, so daß ihm jetzt das Leben schwer zu werden beginnt (32,24–29). In weiterem Zusammenhang wird die Trauer, die auf dem alten Sänger lastet, auf den Dienst an der *êrelôsen vrouwe*, der Welt, zurückgeführt (86,31). Diese Belege stimmen inhaltlich genau überein mit dem, was über den Spiegelraub Engelmars gesagt wird:

---

[122] *zâfen* (16,6) weist auf ihren bäuerlichen Ursprung, vgl. Weidmann, Studien 39.

Ê dô kômen uns sô vreuden rîchiu jâr,
dô die hôchgemuoten wâren lobesam:
nu ist in allen landen niht wan trûren unde klagen,
sît der ungevüege dörper Engelmâr
der vil lieben Vriderûne ir spiegel nam.
dô begunde trûren vreude ûz al den landen jagen,
daz si gar verswant.
mit der vreude wart versant
zuht und êre; disiu driu sît leider niemen vant.   (96,3–11)

Sollte hier das Schwinden der Freude und der andern höfischen Werte
Zucht und Ehre auf das Eingreifen (auch das symbolische) des Bauern von
außen zurückzuführen sein, wenn sonst die Begründung konsequent in
einer inneren Perversion der Minne gesehen wird? Aber schon in dieser
Strophe gibt es Hinweise darauf, daß der Vorgang tatsächlich im Innern
des Rittertums stattfand. Die freudenreichen Jahre sind dadurch bestimmt,
daß die *hôchgemuoten lobesam* waren, daß man also auf den ritterlichen
hôhen muot etwas gab. Das *hôchgemüete* ist zum Beispiel, was der Ritter
in echter Minne und *herzenliebe* der *vrouwe* schenken sollte (32,18). Jetzt
aber hält man vom *hôhen muot* nichts mehr (vgl. 66,3). Mit der Freude
schwinden *zuht* und *êre*, ritterliche Tugenden, die mit dem Spiegelraub des
Dörpers ursächlich gar nichts zu tun haben können, während man vielleicht
verstehen könnte, daß dem Sänger nach dem Spiegelraub keine echte
Freude mehr aufkommen will und er sein Lied dann auf die ganze Welt
ausdehnt, alles grau in grau sieht. Aber das Verschwinden ritterlicher Tugenden ist nur durch seine Umwandlung der Werte im Innern des Rittertums zu verstehen, die neben der Minne auch andere Ideale ergriff. So heißt
es etwa von *den muotes armen,* daß sie *freude niht in selben kouften umbe*
ein halbez ei (66,2). Diese Hinweise auf eine innere Umwandlung und
Schwächung der höfischen Werte bestätigen unsere Analyse der ersten Darstellung der Engelmar-Episode im Sommerlied 25,14 (Abschnitt 5), nach
der die Schwächung der Aufmerksamkeit des Sängers, sein Versäumnis
einer Minnepflicht die Tat des Dörpers erst ermöglichte und die Tatsache,
daß der Ritter um ein ihm nicht *ze mâze* kommendes Dorfmädchen
warb, die Tat erst herausforderte. Nach dieser Analyse ist jedesmal, wenn
der Sänger Engelmar nennt, die falsche Minne des Ritters gemeint, da dieser bekanntlich seine Fehler immer auf andere schiebt. Engelmar ist nur
insofern wichtig, als mit seiner Tat die innere Korruption des Ritters sich
zu rächen beginnt, da die Bauernburschen sich seinen Einbruch in ihren
Bereich nicht mehr gefallen lassen und auch die Mädchen nicht mehr zu ihm
halten. Da nun, wie schon festgestellt, der Sänger der Repräsentant und
Prototyp des Rittertums überhaupt ist, dehnt sich sein „persönlicher"

Mißerfolg allgemein aus und vertreibt, was vorher als Freude gegolten hatte – denn es kann ja nur eine unhöfische Freude gewesen sein, wenn die übrigen Werte schon alle verraten waren. Am Grunde liegt also in der Engelmar-Episode und der daraus folgenden weltweiten Trauer wie bei den übrigen Stellen, an denen über die Verdrängung der Freude gesprochen wird, die falsche Minne, der Verrat an der wertvollsten Haltung des Ritters, in der alle anderen Werte, wie *triuwe, zuht, staete, vreude, êre, hôchgemüete,* enthalten sind und aktualisiert werden. Verrat an der Idee der Minne ist zugleich Verrat am ganzen höfischen Wesen und, wie gezeigt, Verstoß gegen die göttliche Ordnung der Welt. In diesem zentralen Thema der Neidhartschen Lieder sind auch zugleich die zentralen Gedanken verknüpft, auf denen seine Satire und sein Versuch der Besserung der höfischen Welt ruhen.

14 Diese Tendenz Neidharts, sich um die Reinigung und Aufrechterhaltung der höfischen Werte zu bemühen, ist bis in seine spätesten Lieder sichtbar. Er konzentriert sich am Ende fast ausschließlich auf die Freude, nachdem er das Minneproblem mit den Weltsüßeliedern abgeschlossen hat. Zeugnisse dafür sind die beiden Lieder mit der *Vrômuot*-Personifikation (31,5 und 85,6) und das wohl späteste Lied 33,15 mit seinem Aufruf zur Freude. All diesen Liedern gemeinsam ist die Feststellung, daß die Freude aus Österreich oder gar der Welt verschwunden ist; in Österreich wohnt *leit mit jâmer, dâ ist sünde bî der schande* (31,10.14), und wer diesen Zustand ändern könnte, vollbrächte ein Gott wohlgefälliges Werk, das ihn *sîner sünden vrî* machte (31,11). Das Schwinden der Freude wird also religiös begründet. Zugleich ist die Freude jedoch ein Zentralbegriff der höfischen Ethik, wie sich schon an ihrer Verknüpfung mit der Minne und der Ehre gezeigt hat. So auch hier noch einmal:

> *swâ diu jugent niht vreude gert,*
> *da ist Êre ûz phade gedrungen.*　　　　　　　(34,17f.)

Und Neidhart bricht seinen Eid, nicht mehr zu singen, um denen zu huldigen, die nach Freude streben (33,15–17; 34,12–16). Wo die Freude nicht angestrebt wird, sind die höfischen Werte verloren; wo umgekehrt höfische Werte verraten werden, gibt es keine Freude: das hat sich an der Verbindung der Freudlosigkeit mit der falschen Minne gezeigt. Neidhart dient noch in seinen letzten Liedern den höfischen Idealen, für die er immer gekämpft hat. Zugleich stellt er mit unbestechlichem Blick fest, daß sie in seiner Gegenwart und Umgebung nicht mehr verwirklicht sind. Seine Lieder *den ze hulden, die von schulden wol nâch vreuden rungen* (34,13–15) zeigen aber, daß er bis zum Ende die Hoffnung auf Besserung nicht aufgegeben hat.

Man kann also den Forschern nicht zustimmen, die Neidhart für einen Pessimisten[123] ohne Hoffnung auf Besserung der Menschen[124] halten. Ebenso scheint es unrichtig, Neidhart als ratlosen oder entscheidungslosen[125] Menschen zu verstehen, dessen Weltauffassung eine tragische[126] der Dissonanz[127] unvereinbarer Welten ist, denen er beiden angehört, die er beide anstrebt und beide verspottet.[128]

Es hat sich ganz eindeutig gezeigt, daß Neidhart an den höfischen Werten nicht nur seinen Halt findet, sondern daß er sie in seiner Satire unermüdlich gegen die depravierenden Einflüsse der seelischen Trägheit seiner Standesgenossen verteidigt und daß er ihnen bis in sein letztes Lied hinein dient. Wenn andere Dichter die höfischen Werte in ihrem reinen Sein darstellen und sich selbst als Repräsentanten des höfischen Geistes erleben, so stellt Neidhart die höfischen Werte in ihrer Gefährdung durch die Wirklichkeit und das Allzumenschliche dar und dissoziiert sich satirisch von dem sprechenden Ich, das immer noch die höfische Gesellschaft repräsentiert, aber nicht in ihrem idealen Sein, sondern in ihrer alltäglichen Wirklichkeit, die satirisch übersteigert sein mag, damit die Verächtlichkeit noch besser sichtbar werde. Nur in manchen Liedern spricht Neidhart direkt oder läßt wenigstens eine seiner Personen eine Lehre aussprechen, die als solche ernst gemeint ist, wenn sich auch die Person vielleicht durch ihr gegensätzliches Verhalten damit lächerlich macht. Wir sind also zu einem genau entgegengesetzten Ergebnis gekommen wie Martini, der „das Fehlen jedes ethischen Sinngehalts seiner Dichtungen" feststellen muß.[129] Neidhart gehört insofern zu den ethisch engagiertesten Dichtern seiner Epoche, als er den Mangel an Ethos in seinen Zeitgenossen und die Bedrohung der ethischen Werte seiner Kultur durch vitale ungeformte Kräfte ständig bewußt macht und satirisch bekämpft.

Das bedeutet nun nicht, daß er völlig unberührt von den vitalen Kräften gewesen sei, die er mit seiner Satire verfolgte. Voraussetzung der Satire ist vielmehr, daß er sie als bedrohliche Wirklichkeit erfahren hat. Sofern sich die Korruption der Werte als eine Veränderung gezeigt hat, die gänzlich innerhalb des Rittertums vorging, muß auch er persönlich etwas von

---

123 Alewyn, Naturalismus 57; Weidmann, Studien 47f., 134.
124 Böckmann, Formgeschichte 178.
125 Martini, Das Bauerntum 46,51,62; Böckmann, Formgeschichte 178.
126 Weidmann, Studien 14f.
127 Ebd. 15; De Boor, Literaturgeschichte 369.
128 Martini, Das Bauerntum 62; Böckmann, Formgeschichte 178.
129 Martini, Das Bauerntum 62. – Unter Ethos verstehe ich hier das einstimmende Verhalten gemäß dem ritterlichen Idealbild, nicht etwa das selbstverantwortliche Verhalten gemäß dem kategorischen Imperativ. Vgl. Kap. IV, Abschnitt 23 und Anm. 198.

der Verlockung des Abweichens von den idealen Haltungen erlebt haben, sonst hätte er sie nicht mit solch feinem Geschick gestaltet. In diesem Sinne hat das Ich des in seinen Liedern sprechenden Sängers seine tiefe Berechtigung, wenngleich sich Neidhart davon dissoziiert.

Zwei Haltungen sind es, die in Neidharts Liedern gegenüber der kulturfremden Wirklichkeit ausgeprägt werden: Faszination und Abscheu. Der Ritter ist nicht von den Bauernmädchen wegzubringen; immer wieder zieht es ihn zu ihnen, obwohl (oder weil?) er nur kurze Freude an ihnen hat und sie schnell mit Schlägen und Stößen wieder entläßt (21,32), obwohl er von den Bauernburschen übel bedrängt und ängstlich gemacht wird, obwohl seine Stellung unter den Bauern lächerlich und verächtlich wird. Zugleich hat er eine Abneigung gegen die Bauernburschen, die sich von der fast physischen Gekränktheit über ihre Stillosigkeiten und Prahlereien über den Haß wegen ihrer Quertreibereien bis zur pathologischen Angst vor ihrer rohen Kraft steigert, die ihn schon in die Flucht treibt, sobald sie untereinander zu streiten anfangen. – Bei den Bauern finden sich dieselben Haltungen, nur auf verschiedene Träger verteilt. Die Mädchen der Sommerlieder und einiger Winterlieder sind so fasziniert von der fremden gebildeten Erscheinung des Ritters, daß sie weder durch Drohungen noch Vernunft noch Gewalt daran gehindert werden können, sich an ihn wegzuwerfen. Die Bauernburschen dagegen hegen einen unüberwindlichen Haß gegen den Ritter. Doch auch bei ihnen zeigt sich die Faszination: sie versuchen ihn in Gang, Tanz, Kleidung und Sprache nachzuahmen, wenn auch ungeschickt; umgekehrt lehnen viele Mädchen in den Winterliedern den Ritter ab, entweder weil sie einen Bauernburschen vorziehen, oder weil sie die Diskrepanz zwischen des Ritters schönen Worten und seinem wirklichen Verhalten erkennen (z. B. 100,16).

Da beide, Ritter und Bauern, ihrer Faszination nachgeben, resultiert die beschriebene Korruption der Weltsysteme. Die szenische Situation der Lieder, die den Ritter zu den Bauern gehen läßt, leitet allerdings zu der Voraussetzung, daß die Korruption im Ritter schon um sich gegriffen hat, bevor er sein Wesen und seine ethische Haltung auch äußerlich aufgibt und um Bäuerinnen wirbt. Die szenische Situation mit den Personen Sänger und Bauern ist also nur der mimische Ausdruck, die Veranschaulichung eines inneren Vorgangs. Faszination und Abscheu im Ritter richten sich primär nicht auf die Bauern, sondern auf die vitalen Kräfte, die seine Kultur zurückgedämmt hat und die er in sich wirken spürt. Es ist die Faszination und der Abscheu vor dem, was das eigene Wesen, die eigene Ordnung und Welt zerstört.

15 Sofern nun diese Ordnung als eine religiöse verstanden werden kann, sind Faszination und Abscheu vor dieser zerstörenden Wirklichkeit reli-

giöse Haltungen, und es wird zu zeigen sein, daß mindestens der alternde Neidhart sie so versteht.

Dem Charakter seiner Lieder gemäß tritt das religiöse Element nur selten auf; die desillusionierten Kreuzlieder scheinen sogar zu zeigen, daß der Dichter auf Kirchenfrömmigkeit und Treue gegenüber den Absichten der Kurie recht wenig hielt. Er bittet vielmehr in dem ersten Kreuzlied, Gott möge die Ritter den Tag der Heimfahrt erleben lassen (12,17f.). Auch sonst wird in vielen Liedern Gott in sehr unwichtigen Sachen zitiert; wahrscheinlich gehört es zu der veräußerlichten höfischen Etikette, die der Sänger beherrscht. So soll zum Beispiel Gott den jungen Mägden gebieten, sich in hellen Kleidern zum Tanz bereitzuhalten (19,28–30) oder andere Hüte aufzusetzen, damit den *hôchgemuoten mannen* die Aussicht nicht versperrt sei (38,39–39,5).[130] Daß hier die Frivolität des Sängers angeprangert werden soll, geht aus der Tatsache hervor, daß Neidhart selbst in seinen persönlichen Bittstrophen Gott immer nur in Not anruft: *got vüege ouch mir ein hûs mit obedache* (31,3, vgl. 73,13) oder wenn es um die Gewinnung neuer Freunde geht, da er seines Herrn Huld verloren hat,

> *rîcher got, nu rihte mirz sô gar nâch dîner hulde,*
> *manges werden vriundes daz ich mich sô ânen sol!*   (74,33f.)

Die späten Lieder betrachten die Situation der Trauer und des Niedergangs in Österreich vom religiösen Standpunkt:

> *Leit mit jâmer wont in Ôsterlande.*
> *jâ wurde er sîner sünden vrî, der disen kumber wande:*
> *der möhte nimmer baz getuon.*
> *hie vrumt niemen vride noch suon:*
> *dâ ist sünde bî der schande.*   (31,10–14)

Mit *schande* ist ein ethischer, mit *sünde* ein religiöser Gesichtspunkt genannt; der Retter aus dieser Lage wird *sîner sünden vrî*. Der Gedankengang scheint aufgenommen in dem Preislied auf Friedrich 101,20, wo der ordnende Fürst als Johannes dem Kaiser den Weg bereitet. Die Idee des Reiches ist also mit Sicherheit eine religiöse; was aber in diesem Lied unmittelbar als ordnungsbedürftig erschien (vgl. Abschnitt 11), waren die Korruption der Werte und Ideale des Rittertums, repräsentiert durch die an Wahn und Schein bindende Zauberminne, und die Vermessenheit der Bauern, repräsentiert durch Haar- und Kleidertracht. Beide sind Formen der *inordinatio*, des Verrates an der Ordnung, die als heilige das Reich trägt und durch alle seine Glieder geht. Verstoß gegen diese Ordnung ist

---

130 Vgl. im übrigen viele der bei Wießner, Wörterbuch s.v. *got* gesammelten Belege.

Sakrileg, und hier haben wir die Verbindung gefunden zwischen der an sich religiösen[131] Doppelhaltung von Faszination und Abscheu und ihrer spezifischen Erscheinung in der Faszination und dem Abscheu vor dem, was die eigene Kultur, ihr Wesen und ihre Werte zerstört, vor dem Abgründig-Vitalen, das wie die Titanen des griechischen Mythos nur notdürftig zugedeckt in der Unterwelt wartet und ständig auszubrechen droht.[132]

Was hier wie eine dünne Verbindung aussehen mag, wird durch die drei „Weltsüßelieder" breit ausgebaut. Wießner nennt sie „Weltfluchtstrophen";[133] das kann nur teilweise für ihren Inhalt, nicht aber für Neidhart selbst gelten, der ja bewußt sich weiterhin um die Idee der Freude bemüht. Auch innerhalb der Lieder wird, wie sich in unserer Analyse von 86,31 zeigte (Abschnitt 7) der gute Vorsatz der Weltflucht zuschanden durch die menschliche Schwäche des Sängers, der sich in seiner Eitelkeit zur Weiterführung seines Weltdienstes verlocken läßt. Die Welt verlockt zu Sünde und Schande (82,16), sie verleitet manchen in die Falle (95,26), daß er *ze helle vert*. Der Sänger hat bisher dieser Verlockung nicht widerstehen können, und seine Absage an die Welt ist zwar ernst gemeint, wird aber in allen drei Liedern durch einige Schlußstrophen widerrufen, die wieder im ‚Weltton' gehalten sind und den Rückfall des Sängers andeuten. Hier ist es, dem teuflischen Charakter der Welt gemäß, die Faszination des Bösen, die den Sänger nicht losläßt. Hinzu kommt der Zorn über die Dörper, vor allem aber seine verletzte Eitelkeit bezüglich des Singens und bezüglich der Mißerfolge in der Minne.

Neben dem rein religiösen Aspekt sind diese Lieder von höfischen Begriffen geradezu angefüllt, und zwar wegen der Technik Neidharts, das Verhältnis zur Welt als ein Minneverhältnis zu einer *vrouwe* darzustellen. In dem Lied 82,3 ist die Aufdeckung des Rätsels, daß es sich um keine wirkliche *vrouwe* handelt, sehr weit ans Ende geschoben, und man bezweifelt sogar die Echtheit der Strophe, in der die *Werlt süeze* genannt ist. Vollends durch diesen Trick der Verzögerung muß das Lied dem Publikum zunächst als an eine wirkliche *vrouwe* gerichtet erscheinen, und die starke Scheltrede mußte zwei Dinge bedeuten: ein Muster unhöfischen Wesens ist die Dame, da der Sänger sie so schilt, und der Sänger selbst, weil er sie schilt. Beide werden tadelhaft, besonders aber der Sänger, wenn er sich mit einer solchen *vrouwe* abgibt und sich nicht anderswo umgesehen hat, sobald sie ihre ursprüngliche Tugend verlor (82,25). Es handelt sich in dem Verhältnis zu der *vrouwe* zugleich um falsche Minne, um eine Liebesbeziehung, die nicht

---

131 Vgl. Rudolf Otto: Das Heilige. Über das Irrationale in der Idee des Göttlichen und sein Verhältnis zum Rationalen. – Stuttgart 1923.

132 Die Analogie ist nicht zufällig, vgl. Kap. IV Abschnitt 23.

133 Wießner, Kommentar zu den drei Tönen.

auf die höfischen Werte gegründet ist, sondern sich im Äußerlichen erschöpft.[134] Diese Liebesbeziehung erweist sich als Verrat an allen höfischen Werten, nicht nur durch die verabscheuungswürdige Veränderung in der *vrouwe* von der Tugend zur Verkörperung alles in höfischen Augen Negativen, sondern vor allem durch die Art und Weise, wie der Sänger dieses Monstrum beschimpft und ihm sogleich wieder verfällt.

Hier zeigen sich wieder die beiden religiösen Haltungen der Faszination und des Abscheus im Sänger, und die falsche Minne erhält nicht nur dadurch eine stark religiöse Bedeutung, sondern eben durch die Spiegeltechnik Neidharts: der Sündenaspekt des Weltdienstes wird zum Sündenaspekt des falschen Minnedienstes, oder: falsche Minne ist nichts anderes als Weltdienst, und dieser führt von Gott weg. Damit ist die religiöse Bedeutung nachgewiesen, die die höfischen Werte und der Verrat an ihnen für Neidhart haben. Und es ist nicht nur der alte Dichter der Weltsüßelieder, der die Zusammenhänge aus schwächlicher Greisenfrömmigkeit so interpretierte – es ist ja übrigens wieder nur die *persona* des Dichters, über deren mißlungene Buße berichtet wird –, sondern diese religiösen Lieder setzen gleichsam nur kirchliche Termini ein in einen Zusammenhang, den Neidhart von seinen Anfängen an erkannte: die Veräußerlichung der höfischen Werte, wie sie in der Rittergesellschaft im Anfang des 13. Jahrhunderts zu beobachten ist, bedeutet eine *inordinatio*, also einen Verstoß gegen die heilige Weltordnung, die sich im Reiche spiegelt; ihr Ursprung liegt in der Faszination, die die in der höfischen Kultur unterdrückten chthonisch-vitalen Kräfte auf die Ritter ausüben, um sie zur Zerstörung ihrer eigenen Lichtwelt zu verlocken. Wenn auch die kirchlichen Begriffe von Gott, Sünde, Hölle erst in den spätesten Liedern eingeführt werden, so scheint mir die erkannte Konfrontation einer gestalteten Wertwelt mit einer ungestalten, schrecklich-anziehenden Macht ein religiöses Erlebnis von hohem Rang zu sein, das allerdings einer mythisch-polaren Religionsform angehört.

Es ist interessant zu beobachten, wie der Ritter für die Bauernwelt dieselbe destruktive Funktion hat wie die Kräfte, die der Ritter aus den Bauern herausdestilliert,[135] auf die höfische Welt. Auch die Bauernwelt ist fest in sich gefügt und gestaltet, wenn auch nach anderen Gesetzen als die

---

134 Es heißt z. B. in 82,3 nicht, die *vrouwe* lasse ihn ohne Lohn; vielmehr lohnt sie ihm nicht *wol* (82,18), ihr Lohn ist nicht *lieb* (82,14) und *süeze selten* (82,19).

135 Es ist schon darauf hingewiesen worden, daß die szenische Situation der Lieder eine Korruption des Ritters schon voraussetzt, bevor er zu den Bauern kommt. Er sieht sie also nicht wie sie wirklich sind, sondern er geht zu ihnen, weil er bei ihnen den chthonischen Kräften am nächsten ist, die ihn faszinieren.

höfische. Verwandtschaftsgrade spielen eine große Rolle – Neidhart nennt mit großer Gewissenhaftigkeit und offensichtlichem Vergnügen häufig die entferntesten Verwandtschaftsbeziehungen unter den Bauernburschen. Freundschaft ist wichtig; zwischen Mutter und Tochter besteht ein *triuwe*-Verhältnis (22,35f.). Die Bauern versammeln sich gerne zu gemeinschaftlicher Unterhaltung und Geselligkeit, sie wandern herum zu Lustbarkeiten in anderen Dörfern. Sie haben altes heidnisches Brauchtum, von dem für den Sänger der Frühlingstanz mit dem Frühlingseinholen, Kränzeflechten, Maibuhlenwerben und der gelockerten Moral am wichtigsten ist. All diese Dinge haben im Kontext des bäuerlichen Lebens ihren Sinn und ihre Berechtigung; bei den gefährlichen Tänzen sind sogar die Mütter als *huote* dabei (20,8; vgl. 14,31), wenn auch sie selbst der Frühlingslust nachzugeben bereit sind. – Für diese Welt ist nun der Ritter ein ähnlich zerstörerisches Element wie die chthonischen Kräfte für das Rittertum. Unter seinem Einfluß behängen sich die Bauern mit wertlosem höfischem Flitter, meinen dann, etwas Besseres zu sein als zuvor, und lehnen ihre angestammte Welt und ihre Werte ab. Dadurch werden die durch den Kontext der Bauernwelt gebändigten vitalen Mächte frei, woraus für den Ritter zweierlei resultiert: animalische Willigkeit der Mädchen und die Bedrohung durch brutale ungefesselte Kraft von seiten der Burschen. Der alte, in der Reichsordnung beschnittene Freiheitstrieb des Bauerntums wird wieder wach und bedroht das Rittertum endlich als soziale Unruhe. Auch hier entsteht also unter der Einwirkung des Fremden eine *inordinatio,* und sofort brechen die gebändigten chthonischen Kräfte aus.

Neidharts Satire richtet sich also letzten Endes auf das Phänomen der *inordinatio* und auf die Verlockung durch das faszinierend-abscheuliche Fremde. Beide können als Sakrileg gegen die heilige Ordnung verstanden werden, das die von dieser Ordnung ausgeschlossenen und gebändigten chthonischen Kräfte aktiviert und ihnen ins Innere der Ordnung Einlaß gibt, das sie zerstören. Neidhart ist nicht der lächerliche Ritter, der sich mit rüpelhaften Bauernburschen um eine Stallmagd zankt, Neidhart kämpft um das Bestehen einer Welt, die im Begriffe ist, sich durch die seelische Trägheit ihrer Bewohner selbst zugrundezurichten. Einen dieser Bewohner macht er zum Sündenbock; daß er ihn als Ich sprechen läßt, hat wohl viele verwirrt. Aber es scheint bedeutsam, daß in seiner Tradition eines der ersten bedeutenden Werke des neuen Renaissancegeistes entstand: Wittenwilers ,Ring'.

16   Ein großer Teil besonders der älteren Neidhartforschung ist dem Problem faktischer Wirklichkeit in seinen Liedern zugewandt. Man versucht, in Ermangelung historischer Dokumente über das Leben des Dichters, aus seinen Liedern biographisches Material zu heben, ohne jedoch nach dem möglichen Wirklichkeitsgehalt dieser Lieder zu fragen. Man versucht, aus den Liedern Aufschlüsse über das damalige Bauerntum zu gewinnen, ohne jedoch das höchst tendenziöse Bauernbild als Unsicherheitsfaktor einzubeziehen. Man benutzt vielmehr das inzwischen verabsolutierte Material über Biographie und Bauernwelt zum Verständnis der Lieder Neidharts und hat damit den Kreis geschlossen.

Zu diesen Faktoren, die einen naiven Zugang zum Wirklichkeitsgehalt dieser Dichtung unsicher machen, sind in den vorstehenden Analysen und Gedankengängen noch einige hinzugekommen. Der als Ich auftretende Sänger ist mit großer Wahrscheinlichkeit nicht gleich Neidhart zu setzen,[136] und wenn Einzelheiten aus diesem „Sängerleben" mit dem Leben Neidharts übereinstimmen, so läßt sich aus den Liedern selbst nicht feststellen, wieviel davon wahr und wieviel davon um des Zweckes der Gedichte willen fiktiv oder verzerrt ist.

Die vielen Geliebten zum Beispiel, nach denen Keinz pietätvoll die Lieder ordnet:[137] woher weiß Bielschowsky, „dass Neidhart oft und viel, anscheinend aber nie mit besonderer Gluth geliebt hat"?[138] Woher weiß Bornemann, daß Neidharts Frau und Kinder fiktiv sind?[139] Das einzige, was von diesen Einzelheiten wirklich aussagbar ist, ist nur, daß sie hervorragend gewählte Charakteristika für den krautjunkerlichen Sänger sind. Ob Neidhart Selbsterlebtes schildert oder ob er bezeichnende Züge von anderen Rittern auf den Riuwentaler übertrug, muß dahingestellt bleiben und ist zum Verständnis der Lieder unwichtig, so interessant es an sich sein mag.[140]

Ebenso zweifelhaft wird der Versuch Weidmanns, die Lieder nach sti-

---

[136] Joseph Seemüller: „Zur Poesie Neidharts." – Prager deutsche Studien (1908), 325–38; 326–28.

[137] Keinz, Ausgabe 5ff.

[138] Bielschowsky, Dorfpoesie 61. Und dies, obwohl er „überhaupt nicht an die buchstäbliche Wirklichkeit solcher Erzählungen glauben" will (61).

[139] Bornemann, Neidhart-Probleme 57.

[140] Das ist auch dem jüngsten Versuch biographischer Erfassung entgegenzuhalten: Karl Winkler: Neidhart von Reuental. Leben, Lieben, Lieder. – Kallmünz 1956. Winkler faßt die Lieder als „durchaus persönliches Bekenntnis" (IX) und behauptet, in ihnen stehe „Zartes und Reines neben Derbem und Zynischem in regelloser Folge" (ebd.).

listischen Kriterien zu ordnen, die letzten Endes doch auf eine supponierte Biographie begründet sind, was Gruppentitel wie „Dörperwelt bejaht" und „Minnesang, dann Dörperwelt parodiert"[141] andeuten. Er selbst bezweifelt, „ob seine künstlerische Entwicklung so geradlinig verlaufen ist, von den schulmäßigen, an die Minnesänger sich anlehnenden und mit Motiven des Minnesangs arbeitenden Liedern zur eigentlichen Dorfpoesie, die sich ihrerseits vom Humorvollen zum Grotesken entwickelt".[142] Wenn man bedenkt, daß zwei Lieder wie 19,7 und 20,38, die über die roten *golzen* (20,30; 21,16) doch wohl zusammenhängen, durch seine Methode weit auseinandergestellt werden,[143] scheint sein Zweifel berechtigt. Bei allen Versuchen einer chronologischen Ordnung der Lieder fällt auf, wie stark die Winterlieder in die spätere Zeit des Dichters verlegt werden. Dabei datiert Wolframs Erwähnung des Dichters im ‚Willehalm' (312,11–14) ungefähr vom Jahr 1217, bezieht sich also auf eine relativ frühe Zeit im Dichten Neidharts. Diese Stelle hat ganz eindeutig den klagenden Sänger der Winterlieder im Auge;[144] also waren die Winterlieder schon um diese Zeit so bekannt, daß das Publikum in Thüringen aus einer Einzelheit heraus die ganze Winterliedersituation rekonstruieren konnte. Die Sommerlieder und Winterlieder reichen jedoch bis in die Spätzeit. Man muß demnach mit De Boor feststellen: „beide Arten gehen ... nebeneinander her".[145] Beide Arten sind nichts anderes als zwei verschiedene satirische Darstellungstechniken für die gleichen Inhalte, zwei Ansichten des Dauerproblems der *inordinatio.* Dasselbe gilt wohl auch für Weidmanns stilistische Prinzipien, soweit sie nicht biographisch begründet sind. Die Quantität höfischer Wendungen, die Verwendung komplizierter Strophenformen und artistischer Feinheiten braucht sich nicht im Sinne einer biographischen Entwicklung linear zu verwandeln und im Falle des einzelnen Gedichts von dorther seine Begründung zu empfangen. Die vorstehenden Analysen einiger Lieder haben gezeigt, daß diese formalen Mittel von Neidhart bewußt mit Ausdrucksfunktionen und Signalwerten versehen wurden und daß sie im satirischen Prozeß der Entblößung des Falschen eine bedeutende Rolle spielen. Wenn eine fluchende Bauernmagd von dem Sänger als *vrouwe* bezeichnet wird, so ist das kein Hinweis auf Neidharts unbewußte Haltung zur höfischen Observanz, sondern eine von Neidhart bewußt gesetzte Entlarvung des Sängers, der einen wertvollen höfischen Begriff an ein wertloses Objekt verschwendet und so seines Sinnes entleert. Das Verhältnis zwischen höfi-

---

[141] Weidmann, Studien 46,53.   [142] Ebd. 47.

[143] Vgl. die Übersicht über das zeitliche Verhältnis der Lieder, ebd. 136.

[144] Daß Wolfram Neidhart selbst klagen läßt statt des Riuwentalers, gehört sicher zu der Neckerei der Stelle.

[145] De Boor, Literaturgeschichte 360.

schem und dörperlichem Gut im einzelnen Gedicht ist durch die satirische Ökonomie in *diesem* Gedicht mit dieser Situation, diesen Personen und diesem bestimmten Gedankengang bedingt. Erst wenn es gelänge, in den satirischen Ökonomien verschiedener Gedichte Ähnlichkeiten aufzudecken, die auf eine unbewußte Wandlung Neidharts zurückzuführen sind, könnte man einer Chronologie näherkommen, die sich an den wenigen zeitlich festliegenden Liedern zu orientieren hätte.

Vorläufig scheint also kein Element in Neidharts Dichtung sichtbar zu sein, das äußerlich und unverarbeitet genug wäre, um eindeutig einen Standpunkt in der Wirklichkeit abzugeben, von dem aus die Lieder historisch geordnet werden könnten.[146] Das wirft helles Licht auf die Macht und Innerlichkeit von Neidharts Satire. Obwohl er sich auf eine konkrete höfische und bäuerliche Wirklichkeit ständig bezieht und ständig darauf einzuwirken sucht, zehrt der satirische Prozeß das einzelne Faktum auf und verwandelt es ins Allgemeingültige. Es mag wohl einzelne Züge in Neidharts Liedern geben, die bei genauerer historischer Kenntnis sich als verschlüsselte oder sogar direkt genannte Fakten herausstellen würden;[147] wichtig aber ist, daß auch ohne diese Kenntnis ein durchgängiges und einheitliches Verständnis der Lieder möglich ist, da Neidhart alles Faktische in den dichterisch verallgemeinernden Prozeß hineinhob. Bester Beweis dafür ist die jahrhundertelang unveränderte Popularität Neidharts, die ihn zu einem der am breitesten dokumentierten Dichter seiner Zeit macht: er veraltete nicht, und das setzt bei der Satire, dieser so oft zeitgebundenen Dichtart, einen erstaunlichen Grad von Allgemeingültigkeit und Überzeitlichkeit voraus.

17 Wenn nun die Relativität des faktisch Klingenden in Neidharts Dichtung herausgestellt wurde, dann soll das nicht heißen, daß keine Wirklichkeit in diesen Liedern angesprochen wäre. Alles in diesen Liedern steht im Bezug zur Wirklichkeit, wenn nicht im Sinne des historischen Berichts, so

---

[146] Am zuverlässigsten scheint mir noch das Aufhören des Namens Riuwental zu sein, und das hat Neidhart selbst begründet. Aber wer beweist, daß vor dem Verlassen Bayerns alle Lieder die Signatur des Riuwentalers trugen?

[147] Man könnte sogar daran denken, daß Neidhart durch seine gegen das Rittertum und vielleicht bestimmte Ritter gerichtete Satire aus Bayern vertrieben wurde. Eine solche Annahme hätte mehr Wahrscheinlichkeit als die Bielschowskys (Dorfpoesie 75 f.), der auf die Klagen der verspotteten Bauern hin den Herzog gegen Neidhart einschreiten läßt. – Diese Annahme wäre auch wahrscheinlicher als die Liliencrons (Höfische Dorfpoesie 105), der „unter der maske der bauern ... des dichters eigne höfische umgebung" vermutet. Dagegen mit Recht Seemüller, Zur Poesie 336 f.

auch nicht bloß im Sinne einer detachierten Spiegelung. Die beobachteten Tendenzen zur Bloßstellung von Falschem und zur Belehrung hätten keinen Sinn, wären sie nicht auf das Publikum gerichtet, das Neidhart kritisieren, sehend machen und bessern will. Es ist eine engagierte Dichtung, die unmittelbar auf die Wirklichkeit zurückwirken will. Der Weg zwischen dem Anstoß, den der Dichter an der Wirklichkeit nimmt, und dem Stoß, den er der Wirklichkeit versetzt, wird hier der satirische Prozeß genannt und soll zunächst an einigen Beispielen, dann allgemein auf seine Methoden hin untersucht und beschrieben werden.

Fast alle Lieder Neidharts enthalten mehr oder weniger ausführliche Anspielungen auf die Bauernwelt, eine dem Rittertum fremde Wirklichkeit. Sehr häufig sprechen in den Sommerliedern die Bauernmädchen und -frauen für sich selbst, und oft könnte sich, gemessen an der Ausdehnung der Gespräche, eine einheitliche realistische Schilderung des Milieus konstituieren. Es gibt jedoch nur zwei solche Lieder, in die der ritterliche Sänger sich nicht mit Kommentar, Erzählung oder wenigstens Personeneinführung einschaltet (3,22 und 18,4), und diese haben gerade eine starke Beziehung auf den Riuwentaler im Gespräch zwischen Mutter und Tochter und lassen das Publikum vermuten, daß die Gespräche deshalb reproduziert werden. Die Winterlieder haben ohne Ausnahme das berichtende und kommentierende Ich des Sängers, und die in den Sommerliedern so häufige szenische Rede tritt fast völlig zurück.

Überall wird demnach dem Publikum klargemacht, daß es sich in den Bauernszenen um besonders ausgewählte Zitate handelt,[148] die dem Sänger zu einem bestimmten Zwecke und hinter dem Sänger dem Satiriker Neidhart zu einem andern bestimmten Zwecke dienen. Die Einseitigkeit dieser Auswahl[149] läßt sich leicht daran sehen, daß nie ein alter Bauer persönlich auftritt, daß die Bauernburschen in den Sommerliedern fast nie erscheinen,[150] daß die Welt der bäuerlichen alltäglichen Arbeit nur erwähnt wird, wenn es um einen Kontrast zu dem scheinbar höfischen Wesen geht.[151] Die Bauern werden vielmehr nur beim Tanz, beim Spiel und geselligen Zusammensein gezeigt, unter dem Aspekt also, der sie dem höfischen Geselligkeitsideal am nächsten bringt, dem ja auch die Lieder Neidharts in ihrer

---

[148] Das erzählende Praeteritum der Personeneinführungen und Geschehensberichte verstärkt diesen Eindruck.

[149] Alewyn, Naturalismus 42; Kienast, Lyrik 94; Rosenhagen, Neidhart 506; Martini, Das Bauerntum 50; De Boor, Literaturgeschichte 363.

[150] Mit Ausnahme von 25,14 (Engelmar) und 31,5 (Namenschwärme) werden keine Bauernburschen in den Sommerliedern genannt.

[151] Einzige Ausnahme ist wohl das Lied von der Flachsschwingerin 46,28, in dem die Arbeit des Mädchens die hinderliche Rolle spielt, die sonst die Bauernburschen haben.

Existenz verpflichtet sind. Sofern der Sänger für diese einseitige Auswahl verantwortlich ist – und Neidhart läßt ihn ja praktisch immer auftreten und die Bauern zitieren – liefert der Sänger eine Parodie der höfischen Gesellschaft, ihrer Tänze, ihrer Gespräche und des Ideals der *vröude*. Bedeutsam ist aber, daß der Sänger es gar nicht parodistisch meint, sondern daß er so tut, als bestünde kein Unterschied zwischen der bäurischen und höfischen Geselligkeit und den daran Beteiligten. Dadurch verlagert sich die Richtung, in die Neidhart das Interesse des Publikums lenkt, von den Bauern weg auf den Sänger, der für das einseitige Bauernbild und die Verzerrung der höfischen Begriffe verantwortlich ist. Was ohne den Sänger eine scherzhafte Parodie sein könnte, wird durch seine ständige Anwesenheit zur Satire auf sein Versagen in jeder Hinsicht. Die Bauernszene wird im satirischen Prozeß vor allem dadurch wirksam, daß sie als Indikator für die Dinge dient, die der Sänger bei den Bauern sucht, die er sich auswählt und über die er sich ärgert. Die formale Erscheinung, daß das ganze Bauernleben als Zitat und Bericht des Sängers präsentiert ist, hat also ihre genaue Entsprechung im Ziel von Neidharts Gedichten, nämlich den Sänger zu charakterisieren.[152]

Was der Sänger nun bei den Bauernmädchen sucht, ist, wie beschrieben, ihre Sinnlichkeit, die alle Hindernisse durchreißende Lebenskraft, eine chthonische Naturerscheinung wie die Rückkehr des Lebens im Frühling, auf den auch diese Art von grenzenloser Sinnlichkeit beschränkt scheint. Diese Sinnlichkeit plastisch zu gestalten und sich selbst als ihren bevorzugten Gegenstand erscheinen zu lassen, ist das Ziel des Sängers in den Sommerliedern. Aber es ist bedeutsam, daß durch die Anwesenheit des praeterital berichtenden und zitierenden Ich diese Sinnlichkeit immer nur gespiegelt, reflektiert erscheint und durch die formende Auswahl des Sängers gehen muß, bevor sie zum Hörer gelangt. Selbst die Aufrufe an tanzende Mädchen oder die Frühlingseingänge mit der Aufforderung zur Freude sind Zitat, also nie an die Zuhörerschaft der Lieder selbst gerichtet, sondern quasi der nachträgliche Bericht des Sängers, wie er seine Erfolge bei den Mädchen errungen hat. Die Winterlieder sind in dieser Beziehung viel aufdringlicher als die Sommerlieder: der Zuhörer wird nie aus dem Bewußtsein entlassen, daß er es mit Reflexionen des Sängers zu tun hat, wie dies ja im Minnesang auch allgemein üblich ist, nur eben unter anderen Voraussetzungen und mit anderen Zielen. Durch diese formale Distanzierung der eigentlichen Szene und die spürbare Medienposition des Sängers wird die Unmittelbarkeit dieses Lebens, die Stoßkraft dieser Sinnlich-

---

152 Martini, Das Bauerntum 50: „Das ist das Thema seiner [Winter-]Lieder: was ihm von den Bauern geschah, dem erregt erlebenden Ich des Dichters – nicht dagegen, was und wie sie wirklich sind."

keit weggenommen; der Hörer wird auf den Sänger abgelenkt, und die Bauernszene erscheint nur als Projektion seiner eigenen Wünsche, Ziele und Gedanken. Er macht sich auf zu den Bauern, um seine geheimen Wünsche nach sinnlicher Liebe zu erfüllen, und sein Bericht von ihnen ist Selbstdarstellung. Daß dies auch für die Schilderung der Bauernburschen gilt, wird an jedem Winterlied klar, in dem sie vorkommen. Der Sänger erwähnt nur von ihnen, was sie lächerlich machen kann, was ihn an ihnen ärgert, worauf er neidisch ist, worüber er klagen kann.[153] Es ist genau dieselbe Vitalität wie bei den Bauernmädchen, die ihm die Burschen so verhaßt macht. Auch sie erscheint reflektiert, nie unmittelbar, und die szenische Entsprechung dieser Vermitteltheit ist die Tatsache, daß trotz aller Drohungen auf beiden Seiten die Feinde einander nie auch nur berühren, obwohl die Burschen es untereinander zum Totschlag kommen lassen. Die Unmittelbarkeit dieses gesuchten Lebens, dieser Sinnlichkeit wird zerschwatzt – so erreicht sie mindestens den Zuhörer –, ebenso wie der Sänger die höfischen Werte zerschwatzt und eine Kluft zwischen Begriff und Bedeutung aufreißt, die so weit ist wie die zwischen dem sinnenhaften Leben und seinem Bericht davon.

Es ist bemerkenswert, daß der Sänger, um sein Ziel zu erreichen, auch bei den Mädchen ein Element der Reflexion einführt. Durch seine gebildete Persönlichkeit, sein höfisches Benehmen, sein kunstvolles Singen und Tanzen macht er sich begehrenswert; die Mädchen stellen Vergleiche an zwischen ihm und den Burschen und bevorzugen den Riuwentaler vor dem *gebûwer,* der sie nach ihrem *willen niht getriuten* kann (27,25). Zugleich reflektieren sie auf sich selbst, schämen sich ihrer Herkunft, Freunde und Verwandten und geben sich ohne Rückhalt dem Ritter hin, der sie aus ihrer Umgebung zu führen verspricht. Wenn Frideruns Spiegel als Objekt eine Bedeutung hat, dann diese: daß unter dem Einfluß des Ritters das Bauernmädchen über sich zu reflektieren anfängt und daß Engelmar, der sich in Abwesenheit des Sängers an sie heranmacht und sich vor den untreuen Sänger schiebt, ihr diese Reflexion in einer fremden Welt wieder nimmt. Für den Sänger muß das als Gewaltakt erscheinen, denn er richtet sich gegen ihn, aber im Gegensatz zu dem Mädchen, dem der Sänger selbst den Griffel entwendet, wehrt sich Friderun gar nicht gegen Engelmars Tat und versucht sie nicht rückgängig zu machen. Damit erklärt

---

[153] Alewyn, Naturalismus 67 beschreibt die „unermüdliche, ständig die sachliche Beschreibung durchbrechende Subjektivität des Dichters, die dem Leser ... ihre Stellungnahme aufdrängt, ihm durch Ausrufe, rhetorische Fragen, Drohungen, Verwünschungen, Reflexionen, Assoziationen ihre eigene Perspektive suggeriert und ihm überhaupt nahelegt, sich weniger mit dem Gegenstand selbst als mit den subjektiven Reaktionen des Dichters zu beschäftigen."

sich auch, warum der Sänger nie eigentlich darüber klagt, daß ihm selbst (etwa durch den Raub des von ihm stammenden Spiegels) etwas geschehen sei, sondern immer nur, was Engelmar Friderun angetan habe. Damit erklärt sich ferner, warum Neidhart in dem späten Sommerlied 31,5 empfiehlt, mit der Klage über den Spiegel aufzuhören (32,3): echte, höfische Freude, *Vrômuot*, kann eben nur entstehen, wenn auch die falschen Klagen aufhören. Denn die Klage des Sängers um den Spiegel ist falsch; erstens, weil er selbst durch sein Versäumnis Engelmar den Platz räumte und somit die erste Schuld an dem Geschehen trägt; zweitens, wie sich nun zeigt, weil der Spiegel als Instrument falschgerichteter destruktiver Reflexion ein Mittel der *inordinatio*[154] und somit ein Grund zum Verschwinden der *Vrômuot* war. Die Klage des Sängers um den Spiegel ist falsch, wie auch seine Freude über die Erfolge bei den Mädchen falsch ist. Deshalb muß diese Klage aufhören, wenn echte Freude wiedergewonnen werden soll, und darum geht es Neidhart in diesem späten Lied.

Reflektiertheit also reißt die Mädchen aus ihrer Bauernwelt heraus; dieselbe Reflektiertheit tritt bei den Bauernburschen auf, die es dem Ritter an Sprache, Kleidung und Benehmen gleichtun wollen. Dadurch wird einmal der Zusammenhalt, die Ordnung und Einsinnigkeit der bäuerlichen Welt zerstört, und die dem Ritter einerseits angenehme, andererseits verhaßte Entfesselung roher Lebenskräfte erscheint in unmittelbarer kausaler Verbindung mit dieser Zerstörung der festgefügten bäuerlichen Ordnung durch die pseudohöfische Reflexion. Neidhart macht offenbar einen bedeutsamen Unterschied: Reflexion verdirbt die Einsinnigkeit der bäuerlichen Ordnung; Reflexion ist aber der höfischen Welt notwendig: sie allein vermag in den Zuhörern die Übereinstimmung zwischen Wort und Wert, zwischen äußerer Form und innerer Haltung wieder herzustellen und die höfische Kultur vor der Veräußerlichung und Korruption zu bewahren. Bezeichnenderweise schiebt sich dem Sänger immer die Reflexion vor seinen Bericht von der sinnenhaften Liebe und läßt sie nie mit der vollen Macht ihrer Verlockung auftreten: auch sein Versuch, der Sinnlichkeit sich ganz hinzugeben, mißlingt und treibt ihn von einem Mädchen zum andern, vor allem auch deshalb, weil die Mädchen von ihm ja höfische Lebensart und Minne lernen wollen und die Burschen ihn nachzuahmen suchen.

Dadurch verläuft die Tendenz der Bauern beiderlei Geschlechts beim Verlassen ihrer Ordnung gleichermaßen in Richtung auf das Höfische. Die

---

154 Die gleiche Funktion hat wohl der Spiegel im Schwertknauf des Bauernburschen 58,25; verstärkt ist das Motiv der *inordinatio* dadurch, daß der Spiegel im Schwert lokalisiert ist, dessen Besitz bei einem Bauern gegen das Gesetz verstößt.

84

Mädchen quälen sich preziöse Sprache an, die Burschen höfische Kleider, aber sie tragen auch Schwerter und lange Haare. Hier ergibt sich ein doppelter Anlaß zur Kritik an den Bauern: einmal sind dies die Zeichen einer *inordinatio*, eines Verlassens der in der Reichsstruktur begründeten Ordnung, und damit die Spiegelungen der *inordinatio*, die Neidhart am Rittertum in dem Prototyp des Sängers kritisiert. Zum andern sind es die Zeichen eines realen Herausstrebens aus dem eigenen Stand und des Versuchs, die Qualitäten und Privilegien des Ritterstandes für sich zu erobern. Hier ist der Ursprung der wenigen Stellen von wirklicher Ständesatire, die sich in Neidharts Liedern finden, offenbar nur in zwei späten Winterliedern. Man kann Martini nur zustimmen, wenn er feststellt: „Die Auffassung, daß sein [Neidharts] Bauernbild allein einem ständischen Haß, ritterlicher Verachtung entspringe, die aus dem wirtschaftlichen Neid der armen Ritter gegenüber den reichen Bauern als ein Ausdruck der sozialen Zeitkämpfe erwachsen sei, greift zu kurz." [155] Ganz richtig beobachtet Martini, daß die „betont ständische Satire ... erst 86,6ff. endgültig ausgesprochen" wird und daß als Kriterium für die Ständesatire bei Neidhart die Ablösung vom Minnethema zu gelten hat.[156] Die einzige Stelle, für die dieses Kriterium neben 86,6ff. noch zutrifft, ist 102,2–21 in dem Preislied auf Friedrich, wo die ordnende Tätigkeit des Fürsten sich an der ständischen *inordinatio* der Bauern bewähren soll wie an der innerlichen Dekadenz der höfischen Werte, die durch die Zauberminne repräsentiert ist. Auf keinen Fall also kann man, wie es so oft geschehen ist, die ständische Spannung zu Ursprung und Ziel von Neidharts Satire machen. Der szenischen Situation seiner Lieder nach, gemäß der der Sänger sich bei den Bauern eindrängt, ist es ja gerade der Ritter, der die Bauern mit seiner eigenen *inordinatio* korrumpiert und sie auf den Weg der ständischen Auflehnung bringt. Wenn Neidhart „bedrohlicher noch als Walther ... die von unten aufdringenden noch ganz ungeschlachten Kräfte" sieht und „ihnen Gestalt in seinen *dörpern*" gibt,[157] so muß klar sein, daß Neidhart das Rittertum für die Entfesselung dieser Kräfte verantwortlich macht: zuerst in dem Wunsch nach animalisch sinnlicher Liebe, der einen Verrat aller höfischen Werte bedeutet, im Rittertum selbst, dann, nach außen gerichtet, in der Suche nach Befriedigung dieses Wunsches bei den Bauernmädchen, was zugleich die rohe Gewalt und die Vermessenheit der Bauernburschen auf den Plan ruft und hervorbringt.

Die Vermessenheit der Bauern ist wirklich, die rohen sinnlichen Kräfte in ihnen sind wirklich, und ihre Exzesse unterliegen der Kritik Neidharts, aber für Neidhart sind sie Spiegelungen und Folgen eines primären inne-

---

[155] Martini, Das Bauerntum 46.   [156] Ebd. 55.
[157] De Boor, Literaturgeschichte 367.

ren Sakrilegs des Rittertums, das sich von den chthonischen Kräften, die seiner heiligen Wertwelt vorausliegen und die davon ausgeschlossen sind, zum Verrat an dieser Wertwelt verlocken ließ und damit sein Wesen und seine Reinheit aufgab. Entsprechend ist auch die Stoßrichtung der Neidhartschen Satire, von zwei Stellen mit Dörpersatire abgesehen, gegen das Rittertum gerichtet.

18 Der Prototyp des angegriffenen Rittertums und der Sündenbock von Neidharts Satire ist der Sänger, dieses sprechende Ich der Lieder, von dem sich Neidhart kritisch dissoziiert.

Ein Element der Selbstironie oder Selbstpersiflage ist von der Forschung schon seit langem anerkannt worden,[158] jedoch meist nur bezüglich einzelner Gedichte oder Episoden. Besonders auch die Trutzstrophen zu vielen Liedern Neidharts haben die Frage ausgelöst, ob es sich in diesen Antworten nicht um „geniale Selbstpersiflage" [159] handle. Bornemann meint dagegen, „man würde den gerechten Zorn des Dichters jeder Würde berauben, wenn man in diesem Punkte an einer so unwahrscheinlich starken Selbstironie festhalten wollte",[160] hält aber Neidhart in den Sommerliedern einer „überlegenen Selbstironie" durchaus für fähig, und zwar bei der „Schmähung Neidharts aus dem Munde einer Mutter" (21,27ff.).[161] Daß Bornemann sich damit gewissermaßen selbst widerlegt, merkt er nicht: doch was sind die Schmähstrophen der Mütter auf den Riuwentaler anders als Trutzstrophen, die nicht von den Bauernburschen stammen? Sie richten sich zwar nicht direkt an den Ritter, doch gibt es in den Winterliedern Ansätze auch dazu.[162] Wenn Neidhart die Trutzstrophen nicht selbst verfaßt hat – und bei vielen macht es der philologische Befund sehr unwahrscheinlich –, so ist doch sicher, daß er das Stichwort dazu gegeben hat. Sie passen genau in das satirische Spiel, das Neidhart mit der *persona* des Riuwentalers getrieben hat; wenn sich einige davon an Herrn *Nîthart* selbst richten, so ist das dieselbe Neckerei, die sich auch Wolfram gestattet, indem er Neidhart selbst mit der ängstlichen Figur seiner Lieder identifiziert und so tut, als hätte er Neidharts ganze Absicht und Technik mißverstanden.

Daß ein solches Mißverständnis nicht ausgeschlossen ist, zeigen viele der in der sogenannten Neidhart-Schule entstandenen Gedichte. Dort wird nicht nur Neidhart oft zum Helden gemacht, sondern er tritt oft als Schlä-

---

[158] Bielschowsky, Dorfpoesie 98,109; Schürmann, Parodie 8; Brill, Neidhartschule 32; Alewyn, Naturalismus 58; Günther, Minneparodie 22,41; Martini, Das Bauerntum 61; Weidmann, Studien 15,102; Kienast, Lyrik 93; Wießner, Ausgabe ATB 11.

[159] Alewyn, Naturalismus 59.   [160] Bornemann, Neidhart-Probleme 37.

[161] Ebd. 48.   [162] 45,22–25; vgl. 37,34–36.

ger auf, der die Bauernburschen tätlich angreift und schädigt. Das widerspricht nun völlig dem Wesen des Riuwentalers, in dessen Charakter die Ängstlichkeit notwendig und zu dessen Verständnis die nie zustande kommende Berührung mit den Bauern wichtig ist. Daß Neidhart jedoch von seinen höfischen Zeitgenossen in dem von uns dargestellten Sinne verstanden worden ist, beweist Wernhers Hinweis im ‚Helmbrecht' (217–20), der diese Dichtung, die sich ganz um den Gedanken der *inordinatio* dreht, in die unmittelbare Gefolgschaft Neidharts stellt. Dieser Gedanke tritt aber in Neidharts Liedern nur hervor, wenn man die *inordinatio* des ritterlichen Sängers als den Gegenstand der Satire erkennt und damit die Dissoziation des kritisierenden Dichters von dem verächtlichen Sänger annimmt. Wie genau Wernhers Verständnis war, zeigt die Tatsache, daß er die Geschichte von Helmbrechts Haube aus einem der zwei Lieder mit echter Ständesatire nimmt, wo von Hildemars Haube die Rede ist.[163] Er muß also differenziert haben zwischen den Liedern, in denen sich die Satire gegen den Ritter richtet, obwohl auch von Bauern darin gesprochen wird, und den Ausnahmen, die der von ihm geplanten Kritik der Bauern entsprechen.

Die Dissoziation Neidharts von dem Sänger hat sich in den Analysen zu Anfang dieser Untersuchung je im einzelnen Lied gezeigt. Es gibt aber noch einige allgemeinere Gesichtspunkte, die in die gleiche Richtung weisen, und die hier noch einmal zusammengefaßt werden sollen. Erstens gibt es Lieder, in denen Neidhart ernst und unmittelbar redend auftritt; in ihnen gibt es keine aggressive Satire, nur direkte Lehre und Bezeichnung des Notstandes, der sonst durch die verächtliche Person des Sängers anschaulich gemacht wird. – Zweitens benutzt Neidhart oft ein satirisches Stilmittel, das man als gelenkte Widersprüchlichkeit bezeichnen könnte: eine Person (Sänger oder Mädchen) trägt eine richtige Lehre vor, zeigt aber in ihrem Verhalten, daß sie der Lehre innerlich direkt widerspricht, daß sie sie also nicht verstanden hat, oder daß sie zu schwach ist, ihr zu folgen.[164] Eine Kontraktion dieser Diskrepanz zwischen Lehre und Verhalten zeigt sich in dem oft lächerlichen Kontrast zwischen dem höfisch preisenden Vokabular, das der Sänger auf ein Mädchen oder ein Mädchen auf sich selbst anwendet, und der tatsächlichen Wesensart des Mädchens. Die bewußte Lenkung dieser gedanklichen Widersprüchlichkeit wird in den Liedern ganz deutlich und spiegelt sich oft im formalen Bau der Lieder;[165] wenn weder

---

[163] 86,6–30. Übrigens ist dieses Lied wie das andere mit Ständesatire (101,20) ein Preislied auf Friedrich. Ständesatire tritt also nur auf, wo Neidhart seinen gewöhnlichen Ton verläßt.

[164] Dies letztere ist der Sinn der Satire in den Weltsüßeliedern.

[165] Nachgewiesen an 25,14 (Abschnitt 5).

Sänger noch Mädchen etwas von dem Widerspruch zwischen ihrer Aussage und ihrem Wesen merken, muß auf Neidhart als den lenkenden Satiriker zurückgeschlossen werden. – Drittens ist das, was die Forschung als Selbstironie oder Selbstpersiflage bezeichnet hat, im Grunde nichts anderes als die hier beschriebene Dissoziation Neidharts von dem Sänger, setzt doch Selbstironie ebenfalls die kritische Distanzierung von dem eigenen Verhalten und der eigenen Rede voraus. Die Forschung hatte meist nur die Trutzstrophen und die Scheltreden der Mütter im Auge; Wießner erweitert den Blickpunkt auf einen Teil der Situation, nämlich einen dreißig Jahre dauernden (erfolglosen) Frauendienst, der „den Spott der Zuhörer" herausfordere, und schließt an: „N. vollends setzt auch sonst zweifellos seine eigene Person der Heiterkeit des Publikums aus."[166] Diese „Selbstironie" läßt sich jedoch, wie gezeigt, auf alles ausdehnen, was den Sänger angeht: zunächst die peinlichen und verächtlichen Situationen, in die er sich selbst ständig hineinbringt, dann sein schlechter haßvoll-ängstlicher Charakter, der sich in seinem Verhalten beweist, endlich seine innere Einstellung, die in seinen Wünschen und Gedanken zum Ausdruck kommt, in dem, was er lobt und anstrebt, und die seine innere Korruption, den Verrat an allen höfischen Werten und Idealen bloßstellt.

Der vierte Gesichtspunkt, unter dem die Dissoziation Neidharts von dem Sänger deutlich hervortritt, ist der Name des Sängers – von Riuwental –, an dem man in der bayrischen Zeit sein *geplätze* (74,25) erkennen kann. Da Neidhart den Namen nach seinem Weggang aus Bayern aufgibt (74,30), ist mit Seemüller anzunehmen, daß er mit dem Namen ein *eigen* in Bayern bezeichnet, das ihm widerrechtlich entrissen wurde.[167] Ob Neidhart ein Besitztum dieses Namens tatsächlich gehabt hat oder ob der Name fiktiv ist, mag biographisch interessant sein, spielt beim Verständnis der Lieder aber keine Rolle. Da die Zeitgenossen und auch die späteren Generationen ihn lange Zeit konsequent nur *her Nîthart* nennen,[168] ist allerdings sicher anzunehmen, daß *Riuwental* ein fiktiver Name ist.[169] Wichtig für das Verständnis der Lieder ist allein, daß Neidhart die Bezeichnung als sprechenden Namen auffaßt[170] und durch einige Stellen in seinen Liedern so deutlich und beziehungsreich macht, daß alle Nennungen des Riuwentalers oder seines Besitzes im Sinne der sprechenden Wortbedeutung aufgefaßt werden müssen. Nicht nur die Mädchen werden ihre kurzlebige Lust mit dem Ritter bejammern und bereuen, sondern auch der Ritter selbst lebt dort in unangenehmen Verhältnissen: Armut und Hunger

---

[166] Wießner, Kommentar zu 67,14. [167] Seemüller, Zur Poesie 327.
[168] Haupt-Wießner, 187 Anm. [169] Ebd.; Seemüller, Zur Poesie 326f.
[170] Wießner, Kommentar zu 5,32.33 sammelt die Belege, in denen dieser Gebrauch ganz deutlich wird. Ebenso Wießner, Wb. s.v. *Riuwental*.

herrscht dort, und über das baufällige Anwesen waltet eine gestrenge *meisterinne*, die den Bauernliebchen des Sängers die Hölle heiß machen würde, dächte er daran, sie dorthin zu bringen (14,38–15,4). Außerdem scheint es das *hûs* zu sein, das er zu besorgen hat, und das ihn von seinen pseudohöfischen Verpflichtungen bei den Bauerntänzen abhält (26,15 bis 17). Die *riuwe* betrifft also nicht nur die Mädchen, sondern den Ritter selbst; sie ist die notwendige und gerechte Folge der *inordinatio*, der beide sich hingeben. Deshalb ist es bedeutsam, wenn der Sänger *Riuwental* als *mîn Hôhiu Siene* bezeichnet an pointiert wichtiger Stelle, nämlich am Schluß eines Liedes (41,32). Das ist meines Wissens noch nie erklärt worden,[171] verbindet sich jedoch unschwer mit der Bedeutung von Riuwental. Siena war eine der mittelalterlichen Hochschulen; bei Brant gibt es im Narrenschiff 92,11–15 einen Narren, der sich brüstet, er komme aus welschen Landen

> *Vnd sy zü schůlen worden wiß*
> *Zů Bonony/zů Pauy/Pariß*
> *Zůr hohen Syen jnn der Sapientz.*   (92,13–15)

Weisheit lernt man also in Siena, und Neidharts Anspielung wird damit durchsichtig: allein durch die der *inordinatio* folgende Reue, durch die Einsicht in den geschehenen Schaden werden die Toren klug und können ihren Fehler erkennen. Neidhart durchbricht hier die Ethopoiie und läßt den Sänger eine Aussage machen, die eigentlich nur Neidhart selbst machen dürfte, denn der Sänger ist seinem Charakter und seiner Einsicht nach nicht zu einem solchen Witze fähig. Genauer betrachtet trifft das auf alle Stellen zu, in denen der Sänger den Namen Riuwental im sprechenden Sinne verwendet, denn er selbst ist viel zu einfältig und eingebildet, als daß er seine Fehler einsähe. Er muß plötzlich unverstellt für Neidhart sprechen und sich selbst diskreditieren, als ob er Selbsterkenntnis hätte. Man darf nicht meinen, daß Neidharts künstlerische Fertigkeit oder der Gedanke der Dissoziation Neidharts von dem Sänger dadurch angetastet würden: Durchbrechung der Ethopoiie an günstiger Stelle ist ein häufig gebrauchtes satirisches Stilmittel zur Entlarvung des sprechenden Charakters und der in ihm angegriffenen Fehler.[172] Die besprochene Stelle:

> *wirt si mir, der ich dâ gerne diene,*
> *guotes gibe ich ir die wal,*
> *Riuwental*
> *gar vür eigen: deist mîn Hôhiu Siene.*   (41,29–32)

---

[171] Jellineks Vermutung dient der Erklärung nicht; Wießner, Kommentar zu 41,32, zitiert nur Jellinek.

[172] Ich erinnere nur an Erasmus' ,Lob der Torheit', wo die Torheit mitten in

liefert in dem krassen Widerspruch, den sie enthält, geradezu noch einen Beweis für die Dissoziation Neidharts von dem Sänger. Der Sänger dient dem Mädchen gern und will ihr eine Art Morgengabe schenken, wenn sie ihm zu Willen ist – gerade diese stellt sich aber als Lehrstätte für Reue und Einsicht heraus: dieser Kontrast zwischen liebevoller und kritisch-sarkastischer Einstellung zu dem Mädchen ist in einer Person unmöglich; wieder einmal zeigt sich, daß in manchen Liedschlüssen Neidhart und der Sänger zugleich reden, der Sänger für sich, Neidhart gegen ihn.[173] Auch später, wo der Name Riuwental nicht mehr gebraucht wird, bleibt der Sänger seiner Wesensart treu, und Neidhart läßt ihn an die Bedeutung des früheren Namens erinnern:

> *swelhen ende ich kêre,*
> *immer bristet mir der kruoc.* (67,35f.)

> *mir enwil diu saelde nindert volgen einen vuoz:*
> *swelhen ende ich var,*
> *sô laet sî mich immer eine.*
> (70,32–34; vgl. 77,30–78,4)

> *Aller mîn gerinc*
> *daz ist ein verloren dinc.* (77,3f.)

In den Winterliedern ist es hauptsächlich seine eigene Reue, sein Bewußtsein des ständigen „Mißerfolges" und „Unglücks". Denn immer ist er schnell bei der Hand, die Schuld daran dem Glück oder den Bauernburschen zuzuschieben statt sie bei sich selbst zu suchen. Nur einmal läßt Neidhart ihn der Klarheit näherkommen – natürlich in der Hauptsache, um eine neue Art von Widerspruch in ihm aufzudecken. Der Sänger beklagt die Jäheit seines Herzens, das sich von jedem schönen Weib betören lasse:

> *so ist dir lützel kunt,*
> *ob dîn lieber ougen funt*
> *âne missewende sî:*
> *der gedanke bist dû frî.*
> *wirt dîn wille ervollet, sô geriuwet dich der wîf.*
> (100,36–101,1)

---

ihrem Selbstlob (Ethopoiie) anfängt, Mißstände zu kritisieren statt, wie üblich, sie als ihr Machwerk zu loben. – Bei Neidhart gehört noch dazu, daß der Sänger seine Lieder als *geplätze* und als *klenke* (80,16) bezeichnet. An 25,14 wurde gezeigt, daß das Lied des Sängers schlecht, das Neidharts jedoch gut ist, indem es zur Charakterisierung des Sängers dient und seine geistige Verwirrung formal sichtbar macht (Abschnitt 5).

[173] Vgl. Abschnitt 3.

Hier wird noch einmal der Grund der Reue und die Bedeutung des früheren Namens klar: es ist der Verrat am innerlichen Wert zugunsten des äußeren Scheins, den der Ritter und die Mädchen gleichermaßen begehen, und *riuwe* ist die notwendige und ordnungsgemäße Folge ihrer *inordinatio*.

19   Wenn nun der Sänger nicht gleich Neidhart gesetzt werden kann und der oft gebrauchte Name „Neidhart von Reuental" zumindest irreführend, wenn nicht falsch ist:[174] wen kritisiert der Dichter in dem Sänger? Wer ist das Ziel seiner Satire?

Ganz offensichtlich doch die höfische Gesellschaft, oder mindestens der Teil davon, der die höfischen Werte und Ideale veräußerlichte, der die Minne ohne *herzenliebe* als bloße Formkonvention und gleichzeitig als Sinnenliebe verstand und behandelte, der höfische Begriffe auf wertlose Objekte verschwendete und die Kunst des höfischen Sanges verdörpern ließ.

Der Sänger ist ja ein höfischer Sänger. Nicht nur daß er Ritter ist, macht ihn dazu, und daß er Minnelehren formulieren kann und höfisches Vokabular benutzt, sondern vor allem seine viel besprochene Subjektivität,[175] die nach Schürmanns richtiger Beobachtung „dem Volksgesange fremd ist".[176] Diese Subjektivität, die ausgedehnte Reflexion über ein Minimum von Realität, ist es vor allem, die ihn den Minnesängern vom Schlage eines Reimar nähert, wenngleich er in bezug auf höfische Bewußtheit Reimars genaues Gegenteil genannt werden kann.[177]

Die Subjektivität des Minnesängers hat sich ausgebildet mit zunehmender Verinnerlichung und Bewußtheit des Minneerlebnisses als Mittel des Dichters, eben diese Verinnerlichung sprachlich zu fassen und der höfischen Gesellschaft vorzuführen. Der Dichter empfindet sich als der beispielhaft Erlebende, sein Ich, seine Subjektivität ist repräsentativ für die höfische Gesellschaft, wie sie sein soll. Auch Neidharts Sänger kann so verstanden werden. Wir haben festgestellt, wie praktisch alle Lieder, auch die Sommerlieder, das Bauernleben nur als vergangenheitliches Zitat enthal-

---

174 Vgl. Haupt-Wießner, 187 Anm.
175 Bielschowsky, Dorfpoesie 106; Schürmann, Parodie Vorwort, 4; Alewyn, Naturalismus 42,56; Martini, Das Bauerntum 43f.; Böckmann, Formgeschichte 180. Bielschowsky, Dorfpoesie 108 meint, Neidhart dränge „in allen eigentlichen Reien *gegen* sein Bedürfnis und *gegen* die Mode seine Person in den Hintergrund"; dagegen vgl. Schürmann, Parodie 4.
176 Schürmann, Parodie 4.
177 Das gilt selbstverständlich nur vom Sänger, nicht jedoch von Neidhart. Dieser hatte eine vielleicht noch wachere Bewußtheit der höfischen Kultur als Reimar, weil er ihre Gefährdung von innen erkannte und offenbar daran litt.

ten; die Gespräche der Bauern untereinander, selbst die Anreden des Sängers an ein bäuerliches Tanzpublikum, sind Zitate, die er einer mit Sicherheit höfischen Zuhörerschaft aus seinen jeweils vergangenen Erlebnissen mit den Bauern bringt. Für diese Zuhörerschaft wählt er aus, fügt Kommentare und Bezeichnungen ein – nun verrät aber die Auswahl seinen Wunsch nach Sinnenlust, die Kommentare seinen Verrat an der höfischen Kultur, seine Bezeichnungen eine Entleerung der höfischen Begriffe: er repräsentiert also ein korruptes Publikum, gibt seinen so oft angerufenen *vriunden*[178] ein negatives statt des geforderten positiven Beispiels. In dem Sänger trifft Neidhart das Publikum und seinen Verführer, die höfische Gesellschaft und das, was sie von innen her aushöhlt. Die Innerlichkeit der von Neidhart beschriebenen und kritisierten Vorgänge eröffnet eine neue Dimension der Tatsache, daß Neidhart den Sänger als Ich auftreten läßt und ihn so seinem eigenen Ich zum Verwechseln ähnlich macht. Neidhart selbst als Dichter der höfischen Gesellschaft steht ja in diesem Repräsentationsverhältnis zu ihr. Wenn er nun die Gesellschaft als bedroht erkennt und wenn er das traditionelle Repräsentationsverhältnis zwischen dem in seiner Dichtung sprechenden Ich und der Gesellschaft nicht scharf durchtrennt, so muß dieses Ich die Farbe der Gesellschaft annehmen, muß analog zur gesteigerten Positivität des Ich eines Dichters wie Reimar eine gesteigerte Negativität aufweisen, die Neidhart ebenso gewissenhaft gestaltet wie Reimar seine Positivität. In diesem Sinne einer literarischen Erscheinung, die mit der Spiegelfunktion des Dichters gegenüber der höfischen Gesellschaft zusammenhängt, ist der Sänger von Riuwental tatsächlich das Ich Neidharts. Aber nur in diesem Sinne; denn während ein Dichter wie Reimar oder Walther sich der persönlichen Tendenz nach ganz mit diesem Ich identifiziert, dissoziiert Neidhart sich davon und bemüht sich, die Flecken und Risse auf diesem Spiegel ja recht stark einzuschwärzen und die Gründe seiner Zerstörung sichtbar zu machen.

Denn der Zweck von Neidharts Liedern ist ja – das hat sich nun unter vielen Gesichtspunkten gezeigt – nicht etwa der der Unterhaltung seines Publikums,[179] sondern der der Besserung einer langsam sich zersetzenden, von ihnen ausgehöhlten Gesellschaft. Neidhart öffnet durch das verächtliche Bild des Sängers und seiner Schicksale dem Publikum die Augen über

---

[178] Zur „Freundestaffage" vgl. Wießner, Kommentar zu 38,19. Das traditionelle Element wird bei Neidhart dadurch wichtig, daß der korrupte Sänger ein ebenso korruptes Publikum hat.

[179] Liliencron, Höfische Dorfpoesie 107; Bielschowsky, Dorfpoesie 37,250; Schürmann, Parodie 12; Konrad Burdach: Reinmar der Alte und Walther von der Vogelweide. – 2. Aufl. Halle 1928, 130,133; Brill, Neidhartschule 44; Seemüller, Zur Poesie 336; Günther, Minneparodie 21,25,37; Martini, Das Bauerntum 48; De Boor, Literaturgeschichte 363f.; Wießner, Ausgabe ATB 10.

sich selbst und öffnet es einer Selbstbesinnung auf die Werte, aus denen das Rittertum und der Mensch überhaupt lebt. Man darf nicht vergessen, daß Neidhart unter dem Gedanken der *inordinatio* nicht nur Ritter, sondern auch Bauern meint, und daß es in seinen Weltsüßeliedern die Schwäche des Menschen überhaupt gegenüber dem eigenen Vorsatz der Reue ist, die er tadelt. Die so oft erörterte Frage nach Neidharts Publikum scheint unter diesem Aspekt fast müßig – es ist nach allem Gesagten zwar ohne Zweifel, daß Neidharts Publikum höfisch war,[180] aber der Vorwurf der *inordinatio* konnte Ritter wie Bauern treffen, die Schwäche vor Gott sogar alle Menschen. Wenn Neidharts Lieder auch für höfische Zuhörer gesungen wurden, so gelten sie doch darüber hinaus für die ganze Zeit und Menschheit. Neidhart sah die heilige Ordnung des Reichs, den Spiegel der göttlichen Schöpfung bedroht, und dieser Erkenntnis entspricht die Universalität seiner Satire.

20   Nun soll noch ein Überblick über die Methoden des satirischen Prozesses bei Neidhart gewonnen werden. Die Wirklichkeit, auf die Neidhart reagiert, ist die fortschreitende innere Aushöhlung und Veräußerlichung der höfischen Gesellschaft, wie sie sich besonders an der Minne zeigt, die einerseits zur bloßen Erfüllung einer Etikette und formalen Konvention erstarrt, andererseits zum Vehikel der Befriedigung sinnlicher Bedürfnisse degradiert wird.

Diese Tendenzen zum Formalismus einerseits und zum Materialismus andererseits veranschaulicht Neidhart in dem, was wir die exemplarische Situation des Sängers genannt haben. Anstatt den Ritter im falschen Minnedienst an einer unidealen höfischen Dame zu zeigen, läßt er ihn den Bauernmädchen dienen: die mangelnde Idealität der Dame wird also veranschaulicht durch den unhöfischen niedrigen Stand, den Mangel an Bildung, die zum Bild des Bauern gehörende Sinnlichkeit dieser Mädchen. Dabei sind

---

180 Der Sänger *berichtet* nur immer, daß er vor Bauern gesungen hat; kein Lied richtet sich aber wirklich an sie (die Anreden sind Zitate aus der Vergangenheit). Man kann deshalb auch nicht eigentlich von Tanzliedern (Reien) sprechen, denn auch die Aufforderungen zum Tanz sind Zitate dessen, was der Sänger oder eine andere Person des Gedichts in der Vergangenheit gesagt haben. Das Publikum, dem der Sänger berichtet, ist nur durch die Erwähnung der Freunde, die höfischen Formen und literarischen Konventionen als höfisch bestimmt. Neidharts Publikum ist deshalb als höfisch anzunehmen, weil die Haupttendenz seiner Satire auf die Neubelebung des höfischen Wertgefühls gerichtet ist. Außerdem sucht er die Wurzeln der *inordinatio* der Bauern, wie gezeigt, bei den Rittern, und deshalb müssen primär sie das Ziel seiner Satire sein.

die Mädchen alles andere als Allegorien für höfische Damen, vielmehr wird die Depravation des Sängers sozusagen in einem Zustand gezeigt, wo ihm die unideale Hofdame schon gar nicht mehr genügt, wo er Sinnlichkeit in Reinform sucht. Es ist aber nie bloß die einfache einsinnige Liebe eines Mannes zu einem Mädchen,[181] sondern es ist die Minne eines Ritters zu einem Bauernmädchen, an dessen Stelle eigentlich eine höfische Dame stehen müßte.

Das wird deutlich an dem betont höfischen Vokabular, das der ritterliche Sänger den Mädchen gegenüber benutzt: hier ist die formalistische Seite dieser Minne, denn die Begriffe erscheinen in völlig sinnentleerter Form und werden von den Mädchen so weiterverwendet. Gerade das aber, die falsche Verwendung standeseigener Begriffe durch eine standesfremde niedriger stehende Person, muß in dem Publikum eine weit heftigere Reaktion gegen diesen Mißklang, gegen die Falschheit der Anwendung hervorrufen als wenn die Begriffe und Haltungen im alltäglichen Hofgespräch veräußerlicht auftreten. Wie ärgert sich Neidharts Sänger über die mißlungene Nachahmung höfischer Haltungen und Kleidung bei den Bauernburschen – das ist ein Beispiel des Ärgers, den Neidhart in seinem Publikum über die standesfremde Nachahmung erzeugt. Zugleich wird sich der Sänger aber bewußt, daß es gute und schlechte, echte und veräußerlicht falsche Leistung dieser Haltungen und Begriffe gibt – genau diese Erkenntnis strebt Neidhart bei seinen Hörern an. Und wenn er die Bauernburschen lächerlich macht und den Sänger obendrein, der nicht merkt, daß ja im Grunde er selbst auch die Begriffe und Haltungen veräußerlicht, dann kann er eines Strebens nach echter Vertiefung bei seinem Publikum sicher sein, das den Spott und das Gelächter über alles fürchtet.

Zwei Techniken wendet Neidhart also an: Steigerung und Verfremdung. Falscher lächerlicher Minnedienst an Bauernmädchen ist eindrucksvoll als Übersteigerung eines oberflächlichen und sinnlichen Minnedienstes bei einer unidealen höfischen Dame. Das Auftauchen höfischer Begriffe in einem fremden und dazu noch niedrigen Milieu setzt ihre Hohlheit ins hellste Licht und erzeugt den Ärger, der als Motor der Veränderungstendenz im einzelnen Zuhörer nötig ist.

Auch am Sänger ist vieles übersteigert oder mit derselben Einseitigkeit dargestellt, mit der er vom Bauernleben berichtet. Die vielen Liebchen reflektieren eine enorme Sinnlichkeit und *unstaete*, das preziöse Geplapper der Mädchen seine verächtliche Technik, sie durch höfischen Talmischmuck gefügig zu machen; die konstanten Widersprüche in seinen Aussagen und seinem Verhalten zeigen erstaunliche Dummheit, sein Verhalten

---

181 So wird man wohl Walthers niedere Minne verstehen müssen im Gegensatz zu der Bauernminne bei Neidhart.

gegenüber den Bauernburschen Feigheit und den tückischen Haß des Pasquillanten. Auch hier ist die Steigerung und Verschärfung, die Häufung und einseitige Betonung einzelner Züge deutlich; der real klingende und mit realen Eigenschaften (Dorf, *hûs, anger* etc.) ausgestattete Name *Riuwental* wird durch die Wortspielerei damit verfremdet; der Ritter kommt so in den Zwischenzustand zwischen Realität und Personifikation und hat dadurch sowohl den Aspekt eines normalen Angehörigen der ritterlichen Gesellschaft und den entgegengesetzten eines Sinn-Bilds, in dem alle Eigenschaften einer bestimmten (hier negativen) Gattung versammelt, sichtbar und erkennbar sind. Durch diesen Doppelaspekt bekommt die Gestalt des Sängers sozusagen etwas Dynamisches: es ist, als ob Neidhart einen normalen Ritter aus seiner alltäglichen Umgebung und Handlungsweise herausnehme und in ein fremdartiges Licht stelle, das all seine Schwächen, Fehler und Verächtlichkeiten heraushebe, unerbittlich bloßstelle und dem Hohn und Spott der andern preisgebe. Auswahl, Steigerung und Verfremdung sind also die bisher durchgehend aufgezeigten Techniken des satirischen Prozesses. Hinzu tritt die Ironie, bei Neidhart verschärft durch den Prozeß der Ironisierung des literarischen Ich, das bei andern höfischen Dichtern als praktisch identisch mit dem persönlichen Ich gelten kann. Auch die Ironie ist eine Verfremdungstechnik: Neidhart läßt oft den Hörer lange Zeit im ungewissen darüber, ob das sprechende Ich nicht doch mit ihm identisch ist, ob Neidhart nicht unmittelbar seine Meinung aussagt, um aber dann in plötzlichem satirischem Umbruch eine weite Kluft zwischen sich und dem Sänger aufzureißen. Eine formale Erscheinung dafür ist das häufige Auftreten des Namens Riuwental in der Schlußstrophe der Lieder: unter dem Einfluß des sprechenden Namens vollzieht sich erst da vollends der Verfremdungsprozeß. Ähnlich ist die Technik in den Winterliedern, die oft erst nach einer Reihe perfekt höfisch klingender Minnestrophen in die Dörperei umschlagen und das wahre Wesen des Sängers aufdecken. So auch in den Weltsüßeliedern, wo Neidhart das Rätsel erst löst, nachdem das Publikum annehmen mußte, daß er auf eine wirkliche *vrouwe* schelte und nicht auf eine Personifikation der Welt. Hier geht es allerdings, wie gezeigt, auch um die Feststellung einer Identität von falscher Minne und Weltdienst.

Durch alle diese Methoden der Verfremdung des Gewöhnlichen und der Steigerung bestimmter Aspekte daran erzielt Neidhart in seinen Hörern die Fähigkeit, sich selbst und ihre Umgebung aus einer Distanz zu sehen, sich selbst im Lichte dieser Kritik zu kritisieren und im Ärger über dieses als so alltäglich gezeigte Negativ zur Besserung zu kommen. Nicht Ärger und Verdruß jedoch, sondern vielmehr das Lachen ist Neidharts stärkste Waffe. Die ritterliche Gesellschaft fürchtet sich vor nichts so sehr wie vor der Schande, dem *laster*; die Ehre ist der gültigste Maßstab für die

Stelle des Individuums im sozialen Gefüge. Das Spottgelächter ist deshalb ein Mittel der Exkommunikation, wie es in einer solchen Gesellschaft kein stärkeres gibt. Nun ist die Gestalt des Sängers genau darauf angelegt, Hohn- und Spottgelächter hervorzurufen, und zwar durch Neidharts Technik, ihn *sîn selbes laster rüegen* (65,11) zu lassen. Käme der Tadel am Sänger aus Neidharts Mund, so klänge er so ernst wie die späten Sommerlieder, in denen er die Not direkt beklagt. Durch die Ethopoiie aber, in der der Sänger selbst spricht, sich in Widersprüche verwickelt, Dinge beklagt, die richtig sind und Falsches lobt, bekommt der Hörer das Erlebnis, den verächtlichen Wirrkopf selbst entlarven zu können, alle Unstimmigkeiten und Fehler selbst aufzudecken und den Sänger aus eigenem Antrieb zu verspotten. Hohn auf die Falschheit ist die Haltung, die Neidhart in seinen Hörern erzielen will; ein Mädchen läßt er sagen:

> „ist uns iemen âne herze holt,
> dem ist kupher lieber danne golt:
> gehoenet werde er von uns beiden!" (33,12–14)

Er will also nichts anderes, als das Publikum zu derselben satirischen Feinfühligkeit und Spottlust über das Falsche, über die *inordinatio* zu erziehen wie sie sein eigenes Wesen bestimmt. Das Mittel dazu ist die Ethopoiie, das scheinbar nur zitierende Sprechenlassen des Sängers, durch das der Hörer selbst die Aufgabe bekommt, die *inordinatio* zu erspüren und zu verhöhnen. Neidhart selbst begnügt sich damit, die Reden des Sängers gleichsam zu redigieren, die Widersprüche ins rechte Licht zu setzen und nur ganz selten ein eigenes Wort, eine eigene Lehre einzufügen. Wenn er so das Publikum zur Satire erzieht, so erkennt er gleichzeitig die Gefahr, in die alle Satiriker kommen: die Macht ihres Spottes zur Förderung privater Interessen und nicht zum gemeinen Wohle auszunutzen. Deshalb macht er den Sänger zum Pasquillanten, der jede Gelegenheit benutzt, um die Bauernburschen, seine persönlichen Feinde, anzuschwärzen, ohne nach der Berechtigung ihres Verhaltens im Lichte idealer Wertmaßstäbe zu fragen. Und so wird in diesen Liedern auch der Pasquillant, der falsche Satiriker verhöhnt: Neidharts Dichtung ist nicht nur Satire, sondern zugleich Kritik der Satire, Reflexion auf ihre Grenzen und Möglichkeiten.

II. HEINRICH WITTENWILERS ‚RING‘

§ 1 Das Verhältnis zwischen Leben und Lehre

1 Fast einstimmig ist dieses geniale Werk von der bisherigen Forschung als Musterbeispiel für die unaufgelöste und unauflösbare Dissonanz zwischen den großen spätmittelalterlichen Gegensätzen beansprucht worden: zwischen mystischer Geistigkeit und derber Vitalität, „freudigster Lebensbejahung“ und dem „schrecklichen *omnia vana*“,[1] zwischen Weltfluchtgedanken und illusionsfeindlichem Wirklichkeitssinn.[2] Wie man jedoch das Verhältnis der beiden Sphären der Wirklichkeit im Spätmittelalter einmal als tragischen Zwiespalt,[3] einmal als „ungeordnetes, spannungsloses Nebeneinander“ [4] verstanden hat, so variieren die Absichten auch bezüglich Wittenwilers ‚Ring‘: vom Willen „zum Ja und Nein, der diese Gegensätze nicht nur erträgt, sondern verlangt, der sich nicht entscheidet, sondern zu beidem Ja sagt“,[5] bis zum wilden Pessimismus und zur „grimmigen Weltverachtung“ [6] hat man dem Dichter fast alle Verhaltensweisen zugesprochen, die angesichts unvereinbarer Gegensätze möglich sind.

Hier soll nun zunächst gezeigt werden, daß die Gegensätze nicht, wie immer angenommen, unvereinbar sind, sondern daß es Wittenwiler gerade darauf ankommt, das harmonische Zusammenspiel von Trieb und Geist als möglich und notwendig, die Dissonanz zwischen beiden aber als verhängnisvoll darzustellen. Nur wenn der Bau, die Personen, die Geschehnisse im ‚Ring‘ in ihrer Feinstruktur erkannt sind, wird es gelingen, Wesen und Richtung seiner Satire zu erfassen.

---

[1] Eduard Hartl: Das Drama des Mittelalters, sein Wesen und sein Werden. Osterfeiern. – Leipzig 1937 / Darmstadt 1964 (Deutsche Literatur in Entwicklungsreihen. Reihe Drama des Mittelalters, Bd. 1). S. 226.

[2] Friedrich Ranke: „Zum Formwillen und Lebensgefühl in der deutschen Dichtung des späten Mittelalters.“ DVjS 18 (1940), 307–27; 323.

[3] Hartl, Osterfeiern 226.

[4] Hermann Schneider und Wolfgang Mohr: „Mittelhochdeutsche Dichtung.“ Merker-Stammlers Reallexikon, 2. Aufl. Bd. 2; 324.

[5] Ranke, Zum Formwillen 320.

[6] Emil Ermatinger: Dichtung und Geistesleben der deutschen Schweiz. München (1933); 84.

2 Der Dichter des um 1400 entstandenen Epos war entweder Stadtweibel des Städtchens Lichtensteig im Toggenburgischen oder bischöflicher Advokat in Konstanz. Für den ersteren spricht eine genaue Kenntnis des Toggenburgischen, seines Dialekts und seiner Ortschaften, für den zweiten die im Werk stellenweise hervortretende Gelehrsamkeit, die Freude an der Debatte und der öffentlichen Rede. Seit Fritz Wielandts[7] Fund der Urkunde des *honorabilis periti viri, magistri Hainrici de Wittenwil, advocati curie Constantinensis ... notarii publici* hat sich praktisch die ganze Forschung[8] für den gelehrten bischöflichen Juristen erklärt; Wießners[9] Einwand von der genauen Orts- und Dialektkenntnis des Dichters, der deshalb kein Konstanzer sein könne, läßt sich wohl mit Martha Kellers natürlicher Vermutung beseitigen, daß die Heimat des Konstanzer Advokaten eben Lichtensteig war, und daß er wegen der Beziehungen des Konstanzer Bischofs zum Toggenburg seine Stellung als Advokat erhielt.[10] Mein gegenwärtiger Zweck fordert keine Entscheidung über die Identität des Dichters; ich neige jedoch wegen der im ‚Ring' sichtbaren theologisch-juristischen Bildung und wegen gewisser Formaspekte, die schon humanistischen Einschlag zeigen,[11] dem Konstanzer Advokaten zu.

---

[7] Fritz Wielandt: „Der ‚Ring' und Meister Heinrich von Wittenwil." Bodenseebuch 21 (1934) 19–24.

[8] Martha Keller: Beiträge zu Wittenwilers ‚Ring'. Diss. Zürich. – Leipzig-Straßburg-Zürich 1935; 16. – Ranke, Zum Formwillen (1940), 313. – Charles Gervase Fehrenbach: Marriage in Wittenwiler's 'Ring', a Dissertation. – Washington 1941 (The Catholic University of America Studies in German, vol. XV); 10f. – Bruno Boesch: „Phantasie und Wirklichkeitsfreude in Heinrich Wittenwilers ‚Ring'." ZfdPh 67 (1942), 139–61; 149. – Fritz Martini: „Heinrich Wittenwilers ‚Ring'." DVjS 20 (1942), 200–35; 200. – Fritz Martini: Das Bauerntum im deutschen Schrifttum von den Anfängen bis zum 16. Jahrhundert. – Halle 1944; 179. – G. Jungbluth: Artikel „Wittenwiler" in: Die deutsche Literatur des Mittelalters – Verfasserlexikon IV (1953), Sp. 1037–41; 1037. – Bernhard Sowinski: Der Sinn des „Realismus" in Heinrich Wittenwilers ‚Ring'. Diss. Köln 1960; 11. – Auch George F. Jones: Wittenwiler's 'Ring' and the Anonymous Scots Poem 'Colkelbie Sow'. Two Comic-Didactic Works from the Fifteenth Century. Translated by George Fenwick Jones. – Chapel Hill 1956 (University of North Carolina Studies in Germanic Languages and Literatures, No 18) hält S. 129 den Konstanzer Advokaten für den wahrscheinlichen Dichter, obwohl er sich auch einen Lichtensteiger Schreiber vorstellen kann. Auch sein Aufsatz "Heinrich Wittenwiler – Nobleman or Burgher?" in: Monatshefte 45 (1953) 65–75 betont die Unentschiedenheit der Verfasserfrage und die Bürgerlichkeit der Einstellung Wittenwilers.

[9] Edmund Wießner: „Heinrich Wittenwiler." ZfdA 84 (1952) 159–71.

[10] Keller, Beiträge 11–16.

[11] Zum Beispiel die Ehedebatte über die Catonische *quaestio infinita,* ob man

Bezeichnend für die Dichtung ist es nun, daß Josef Nadler mehrmals[12] die These verfocht, das Epos sei nicht von dem einen Heinrich Wittenwiler, sondern von zwei verschiedenen Verfassern geschrieben. Damit versuchte er die nach seiner Ansicht menschenunmögliche[13] Gegensätzlichkeit der beiden Schichten des Werkes zu erklären. Martini hat inzwischen mit Recht darauf hingewiesen, daß „die Widersprüche sich in engster gegenseitiger Beziehung kaum entwirrbar ineinanderschieben und vermischen".[14] Muß man also bei dem einen Verfasser bleiben, so scheint die unbegreifliche Gegensätzlichkeit des Werkes ihren Ursprung im Dichter selbst zu haben. Man hat ihn dementsprechend beschrieben: als „wilden Pessimisten",[15] als „zwiespältigen Einzelnen mit scharfer Beobachtungsgabe und bitterer Zynik",[16] als „mutwilligen Humoristen und überlegenen Spötter",[17] hinter dessen Humor aber ein Ernst stehe, „den man bei nüchternem Verstande grausig nennen" könne,[18] als Skeptiker,[19] Epikurer,[20] Faun[21] oder als Menschen, der „in plumper Wüstheit mit rohem Behagen schwelgt".[22]

Der so problematisch gesehene Charakter des Dichters wird sich im Laufe der Untersuchung als der des Satirikers zeigen, der konsequent

---

überhaupt heiraten solle; dieser schließt sich konsequent die *quaestio finita* an, ob Bertschi Mätzli heiraten solle. Ferner wird nachzuweisen sein, daß hier bewußt Satire geschaffen wurde, und daß Wittenwiler sich mit dem Zweck seiner Dichtung (*nutz* und *tagalt*, v. 50) an Horaz anschließt.

[12] Josef Nadler: „Wittenweiler?" Euphorion 27 (1926) 172–84; dann wieder in seiner Literaturgeschichte der deutschen Schweiz (Leipzig, Zürich 1932) 74–79, 508, ohne auf die inzwischen erschienene Widerlegung durch Edmund Wießner einzugehen: „Heinrich Wittenwiler: Der Dichter des ‚Ringes'." ZfdA 64 (1927), 145–60.

[13] Nadler, Wittenweiler 175,184; Literaturgeschichte 78.

[14] Martini, DVjS 202. Vgl. z. B. auch Richard Brinkmann: „Zur Deutung von Wittenwilers ‚Ring'." DVjS 30 (1956) 201–31; 207.

[15] Ermatinger, Dichtung und Geistesleben 84; Boesch, Phantasie 161, Anm. 53; Kurt Herbert Halbach: „Epik des Mittelalters." Stammlers Aufriß der deutschen Philologie. 2. Aufl. Bd. 2 (Berlin 1960), 397–684; 682.

[16] Hellmut Rosenfeld: „Die Literatur des ausgehenden Mittelalters in soziologischer Sicht." Wirkendes Wort, Sammelband 2. – Düsseldorf (1963), 287–98; 292. (Zuerst in: Wirkendes Wort 5 (1954) Heft 6, 330ff.)

[17] Brinkmann, Zur Deutung 201f.

[18] Ebd. 204.

[19] Martini, DVjS 229.

[20] Ebd. 234; Martini, Das Bauerntum 181.

[21] Edmund Wießner: „Das Gedicht von der Bauernhochzeit und Heinrich Wittenwilers ‚Ring'." ZfdA 50 (1908) 225–79; 278. Ebenso ZfdA 84 (1952), 171.

[22] Karl Goedeke: Grundriß zur Geschichte der deutschen Dichtung. 2. Aufl. Bd. 1. – Dresden 1884; 397.

Den guoten zlieb, ze fröden schein,
Den bösen zlaid, ze hertzen pein (5f.)[23]

schreibt, und dessen Wertsystem in dem Werke recht deutlich zutage liegt. Das in der Dichtung so genial gezeichnete *gpauren gschrai* (36) hat allerdings bisher zu ausschließlich die Aufmerksamkeit auf sich gerichtet und andere Aspekte in der Bewertung weitgehend verdrängt. Deshalb ist es notwendig, das Verhältnis der Wirklichkeitsbereiche im ‚Ring' näher ins Auge zu fassen.

3 Schon der Titel „Der Ring" ist verschieden interpretiert worden. Baechtold meint, der Dichter sei „sichtlich in Verlegenheit über einen Titel für sein Werk" gewesen und habe es „nicht gerade zutreffend ‚Ring'" benannt.[24] Die Tatsache jedoch, daß das Verständnis des Titels unmittelbar mit dem der Dichtung selbst zusammenhängt, wird den Vorwurf der Ungeschicklichkeit in der Titelwahl von Wittenwiler nehmen. Er führt den Titel mit folgender Erklärung ein:

Schült es hörren so zehant
Ein puoch, daz ist „DER RING" genant
(Mit einem edeln stain bechlait),
Wan es ze ring umb uns beschait
Der welte lauff und lert auch wol,
Was man tuon und lassen schol.
Chain vingerli ward nie so guot
Sam ditz, gehabt in rechter huot. (7–14)

Edmund Wießners hervorragender Kommentar zum ‚Ring'[25] erklärt den Namen als „Allegorie, die mit zwei verschiedenen Bedeutungen des Wortes spielt: a) mit der abstrakten = *orbis*, die sich aus den Worten *der welte lauff* ... *ze ring umb* ergibt ... und b) mit der sinnlichen = *anulus*, *vingerli* (13) ..., auf die auch das Bildnis des Ringes in der Initiale verweist. Der Dichter hat dabei offenbar das lateinische *orbis* im Sinne, das wie κύκλος ‚Kompendium' bedeutet ..., aber auch den Fingerring bezeichnen kann".[26]

---

23 Edmund Wießner: Heinrich Wittenwilers Ring. – Leipzig 1931 / Darmstadt 1964. (Deutsche Literatur in Entwicklungsreihen; Reihe Realistik des Spätmittelalters Bd. 3.)

24 Jakob Baechtold: Geschichte der deutschen Literatur in der Schweiz. Neudruck der 1. Aufl. von 1892. – Frauenfeld 1919; 183.

25 Edmund Wießner: Kommentar zu Heinrich Wittenwilers Ring. – Leipzig 1936 / Darmstadt 1964. (Deutsche Literatur in Entwicklungsreihen. Reihe Realistik des Spätmittelalters, Ergänzungsband.) 26 Ebd. zu 8–11.

In dieser Interpretation manifestiert sich die so oft wiederholte Ansicht Wießners, der ‚Ring‘ sei ein „Lehrbuch der Lebensführung, eine Enzyklopädie ... der Lebenskunst".[27] Es hat jedoch auch abweichende Ansichten gegeben, die den Ring-Charakter nur auf den Weltlauf, nicht aber auf die Totalität der Lehre beziehen; so etwa bei Boesch, für den der Weltlauf allerdings mit dem „bäuerlichen Narrenleben" gleichzusetzen ist,[28] oder Halbach, der Wittenwiler als „‚im Ring umher‘ lehrend vom Weltlauf" [29] sieht. Faßt man nun Wittenwilers Einführung genauer ins Auge, so zeigt sich der Ringcharakter, also, wenn man will, der Totalitätsanspruch des Werkes, nur auf *der welte lauff*, nicht aber auf die Lehre bezogen.[30]

Was die im Werk selbst gegebenen Lehren angeht, so wird ihre Vollständigkeit von den Sprechern an mehreren Stellen ausdrücklich verneint; zum Beispiel wird die theologische Unterweisung bewußt auf das für den Laien notwendige Minimum eingeschränkt;[31] eine Belehrung in höfischer Zucht wird abgelehnt, nicht weil der Kandidat sie nicht brauchen könnte, sondern weil man sie nur im Umgang lernen kann.[32]

Der enzyklopädische Charakter der Lehre ist also fraglich; unsicher wird damit aber auch das von Wießner angenommene allegorische Verhältnis zwischen Weltlauf und Lehre. Wenn Wießners Interpretation richtig ist, dann werden diese beiden Bereiche nämlich nur durch das bloß im Lateinischen mögliche Wortspiel zusammengehalten, nach dem *orbis* zugleich den Umkreis der Welt und ein Kompendium bedeutet. Weltlauf und Lehre

---

[27] Wießner schon in der Einleitung zu seiner Ausgabe S. 5; später vgl. z. B. Nadler, Literaturgeschichte 74; Sowinski, Realismus 16,46,78.

[28] Boesch, Phantasie 139.   [29] Halbach, Epik 682.

[30] Die von Wießner aus dem Schwäb. Wb. und SId angeführte Wendung *ze ring umb* ist eine feste adverbiale Verbindung; bei Wittenwiler muß sie v. 10 präpositional verstanden werden (wegen des *uns*) und kann deshalb nicht „allenthalben" bedeuten. Die Bedeutung „allenthalben" wäre bezüglich der Enzyklopädie der Lehre auch unbrauchbar; hier müßte man die Bedeutung „alles" erwarten. – Die zweite von Wießner angeführte Verwendung des *ze ring umb* v. 6264 läßt auch nur schlecht die Bedeutung „allenthalben" oder „überall" zu – es handelt sich doch offenbar um einen Rundtanz, an dem *älleu springen* (6264). Vgl. 6431 *Macht euch an den ring hie pei!*

[31] Vgl. 3930–41, 4076.

[32] Nicht weil Bertschi sowieso Bauer ist und nie Möglichkeit hätte, zu Hof zu kommen und Hofzucht zu brauchen: im Gegenteil – Übelgsmak rät, Bertschi möge, wenn er Hofzucht begehre, selbst an den Hof gehen und sie dort im täglichen Umgang lernen (4856–58); sarkastisch fügt er dann bei, Bertschi werde Gelegenheit haben, bei seiner Hochzeit am negativen Beispiel zu lernen (4861–70). Dies ist eine der Stellen, wo das *törpelleben* am deutlichsten als „Maskerade" erscheint (Wießner, Ausgabe S. 7).

hätten also in Wittenwilers Werk keine wirkliche, sondern nur eine zufällig allegorische Beziehung. Wittenwiler will jedoch eindeutig lehren, *Was man tuon und lassen schol* (12); seine Lehre soll also nicht abstrakt, sondern im Hinblick auf praktische Anwendung lebensbezogen sein.

Wittenwilers Titel ist allegorisch gemeint, das zeigt schon die Anwendung auf den ringförmigen Weltlauf und den Fingerring. Wenn also Wießners Deutung für das Verhältnis zwischen Weltlauf und Lehre nicht zutrifft, so ist nach einer anderen allegorischen Deutung des Ringes zu suchen. Und hier bietet sich der von Wießner gar nicht in den Zusammenhang einbezogene Stein an, mit dem der Ring geschmückt ist. Ermatinger hat meines Wissens als einziger den „Doppelcharakter des Gedichtes" unter diesem Aspekt betrachtet: „Der Ring an sich ist die Welt, wie sie nun einmal ist, gut und böse, schmutzig und rein. So gibt sie sich auch im Gedichte. Der Edelstein aber, dessen Glanz aus dem Ring herausstrahlt, ist die Art, wie der Dichter die Welt beleuchtet, also die eingelegte geistlich-moralische Betrachtung und Belehrung."[33] Wenn man beachtet, daß die Handschrift[34] die von Wießner willkürlich um v. 9 gesetzte Klammer nicht aufweist, tritt der genaue Parallelismus zutage: v. 8 nennt den Ring, v. 9 den Edelstein, mit dem er *bechlait* ist, v. 10f. nennt den ringförmigen Weltlauf, v. 11f. die Lehre, was man tun und lassen soll. Wittenwiler ist also, was den Vergleich der Lehre mit einem Edelstein betrifft, ähnlich zu verstehen wie Ulrich Boner mit seinem Fabelbuch aus dem 14. Jahrhundert, dessen Vorrede folgendermaßen schließt:

> *Diz büechlîn mag der edelstein*
> *wol heizen, wand ez in im treit*
> *bîschaft manger kluogkeit,*
> *und gebirt ouch sinne guot,*
> *alsam der dorn die rôse tuot.*
> *wer niht erkennet wol den stein*
> *und sîne kraft, des nutz ist klein.*
> *wer oben hin die bîschaft sicht*
> *und inwendig erkennet nicht,*
> *vil kleinen nutz er dâ von hât,*
> *als wol hie nâch geschriben stât.* (64–74)[35]

---

[33] Ermatinger, Dichtung und Geistesleben, 78,82.

[34] Vgl. das Faksimile in Wießners Ausgabe vor der Einführung.

[35] Ulrich Boner: Der Edelstein, hrsg. v. Franz Pfeiffer. – Leipzig 1844 (Dichtungen des Deutschen Mittelalters, Bd. 4). – Es ist nicht ausgeschlossen, daß Wittenwiler sich mit seinem Titel auf Boner bezog, was schon der Edelstein im Ring andeuten mag. Vielleicht ist ihm aber auch eine sprachkräftige Metapher Boners für Gott im Gedächtnis geblieben, die gleich am Anfang des

Der Edelstein hat also nach Boners Deutung, ebenso wie seine Beispielerzählungen, zwei Aspekte: man kann beide *oben hin* sehen und wenig Nutzen davon haben; man kann aber auch den Stein und seine Kraft erkennen, die Beispielerzählung *inwendig erkennen*, dann nützen beide. Der Stein kann mit seiner magischen Wirkung, an die das Mittelalter glaubt, richtig eingesetzt werden, die kluge Fabel gebiert im erkennenden Geiste *sinne guot* wie der Dorn die Rose. Wenn also Wittenwilers Ring einen Stein trägt, so nicht nur als Schmuck: die *kraft* des Steines gibt dem Ringe erst Sinn und möglichen Nutzen. Eigentlich ausgedrückt: die Lehre (wenn sie tatsächlich durch den Stein allegorisiert ist) gibt dem Leben erst Richtung, Sinn und Bedeutung. Umgekehrt darf man nicht vergessen, daß der Stein in den Ring gefaßt ist und daß der Mensch nur so die Möglichkeit hat, ihn stets bei sich zu tragen und sich seiner *kraft* zu bedienen: die Lehre, abstrahiert vom Weltlauf, ist unbrauchbar. Der Weltlauf, die „Wirklichkeit", bildet also Träger und notwendige Basis des gelehrten Wissens; das so gefestigte Wissen gibt dem Leben die Richtung und Bedeutung, deren es bedarf. Dies geht auch aus der allgemeinsten Formulierung der Lehre hervor: *Was man tuon und lassen schol* deutet auf ein Wissen, das dem in den Weltlauf eingreifenden Tun die ethische Richtung gibt. Die Lehre ruht also auf dem Weltlauf auf und greift wieder in ihn ein; sie führt nicht mystisch aus der Welt heraus, sondern leitet den Belehrten in die gemeisterte Welt zurück.

Interpretiert man die Allegorie des Rings auf diese Weise, so sind die beiden Bereiche von Leben und Lehre nicht wie bei Wießner nur durch ein zufälliges Wortspiel verbunden, sondern stehen in notwendiger Wechselwirkung zueinander. Wenn sich in den folgenden Interpretationen zeigt, daß dieses Verhältnis der Wechselwirkung, das vorläufig nur als Vermutung formulierbar ist, wirklich den ‚Ring‘ bestimmt, so ist sein Dichter vielleicht der erste, der den spätmittelalterlichen Gegensatz von Leben und Lehre, Geist und Trieb zur Synthese gebracht hat.

Prologs steht: *du bist ein endelôser reif / umb alle dîne hantgetât* (10f.). Damit soll nicht gesagt sein, für Wittenwiler sei etwa der Weltlauf gleich Gott; es wird sich jedoch noch zeigen, daß *der welte lauff ... ze ring umb uns* für Wittenwiler mehr bedeutet als bloß „die alltäglichen Vorgänge in unserem Gesichtskreis". – Aus Boners Edelstein-Begriff geht noch ein weiterer Vergleichsgrund hervor: der Stein läßt sich obenhin sehen und auch innerlich erkennen. Wittenwiler hält die Lehre, wie sich zeigen wird, in ihrer abstrakten Form für nutzlos; erst in der Anwendung im rechten Moment wird sie sinnvoll: wie der Stein Boners hat Wittenwilers Lehre also einen Aspekt, in dem sie als bloßes Wissen nutzlos glänzt, und einen Aspekt, in dem sie durch ihre *kraft* das Handeln in der Wirklichkeit lenkt und damit nützlich wird.

4 Das epische Gerüst des nicht ganz zehntausend Verse langen Werkes wird von einem harmlos-derben Schwank von der Bauernhochzeit gebildet, der wohl um 1300 entstanden ist [36] und Motive aus der Neidhart-Tradition und aus dem Fastnachtsbrauchtum enthält.[37] Wittenwiler entlehnt zwar Namen und ganze Verse aus der Quelle,[38] zeigt aber dabei umfassende Kenntnis der Neidhart-Tradition, der Heldensage und -epik und der Ritterdichtung, ganz zu schweigen von zahlreichen gelehrten Quellen für seine didaktischen Partien. Mit allem schaltet er frei und weitet seine Quelle hier und da in genialer Phantastik aus. Die Form, in der die Geschichte im ‚Ring‘ erscheint, ist folgende:

Der junge Bauer Bertschi Triefnas schwärmt trotz großer Beliebtheit bei den Frauen für die grundhäßliche Mätzli Rüerenzumph. Eines Sonntagmorgens reitet er im Frauendienste mit elf Gesellen auf den Lappenhauser Dorfanger, um ein Stechen abzuhalten. Mangels Ausrüstung und Kenntnis zappeln beim ersten Waffengang alle außer einem im Bach und auf der Erde, nur der zwölfte, allein dem Leser als Neidhart bekannt, bleibt im Sattel. Auch im folgenden bleiben alle fairen und unfairen Anstrengungen der Bauern, den Fremden zu besiegen oder gar zu töten, umsonst. Da sie ihn deshalb als vom Geiste des Herrn gesegnet betrachten, muß er einige von ihnen zur Beichte hören. In dem nachfolgenden Turnier, zu dem er sie verlockt, werden die Bauern von ihm weidlich zerbläut und verwundet, bis er sich listig aus dem Staube macht. Stechen und Turnier geben Neidhart reichlich Gelegenheit, Belehrungen über diese höfischen Künste zu erteilen. Dem Turnier folgt eine Reihe von Schwanksituationen, in denen Bertschi versucht, der unwilligen Mätzli seine Liebe zu erklären. Endlich läßt er sich vom Dorfschreiber einen musterhaften Minnebrief aufsetzen; dieser wird mit Hilfe eines Steines durchs Fenster in Mätzlis Gefängnis befördert, in das ihr Vater sie wegen Bertschis Aufmerksamkeiten gesteckt hat. Da das Projektil Mätzli am Kopf trifft und beträchtlich

---

[36] Edmund Wießner (Hrsg.): Der Bauernhochzeitsschwank. Meier Betz und Metzen hochzit. – Tübingen 1956 (Altdeutsche Textbibliothek 48); 61.

[37] Martini, Das Bauerntum 185f.; Jones, Übersetzung 132–135.

[38] Die Vermutung von Wilhelm Brauns: „Heinrich Wittenweiler, Das Gedicht von der Bauernhochzeit und Hermann von Sachsenheim.“ ZfdA 73 (1936), 57–75, daß das Gedicht „Von Metzen hochzit“ eine Zusammenziehung des ‚Ringes‘ und nicht umgekehrt Wittenwilers Werk eine Dichtung auf der Grundlage des Schwankes sei, hat Edmund Wießner: „‚Metzen Hochzit‘ und Heinrich Wittenwilers ‚Ring‘.“ ZfdA 74 (1937) 65–72 überzeugend zurückgewiesen. Die vorliegende Untersuchung erweist mit der Nutzlosigkeit von Lehre allein oder Weltlauf allein, wie sehr Wittenwiler von seinen jeweils benutzten (einseitigen) Quellen distanziert war. Er muß also gar nicht von dem ohnehin modernen Vorwurf des „Plagiats“ „gereinigt“ werden.

verwundet, hat sie einen Anlaß, zum schriftkundigen Arzte zu kommen. Dieser benutzt ihre Lage dazu, sie zu verführen, und schreibt für sie dann eine höchst moralische, ebenfalls musterhafte Antwortepistel an Bertschi, in der sie, die nun vom Arzt ein Kind erwartet, Bertschis Liebesverlangen nur in Verbindung mit einem Eheversprechen nachkommen will.

In dem folgenden zweiten Teil ruft Bertschi seine Freunde und Freundinnen zusammen, die er in die Catonische *quaestio infinita* verstrickt, ob man überhaupt heiraten solle,[39] obwohl er ihnen gleich zu Anfang seinen sofortigen Liebestod verkündet, falls er Mätzli nicht bekomme. Die Diskussion der Freunde geht ins Endlose, so daß der Dorfschreiber mit einer *legis latio* eingreifen muß; deren Bedingungen ist Bertschi zu erfüllen bereit und darf nun ohne weiteres Mätzli den Antrag machen. Dieser löst auf der Gegenseite neue Diskussionen über die Voraussetzung eines guten Bräutigams und Bertschis Eignung im besonderen aus.[40] Der Beschluß, daß Bertschi noch belehrungsbedürftig sei, setzt den ergeben Zuhörenden einer religiösen Unterweisung für Laien, einer Gesundheitslehre und einer detaillierten Tugendlehre aus, der sich noch eine große Haushaltungslehre anschließt. Am Ende muß Bertschi schwören, daß er alles Gehörte befolgen werde, und er tut es, um nur möglichst rasch sein Mätzli zu bekommen. An die große Unterweisung, den didaktischen Kern des Werkes, schließt sich die Hochzeit der beiden. Hier bietet sich Gelegenheit für eine detaillierte negative Tischzucht, denn die Bauern machen alles falsch, was man nur falsch machen kann. Der anschließende Tanz führt zur obligatorischen Rauferei zwischen den Gästen aus der Nachbargemeinde Nissingen und Bertschis Lappenhauser Dorfgenossen.

Damit ist der dritte militärische Teil eingeleitet. Binnen kurzem zeitigt die Schlägerei einige Tote; das ganze Lappenhauser Dorf bestürmt die wenigen Nissinger, die nach heldenhafter Gegenwehr fliehen müssen. Offizielle Kriegserklärung zwischen den beiden Dörfern folgt, sowie Anwerbung von Unterstützung in den Nachbardörfern und in ganz Europa, Heiden, Hexen, Zwerge, Riesen und Recken aus der Dietrichsage eingeschlossen. Beratungen in Nissingen und Lappenhausen zeigen Beispiele guter und schlechter Demokratie,[41] der Krieg gibt Anlaß zu ausführlichen theoreti-

---

[39] Vgl. Quintilian *Inst.* 3,5,13; Priscian *Praeex.* 11 (Keil, Gramm. Lat. III 439,33f.) und die in Wießners Kommentar zu Prosa S. 129 nachgewiesenen mittelalterlichen Stellen.

[40] Die beiden Debatten verlaufen also genau parallel: bei Bertschis Verwandten folgt auf die *quaestio infinita*, ob ein Mann heiraten solle, die *quaestio finita*, ob Bertschi Mätzli heiraten solle. Bei Mätzlis Verwandten werden zunächst allgemein die Voraussetzungen diskutiert, die ein Bräutigam haben muß, dann im besonderen Bertschi besprochen.

[41] Vgl. die Interpretation der parallel gebauten Ratssitzungen in meinem Auf-

schen Darlegungen Strudels, des Nissinger Bürgermeisters. Die Schlacht endet mit Strömen von Blut, völliger Aufreibung der Lappenhauser und ihrer Bundesgenossen, Vernichtung des Dorfes Lappenhausen mit Mann und Maus. Zwei Lappenhauser überleben: der schon vor der Schlacht geflohene Höseller und Bertschi, der sich während des Treffens davonmacht und auf einem Heuschober verschanzt. Dort wird er noch von den siegreichen Nissingern belagert, endlich aber als Dämon in Ruhe gelassen, weil er vor Hunger anfängt, Heu zu essen. Wie später Simplicissimus zieht Bertschi als Einsiedler in den Schwarzwald, um für das Unheil zu büßen, das durch seine Nichtbeachtung der Lehren entstanden ist, und um sich das ewige Leben zu verdienen.

Aus diesem Überblick wird deutlich, daß die lehrhaften Teile tief in die Handlung eingebettet sind und daß die Reihenfolge des Gelehrten – Minnelehre, Lebenslehre, Unterweisung in der Kriegskunst – durch den Gang der epischen Handlung bestimmt ist, die der Schwank von der Bauernhochzeit vorzeichnet.[42] Die Lehre braucht offenbar immer den Anlaß im Leben, durch den sie notwendig gemacht wird und von dem Belehrten besonders eifrig aufgenommen wird.[43] Das oben besprochene Verhältnis von Stein und Ring bewährt sich hier: auf der Basis des Weltlaufs steht die Lehre, wird von ihm veranlaßt und soll in ihm wirken.

Andererseits haben Wießner,[44] Martini[45] und Boesch[46] festgestellt, daß Wittenwiler das epische Geschehen trotz der naturalistischen Dichte stark

---

satz: „Das Verhältnis von Geistigkeit und Vitalität in Wittenwilers ‚Ring‘." DVjS 41 (1967).

[42] Wießner, Ausgabe S. 6; Martini DVjS 206. Brinkmann, Zur Deutung 207 leitet umgekehrt die Disposition des *maere* von der Einteilung der Lehre ab, betont aber ebenso die „enge und das Ganze der Lebensbereiche umfassende Verbindung des längst Getrennten, von Lehre und Leben."

[43] Bertschis Bereitwilligkeit zum Hören der Lehre muß auf Grund seines Gesamtverhaltens bejaht werden; daß er die Lehre wirklich aufgenommen hat, beweisen z. B. die Reue über das Versäumnis ihrer Anwendung 5948–53 und 9674–86 sowie seine Versuche, einen durch solche Versäumnis entstandenen Schaden mit Hilfe anderer Kenntnisse zu beheben 5954ff. und 9687–96. Martini, DVjS 214, stellt pauschal fest, Wittenwilers Narrenbauer sei „das Sinnbild des triebhaft geschöpflichen, von zügelloser Leidenschaft beherrschten, fast pathologisch reizbaren Menschen, der sich blind jeder Belehrung verschließt, so an aller Zucht, Sitte und Selbsterkenntnis versagt". Bertschi bietet ein gutes Gegenbeispiel dafür. Seine Schwierigkeit ist nicht, daß er sich der Belehrung verschließt, sondern daß er sich in dem entscheidenden Moment nicht daran hält. Seine fast automatisch folgende Reue ist ein Beweis, daß er die Lehre nicht vergessen, sondern nur nicht beachtet hatte.

[44] Wießner, Kommentar zu 1999f.

[45] Martini, DVjS 217; Das Bauerntum 190.　　　　[46] Boesch, Phantasie 145.

funktional behandelt, daß er zum Beispiel, wo es sich erlaubt, mit Vorliebe die Planung einer Handlung statt der Handlung selbst berichtet und nach breit geschilderter Planung nur kurz erwähnt, daß die Ausführung gelungen sei.[47] Wo das Geschehen selbst belehrend und beispielhaft wirken kann, wird es bis ins Detail geschildert, etwa bei der negativen Tischzucht. Im dritten Teil gibt es allerdings Schlachtszenen, in denen die Freude am Erzählen die Oberhand zu gewinnen scheint, doch mag die drastisch-grausige Vernichtung des Bösen durch sich selbst der didaktische Zweck gewesen sein.

Daß praktisch die ganze Handlung für Wittenwiler ihre Bedeutung durch den Bezug auf die Lehre bekommt (wie umgekehrt die Lehre nur durch den Bezug auf den Weltlauf sinnvoll ist), bestätigen einige Verse der Vorrede:

> Secht es aver ichts hie inn,
> Das weder nutz noch tagalt pring,
> So mügt irs haben für ein mär.   (49–51)

Es ist fast mit Sicherheit anzunehmen, daß Wittenwiler mit *nutz* und *tagalt* (Zeitvertreib, Scherz) die Horazischen Begriffe des *prodesse* und *delectare* im Sinne hat. Nun taucht aber noch ein dritter Begriff auf, *mär*, der für solche Teile[48] des Werkes gelten soll, die den Lesern nicht *nutz* und *tagalt* bringen. Faßt man nun *mär* als „Geschichte", „Erzählung" auf – was bei dem durch *ichts* angedeuteten Teilcharakter sowieso fraglich ist –, so ist nicht einzusehen, warum eine Geschichte oder Erzählung nicht auch Zeitvertreib und Scherz bringen könnte, ja, warum sie nicht sogar nützlich sein könnte: *mär* in dieser Bedeutung ist den beiden andern Begriffen nicht in dem ausschließenden Sinne entgegengesetzt, den die Formulierung verlangt. Soll *mär* den beiden andern Begriffen, besonders *tagalt*, entgegengesetzt sein, so müssen diese näher zusammenliegen als unsere heutigen Begriffe Nutzen und Zeitvertreib, wo doch das Hören einer *mär* als Form des Zeitvertreibs gewertet werden kann; *tagalt* muß eine Form des Zeitvertreibs sein, in der das Nützliche besonders eingän-

---

[47] Beispiele bei Wießner, Kommentar zu 1999f.

[48] Wittenwilers Begriff *mär* ist entgegen seiner Aussage bisher immer auf die ganze zusammenhängende Bauernhandlung ausgedehnt worden, so etwa von Martini, DVjS 221; Sowinski, Realismus 21,96. Auch P. B. Wessels: „Wittenwilers ‚Ring' als Groteske." Wirkendes Wort 10 (1960) N⁰ 4,204–14 übersetzt *mär* mit „eine interessante Geschichte" (204). Durch die Formulierung *secht es aver ichts* ... betont doch Wittenwiler, daß höchstens kleinere Teile des Ganzen ihre intentionale Natur dem oder jenem Leser nicht sogleich offenbaren können, niemals aber das Ganze oder auch nur die ganze Bauernhandlung.

gig ist, die die Lehre gleichsam spielerisch enthält oder den Leser im Spiel
darauf vorbereitet. Wittenwiler bestätigt das an anderer Stelle in der
Vorrede:

> *Dar umb hab ich der gpauren gschrai*
> *Gemischet unter diseu ler*
> *Daz sei dest senfter uns becher.* (36–38)

Die Bauernhandlung hat also definitiven Zweck in Wittenwilers Werk: sie
ist um der erzieherischen Wirksamkeit der Lehre willen in die Dichtung
aufgenommen worden. Die Unterscheidung zwischen *tagalt* und *mär* lehrt
ferner, daß der größte Teil dieser Bauernhandlung für jeden Leser[49] eine
Richtung auf die gegebene Lehre haben soll. Nur manche Passagen können
als unbezogen verstanden werden, also als etwas, das um seiner selbst willen da ist. Dies scheint nach allen Überlegungen und nach den noch zu
sammelnden Beweisen das korrekte Verständnis: wenn *mär* und *tagalt*
zu unterscheiden sind (und der Text verlangt es), so bedeutet *mär* das, was
um seiner selbst willen erzählt ist, *tagalt* das, was auf die Lehre ausgerichtet ist. Das Verhältnis von *mär* und *tagalt* im Ganzen des ,Rings' ist so,
daß höchstens kleinere Teile, „etwas darin" als *mär* aufgefaßt werden
dürfen.

Formale und begriffliche Überlegungen haben also bisher die Vermutung verstärkt, daß das Verhältnis zwischen Leben und Lehre, Ring und
Stein in Wittenwilers Werk das einer engen Wechselbezogenheit und Wechselwirkung ist.

5 Einfach wäre diese Wechselbezogenheit zu verstehen, wenn der Weltlauf sich als Darstellung und Anwendung, Beweis und Beispiel für die
Lehre anböte. Das Gegenteil scheint jedoch der Fall, und hier liegt die
Schwierigkeit des ,Rings', den Nadler als „die rätselhafteste Dichtung, die
wir aus jenen Jahrhunderten kennen", bezeichnet hat.[50] Denn „trotz des
wahrhaftigen, theilweise feierlichen Tones [der Lehren] ... strafen die

---

[49] Die conditionale Form des Satzes *Secht es aver ichts hie inn...* macht es wahrscheinlich, daß Wittenwiler selbst alle Teile seines Werkes erzieherisch intendiert hat, daß er aber dem individuellen Verständnis des Lesers einen gewissen Spielraum lassen wollte, einzelne Teile als um ihrer selbst willen erzählt
zu sehen. Das meint wohl Wießner mit der „achselzuckenden Bemerkung des
Dichters gegenüber jenen Lesern, die im ,Ring' weder *nutz* noch *tagalt* (50)
finden wollen" (Ausgabe, Einführung 8). Allerdings glaube ich, daß Wittenwiler optimistischer ist, da er nur für gewisse Teile die Möglichkeit zuläßt,
als *mär* verstanden zu werden, nie für den ganzen ,Ring'.

[50] Josef Nadler: Literaturgeschichte der deutschen Schweiz. – Leipzig, Zürich
1932, 74.

jedesmal angeschlossenen erzählenden Capitel in ihrer anfangs burlesken, später grotesken Form die schönen Regeln und Dogmen Lügen".[51] Die „Diskrepanz zwischen Lehre und vorgelebtem Leben",[52] die „karikaturhaft übertriebene Inadäquatheit von Lehre und Verwirklichung durch die Menschen"[53] hat seit jeher die Forschung beschäftigt.

Im Gegensatz zu unseren bisherigen Ergebnissen scheint allenthalben unzweifelhaft, daß der Widerspruch der beiden Schichten „unlösbar"[54] ist und daß „das Neben- und Gegeneinander des Unvereinbaren, des Widersinnigen ... recht eigentlich die Struktur des *Rings*" ausmacht.[55]

Zwischen unvereinbaren Gegensätzen gibt es vier Möglichkeiten des Verhältnisses: entweder sie bleiben nebeneinander bestehen, oder je einer hebt den andern auf, oder sie heben einander zugleich gegenseitig auf. Alle vier Möglichkeiten wurden von der Forschung durchprobiert; ein kurzer Überblick ist angebracht. Boesch und Ranke lassen die Gegensätze nebeneinander bestehen und betonen Wittenwilers Bejahung beider Bereiche;[56] Boesch sieht in der Herausarbeitung des dämonischen, verworfenen Aspektes der Welt[57] den Dichter vielleicht heroischer, Ranke vielleicht mutloser, wenn er den ‚Ring' für ein „Lebensgefühl" beansprucht, das „entscheidungslos" vor den Gegensätzen „stillhält, weil es sie nicht mehr zu überwinden weiß".[58]

Wer Wittenwiler „den Nachdruck auf den lehrhaften Teil der Dichtung"[59] legen läßt, tendiert dazu, die „Tatsächlichkeit"[60] der Handlung anzuzweifeln. Die Geschichte wird dann als bloße lustspielhafte Einlage[61] verstanden, als „Spiel ... ohne letzten Wahrheitsanspruch".[62] Sowinski sieht gerade in dieser reduzierten Objektivität die Möglichkeit für die Bauernhandlung, „gleichnishaften zeitlosen Charakter"[63] als „Gegenbild"[64] der Lehre zu gewinnen. Doch auch er kann nicht an der Dichte der geschilderten Wirklichkeit vorbei und gesteht dem Negativen einen „eigenen Darstellungswert" zu.[65] Dies ist auch Günther Müllers Ansicht, der

---

[51] Leo Fränkel, Artikel „Wittenweiler" in: Allgemeine deutsche Biographie Bd. 43 (1898), 613.

[52] Wessels, Ring als Groteske 207.   [53] Brinkmann, Zur Deutung 208.

[54] Ranke, Zum Formwillen 325.   [55] Wessels, Ring als Groteske 213.

[56] Boesch, Phantasie 141; Ranke, Zum Formwillen 320.

[57] Boesch, Phantasie 143f.

[58] Ranke, Zum Formwillen 320. Auch Martini betont Wittenwilers Maßstablosigkeit DVjS 221, vgl. 213.

[59] Keller, Beiträge 61.   [60] Sowinski, Realismus 21,96,122.

[61] Keller, Beiträge 63.   [62] Martini, DVjS 221,223.

[63] Sowinski, Realismus 21.

[64] Ebd. 104. Derselbe Gedankengang bei Wessels, Ring als Groteske 211.

[65] Sowinski, Realismus 104.

„im unerbittlichen Nebeneinander der Lehre und des Lebens" die „Kritik" der Lehre an dem „Bild des gelebten Lebens" erkennt.[66]

„Eine aller Lehre spottende Daseinskraft des Verspotteten, eine unverbrauchte, noch aus heidnischen Tiefen lebende Welt, die in Fastnachtstumult, Festrausch und verzehrendem Krieg völlig aufgeht"[67] – die Anerkennung dieser Wirklichkeit in der Bauernhandlung des ‚Rings' konnte niemand verweigern, der nicht jede Berührung der beiden Schichten ausschloß. Und mindestens muß man es doch mit Böckmann „befremdlich" finden, „daß alle guten Lehren von den Bauern vorgetragen werden, die schon durch ihre Namen ihre Torheit bezeugen".[68] So ist immer wieder die Frage gestellt worden, ob „der Schalk all den lehrhaften Pomp nur als Deckmantel [benützt habe], um in dieser Vermummung seiner kecken Laune desto toller frönen zu können",[69] ob die Lehre nicht persifliert und lächerlich gemacht werde.[70]

Jungbluth ist allein mit seiner Ansicht, daß weder die Lehre die Handlung noch die Handlung die Lehre vernichte, sondern daß beide Schichten einander gegenseitig aufhöben: „Man wird ... gut tun, so wenig wie im Faktischen der Erzählung im Faktischen der mitgeteilten Spruchweisheit den Lehrsinn zu suchen: das eigentliche Lehrthema ist der eindringlich demonstrierte Gedanke der *vanitas*, der auch am Schluß des ‚Ring' seine Macht behält."[71]

Hinter all diesen Ansichten steht der Gedanke, daß Lehre und dargestelltes Leben im ‚Ring' kontradiktorische, unvereinbare Widerspruchsbereiche sind. Das setzt wiederum voraus, daß beide Bereiche in sich homogen sind und keinerlei Stufung enthalten, die etwa eine Annäherung an den andern Bereich bedeuten könnte. Martini stellt ausdrücklich fest: „Wittenwiler kennt keine idealistische Verdichtung auf eine wesenhafte gesetzliche Ordnung, keine wertende Auswahl und Distanz, kein Übereinander der Dinge im gestuften Aufbau."[72]

---

[66] Günther Müller: Deutsche Dichtung von der Renaissance bis zum Ausgang des Barock. – Wildpark-Potsdam 1927 (Handbuch der Literaturwissenschaft), 74. Dieser Gedanke wird von Keller, Beiträge 63 ausdrücklich abgelehnt.

[67] Boesch, Phantasie 142.

[68] Paul Böckmann: Formgeschichte der deutschen Dichtung. I. Von der Sinnbildsprache zur Ausdruckssprache. – Hamburg 1949, 207.

[69] Wießner, Ausgabe 7.

[70] Hilde Hügli: Der deutsche Bauer im Mittelalter, dargestellt nach den deutschen literarischen Quellen vom 11.–15. Jahrhundert. – Bern 1929 (Sprache und Dichtung Heft 42), 126. – Auch Brinkmann, Zur Deutung 220 erwägt Persiflage der Lehre, kommt aber 227 zu dem Schluß: „Die Menschen, die die Sache verkehren und entstellen, werden parodiert, nicht die Sache selbst."

[71] Jungbluth, Verfasserlexikon 1039.　　　[72] Martini, DVjS 213.

Doch sollte schon ein Blick auf die Vorrede vorsichtig machen. An der bereits besprochenen Stelle tut Wittenwiler sein Vorhaben kund, im ‚Ring‘ den Weltlauf zu zeigen und zu lehren, was man tun und lassen solle. Dies sind zwei durchaus ernsthafte und vereinbare Zwecke des Werkes. Das Problem entsteht erst mit der Bauernhandlung, die die Lehre so oft Lügen straft. Das *törpelleben* (41) wird von Wittenwiler jedoch erst eigens eingeführt, nachdem über Zweck, Einteilung und Wirkung des Werkes schon gesprochen ist:

> *Nu ist der mensch so chlainer stät,*
> *Daz er nicht allweg hören mag*
> *Ernstleich sach an schimpfes sag,*
> *Und fräwet sich vil manger lai.*
> *Dar umb hab ich der gpauren gschrai*
> *Gemischet unter diseu ler,*
> *Daz sei dest senfter uns becher* (32–38)

Das *törpelleben* hat also einen eigenen Zweck, der mit dem zunächst angegebenen – Darstellung des Weltlaufs und Belehrung – nichts zu tun hat: es soll durch Scherz der Unzulänglichkeit der Menschen entgegenkommen, die ungemischten Ernst nicht ertragen können, und soll dadurch die Erreichung des Hauptzwecks erleichtern, nämlich die Bekehrung der Leser.

Wo bleibt also die Darstellung des Weltlaufs, wenn Wittenwiler unter die Lehre seinen Bauernscherz mischt? Widerspricht sich der Dichter? Nein, denn er gibt dem Leser einen Schlüssel auf den Weg, mit dem er die Bauernhandlung in den Weltlauf zurückübersetzen soll:

> *Doch vernempt mich, welt ir, eben!*
> *Er ist ein gpaur in meinem muot,*
> *Der unrecht lept und läppisch tuot,*
> *Nicht einer, der aus weisem gfert*
> *Sich mit trewer arbait nert;*
> *Wan der ist mir in den augen*
> *Sälich vil, daz schült ir glauben.* (42–48)

Demnach muß man alles, was im ‚Ring‘ „Bauer“ oder „bäurisch“ heißt, in das unrechte Leben und läppische Tun normaler Menschen, in die Narrheit des allgemeinen Weltlaufs zurückübersetzen, wenn man Wittenwiler recht verstehen will. Das Bäurische und was es einschließt – Dorfatmosphäre, Kleidung, Sprache, Gebräuche – ist also eine Maske,[73] die Wittenwiler dem Weltlauf überstülpt, um den scherzhaften Zweck zu erreichen. Die Maske

---

[73] Wießner, Ausgabe 7 bezeichnet „das Dörperwesen nur als Maskerade“, wertet aber den Gedanken nicht weiter aus.

ist jedoch nicht beliebig gewählt, sondern steht seit Neidhart in der literarischen Tradition als Ausdrucksmittel der Ordnungslosigkeit und Tölpelhaftigkeit fest. Wittenwiler kann also damit rechnen, daß auch abgesehen von seiner Definition des Bauernbegriffs seine Leser das *törpelleben* als die allgemeine Ordnungslosigkeit und Narrheit des Weltlaufs verstehen werden. So wie das Bild im Zerrspiegel wieder in die originale Wirklichkeit zurückübersetzt werden kann, wenn die Verzerrungsrichtung und -stärke bekannt ist, so soll auch das *törpelleben,* in dem die Eigenschaften des Weltlaufs in grotesker Übersteigerung erscheinen, in die allgemeine, aber vielleicht weniger sichtbare Ordnungslosigkeit und Tölpelei der Welt zurückverwandelt werden.

Wenn Wittenwiler den allgemeinen Weltlauf in einer spezifischen Maske zeigt, so läßt sich nicht vermeiden, daß in der Maske einige Züge nicht deutbar sind, daß im *törpelleben* bestimmte bloß dörfliche Dinge geschildert werden, die nicht im allgemeinen Weltlauf vorkommen, selbst wenn man die Übersteigerung abzieht. Bei manchen wird man Äquivalente in anderen spezifischen Bereichen finden – so zum Beispiel, wenn Bertschi seine bäuerlichen Fähigkeiten betont (3830–35), lassen diese selbst sich nicht verallgemeinern, wohl aber durch Gleichwertiges in allen andern Berufen ersetzen. Anderes gehört zum Lokalkolorit, wie etwa Bertschis Abenteuer im Kuhstall mit der melkenden Mätzli, wieder anderes gehört zur literarischen Tradition, so zum Beispiel die Kataloge lächerlicher und obszöner Namen. Auch die alten Hochzeitsbräuche wie die Zivilhochzeit vor der kirchlichen Trauung (5275f.) und das Raufen des Bräutigams durch die Dorfburschen (5288–92) scheinen eine eigene „unübersetzbare" Kategorie des Lokalkolorits auszumachen.

Man sieht also, wie die „Maske" unterschiedliche „Dichte" hat, das Zerrbild sich an manchen Stellen nicht entzerren läßt. Das ist Teil der rhetorischen Technik der *evidentia*,[74] läßt sich aber auch schon am homerischen Gleichnis beobachten, wo es darauf ankommt, über das unmittelbar Vergleichbare hinaus den ganzen Gleichnisbereich in die Vorstellung zu rufen.

Es läßt sich demnach eine Spaltung der Bauernhandlung feststellen in solche Teile, die durch Entzerrung und Verallgemeinerung in den Weltlauf übersetzt werden können, und kleinere Residuen, die unübersetzbar bleiben. Wenn also der Text des ,Rings' in seiner von Wittenwiler intendierten Bedeutung gesehen wird, stellt man drei Schichten fest: Lehre, Weltlauf

---

[74] Heinrich Lausberg: Handbuch der literarischen Rhetorik. Eine Grundlegung der Literaturwissenschaft. – München 1960, §§ 810–19, bes. § 813. Praktisch alle der für diese affektische Figur zusammengestellten Techniken außer der präsentischen Darbietung (§ 814) sind von Wittenwiler verwendet.

und Reste einer grotesken Bauerngeschichte. Das entspricht aber genau der Begriffstrias *nutz, tagalt* und *mär*, und nun wird auch ganz verständlich, warum Wittenwiler drei statt der von Horaz übernommenen zwei Begriffe braucht. Die *mär* ist der unübersetzbare Spaß um seiner selbst willen, während die ganze übrige Handlung zwar komisch ist und Zeitvertreib bieten kann, aber in unmittelbarem Bezug zur Lehre steht. Denn der Weltlauf, der sich hier in so lustig verzerrter Form darstellt, ist ja der Raum, in dem sich die Lehre bewähren soll, der erkannt und gemeistert werden muß.

Wenn die bisherige Forschung die Unvereinbarkeit der Bauernhandlung mit der Lehre behauptet hat, so lassen sich jetzt zwei Richtungen festlegen, in denen dieser Annahme widersprochen werden muß: erstens ist die Bauernhandlung ein Zerrbild der Wirklichkeit, das zwar durch kräftiges Lokalkolorit manchmal den Anschein einer selbständigen spezifischen Wirklichkeit erweckt, aber doch die ganze allgemeine Wirklichkeit in übersteigerter Form enthält.[75] Zweitens zeigen sich innerhalb des Bauernbildes eine Reihe von Abstufungen und Schattierungen, die es unmöglich machen, daß die Bauernwelt in allen Teilen und Aspekten der Lehre auf dieselbe Weise entgegengesetzt ist.

Der zweite Punkt soll zuerst untersucht werden, der erste führt uns dann in Richtung auf Wittenwilers Satire.

6 Wo liegt eigentlich der Stein des Anstoßes im ‚Ring'? Stünden die Lehren und die Minnebriefe für sich da, könnten sie mit einer Ausnahme in jedem populären Lehrbuch der Zeit stehen. Die Ausnahme bildet eine falsche Lehre in den Turnieranweisungen Neidharts, die den Bauernfeind in die überlegene Neidhart-Position setzt.[76]

Ist die Gesamtheit der Lehren also unanstößig, so muß das Problem bei den Menschen liegen, die die Handlung bestimmen und die Lehren vor-

---

[75] Sowinskis Bezeichnung der Bauernhandlung als Gleichnis ohne Tatsächlichkeit (Realismus 21) ist nicht richtig, da ein Gleichnis immer nur einen oder zumindest ganz wenige Vergleichspunkte mit dem gemeinten Sachbereich gemeinsam hat. Hier soll aber in der Bauernhandlung *der welte lauff ... ze ring umb uns* enthalten sein, also der ganze gemeinte Sachbereich, und die „unübersetzbaren" Teile der Bauernhandlung sind als zusätzlich aufgesetzte Lichter zu verstehen. Auch ist der Vergleichsprozeß nie verzerrend, wie bei Wittenwiler schon an den Zeitverhältnissen sichtbar ist. Vgl. Brinkmann, Zur Deutung 214f.

[76] Vgl. Wießners Kommentar zu 945: Neidhart hat den ritterlichen *pengel* (1047–53), während er den Bauern einredet, Stroh sei das einzige Material dafür.

tragen. Als Belehrende treten auf: Neidhart für die Turnierlehre, der Dorfschreiber für Minnelehre und Musterbrief, der Arzt ebenfalls für einen
Musterbrief sowie für einige Mittelchen zur „Wiederherstellung" der
Jungfernschaft und zur Täuschung des Ehemannes. Im zweiten Teil trägt
der Bauer Lastersak das Laiendoktrinal vor, Übelgsmak die Tugendlehre,
der Apotheker Straub die Gesundheitslehre, der Bauer Saichinkruog eine
Unterweisung in guter Haushaltsführung. Im dritten führt Strudel, der
Nissinger Bürgermeister, ins Militärwesen ein; Ruoprecht, ein Lappenhauser Bauer, theoretisiert über den Krieg an sich; der Konstanzer Amtmann
endlich entwickelt den juristischen Standpunkt bezüglich der Verhaltensmöglichkeiten der um Unterstützung im Krieg angegangenen Städte. Ethopoetisch differenzierte Debatten und unter mehrere Personen aufgespaltene
Belehrungen sind die Behandlung der Ehefrage im zweiten Teil und die
Ratssitzung der Lappenhauser im dritten.

Dieser Überblick deutet an, wie stark Wittenwiler differenziert, nicht
nur im ständischen Sinne – Ritter und Amtmann, Apotheker und Arzt,[77]
Schreiber, Bürgermeister und Bauern –, sondern auch in charakterlicher
Hinsicht und im Hinblick auf den Zweck des Belehrenden bei der Ertei-
lung der Lehre. Ist nämlich der Charakter des Belehrenden einwandfrei
und der Zweck seiner Lehre gut, so kann in bezug auf ihn nicht von einer
Verhöhnung oder Parodierung der Lehre durch Wittenwiler gesprochen
werden.

Von den nicht dem Bauernstande Angehörigen wird nur der Arzt als
moralisch minderwertig gezeichnet. In seiner Kunst zwar erfahren und von
Wittenwiler deshalb als weise bezeichnet (2001), nützt er Mätzlis Lage zu
Erpressung und Verführung aus und gibt Lehre und Brief nur, um seine
Tat zu verdecken. Bei ihm kann man am ehesten eine bewußte und aus-
drückliche Verhöhnung seiner Lehre erkennen.[78] – Neidhart belehrt die
Bauern mit Ausnahme des einen Details richtig. Ihm geht es nicht wie dem
Arzt darum, sich und demjenigen, der seine Lehre befolgt, Nutzen auf
Kosten eines Dritten zu verschaffen, sondern er möchte das Versagen der
Bauern an einer ritterlichen Kunst genießen, der sie sich in ihrem Wahn
mächtig dünken. Neben dieser Schadenfreude für ihn selbst gibt sein Leh-
ren und Handeln den eingebildeten Rüpeln Gelegenheit, ihre falsche Selbst-

---

[77] Jones, Übersetzung 167f. rechnet den Arzt Chrippenchra zu den unehrlichen
Personen. Das ergäbe für manche seiner Handlungen einen angemessenen
Hintergrund; er wird jedoch nie als Bader und Barbier bezeichnet, sondern
scheint eher zu den Gebildeten zu zählen; vgl. seinen geblümten Minnebrief
und die Gegenüberstellung mit dem Dorfschreiber.

[78] V. 1241–47 wird er als geldgierig dargestellt und mit Wölfen parallelisiert
(1237), wie übrigens auch der Pfarrer (1233).

einschätzung körperlich und seelisch zu bereuen (z. B. 660; 994–96) und nimmt so, wie sich später zeigen wird, im Ganzen des Werkes eine symbolische Funktionsstelle ein. – Straub, der Apotheker, beweist neben seiner Kunst nur einen markanten Egoismus: er läßt sich seine Lehre nur gegen Bezahlung entreißen (4204–18), und beim Hochzeitsmahl erwischt er das größte Stück von dem Fisch, den er an sich nur vorkosten sollte (5873–82). – Der Dorfschreiber tritt auch nur als positive Gestalt auf: er hilft Bertschi mit einer ausführlichen Minnelehre und einem schönen Brief sowie später mit der Entscheidung der Ehefrage. Sein komisches, aber unverschuldetes Unglück ist, daß die Minnelehre für Bertschi unanwendbar bleibt (1840 bis 1845) und daß der briefbefördernde Stein, von seiner Botenhand geworfen, Mätzlis Haupt trifft (1914–30), wodurch dann die seinen Zwecken so entgegengesetzte Verführung durch den Arzt veranlaßt wird. – Der Amtmann von Konstanz endlich zeigt sich als weiser, unparteiischer Jurist und löst die ihm gestellte Frage zur Zufriedenheit der Abgesandten ganz Europas (7847–55). Er ist die reinste, freundlichste Gestalt unter den Personen, die nicht dem Bauernstande angehören.

Es zeigt sich, daß die Personen, die alle mehr oder weniger weise Lehren geben, charakterlich sehr verschieden sind. Es scheint Wittenwiler demnach nicht auf die Übereinstimmung zwischen Charakter und Lehre anzukommen; vielmehr scheint es, als ob er die Diskrepanz oft bewußt gestalte und, wie zum Beispiel beim Arzt, satirisch ausnütze.

Dasselbe Ergebnis bringt ein Überblick über die Bauern, die als Lehrer auftreten. Auf der einen Seite steht Strudel, der Bürgermeister des Dorfes Nissingen. Seine Reden sind kenntnisreich, höflich und geschickt; er wird vom Dichter zweimal als weise bezeichnet (8249, 9290f.). Am anderen Ende derer, die Lehren austeilen, steht vielleicht Laichdenman, die dämonische Alte,[79] die mit ihrer bösen Zunge die ruhige Ehedebatte in eine Saalschlacht zu verwandeln droht (3027–43), die den alten Vater Colman im Wortgefecht mit Bibelzitaten und Syllogismen so in die Enge treibt, daß er sich geschlagen geben muß (3421–25), die den Lappenhauser Rat unterbricht und unter Aufbietung astrologischer Kenntnisse den Untergang des Dorfes prophezeit (7442–7509), und die schließlich, erbost über die grobe Abfuhr, die man ihr im Rate gab, das Dorf an den Feind verrät und anzündet. Diese Tat der durch ihre Kenntnisse und Fähigkeiten hervorragenden, in ihren Ansichten und Vorhersagungen durch die Geschehnisse glänzend bestätigten Vettel bezeichnet Wittenwiler ausdrücklich als *bosshait* (9446) und Unrecht (7332–39).[80]

Es ist nicht notwendig, alle lehrenden Bauern einzeln zu betrachten:

---

[79] Vgl. Wießners Kommentar zu 7469ff.
[80] Vgl. Wießners Kommentar zu 7332ff.

wie bei den Angehörigen anderer Stände erweist sich, daß bei annähernd gleichwertiger Weisheit der jeweiligen Lehrinhalte eine ganze Skala von charakterlichen Möglichkeiten in den Lehrenden auftritt, die dann durch ihre Handlungen in mehr oder weniger offenen Konflikt mit dem Inhalt ihrer eigenen Lehre oder wenigstens mit ihrem Anspruch auf Weisheit kommen. Kenntnisse und Weisheit, Wissen und Rechtschaffenheit, Theorie und gutes Leben sind offenbar für Wittenwiler scharf zu trennende Bereiche. Es heißt zwar:

> *Won der ungelert den glerten*
> *Mag so wenig überherten*
> *Sam der bloss mag einen man,*
> *Der gantzen härnesch füeret an.*　　　　　(8295–98)

Aber es heißt auch:

> *Mich duncht, der aller vilest kan,*
> *Der leugt und fället aller maist*
> *Wider got und seinen gaist.*　　　　　(3254–56)

Oder, bezeichnend für Lappenhausen und seine Ratssitzung:[81]

> *Der älleu dink dergründen wil,*
> *Der siert sich selb und schafft nit vil.*　　　　　(3719f.)

　　Wittenwilers Skepsis gegenüber der bloßen Theorie offenbart sich am deutlichsten am Beispiel des Lappenhauser Bauern Ruoprecht. Obwohl er gegen den Krieg ist,[82] lacht er (7284) über den verderblichen Macht- und Größenwahn der jungen Lappenhauser und weist sie spöttisch ein wenig zurecht (7285–87). Dann aber, statt nun ernsthaft die Lage zu analysieren, den kriegslüsternen Jungen die Augen zu öffnen und mit konkreten Gegenvorschlägen für seine Ansicht zu kämpfen, legt er dem Rat ein Glanzstück des Wissens und des gepflegten rednerischen Aufbaus vor, nämlich eine Theorie über das Wesen des Streites, die Arten des Streites und die Ursachen des ungerechten Streites (7291–7385). Bezeichnend ist, daß er am Ende der langen Rede es den Zuhörern überläßt, Schlüsse auf die gegenwärtige Situation zu ziehen. Es ist deshalb leicht für den jungen Eisengrein, Ruoprechts Rede durch einfache Wiederholung der kriegstreiberischen törichten Argumente in Vergessenheit zu bringen. Grund für das Verpuffen der theoretischen Anstrengung ist nicht ihr Unwert in sich – auch Strudel theoretisiert und der Amtmann von Konstanz –, aber ihre Anwendung

---

81 Dieser Gesichtspunkt ist in meiner genannten Arbeit über „Geistigkeit und Vitalität in Wittenwilers ‚Ring'" herausgearbeitet und der Zielbewußtheit der Nissinger Ratssitzung gegenüber gestellt.

82 Vgl. Wießners Kommentar zu 7290ff.

am falschen Ort, zur falschen Zeit, vor dem falschen Publikum. Strudel zum Beispiel, konfrontiert mit dem Antrag auf sofortige Rachehandlung gegen Lappenhausen, theoretisiert nicht, sondern hält eine längere Rede, in der Punkt für Punkt die momentane Rechtslage festgestellt und ein begründetes Programm des Vorgehens ausgearbeitet wird (6812–61). Damit bestätigt sich die Definition des Weisen, die während der Ehedebatte gegeben wird:

> *Ein weiser man der chan her zellen*
> *Alleu stuk und daraus wellen,*
> *Was daz besser wesen schol,*
> *Dar inn spürt man sein witze wol.*
> *Daz böser habt ir aus gelesen;*
> *Des müest ir unser narr wesen.* (2735–40)

Totalität des Wissens wird vom Weisen verlangt, aber, wie die Beispiele zeigen, sie genügt nicht. Weise ist erst, wer obendrein noch die jeweils gegebene Situation zu überschauen und aus dem Schatz seines Wissens das jeweils Beste auszuwählen versteht. Der im Zitat als Narr Bezeichnete hatte wohl auch Zugang zu einer großen Anzahl von *stuk* – er mochte Kenntnis einer ganzen Theorie haben wie Ruoprecht –, aber er wählte nach Ansicht seiner Kontrahentin das Schlimmere und zeigte damit seine Narrheit.

Damit erweist sich, daß für Wittenwiler die bloße Kenntnis eines lehrhaften Inhalts noch gar keine Bedeutung hat, sondern daß sich der Mensch erst in der Anwendung dieser Kenntnis auf das Leben und seine Situation bewährt:

> *Bei der swär verkauft man swein,*
> *Den menschen nach den witzen sein.* (4478f.)

Bei Wittenwiler kann es also durchaus den paradoxen, aber altbekannten[83] Fall geben, daß ein Mensch weise Lehren erteilt, aber in seinem Verhalten und Charakter ihnen geradezu ins Gesicht schlägt oder kläglich daran versagt. Ein Teil des von der Forschung gestellten Rätsels bezüglich des Verhältnisses zwischen Lehre und Bauernhandlung löst sich damit auf: zwischen der Lehre und dem Verhalten des Lehrenden kann für den realistisch denkenden Dichter durchaus die Diskrepanz bestehen, die Uotz der Übelgsmak in seiner Tugendlehre tadelt:

> *Schol die lere sein genäm,*
> *So bis mit deinem leben gezäm!*
> *Wan des ler uns gar verdreust,*
> *Der sich mit seiner zungen scheust.* (4554–57)[84]

---

83 Vgl. z. B. Juvenal 8,140f.; Lukas 4,23.
84 Vgl. Wießners Kommentar zu 4554f. über mittelalterliche Zeugnisse für die Sprichwörtlichkeit der Stelle.

Hier überschlägt sich die Komik, denn neben seinem Namen[85] leistet sich der Tugendlehrer[86] beim Hochzeitsmahl ein Stückchen, das seiner Predigt, man dürfe niemand an Leib, Ehre und Gut schädigen, sondern müsse jedem sein Recht werden lassen (4558–63), direkt zuwiderläuft: um angesichts des geringen Essensvorrats einen der gierigen Gäste auszuschalten, regt er ihn listig an, ein Lied zu singen; wie der Sänger das Eckenlied geendigt hat, sind die Fische gegessen. Auch die anderen Bauern-Lehrer ironisieren sich selbst: Lastersaks Gier auf das Kraut (5723f.) widerspricht seiner Lehre, der gute Schüler solle *guoteu kost und der nicht vil* essen (3909). Straub, der das größte Stück Fisch verschlingt (5873–79), handelt seiner Empfehlung der Mäßigkeit zuwider (4220–23, 4248–50). Übelgsmak, neben der oben erwähnten List, tut seinem Namen alle Ehre (6325f.), entgegen seiner Definition des Hofmannes (4862–66).

Man hat diese Diskrepanz zwischen Lehre und Leben zu entschuldigen oder zu bagatellisieren versucht: „die Einheit von Sprecher und Inhalt wie die Einheit der Charaktere [sei] ohnehin ‚ein modernes Erfordernis‘.“ [87] Die schon besprochene Sprichwörtlichkeit dieser Diskrepanz im ganzen Mittelalter bietet einen guten Gegenbeweis gegen diese Ansicht. Martha Keller meint, Wittenwiler habe „ohne allzutiefe Hintergedanken und Anzüglichkeit“ die Bauern lehren lassen: „Er hat ihnen ihre Namen bei ihrem ersten Auftreten im lustspielhaften Teil gegeben (2630ff.) und nun tragen

---

[85] Zur Bedeutung des Namens für seinen Träger vgl. 2117–19; Mätzlis Name scheint ihre Geilheit (2186,7111–23) zu bedeuten. Laichdenmans Ansicht, nur der Vater eines mit unehrenhaftem Namen Belasteten sei für die im Leben und Charakter daraus entstehenden Folgen verantwortlich (3465–68) widerspricht der Theorie nicht; die zwei Folgezeilen 3469f. scheinen sie eher zu bestätigen: wenn Mätzli sich nicht zu benehmen weiß, so geschieht das *Von rehten treuwen* zu ihrem Namen und ihrem Vater, der ihr Wesen so bestimmte. Vgl. Abschnitt 31.

[86] Wießners Ansicht, der beim Hochzeitsmahl genannte Uotz vom hag (5919 und 5941) sei zu unterscheiden von dem Tugendlehrer Uotz der Übelgsmak (Kommentar zu 3622), ist nicht recht einzusehen. Der einzige in den Namenkatalogen eingeführte Uotz ist der Tugendlehrer; er gehört zu den Freunden des Brautvaters (3622), von denen beim Hochzeitsmahl die ersten fünf der 3619–28 gegebenen Liste erscheinen: Ochsenchroph 5622, Lärenchoph 6016, Lastersak 5723, Straub 5873. – Uotz, der zwischen Lastersak und Straub aufgezählt wurde, wird nach Wießners Ansicht nicht mehr genannt, dagegen ein nirgends eingeführter Uotz vom hag (5919 und 5941); eine weitere Nennung des Uotz, diesmal ohne Beinamen vgl. 6325. Da die Beinamen *vom hag* als Herkunftsbestimmung und *Übelgsmak* als Qualitätsbezeichnung einander nicht widersprechen, scheint mir eine Identität nicht auszuschließen. Außerdem macht es Wittenwiler Spaß, seine Bauernlehrer zu diskreditieren.

[87] Sowinski, Realismus 43, der Martini DVjS 220 zitiert.

sie eben diese Namen, auch wenn sie im ernstgemeinten Teil mit ernstgemeinten Reden auftreten."[88] Jones dagegen stellt überzeugende Belege dafür zusammen, daß der Dichter trotz der Vielzahl der Personen kaum
einmal jemanden aus den Augen verliert, „und sorgfältiges Lesen wird
zeigen, daß sie gewöhnlich nicht aufs Geratewohl, sondern nur nach sorg-
fältiger Überlegung genannt sind".[89] Es gehört ja gerade zum Witz des
‚Rings', daß viele der Lehren von Leuten gepredigt werden, von denen
nicht nur die Namen, sondern auch die Taten dem Inhalt der Lehren grotesk widersprechen.

Daß das aber nicht immer so sein muß, zeigt die Differenzierung unter
den Lehrenden, die oben gezeigt wurde, von der Forschung jedoch nicht beachtet worden ist.[90] Die Tatsache, daß es sogar in den unteren Ständen
Lehrende gibt, deren Leben und Verhalten mit ihrer Lehre und Erzieher-
haltung übereinstimmt – zum Beispiel Strudel –, beweist die Unrichtigkeit
der Annahme, die Diskrepanz zwischen Lehre und Leben spalte das ganze
Werk in zwei Schichten, es gebe „keine Auswahl" im ‚Ring', „je mächtiger
die Weltfülle [andränge], um so fraglicher [würden] die Maßstäbe des
Dichters, die ihr eine innere gliedernde Ordnung zu geben vermöchten".[91]
Gerade die aufgezeigte feinere Differenzierung beweist Maßstäbe und
Gliederungsprinzipien im Denken und Schaffen Wittenwilers.

Der Kontrast der Schichten verläuft nicht als Spaltung quer durch das
ganze Werk, sondern er artikuliert sich in jeder der Personen neu und weist
alle Schattierungen von der harmonischen Übereinstimmung bis zur grellen Dissonanz auf. Nicht Wittenwiler steht entscheidungslos vor dem Gegensatz der beiden Bereiche der Wirklichkeit, sondern nur einzelne seiner
Personen, die er als Narren stempelt. Jede seiner Personen ist ein neuer
Beweis der Harmonisierbarkeit, deren Verwirklichung von der Entscheidung des Einzelnen abhängt.

Damit ist nicht nur für das Verhältnis zwischen Lehre und Leben im
allgemeinen, sondern auch für die Menschendarstellung Wittenwilers der
Beweis feiner Differenzierung geliefert. Bisher wurde nämlich auch bezüglich der Personen „der Zusammenprall äußerster Gegensätze, nicht ihr
versöhnendes Abstimmen"[92] gesehen, man vermißte durchaus den „Blick
für das Einmalig-Individuelle".[93] Brinkmann allerdings beobachtet „An-

---

[88] Keller, Beiträge 64.   [89] Jones, Übersetzung 140.
[90] Martini DVjS 230 macht auf den Unterschied zwischen Alten und Jungen
    aufmerksam, wertet ihn aber für die Differenzierung seines Bauernbegriffs
    nicht aus.
[91] Martini DVjS 221. Schon die von Wießner, Ausgabe 13 beobachtete Diffe-
    renzierung in der Sprache der einzelnen Redner weist auf Maßstäbe und Ord-
    nungsprinzipien, auf souveräne Meisterschaft Wittenwilers hin.
[92] Boesch, Phantasie 143.   [93] Ebd. 145.

sätze zur Individualisierung in der Zeichnung der Menschen", tut sie dann aber als „Kleinigkeiten" ab.[94] Für Martini erscheinen die Bauern nur als „Masse",[95] nach Jones[96] und Sowinski[97] bilden die Bauern einen „Kontrasttyp" oder ein „Gegenbild" zu einem ständischen oder sittlichen Ideal und sind dementsprechend von vornherein nicht als differenzierbar gedacht.

Die folgenden Abschnitte werden die feine Differenziertheit der bäuerlichen „Masse" mit weiteren Beispielen und – in Bertschis Entwicklung – die Möglichkeit der langsamen Erhebung aus dem Narrentum darlegen.

7 Wenn bei den Lehrern die jeweils spezifische Artikulation des Gegensatzes dem Leser als statisch, als immer schon festliegend vor Augen geführt wird, so läßt sich die Entstehung einer solchen Artikulation im Verhalten von Personen beobachten, die entweder im Verlauf der Erzählung belehrt werden – wie Bertschi –, oder die eine Erfahrung gemacht haben und diese oder eine früher empfangene Lehre anwenden müßten. Bertschi als zentrale Figur und interessantester Fall soll zum Schluß untersucht werden: zunächst einige Beispiele für die anderen Möglichkeiten.

Am Ende des Stechens mit Neidhart[98] fürchten sich die Bauernburschen derart, daß sie diese Art von Scherz am liebsten aufgäben. Dennoch werden sie mit Hinweisen auf ihre Schande von Lechspiss, dem hitzköpfigen Meier des Dorfes, angespornt, den einen Fremden selbviert zu überfallen, zu erschlagen und auf diese Weise Ehre zu erringen. Darauf antwortet Jächel Grabinsgaden:

> ‚Din rat was selten ie an schaden;
> Dar umb ich dir nit volgen wil.'   (639f.)

Er hat also die Erfahrung gemacht und will sie jetzt richtig anwenden: eine harmonische Artikulation zwischen Wissen und Verhalten kündigt sich an. Neidhart jedoch, der seinen Spaß zu früh enden sieht, stellt sich ängstlich und flieht, um ihnen wieder *küenen sin* zu geben. Da jagen sie ihm alle schreiend nach, und in der Eile fallen sich gar zwei von ihnen zu Tode. Einer davon ist derselbe Jächel (694), der eben noch so weise schien.[99] Sein Mißtrauen richtete sich offenbar nur gegen Lechspiss' Per-

---

94 Brinkmann, Zur Deutung 217.   95 Martini DVjS 216.

96 George Fenwick Jones: "The Tournaments of Tottenham and Lappenhausen." PMLA 66 (Dec. 1951), 1123–40; 1133.

97 Sowinski, Realismus 22,33.

98 Das Beispiel betrifft die Verse 621–57 und 694.

99 Wittenwiler läßt ihn zwar später wieder vom Tode erstehen (5487,6382), wie auch seinen Schicksalsgenossen Pentza Trinkavil (5849).

son, so daß er dessen Vorschlag nur deshalb ablehnte, weil gerade er ihn gemacht hatte. Sobald sich nun die Situation ändert, vergißt er völlig, daß er mit der Person des Lechspiss auch seinen Rat abgelehnt hat, und bricht sich in der Verfolgung des flüchtigen Neidhart den Hals. Die harmonische Artikulation zwischen Erkenntnis und Verhalten bricht in eine grelle Dissonanz auseinander.

Drei Gründe für solches Versagen lassen sich beobachten: bruchstückhafte Erkenntnis, Vergeßlichkeit oder Nichtbeachtung einer Lehre, und Triebhaftigkeit.

Komisch zeigt sich die stückhafte Erkenntnis etwa bei Chuontz vom Stadel.[100] Grabinsgaden und Haintzo sind beim ersten Gang der Stecherei in den Bach gefallen und erfinden, um den Spott der Zuschauer zu mildern, pfiffige Ausreden, die den besonderen Vorteil dieses Mißerfolgs hervorkehren sollen: Grabinsgaden stellt fest, er sei sauber geworden, und seine Läuse seien ertrunken; Haintzo, ein Jude, meint im Bache auf billige Weise die christliche Taufe erlangt zu haben. Chuontz, ebenfalls naß, ärgert sich über die vermeintliche Dummheit der beiden und glaubt, ihre euphorischen Vorstellungen pedantisch widerlegen zu müssen: Läuse habe er noch nie ertrinken sehen, und das kanonische Recht verbiete streng, daß ein Mensch sich selbst taufe. Chuontz erkennt also, daß die Aussagen der Freunde in sich falsch sind, und kann sie mit Kenntnissen aus dem Kirchenrecht widerlegen. Er erkennt aber nicht, daß die Aussagen inhaltlich gar nicht ernst gemeint waren, sondern den Freunden nur einen guten Abgang sichern sollten.[101] Daß er sich mit der Ausbreitung seiner Kenntnisse lächerlich macht, bestätigt Eisengrein:

> *‚Siha, durch gotz plunder,*
> *Ist daz nit ein wunder,*
> *Daz Chuotz da haim uf sinem mist*
> *Ist worden ein so guot jurist?‘*　　　　　　(309–12)

Zum Wissen und zur Erkenntnis des sachlich Richtigen oder Falschen muß noch die Erkenntnis der Situation kommen, in der das Richtige oder Falsche seinen Platz hat. Erst aus der totalen Erkenntnis heraus kann angemessen und weise gehandelt werden.[102]

---

100 Das Beispiel bezieht sich auf die Verse 261–306.

101 Diese meisterhaft beobachtete Art von Ehrenrettung, die Sorge um den guten Abgang, die die Niederlage nicht eingestehen und den Spott von sich abwenden will, ist ein Kennzeichen der unterliegenden Bauernburschen im ‚Ring‘. Vgl. neben den zitierten Beispielen Graf Burkhart 401–405, Lechspiss 443–48, der lieber seine eigene Ungeschicklichkeit als die Überlegenheit Neidharts zugibt.

102 Daß Wittenwiler bei dieser Gelegenheit eine Lehre über das Taufrecht ein-

Zerstörerisch zeigt sich die bruchstückhafte Erkenntnis an den Wertbegriffen, nach denen die Bauern sich richten. Bei Lechspiss, dem Lappenhauser Meier und Lenker der Schicksale, ist es hauptsächlich das Gegensatzpaar von Ehre und Schande, was sein Tun bestimmt. Doch bei ihm sind diese Begriffe völlig veräußerlicht: eine Ehre wäre es nach seiner Ansicht zum Beispiel, über Neidhart zu siegen, indem man sich am Sattel festbindet, um nicht zu früh herunterzufallen (330–34), oder daß man sich selbviert auf den Gast stürzt und ihn tötet (626–37). Was für ihn als Ehre gilt, ist also nur der Leumund, der durch das äußerlich genommene Faktum entstehen kann.[103]

Der zweite Grund für das Versagen des Einzelnen an der harmonischen Konsonanz von Erkenntnis und Leben ist das Vergessen, Vergessen überhaupt oder im entscheidenden Moment. Mätzli bietet ein gutes Beispiel für das Vergessen von Gelerntem: sie kann nicht mehr lesen, hat *in iren jungen tagen* schon die Schrift vergessen (1956f.), und zwar weil das Lernen ihr damals zu mühsam und bitter war (1973–82).[104] Wie sie Bertschis Brief erhält, bereut sie ihre damalige Faulheit; zugleich erkennt sie mit bemerkenswertem Scharfblick die Gefahren, in die sie sich begibt, wenn sie den Brief einem Fremden eröffnen muß.[105]

Für das Vergessen einer Erkenntnis oder Lehre im entscheidenden Moment wurde Jächels Beispiel schon zitiert, der sich deshalb zu Tode fällt. – Die Nichtbeachtung einer Lehre zeigt sich folgenreich im Stechen mit Neidhart.[106] Um im Sattel zu bleiben, wollen die Bauern sich festbinden. Chuontz vom Stadel allein rät ab:

> ,Ie mer ich mich so wolt verpinden,
> Ie e mir wurd von we geswinden.' (339f.)

flicht, ist ein besonders gutes Beispiel seines Geschicks der Verbindung von Lehre und Leben, hier speziell von Scherz und Ernst. Die Mehrzahl der Lehren wird ja von den Bauern zu einem Zeitpunkt gegeben, wo Bertschi bloß auf sein Mätzli wartet (vgl. 5207–14). – Zugleich ist die Taufunterweisung ein Beweis dafür, daß Wittenwiler nicht eine Totalität oder Systematik der Lehren, also keine „Enzyklopädie" anstrebt: über die übrigen Sakramente wird keine vergleichbare Lehre gegeben. – Sowinski, Realismus 27 hat den Witz der Stelle nicht bemerkt.

103 Vgl. die ausführliche Diskussion des Ehrbegriffs in Abschnitt 23. Dort auch die Auseinandersetzung mit Jones.

104 Sie hat lesen gelernt und wieder vergessen; manchmal wird behauptet, sie habe gar nicht lesen gelernt. Vgl. dagegen Ermatinger, Dichtung und Geistesleben 80 und Jones, Übersetzung 26, die sich beide für das Vergessen von Gelerntem aussprechen.

105 Die reuevolle *laudatio* der Kunst (1969–80) im Munde der Bauerndirn zeigt wieder einmal den fiktiven Charakter des Bauernbegriffs.

106 Das Beispiel bezieht sich auf die Verse 328–615.

Man hört nicht auf ihn (341), und so kommen die Helden nacheinander in komische und schmerzhafte Unfälle. Am Ende heißt es von Bertschi:

> *Doch ward im von we geswinden.*
> *Secht, do ward er erst enphinden,*
> *Daz Chuontz im vor gesaget hiet,*
> *Do er ze lesten von im schied!* (614–17)

Triebhaftigkeit, das Gelenktwerden durch unvernünftige vitale Mächte, tritt relativ selten der Lehre direkt entgegen. Sie zeigt sich an dem Beispiel Jächels und seiner Genossen, die trotz ihrer Erkenntnis der wirklichen Überlegenheit Neidharts sich von dem Bild des Flüchtigen täuschen lassen. Sie zeigt sich ferner in dem komischen Kontrast der Lehren mit der Freßgier, die die drei Tugendlehrer Lastersak, Übelgsmak und Straub beim Hochzeitsmahl an den Tag legen.[107] Endlich wird sie sichtbar in dem greulichen Blick, den Niggel[108] der Prophetin Laichdenman zuwirft, die den jungen Lappenhausern ihren schönen Krieg ausreden will. – Über die Triebhaftigkeit als gemeine Lebensmacht soll später[109] in Zusammenhang mit dem Bauernbegriff Wittenwilers gehandelt werden.

Das Beispiel einer positiven Artikulation von Erkenntnis und Leben bietet *juncher* Schilawingg aus Nissingen.[110] Der dortige Rat hat ihn und den weisen Herrn Albrecht Zingg als Boten ausgewählt; sie sollen in Lappenhausen Schadenersatz und Auslieferung der dort festgehaltenen Nissinger Mädchen fordern. Zingg lehnt den Auftrag unter Hinweis auf die Zuchtlosigkeit, Bösheit und Betrunkenheit der Lappenhauser ab, er wolle sich nicht in Lebensgefahr begeben. Schilawingg dagegen erklärt sich gerne und freudig bereit, alleine nach Lappenhausen zu gehen, denn eines der dort festgehaltenen Mädchen ist seine Liebste:

> *Daz was die sach, dar umbe daz,*
> *Daz er so gar gehorsam was.* (6890f.)

Seine Liebe überwindet die von Zingg so betonte Furcht und schafft die Konsonanz seines Willens mit dem weisen Beschluß des Nissinger Rates. Dieses Beispiel beweist, daß für Wittenwiler die Triebhaftigkeit durchaus

---

[107] Vgl. Anm. 86.
[108] Ist es Zufall, daß Niggel, in dem die triebhafte Kriegslust der jungen Lappenhauser einen so schrecklichen und folgenschweren Ausdruck findet, wie Pentza und Jächel ein vom Tode Erstandener ist? V. 6491 wird er in der Rauferei erschlagen; die Aufzählung der noch ungenannten Ratsherren 7153–64 erwähnt keinen neuen Niggel. Angesichts des sonst so großen formalen Geschicks bei Wittenwiler könnte man an eine bewußte Technik denken.
[109] § 2, Abschnitt 25.
[110] Das Beispiel bezieht sich auf die Verse 6862–91.

nicht immer einen negativen Einfluß auf das rechte Leben und Handeln des Menschen haben muß, sondern oft sogar die einzige Triebkraft dazu liefert. Bertschis Fall wird zeigen, daß Wittenwilers Ideal ein harmonisches Gleichgewicht zwischen Trieb und Geist ist.

Mit diesen Beispielen, die beliebig vermehrt werden könnten, ist erwiesen, daß Erkenntnis und Leben, Trieb und Geist sich in jeder Person und in jeder Situation neu und verschieden artikulieren können. Beide Sphären bilden gleichermaßen Wirklichkeit und Werthaftigkeit des Werkes und haben ihren gleichwertigen Platz in Wittenwilers Denken. Die in den Personen gestalteten, in jeder Handlung manifestierten Artikulationen der zwei Bereiche sichern beiden einen Platz in einer ungebrochenen Wirklichkeit, die vom Vitalen bis ins Geistige, von der Erkenntnis bis zum Trieb reicht.

8 An der Entwicklung Bertschis, der vom Anfang des Werkes bis zum Ende gegenwärtig ist und durch sein Entrinnen aus dem Untergang Lappenhausens ein Sonderschicksal genießt, soll nun noch eine weitere Differenzierung untersucht werden: der Übergang vom „Bauern" zum „Edelmann"[111] oder der Weg zur Tugend, von dem es heißt:

> *Wollust und gewonheit*
> *Fälschent kunst und grechtikait*
> *Und verkerent die nataur,*
> *Daz auss dem edeln wirt ein gpaur;*
> *Ein gpaur der wirt ein edelman,*
> *Der sich dar nach gewenen chan.*   (4396–4401)

Bertschi hebt sich von Anfang an von den andern ab. Man muß ihn im Dorf als *junkherr* anreden (68); wenn er geduzt wird, ärgert er sich (1337). Er regt das Stechen und Turnieren im Dorfe an, denn seine Liebe zu Mätzli verlangt nach seiner Ansicht diese höfische Form des Frauendienstes (99–104; 195f.; 1016–19). Er ist hübsch, stolz und beliebt bei alten und jungen Frauen (63–72).

Etwas zweifelhaft erscheint diese Sonderstellung jedoch. Die Maßstäbe der Beurteilung in seiner Umgebung, die ihn so hoch einschätzt, sind völlig pervertiert. Mätzli, das Muster der Häßlichkeit, trägt überall den Preis davon (75–98), was auch Bertschis Liebe und seine eigenen Wertmaßstäbe als verkehrt und unsinnig erscheinen läßt. Des Autors lobende Einführung enthüllt sich als Ironie, und die festbleibenden Tatsachen, nämlich Liebe,

---

111 Jones, Übersetzung 184 zweifelt, ob ein Bauer überhaupt je zur Tugend kommen könnte. Ebenso meint er, Bertschi sei immer naiv (ebd. 141). Beide Annahmen werden sich in der Folge als unrichtig zeigen.

Frauendienst und Selbsteinschätzung Bertschis, zeigen sich als Narrheit, als Anwendung hoher Ideen und Gefühle auf gänzlich inadäquate Gegenstände.

Auch während des Stechens wird Bertschi hervorgehoben. Als einziger schämt er sich, daß er vom Pferde gestochen wurde, tröstet sich aber mit dem gleichen Schicksal der übrigen (221–26). Er ist der letzte Stecher gegen Neidhart und tritt mit solchem Zorne an, daß er bei der Herausforderung stottert. Wittenwiler läßt ihn also trotz des Ernstes seiner Absichten komisch werden, ja er geht bis zur Groteske, wenn er Bertschis Pferd über eine Erbse stolpern läßt, so daß der Held ohne Feindberührung einen schweren Sturz erleidet. Zunächst flucht der Geschädigte allen reinen Frauen, um deren Huld er solche Marter dulde (559–64), bereut aber im Gedanken an Mätzlis Würde seinen Zorn; er faßt wieder neuen Mut und die feste Absicht, im Frauendienste fortzufahren, sollte er auch viermal darüber sterben (565–71).

Diese Episode ist wieder bezeichnend für die Darstellung Bertschis. Einerseits steht hinter seinem Tun ein echter guter Wille, den Frauendienst für seine Dame zu leisten, und die Idealität dieses Willens bestätigt sich nur, wenn er nach seinem Unmutsausbruch im Gedanken an *frawn Mätzleins wirdichait* wieder gegen Neidhart antreten will. Andererseits wird er lächerlich durch den Dienst an einer *frouwe*, die dem Schönheitsideal des Ritters genau widerspricht, durch seine Einbildung, ritterliches Tun einfach nachahmen zu können, eine Einbildung, die auf seine falsche Selbsteinschätzung zurückführt. Er wird lächerlich durch das gegen die reinen Frauen benutzte Vokabular, das ihn zum Minnedienst von vornherein untauglich macht (560f.), durch das Übermaß des Zorns, das ihm die Zunge hemmt, und schließlich durch den grotesken Unfall, der nur *ad oculos* demonstriert, wie grell Bertschis guter Wille mit seinen eigenen Voraussetzungen und den Gegebenheiten der Situation (z. B. der Gegnerschaft Neidharts) dissoniert.[112] Bertschis Kenntnis des Brauchs, im Frauendienst zu stechen und zu turnieren, wird auf eine völlig falsche Situation mit gutem Willen, aber ohne Selbsterkenntnis und ohne Erkenntnis des Verhältnisses zwischen Lehrinhalt und Gegebenheit angewandt.

In dem Stechen mit Neidhart erhält Bertschi einen solchen Stoß, daß er bewußtlos wird, aber am Pferde hängen bleibt, weil er nach dem Rat des Lechspiss (333f.) und trotz der Warnung des Chuontz (336–40) sich im Sattel festgebunden hat. Obwohl auch die anderen Kämpfer mit ihrem regelwidrigen Festbinden kein Glück hatten, wird die Erinnerung an die

---

112 Günther Müller, Deutsche Dichtung 74, betont, es sei „mit unerhörter Kraft der Ironie der Abstand zwischen der gewollten Idee und der gelebten Tat herausgearbeitet".

vorhergehende Warnung mit Bertschis Niederlage verbunden und taucht offenbar in seinem an der Erde schleifenden Kopf allein auf (607–13): im Gegensatz zu den Genossen beweist er wenigstens die Fähigkeit, sich an einen Rat zu erinnern und ihn mit den üblen Folgen seines Ungehorsams zu vergleichen.

Nach dem Stechen und dem überstürzten Tode Jächels und Pentzas werden Bertschis Gesellen von Furcht und Reue geschüttelt und wollen bei Neidhart beichten, den sie nun wegen seiner Überlegenheit als *des heiligen gaistes vol* (667) betrachten.[113] Nicht so Bertschi (830–41): er holt ein Gefährt vom Dorfe, führt den Gast höflich und besorgt dorthin zurück und bittet ihn um Verzeihung für alles, was er ihm angetan haben könnte. Die Anrede *juncherr,* die Bitte um Entschuldigung und die Bitte um Beratung im Frauendienst zeigen, daß er Neidhart für das nimmt, was er ist, nämlich Ritter. Damit hebt er sich deutlich von seinen Genossen ab:[114] während er in Neidhart den überlegenen Ritter erkennt, halten sie ihn fast für einen Heiligen; während er den Ritter um Entschuldigung bittet für das, was er ihm persönlich getan hat, beichten die andern ihre Sünde gegen Gottes Gebot; während er ziemlich genaue Erkenntnis seines schlechten Verhaltens zeigt, beichten die andern als größte Sünden, was wegen seiner harmlosen

---

[113] Konrad Gusinde: Neidhart mit dem Veilchen. – Breslau 1899 (Germanistische Abhandlungen 17), 95 hat die geniale Komik des Beichtschwankes in der Fassung Wittenwilers verkannt. Ihm kommt es zunächst auf das Fehlen des zweiten Ordensbruders an, mit dem Neidhart in der älteren Fassung den Witz entschuldigt, daß er die Bauern zwar beichten läßt, aber nicht lospricht (vgl. Großes Neithartspiel, Keller Fsp. I 432; Neithart Fuchs v. 817–20, Bobertag Narrenbuch S. 180). Während Neidhart in der älteren Fassung jedoch als Mönch verkleidet zu den Bauern kommt, besteht der Witz bei Wittenwiler in der Tatsache, daß die Bauernburschen den ritterlich gekleideten Neidhart einfach wegen seiner kämpferischen Überlegenheit als *des heiligen gaistes vol* betrachten (667; vgl. GrNSp S. 431) und zur Beichte drängen. – Die Vermutung von Jones, Übersetzung 147, Neidhart sei den Bauern außer Sicht geritten, habe eine Kutte übergeworfen und sei dann als Mönch wieder erschienen, ist falsch, denn die Bauernburschen rufen schon den vor ihnen fliehenden Neidhart um Vergebung an, worauf er umkehrt und Beichte von ihnen verlangt, ehe er vergeben könne (658–79). – Daß Wittenwiler den Schwank mit dem zweiten (nichtexistenten) Bruder kannte, aber mit Absicht seine ungleich geistvollere Fassung wählte oder schuf, scheint mir der Wießner (Kommentar zu 829) unverständliche Vers vom ungeweihten Bruder anzudeuten, der dem Kenner der Neidhart-Tradition die ursprüngliche Fassung ins Gedächtnis rufen konnte.

[114] Wenn Sowinski, Realismus 33 formuliert: „Nach den reuigen Verfolgern Neidharts bittet auch Bertschi Neidhart um Vergebung und um Rat", so verwischt er die deutliche Differenzierung, die von Wittenwiler gemacht wird.

Dummheit oder dummen Geilheit in keiner Beichtformel vorkommt; sie werden aber deswegen von Neidhart zum Bischof und nach Rom geschickt und dort gehörig geschröpft, während Bertschi von Neidhart Lob und Rat erhält, wenn sie auch ironisch gemeint sein mögen. Immerhin sorgt Neidhart in dem folgenden Turnier dafür, daß Bertschi auf seiner Seite ist (888f.), und lacht einmal über seinen Humor ein echtes, nicht spöttisches Lachen (1134).

Vergleicht man die verschiedenen Stationen von Bertschis Auftreten in Stechen und Turnier, so erkennt man einen deutlichen Fortschritt. Zeigt er zuerst nur Kenntnis des Frauendienstes und guten Willen, aber völligen Mangel an Selbsterkenntnis und Erkenntnis der Situation, so bessert er sich von Mal zu Mal und findet sich am Ende in dem Gespräch mit Neidhart schon einigermaßen in die Lage und das von ihr geforderte Benehmen. Er ist noch weit davon entfernt, den Spott Neidharts über seine Kühnheit und hohe Geburt (843f.) in Selbsterkenntnis zu durchschauen, noch kann er in Situationserkenntnis die böse Absicht Neidharts begreifen, der natürlich nur deshalb zum Turnier rät, damit er den Bauernburschen noch mehr zusetzen kann. Seine ritterliche Haltung ist immer noch miserabel (1064–67) und seine Verteidigung nicht besonders wehrhaft (1098–1107). Aber es ist bezeichnend, daß er dank Neidharts Rettungsaktion von den andern Bauernburschen nicht besiegt wird, sondern gar noch ein Stückchen prahlenden Humors liefern darf (1122–34). Freilich wird ihm sein Mangel an weiser Einsicht im *nachturner* (1160ff.) eingetränkt, aber im Gegensatz zu den andern läßt ihn sein von der Minne inspirierter hoher Mut unverzüglich von seinen Wunden genesen (1248–51).

9 Die zweite Phase des Frauendienstes, nämlich die direkte Bemühung um Mätzli, beginnt wieder mit Bertschis Lächerlichkeit. Tag und Nacht streicht er um ihr Haus, singt, schielt nach dem Fensterladen, beißt aus Liebeslust in den Verputz ihre Hauses. Ähnlich wie er den Turnierbrauch kannte, so hat er von der galanten Mode gehört, der Angebeteten ein nächtliches Ständchen zu bringen (1302–5). Aber er weiß nicht, daß das leise und mit süßem Getön zu geschehen hat; er ermahnt vielmehr den Dorfmusikanten, den er mit Geld und guten Worten aus dem Rausch geweckt hat, ja möglichst laut zu lärmen (1375–77). Der Erfolg ist zweifelhaft, denn einmal wird das ganze Dorf munter, zum andern bietet die Schöne ihre Kehrseite zur Ansicht aus dem Fenster. Bertschi wird vollends lächerlich mit den Worten:

> *‚So wol mir, daz ich ie derchant*
> *Deinen amblik wol gestalt!*
> *Halt her, liebes Mätzli, halt!‘*   (1383–85)

127

Aber, wie schon Wießner[115] bemerkt, das Fastnachtsspielmotiv wird nicht bis zum äußersten geführt wie sonst so häufig. Bertschi zeigt gegenüber dem Pfeifer auch schon eine bemerkenswerte Selbstbeherrschung trotz seiner Liebeskrankheit: er ärgert sich über seine Langsamkeit und mangelnde Ehrerbietigkeit, aber er schwört nur innerlich Rache und fährt fort, den Spielmann mit süßer Rede und großen Versprechungen um den Gefallen zu bitten (1332–47).

Wenn Bertschi hier in Nebensachen schon als recht geschickt dargestellt wird, so verkennt er die Lage bezüglich seines Hauptanliegens noch gänzlich. Er meint dem Ziele schon viel näher zu sein; Wittenwiler bezeichnet ihn deshalb als *min närrel* (1412) und läßt zwei weitere Versuche Bertschis, die Liebe Mätzlis im Sturme zu erringen oder die Maid wenigstens durch ein Loch im Dach zu beobachten, kläglich mißlingen.

Während der Liebhaber seither wieder mit hohen Vorstellungen und gutem Willen, aber mit ungenügenden Mitteln in der falschen Situation gehandelt hat, ist seine Bitte an den Dorfschreiber, für ihn einen Brief an Mätzli zu schreiben, das Richtige in der gegebenen Situation: er selbst kann nicht schreiben, und Mätzli ist von ihrem Vater in den Speicher eingeschlossen worden, so daß Bertschi ihr seine Liebe nicht erklären kann (1639–42). Bertschi erkennt ferner, daß des Dorfschreibers Minnelehre, so schön sie ist, im gegebenen Moment sinnlos und unanwendbar bleibt (1840–45). Daß der Dorfschreiber nun auf seine Bitte um den Brief eingeht, beweist, daß Bertschi schon vor der Minnelehre die Lage richtig eingeschätzt und das richtige Mittel gewählt hatte. Weiterhin gibt er dem Schreiber genaue Anweisungen, was mit dem Briefe zu geschehen habe (1846–51). Trotz seiner Liebeskrankheit (1621–34) zeigt sich Bertschi hier als Meister der Situation und ist in ihrem Verständnis und in der strategischen Planung sogar dem gelehrten Dorfschreiber überlegen; dies drückt sich in dem freundlichen Spott über dessen nutzlose Belehrung aus (1840–45).

Bertschi ist auch fähig, seine Gedanken und Wünsche im Briefdiktat an Mätzli präzise zu formulieren (1860–73), wenn auch die Direktheit seines Ausdrucks nicht in des Dorfschreibers und wohl auch nicht in Wittenwilers Vorstellung zum guten Briefstil gehört. Ein Widerspruch zwischen der Ausdrucksweise des Briefs und Bertschis Kenntnis des Frauendienstes besteht ebenfalls, wie auch ein Widerspruch zu den unmittelbar zuvor gehörten feinen Lehren des Dorfschreibers. Zwar kann man hierin Bertschis Versagen an der Lehre sehen, doch trifft andererseits sein Text genau die Höhenlage seiner Angebeteten, wie deren paralleles Diktat (2085–96) erweist.[116] Unter diesem Gesichtspunkt könnte man sogar annehmen, daß

---

115 Wießner, Kommentar zu 1385.
116 Wessels, Ring als Groteske 206 findet in Mätzlis Brief „die widerliche Mi-

Bertschi sich nach seinen Mißerfolgen im Frauendienst auf einen ihm und Mätzli eher angemessenen Ton einstellt.

Diese Annahme wird gestützt durch die Tatsache, daß Bertschi von seiner Minneritterpose immer mehr ablegt: ist sein Vokabular beim Ständchen (1383–85) und im Stalle (1422–25) noch so höfisch wie möglich, so hat sich der Ton vor der Minnelehre schon bedeutend vereinfacht (1657–59, vgl. 1294f.), und nach dem Anhören der Minnelehre spricht er nur noch von seines *hertzen gir* (1845): er bezeichnet seine Liebe zu Mätzli also mit dem konkreten Namen, den sie nach seinem Briefdiktat verdient (vgl. 1863). Die Tatsache, daß Bertschi seinen bloßen Trieb nun nicht mehr euphemistisch als *minne* bezeichnet (vgl. 1305), sondern erkennt als das was er ist und mit dem richtigen Wort benennt, ist für Wittenwiler bestimmt positiv, bildet sie doch die Voraussetzung dafür, daß Bertschi die wichtige Lehre über die bloße Triebhaftigkeit (2844–50) überhaupt hören und auf sich selbst beziehen kann.

Bertschi hat sich bisher parallel zur ersten Phase entwickelt. Er beginnt wieder mit dem guten Willen, eine bestimmte Kenntnis über den Minnedienst anzuwenden, jedoch mit ganz unzureichenden Voraussetzungen, in ungünstiger Situation, an einem unwürdigen Gegenstande und ohne Erkenntnis der Diskrepanz zwischen Minnehandlungen und Triebwünschen in ihm selbst. In der Häufung der negativen Ergebnisse seines Tuns gewinnt er jedoch wieder Erkenntnis der Situation und des richtigen Auswegs sowie Selbsterkenntnis, indem er die bloße Triebhaftigkeit seiner Beziehung zu Mätzli begreift.

Parallel zu der ersten Phase, wo auf die Erkenntnis noch eine äußere Niederlage folgte, erleidet er auch jetzt bei äußerlichem Erfolg seiner Briefaktion – abgesehen von der Verwundung Mätzlis – in Wirklichkeit eine Niederlage: Mätzlis Verführung durch den Arzt, die komischerweise nur durch den Steinwurf und Bertschis Brief veranlaßt wird. Hier rächt sich Bertschis uranfänglicher Fehler: die bloße Triebhaftigkeit seiner Wahl, die

---

schung von Triebhaftigkeit und Heuchelei manifestiert, die als charakteristisch für viele Bauerngestalten des *Rings* gelten kann". Keller, Beiträge 21 bezeichnet Mätzlis Diktat dagegen nur als „bäurisch ungelenken Brief"; Sowinski, Realismus 42 als „plump-dreisten Liebesbrief". Ich glaube nicht, daß man wie Wessels auf die formelhaften Wendungen der beiden Briefe zu viel moralisches Gewicht legen darf, als ob sie in bewußter Heuchelei geschrieben wären. Sie scheinen vielmehr analog etwa zu Bertschis Frauendienst einen hohen Formanspruch am wertlosen Objekt verwirklichen zu wollen, ohne daß eine ethische oder gar religiöse Verfehlung damit verbunden wäre, wie Wessels zu implizieren scheint. Es ist jedoch bemerkenswert, daß die angestrebte Stilhöhe in den Briefen weit niedriger liegt als etwa in Bertschis Turnieren und Stechen: Bertschi kommt der Wirklichkeit näher.

nun trotz seiner inzwischen gewonnenen Selbsterkenntnis als negative Kraft wirkt und bestehen bleibt. Hätte er mit *beschaidenhait* gewählt (2848), so wäre seine Wahl nicht auf Mätzli gefallen, die genauso triebhaft ist wie er, sich aber nicht zur Selbsterkenntnis entwickelt und bei der geringsten Erpressung des Arztes sich gerne verführen läßt (2149f.). Da Bertschi weiterhin an ihre Jungfräulichkeit glaubt (7134), wird seine Niederlage neben den Schuldigen nur dem Leser bekannt, für den die Ehegläubigkeit des Guten im folgenden dadurch eine tragikomische Beleuchtung erhält.

10 Eine neue Phase in Bertschis Entwicklung beginnt mit dem zweiten Teil des Werkes. Wenn in den beiden ersten Phasen die anfängliche Diskrepanz zwischen den Formvorstellungen Bertschis und den Voraussetzungen der äußeren Situation entsteht, so bricht sie nun in ihm selbst auf, und zwar zwischen seiner Triebhaftigkeit einerseits und dem guten Willen, Rat zu empfangen, andererseits.

Seine Versicherung, ohne Mätzli als Weib sterben zu müssen (2659–64), hebt die Notwendigkeit einer Beratung über das Thema, ob er überhaupt heiraten solle, von vornherein auf. Das erkennt der erste Redner Farindkuo:

> ,Ich chan dir nicht geraten bas:
> Tuo ein dink, daz wesen muoss,
> Und aht nicht umb einr hennen fuoss,
> Was man sing und was man sag!
> Des hilf ich dir, so vil ich mag.
> Des wunders mich joch gar bevilt,
> Daz du von uns nu haben wilt
> Rat umb sach nach deiner sag,
> Die anders nit gewesen mag.'   (2670–78)

Bertschi, nicht einmal durch diese klare Analyse zur Erkenntnis des Widerspruchs zwischen Trieb und Ratsverlangen in seinem Innern gebracht, zitiert zwei Sprichwörter zur Verteidigung, das erste jedoch in falscher Anwendung:

> Wer chan iedem man gevallen
> In ernst, in schimph und auch in schallen?   (2681f.)

Das bedeutet an sich, man solle sich nicht um das Gerede der Leute kümmern, da man doch nicht allen gerecht werden könne;[117] Bertschi meint

---

[117] So bei Brant, Narrenschiff 41,13f.21–30. Vgl. im übrigen die Belege bei Wießner, Kommentar zu 2681f.

aber gerade, jedermann gefallen zu müssen – sonst ist seine Aussage kein Widerspruch gegen Farindkuos Ablehnung des Rats in seinem Fall (vgl. 2672f.). Das zweite Sprichwort, in jeder Sache sei Rat willkommen, geht zwar in die rechte Richtung, beruht aber wieder auf der anfänglichen Diskrepanz – denn Bertschis gegenwärtige Sache ist ja durch seine Todesdrohung schon entschieden.

Parallel zu den physischen Mißerfolgen in den beiden ersten Phasen werden nun zwei Urteile abgegeben, die in ihrer Unentschiedenheit Bertschi zunächst Unbehagen (2697–2704), dann geradezu Seelenangst einflößen (2718–20). Seine Triebhaftigkeit verlangt entweder Zustimmung oder Ablehnung; in dem Mittelzustand der Unentschiedenheit kann sie nicht existieren. Entsprechend schweigt Bertschi während des Für und Wider der folgenden Debatte aufmerksam still. Wie es plötzlich zu Unsachlichkeiten kommt, die nur mit Stangen und Rechen beigelegt werden können (3028–43), zeigt er sich von einer ganz neuen Seite: seine Rede an die Streitenden, man solle einen kleinen Fehler nicht durch einen größeren wieder gutmachen wollen (3045–47), und die begütigend schmeichlerische Einladung an den alten Colman (3049–54) lassen an Erkenntnis der Situation und geschickter Menschenbehandlung, kurz, an Weisheit nichts zu wünschen übrig. Auch das wiederholte gute Zureden, der alte Colman möge sein bescheidenes Schweigen aufgeben, zeigt sein Geschick und obendrein sein echtes Bedürfnis nach weiser Belehrung.

Bertschi schweigt, solange die scharfzüngige Laichdenman jedes Gegenargument Colmans mit gewaltigen Kenntnissen entkräftet und so die allgemeine Frage, ob man überhaupt heiraten solle, zu einem Ende bringt, das Colman durch das Eingeständnis seiner Niederlage markiert (3421–25). Colman schneidet jedoch noch die spezielle Frage an, ob Bertschi gerade Mätzli, diesen Ausbund an äußerer und innerer Häßlichkeit, heiraten solle, und wird auch da von Laichdenman mit offensichtlicher Sophisterei widerlegt (3426–92), bis sie zu dem Ergebnis kommt:

> *Pertschi Mätzen nemen schol*
> *Zuo seinem weib, so tuot er wol!* (3491f.)

Hierüber äußert nun der Kandidat seine ungeteilte Freude. Laichdenmans Empfehlung der Heirat zwischen den beiden beruhte auf zwei Begründungen: die negativen Eigenschaften Mätzlis bleiben zwar bestehen, sprechen aber nicht gegen eine Heirat (3447–84). Heirat ist im Gegenteil nur auf Liebe zu gründen (3485–88). Daß Bertschi dieser Ansicht zustimmen kann, nimmt nicht wunder, denn sie bedeutet eine Sanktionierung seiner Triebhaftigkeit.

Der Dorfschreiber jedoch, der die erneut ins Unendliche gehende Debatte (3495–3502) abschließen muß, nennt als Grundlage einer Ehe nur

Bedingungen des guten tugendhaften Willens bei dem Ehemanne; die einzige Bedingung, die der Triebwirklichkeit ungefähr nahekommt, ist, daß die Frau dem Manne gefallen müsse (Prosa 10). Bertschi stimmt aber auch diesen Bedingungen zu und erkennt sie als für sich zutreffend (3526–28).[118]

Wittenwiler begründet die Ehe also zwiefach: auf dem Trieb einerseits und dem guten Willen zu sittlichem Verhalten andererseits; in dieser Institution sind bewußt die beiden Sphären der Vitalität und der Geistigkeit und Tugend[119] vereinigt. So verknüpft in der Minne-Epistel des Arztes auch die Jungfrau Maria die beiden Bereiche:

> „. . . folg nicht falscher minn gepott
> (Wonn das strebet wider got),
> Es wär dann, daz dein lieber man
> Der e dich wölti muoten an!
> Des macht du in gar wol geweren
> Mit sälden, truwen, und mit eren;
> Won got selb von seinem rat
> Die hailigen e geschaffen hat."   (2381–88)

Der wilde muot der Minner (2435) ist für sich widergöttlich; in der gottgeschaffenen Ehe jedoch, in Verbindung mit dem guten Willen zu Treue, Stetigkeit und Erfüllung der Pflichten wird er gut. An diesem Punkte zeigt sich wieder Wittenwilers immer hervortretende Ansicht von der Möglichkeit einer harmonischen, göttlich begründeten Zusammenstimmung der beiden gegensätzlichen Sphären des Triebs und des Geistes.

Aber auch für Bertschi ist der erreichte Punkt bedeutsam. Hatte der zweite Teil mit der Diskrepanz zwischen Bertschis Triebhaftigkeit und seinem guten Willen begonnen, bezüglich der Ehefrage Rat zu empfangen, so befindet sich Bertschi am Ende der Debatten in innerer Harmonie zwischen Trieb und gutem Willen, da er beiden Begründungen der Ehe mit Wahrhaftigkeit zustimmen kann. Er erhebt sich damit über alle seine Gesprächspartner einschließlich des Dorfschreibers, die alle nur einseitige Ur-

---

118 Die den Text 3526–30 begleitende grüne, also törpelleben bedeutende Linie betrifft sicher nicht den guten Willen Bertschis, mit dem er in die Ehe geht, denn was seine eigene Verantwortung und Verpflichtung als Ehemann angeht, so wiederholt er die Bestimmungen des Schreibers in der großen Rede im Hochzeitsbett (7015–21). Die grüne Linie betrifft wohl Bertschis Zustimmung zu dem letzten Teil von des Dorfschreibers legis latio, nach dem der Ehewillige sich eine Hausfrau suchen soll, die weis und from und sein geleich sei (Prosa 11). Was Mätzli angeht, ist Bertschi noch blind und bleibt es bis zum Ende des Werkes.

119 Guter Wille, wie er hier vom Schreiber verlangt wird, ist Hauptvoraussetzung der Tugend (4419–27). Vgl. die Abschnitte 20 und 21.

teile oder unentschiedene Sprüche vorbringen konnten: Bertschi allein verkörpert die Synthese und harmonische Bezogenheit beider Sphären. Daß Wittenwiler diesen ihm inhaltlich offenbar wichtigen Punkt – Einseitigkeit oder Unentschiedenheit der Dorfgenossen, jedoch Notwendigkeit der Präsentation beider Sphären – in einem kunstvoll geformten Streitgespräch[120] über ein seit dem Altertum beliebtes Redethema[121] darstellt, beweist wieder einmal seine souveräne Gestalterkraft.

11 Hat Bertschi in der Ehefrage Rat gesucht, so werden in Fritz' Haus Forderungen an ihn gestellt: er soll zuhören und schwören, das Gelernte zu behalten und anzuwenden. Beide Forderungen sind potentieller Natur, schließen keine praktische Probe ein; die Kontrolle kommt erst später.

Bertschis Gegenforderung ist Mätzli. Er bringt seine Bitte anfangs höflich und bestimmt vor (3801–3), wird jedoch mit der Gegenforderung konfrontiert, Ehre zu suchen und der kommenden Lehre zu folgen:

> Bertschi sprach: ‚Es gfelt mir wol:
> Ich tuon alles, das man schol.'   (3808f.)

Er beeindruckt Fritz durch seine religiösen Kenntnisse und versucht mit einer erneuten Bitte um Mätz den Vorgang um die Lehre abzukürzen (3822f.). Sein Ton – Und hiess im Mätzen geben do – stimmt schon nicht mehr ganz zu der geäußerten Bereitschaft zum Lernen, und zu der höflichen Freundlichkeit, die er anfangs an den Tag legte (3799). Diese Eile gefällt Lastersak nicht (3826): wahrscheinlich durchschaut er den ungeduldigen Bräutigam. Bertschis gute Kenntnis des Bauernhandwerks genügt den Examinatoren nicht,[122] und so muß er sich bequemen, weiter zuzu-

---

[120] Vgl. die Analysen Wießners, Kommentar zu 2668ff., 2870–2932, 2972ff., 3165ff., 3358ff., 3447ff. Die prächtige Ethopoiie, besonders in dem Rededuell zwischen Colman und Laichdenman, ist darüber hinaus noch zu erwähnen.

[121] Vgl. Wießners Nachweise, Kommentar zu Prosa S. 129; ferner Quintilian Inst. 3,5,13 und Priscian Praeex. 11. Vgl. auch Max Herrmann: Albrecht von Eyb. – Berlin 1893; 315–31.

[122] Hier scheint Wittenwilers ironische Absetzung der Lehre von der Handlung wieder durch: wahrscheinlich hätte Bertschis Kenntnis des Bauernhandwerks nach seiner Ansicht dem Burschen als Bauern genügt, um aus weisem gfert Sich mit trewer arbait zu ernähren (45f.). So muß er nun wegen des pädagogischen Eifers seiner Dorfgenossen Dinge anhören, die ihn zum großen Teil nichts angehen und nichts nützen. Für Wittenwilers städtisches Publikum sind die Lehren jedoch im ganzen angebracht. Durch diese Ironie wird der Leser auf die Frage aufmerksam gemacht, wen die Lehren eigentlich angehen, und muß sie dann auf sich beziehen, wie er auch Bertschi unter der Bauernmaske als den Menschen schlechthin verstehen muß.

hören. Seine erste Erklärung (3808f.) steigernd versichert er nun: *Daz tuon
ich gern* (3845) und will zunächst hören, wie man lerne. Für diese weise
Bitte wird er von Lastersak gelobt (3846–49). Eine weitere Steigerung
seiner Ausdrucksweise zeigt sich, wie er den Redner nach dem eben vollendeten Schülerspiegel unterbricht:

> *Do sprach Triefnas gar mit gir:*
> *,Secht, daz han ich als an mir,*
> *Guoten willen auch da mit!'*   (3926–28)

Daß Bertschi entweder gar nicht aufgepaßt hat oder nur etwas daher-
schwatzt, um Lastersak zu schmeicheln, beweist ein Blick auf den Inhalt
dessen, was Bertschi alles für seine Person als zutreffend beansprucht: zum
Beispiel Auslandsaufenthalt, Ehelosigkeit(!), Wiederholung und Durch-
denken der Lektion, Kritik etc.[123] Je überschwänglicher also Bertschis
Vokabular sich steigert, um so weniger achtet er in Wirklichkeit auf den
Inhalt der Lehre. Wie es zum Problem der Beichte kommt, äußert er sich:

> *,Nu we mîr, daz ich gporn wart!*
> *Ich waiss nit, wie man peichten schol:*
> *Dar umb ich senden smertzen dol.'*   (4065–67)

Die Übertreibung v. 4065 wie die völlig unpassende Formel aus der Minne-
lyrik (4067) sprechen für sich, d. h. die Minneformel spricht für Bertschis
eigentliche Gedanken, die sich in Richtung auf Mätzli bewegen. Lastersak,
den seine echte Eile am Anfang störte, ist nun jedoch von der Zerknirschung
des Heuchlers überzeugt und tröstet ihn (4069–75). Für Bertschis Denken
ist auch bezeichnend, wie er dem Zögern des Apothekers Straub, seine Lehre
zu geben, sogleich durch *alter haller dri*[124] zu steuern weiß und den Arzt
ze sinnen bringt (4214–18). Dadurch, daß er die eifrigen und faulen Lehrer
alle bei guter Stimmung hält, befolgt er einerseits einen Rat des alten Colman (3533f.), strebt aber andererseits auch sein eigentliches Ziel an, nämlich Mätzli.

Man erkennt hier, daß Bertschi völlige Selbstbeherrschung, Erkenntnis
der Situation und die Fähigkeit listig-geschickter Menschenbehandlung erlangt hat, aber daß der anfangs dominante gute Wille bedenklich nachläßt.
Der Schluß der Belehrung ist denn auch bezeichnend: Bertschi, befragt, ob
er das Gehörte auch tun und anwenden würde, reagiert folgendermaßen:

---

[123] Die Beispiele stehen 3866–3907. Die Einführung des Schülerspiegels ist keine
kompositorische Schwäche, wie etwa Wießner, Ausgabe 7,9, angenommen hat,
sondern ein Mittel Wittenwilers, an einem dem Bauernmilieu völlig fremden
Inhalt Bertschis zunehmende „Untugend" und List manifest zu machen.

[124] Nach Jones, Übersetzung 147f. sind die Heller in der Ostschweiz wertlose
Münzen. Bertschi ist also zugleich geizig bei seiner Bestechung.

Triefnass andacht die was gross
Gen seines lieben Mätzleins schoss
Und tett recht sam fuchs Rainhart,
Der umb die faissen hennen warb,
Und verhiess pei seinem aid,
Ze allen dingen sein berait,
Die ein fromer, weiser knecht
Laisten scholt und tuon von recht.   (5207–14)

Mit dem Reineke-Bild hebt Wittenwiler die List, die ihn um Mätzlis willen den falschen Eid schwören läßt, deutlich hervor. Eine grelle Dissonanz zwischen äußerem Tun und innerem Zustand zeigt sich an diesem Punkte: Bertschi hat nun die Entwicklung, die in den drei ersten Phasen von Dissonanz zu Harmonie ging, in umgekehrter Weise durchgemacht, denn er fing gutwillig, höflich und weise an. Und noch eine Umkehrung ist eingetreten: war in den drei ersten Phasen der Wille gut und die Meisterung der Situation ungenügend, so meistert Bertschi hier die Situation glänzend, aber sein Wille ist böse, sein Denken listig und berechnend geworden. Den an ihn gestellten Forderungen, gut zuzuhören und das Gelernte ernsthaft anwenden zu wollen, ist Bertschi nicht gerecht geworden.

12 Eine neue Phase wird eingeleitet durch die Eheschließung *an schuoler und an phaffen* (5276), auf die das Hochzeitsmahl und der Tanz folgt. Hier wird Bertschi als Bräutigam auf die Probe gestellt, ob er seiner Verantwortung gerecht werden und die nun aktuell an ihn gestellten Forderungen erfüllen kann.

Der Anblick der ihm endlich zuteil werdenden Mätzli bringt ihn derart aus der Fassung, daß sein Jawort zu einem *„Gra"* pervertiert wird, das sich in einem *„Sta"* Mätzlis spiegelt (5258 und 5273). Was bei Mätzli pure Mache ist (5263), entsteht bei Bertschi aus der Überwältigung durch seine Gefühle. Die Triebnatur stört und bedrängt von innen her die vernünftige Handlung, die auf Forderungen von außen antworten soll, so daß die Handlung zur unechten Formerfüllung wird, in der sich ganz anderes verbirgt. Zeichenhaft dafür steht der Trauring Bertschis für Mätzli aus verzinntem Blei und mit einem Stein, *Der hiess ein sapheir von glas* (5278–81): der Anschein des Edleren wird in der äußerlich genommenen Zeremonie erweckt, die sichtbar von den Mächten des Triebs unterströmt, ja oft gestört ist. Eine zeichenhafte Situation ist auch das brauchtümliche Haarausraufen, bei dem der Bräutigam den Schmuck seines Hauptes ganz verliert (5288–92): seine Hochzeit erscheint von vornherein unter dem Aspekt des Archaisch-Triebhaften, das den Einzelnen in seiner Individualität erdrückt, möge er sich noch so gutwillig daraus lösen und davon unterscheiden wollen.

Während des Mahles sieht man den Bräutigam im Kampf mit der tierhaften Gier und Streitsucht seiner geladenen Gäste.[125] Die vier Aufwärter, die sich freiwillig gemeldet hatten, nur um die erste Suppe zu bekommen (5538f.), sind unaufmerksam und faul im Auftragen der Speisen, so daß die Gäste sich in Drohungen gegen Bertschi auszulassen beginnen (5811–15). Er erkennt den Fehler, will seine Macht zeigen, wird jedoch von den Dienern zur Belustigung der Gäste übel mißhandelt (5823–38). Seine Beschlußrede ist bezeichnend:

> *‚Es wisst wol all gemain*
> *Daz ich mich nicht enkond erweren:*
> *Drei sein alweg eines herren.‘* (5840–42)

Er erkennt, daß er der Masse unterliegt. Zugleich aber merkt er, daß allein er an dem Übelstand Schuld trägt und etwas tun muß, um den Fehler wieder gutzumachen: hätte er nämlich bessere Aufwärter bestellt und nicht solche genommen, die nur an der ersten Suppe interessiert waren, wäre die Schwierigkeit gar nicht entstanden. Sein verspäteter gewaltsamer Versuch der Wiedergutmachung des früheren Fehlers mißlingt unter dem Druck der Masse.

Eine weitere Stufe der Einsicht zeigt der Augenblick, wo der überlistete Sänger Guggoch den aufgegessenen Fischen nachweint:

> *Triefnas sach den ungelimph*
> *An essen und an trinken.*
> *Daz haubet ward im sinken;*
> *Die zerung beswäret in vil ser*
> *Und gedacht im an die ler:*
> *Chlaineu hochzeit schol er haben,*
> *Der sich hüeten wil vor schaden.*
> *Dar umb so was sein fröd zerstört.* (5946–53)

Erst durch den entstandenen Schaden wird Bertschi an sein Versäumnis erinnert; immerhin steht er nun nicht hilflos und blind vor dem Unglück, sondern erkennt seinen eigenen Fehler und bereut ihn. Die aktuelle Forderung des Augenblicks und der andern Menschen zeigt ihm sein Versagen. Doch ist nun bedeutsam, wie er versucht, durch Anwendung einer ihm gelehrten Weisheit den Schaden zu reparieren: die Fresser sollen durch Teile

---

[125] Auf diesen Antagonismus zwischen Bertschi und den Gästen weist auch Sowinski, Realismus 59, hin, doch bezeichnet er Bertschis Versuche nur als närrisch, ohne die bedeutsame Weise zu beachten, in der Bertschi von den übrigen abgehoben wird.

von Straubs Gesundheitslehre zur Mäßigung gebracht werden (5954–60). Dies ist das erste Mal, daß Bertschi durch bewußte Anwendung einer gehörten Lehre auf eine Situation einzuwirken sucht. Das geschehene Unglück läßt sich durch weise Reden jedoch nicht mehr gut machen; der Bräutigam wird mit übeln Substanzen beworfen und von allen ärgerlich verhöhnt.

Sein nächster Schritt ist, daß er einen Fehler zu einem Zeitpunkt bemerkt, wo es zwar auch schon zu spät ist, aber wo von den andern noch keiner ihn bemerkt und Bertschi in eine Zwangslage gebracht hat: beim Dessert wird ihm klar, daß während der ganzen Mahlzeit das Salz gefehlt hatte; er bringt nun *den geren vol* und versichert, daß das zu den Pflaumen gut passe (6129–32). Obwohl es auch hier zu spät ist, kann Bertschi hier durch seine Aufmerksamkeit und seinen entschuldigenden Humor einer neuen Demütigung entrinnen. Die Episode zeigt auch, wie er seinen guten Willen wiedergewonnen hat: er ist sich nun der Verantwortung bewußt, die seine Funktion als Bräutigam beim Hochzeitsmahl ihm auferlegt, und versucht jetzt alles so gut zu machen wie er kann. Daß er seine früher begangenen Fehler und Versäumnisse zu büßen hat, begreift er und versucht sie nach Möglichkeit zu mildern.

Wie der betrunkene (6191–98) Spielmann wegen Kopfwehs nicht mehr zum Tanze pfeifen möchte, antwortet ihm Bertschi: *„Daz ist mir laid; nu hab es dir"* (6261). Die Mischung von Mitleid und Schadenfreude[126] ist bezeichnend: beweist sie doch, daß Bertschi aus seinem eigenen Mißgeschick gelernt hat und nun Mitleid entwickelt, sofern er sich mit Gunterfai vergleicht, und Schadenfreude, sofern er durch seine Erkenntnis schon über ihm steht. Sein kunstloses Lied,[127] mit dem er die untätig Herumstehenden wieder in Bewegung setzt und die etwas peinliche Situation rettet (6249 bis 6256), handelt denn auch von den bösen Folgen triebhafter Handlungen[128] und klingt, als hätte Bertschi es in einer Regung seiner wachsenden Selbsterkenntnis gewählt.[129] Bertschi ist hier also bereits so weit, daß er

---

[126] Vgl. Wießners Kommentar zu 6261.

[127] Vgl. Wießners Kommentar zu 6267ff.

[128] Wahrscheinlich haben *fröleich* (6272) und *porget* (6276) negative Bedeutungsrichtungen.

[129] Daß die drei Lieder (Bertschi 6267ff., Schreiber 6333ff., Troll 6436ff.) von Wittenwiler mit bewußter Absicht gewählt (oder gedichtet) wurden, ist sicher. Bertschis Lied hat, wie gesagt, Bezug zu seiner inneren Situation. – Des Dorfschreibers Mailehen fügt Paare zusammen unter dem Doppelgesichtspunkt, der schon die Ehedebatte beendet hatte: *hertzen gir* (6340, 6352) und Gottes Segen (6343, 6355); während in der ersten Strophe ein Lappenhauser Paar zusammengeführt wird (grüne Linie), bringt das Spiel in der zweiten Strophe den Lappenhauser Lechspiss mit der Nissingerin Gnepferin zusammen (6345 bis 6355); daraus wird sich wohl die rote Linie erklären: der Schreiber macht

die Situation retten und die Gäste weiter bei gutem Mut halten kann. Auch seine Selbsterkenntnis und seine Erkenntnis der andern sind gewachsen. Die Schadenfreude allerdings zeigt, daß ein gutes Quantum Triebhaftigkeit noch seine Gedanken bestimmt.

Dasselbe zeigt sich nach dem Tanzspiel des Schreibers. Bertschi bestellt gegen Bezahlung eines Eies als erster einen Tanz bei Gunterfai, aber Colman und Laichdenman überbieten ihn mit zwei Eiern, damit der Pfeifer einen Tanz nach alter Sitte für sie spiele:

> Pertschi hiet einn hohen sinn
> Und sprach: „So hab dir dreu von mir
> Und pheiff mir nach meins hertzen gir
> Nach dem neuwen sitten eins!
> Der alten chan ich aller cheins.' (6371–75)

Die Lage ist verwickelt: Bertschi hat als erster bestellt, und die böse Absicht der Alten, ihn durch höheres Angebot abzudrängen, ist deutlich. Andererseits ist er der Gastgeber, und die beiden haben das Vorrecht des Alters. Sein *hoher sinn* und seines *hertzen gir* lassen ihn ein drittes Ei bieten, doch geht er nachher mit den beiden Alten auf einen Kompromiß ein. Trieb und Sitte halten sich bei ihm wie bei den Alten die Waage, und es ist wohl kein Zufall, daß Wittenwiler auf die Vortänzer Bertschi und Mätzli ein Paar folgen läßt, das aus einer Nissingerin und einem Lappenhauser zusammengesetzt ist.[130]

Gerade in diesem Tanz steigt die unterschwellige Erotik, die der Schreiber mit seinem Mailehen in brauchtümlich gefestigte Bahnen hatte lenken wollen, auf den Siedepunkt, und Bertschi findet sich als Vortänzer schließlich eingekeilt in die Mitte eines drängenden hitzigen Haufens, in dem die Gesellen *der minn mit grifflen phlagen* und sich um das Ordnungsbedürfnis des verantwortlichen Vortänzers überhaupt nicht mehr kümmern (6416–23). Bertschi erkennt die Gefahr der Situation und befiehlt dem Spielmann, aufzuhören. Dieses Bild – der verantwortungsvolle Bertschi inmitten eines triebhaft wilden Haufens – ist zeichenhaft für die Gesamtent-

---

einen spielerisch-brauchtümlichen Versuch, Lappenhausen und Nissingen zu verschwägern. – Das Lied des Troll fällt inhaltlich gegenüber den beiden erbaulichen, die Sphären des Triebs und des Geistes vereinigenden Liedern Bertschis und Henritzes ganz ins Triebhafte zurück: Essen Trinken Schlafen, Singen Springen Tanzen Schwanzen sind die Ausdrücke der Vitalität, gegen die Bertschi bei seinen Gästen vergeblich ankämpft.

[130] V. 6382 Gnepferin und der seit dem Hochzeitsmahl vom Tode wieder erstandene Jächel Grabinsgaden. Sollte dessen erotische (vgl. den Namen) Dämonie nicht nur zurückweisen auf den eben beigelegten Streit um die Ehre, sondern auch vorausweisen auf den Charakter des nun folgenden Tanzes?

wicklung dieses jungen Menschen: die Wildheit der *hertzen gir* bedrängt und umringt die Weisheit von allen Seiten; es ist aber bedeutsam, daß bisher die *hertzen gir* hauptsächlich in Bertschi selbst gewirkt und den Versuch rechten Handelns von innen her gesprengt oder unterhöhlt hat. Hier stellt ihn Wittenwiler in eine Situation, wo die triebhafte Wildheit ihn in Gestalt der Dorfgesellen von außen her umdrängt und sein Handeln, das nun aus gemischtem Ordnungsbedürfnis entspringt, vereitelt.

Übrigens findet sich hier ein Parallelbild zu dem Ring im Titel des ganzen Werkes: der edle Stein in der Fassung des ringhaften Weltlaufs, der ihn trägt und dem er den Sinn gibt. Hier wird das Bild jedoch auf die Situation hin präzisiert: das Tragen kann auch zur Hemmung und Behinderung werden – an sich sollte der Schnee den Schlitten tragen, jetzt läßt er ihn steckenbleiben (Wittenwilers Bild für Bertschi, 6421). Überblickt man das Werk, so fallen noch zwei Episoden ins Auge, in denen Bertschi ähnlich umringt wird wie hier. Zum ersten Mal während des Turniers:[131] man hat beschlossen, Bertschi zu „zäumen", weil er als Minner für die ganzen Kriegsspiele verantwortlich ist, die für die Bauernburschen schon so schmerzhaft waren. Bertschi wird gefangen und geprügelt, aber seine Freunde, darunter Neidhart, kommen ihm zu Hilfe. Da wird er übermütig, bestellt sich Brot und Käse und ißt, während seine Freunde ihn retten. Der Triumph, den ihm die Situation gönnt, ist allein Neidhart zu verdanken, und seine Überlegenheit nur scheinbar. – Die zweite Episode ist der schon besprochene Streit mit den faulen Aufwärtern beim Hochzeitsmahl, in dem Bertschi schmachvoll mißhandelt wird, doch zu der Erkenntnis kommt, daß er als Einzelner einer Übermacht nicht gewachsen ist und daß sein Mißerfolg auf eigener Schuld beruht.

Beim Tanze nun hat er schon durch sein Lied versucht, beruhigend auf die Gemüter einzuwirken, und darf hoffen, daß er als allgemein anerkannter Vortänzer den ihn umdrängenden Ring durchbrechen kann: er befiehlt deshalb Gunterfai aufzuhören und unterbricht das allgemeine Vergnügen. Das ist der heroischere, verantwortungsvollere und gefährlichere Weg aus der Bedrängnis – ein anderer wäre nur die Flucht gewesen.

Zunächst scheint sein vernünftiger Versuch auch zu gelingen: die Tänzer wollen sich setzen. Doch mit Trolls Zuruf

> *,Die weil es in der hitze sei,*
> *Macht euch an den ring hie pei!'*   (6430f.)

konstituiert sich der Reigen wieder, der wilde Umlauf setzt sich wieder in Gang und führt unmittelbar darauf, gestachelt von dem niedrig triebhaften Liede des Troll,[132] zur Katastrophe.

---

[131] Das Beispiel bezieht sich auf die Verse 1016–1148.   [132] Vgl. Anm. 129.

Bertschi hat sich also wieder gefangen, die beim Hochzeitsversprechen erreichte Einsinnigkeit von tugendhaftem und triebhaftem Willen wieder erlangt. Wenn er in der vorhergehenden Phase die nur potentiell an ihn gestellten Forderungen mit List umgangen und nur scheinbar erfüllt hat, rächt sich nun solche innere Trägheit sofort, wenn etwa beim Hochzeitsmahl die aktuelle Forderung in Gestalt des Hungers der Gäste und des ordentlichen Verlaufs der Mahlzeit an ihn herantritt. Schrittweise gelingt es ihm, gemachte Fehler sozusagen einzuholen und plötzlich entstehende Notsituationen immer besser zu retten. Sogar in der Endphase des Tanzes, da sich die Triebhaftigkeit der Gäste ins Unbezähmbare erhitzt, gelingt es ihm, das wilde Rad einen Augenblick anzuhalten, bevor es sich mit vermehrter Wucht wieder in Umschwung setzt und schließlich selbst zerstört.

13   Im dritten Teil des Werkes tritt Bertschi nur noch selten auf, aber über die langen Pausen hinweg läßt sich noch einmal eine schrittweise Entwicklung feststellen. Sein bisheriger Weg hat ihn innerlich aus der Dorfgemeinschaft herausgeführt, so weit schließlich, daß er sich beim Tanze als Einzelner gegen das gemeinsame Vergnügen aller stemmt. Nun, da Kampf und Krieg zwischen Lappenhausen und Nissingen ausbricht, stellt sich die Frage in verschärfter Form, ob Bertschi wirklich noch zu seinem Dorfe gehört, das von der Narrheit regiert wird.

Bei der Rauferei droht der Zorn des Nissingers Dietrich noch viele Opfer zu fordern und die Lappenhauser in die Flucht zu schlagen:

> *Do ditz der preutgom so dersach,*
> *Es schuoff im laid und ungemach.*   (6604f.)

Er läuft in den Kirchturm und läutet mit allen Glocken Sturm. Das hat zur Folge, daß die wenigen Nissinger von dem ganzen Dorf Lappenhausen angegriffen und schließlich in die Flucht geschlagen werden (6608–47). Bertschis Handlung, obwohl nicht näher erläutert, ist sicher von dem triebhaften Zugehörigkeitsgefühl zu seinen Dorfgenossen bestimmt, denen er Sieg und Übermacht über die Fremden verschaffen möchte. *Laid* und *ungemach* sind Gefühlsregungen, denen hier seine Überlegung und Planungsfähigkeit gehorchen müssen und die stärker sind als das Erlebnis seiner inneren Lösung vom Dorf.

Den nächsten Auftritt Bertschis bringt seine Hochzeitsnacht. Bezeichnend ist, daß er hier die längsten Reden hält, die man je von ihm hört. Da Mätzli sich, dem Rat des Arztes getreu, sperrt, erinnert Bertschi sich an den Rat des Schreibers, man müsse die Frauen mit Schwatzen gewinnen (6996f.); bis zum wörtlichen Zitat [133] geht seine Rede. Er hat also gelernt

---

[133] Vgl. Wießners Kommentar zu 6996f.

und weiß nun das Gelernte auch anzuwenden. Eigener Gedanke Bertschis ist die Anschauung, Gott habe die Wonne geschaffen und die Notwendigkeit der Ehe um der Kinder willen betont (7005–16). Dies ist die höchste Erhebung, die die Triebhaftigkeit in Wittenwilers Werk erfährt: auch sie ist von Gott geschaffen und in seiner Weisheit geborgen. Daß diese Erkenntnis sich in Bertschi formt, zeigt Wittenwilers Bedürfnis, ihn eine wirkliche geistige Höhe ersteigen zu lassen. Zugleich aber zeigt sich, daß er damit auch die Tiefen nicht verliert; er bittet Mätzli:

> *Und geruoch mich des zgeweren,*
> *Daz die gens tuond in dem bach!*   (7017f.)

Da unmittelbar auf diesen Vergleich ein Versprechen Bertschis folgt, ihr ewig wie sich selbst treu zu sein und sie zu umsorgen (7019–21), ist anzunehmen, daß die Stelle nicht etwa Bertschis wahres Wesen ungewollt zum Ausdruck bringen soll, sondern eher als pädagogische und überzeugende Formulierung auf Mätzlis Stilebene gewählt ist: Bertschi ist sich des Animalischen bewußt, steht darüber, kann es lenken und formulieren, wie es die Situation empfiehlt. Mätzlis Antwort bewegt sich nur innerhalb der animalischen Sphäre des Vogelstellers, der die Vögel lockt, um sie zu töten. – Nach wiederholter Erinnerung an die zwischen ihnen vollzogene Ehe befolgt Bertschi erneut die Lehren des Schreibers bezüglich der Handlung, die den Worten folgen dürfe.[134] Bis hierher ist also die Lehre präsent, und Bertschi folgt ihr bewußt. Seine liebreiche Lehre, in der er Mätzli währende Treue und Liebe verspricht und ihr empfiehlt, ihm zu gehorchen zu Nutz und Ehre (7070–81), beweist seine gute Absicht und die reine Harmonie seines Wesens. Bertschi wird hier in einem Zustand gezeigt, wo seine Triebhaftigkeit und seine gewonnene Geistigkeit zusammenstimmen und vollendetes Menschentum in ihm wirklich werden lassen. Um so schärfer tritt seiner Treuherzigkeit die bösartige Listigkeit Mätzlis gegenüber, auf die er ahnungslos hereinfällt (7133–36). Ist Bertschi mit sich selbst weitgehend ins Reine gekommen und meistert auch äußere Situationen, so ist und bleibt die Gutgläubigkeit gegenüber anderen seine Schwäche, die ihn zu unvernünftigen Handlungen bringt.

Bertschis Schweigen während der Kriegsdebatten, bei denen er gleichwohl anwesend ist (7270), und die Tatsache, daß er während der Vernichtungsschlacht nie erwähnt wird,[135] scheinen diese Schwäche und Unentschiedenheit zu beweisen: einerseits fühlt er sich mit seinem Dorf solidarisch und zur Verteidigung von Freund und Eigen verpflichtet, andererseits

---

134 7040ff., vgl. 1830–38.
135 Außer daß er zu Fuß in den Kampf gehen muß, weil er zur Hochzeit versehentlich seinen Esel geschlachtet hat (8611f.).

erkennt er wohl die sinnlose Kriegswut, die die Lappenhauser erfaßt hat, und will sich nicht damit identifizieren. Daß Widerrede unmöglich ist, hat er beim Tanz erfahren und sieht er an den vier Warnern Riffian (7207ff.), Ruoprecht (7284ff.), Pilian (7402ff.) und Laichdenman (7442ff.), obwohl ja keiner der vier Argumente bringt, die sich wirklich auf die Situation beziehen würden. Hatte Bertschi beim Tanz versucht, in das Geschehen einzugreifen und den wilden Umlauf wenigstens augenblicklich aufzuhalten, so ergreift er jetzt, nachdem er die Vergeblichkeit dieses Unternehmens eingesehen hat, den andern weisen Ausweg aus der Bedrängnis: er entzieht sich wie der weise alte Höseller (7873–78) dem Treiben (9542). Daß seine Flucht in diesem Fall für Wittenwiler nicht negativ zu werten ist, beweist Strudels Anweisung (8361–66), Flucht in Todesnot sei *der aller beste streit*. Todesnot war für Bertschi gegeben, da Strudel ausdrücklich befohlen hatte, die Lappenhauser nicht etwa gefangenzunehmen, sondern gnadenlos abzuschlachten (8483–98). Daß Wittenwiler Bertschi nicht als Feigling brandmarken möchte, zeigt die umsichtige und tapfere Verteidigung auf dem Heuschober, die er ihn mit allerlei Kriegstechniken vorbereiten läßt (9548–58). Abgesehen von dem offenbaren Spaß, den sich Wittenwiler hier macht, zeigt er in der Episode doch Bertschis Fähigkeit, mit einer gegebenen Situation glänzend fertig zu werden durch Anwendung von Kenntnissen, Vorausplanung, Erkennen feindlicher Absichten und umsichtiges Handeln im entscheidenden Moment. Die Belagerung geht unentschieden aus: Bertschi fängt nach einigen Tagen des Hungerns an, Heu zu essen, worauf die Nissinger vor ihm als vor einem Dämon Reißaus nehmen (9648–52). Dieser groteske Ausgang zeigt gleichwohl, daß Wittenwiler Bertschi mindestens mit den Nissingern gleichstellen möchte, was im übrigen auch sein Entrinnen aus der totalen Vernichtung Lappenhausens beweist. Während Bertschi in der Brautnacht auf einem Punkt innerer geistiger Höhe und Weisheit gezeigt wurde, liefert diese Belagerungsepisode, so grotesk sie auch ist, den Beweis seiner Fähigkeit, mit den Umständen und Gefahren der Welt fertig zu werden.[136]

Die Ohnmacht, in die er aus Jammer beim Anblick des vernichteten Lappenhausen fällt, ist bedeutsam in zwei Richtungen: sie versenkt ihn noch einmal in die Identität mit den vernichteten Narren, denn er ist ja

---

[136] Sowinski, Realismus 76f. meint, Wittenwiler bringe hier „um der didaktischen Vollständigkeit willen und im Hinblick auf den religiös-moralistischen Schluß ... die bisher streng gewahrte Scheidung der Typen Narr und Weiser ... zum Opfer". Sowinski hat von der mit feinem psychologischem Realismus geschilderten Entwicklung Bertschis im ganzen Werk nichts gemerkt. Erst am Ende läßt er ihn eine plötzliche „Katharsis" (77) durchmachen, die aber eher als Schwäche Wittenwilers erscheint.

einer, wenn er um sie trauert – er liegt einen halben Tag *sam ein andrer toter* (9671). Sie bringt ihn aber auch zu seinem wahren Wesen:

> *Des cham er zuo im selber do* (9672)[137]

Die nun folgende Rede zeigt ihn noch einmal verändert.[138] Sein Jammer gilt nicht mehr dem Verlust der Freunde, des Gutes und der lieben Hausfrau wie vor seiner Ohnmacht (9664–67), sondern der Tatsache, daß er an diese als an einen festen Besitz geglaubt und gegenteilige Lehren in den Wind geschlagen hat:

> ,*Wie chlaine wolt ich es gelauben –*
> *Nu sich ich selber mit den augen:*
> *Wer heut lebt, der stirbet morn!*
> *Wie schier ein man auch hat verlorn*
> *Alles, das er ie gewan!*‘ (9682–86)

Sein Jammer ist selbst verschuldet: die Phasen der Belehrung bei Fritz und der Anfang des Hochzeitsmahles waren die Perioden, wo er die ihm gegebenen Lehren am wenigsten beachtete und befolgte. Aus seinen Versäumnissen entstanden irreparable Schäden – zum Beispiel die Einladung zu vieler Gäste –, die zur Veranlassung des Untergangs beitrugen. Insofern muß Bertschi auch eine Schuld an dem äußeren Unheil in seiner Versäumnis sehen. Die jetzt endgültig gewonnene Selbsterkenntnis zeigt ihm aber seine Hauptschuld darin, daß er sich überhaupt auf Dinge, Werke und Menschen verlassen hat, statt den eindringlichen Lehren Lastersaks über die Vergänglichkeit alles Weltlichen, die Wirklichkeit des Todes und die Notwendigkeit des Strebens nach dem ewigen Leben mehr Beachtung zu schenken (4098–4184). Statt dessen hat er auf seine Fähigkeit vertraut, in Lappenhausen Besitz und Hausfrau zu haben und ein gutes Leben zu führen. Nun, nach der Zerstörung dieser Illusion, findet er Halt nur noch in Gottesfurcht und Gottesminne (9690f.) und fährt als Einsiedler in den Schwarzwald.

---

[137] Die Übersetzung des Verses muß lauten: „Davon kam er dann zu sich selbst.“ Das Zu-sich-selbst-Kommen wird also als Wirkung der Ohnmacht bezeichnet.

[138] Es ist vielleicht nicht verfehlt, den Bewußtseinstod, den Bertschi in seiner Ohnmacht erleidet und aus dem er als neues Wesen wieder ersteht, mit den rituellen Toden zu vergleichen, wie sie besonders gerne Hartman von Ouwe (in Erec, Iwein, Gregorius, Armer Heinrich) gestaltet, wenn es darum geht, den Helden oder die Heldin eine neue Menschlichkeit erreichen, einen neuen *gradus* ersteigen zu lassen.

14 Dieser Schluß scheint dem Bild des weisen, im Leben stehenden und mit ihm fertig werdenden Menschen, wie es sich bisher als Menschenideal Wittenwilers gezeigt hat, zu widersprechen. Die Seligkeit scheint doch nur in der Weltverleugnung zu liegen (4099), *vanitas* scheint der letzte Lehrinhalt,[139] „das namenlose Weh" Wittenwilers[140] die letzte Enthüllung der Dichtung. Bertschis Ende scheint doch nur Verwirrung zu zeigen,[141] oder den „Katzenjammer des sündigen Menschen", über dessen Vernichtung der Didaktiker ironisch triumphiert.[142]

Dies alles wäre richtig, wenn Lappenhausen die Welt oder das einzige Abbild der Welt wäre, mit dem der Dichter sich beschäftigt hat. Lappenhausen ist jedoch für Wittenwiler nicht die einzige Welt, wenn er sich auch auf weite Strecken seines Werkes ausschließlich mit ihr beschäftigt. Im dritten Teil der Dichtung verlagert sich jedoch Blickpunkt und Gewicht eher auf Nissingen, den Gegenspieler Lappenhausens. Und man darf nicht vergessen, daß die Nissinger *sälich und auch reich* nach Hause kehren (9537–39), also keinesfalls mit den vernichteten Lappenhausern gleichgestellt werden dürfen.

Die Forschung hat sich entweder gar nicht oder nur oberflächlich mit der Existenz und Eigenart dieses Gegensatzes zu Lappenhausen beschäftigt. Wessels zum Beispiel nennt beide Dörfer immer in einem Atemzuge, identifiziert sie also miteinander.[143] Boesch stellt zwar fest, daß Wittenwiler den Nissingern „nicht ungünstig gestimmt" sei, kritisiert aber ihre Teilnahme an diesem Kampf überhaupt.[144] Er vergißt dabei, daß Strudel, der Nissinger Bürgermeister, zuerst friedliche Beilegung des Streitfalles versucht hatte, in Lappenhausen jedoch nur auf Hohn und Kriegslust gestoßen war (6846–61; 6897–6947). Sowinski als einziger erkennt, daß die Nissinger Bauern „positiv gezeichnet" seien und daß sie den Lappenhauser Narren als „Vertreter einer realen Welt wirklichkeitsgerechten Handelns"[145] gegenübergestellt werden; aber auch er wertet diese Erkenntnis nicht für das Verständnis der ganzen Dichtung aus.

Wäre Lappenhausen Wittenwilers einzige Welt, so bewiese sein ‚Ring‘, daß es sich darin nicht leben läßt. In Nissingen jedoch, jener andern Welt, läßt es sich recht leben und vernünftig handeln, wie das Beispiel Strudels zeigt. Auch dort gibt es Schwäche und Triebhaftigkeit, aber eine weise Führung kann auch diese in das harmonische Bild einfügen. Die Nissinger gehen unbeschädigt und reich aus dem Kriege hervor, und sie genießen

---

139 Jungbluth, Verfasserlexikon 1039.
140 Ermatinger, Dichtung und Geistesleben 84.
141 Brinkmann, Zur Deutung 228.
142 Martini, DVjS 232.   143 Wessels, Ring als Groteske 204,208.
144 Boesch, Phantasie 149.   145 Sowinski, Realismus 65f.

ihren Reichtum. Für sie gilt also nicht *vanitas,* nicht Katzenjammer und namenloses Weh, sondern ihre Weisheit ist durch den Gang der Dinge hier auf der Erde gerechtfertigt worden. Der Schluß des Werkes darf also nicht verallgemeinert werden,[146] sondern gilt ganz spezifisch für Bertschi, den Helden des Werkes. Denn er ist der einzige, der die Vernichtung Lappenhausens übersteht, abgesehen von dem ebenfalls geflohenen Höseller, von dem Wittenwiler aber nichts mehr berichtet. Wenn Bertschi aus der Welt flieht, so bedeutet das nicht, daß kein Mensch in der Welt leben kann, sondern es muß einen besonderen Grund geben, warum gerade Bertschi in die Einsamkeit geht.

Was war sein Fehler, der ihm trotz seiner Entwicklung zum Guten, zur Weisheit und Tugend keinen Raum in der Welt läßt? Offenbar doch, daß er versucht hat, in Lappenhausen zu leben mit derartigen Dorfgenossen und einer derartigen Frau, daß er auf Menschen und Dinge vertraut hat, die es nicht wert waren. Die Brautnacht hat gezeigt, wie bösartig der Treuherzige getäuscht wird, wie bei Mätzli alles Vorspiegelung ist, was bei ihm als echte gute Überzeugung dasteht. Wieder zeigt sich die Gefangenschaft Bertschis inmitten der triebhaften Masse beim Tanze in ihrer zeichenhaften Gewalt: hier liegt seine Schwäche und sein Fehler, seine letzte Narrheit – das Vertrauen auf die Welt, in der er lebt. Eine Welt wie Lappenhausen kann man nur fliehen – was Bertschi endlich tut –, oder man kann versuchen, sie zu verändern – was Wittenwiler tut. Denn hier liegt der Ansatzpunkt zum Verständnis von Wittenwilers Satire: er will seine Leser bekehren (38); wenn sie wie Bertschi noch zuletzt an die Dinge der Welt, an Freunde und Verwandte blind sich hängen, soll Bertschis Schicksal sie davon abschrecken – insofern ist es verallgemeinerbar.

Der zweite Fehler Bertschis, der ihm am Schluß mit der endgültig gewonnenen Selbsterkenntnis vollends klar wird, ist die Mißachtung der Lehren, die ihm gegeben worden sind. Aus seiner Trägheit ist bis zu einem gewissen Grade das ganze Unheil entstanden, es ist zumindest durch sie veranlaßt worden. Dafür muß Bertschi nun büßen.[147] Selbsterkenntnis ist die Voraussetzung für die Erkenntnis, daß er gefehlt hat und büßen muß. Selbsterkenntnis will Wittenwiler auch in seinem Leser erzeugen, denn ohne sie kann er nicht bekehrt werden. Bertschi wird damit zu einer Art Prototyp des Lesers, der aus der Narrheit bis zur Weisheit sich entwickelt.

---

[146] Müller, Deutsche Dichtung 74 bezeichnet den Schluß als „Faktum, keine ausschließende Richtschnur".

[147] Auch Sowinski, Realismus 78, spricht von der Buße für das Versagen an den Lebensregeln.

15   Bertschis Weg ist eine Entwicklung von der Dissonanz zur Harmonie, die in sechs Phasen verläuft, jedoch nicht eine kontinuierliche Aufwärtsbewegung darstellt. Vielmehr zeigt jede Phase eine in sich abgeschlossene Entwicklung, die bei der Besprechung aufgezeigt wurde. Die erste und zweite Phase vollziehen sich im ersten Teil, die dritte, vierte und fünfte im zweiten, die sechste im dritten Teil.[148] Je zwei gehören inhaltlich ungefähr zusammen: Minnedienst in den beiden ersten, Belehrung Bertschis in den zwei folgenden, Auseinandersetzung mit größeren Menschengruppen in den beiden letzten.

Was die Entwicklung Bertschis angeht, so scheinen die Phasen jedoch in zwei Triaden zusammenzugehören. Die erste Triade zeigt Bertschis Trieb in der Auseinandersetzung mit seinen Zielen, die zweite zeigt die Forderungen der Welt an Bertschi. Oder: zunächst verläuft die Richtung des Anspruches vom Menschen auf das Äußere, dann umgekehrt vom Äußeren auf den Menschen.

Die erste Phase zeigt Bertschis Trieb nach Taten, der jedoch an der Wirklichkeit wegen Bertschis Mangel an Situationserkenntnis versagt. Was ihm aber gelingt, ist die Erkenntnis der Person Neidharts, also etwas, auf das er gar nicht ausging.

Die zweite Phase stellt Bertschis Gier nach Mätzli dar, die nur indirekt der Inhalt des Tatentriebs der ersten Phase war. Nur halber Erfolg ist ihm gewährt, denn er gewinnt zwar die Liebe Mätzlis, doch nur im Sinne des bloßen Sexualtriebs;[149] vor allem wird sie aus Anlaß seines Briefs vom Arzt verführt. Der Grund des halben Mißlingens ist Bertschis Mangel an Menschenkenntnis, der ihn eine Hure (2099f.) zur Liebsten wählen läßt. Auch in dieser Phase gelingt ihm etwas, worauf er gar nicht ausging: die Meisterung einer Schwierigkeit mit geistigen Mitteln – er läßt der eingeschlossenen Mätzli einen Brief schreiben und erreicht damit endlich sein Ziel.

Die dritte Phase zeigt Bertschis Trieb nach geistig-sittlicher Durchdringung und Sublimation seiner *hertzen gir*: er bittet die Verwandten um Rat, ob man heiraten solle, obwohl das Triebziel, Mätzli zu haben, für ihn absolut feststeht. Bertschis Bedürfnis nach Sublimation seines Triebs ist schon in den beiden ersten Phasen zum Ausdruck gekommen, wo er seiner Liebe durch den Frauendienst den Anstrich höfischer Minne geben wollte.

---

148 Angesichts der Tatsache, daß Bertschis Schicksal nicht Wittenwilers einziger Darstellungszweck ist, kann man nicht von einer kompositorischen Schwäche sprechen.

149 Mätzli bietet sich ihm in ihrem Briefdiktat ohne Heiratsbedingung an (2091–94); erst ihre Schwangerschaft nach der Verführung durch den Arzt macht für sie die Ehe notwendig.

Am Ende dieser Phase wird sowohl seine Triebleidenschaft wie auch sein sittliches Bedürfnis sanktioniert durch die zwei von Laichdenman und dem Schreiber gegebenen Ehedefinitionen.

Wittenwilers Kompositionsprinzip wird hier deutlich: Bertschis Triebrichtungen wechseln in aufsteigender Linie vom Trieb zur Tat über den Trieb nach Menschen bis zum Trieb nach dem Geistig-Sittlichen. Jede folgende Richtung wird in der vorhergehenden Phase vorbereitet; sie ist das Complement der vorhergehenden: so gelingt es Bertschi, sein Versagen im Turnier durch die Kenntnis Neidharts zu mildern, es gelingt ihm, durch den Brief die „Liebe" Mätzlis zu gewinnen. In der dritten Phase wird ein Punkt erreicht, der keiner weiteren Ergänzung mehr bedarf. Dieses Kompositionsprinzip wird in der zweiten Triade wieder angewandt, nur daß statt Bertschis Trieb nun die Forderungen der Welt wechseln.

Die vierte Phase stellt an Bertschi die geistig-sittliche Forderung, den gegebenen Lehren aufmerksam und lernwillig zuzuhören und dann zu schwören, sie richtig anwenden zu wollen. Je länger die Lehren dauern, desto mehr versagt er gegenüber der Forderung wegen der Stärke seines ungeduldigen Triebs nach Mätzli. Was ihm aber gelingt, ist die Gewinnung Mätzlis dadurch, daß er selbstbeherrscht und geschickt seine weitschweifigen Lehrer zu behandeln weiß.

Die fünfte Phase fordert von dem Bräutigam beim Hochzeitsmahl Menschenbehandlung und Sorge für das Wohl vieler Leute. Nur halber Erfolg ist ihm gewährt, teils weil er anfangs die Tragweite der Forderung nicht begreift, teils weil die rohe Triebhaftigkeit und Freßgier seiner Gäste nicht zu befriedigen ist. Immerhin sättigt er alle so weit, daß sie ihn nicht mehr beschimpfen (5812–15), und bei dem folgenden Tanzspiel weiß er sie auch zu unterhalten. Was er immer besser leistet, ist die Meisterung einer unvorhergesehenen, durch frühere Fehler oder durch die Unberechenbarkeit seiner Gäste entstehenden schwierigen Situation: das Abbrechen des Tanzes gibt ein Beispiel seiner Verantwortlichkeit und Erkenntnis der Gefahr und seiner Gewilltheit, sich um des Friedens willen gegen das ganze Dorf zu stellen.

Die sechste Phase stellt Bertschi in mehrere Situationen, in denen er handeln muß. Jede der Handlungen könnte zum Ausdruck reiner Triebhaftigkeit werden, und Bertschi wird in ihnen geprüft, ob sein Handeln nun ein Ausdruck der harmonischen Übereinstimmung von Trieb und Geist ist. Die Brautnacht könnte die animalische Inbesitznahme Mätzlis sein, wie ihr Vergleich Bertschis mit einem Vogelsteller andeutet – Bertschi jedoch handelt aus dem religiös-sittlichen Bewußtsein der Heiligung des Triebs in der Ehe und aus dem Vorsatz der Treue, die er seiner Hausfrau halten wird. – Seine Flucht aus der Schlacht deutet eine Besinnung auf die Sinnlosigkeit des Mordens und die Ungerechtigkeit der Lappenhauser

Sache an, da er nicht feige ist, wie sein Verhalten beim Turnier und später bei der Verteidigung des Heuschobers zeigt: hier wirken also die Angst und die Einsicht zusammen zur weisen Handlung. – Angesichts der totalen Zerstörung der Welt, in der er Besitz, Freunde und seine Frau hatte, ist seine Reaktion zunächst Ohnmacht aus Jammer, dann der letzte Durchbruch zur Selbsterkenntnis, Gottesfurcht und zum Bewußtsein seiner Verfehlungen, die ihn den Weg in die Einsamkeit wählen lassen. In dieser Phase werden also Tat (Handlung in der gegebenen Situation), Menschenbezug (zu Mätzli) und geistiges Streben (Selbsterkenntnis) zu dem harmonischen Menschenbilde zusammengefügt, das Bertschi am Ende seiner Entwicklung darstellt.

Wieder zeigt sich das in der ersten Triade aufgedeckte Kompositionsprinzip der Verzahnung der Teile: in der vierten Phase gelingt ihm sein Zweck durch geschickte Menschenbehandlung, die ihrerseits in der fünften Phase von ihm verlangt wird. Dort rettet er sich durch die Meisterung plötzlich aufkommender Schwierigkeiten, und diese wird in der sechsten Phase zum Hauptthema gemacht. Auf diese Weise, daß immer die folgende Phase das Complement der vorhergehenden ist, sichert Wittenwiler den Zusammenhang der Teile und die Kontinuität der Entwicklung; außerdem wird deutlich, daß sich in dieser Anordnung eine Form des Wirklichkeitsverständnisses ausdrückt, in der die drei Schichten der Dingwirklichkeit, Sozialwirklichkeit und Geistwirklichkeit in ein genau geregeltes Verhältnis gebracht sind. Es ist nun bedeutsam für Wittenwilers Denken, daß die Reihenfolge der drei Wirklichkeiten und damit ihr Complementverhältnis in der zweiten Triade umgekehrt verläuft wie in der ersten, so wie auch die Richtung des Anspruchs, der Forderung in der zweiten umgekehrt verläuft. Zugleich muß man sich erinnern, daß in beiden Triaden die Reihenfolge Versagen – halber Erfolg – Gelingen gleichsinnig verläuft. Daraus ergibt sich folgende Zusammenfassung: fordert der Mensch von der Welt, so befriedigt sie ihn letztlich nur im Geiste; fordert die Welt den Menschen, kann er sich nur in der weisen Handlung bewähren. Imperativisch formuliert: der Mensch soll das Heil im Geiste suchen und soll sich in weiser Handlung einsetzen. Sein Suchen und Hoffen soll nicht auf Dinge und Menschen, sein Geben und Antworten nicht auf Geistiges ohne Wirklichkeitsbasis und Menschenunterhaltung ohne pädagogischen oder sittlichen Zweck gerichtet sein. Im Empfangen der geistigen Durchdringung seines Triebwesens und in der weisen Handlung, in der Trieb und Geist der erkannten Situation gemäß harmonisch zusammenwirken, liegt die Vollendung des Menschen.

Das Gegenteil dieses Idealbildes ist der *gpaur, der unrecht lept und läppisch tuot* (43f.). Unrechtes Leben ist wohl der Geistgerichtetheit entgegengesetzt, läppisches Tun der weisen Handlung. Bertschi beginnt im

Wahn der Ritterschaft und entwickelt sich zu einer sittlichen Durchdringung seines Triebs nach Mätzli, dann beginnt er wieder mit Heuchelei des Lernens und mit Meineid und entwickelt sich zum weisen Handeln in Selbsterkenntnis auf jeder der drei Wirklichkeitsstufen. Daß er die Welt verläßt, geschieht nicht, weil er nicht in ihr zurechtkommt, sondern weil er für die Sünden, Fehler und Versäumnisse büßen muß, die er nachträglich bei sich erkennt.

Es ist also gerechtfertigt und sinnvoll, daß Bertschi den Untergang Lappenhausens übersteht, denn er ist der Einzige, der sich geistig über das Narrentum erhebt. In seiner Entwicklung erfährt der Leser Wittenwilers beispielhaften Nachweis, daß es möglich ist, aus einem „Bauern" ein „Edelmann" (4400f.), aus einem Narren ein Weiser zu werden. Man darf wohl ferner feststellen, daß Wittenwilers Hauptgestalt an Differenzierung, Kontinuität und Individualität [150] ihresgleichen sucht und, die gesellschaftlichen und stilistischen Unterschiede abgerechnet, sich durchaus mit den großen Menschengestalten der hochhöfischen Epik vergleichen kann.

16   In fünf verschiedenen Ansätzen ist gezeigt worden, wie die für das späte Mittelalter allgemein als getrennt angenommenen Sphären des Vitalen und des Geistigen sich bei Wittenwiler in bewußter, selbstverantwortlicher Bemühung des einzelnen Menschen in einem harmonischen Verhältnis verbinden, aber auch wie sie in einseitiger Dominanz dem Menschen bis zur Selbstzerstörung schaden können.

Die Allegorie des Titels ‚Ring' deutet auf eine harmonische Wechselwirkung der beiden Sphären, die innerhalb des Werkes verzerrte Gegenbilder erhält (z. B. Bertschi inmitten der Tänzer).

Diese Wechselwirkung bestätigt sich am Bezug zwischen Lehre und Handlung im Werk und an Wittenwilers Aussagen über den Zweck des Werkes im Prolog.

Die Welt der Handlung zeigt in den Lehrenden eine fein gestufte Skala von Mischungen in dem Verhältnis zwischen vorgebrachter Lehre und wirklichem Verhalten, die von greller Dissonanz bis zur Harmonie führt.

Eine ähnliche Skala entrollt sich bei der Untersuchung, wie solche Mischungsverhältnisse entstehen.

Die Verfolgung der Entwicklung Bertschis durch das ganze Werk zeigt die Entstehung von Artikulationen des Verhältnisses in verschiedenen Wirklichkeitsschichten und unter verschiedenen Anspruchsrichtungen, so

---

150 Brinkmann, Zur Deutung 217, macht auf die „Ansätze zur Individualisierung in der Zeichnung der Menschen" aufmerksam, nennt sie jedoch nur „Kleinigkeiten".

daß hier die stufenweise Abrundung und Vervollkommnung eines Menschenbildes beobachtet werden kann.

Wenn sich Wittenwilers Werk vom gestalterischen Aspekt her als genial erwiesen hat,[151] so ist nun eine Untersuchung der Absicht und der Gedankenwelt des Dichters notwendig, auf die die beobachtete Verbindung von Trieb und Geist schon so viele Hinweise geliefert hat.

§ 2 Einheit und Richtung der Lehre

17 Drei Vorwürfe haben Wittenwiler als Lehrer getroffen: er entscheide sich nicht,[152] seine Lehren seien nicht einheitlich[153] und er bilde kein Ethos, sondern liefere nur eine Moralkasuistik.[154] Solche Feststellungen wiegen besonders schwer, da man in der Didaxe ja weithin den Hauptzweck Wittenwilers erkennen will; es hat deshalb an apologetischen Versuchen auch nicht gefehlt: er sei eben „das Produkt einer traditionsgerichteten Gesellschaft" gewesen, die „alle, selbst widersprechende Überlieferungen als sakrosankt akzeptiert habe",[155] oder sein Lebensgefühl sei das der Entscheidungslosigkeit vor den Gegensätzen der Welt;[156] die bloß exemplifizierende Moral wird als Produkt einer notwendigen Zersetzung des Universalismus der scholastischen Philosophie und des ritterlichen Ethos verstanden, die diese in der „Berührung mit dem Bürgertum" erfahren mußten.[157] Da man gerade den ‚Ring' als Hauptzeugen für den erst noch zu erkennenden Geist des späten Mittelalters versteht,[158] liegt in solchen Erklärungen aus dem Zeitgeist ein Zirkelschluß vor, der um so vitioser wird, je geringer die Zahl der anderen Werke ist, in denen die spätmittelalterlichen Gegensätze wirklich aufeinanderprallen und in denen ihr Verhältnis als sicher erkannt gelten darf: der „Ackermann" ist immer noch umstritten, das Verhältnis zwischen Schwank und Ernst im religiösen Spiel noch nicht ganz geklärt.

Im Gegensatz zu solchem Mangel an geistiger Konsistenz hat man Wittenwiler im Bereich der Gestaltung außergewöhnliche Einheitlichkeit zugestanden. „Einheit des Stils" stellt Sowinski fest, die der durchgängigen

---

151 Der Vorwurf der Formlosigkeit, den Baechtold, Geschichte der deutschen Literatur in der Schweiz 189 gemacht hat, kann wohl als beseitigt gelten.

152 In bezug auf die Debatten Martini, DVjS 219; Wessels, Ring als Groteske 207; Brinkmann, Zur Deutung 216; Ranke, Zum Formwillen 315f.

153 So besonders Jones, Übersetzung 176ff.

154 Sowinski, Realismus 103.   155 Jones, Übersetzung 177.

156 So z. B. Ranke, Zum Formwillen 315–320.   157 Sowinski, Realismus 103.

158 So etwa Ranke, Zum Formwillen; Brinkmann, Zur Deutung.

didaktischen Haltung entspreche,[159] Jones findet „einen erstaunlichen Grad literarischer Einheit", der sich im Auftreten der Autorenpersönlichkeit, im Stil, in der Führung und Charakteristik der Personen ausdrücke.[160] Sollte also, wie Brinkmann annimmt, die Ordnung nur noch formal bestehen, das Inhaltliche aber „den Charakter einer scharfen Konfrontierung tragen"?[161]

Nun haben wir im Vorhergehenden bereits die formale Erscheinung des inhaltlichen Hauptproblems – des Verhältnisses zwischen Trieb und Geist, Leben und Lehre – untersucht und Wittenwilers Bemühung um feine Artikulation und Differenzierung sowie sein Ideal einer wirkenden Harmonie beider gefunden. Hier scheint also ein Bestreben nach Einheitlichkeit zu herrschen, das dem formalen Befund entspricht, nicht entgegenläuft, wie man allgemein annahm.

18   Nun wurde die Ehedebatte immer wieder als Musterbeispiel dafür zitiert, wie Wittenwiler in der formalen Einheit des Streitgesprächs den Widerspruch unaufgelöst stehen lasse, weil nur im Gegensatz die Wahrheit liege.[162] Man führt dazu die Stelle an, wo Colman *die warhait gar Mit red und widerred* erfahren möchte (3275f.).[163] Gerade diese Stelle sollte jedoch als Beleg für Wittenwilers Absicht benutzt werden, auch in strittigen Fragen zu einem eindeutigen Ergebnis zu kommen. Colman hat nämlich gegen eine Äußerung der Laichdenman (3250–52) einen Einwand gemacht (3253–60); diese ärgert sich über die Unterbrechung ihrer Suada ausgerechnet durch den, der sich zuvor als lernbegierig ausgegeben hatte (3205–8), und wirft ihm nun vor, er kritisiere und tadle, statt anständig zuzuhören (3263–70). Daraufhin protestiert er: sein Einwand sei aus der Widersprüchlichkeit der (biblischen) Lehre entstanden (3277), und es sei ihm nur darum gegangen, in Rede und Gegenrede die Wahrheit zu erfahren (3275f.) und den Zweifel auszuräumen (3277f.). Colman sagt also nichts über den Charakter der Wahrheit aus, die etwa nur *als* Widerspruch erfaßt werden könnte, sondern er schlägt nur das Lehrgespräch anstelle des Lehrvortrags vor. Auch der Fortgang von Laichdenmans Ausführungen bestätigt das: sie geht auf seinen Gesichtspunkt ein, stellt die zwei Texte noch einmal gegeneinander (3291–96) und löst dann den Widerspruch durch glossierende Auslegung auf (3287f., 3301–10), indem sie ihre eindeutige Absicht kundtut, *die widerwärtikait zu gleichen* (3298f.). Mö-

---

159 Sowinski, Realismus 96.   160 Jones, Übersetzung 138–141.
161 Brinkmann, Zur Deutung 208.
162 Martini, DVjS 219; Boesch, Phantasie 141; Ranke, Zum Formwillen 315f.; Brinkmann, Zur Deutung 216.
163 Sowinski, Realismus 49.

gen ihre Glossen auch „spitzfindig genug klingen":[164] die Absicht wird doch deutlich, Zweifel und Widersprüche zu beseitigen und zu einer einsinnigen Wahrheit zu kommen. Dies geht mit wünschenswerter Klarheit aus der siebten Anweisung des Schülerspiegels hervor:

> Daz sibend, sam der lerer spricht,
> Ist daz zweiveln in der gschrift,
> Ist, daz er sich nicht betragen
> Lat an fündlen und an fragen. (3904–7)

Diese Stelle beweist geradezu, daß es Wittenwiler darauf ankommt, durch unablässige Kritik zur Wahrheit vorzustoßen und sich nicht mit der bloßen Tradition zufriedenzugeben, sei sie widersprüchlich oder nicht.[165]

Die Ehedebatte als Ganzes scheint nun dieser angestrebten Einsinnigkeit der Wahrheit zu widersprechen, insbesondere ihr Ende. „Offensichtlich will der Dichter hier nichts weiter als beide Seiten der Frage beleuchten; für ihn halten die entgegengesetzten Meinungen einander die Waage; die Entscheidung fällt im Roman, aber nicht vom Dichter aus, der beiden Parteien Recht gibt."[166] „Die theoretisch unergründbare Entscheidung trifft aber vor allem das Leben selbst, das Trieb zu Trieb zwingt."[167]

Die zitierten Ansichten werden einmal damit begründet, daß Wittenwiler die Ehedebatte in ihrer ganzen Länge mit der roten Linie begleitet, die nach seiner Vorrede den ernst (40) bedeutet, zum andern damit, daß kurz vor der erlösenden Entscheidung des Dorfschreibers „die Bauern sich endlich fast schwindelnd im närrischen Kreise drehen".[168] Die Beobachtung der roten Linie ist richtig, ihre Bedeutung jedoch sehr umstritten.[169] Der Hinweis auf die Verwirrung der Bauern durch die Vielzahl ihrer eigenen Argumente bezieht sich nicht, wie stillschweigend vorausgesetzt, auf die ganze Ehedebatte, sondern nur auf ihren dritten Teil: in zwei vorhergehenden Teilen sind eindeutige Entscheidungen gefallen; Wittenwiler kann nicht unterstellt werden, er komme zu keinem Urteil.

---

[164] Wießner, Kommentar zu 3291ff.

[165] Man könnte einwenden, daß Wittenwiler im Schülerspiegel sich wohl auf eine Quelle stütze und den Gesichtspunkt eben von ihr übernommen habe. Das würde aber erstens genau dem Auftrag der Verse 3904–7 widersprechen; zweitens wird sich zeigen, daß die Lehren im ‚Ring' durchweg miteinander vereinbar sind und daß deshalb die Annahme gerechtfertigt ist, Wittenwiler habe seine Quellen sehr bewußt gewählt. Vgl. übrigens Anm. 123.

[166] Ranke, Zum Formwillen 316.

[167] Martini, DVjS 219; vgl. Brinkmann, Zur Deutung 216; Wessels, Ring als Groteske 207.

[168] Martini, DVjS 219, bezogen auf v. 3498–3502.

[169] Eine Erklärung wird in Anm. 278 versucht.

Die Debatte wird durch eine *ratiocinatio*[170] Bertschis eingeleitet:

> *Ich mag nicht lenger sein an weib,*
> *Scholtz mich chosten meinen leib.*
> *Ich han mir eineu ausderkorn,*
> *Die mir ze sälden ist geporn.*
> *Ich muoss sei han, es tuot mir not:*
> *Anders ich würd ligen tot.* (2659–64)

Hier sind in genialer Weise sowohl die Themen der folgenden Debatte wie auch die Sinnlosigkeit der Debatte unter den gegebenen Umständen genannt: der erste Satz *(propositio)* berührt die Frage des Heiratens überhaupt, der zweite *(assumptio)* die Heirat mit einem bestimmten Mädchen, die Todesdrohung im dritten macht die Debatte überflüssig, die Bitte um Rat närrisch.

Das Thema des ersten Teils der Debatte (2668–3425) ist denn auch die *quaestio infinitia*, ob man überhaupt heiraten solle; er endet mit dem Eingeständnis Colmans, daß er von Laichdenman besiegt ist (3421–25). Laichdenman hat sich zugunsten des Heiratens eingesetzt: somit liegt hier eine Entscheidung Wittenwilers vor. Das Thema des zweiten Teils (3426–92) ist die *quaestio finita*, ob Bertschi gerade Mätzli nehmen solle. Auch hier widerlegt die schnellzüngige Alte ihren Gegner Punkt für Punkt und beschließt mit einer *ratiocinatio*:[171]

> *Hörr zuo, was der weis gepeut!*
> *Von rehter liebschaft sich die leut*
> *Nemen schüllen, nit umb gelt,*
> *So sein seu sälig in der welt.*
> *Nu dar, so hat seu Bertschi lieb!*
> *Dar umb so sing ich im das lied:*
> *Pertschi Mätzen nemen schol*
> *Zuo seinem weib, so tuot er wol!* (3485–92)

Der Bräutigam stimmt freudig zu und markiert damit das Ende des zweiten Teils; Colman schweigt jedoch dieses Mal: Laichdenmans Argumente haben ihn wahrscheinlich nicht überzeugt.

---

170 Vgl. Lausberg, Handbuch § 371. Die Form ist sehr sauber: die Reihenfolge von allgemeiner *propositio*, spezieller *assumptio* und folgender *complexio* ist gewahrt; jeder Teil erhält zwei Zeilen; das anaphorische *Ich* betont sowohl die Zusammengehörigkeit der Sätze wie die Dreiteiligkeit des Ganzen.

171 Der Bau ist diesmal nicht so symmetrisch, obwohl die Reihenfolge von allgemeinem Satz (3486–88), speziellem Fall (3489) und Schluß daraus (3490–92) gewahrt ist.

Deshalb wohl wächst sich die Debatte in einen dritten Teil aus, von dem es nur heißt:

> *Noch ward der tädinch also vil*
> *Hin und wider ze dem zil*   (3495f.)

Eigentliches Thema hat dieser Teil nicht mehr, er ist eine Art *nachturner*, in dem jeder noch einmal sich reden und den andern übertrumpfen hören will, obwohl die Fragen schon gelöst sind. Hier wird dann endlich der Dorfschreiber um einen Schiedsspruch gebeten. Dieser Teil hat wohl zwei Funktionen: einmal spottet Wittenwiler über die Streithähne, die sich auch dann noch nicht beruhigen können, wenn schon alle Fragen vernünftig entschieden sind. Zum andern schafft er sich die Gelegenheit zu einer zweiten Formulierung der Voraussetzungen zu einer rechten Ehe, die von der ersten Formulierung durch Laichdenman wesentlich abweicht.[172] Man darf also Wittenwiler keinesfalls den Vorwurf der Entscheidungslosigkeit machen: in der allgemeinen Frage nach der Ehe überhaupt entscheidet er sich eindeutig für die Ehe; die zweite Frage, ob Bertschi ausgerechnet Mätzli heiraten solle, läßt er vielleicht eher unentschieden: Colman gibt sich nicht geschlagen, und Bertschi möchte seine Angebetete als die genaue Erfüllung der Bedingungen des Dorfschreibers verstehen (3526–28), was ja offensichtlich nicht der Fall ist.[173]

19   Nun könnte es aber sein, daß sich Wittenwilers tiefere Entscheidungslosigkeit darin ausdrückt, daß er die in der Debatte gegensätzlichen Argumente einfach nebeneinander bestehen läßt, ohne sie gegeneinander auszuspielen.[174] Damit würde man implizieren, daß die Ehedebatte kein wirkliches Streitgespräch ist: denn sobald man zugesteht, daß wie im Streitgespräch Argument und Widerlegung gegeneinander stehen, muß man auch anerkennen, daß wenigstens Teilergebnisse erzielt werden. Genauere Betrachtung zeigt, daß das letztere der Fall ist.

Auf Bertschis Bitte antwortet zunächst Farindkuo, der ihn auf die Narrheit aufmerksam macht, in einer Sache Rat zu suchen, die er schon entschieden habe; bei der Ausführung wolle er ihm dagegen helfen (2668 bis 2678). Bertschi bittet aber weiter um Rat; Gumpost bezeichnet nun die Ehe als heiliges und gutes Vorhaben, zu dem er aber wegen der Verwünschungen nicht raten wolle, die den Ratgeber später sicherlich träfen (2688–96). Rüerenmost prophezeit Reue, ob man heirate oder nicht, und

---

172 Darüber vgl. Abschnitt 26.
173 Von Wittenwiler grün bezeichnet. Vgl. ebenfalls Abschnitt 26.
174 So z. B. Martini, DVjS 219.

stürzt den schon unsicher gewordenen Bertschi vollends in Angst und Not (2705–20). Die drei ersten Redner überlassen also die Entscheidung Bertschi, der sie ja schon getroffen hat; gute und schlechte Seiten gleichen sich für Gumpost und Rüerenmost aus.[175]

Erst mit Fesafögili fängt die Einseitigkeit an: ohne Vorhergehendes zu widerlegen, bezeichnet er die Ehe als die schlechtere Wahl (2724–30). Dieser nur auf Hörensagen gestützten Ansicht (2727) wird widersprochen von der ungeduldigen Scheissindpluomen. Sie behauptet zunächst ebenso unbegründet, Fesafögili habe seinerseits das schlechtere gewählt und sei deshalb ein Narr (2734–40). Dann argumentiert sie: besser als arm und elend zu bleiben sei es für den Mann, von einem wohlgetanen Weib gepflegt zu werden, denn die vernünftigste Sorge eines arbeitenden Mannes sei seine Gesundheit (2741–50). Damit hat sie zwar Fesafögili nicht widerlegt, denn der hatte nur eine Ansicht geäußert ohne sie zu begründen. Doch hat sie ihre eigene Ansicht begründet und ist auch auf den ehefeindlichen Teil von Rüerenmosts Aussage eingegangen,[176] jedoch ohne ihn zu widerlegen.

Während bisher über die Ehe gesprochen wurde, greift nun Snellagödili ein Thema auf,[177] das insgesamt drei Rednerpaare beschäftigen wird: die Frage nach der Natur des Weibes. Er bringt sprechende Beispiele für seine Ausgangstendenz:

> *Wiss, das besser ist ze sterben*
> *Dann ein böses weib erwerben* (2755f.)

Während er nicht mehr als das in der Sentenz Enthaltene behauptet und belegt (2752–82), scheint Follipruoch anzunehmen, er habe die ganze Frauenwelt als böse bezeichnet (2784–86), widerlegt das mit dem Gedanken, es gebe überall Gutes und Böses, und preist dann die Vorteile des guten Weibes (2784–2804). Einen Nebengedanken Follipruochs, man solle sich eine Frau in der Nähe suchen (2788), weil man sie dann schon kenne, greift Havenschlek heftig an: jeder Mann werde mit seiner Frau betrogen, ihre Unvollkommenheiten kämen immer erst nach der Eheschließung ans Licht (2805–18). Ihm widerspricht Erenfluoch mit dem Rechtsgrundsatz, man müsse jeden als gut ansehen, dessen *böseu list* nicht erwiesen sei (2829–32). Damit hat sie aber Havenschleks allgemeinen Begriff *tädel*, der sowohl äußere Unvollkommenheiten als auch moralische Schwächen bezeichnen kann, auf das bloß moralische Wesen der Frauen eingeschränkt (*Daz iecleich weib schol übel wesen*); nur so kann sie den Rechtsgrundsatz

---

175 Martini DVjS 219 behauptet pauschal, die Männer sprächen gegen, die Frauen für die Ehe. Ebenso Wießner, Ausgabe 8.

176 Vgl. Wießners Kommentar zu 2747ff. Sie spielt im Grunde nur mit seinen Begriffen.

177 Die Anregung dazu findet sich in dem Ausdruck *ein frawen wol getan* (2742).

anwenden und Havenschlek widerlegen, denn die Unvollkommenheit des Menschen im allgemeinen läßt sich nicht ableugnen (vgl. 3723f.). – Gegen Erenfluoch wendet nun Nagenflek ein (2833–40), nach Aussage der Bibel sei jede Frau von Natur *unkeusch gar an irem leib* (2840). Sie hatte argumentiert, nicht jedes Weib könne böse sein, hatte also das ganze moralische Wesen der Frau im Auge. Nagenflek widerlegt sie nicht in der ganzen Breite ihrer Aussage, sondern nur speziell bezüglich der Keuschheit.[178] Wie Erenfluoch nur einen Teil der Behauptung Havenschleks widerlegt, so auch Nagenflek nur einen Teil der Behauptung Erenfluochs; in beiden Fällen bleibt ein weiter Bereich der Behauptung unangetastet. – Darauf weist nun Snattereina hin:

> Sei sprach: ,Und ist es noch nicht wett,
> So hörr noch eins: daz sag ich dir!
> Wer nach seines hertzen gir
> Leben wil, der tuot nicht recht,
> Es sei ritter oder knecht;
> Dar umb so hat uns got gegeben
> Beschaidenhait, nach der wir leben
> Gmainchleich und nit sam die hund
> Den kain er ist worden chunt.'   (2842–50)

Durch das Zitat von der Unkeuschheit der Frauen ist das Argument in seiner ganzen Breite *noch nicht wett* gemacht worden; deshalb beschließt Snattereina die Diskussion über das Wesen der Frau mit einem für den ,Ring' hochwichtigen Gedankengang. Sie anerkennt die Existenz des menschlichen Triebwesens *(hertzen gir)*, dem allein zu folgen jedoch *nicht recht* und tierisch wäre; dem Triebwesen ist die gottgegebene *beschaidenhait*, die Einsicht in das Rechte, zugeordnet und lenkt es im allgemeinen. Mögen also die Frauen unkeusch sein nach ihrer Natur, so können sie doch mit Hilfe der Einsicht recht leben und handeln.

Diese Debatte über das Wesen der Frau, die von drei Rednerpaaren durchgeführt wird (2751–2850), hat Wittenwilers Technik deutlich gemacht. Jedes folgende Argument bezieht sich auf das vorhergehende, verwandelt es jedoch inhaltlich so, daß es widerlegbar wird; meist geschieht das durch Einschränkung des Argumentbereichs auf einen spezifischen Fall oder Ausschnitt. Zweifellos zeigt sich hier die Ironie des Dichterjuristen, zugleich erzielt er damit aber auch zweierlei: die allmähliche Zuspitzung des Allgemeinen auf ein gedankliches Zentrum, dessen Erfassung das Ganze mitbegreift, und den mosaikartigen Ausbau eines Gesamtbildes

---

178 Dieses Verhältnis von allgemeiner Behauptung und eingeschränkter, teilweiser Widerlegung hat Wießner, Kommentar zu 2837–40 nicht bemerkt.

durch die in jedem Argument unwiderlegten „Reste". Zentrum der Debatte, von dem aus alle angeschnittenen Probleme lösbar werden, ist die
polare Ergänzung der *hertzen gir* durch die *beschaidenhait,* die ein rechtes
Leben möglich macht. Die inhaltlichen „Reste", im Zusammenhang gesehen, ergeben ungefähr folgenden Gedankengang: es gibt gute und böse
Frauen; jede Frau ist zwar unvollkommen, aber nicht total böse; zu ihren
Unvollkommenheiten gehört die Unkeuschheit, die aber durch gottgegebene Einsicht in das Rechte aufgehoben werden kann.

Vergleicht man übrigens mit der hier aufgedeckten Bauform der Teil-
debatte über das Wesen der Frau die Definition des Weisen, so zeigt sich
eine strukturelle Übereinstimmung:

> *Ein weiser man der chan her zellen*
> *Alleu stuk und dar aus wellen*
> *Was daz besser wesen schol*   (2735–37)

Hier erscheint die Notwendigkeit der Totalität *(alleu stuk)* und zugleich
des Zentrums, das aus der Totalität ausgewählt wird und ihr für die bestimmte Situation Wirksamkeit in der weisen Handlung verleiht. Ebenso
läßt Wittenwiler in der Debatte über das Wesen der Frau die Totalität
der Gesichtspunkte sich als unwiderlegte Argumentreste langsam runden
und führt zugleich auf den zentralen Gesichtspunkt hin, von dem aus die
Gesamtproblematik erfaßbar wird. Wir sind hier anscheinend auf eine
Grundstruktur des Wittenwilerschen Denkens gestoßen. Sie liegt auch der
Allegorie vom Ring und dem edlen Stein zugrunde.

Die nun folgende Partie der Debatte hat neues Thema und neue Technik. Die von Schlinddenspek aufgezählten Sorgen des Hausvaters (2851
bis 2864) werden von Töreleina in fast der gleichen Reihenfolge einzeln
besprochen und als durchaus tragbar dargestellt (2865–2936). Ebenso widerspricht Jungfrau Fina (2967–3026) den von Ofenstek (2937–66) dargestellten Unannehmlichkeiten des Ehemanns, die aus besonderen Eigenschaften der Frau entstehen sollen (Alter–Jugend, Armut–Reichtum). Hier
herrscht also die Technik der Widerlegung Punkt für Punkt.[179] Diese wird
bis zur bissigen Polemik gesteigert in dem abschließenden Redekampf
zwischen Colman und Laichdenman,[180] in dem es um die Fragen der Heiligung des Lebens in der Ehe, um Frauenkrankheiten und Kindersorgen

---

[179] Angesichts dieser Partie ist es unverständlich, wie etwa Martini DVjS 219
sagen kann, der Streit ermögliche, „das Pro und Contra in aller Fülle entscheidungslos auszubreiten, einen Ehespiegel in doppelter Brechung vorzuführen, ohne daß ein Ergebnis erzielt werden kann". Wenn Spruch und Widerspruch zu einem Ergebnis führen, dann auch hier, wo die Argumente des
Vorredners jeweils Punkt für Punkt widerlegt werden.
[180] Vgl. die Analyse in Wießners Kommentar zu 3165ff.

geht. Den Schluß der Debatte über die allgemeine Frage, ob ein Mann heiraten solle, markiert Colmans Eingeständnis seiner Unterlegenheit.

Ein Blick auf den Aufbau der Debatte über diese allgemeine Frage kann die Absicht des Dichters und seine Einstellung zu den diskutierten Problemen verdeutlichen. – Da Farindkuo, der erste Redner, keinen Rat, sondern nur Hilfe geben möchte, fängt die Behandlung der Frage erst mit Gumpost, dem zweiten Redner an. Dieser hat wie auch sein Nachfolger Rüerenmost keine Gesprächspartnerin, die auf seine Argumente antwortet; von Fesafögili ab ist das immer der Fall: Gumpost und Rüerenmost beleuchten je beide Seiten ihrer Themen, während von Fesafögili ab alle Männer einseitig gegen die Ehe sprechen, so daß sie von den einseitig für die Ehe sprechenden Frauen jeweils thematisch ergänzt und widerlegt werden müssen. Auf diese Weise entstehen neun thematische Einheiten, die von neun Männern und sieben Frauen besprochen werden:

Männer	Frauen	Diskutierte Teilprobleme	Teilthemen der Debatte
Gumpost		Ehe gut, will nicht zuraten	
Rüerenmost		Reue, ob Ehe oder nicht	I. Ehe allgemein
Fesafögili	Scheissindpluomen	Ehe schlecht / Ehe gut	
Snellagödili	Follipruoch	böses Weib / gutes Weib	
Havenschlek	Erenfluoch	Betrug / nicht alle sind böse	II. Wesen des Weibes
Nagenflek	Snattereina	alle sind unkeusch / Ausgleich	
Schlinddenspek	Töreleina	Sorgen / sie sind tragbar	
Ofenstek	Junchfraw Fina	Unannehmlichkeiten / vermeidbar	III. Sorgen u. Verant- wortungen
Colman	Laichdenman	Probleme Gott, Frau, Kind / widerlegt	

Die neun diskutierten Teilprobleme, die in der Aufstellung durch Stichworte noch einmal bezeichnet sind, ordnen sich triadisch wieder den angedeuteten Teilthemen der Debatte unter, so daß diese sich aus drei Teilen aufbaut; deren Themen gehen merklich vom Allgemeinen ins Besondere. Parallel mit dieser Entwicklung der besprochenen Gegenstände verändert sich die Debattiertechnik:

In Teil I stehen die Ansichten so gegeneinander, daß keine Entscheidung möglich ist; die Entwicklung geht von Gumposts halb verweigertem Rat über Rüerenmosts „so und auch so" bis zum „so oder so" des ersten Rednerpaares; Ausgleich, Ergebnis wird nicht erzielt, da Argumentation oder Versuch, den Gegner durch Gründe zu widerlegen, fehlen. Da Wittenwiler in diesem Teil offenbar bewußt jede Spezifikation der allgemeinen Frage nach der Ehe vermeidet, ist eine Entscheidung hier tatsächlich unmöglich. – Sie wird möglich, sobald durch die Frage nach dem rechten Ehepartner das allgemeine Problem auf die Hauptsache spezifiziert wird. In Teil II wird die Frage nach dem Wesen des Weibes diskutiert und Schritt für Schritt zu dem Ende gebracht, daß die recht lebende, gute Frau ihre angeborene Triebhaftigkeit durch gottgegebene Einsicht lenken kann und soll. Entsprechend ändert sich die Technik: die vorgebrachten Gesichtspunkte werden durch jeweils begrenztere Gegenargumente teilweise widerlegt, so daß immer unwiderlegte Restargumente stehen bleiben. Diese ergeben schließlich, zusammengenommen, eine klar entschiedene Stellung zugunsten der Frau und damit der Ehe. – Auf der so gewonnenen Basis können in Teil III die Rednerinnen die von den Männern vorgebrachten Einzelargumente Punkt für Punkt widerlegen: nachdem das Allgemeine gesichert ist, ergibt sich das Einzelne gewissermaßen von selbst. Diese Art der Widerlegung steigert sich von der klaren, sauberen Erledigung aller aufgeworfenen Fragen durch Töreleina bis zur gehässigen, auch Nebensächlichkeiten mit höhnischer Pedanterie aufgreifenden Polemik Laichdenmans, mit der sie Colman erledigt. Bezeichnend ist, daß das inhaltliche Schwergewicht auf Teil II liegt; Teil III gewinnt dadurch den Charakter des glänzend gefochtenen Redeturniers, das mehr auf die Zuhörer wirken soll als auf die Lösung einer zentralen Frage. – Betrachtet man die Entwicklung der Debattiertechnik, so stellt man eine kontinuierliche Steigerung der Schärfe des Bezugs zwischen den Rednern und der Gerichtetheit ihrer Argumente fest. Mittels der gemäßigten Technik des Teils II wird die entscheidende Erkenntnis gewonnen, daß die Frau im göttlichen Sinne recht leben kann, und daß damit der Ehe kein Hindernis entgegensteht.[181]

---

[181] Diese Erkenntnis ist Voraussetzung für die Lösung der einzigen gewichtigen Frage in dem Redeturnier zwischen Colman und Laichdenman: Colman macht das Bibelwort geltend, niemand könne zwei Herren dienen; da man Gott dienen müsse, dürfe man also nicht heiraten (3087–93). Laichdenman widerlegt ihn mit dem Gedanken, das Wort sei nur zutreffend, wenn die zwei Herren *enander wider* seien; die Frau sei aber *der tiefel nicht;* somit könne die Ehe Gott nicht widersprechen (3397–3408). Der in der *assumptio* über die Frau geäußerte Gedanke, auf dem die Richtigkeit des Schlusses mit beruht, findet seine einzige Stütze in dem Teil II der allgemeinen Debatte, wo nachgewiesen wird, daß die Unkeuschheit der Frauen nicht zur totalen Bosheit führt, sondern durch *beschaidenhait* ausgeglichen werden kann.

Der triadische Bau, schon von der Einteilung des ‚Ring' im ganzen und von der Entwicklung Bertschis her bekannt, bestimmt den allgemeinen Teil der Ehedebatte auf zwei Ebenen, auf der Ebene der Teilthemen und auf der der Sprecher, die jeweils die Teilthemen behandeln. Nun ist aber die Diskussion der allgemeinen Frage der erste von drei Teilen der Ehedebatte: die Behandlung der spezifischen Frage, ob Bertschi Mätzen heiraten solle, und eine uferlose themenlose Argumentiererei folgen nach. Da das Thema nur eine allgemeine und eine spezielle Formulierung zuläßt, scheint dieser dritte Teil der Diskussion auch um der Verwirklichung des triadischen Prinzips willen eingeführt. Wittenwilers Hauptzweck dabei ist, wie schon bemerkt, sicher die zweite Formulierung der Ehevoraussetzungen durch den Dorfschreiber. Formal entspricht dessen Isolierung übrigens der des ersten Redners Farindkuo, wie er inhaltlich seinen größten Gegensatz darstellt: der Dorfschreiber stellt Bedingungen, die die sittliche Reife und den tugendhaften Willen des Freiers und der Braut betreffen; Farindkuo dagegen nimmt die Nötigung Bertschis durch den Trieb als gegeben hin und lehnt den Rat ab, den, entgegen dem eigenen Triebwesen, Bertschis sittlicher Wille erbittet. Rechtfertigung durch den Trieb und Rechtfertigung durch den Geist bilden also die Eckpositionen der Ehedebatte. Im Innern der Debatte entspricht der Haltung des Dorfschreibers Snattereinas Ausgleich zwischen *hertzen gir* und *beschaidenhait,* den ein rechtes Leben voraussetzt; umgekehrt ist die Position der Laichdenman, Liebe sei die einzige Voraussetzung zu einer guten Ehe (3485–88), der Ansicht des Farindkuo sehr nahe; allerdings tendieren die Eckpositionen beide zur Einseitigkeit, während die im Innern der Debatte erscheinenden Positionen zum Ausgleich streben: bei Snattereina ist das klar, und auch Laichdenman spricht von *rehter* Liebe als Voraussetzung der Ehe. So stehen die beiden Gesichtspunkte als einfache Ansichten gegen Anfang und dann als Voraussetzungen für eine gute Ehe gegen Ende der Debatte und geben ihr dadurch einen festen gedanklichen Rahmenbau.

Am Beispiel der Ehedebatte im ‚Ring' sollte gezeigt werden, daß Wittenwiler auch hier gedankliche Entscheidungen fällt und mit meisterhafter Sicherheit der Gesprächsführung herleitet. Verschiedene Argumentationstechniken vom bloßen Aussprechen einer Ansicht bis zur detailliert argumentierenden Polemik werden dem jeweiligen Thema angepaßt; Wittenwiler bevorzugt deutlich eine gemäßigte, nur auf Wahrhaftigkeit ausgehende Argumentation, wo durch die Widerrede nicht der Gegner vernichtet, sondern nur das Einseitige seines Gedankens ergänzt, das Richtige bestätigt und das Falsche widerlegt wird. Wittenwilers Hauptentscheidung ist die für den lebendigen Ausgleich zwischen Trieb und Geist; sie wird mit dieser Form der Argumentation herbeigeführt. Wenn am Ende der Debatte als Voraussetzungen für die Ehe Trieb (Liebe) einerseits und Geist (sittlicher Wille) andererseits relativ einseitig formuliert werden, wenn also die gewonnene Harmonie wieder auseinanderzubrechen scheint, so muß man beachten, daß beide Formulierungen mit der Debatte selbst nichts mehr zu tun haben: Laichdenman hat alle Vorbehalte Colmans gegen Mätzli widerlegt und fügt am Ende ihrer Rede als neuen, gänzlich undiskutierten Gesichtspunkt die Voraussetzung der Liebe für die Ehe ein; dasselbe trifft für den Dorfschreiber zu. Beider Argumente werden nicht in der Diskussion geprüft, sondern nur durch ihre Autorität getragen, die sie wie Laichdenman in der Debatte sich erworben oder wie der Dorfschreiber durch Belesenheit besitzen. Die Bedeutung dieser beiden Ehebedingungen ist funktional im Hinblick auf Bertschis Entwicklung, wie sich gezeigt hat (Abschnitt 10): in ihm allein soll sich die Harmonie beider Sphären verwirklichen. Neben der Erkenntnis, daß Wittenwiler auch im Streitgespräch eindeutig Stellung bezieht, haben sich noch zwei wichtige Dinge ergeben: Einblicke in den meisterhaften triadischen Bau des Gesprächs, und Hinweise darauf, daß gewisse Zentralbegriffe in Wittenwilers Denken ganz präzise Bedeutung und feste systematische Verbindung untereinander haben. Diesen Begriffen und ihren Verbindungen soll nun nachgegangen werden.

20   Ein Hauptergebnis der Untersuchung über das Verhältnis von Lehre und Leben war die Erkenntnis, daß das bloße Wissen für Wittenwiler keinen Wert in sich selbst hat, sondern daß es sich erst in der Anwendung bewährt. Ein Großteil der Lehren im ‚Ring‘ wird von Menschen erteilt, die ihrem Wesen nach *gpauren* sind, deshalb nämlich, weil sie entweder ihren eigenen Lehren zuwider handeln oder die Lehren dann erteilen, wenn der Schüler unaufmerksam oder abgelenkt ist. So erhält Bertschi die wichtigsten Lehren zu einer Zeit, wo er darauf brennt, sein schon beinahe versprochenes Mätzli vollends zu bekommen; der Erfolg ist, daß er den Unterricht einfach „absitzt“. Nicht daß er nicht zuhörte – er erinnert sich später noch im einzelnen an die vorgetragenen Lehren –: der Fehler ist, daß er das Gehörte nicht mit dem guten Willen aufnimmt, es auch anzuwenden, also daß er nur hört, aber keine Haltung ausbildet. Am Ende der in Fritzos Haus gegebenen Lehren wird Bertschi deshalb nicht gefragt, ob er sich alles gemerkt habe, sondern ob er auch alles *tun* wolle.[182] Und Bertschi bekräftigt eidesstattlich,

---

[182] Die grüne Linie scheint mir ein Beweis für das oben Gesagte: die Frage Fritzos ist dumm, denn er müßte wissen, daß Bertschi nur an Mätzli denkt. Die rote Linie vor Bertschis Antwort hingegen weist auf die List hin, mit der er sich zu seinem Ziel verhilft, wenn auch durch einen Meineid und mit triebhaftem Ziel. Rote und grüne Linien dürfen nicht nach moralischen Gesichtspunkten verstanden werden.

> *Ze allen dingen sein berait,*
> *Die ein fromer, weiser knecht*
> *Laisten scholt und tuon von recht.* (5212–14)

Es geht also um die Bereitschaft zum Handeln gemäß der Lehre, nicht bloß um die Lehre selbst. Der gute Wille ist dementsprechend die zentrale Voraussetzung aller Tugend:[183]

> *So wil sei anders von dir nicht*
> *Dann guoten willen, sam sei spricht;*
> *Won der im gerne tugend schaft,*
> *Der ist ieso tugenthaft.* (4424–27)

Der gute Wille steht sogar höher als die Weisheit, ohne die niemand eine andere Tugend haben kann (4465f.); Bertschi muß erst lernen wollen, was die Tugenden, zum Beispiel die Weisheit, von ihm verlangen:

> *Dar umb, mein lieber sun, vil gern,*
> *Was die tugend singin, lern!* (4454f.)

In diesem Primat des Willens wie auch in der Skepsis gegenüber der bloßen Lehre scheint sich ein nahes Verhältnis Wittenwilers zu scotistisch-nominalistischen Gedankengängen abzuzeichnen. Dies wird noch deutlicher, bedenkt man Bertschis Entwicklung zur ausgeprägten Individualität, während seine Lappenhauser Gesellen mit der Masse untergehen.

Auch die Entwicklung Bertschis zeigt das Verhältnis zwischen gutem Willen und Einsicht. In der ersten Phasentriade erweist sich durchweg sein guter Wille zur rechten Handlung, doch versucht er Dinge, die nicht zu ihm, seinem Stand und seiner Situation passen – Einsicht fehlt also. In jeder Phase gewinnt er jedoch eine Teileinsicht und lernt bestimmte Techniken. Mit dem Moment, wo in der zweiten Phasentriade Forderungen an ihn gestellt werden, die seinem Trieb zuwiderlaufen, geht der gute Wille zum Rechten verloren, und erst angesichts der verheerenden Folgen seiner Nachlässigkeit gewinnt der Bräutigam ihn wieder. Am Ende bestätigt er sich selbst, daß es am guten Willen gefehlt habe, nicht an der weisen Lehre, die er so reichlich bekommen, aber nicht beachtet habe (9679–83).

Bertschis Schwierigkeit liegt also in der Gewinnung von Einsicht und in der Erhaltung des guten Willens. Die Einsicht in das Richtige ist anfangs nicht vorhanden und wächst dann ständig im Verlauf der Entwicklung. Der gute Wille ist anfangs da und bleibt ungestört, solange er mit dem Trieb zur Gewinnung Mätzlis parallel läuft.[184] Wo er ihm widerspricht,

---

[183] Vgl. Martini, DVjS 213.
[184] Er ist nicht identisch mit dem Trieb, denn Bertschis erste Handlung ist ja

geht er zunächst verloren; beim Hochzeitsmahl, wo die Fresser ihn wegen Mangels an Getränk beschimpfen (5812ff.) oder wo der Sänger Guggoch den Fischen nachweint (5936ff.), kommt ihm langsam wieder der gute Wille, die schiefe Situation ins Lot zu bringen. Was ihn hier dazu anregt, ist die Einsicht in *den ungelimph* (5946), die ihn seine Nichtachtung der Lehre bereuen und den Versuch machen läßt, die Lage zu retten (5948–60). Was ihn anfangs zur Einsicht bringt, ist das Mißlingen des gutwillig unternommenen Handelns. Einsicht in das Rechte und guter Wille ergänzen einander also im Bereich der Praxis, wenn auch der Wille den Primat hat. Aber eins ohne das andere ist wirkungslos.

Die Meisterung einer Situation verlangt drei Dinge: guten Willen, Einsicht und Kenntnis der Technik. Nur die letztere ist lehrbar; die Einsicht ist als Weisheit von Gott gegeben, muß aber durch den guten Willen aktiviert werden, wie Bertschis Entwicklung zeigt; den guten Willen begründet Wittenwiler nicht weiter; er kann zwar durch die Einsicht wieder belebt, nicht aber gegeben werden. Er scheint ursprünglich dem Menschen verliehen zu sein: Bertschi besitzt ihn von Anfang an, und er bildet die einzige unterscheidende Voraussetzung Bertschis, die ihn seine Entwicklung durchmachen und sich weit über seine Dorfgenossen erheben läßt, deren Natur verkehrt ist (4398).

21 Was bisher als Einsicht bezeichnet worden ist, heißt bei Wittenwiler Weisheit, *witz, witzichait* oder *beschaidenhait*. Es gibt zwei Definitionen der Weisheit, die in den Hauptpunkten miteinander übereinstimmen, einander aber auch ergänzen: die schon zitierte der Scheissindpluomen (2735 bis 2738) und die ausführlichere des Übelgsmak in der Tugendlehre (4460–4557). Beide stimmen darin überein, daß sie der Weisheit zugleich quantitative wie auch qualitative Potenzen zuschreiben.

Nach Scheissindpluomens Aussage muß der Weise *alleu stuk* herzählen können, nach der Tugendunterweisung ist die *lere (disciplina)* eine der vier Töchter der Weisheit (4538–57), und sie schreibt ständige Lernbegier vor (4542f.): Weisheit schließt also ein Streben nach stofflicher Totalität ein. In diesem Sinne wird der Begriff an manchen Stellen in eingeschränkter Bedeutung verwandelt als Wissen (3207) oder Gelerntes (3811); Christus ist der weiseste, weil ihm nichts verborgen ist (3934–37).

---

zum Beispiel gänzlich indirekt – Stechen und Turnieren im Frauendienst –, während die bloße Trieberfüllung direkt vorginge, wie sie sich etwa im Kuhstall-Erlebnis (1418–25) zeigt. Diesen Schritt tut Bertschi jedoch erst, nachdem er der Gunst Mätzlis sicher zu sein meint (1410–13). Über Triebhaftigkeit vgl. Abschnitt 25.

Die qualitative Potenz der Weisheit liegt in der Fähigkeit der Auswahl des Besseren aus der Vielfalt des Gewußten (2736f.), in der Erkenntnis des Bösen und Guten (4462). Das sind religiöse Formulierungen, und tatsächlich ist der Begriffsbereich der Weisheit religiös fundiert.

Gott hat Salomon die Weisheit gegeben (4475f.), die *beschaidenhait*, durch die ein rechtes Leben trotz der Triebhaftigkeit möglich ist, ist von Gott verliehen (2847f.), die Weisheit macht den Menschen teilweise Gott gleich (4468f.). In böse Seelen kommt keine Weisheit; Gottesfurcht ist ihr Anfang (3863–65), und es ist weise und gerecht, über die Vergänglichkeit der Welt hinaus nach der ewigen Heimat zu trachten (4106f.).

Diese religiöse Fundierung der Weisheit ist sehr wichtig, denn sie begründet das rechte praktische Leben des Menschen im göttlichen Bezug.[185] Aber sie darf nicht zum Gedanken an absolut ethische Bindung verleiten, wie die Begriffe gut und böse andeuten könnten. Zur Weisheit gehört die List (4518–37), die bewußte Verstellung, Betrug und Gleisnerei in ungünstigen Umständen empfiehlt. Die Voraussicht, ebenfalls eine Tochter der Weisheit (4498–4517) empfiehlt, den Mantel nach dem Wind zu drehen. Den Arzt bezeichnet Wittenwiler als weisen Mann (2001), zunächst natürlich, weil er in seiner Kunst wohl erfahren ist; aber er erkennt auch Mätzlis wahre Natur (2097–2104) und weiß sie für seine, wenn auch unmoralischen, Zwecke entsprechend zu benutzen.

Die Weisheit ist also nicht notwendigerweise absolut ethisch ausgerichtet, ihr Maßstab ist die Meisterung des Gegebenen, und zwar in der ganzen Spanne vom Weiterschnallen des Gürtels vor dem großen Trunk (5867–70) bis zum Trachten nach dem Paradiese (4106f.). Weise ist nur, was sich einfügt in die Ordnung des Augenblickes und der Situation, gleichgültig, ob man den Betrüger betrügt, die Hure verführt oder in Erkenntnis seiner Schuld die Welt verläßt, um zu büßen. Gutes und Böses, das die Weisheit erkennt und aus dem sie das Bessere auswählt, sind also keinesfalls absolute Begriffe oder Inhalte von Geboten, sondern sind relativ zu der gegebenen Zeit und Situation; sie sind das Schickliche oder Unziemliche in einer Situation. Dies wird sich noch einmal bei der Betrachtung der Frömmigkeit ergeben; hier liegt einer der Hauptgründe für die Verwendung des Bauern- statt des Narrenbegriffs zur Bezeichnung der Gegenwelt.

Freilich gibt es für Situationen, die sich wiederholen, Regeln der Weisheit, die mit großer Wahrscheinlichkeit immer angewandt werden können; so etwa bei Tisch, bei der Gesundheitspflege, in der Haushaltführung. Diese sind lernbar wie etwa die Technik des Turnierens. Der qualitative identifiziert sich hier partiell mit dem quantitativen Aspekt. In den mei-

---

185 Vgl. Sowinski, Realismus 80.

sten Fällen jedoch verlangt die Vergänglichkeit und Unsicherheit der irdischen Zustände (4100–03) eine Neubesinnung und neue Auswahl des Richtigen im gegebenen Augenblick. Auch die Wiederholung oder das Eintreffen von Fällen, für die man Regeln kennt, müssen als solche erkannt werden: die qualitative Fähigkeit der Erkenntnis des Moments und Auswahl der richtigen Methode seiner Meisterung wird also in jedem Falle beansprucht und kann nur sekundär auf Gelerntes zurückgreifen. Das schickliche Handeln beruht nicht auf absoluten lernbaren Geboten, sondern auf einer flexiblen Ethik, deren Maßstab durch die Einsicht in den Willen Gottes gefunden wird.

Diese Feststellung ist wichtig, denn man hat Wittenwiler das etwas oberflächliche bürgerliche Vertrauen in die Lernbarkeit der Weisheit unterschoben.[186] Gelernt kann jedoch nur werden, woraus die Weisheit auswählt, die Potenz der Auswahl selbst, die Erkenntnis des Schicklichen, ist von Gott gegeben. Und auch diese Gabe ist, wie Bertschis Beispiel zeigt, am Anfang nur potentiell vorhanden und bedarf der Aktualisierung durch den guten Willen, der zur Handlung drängt, und durch die Erfahrungen aus Erfolg und Mißerfolg bei solchen Handlungen. Hier ist ein „Lernen" möglich, wie Bertschis Beispiel weiter zeigt, doch nicht im Sinne der Aufnahme von Fakten oder der Aneignung von Techniken, sondern im Sinne der langsamen Gewinnung und Ausbildung bestimmter Haltungen und Gewöhnungen, die Wittenwiler im Prolog mit Bezug auf die drei Teile des Werkes andeutet:

> *Also leit des ringes frucht*
> *An hübschichait und mannes zucht,*
> *An tugend und an frümchät.* (29–31)

Daß diese Haltungen keinesfalls als „Resultate" der Lehren gedacht sind und gleichsam mechanisch entstehen sollen,[187] ist aus dem Gesagten klar geworden, müßte aber schon daraus erhellen, daß die Lehrer durchaus nicht immer die Haltungen besitzen, die aus ihren Lehren „resultieren" sollen. Der Prozeß des Gelangens zur Weisheit ist viel schwieriger; er setzt den guten Willen zur Handlung und Selbsterkenntnis, die Auseinandersetzung mit der Wirklichkeit und den guten Willen zum Lernen aus den dabei gemachten Fehlern voraus.

Weisheit und guter Wille sind die beiden polaren Kräfte, die rechtes Leben möglich machen; der Wille entspringt im Menschen und richtet sich auf Gott, die Weisheit stammt von Gott und wird durch den Menschen für sein persönliches Wesen aktualisiert. Denn dadurch, daß die Weisheit eine Haltung sein muß, bevor sie wirken kann, wird sie ganz persönlich,

---

186 Sowinski, Realismus 82.   187 Ebd. 78.

wie auch der gute Wille ein persönlicher ist. Die Individualität des Menschen, seine Selbstverantwortung und die Selbstbestimmung seines Schicksals wird durch dieses Begriffs- und Kräfteverhältnis stark betont. Der letzte Schritt der Entwicklung Bertschis, in der er *zuo im selber* kommt (9672), ist Selbsterkenntnis, Erkennung und Anerkennung seiner Schuld an privatem und allgemeinem Leid, für das er nun büßen muß. Diese Individualität und Selbstverantwortung ist eine der wesentlichen Voraussetzungen für Wittenwilers Satire.[188]

22 Es ist hier nicht nötig, die mit der Weisheit analytisch verbundenen Tugendbegriffe wie Treue, Stetigkeit, Festigkeit, Mäßigkeit zu diskutieren; Wittenwilers Definitionen in der Tugendlehre betreffen fast alle davon und stimmen mit ihrem allgemeinen Gebrauch im Werke überein.

Der Begriff der Zucht jedoch verdient wegen seiner Beziehung zum Bauernbegriff Beachtung. Zwei der in der Vorrede angedeuteten idealen Haltungen haben damit zu tun: *hübschichait und mannes zucht* (30). Daß es sich auch hier nicht nur um das Auswendiglernen von bestimmten Regeln handelt, sondern um Haltungen, lehrt die Stelle in Übelgsmaks Tugendunterweisung, wo er Bertschi *hofzucht* beibringen soll. Seine Antwort ist zunächst, wolle er Hofzucht lernen, so solle er zu Hof gehen. Dann aber zitiert er:

> *Wer ein hofman werden wil,*
> *Der hab einn pauren in dem sinn,*
> *Und, wes der gpäurisch im beginn,*
> *So tuo daz widerwärtich schier:*
> *Des wirt er hofleich und gezier.*   (4862–66)

In der Vorstellung soll man also den Bauern handeln lassen und dann das Gegenteil tun: auf diese Weise bildet sich *(wirt er hofleich)* langsam die rechte Haltung aus, die man als Zucht bezeichnet. Der *gpaur* ist das genaue Gegenbild der Zucht, seine Haltung also die der Zuchtlosigkeit. Und hier ist die Eingangsformel des vom Arzte verfaßten Briefes besonders wichtig:

> *Got, der obrest und der maist,*
> *Vatter, sun und hailiger gaist,*
> *Der in seiner magenchraft*
> *Himel hat und erd geschaft,*

---

188 Vielleicht liegt in dieser Betonung der *haecceitas* der Ursprung für eine Formulierung wie *Rüerenmost im selber gleich* (3538, vgl. auch 192). Jedenfalls paßt Saichinkruogs Ausflucht dazu: *Als manich haubt, als manger sin; Dar umb so hat auch iecleich haus Seinen sitten, seinen saus* (4986–88).

> *Wasser, luft und auch daz feur,*
> *Vogel, visch mit seiner steur,*
> *Vich und dar zuo laub und gras*
> *Umb anders nichti dann umb daz,*
> *Daz der mensch mit zuht und er*
> *Auf erd sein leben hie verzer ...*   (2261–70)

Zucht- und ehrenvoll soll also das menschliche Leben auf Erden nach dem Willen und der Absicht des schaffenden Gottes sein. Der Zuchtlose, der *gpaur*, lebt deshalb entgegen der göttlichen Absicht, er ist es ja, der *unrecht lept* (44).

Man wird vielleicht den Begriff der Zucht für zu gewichtlos halten, als daß er den Sinn des Lebens ausmachen könnte, zusammen mit seinem zwischenmenschlichen Pendant, der Ehre. Aber man darf eben nicht vergessen, daß Zucht neben der Kenntnis bestimmter Verhaltensregeln bei Tisch eine innere Haltung bedeutet, die im Grunde nichts anderes ist als die Weisheit. Zucht drückt sich aus, wenn der Mensch sich gegenüber Menschen und Dingen, in Ort und Zeit richtig, schicklich verhält; die Erkenntnis des Schicklichen war die Definition der Weisheit als Haltung, die wir dem Wissen, dem Gelernten gegenüberzustellen hatten.

Bei Zucht und Weisheit geht es um die Einfügung des Menschen in die gottgeschaffene Weltordnung und Gesellschaftsordnung, ohne daß – wieder muß es betont werden – moralisch-religiöse Obertöne mitschwängen. Zuchtlosigkeit und Narrheit sind nicht sündig im Sinne moralischer Verwerflichkeit, sondern sie sind böse im Sinne einer Störung der richtigen Ordnung, sind wirkungslos, weil sie gegen den Strom der Dinge laufen, sind selbstzerstörerisch, wie die Vernichtungsschlacht am Ende des ,Rings' zeigt. Das Ethos ist nicht das einer Verbundenheit gegenüber Geboten oder einer Verpflichtung gegenüber der Freiheit des individuellen Selbst, sondern die Verantwortung gegenüber einer Welt, die für den Menschen geschaffen ist und die er mit Einsicht in das Richtige und Schickliche zu verwalten hat. Er ist dabei auch für sich selbst verantwortlich, denn der Ungeschickte, der gegen die Dinge und Menschen handeln will, wird erdrückt von ihrer Wucht. Bei Wittenwiler besteht ein deutliches Verhältnis zwischen innerer Haltung und äußerem Erfolg: Salomon hat die Weisheit erwählt, und Gott gab ihm deshalb

> *Mit der weishait alles guot;*
> *Won daz volget weisem muot.*   (4476f.)

Umgekehrt sind die *gpauren* arm (7243f.). Es besteht also ein ungebrochener Zusammenhang zwischen dem rechten Verhältnis zu Gott und zur Welt: beides wird unter dem gleichen Aspekt der Schicklichkeit gesehen.

Dieser fast ästhetisch zu nennende Gesichtspunkt ist es, der die Wahl des *gpauren* als des Sündenbocks der Satire bestimmt. Die Figur des Narren, die etwa bei Brant diese Rolle übernimmt, tendiert von der Schicklichkeit des Handelns und Lebens weg in tiefere geistige Ursprünge; Begriffe wie Trägheit und Sünde spielen eine größere Rolle als bei Wittenwiler, wo der Zusammenhang zwischen innerer Narrheit und äußerer Zuchtlosigkeit noch als notwendig, läppisches Tun als notwendiger und zureichender Hinweis auf mangelnde Weisheit gedacht ist, und wo deshalb die Satire das Ganze trifft, wenn sie mit der bäurischen Zuchtlosigkeit nur das Äußere zu treffen scheint.

23 Gott hat, wie schon zitiert, die Welt geschaffen, damit der Mensch *mit zuht und er* sein Leben darauf zubringe. Der Begriff der Ehre ist vielleicht der häufigste Wertbegriff im ‚Ring‘ überhaupt, besonders deshalb, weil er auch für die *gpauren* eine zentrale Rolle spielt.

Der Ehrbegriff der turnierenden Bauernburschen erscheint als falsch, da völlig äußerlich: Lechspiss rät ihnen zum Beispiel, sich im Kampf gegen Neidhart in den Sätteln festzubinden; so könnten sie die Ehre behalten, nicht herabgestochen zu werden (332–34). Die unfaire Technik hilft ihnen jedoch nichts, und Bertschis künstliche Sattelfestigkeit *cham alz zuo seinen schanden* (606). Ähnlich geht es mit Lechspiss' zweitem Vorschlag, dadurch Ehre zu erringen, daß man zu viert sich auf den Gast stürzt und ihn erschlägt (627–37): bei der Verfolgung des fliehenden Ritters fallen sich zwei der Helden zu Tode (656f.). Bei der folgenden Beichte bitten sie Neidhart, sie vor *bosen schanden* zu behüten (663) und bezeichnen die von ihnen gebeichtete Sünde als *schand* (800). Das Begriffsfeld von Ehre und Schande ist in den Köpfen der Bauernburschen also einerseits völlig veräußerlicht und greift andererseits in den religiösen Bereich über, um auch diesen zu veräußerlichen. – Ähnliches zeigt sich bei Mätzlis Abenteuer mit dem Arzte. Wie dieser ihre Schwangerschaft bemerkt, empfiehlt er ihr Mittel, die verlorene Jungfernschaft vorzutäuschen, *Wilt du bhalten noch din er* (2214, vgl. 2243). Aber nicht nur der Arzt versteht unter Ehre nur den Leumund, den man sich erschleichen kann, sondern auch Mätzli. Nachdem er ihr den Brief vorgelesen hat, durch den Bertschi zum Eheversprechen fast gezwungen wird:

> *Des dancht sei im von hertzen do*
> *Und sprach: ,Wie schol mich reuwen so*
> *Mein schand, die sich von euch derhuob?*
> *Ir seitz ein maister also chluog.'* (2557–60)

Für diese verderbte Person bedeutet Schande eben nur die Untat, die die

Leute kennen; was erfolgreich verdeckt wird, braucht nicht bereut zu werden. Und Mätzli befolgt getreulich und raffiniert die Ratschläge des Arztes, um Bertschi zu täuschen. Das gelingt ihr zwar, aber sie kommt bei der Vernichtung Lappenhausens um: Wittenwiler spricht auch hier ein Urteil und widerlegt implicite ihren Ehrbegriff, der auf dem Betrug ruht. – Nach Eisengreins Meinung ist das Ziel der Lappenhauser im Völkerkrieg die Gewinnung von Ehre (7396), auch Lechspiss bestätigt das in seiner Ansprache vor der Schlacht (8595f.). Dabei ist die Sachlage die, daß sie den Nissingern Schande zugefügt haben (6832) und nun von Rechts wegen dafür büßen müßten.

Die *gpauren* sind also einerseits übermäßig besorgt um Erhaltung und Gewinnung von Ehre[189] – Lechspiss gesteht lieber seine Dummheit ein, als daß er sich lächerlich macht (445–48) –, andererseits ist ihr Ehrbegriff völlig korrupt, falsch, veräußerlicht und verschwommen. Wittenwiler ist bezüglich des falschen Ehrbegriffs der *gpauren* ganz konsistent und unterstützt seine Wirkung noch durch ironische Verwendung des Ehrbegriffs, etwa beim Hochzeitsmahl (z. B. 6128).

Daneben gibt es den durchaus ernst gemeinten Begriff der gesellschaftlichen Ehre und Schande; Ehre ist häufig mit *guot*, Nutzen, Leib, Seele, Kind und Weib verbunden: sie gehört zu den wichtigsten Besitztümern des Menschen. Es ist besser, um der Ehre willen zu sterben als in Schanden zu leben (6830–32); darauf baut Strudel einen Teil seiner Rede auf. In Nissingen herrscht überhaupt ein echter Ehrbegriff: ungerächter Tod eines Verwandten bedeutet Darniederliegen der Ehre (6755); nichts ist nützlich, was nicht auch ehrbar ist (6800f.), so wird Wüetreich korrigiert, der etwas als nützlich, aber nicht ehrbar bezeichnet hatte (6795–97); bedeutsamerweise heißt es von Wüetreich, er habe gesprochen, um sich als ehrbar zu zeigen, und sein begleitender Augenaufschlag zeigt die Scheinheiligkeit seiner Rede (6793f.). Auch in Nissingen gibt es also unechte Ehrbegriffe bei Einzelnen, aber die Mehrheit unter der Führung Strudels hält zum Richtigen. In Lappenhausen haben die Tugendlehrer und Ehedebattanten, solange sie reden, schöne Ehrbegriffe, sobald sie aber zu essen anfangen, ist die Herrlichkeit zu Ende.

Man hat Wittenwiler Inkonsistenz seines Ehrbegriffes vorgeworfen.[190] Wie sich zeigt, muß die Verwendung der Begriffe „Ehre" und „Schande" in den Reden der Bauernburschen und Mätzlis als Teil von Wittenwilers Sprachcharakteristik und Sprachsatire verstanden werden: der korrupte Begriff ist Wesensausdruck des Narren.

---

189 Vgl. Jones, Übersetzung 148.
190 Jones, Übersetzung 179ff. Später (190) gibt er zu: "The conflicting beliefs in the *Ring* are usually expressed by different speakers, and the poet does not

Über das Praktisch-Gesellschaftliche hinaus hat die Ehre religiöse Bedeutung. Um Gott wohlgefällig zu leben, soll der Mensch Zucht und Ehre haben; den Hunden, die ihrem bloßen Trieb folgen und nicht der gottgegebenen *beschaidenhait,* ist keine Ehre kund geworden (2847–50). Die Richtung der Ehre geht hier nicht auf die menschliche Gemeinschaft, die andern, sondern auf Gott. Wenn Ehre darin liegt, nach der Einsicht zu leben, und wenn die Einsicht von Gott zu diesem Zwecke gegeben ist, so muß die Ehre darin bestehen, das von Gott gewollte rechte Menschsein zu erhalten und zu verkörpern. Im gleichen Sinne wird auch die Liebesbeziehung ehrenhaft mit der Eheschließung,

> *Won got selb von seinem rat*
> *Die hailigen e geschaffen hat.* (2387f.)

Auf dieser Basis kann Wittenwiler auch die vergängliche weltliche Ehre ablehnen (2424, 4108–11); das irdische Lob verhilft dem Menschen selten zur *sälde* (4122f.):

> *Gedench, daz got dich hat geschaffen*
> *Ze einem menschen, nicht zum affen,*
> *Ze christan, nicht ze einem haiden,*
> *Ze einem gsunten und beschaiden!*
> *Des scholt im danchen fleissechleich,*
> *Die weil du lepst auf ertreich* (4124–29)

Das hier entworfene Bild des christlichen, gesunden, einsichtigen Menschen soll bewahrt und weiter geformt werden: darin liegt die Ehre, die dem göttlichen Bezug entwächst und die die irdische eitel werden läßt. Die praktisch-weltliche Ausrichtung dieses Menschenbildes gestattet es, auch die „normalen" Ehrbezüge des täglich-gesellschaftlichen Lebens *sub specie aeterni* zu sehen: die Nissinger betrachten ihre Klage gegen Lappenhausen als Ehrensache (6831), die sie *Mit got und mit den rechten* (6819) ausfechten wollen.

Die Untersuchung hat gezeigt, daß der Ehrbegriff im ganzen Spektrum vom praktischen Alltag bis zum Gottesbezug von den *gpauren* falsch, äußerlich, heuchlerisch verwandt wird, daß er aber, ebenso im ganzen Spektrum, im Sinne der Verwirklichung und Erhaltung eines gottgewollten Menschenbildes gebraucht werden soll und z. B. bei den Nissingern in

---

imply which, if any, is his spokesman." Es geht in der vorliegenden Untersuchung nicht um die Feststellung von Wittenwilers persönlichen Ansichten, sondern um das, was er sein Publikum lehren wollte, und um die innere Konsistenz des Gelehrten, die von Jones geleugnet wird, eben weil *er* die Äußerungen sämtlicher Personen als Ansichten Wittenwilers versteht und dann natürlich auf Widersprüche stößt.

dieser Form vorherrscht. Verbindet man dieses Ergebnis mit dem, was über Weisheit und Zucht zu sagen war, so wird deutlich, daß die Einsicht in das Rechte und die Ausführung des Schicklichen nicht nur im Interesse des Menschen stehen, sondern daß sie die Aufgabe bedeuten, die dem Menschen während des Lebens gestellt ist: er soll das gottgewollte Menschenbild verwirklichen und erhalten; dieses Sollen ist kein Gebotszwang, keine Drohung mit Verdammung: der Bezug ist ein Verhältnis der Ehre und des Dankes (4128), also der freien Verantwortung des Individuums, des ethischen Dienstes an der göttlichen Idee des Menschen.

24 Die Erfüllung der besprochenen Tugendbegriffe liegt, wie sich zeigte, jeweils im religiösen Bezug. Dieser ist nun noch genauer zu fassen, vor allem da Wittenwiler auch hier Inkonsistenz vorgeworfen wird.[191] Diese löst sich jedoch in der gleichen Weise auf wie bei der Ehre: die *gpauren* haben einen deutlich korrupten Gottesbegriff und ein falsches Religionsverhalten; es wäre verfehlt, Wittenwiler persönlich dafür verantwortlich zu machen.

Der Beichtschwank mit Neidhart zeigt die Unzulänglichkeit der religiösen Begriffe der Bauernburschen. Wittenwilers Fassung unterscheidet sich von der gängigen Version in dem zentralen Faktum, daß Neidhart sich nicht in Mönchskleidung befindet, da sonst die Bauern sich bei dem Mönche nicht für die Untaten zu entschuldigen brauchten, die sie gegen den unbekannten Ritter begangen haben (660–67, 714f.). Ferner wollen die Bauern z. B. in ‚Neithart Fuchs‘ nur aus Mutwillen beichten,[192] während den Bauern Wittenwilers der Spott vergangen ist (689) und sie angesichts des überstürzten Todes ihrer zwei Genossen ihre Sünden wirklich bereuen (660). Da also Neidhart in ritterlicher Rüstung vorzustellen ist, tritt die Begriffsverwirrung der *gpauren* grell zutage, denn sie halten ihn für *des heiligen gaistes vol* (667) und wollen deshalb bei ihm beichten. Der Grund für diese Einschätzung kann nur darin liegen, daß er sie alle ohne Schwierigkeit besiegt hat und daß bei der Verfolgung, deren unfairen Charakter sie selbst einsehen (660, 714f.), zwei der Ihren gleichsam durch übernatürliche Gewalt umgekommen sind. Gleichermaßen erkennen sie in ihm Gottes Engel, nur weil er sie lehren kann und will, wie man turniert (882). Die religiöse Implikation wird also nur durch Neidharts Überlegenheit in Stechtechnik und Turnierkenntnissen gerechtfertigt: der Religionsbegriff der *gpauren* ist so flach, daß bloßer Respekt sofort in ihn umschlägt. Nicht so übrigens bei Bertschi, der Neidhart als Ritter begrüßt und sich anständig bei ihm entschuldigt (833–36). Auch der Inhalt der Bauernbeichte

---

[191] Jones, Übersetzung 186f.
[192] ‚Neithart Fuchs‘ 756, (Narrenbuch, hrsg. Bobertag 177).

ist in grotesker Weise unpassend. Lechspiss und Heintzo bereuen als große, kaum aussprechbare Sünde (716–41), ja als Todsünde (785–88) – der eine einen obszönen Scherz mit seiner Frau, der andere einen Ritt durch den Bach auf einer Kuh. Hier zeigt sich dieselbe Maßstablosigkeit wie in der Erkenntnis, Neidhart sei des heiligen Geistes voll.

Neidhart dagegen, dem die Narrheit der Bauernburschen Spaß macht und der selbst verlangt, daß sie bei ihm beichten sollen, wenn sie seine Vergebung erlangen wollen (673–79), Neidhart weiß genau, wie weit er gehen darf, ohne die akzeptierten Dogmen über das Beichthören zu verletzen.[193] Er hütet sich, den reuigen Sündern die Absolution zu erteilen, denn *Mit der sel ist nit ze schertzen* (772); schon die Tatsache, daß sie einem Laien beichten, wenn sie auch einen Priester hätten haben können, entspricht nicht ganz den Regeln (777–79). Neidhart ist demnach, was seine Religiosität anbelangt, durchaus kirchlich und informiert zu nennen: er belehrt die Bauernburschen auch über Gottes Barmherzigkeit, die alle bereuten Sünden vergebe. Über seine wirkliche Frömmigkeit ist nichts zu sagen: das ironische Spiel mit der Beichte bleibt, wie gezeigt, formal innerhalb der Grenzen des Erlaubten und kann deshalb nicht als Blasphemie gelten. Sein Spiel mit der Reue der Bauern ist allerdings im modernen Sinne blasphemisch, zumindest unmoralisch zu nennen; dem Denken Wittenwilers scheint es aber zu genügen, daß durch Neidhart an der Sündenverfassung der Bauernseelen nichts verändert wurde; der persönliche Aspekt interessiert ihn offenbar nicht, was bei diesen Sündenböcken seiner Satire verständlich ist. Jedenfalls berichtet er mit sichtlicher Genugtuung, daß Lechspiss beim Bischof und Heintzo in Rom für die endgültige Vergebung ihrer Sünden größere Geldverluste erlitten. In die gleiche Richtung geht die innerliche Verwünschung, die Neidhart am Schluß über die Poenitenten ausspricht (825 f.): den Narren wünscht er nicht Heil, sondern Verderben, wie es endlich auch über sie kommt. Neidhart der Lehrende wie auch der ironische Strafer der Bauern kann als Abbild des Dichters gelten. Jedenfalls ist es unverständlich, wie man in ihm den Teufel und einen teuflischen Winterdämon hat sehen können,[194] so deutlich betont Wittenwiler seine Religiosität.

Anders dagegen erscheint der Arzt Chrippenchra, dem Mätzli den Brief des Dorfschreibers eröffnet. Schon wie er bemerkt, daß das Mädchen etwas Heimliches auf dem Herzen hat, nimmt er eine Geistlichenpose an:

---

[193] Vgl. Jones, Übersetzung 130f.

[194] Boesch, Phantasie 151f., vgl. Hügli, Der deutsche Bauer 101. – Boesch scheint seine Ansicht inzwischen geändert zu haben: der „Ritter" Neidhart wisse „allerdings die Grenze zu wahren, indem er sich davor hütet, die Absolution zu erteilen". Bruno Boesch: Heinrich Wittenwilers „Ring", Weltansicht und Denkform eines bürgerlichen Dichters um 1400. – Bodenseebuch 40 (1965) 41–52; 42.

,Sag an, liebes diernel, so
Und sag mîr freileich dein gemüet,
Wilt, daz got dirs leben bhüet!'   (2034–36)

Mätzli geht darauf ein, indem sie ihm *in rehter peicht* den Brief eröffnet
(2053). Blasphemisch wird der Arzt, als er Mätzli androht, sie müsse sich
ihm geben, wenn sie nicht verderben und in ihren Sünden sterben wolle
(2146–48). Hier wird also die metaphorisch eingeführte Beichtiger-Situa-
tion in bewußter Verdrehung zur Erreichung des sündigen Zweckes benutzt. Ähnlich zwielichtig ist die vom Arzte geschriebene Epistel: so fromm
und ehefreundlich sie sich gibt, abhold der falschen Minne, so sehr steht sie
im privaten Interesse des Arztes, der dem Kinde Mätzlis einen legalen
Vater geben möchte. Das besagt nichts gegen den Inhalt der Epistel, wie ja
die Lehren durch die Charaktere ihrer Verkünder nie angetastet werden,
aber der Arzt erweist sich als zutiefst irreligiöser Mensch, der mit dem
Glauben bewußt spielt und ihn wie die Rezepte zur Vortäuschung der
Jungfernschaft nur als Mittel zum Betrug gebraucht.

An den drei untersuchten Personen und Personengrppen hat sich also
gezeigt, daß Wittenwiler genau differenziert und die Unterschiede der
Menschen nicht nur als solche an Weisheit, sondern auch als Unterschiede
an Religiosität präzisiert. So ist zum Beispiel auch Strudel, von Wittenwiler öfter als weise bezeichnet, ein frommer Mann.

Diese Differenzierung ist eine Folge der intimen Verbindung der Tugendbegriffe mit der Frömmigkeit, die sich schon gezeigt hat. So wie es,
zum Beispiel in Nissingen, möglich ist, als tugendhafter Mensch zu leben,
so ist dort auch echte Frömmigkeit möglich, wie etwa Strudels Demut zeigt
(6848). Das Urteil Wessels', es handle sich im ,Ring' um eine „fremde,
entgötterte Welt",[195] ist deshalb viel zu pauschal auf den Lappenhauser
Ausschnitt gemünzt, der in Nissingen ein starkes Gegengewicht erhält,
ebenso in der Entwicklung Bertschis aus dieser „Welt" Lappenhausens hinaus. – Durch die Verbindung zwischen Frömmigkeit und Weisheit wird
auch klar, warum die Religiosität Wittenwilers so „betont weltlich, dies-
seitig" erscheinen kann.[196] So wie die Weisheit von der alltäglichen Praxis
bis zum Gottesverhältnis für die Erkenntnis des Schicklichen zuständig ist,
so gilt eben auch das Gottesverhältnis als Begründung der Weisheit bis
hinein in den Bereich der alltäglichen Praxis. Zwischen dem Glauben und
der Weisheit fehlt allerdings die „religiöse Spannung", die Martini und
Sowinski vermissen,[197] sie besteht aber zwischen frommer Tugend und
dämonischer Narrheit, wie sich bald zeigen wird.

---

[195] Wessels, Ring als Groteske 205. Ähnlich Boesch, Phantasie 143, für den die
bei Wittenwiler geschilderte „Welt nicht nur verkehrt, sondern verworfen ist".
[196] Sowinski, Realismus 17.   [197] Martini, DVjS 212; Sowinski, Realismus 79.

Es ist nicht richtig, „ein fast rechnerisches Gegenseitigkeitsverhältnis zwischen Gott und dem Menschen" anzunehmen,[198] denn sonst müßten die Handlungen Gottes berechenbar sein. Das ist aber nicht der Fall, wie das Problem des gerichtlichen Einzelkampfes zeigt: auch der im Recht befindliche Kämpfer kann nicht unbedingt auf seinen Sieg vertrauen, weil Gott oft andere als die umkämpfte Sünde an ihm rächt (7347–55). Hier erweist sich also die grundsätzliche Unbestimmbarkeit der Handlungen Gottes. Sache der Weisheit ist es nun angesichts dieser Tatsache, diesen Unsicherheitsfaktor mit in Rechnung zu ziehen, um sich auf jeden Fall richtig zu verhalten. Dies tut zum Beispiel Strudel. Er stellt fest, daß das Recht und damit Gottes Hilfe auf Seite der Nissinger seien; des Menschen Übermut – als Todsünde – kehre aber oft die Sachlage um, so daß besiegt werde, wer eigentlich recht habe. Deshalb sei demütiges Zuwarten am Platze (6841–49). Hier wird, zweifellos im Blick auf den Erfolg der irdischen Handlung, Gottes undurchschaubare Gerechtigkeit als realer Faktor in die Verhaltensplanung einbezogen, und notwendigerweise entsteht dabei die christliche Haltung der Demut. Man mag mit Recht betonen, daß diese Art der Religiosität an Intensität der gleichzeitigen Mystik nicht zu vergleichen sei,[199] aber man darf nicht vergessen, daß hier die volle Einbeziehung des freien unberechenbaren göttlichen Willens mit der Meisterung der Welt verbunden ist, und das darf wohl auch als sinnvolle Form der Religiosität verstanden werden. Zugleich wird durch diese Unberechenbarkeit Gottes auch der Mensch befreit und auf sich selbst gestellt, so daß das Sprichwort *Hilf dir selb, so hilft dir got* (5005) in ganzer Tragweite zu gelten scheint. Wieder sind wir zu dem Punkt geführt worden, an dem des Menschen Selbstverantwortung deutlich wird. Die Führung des Lebens gemäß dem göttlichen Bilde vom Menschen ist eine unmittelbar religiöse Aufgabe, auch und gerade wenn sie sich bis ins Praktische hinein erstreckt.

25   Die Schwierigkeit dieser Lebensführung wird deutlich, wenn man die Gegenströmung erkennt, gegen die sie geleistet werden muß. Sie hat eine enorme Tiefe und reicht von der menschlichen Triebhaftigkeit bis in mythisches Dunkel. Die Aufgabe des Menschen besteht darin, die Gegenströmung umzulenken und in Bahnen zu leiten, die der göttlichen Weisheit und der Idee des Menschen harmonisch entsprechen; es handelt sich bei Wittenwiler nie um eine Ablehnung des Triebwesens, sondern um eine Verurteilung dessen, der sich davon beherrschen läßt:

> *Won der sich nit kan haben inn,*
> *Der ist ein tor in meinem sin.* (4925f.)

---

[198] Martini ebd.   [199] Sowinski, Realismus 79.

Die menschliche Triebhaftigkeit äußert sich mehrfach, und überall ist festzustellen, daß die auftretenden Affekte oder Instinkte sowohl positiv wie
auch negativ wirken können. Zorn etwa, übermäßig und ungerechtfertigt,
wird lächerlich und bleibt erfolglos, wie Bertschis Gestotter und sein Fall
über eine Erbse zeigt (526–55); gerechter Zorn über erlittenes Unrecht
(6737f.) schafft ein hitziges Herz zum Streite, *Dar an die gröste sterki
leit* (9242f.). – Lastersaks Gier auf das Kraut trägt dem Religionslehrer
den Vergleich mit einem Stier ein (5723f.), wie auch die Freßgier der andern Hochzeitsgäste tierisch zu nennen ist; mäßiges Essen ist jedoch notwendig (3909f., 4289–95). – Ähnliches kann von dem exzessiven Aner-
kennungstrieb der Bauernburschen gesagt werden, die selbst um den Preis
eines Mordes *er bejagen* wollen (627–29); Ehre aber im rechten Sinne ist
die Grundlage des Verhältnisses zwischen Mensch und Gott.

Zwei Ursachen gibt es, durch die ein Trieb oder Affekt böse werden
kann: Übermaß und Unrecht. Für das Übermaß gibt Wittenwiler selbst
Theorie und Beispiel:

> *Dar umb so wiss, wann iedeu sit*
> *Vor- und hintnan alle zit*
> *Verwürchet ist mit bösen sitten,*
> *So leit die mässichait enmitten!* (4877–80)

Jedes Extrem wird also böse; als Beispiel dient der Geizige und der Ver-
schwender, denen der Milde gegenübergestellt wird als einer, der hingibt,
daz er schol und das übrige behält (4881–92). – Das Kriterium der Recht-
mäßigkeit hat sich in den Beispielen für den Zorn und den Anerkennungs-
trieb gezeigt: beide sind gut, wenn sie *recht* sind, wenn ein göttlicher Zweck
dahinter steht. Diese wichtige Tatsache, daß Gott sich des Triebes bedient,
daß der Trieb durch den göttlichen Zweck geadelt wird, ja geradezu in
seiner eigentlichen Bestimmung auftritt, wird an der Sexualität als dem
stärksten und häufigsten Trieb im ‚Ring‘ deutlich.

Man hat die Obszönität des Werkes reichlich hervorgehoben, ohne
gleichzeitig zu bemerken, daß keine der betroffenen Stellen funktional
entbehrlich ist, ja daß der weltumfassende Vernichtungskampf sich gerade
an der Brünstigkeit eines Bauernburschen entzündet und daß dieses Ereignis nur die Entladung einer unmäßigen sexuellen Spannung darstellt, an
der Burschen und Mädchen gleichmäßig teilhaben. Es geht hier nicht darum, Wittenwiler zu entlasten – zweifellos packt er gerne kräftig an und
aus –, sondern nur darum, den Vorwurf der Obszönität als Selbstzweck
von ihm zu nehmen, der seit dem 19. Jahrhundert auf ihm lastet.

An Bertschis und Mätzlis Triebhaftigkeit läßt sich Wesentliches zeigen.
Mätzli reagiert zunächst negativ auf Bertschis Annäherungsversuche: sein
Stechen und Turnieren interessiert sie offenbar gar nicht, bei der Serenade

präsentiert sie die Kehrseite, im Stall erschrickt sie nur und wehrt sich gegen den Liebhaber, bei dessen Sturz durchs Dach flieht sie und rollt vor lauter Eile *sam ein ander mülrad* (1507) die Treppe hinab. Erst im Speicher erwacht ihre Geilheit, bemerkenswerterweise nicht im Gedanken an Bertschi, sondern in direkter Auseinandersetzung mit dem, was in ihrem Sinne das einzige Objekt seiner Anstrengungen ist (1582f., 1606f.). Diese obszöne Passage macht klar, daß es ihr nicht um Bertschi geht, sondern daß ihr Stimmungsumschwung allein auf sexuelle Erregung zurückzuführen ist. Ihrem Antwortdiktat an Bertschi entnimmt der Arzt, daß sie eine Hure ist (2099):

> *Und gedacht im an die gschrift,*
> *Die von weiben also spricht:*
> *‚Den frawen ist der ars ze prait,*
> *Daz hertz ze smal.' Daz ist gesait*
> *So vil, und ich euchs btüten wil:*
> *Frawen trew der ist nicht vil;*
> *Frawen unkeusch ist ein vinden,*
> *Den chain roch mag überwinden.*
> *Waz sag ich euch? Es ist nicht new,*
> *Wie smal sei aller welten trew*
> *Und dar zuo churtz ir stätichait,*
> *Ir sünde michel und auch prait.*   (2101–12)

Dies ist praktisch der einzige Kommentar im ‚Ring' (außer Prolog und Epilog), in dem der Dichter *expressis verbis* eine eigene Meinung vorträgt; das gibt der Stelle eine hervorragende Bedeutung im Ganzen des Werkes. Hier geht es auch nicht nur um die natürliche Triebhaftigkeit der Frauen und ihre daraus resultierende Untreue und Unstetigkeit, sondern die Frau steht hier stellvertretend für die Welt – in ihr verkörpert sich beispielhaft die Untreue, Unstetigkeit und Sünde der Welt, sofern diese von Trieben und dunklen Naturmächten regiert ist. Dieses Repräsentations- oder Identitätsverhältnis von Frau und Welt scheint mir auf die magische Identität von Frau und Acker zurückzugehen, die in den Festen, bei denen die Satire entstand, eine Hauptrolle spielte.[200] Wittenwilers Mißtrauen gegenüber der Frau muß jedenfalls diesem Zitat gemäß immer zugleich als Mißtrauen gegenüber der Welt in ihrem materiell verführerischen Aspekt verstanden werden. Mätzli und ihre Geilheit bekommen dadurch mythische Ausmaße,

---

200 Jones, Übersetzung 160, weist auf ähnliche Zusammenhänge: "The great emphasis upon sex in the *Ring* is connected with its Shrovetide origins; for, as the Shrovetide plays so often demonstrate, the ancient fertility principle remained a dominant factor in these spring festivities." In dem Kapitel über Satire wird weiter darauf einzugehen sein (vgl. Kap. IV. Abschnitt 22).

wie auch Bertschi in seiner Bemühung um diese Frau mythische Dimension gewinnt. Dieser Gedanke nimmt an Wahrscheinlichkeit zu, wenn man das Paar vor dem Hintergrunde der mythischen Vernichtungsschlacht am Ende des ,Rings' sieht.

Mätzlis Geilheit (2186), unbefriedigt trotz des Arztes wiederholter Kur, bleibt sich von nun an gleich bis zum Ende des Werks (7111–23); alles andere, ihr Eheverlangen, ihre Schämigkeit bei den Eheschließungen und im Hochzeitsbette, ist betrügerische Mache, mit der sie erfolgreich und deshalb auch reuelos den Anweisungen des Arztes gemäß den Verlust ihrer Jungfräulichkeit verbirgt. Bertschi ist der Betrogene, der sogar noch stolz verkündet: *Wisst, daz sei ein junchfraw was!* (7134); während er Mätzli am Ende noch für seine *liebeu hausfrauw* hält (9666), kehrt er sich von der Welt ab, deren Vergänglichkeit und Unstetigkeit er eingesehen hat (9685 bis 9689), um für seine vergangene Narrheit zu büßen.

Bertschis Trieb ist von vornherein verschieden von dem Mätzlis. Er ist von Anfang an auf dieses bestimmte Mädchen aus, wenn auch deren Häßlichkeit für die Dummheit seiner Wahl spricht; über den Trieb hinaus hat er also den Menschen im Auge. Diese Bindung ist höher als die reine Sexualität Mätzlis, die sich eben irgendeinen Ausweg sucht wie die *mannes gir* der *Junchfraw Hächel Schürenprand* (3762–77). Bertschi stimmt deshalb Neidharts Rat sogleich zu, der als Voraussetzung für Turnieren und Hofieren angibt, daß Bertschi Eheabsichten haben müsse (842–61). Das Versprechen mag trotz der hohen Bekräftigung nicht ernst gemeint sein – Wittenwiler bezeichnet es mit der grünen Farblinie –, um so klarer dagegen ist Bertschis Bewußtsein, daß er Mätzli „haben" müsse (1554f., 1658f., 2625, 2663), weil ihn wie Mätzli „die Minne reitet" (1621). Den Unernst seines Eheversprechens zeigt sein Briefdiktat, in dem nichts von Ehe steht; der Brief des Schreibers, nach dessen Schlußformel sich Jesus und Venus gemeinsam um Mätzli kümmern sollen, erwähnt ebenfalls nichts davon und deutet wohl in der gemischten Schirmherrschaft an, wie unrichtig das Verhältnis vorläufig noch ist. Hat doch auch der Schreiber in seiner Minnelehre offen gelassen, ob die Buhlerei zur Ehe oder zu einem äußerlichen Verhältnis führen müsse (1835f.). In einer Beziehung hat sich Bertschi jedoch seit dem Anfang verändert: sein Vokabular ist präziser geworden, er spricht nicht mehr in hohen Minnefloskeln wie anfangs, sondern bezeichnet nach Anhören der Minnelehre seine Beziehung als *hertzen gir* (1845), und vor der Ehedebatte bezeichnet er den Zwang seines Triebes nach Mätzli nur noch mit unbeschönten, genauen Worten (2625–28, 2659 bis 2664). Diese Entwicklung von der wolkigen Idealbezeichnung zur präzisen Benennung des Triebes bedeutet eine wachsende Differenzierung zwischen geistigen und triebgebundenen Ansprüchen in dem Helden. Das zeigt auch Bertschis absurde Bitte um Rat in der Ehefrage, die er ja schon für sich definitiv entschieden hat. Obwohl der Trieb zur Ehe drängt, denn nur so will Mätzli sich ihm ergeben, braucht Bertschi die geistige Bestätigung der Richtigkeit seines Triebziels. Seine Zustimmung zu den zwei Voraussetzungen, unter denen die Ehe gut ist – Liebe und tugendhafter Wille zur Übernahme aller Pflichten – kennzeichnet, wie schon besprochen, eine Harmonisierung zwischen Trieb und Geist in Bertschi; sie wird hier vorläufig im guten Willen vollzogen, bewährt sich aber später in der Hochzeitsnacht. Mätzlis schamhafte Jungfrauenehre bedingt, daß hier nicht nur Bertschis Trieb Erfüllung findet, sondern auch seine geistige Einstellung eine Bewährungsprobe besteht: nicht nur bestätigt er ihr seine treue Absicht, sie immer lieb zu behalten (7019–21, 7079–81), sondern er zeigt auch einzigartige Beherrschung und Anerkennung des Triebwesens. Er lobt Gott, der die Wonne geschaffen habe, damit die Menschheit gemehrt werde, und er belegt diese Ansicht mit Bibeltext und Glosse (7005–16); dies bedeutet, daß er nun den rechten gottgewollten Sinn seines anfangs blinden hemmungslosen Triebes erkannt hat und sich eines weisen Handelns gewiß ist. Zugleich ist er sich des animalischen Aspektes bewußt: was er und Mätzli vorhaben, unterscheidet sich der Sache nach nicht vom Tierischen (7017f.). Mit dieser ernst gemeinten Rede umspannt und beherrscht Bertschi die Totalität des Menschlichen, Animalisches und Göttliches, Trieb im Dienst des Geistes.

26 Trieb und Geist können also disharmonisch und harmonisch zueinander stehen. Im disharmonischen Zustand ist der Trieb entweder exzessiv oder unrecht, in beiden Fällen widergöttlich und böse. Bertschi entwickelt sich aus dem unbeherrschten Narrentum seiner Anfänge zur Harmonie im guten Willen, fällt angesichts der äußeren Forderungen in disharmonische Bosheit (Meineid, 5207–14) momentan zurück und erhebt sich endlich zur aktuellen Harmonie. Außer der bei Bertschi und in Strudel verwirklichten gibt es keine von einer Person geleistete Harmonie im ‚Ring‘; der Konstanzer Amtmann tritt zu kurz auf. Theoretisch entspricht nur Snattereinas Verbindung von *hertzen gir* und *beschaidenhait*, die schon besprochen wurde. Hier ist übrigens nachgewiesen, daß auch die Frau trotz ihrer natürlichen Unkeuschheit (2839f.) mit Hilfe der gottgegebenen *beschaidenhait* aus dem animalischen Bereich (2849f.) sich erheben kann; Mätzlis Fall ist also nicht die Regel für Wittenwiler.

So wie der einseitig und exzessiv angewandte Geist widergöttlich werden kann (3254–56), so ist der beherrschte Trieb Gott wohlgefällig, der unbeherrschte böse: in jeder Sache gibt es Gutes und Böses (2785f.). Das beweist noch einmal die Verwendung des Begriffes *gir* oder *hertzen gir*. Wer nach seines *hertzen gir* leben will, lebt unrecht und ehrlos wie die Hunde (2844–50); dieselbe animalische Assoziation wird bei Lastersaks

Gier nach dem Kraut deutlich, auf das er *recht sam ein stir* starrt (5723f.).
Des *hertzen gir* kann aber auch den Eifer bezeichnen, mit dem man dankt,
(3614) oder spricht (3926), und schließlich gar den sittlichen Willen, mit
dem man die Bösen zu strafen trachtet (4582–85) oder seinem guten Herren dient (4696–99). Böse und gut, in Einstimmung mit göttlich-geistigen
Zwecken oder in greller Dissonanz dazu kann also die *gir* gedacht werden.
Am aufschlußreichsten ist vielleicht folgende Stelle aus Straubs Gesundheitslehre:

> *Was der man von hertzen gir*
> *Gerne singt, daz ist sein gsank,*
> *Lustleich trinkt, daz ist sein gtrank,*
> *Willkleich isst, daz ist sein speis!*
> *Dar umb so saget uns der weis:*
> *Wollust und gewonhait*
> *Fälschent kunst und grechtikait*
> *Und verkerent die nataur,*
> *Daz auss dem edeln wirt ein gpaur;*
> *Ein gpaur der wirt ein edelman,*
> *Der sich dar nach gewenen chan.*   (4391–4401)

Aus der unverfälschten Natur fließen also die richtigen Instinkte bezüglich Gesang, Trank und Speise. Diese instinktive triebsichere Natur ist so,
wie Gott sie geschaffen hat, und sie kann in Harmonie mit dem geistigen
Teile treten. Das ist der Mensch, den Wittenwiler – ebensowenig wie den
Bauern im ständischen Sinne – als *edelman* bezeichnet. Wollust, Trieb-
exzeß und falsche Gewöhnung verkehren die Natur, und so entsteht aus
dem edlen, der Idee gemäßen Menschen, ein *gpaur,* ein animalisches Wesen,
das Wittenwiler unter diesem Aspekt der Triebbesessenheit häufig mit
Tiernamen belegt.

Die Institution, in der sich der im ,Ring' dominante geschlechtliche
Trieb mit der göttlichen Absicht und der göttlichen Weisheit harmonisch
verbindet, ist die Ehe. Ganz offensichtlich liegt Wittenwilers zentraler
Zweck im ,Ring' in der Ehe.[201] Nicht nur steht die Bauernhochzeit im Mittelpunkt der Fabel, sondern praktisch alle Lehren richten sich darauf.
Neidharts Turnierlehre steht unter der Voraussetzung, daß Minnedienst
nur dann sündlos und gerechtfertigt sei, wenn das Ziel des Minnenden die
Ehe sei (842–47). Sicher war sich Wittenwiler bewußt, daß er Neidhart damit einen Gedanken in den Mund legte, der der ritterlichen Tradition ge-
nau widersprach. Des Schreibers Minnelehre, wenngleich sie nur bis zur
Gewinnung der Frauengunst führen soll, bezeichnet die Ehe als das rechte
Ziel der Bemühungen (1684f.); die Formulierung in Bedingungssätzen

---

[201] Vgl. Ermatinger, Dichtung und Geistesleben 82.

(vgl. 1836) läßt allerdings auch andere Möglichkeiten offen.[202] Im Brief
bittet der Schreiber dementsprechend nur um guten Willen, eine heimliche
Zusammenkunft und ein Liebesversprechen, lauter Dinge also, die zur Ehe,
aber auch zu einer außerehelichen Beziehung führen können. Der Schreiber
ist deshalb nicht unethisch zu nennen; er beschränkt sich auf seine Aufgabe
der einleitenden Schritte; seine wirkliche Meinung kommt am Schluß der
Ehedebatte zum Ausdruck.[203] Der Brief des Arztes ist gegen die falsche
Minne (2459) und für die gottgewollte Liebe in der Ehe eingestellt; der
Zweck des Arztes dahinter ist zwielichtig, was aber den Wert der Gedanken im Brief nicht antastet. Wie gezeigt, ist die Ehedebatte durchaus entschieden, wenn sie auch nach der Entscheidung noch ins Uferlose überläuft.
Die abschließende Formulierung des Dorfschreibers präzisiert nach der
Voraussetzung der Liebe noch die zweite der Übernahme der Verpflichtungen eines Ehemanns und der Entsprechung der beiden Ehegatten. – Die in
Fritzos Haus gegebenen Lehren sind alle speziell auf den zukünftigen Ehemann gemünzt. Sogar die Kriegslehren können mit dem Prinzip der Ehe
verbunden gedacht werden, da der gerechte Krieg das friedliche Zusam-
menleben der Menschen sichert:

> Der streit geschaffen was
> Umb anders nichti dann umb das,
> Daz man an unzucht schon und eben
> Möcht mit gantzem frid geleben. (6814–17)

Daß gerade bei Bertschis Hochzeit Streit ausbricht, zeigt eben, daß diese
Ehe nicht *an unzucht* ist und ein zerstörerisches Element in sich trägt. Genau betrachtet, entspricht sie auch nicht allen notwendigen Voraussetzungen. Nach der positiven Beantwortung des allgemeinen und des speziellen
Teils der Ehefrage formuliert Laichdenman die erste Voraussetzung für die
gute Ehe:

> Von rehter liebschaft sich die leut
> Nemen schüllen, nit umb gelt,
> So sein seu sälig in der welt. (3486–88)

---

202 Sowinski, Realismus 44f. meint, die Minnelehre des Schreibers sei nur hö-
fisch-galant, der Schreiber lehre „die rechte Weise des Hofierens um ihrer
selbst willen ..., ohne ein besonderes Ethos damit zu verbinden". Ähnlich
einseitig ist Fehrenbach, Marriage 69: "It is important to note that according
to Wittenwiler's teaching the only purpose of love-making and of courtship
is to win the consent of the beloved to become the wife of the wooer." Der
Dorfschreiber bezeichnet als *rechte gir* das Eheziel des Werbers (1685), aber
es geht deutlich hervor, daß er auch andere Ziele im Sinn hat.

203 Im Gegensatz zu den meisten Männern, die in der Ehedebatte zu Wort kommen (es sind nicht „alle Männer der Sippe", wie Wießner, Kommentar zu
3504 meint).

Liebe ist also Voraussetzung für das *paradeis Auf diser erd* (4672f.), für den weltlichen Aspekt der Ehe. Nun liebt zwar Bertschi speziell Mätzli, aber Mätzli liebt alle Männer. Folglich ist zwar von seiner Seite her die Voraussetzung erfüllt (3489–92),[204] nicht aber durch Mätzli, deren Geilheit sicher nicht als *rehte liebschaft* bezeichnet werden kann. – Ähnlich steht es mit der durch den Dorfschreiber formulierten zweiten Voraussetzung, die den geistlichen Aspekt der Ehe betrifft. Bertschi kann mit gutem Gewissen seinen Willen bestätigen, daß er treu bleiben, Kinder haben, Weib und Kinder mit rechtmäßigem Gut versorgen und[205] keusch sein will; daß er es kann (*mag* Prosa 5), wird teilweise noch im ‚Ring‘ bewiesen. Wenn er aber die Bedingungen bezüglich der *hausfrawen* für Mätzli alle mit „Ja" beantwortet, so hat er Unrecht: Mätzli ist eben nicht *weis und from und sein geleich* (Prosa 11), obwohl er es in seiner Blindheit meint. Für Bertschi treffen also beide Voraussetzungen zu einer guten Ehe zu, für Mätzli dagegen nicht.

Die Ehe, so zeigt sich noch einmal, vereinigt Trieb und Geist, weltliche und ethische Aspekte gemäß dem Willen Gottes (2387): diese Vereinigung ist also, was Gott vom Menschen fordert; sie ist eine Zusicherung, daß Gott wohlgefälliges Handeln und rechtes Leben tatsächlich möglich sind. Wittenwilers Verständnis der Ehe und Deutung des göttlichen Willens gehen offenbar weiter als die der Kirche und die des Albrecht von Eyb in seinem

---

[204] Jones, Übersetzung 46, gibt Vers 3489 so wieder: "Well now, she loves Bertschi." Grammatisch vielleicht möglich, obwohl man den Akkusativ *Bertschin* (106) erwarten müßte, ist inhaltlich dieses Verständnis kaum gerechtfertigt. Bertschi hat seine Liebe vor der Versammlung proklamiert (2661–64), während über Mätzlis etwaige Liebe zu Bertschi nichts gesagt ist. Auch von Wittenwilers Führung der Fabel her (Geilheit Mätzlis beim Arzt) scheint mir diese Interpretation der ernstgemeinten (rot bezeichneten) Stelle unrichtig.

[205] Jones, Übersetzung 46 faßt das *noch* im Sinne von „und nicht", während Fehrenbach, Marriage 4 paraphrasiert: "and if he wants to lieve chastely ...". Wenn das *noch* in der Prosa des Schreibers „und nicht" bedeuten soll, so muß es die Negation in sich selbst enthalten, denn der vorhergehende Satz ist positiv. Alle von Jones (192) angeführten Beispiele außer einem treffen nicht zu, denn entweder ist der vorhergehende Satz negativ („weder ... noch", „nicht ... noch"), oder Jones' Verständnis trifft offenbar nicht zu. Das *noch* 4103 enthält als einziges die Negation in sich (die Welt gleicht dem Reisezelt, das man alle Tage verändert, *noch* (und das nicht) *gantz und sicher bleiben mag*) und stützt Jones' Annahme. Dagegen bedeutet *Noch so wilt mirs gwinnen an* (3280) sicher „Auch so willst du mich noch übertrumpfen". Man muß also beide Möglichkeiten gelten lassen. Selbst wenn Jones' Annahme gilt, bedeutet das *noch* keinen Widerspruch zu Wittenwilers Behauptung der Keuschheit der Eheleute (wie Jones S. 192 meint): die Eheleute sind zwar keusch, aber doch vielleicht nicht *sam ein engel* (Prosa 8f., vgl. 4959–61).

„Ehebüchlein", das etwa siebzig Jahre später als der ‚Ring' die gleiche Frage behandelt: *Ob einem manne sey zunemen ein eelich weyb oder nit.*[206] Die Kirchenlehrer, die Fehrenbach zu dem Problem der Sünde in der ehelichen Liebe zitiert, kommen höchstens zur negativen Formulierung, eheliche Liebesbeziehung sei ohne Schuld oder ohne Sünde.[207] Auch Albrecht von Eyb hält diesbezüglich die Ehe nur für gut, weil *die sünde der vnkeüscheit vermiden werde.*[208] Für Wittenwiler hat jedoch Gott positiv die Wonne der Liebesbeziehung geschaffen, damit in der Ehe die Menschheit gemehrt werde (7005–08). Dies bedeutet eine volle Anerkennung und Wertschätzung des Triebes, sofern er im Dienste der göttlichen Idee steht. Wenn, wie gezeigt, die Ehe im Zentrum der Lehren des Werks und der Interessen seines Autors steht, so gewiß um dieser Möglichkeit willen, die Verwirklichung einer göttlichen Harmonie des Geistig-Ethischen mit dem zu zeigen, was auch in die Tiefen des Animalischen und Teuflischen absinken kann. Hier scheint mir der Sinn und das Wesen der Renaissance erfüllt zu sein: die Heiligkeit des Natürlichen, die göttliche Idee des Menschen, deren Verwirklichung ihm in freier Verantwortung aufgetragen ist.

27 Der Trieb ist also an sich nicht böse, ja, Gott hat ihn geschaffen. Aber er kann böse werden, wenn er nicht beherrscht wird (4925f.) und so ins Extrem gerät (4877–79). Hier entsteht dann das Tierische, das etwa beim Hochzeitsmahl oder beim anschließenden Tanz sichtbar wird und das Wittenwiler gerne mit Tiervergleichen bezeichnet. Auch exzessives Wissen ist widergöttlich (3254–56).

Mangelnde Beherrschung ist jedoch eine Willensfrage: sie ist Mangel an gutem Willen, das Maß zu halten und der göttlichen Idee zu folgen. Deshalb heißt es, wie schon zitiert:

> *Wer nach seines hertzen gir*
> *Leben wil, der tuot nicht recht*   (2844f.)

Und da Gott die *beschaidenhait* gegeben hat (2847f.), kommt dieser Wille zum unrechten Leben einer Verachtung Gottes gleich. Umgekehrt ist es aber auch so, daß in eine böse Seele keine Weisheit kommt, da Gottesfurcht der Anfang aller Weisheit ist (3863–65). Wie bei der Besprechung der Weisheit zeigt sich hier der Primat des Willens: böser Wille schließt die Weisheit aus. Der Wille wird böse offenbar durch *wollust und gewonhait* (4396); böse Lust (4163), speziell die *falsch, betrogen minn* (2410), verderben die Seele.

---

[206] Albrecht von Eyb: Deutsche Schriften, hrsg. Max Hermann. Bd. 1: Das Ehebüchlein. – Berlin 1890 (Schriften zur Germanischen Philologie 4,1).
[207] Fehrenbach, Marriage 40f.   [208] Eyb, Ehebüchlein 48.

Die Anziehungskraft des Bösen ist groß, besonders wieder die der Venus, der falschen Minne; auch bedarf die Bosheit keiner langwierigen Lehre wie die Weisheit: sie *lert sich selber wol* (9446), denn zum Beispiel

> *Die minner habend wilden muot;*
> *Was seu tuond, das dunkt seu guot.* (2435f.)

Wo einmal die *beschaidenhait* vertrieben ist oder wo sie nie Fuß fassen konnte, da gilt nur noch der momentane Triebwunsch; um das Schickliche, um Zucht und Ehre im wahren Sinne kümmert man sich nicht mehr. Von Mätzli zum Beispiel heißt es: *Der eren aht sei nit ein furtz* (3432), und das wird nur bestätigt durch ihr Briefdiktat an Bertschi, dem sie versichern will, sie achte der andern *nicht ein huon* (2094). Der Mangel an gutem Willen zieht also nach sich: Unfrömmigkeit, Narrheit, Zuchtlosigkeit, Ehrlosigkeit. Das ist, was Wittenwiler mit seinem Bauernbegriff umschreibt. Der natürliche richtige Instinkt und gesunde, gute Wille des Menschen ist verkehrt, die göttliche Idee geschändet: der Mensch ist zum Affen, zum Heiden, zum Kranken und Narren geworden (4124–27).

Diese Entfremdung des Menschen von seinem ursprünglichen Wesen und von der göttlichen Idee macht ihn *ungeschlacht* im vollen mittelhochdeutschen Wortsinne: die *böshait* ist *ungeschlacht*, der tugendhaften Stärke entgegengesetzt (4748–51), also roh, brutal und bösartig; auch der Tugend überhaupt entgegengesetzt ist das Ungeschlachte (7232f.), es umfaßt also das Gegenteil aller Tugendbegriffe, besonders der Kardinaltugenden Weisheit, Gerechtigkeit, Stärke und Mäßigkeit. Dieser Mangel an Frömmigkeit und Tugend, an Bildung und Zucht entfremdet den Ungeschlachten von der Idee des Menschen, wie sie Gott verwirklicht sehen will: er schlägt aus der Art, gehört nicht zum rechten Menschengeschlecht. Wenn die Lappenhauser unter anderem *ungeschlacht* genannt werden (6875), ist genug über sie gesagt.

So wird auch verständlich, wie sie zum Kampfe gegen Nissingen Hexen, Zwerge, Recken, Riesen und Heiden einladen können: diese gehören dem Bereich des Fremdartig-Archaischen, Ungeschlachten an, besonders die Hexen, Riesen und Heiden, die in Lappenhausen bleiben; die Zwerge ziehen wegen Haß auf die Hexen (7911–20), die Recken wegen alter Feindschaft gegen die Riesen (7936–39) nach Nissingen. Wie die Leute aus Narrenheim und Torenhofen (7882–87) sind diese Unholde Lappenhausens *freunde* (7888). Die Hexen haben irgendeinen Teufel in sich, so schnell fliegen sie auf ihren Geißen, und ihr allgemeines Zeichen ist Beelzebubs *chrumbe nas* (7901–06). Die Riesen tragen einen Drachen als Feldzeichen (7931f.); sie *sind aller bösshait vol* (8222). Die Heiden endlich freuen sich über die Uneinigkeit der Christen und hoffen aus deren Kampf leichte Rache zu gewinnen (7945–52). Zwerge und Recken, zwar von Lappenhausen eingeladen, aber wegen Haß auf die Mitstreiter nach Nissingen übergegangen, kommen weit besser weg: ihre Feldzeichen sind respektabler, und ihre Einstellung zu den eindeutig als ungeschlacht gezeichneten Hexen und Riesen empfiehlt sie.

Was sich in Lappenhausen zum Kriege versammelt, ist das Teuflische, Böse, Tugendlose, Närrische, der Inbegriff dessen, was der Idee des Menschen widerspricht, was sie von unten her ständig bedroht. In Nissingen dagegen herrscht in der Person Strudels reines Menschentum, wenn auch dort die Bedrohung vorhanden ist. In der Schlacht werden entsprechend die Hexen vernichtend geschlagen und dezimiert (8851f.); sämtliche sieben Riesen (7987) werden getötet (9071–73), der Heiden Reiterei wird aufgerieben (9098–9105), das Fußvolk dezimiert und in die Flucht geschlagen (9138–40); Lappenhauser, Narrenheimer und Torenhofener, schon auf dem Schlachtfeld übel mitgenommen, werden am nächsten Morgen durch eine Kriegslist vollends aufgerieben und das Dorf durch Verrat verbrannt und zerstört (9478–9536). Auf der anderen Seite ziehen sich die Zwerge, zwar nach großen Verlusten, aber siegreich gegen die Hexen, aus dem Kampfe zurück, ebenso die vier Recken, die nur müde sind (9109), aber keinen Kämpfer eingebüßt haben (9146–51). Die Nissinger und ihre Verbündeten kämpfen bis in die Nacht mit wechselndem Glück; am Morgen hilft ihnen die Kriegslist, und so ziehen sie *sälich und auch reich* (9537) heimwärts. Hat die Schlacht eineinhalb Tage gedauert, so werden sie durch die Belagerung Bertschis dreieinhalb Tage (9639) hingehalten und endlich noch in die Flucht geschlagen, weil sie ihn für einen *wicht* (9648) halten. Es kann natürlich keine Rede von einem „entmenschten, zum *wicht,* zum Dämon gewordenen Bertschi" sein;[209] wenn hinter dem Spaß eine Lehre steckt, so eben die, daß *ein* weise gewordener Lappenhauser mehr fertigbringt als eine Überzahl närrisch gebliebener.

Wittenwilers Lehrziel in dieser Schlacht ist deutlich. Die unholden Verbündeten der Lappenhauser werden von denen vernichtet, die sie selbst gerufen hatten, die aber wegen Feindschaft zu den andern zur gegnerischen Seite übergingen. Sie selbst werden am andern Morgen wegen ihrer Beutegier aufgerieben, der Rest durch Verrat aus den eigenen Reihen vernichtet. Das Böse, das Ungeschlachte, das Unmenschliche vernichtet sich endlich selbst, das ist Wittenwilers Lehre. Und es ist nicht nur der „ironische Triumph des Didaktikers über das vernichtete Narrentum",[210] sondern das Aufatmen des Menschen, der sich vom Alptraum des Teuflischen, Unholden, Ungeheuren befreit hat, die Gewißheit des Einsamen, daß ihm die selbstzerstörerische Narrheit der Vielen in seinem Kampfe um die Idee des Menschen zu Hilfe kommen wird.

---

[209] Wessels, Ring als Groteske 211.   [210] Martini, DVjS 232.

28 Die wichtigsten Gedanken des ‚Rings‘ sind dargestellt, das Verhältnis der Begriffe zueinander geklärt. Der ‚Ring‘ ist nicht etwa ein Kompendium, in dem Lehren ohne inneren Zusammenhang gesammelt sind, sondern Wittenwiler hat aus den Quellen nur das ausgewählt, was seiner persönlichen Überzeugung entsprach; wahrscheinlich stammen die zentralen Ideen von ihm selbst. Ein Vergleich der Stellen im ‚Ring‘, die für unsere Analyse am wichtigsten waren, mit den von Wießner im Kommentar zusammengetragenen Quellenangaben zeigt meistens gerade da kein Vorbild in der Quelle. Durch den gefundenen bruchlosen Zusammenhang rechtfertigt sich auch die für die Analyse gewählte Methode, mit der verschiedene Stellen im ‚Ring‘ gegeneinandergehalten, verglichen und kombiniert wurden, die also den Zusammenhang hypothetisch voraussetzte. Eine erste Rechtfertigung der Hypothese war allerdings durch den inneren Zusammenhang der seither für disparat und entscheidungslos gehaltenen Ehedebatte gegeben.

Der Charakter der Lehren ist als kasuistisch bezeichnet worden.[211] Viele Lehren beziehen sich auch auf das rechte Verhalten in Einzelfällen, entweder direkt wie etwa in der Turnier- oder Minnelehre oder indirekt wie in der Beschreibung des Hochzeitsmahls. Dieser Aspekt der Lehren spiegelt sich in der quantitativen Kenntnis aller *stuk*, die vom Weisen verlangt wird. Aber wie der Weise fähig sein muß, das Beste für den jeweiligen Augenblick aus dieser Totalität auszuwählen, so wird auch der Zusammenhalt der Lehren für Einzelfälle durch ein Bild des weisen Menschen gestiftet, das sich nicht auf Einzelkenntnissen, sondern auf Haltungen gründet. Die Kasuistik ist also aufgehoben in einer Lehre vom Menschen. Wittenwilers Menschenbild ist neu und gehört der Renaissance an, sofern sein Fundament die freie Selbstverantwortung des Willens, die unauswechselbare Bestimmtheit des Individuums und die Heiligkeit des Natürlichen ist. Der Renaissancecharakter scheint mir damit ausgeprägter zu sein als bei dem etwa gleichzeitigen ‚Ackermann aus Böhmen‘.[212]

Das Menschenbild sieht die gottgewollte Harmonisierung von Trieb und Geist durch guten Willen und Weisheit vor; das objektive Korrelat dazu ist die Ehe, in der geschlechtlicher Trieb und ethische Verantwortung zur Harmonie kommen. Die Ehe ist das objektive Zentrum aller Handlungen und Lehren des ‚Ring‘, das Menschenbild das innere in der Bildung Bertschis zur Weisheit und in der Vernichtung der ungeschlachten Gegenwelt durch sich selbst. Mythische Dimension erhält der ‚Ring‘ in zwei Hinsichten: dadurch, daß Mätzli die Welt repräsentiert (2099–2112), wird

---

211 Sowinski, Realismus 103.
212 Günther Müller, Deutsche Dichtung 73f. sieht aus anderem Gesichtswinkel den ‚Ring‘ ebenfalls als Renaissancewerk. Vgl. auch Günther Müller: Bilder aus der Schweizerischen Renaissance-Dichtung. I. Der Ring.

Bertschis Werben und Heirat, sein Betrogenwerden, seine geistige Entwicklung zur Harmonie durch die Bemühung um Mätzli durchsichtig auf die mythische Auseinandersetzung zwischen Licht und Finsternis. Der Geist wirbt, bemüht sich um das Materielle, wächst dabei an Kraft und Umfang, wird sich auch einmal selbst untreu, wird betrogen, nimmt am Ende die Materie harmonisch in sich auf, wodurch sie aufgehoben ist im Sinne der Bewahrung und Bändigung im Geistigen und im Sinne der Vernichtung als Selbstwesen. Es erscheint deshalb sinnvoll, daß die Hochzeitsnacht, in der Bertschi die aktuelle Harmonie von Trieb und Geist errungen hat, mitten in die Zerstörung des Ungeschlachten durch sich selbst fällt. Es erscheint deshalb ebenso sinnvoll, daß Wittenwiler Bertschis Gang in den Schwarzwald mit der grünen Linie des Scherzes bezeichnet: er hat es nicht nötig, die Welt zu verlassen, denn er hat sie in sich aufgehoben. – Der zweite mythische Aspekt entsteht durch die Konfrontation der Welten von Lappenhausen und Nissingen. Die Lappenhauser Welt ist eine, in der die Narrheit herrscht, in der sich der Mensch seiner Idee entfremdet hat, in Nissingen herrscht die Weisheit, und das Bild des Menschen ist in Strudel verkörpert. Die Lappenhauser machen deshalb auch skrupellos Gebrauch von teuflischen dämonischen Mächten, während die Nissinger auf Bundesgenossen angewiesen sind, die weniger aus Überzeugung, sondern aus alten Animositäten gegen die Lappenhauser und ihre Verbündeten kämpfen. Nur die Schweizer mit ihrem Haß auf die Heiden haben einen ideellen Zweck. Der Kampf zwischen beiden Dörfern ist also nicht nur äußerlich eine grotesk übersteigerte Bauernprügelei, sondern im tiefen Sinne das Schauspiel der Selbstzerfleischung des Bösen, Ungeschlachten, Wilden, dem das Handeln des Weisen nur die Richtung und den letzten Ausschlag gibt. Hier wird etwas von der Hoffnung des neuen Menschen spürbar, etwas von dem Vertrauen auf sich selbst und auf die Macht seiner gottgegebenen und gottähnlichen Weisheit.

§ 3 Der ‚Ring‘ als Satire

29 Wer sich nach der Gattung von Wittenwilers Werk erkundigt, bekommt von der Forschung ungefähr ein Dutzend verschiedene Antworten; der Grund dafür liegt hauptsächlich in der verschiedenen Beurteilung des Verhältnisses von Leben und Lehre, die schon in § 1 besprochen wurde.

Die Vermutungen bezüglich unmittelbarer historischer Hintergründe für das Geschehen im ‚Ring‘, wie sie besonders von Nadler,[213] aber auch

---

213 Josef Nadler: Literaturgeschichte der deutschen Schweiz, 76–79; „Wittenweiler“ 182–184.

von Baechtold,[214] und anderen angestellt wurden, haben sich nie konkretisieren lassen, ebenso wenig wie die hauptsächlich im 19. Jahrhundert gängigen Vorstellungen, Wittenwiler wende sich trotz seiner Bemerkung in der Vorrede gegen wirkliche Bauern, und sein Werk stelle damit eine direkte Zeit- oder Ständesatire dar.[215] Man schien dieser Vermutung jedoch selbst nicht ganz sicher, denn es wurde zugleich angenommen, das Werk sei eine „Caricatur des höfischen Ritterepos"[216] oder ein „parodistisches Epos".[217] Als rein komisches Epos, „das aus der Welt des Schwankes alle Motive der Bauernsatire sammelt", wurde der ‚Ring' nur selten bezeichnet;[218] diese Benennung hat man jedoch mehrfach abgelehnt.[219] In Verbindung mit anderen Epitheta tritt das Komische allerdings häufiger auf: grotesk-komisch[220] und komisch-didaktisch.[221] Am meisten Anklang hat der Terminus des Grotesken gefunden: man sieht im ‚Ring' ein groteskes

---

214 Baechtold, Geschichte der deutschen Literatur 189: „Überhaupt möchte man den Ring nicht bloß als kulturgeschichtliche, sondern oft als historische Satire auffassen."

215 Fränkel, Wittenweiler 613 sieht im ‚Ring' eine „herbe Satire wider die rüden Excesse der damaligen bäuerlichen Lebensführung". Vgl. Richard Brill: Die Schule Neidharts. Eine Stiluntersuchung. – Berlin 1908 (Palaestra XXXVII): „... ein Werk ..., das in klaren, scharf geisselnden Worten den übermütigen Bauern ihr Spiegelbild vorrückt. Ernst und eindringlich stellt Wittenwiler ihnen die Torheit alberner Nachäfferei dar" (198). – Auch Fehrenbach, Marriage 54,57,89 etc. vermutet sehr stark, daß Wittenwilers Hauptpublikum bäurisch war und daß damit die Lehre und die satirischen Züge gegen das ständische Bauerntum direkt gerichtet sind.

216 Fränkel, Wittenweiler 613. Vgl. G. Rosenhagen und Hendrikus Sparnaay: „Dörperliche Dichtung." Merker-Stammler: Reallexikon, 2. Aufl. Bd. I 269 bis 274; 273. Vgl. Jones, Wittenwiler – Nobleman or Burgher 65 (“mock-epic").

217 Günther Müller, „Bilder aus der schweizerischen Renaissance-Dichtung. I. Der Ring." Schweizer Rundschau 27 (1927), 782–94; 789. Es wird nicht ganz klar, was nach Müllers Ansicht parodiert wird: die Lehren, die Bauern oder die Bauernschwänke der Neidharttradition.

218 Rosenfeld, Literatur in soziologischer Sicht 291. Auch Martini, DVjS 204 tendiert offenbar dahin.

219 Fränkel, Wittenweiler 613 wegen der tragischen Schlußstimmung. Samuel Singer: Die mittelalterliche Literatur der deutschen Schweiz. – Frauenfeld/ Leipzig 1930, 125 stimmt Wießners Betonung des Lehrcharakters zu. Auf der gleichen Seite bezeichnet er die Bauerngeschichte als „grotesk-komisch" und sieht S. 127 Wittenwiler als Vertreter des *ridendo dicere verum,* demnach als Satiriker.

220 Wießner, Ausgabe 6; Singer, Mittelalterliche Literatur 125.

221 Jones, Übersetzung 132; Jones, Tournaments 1123.

Werk,[222] Bauernepos,[223] Großepos[224] und Monumentalwerk[225] und sogar eine Groteske der Gattung nach.[226] Böckmann versteht den ‚Ring‘ als satirisches Epos,[227] Jungbluth als Satire der Gattung nach,[228] und Singer sieht Wittenwiler mit Rabelais zusammen als Vertreter des *ridendo dicere verum*,[229] demnach als Satiriker im Sinne des Horaz, wenn auch der Begriff nicht gebraucht wird.

Zugleich meint Singer aber mit Wießner, den ‚Ring‘ als Lehrgedicht am besten fassen zu können,[230] auch Sowinski betrachtet die didaktische Haltung als vorherrschend und vergleicht Wittenwilers Stil sogar mit der Predigt.[231]

Oft hat man das Werk auch als Mischung mehr oder weniger widerstrebender Elemente verstanden,[232] oder man stellt mit Brinkmann fest: „In keine Kategorie spätmittelalterlicher Dichtungsformen paßt dieses Werk ja hinein, ganz einzigartig und der Form nach ganz unzeitgemäß scheint es zu sein.“ [233]

Die meisten dieser Zuordnungen betonen eine Schicht des Werkes auf Kosten der andern, betrachten entweder die Bauernwelt oder die Lehre oder eine bestimmte in der Darstellung angewandte Technik als das tragende Element der ganzen Dichtung. Es hat sich jedoch in den vorausgehenden Untersuchungen gezeigt, daß Wittenwiler die Bereiche immer

---

[222] Wießner, Gedicht von der Bauernhochzeit 247. Samuel Singer: Literaturgeschichte der deutschen Schweiz im Mittelalter. – Bern 1916 (Sprache und Dichtung, Heft 17), 29.

[223] Ranke, Zum Formwillen 313.   [224] Müller, Bilder I 792.

[225] Hügli, Der deutsche Bauer 124.

[226] Wessels, Ring als Groteske. Widerspruch dagegen von Sowinski, Realismus 93 Anm. 1; und von Boesch, Weltsicht und Denkform 49. Ausführlicher noch Bruno Boesch: „Zum Stilproblem in Heinrich Wittenwilers ‚Ring‘.“ Philologia deutsch: Festschrift zum 70. Geburtstag von Walter Henzen, hrsg. v. Werner Kohlschmidt und Paul Zinsli. – Bern 1965, 63–79; 75ff.

[227] Böckmann, Formgeschichte 202.

[228] Jungbluth, Wittenwiler 1039. Martini DVjS 206 hält offenbar den Begriff der Satire für ungenügend.

[229] Singer, Die mittelalterliche Literatur 126f.

[230] Ebd. 125. Martinis ironischer Triumph des Didaktikers, DVjS 232, geht in die gleiche Richtung, vgl. DVjS 229f.

[231] Sowinski, Realismus 28 u.ö., „Predigt“: S. 96.

[232] Wießner, Ausgabe 7; Hügli, Der deutsche Bauer 124; Wießner, Gedicht von der Bauernhochzeit 250; Rosenfeld, Literatur in soziologischer Sicht 292.

[233] Brinkmann, Zur Deutung 203. Vgl. Boesch, Zum Stilproblem 77f.: „Ich finde jedenfalls keine Stilkategorie, die diese Vielfalt von Ernst und Unernst auf sich zu vereinigen möchte ... im Blick aufs Ganze wird sich als stilistisches Fazit das einer Stil*mischung* ergeben.“

verbunden sieht, ohne daß ein einseitiges Abhängigkeitsverhältnis bestünde. Nach unseren Ergebnissen ist es also weder richtig, daß das *törpelleben* nur im Sinne eines Lustspiels aufgefaßt wird, das mit der Lehre gar nichts zu tun hat, noch daß es der Lehre bloß als Verdeutlichung und Beispiel oder Gegenbeispiel dienen soll. Umgekehrt lassen unsere Ergebnisse auch nicht zu, daß die Lehre von der Bauernhandlung aufgehoben oder zu ihrer Funktion gemacht wird. Vielmehr ist eine Form zu finden, in der eine echte Wechselwirkung zwischen beiden Bereichen eintritt: das ist in der Satire möglich. Die Bauernhandlung scheint jedoch nicht im gleichen Wirklichkeitsbereich zu stehen wie die Lehre und dadurch eine Wechselwirkung zu verhindern. Deshalb ist es nun zunächst notwendig, eine Definition des Wittenwilerschen Bauernbegriffs zu finden, um von da aus den ‚Wirklichkeitsgehalt‘ des *törpellebens* in den Griff zu bekommen. Von da aus wird es dann möglich sein, Zentrum und Ziel der Satire zu bestimmen und den satirischen Prozeß zu untersuchen.

30   Die Forschung hat am Bauernbegriff Wittenwilers verschiedene Seiten herausgearbeitet. Martini, der sich in einer Arbeit ausführlich darum bemüht, hebt besonders die triebhafte Seite hervor: „Nicht um Bauern im ständisch realen Sinne geht es Wittenwiler, sondern um einen gesteigerten menschlichen Typus überhaupt, den Narren. Er ist das Sinnbild des triebhaft geschöpflichen, von zügelloser Leidenschaft beherrschten, fast pathologisch reizbaren Menschen, der sich blind jeder Belehrung verschließt, so an aller Zucht, Sitte und Selbsterkenntnis versagt." [234] Martini widerspricht sich allerdings mehrmals, was das Verhältnis zwischen Trieb und Einsicht betrifft. Neben dem Gedanken, er verschließe sich jeder Belehrung, findet man die Ansicht, der Bauer sei eventuell fähig, sich und seine Triebe „durch die Einsicht zu bändigen, die ihm die Lehre vermittelt. Ohne sie verliert er gänzlich die Herrschaft über sich selbst – er wird von einer inneren, in das Blinde treibenden Gewalt geradezu überwältigt. Die Physis triumphiert über den Willen." [235] Wenn die Physis über den Willen triumphiert, so hat die Einsicht keinen Einfluß mehr, die ja sowieso nicht im Menschen sein kann, der sich blind der Belehrung verschließt. Obendrein wird völlig unverständlich, warum angesichts solcher Bedingungen der Untergang „selbstverschuldet" sein soll:[236] der Mensch, der von der Leidenschaft beherrscht ist, dessen Wille von der Physis überwältigt wird, trägt keine Schuld daran, daß ihn diese Physis auch äußerlich vernichtet; er muß wenigstens irgendwo die Möglichkeit haben, aus seinem Tierdasein herauszukommen, oder

---

[234] Martini, DVjS 214. Vgl. Martini, Das Bauerntum 185.
[235] Ebd. 215f.   [236] Ebd. 232.

er muß durch eine Art Sündenfall hineingekommen sein. Beides berücksichtigt Martini nicht, beides ist bei Wittenwiler möglich.

Böckmann verwendet den Begriff der *unfuoge*, um die „menschliche Narrheit und Torheit überhaupt" zu kennzeichnen;[237] auch er spricht übrigens von der „Unverbesserlichkeit des Menschen", die die Didaktik Wittenwilers hinnehme.[238] Den Bereich der mangelnden Weisheit berührt Jungbluth, wenn er im Bauern das „menschliche Narrentum" sieht, „das erst zur Einsicht kommt, wenn es bereits zu spät ist".[239] Den Aspekt der Zucht und Sitte faßt Wessels mit seiner Definition, der Bauer sei die „Verkörperung des wider die sittliche Norm handelnden Menschen".[240] Hügli vertieft dieses Gesichtsfeld durch den Hinweis auf die Verwendung von *gebûre* im mittelhochdeutschen Epos zur Bezeichnung von Ungeheuern und aus der Gesellschaft verbannten Menschen: „Dies ist die typische allgemeine Vorstellung, die die Bauern nicht als einen besonderen Stand der Gesellschaft, sondern als eine barbarische, wilde Gattung der Menschheit sieht; vom halbtierischen Ungeheuer der Märchen bis heute zum unbeholfenen groben Menschen heißen sie alle ‚Bauern‘." [241] Den religiösen Bereich endlich berührt Sowinski: die Narren seien „die Vertreter normwidrigen, unchristlichen Verhaltens".[242]

Diese Umschreibungen sind alle richtig, aber sie erfassen jeweils nur einen Teil des von Wittenwiler Gemeinten. Die Betonung der Triebhaftigkeit kann nur gelten, wenn man festhält, daß der Trieb an sich nicht böse, sondern von Gott zum guten Zwecke in den Menschen gelegt ist, und daß nur die unrechte oder exzessive Anwendung des Triebs ihn böse macht.

Ein Überblick über Wittenwilers Definitionen des *gpauren* und über die Stellen im ‚Ring‘, die dazu noch herangezogen werden können, wird die Gesichtspunkte zusammenfassen, die sich uns in der Untersuchung des Systemzusammenhangs im Denken Wittenwilers ergaben.

> *Er ist ein gpaur in meinem muot,*
> *Der unrecht lept und läppisch tuot,*
> *Nicht einer, der aus weisem gfert*
> *Sich mit trewer arbait nert* (43–46)

Diese Ansicht hebt der Prolog hervor und gibt damit die Richtung des Verständnisses für den Leser an. Dem unrechten Leben ist das weise *gfert* entgegengesetzt, dem läppischen Tun die treue Arbeit; wie aus dem zweiten Zeilenpaar hervorgeht, ist die läppische oder treue Handlungsweise der Ausdruck der unrechten oder weisen Lebensart. Dem *gpauren* fehlt also

---

237 Böckmann, Formgeschichte 200.   238 Ebd. 200.
239 Jungbluth, Wittenwiler 1039.   240 Wessels, Ring als Groteske 205.
241 Hügli, Der deutsche Bauer 130.   242 Sowinski, Realismus 70.

Weisheit und Einsicht in das Rechte; sein Tun ist läppisch und ohne Bindung an irgendwelche Ordnung (*trew* in dieser absoluten Verwendung muß wohl so verstanden werden). Abgesehen davon, daß der weise, treue Bauer *sälich vil* ist (48), wird er als Bauer in dieser Definition gänzlich aus dem Betrachtungs- und Verständniszusammenhang herausgehoben: unrecht Lebende kann es überall geben, in jedem Stand, und der Name *gpaur* ist zunächst ein rein willkürlicher Terminus für ein allgemein menschliches Phänomen. Daß Wittenwiler gerade diesen Namen und mit ihm das dörfliche Milieu und Brauchtum wählen darf, muß erst noch begründet werden.

Man hat ganz richtig auf die Bedeutung von mittelhochdeutscher *gebûre* hingewiesen, auf Neidhart-Tradition und Fastnachtsbrauchtum der Städte. Aber in allen drei Traditionen waren die Bauern als Stand weitgehend mitgemeint, während Wittenwiler die ständische Bindung zunächst geradezu ablehnt. Es muß also für Wittenwiler andere Kriterien, Eigenschaften der unrecht Lebenden geben, die es ihm erlauben, diese Einkleidung zu wählen. Man muß im besonderen berücksichtigen, daß auch Nissingen ein Dorf ist (5307, 6928), aber von Wittenwiler als Ort beschrieben wird, in dem die Weisheit trotz einiger Ansätze zur Narrheit herrschen kann. Es wurde auch bei den Analysen der bäuerlichen Charaktere deutlich, daß Wittenwiler sehr fein differenziert, daß also nicht alle in gleicher Weise unrecht leben und Bertschi sich sogar zur Weisheit entwickelt. Das dörfliche Milieu kann also für Wittenwiler nicht als Ganzes negativ sein – was schon aus seinem Lob des treu arbeitenden Bauern hervorgeht –, sondern muß nur in besonderem Maße dem unrechten Leben Zugang oder Ausdruck verleihen.

Da ist zunächst die Zucht im Sinne des schicklichen Benehmens, das besonders bei Hofe gelernt werden kann (4857f.); wer solches Benehmen beherrscht, wird ein *hofman* (4862). Die Annahme, daß auch Bertschi lernen könnte, *sich nach züchten* zu *haben* (4868f.), zeigt, daß der Terminus *hofman* wie der des *gpauren* zunächst keinen ständischen Hintergrund hat; der eine ist im Bedeutungsbereich der Zucht die genaue Umkehrung des andern, und man kann durch Gewöhnung von einem zum andern kommen (4862–66), während Standesgrenzen ja durch Geburt festgelegt sind. Die Tatsache allerdings, daß man bei Hof Zucht lernen kann, weist darauf hin, daß umgekehrt das Dorf als Ort am ehesten mit der Zuchtlosigkeit assoziiert wird.

Zweitens wird der Begriff des *gpauren* mit der Armut verbunden. Die im ‚Ring‘ dargestellten Bauern sind arm (2864); Bertschis bleierner Ring mit einem Saphir aus Glas und zwei Fischaugen als Perlen weist darauf hin wie auch die Hochzeitsgeschenke und der Mangel an Speis und Trank beim Hochzeitsmahl. Der Fehler bezüglich des letzteren ist natürlich, daß die Zahl der geladenen Gäste so groß ist (5951f.):

> *Won die gnuog in essen wellen,*
> *Die hüetin sich vor vil gesellen!* (5915f.)

Hier wird auch klar, *warum* die *gpauren* arm sind: nicht weil sie kein
Geld haben, sondern weil sie es nicht behalten können und sich nicht *mit
trewer arbait* nähren. Wittenwiler verbindet an mehreren Stellen ausdrücklich Reichtum mit Tugend oder Weisheit: alles Gut *volget weisem
muot* und ist wie die Weisheit eine Gabe Gottes (4475–77),

> *Hast du tugend vil in dir,*
> *Und ist dir joch der päutel lär,*
> *Er wirt dir vol und darzuo swär!* (4433–35)

Deshalb ist es auch ganz gerechtfertigt, daß dem reichen Manne eher geglaubt wird und daß seine Tugend besser zum Vorschein kommt (4428–31);
der reich Gekleidete empfängt höhere Ehren, wer Pfennige auszugeben
hat, schafft sich Freunde und Macht (4837–42).

Die Bestimmungen der Zuchtlosigkeit, Armut, Machtlosigkeit werden
in der großen Definition Riffians auf Bosheit und Ungeschlachtheit zurückgeführt; Ehrbarkeit, Reichtum, Herrschaft, Freiheit, Adel gründen sich
auf die Tugend (7225–44). Es ist bemerkenswert, daß nicht Gott als der
Urheber dieser Zustände erscheint, sondern das Volk:

> *Es ist wol war, daz iederman*
> *Chomen ist von Adams leib*
> *Und von Evan, seinem weib!*
> *Doch sein etleich sunderbar*
> *So from gewesen (daz ist war),*
> *Daz seu von dem volk derwelt*
> *Sein ze herren und gezelt.* (7225–31)

Das Volk wählt den, der tüchtig *(from)* ist; die Verbindung zwischen Erfolg und Tugend ist ohne Ausnahme:

> *Die tugend die prach alweg für,*
> *Die bosshait chrangelt vor der tür.* (7234f.)

Auf diese Weise wählt das Volk die Tugendhaften, Weisen zu seinen Herren, während der ungeschlachte Böse (7233, 7235) ein *aigen man* (7239),
ein armer *gpaur* wird (7243f.). Dieses Vertrauen in die Richtigkeit der
Wahl durch Menschen, die doch *per definitionem* nicht so tugendhaft sein
können wie der, den sie sich zum Herren setzen, wird durch eine Beobachtung begründbar, die im Nissinger Rat zu machen ist. In der Sitzung widersprechen einander die unweisen, triebbestimmten Argumente der einzelnen Ratsherren so, daß sie einander genau aufheben und man keinen

Vorschlag gut heißen kann (6737–97). Schon die Gemeinsamkeit der Ratsherren kommt jedoch zu einer richtigen sentenzhaften Formulierung (6798
bis 6801): hier ist nicht mehr das Einzelinteresse, sondern das der Gemeinde bestimmend, und

> *Gemainer nutz der get hin für,*
> *Ainiger bleibet pei der tür.* (4789f.)

Deshalb wird nun auch Strudel um seinen Rat gefragt, denn er ist über sie
gesetzt *Ze rat und schirm* (6807–11). Auf diese Weise wird sichtbar, wie
das Volk den Besten wählen kann wenn es auch aus lauter Einzelnen besteht, die nur geringere Tugend haben: die zum Teil bösen oder schädlichen
Einzelabsichten heben einander in ihren Richtungen auf; alle gemeinsam
erkennen, was für die Gemeinschaft richtig ist und wählen darum den Weisen, dessen Weisheit ja ein genaues Abbild dieser Struktur ist, besteht sie
doch in der Totalität des Gewußten und der Wahl des Besten für die gegebene Situation. Während in Nissingen diese Ring-Stein-Struktur herrscht,
ist in Lappenhausen das Verhältnis verkehrt: der Meier Lechspiss, statt aus
allem Vorgebrachten das Beste auszuwählen, hält zu Anfang der Sitzung
eine demagogische Propagandarede, durch die die Sache gleich entschieden
wird, besonders da die andern Ratsherren kaum zur Sache reden.[243] Auch
eine Art von gemeinsamer Basis des Denkens wie in Nissingen (6798–6801)
kommt nicht zustande, ebensowenig wie die in Nissingen zu beobachtende
Aufhebung der Gesichtspunkte, da durch die Meinung des Meiers sogleich
eine Partei sich formieren kann, gegen die die alten Ratsherren wegen der
Autorität des Meiers nicht durchdringen können.

Bei den Lappenhausern findet man gute Ansätze, so wie in Nissingen
Ansätze zur Narrheit. Aber wie in Nissingen Tugend und Weisheit herrscht,
so in Lappenhausen Bosheit, Unrecht, Zuchtlosigkeit. Die Verkehrung des
rechten Verhältnisses von Beratung und Führung ist bezeichnend für den
gpauren überhaupt:

> *Wollust und gewonhait*
> *Fälschent kunst und grechtikait*
> *Und verkerent die nataur,*
> *Daz auss dem edeln wirt ein gpaur.* (4396–99)

---

[243] Colmans Vorschlag ist nur insofern gemäßigt, als er rät, um Hilfe zu bitten
(7530–32), während der Meier gleich losschlagen möchte (7191–97). Colman
ist aber gegen den Krieg (7521), und so hätte er dagegen sprechen müssen.
Im Grunde wird also der Ausgang der Debatte ganz von Rüeflis Eingangs-
rede bestimmt, der Colman technische Details zufügt, und man kann kaum
sagen, daß „nach längerer Debatte der maßvollere Antrag des alten Colmans
durchdringt" (Wießner, Kommentar zu 6682ff.; vgl. im übrigen meine genannte Arbeit über das Verhältnis von Geistigkeit und Vitalität im ‚Ring').

Die *grechtikait,* zu der die ordentliche Führung der Ratssitzung gehört, wird in Lappenhausen verfälscht. Und noch mehr ist sichtbar geworden: das natürliche Phänomen, daß die Einzelmeinungen sich aufheben und die gemeinsame Ansicht das Gute trifft, tritt nicht auf im Lappenhauser Rat, genau wie die natürliche Instinktsicherheit vieler Lappenhauser gestört ist und sich in krankhafte Freßgier, tierische Geilheit, wilde Leidenschaften und andererseits übertriebene Theoretisier-, Debattier- und Belehrungslust verkehrt hat. Denn es darf nicht vergessen werden, daß die meisten Lehren zu einer Zeit gegeben werden, die der Belehrung ungünstig sind: der Dorfschreiber gibt seine Minnelehre in dem Moment, wo Mätzli im Speicher sitzt und Bertschi die Hofierkunst nicht anwenden kann (1840–45); die großen Lebenslehren werden ausgebreitet, solange Bertschi nur an sein Mätzli denkt, das ihm nach Absitzen der Belehrung zuteil werden soll; der Bauer Ruoprecht entfaltet eine Theorie des Streites, wenn es darum geht, den Kriegstreibern ein kräftiges Argument entgegenzuhalten. Das Gegenbeispiel gibt wieder Strudel, der seine Lehren über Krieg nur auf Fragen aus dem Publikum ausbreitet und damit sicher sein kann, daß sie auf lernbegierige Zuhörer wirken.

Die Tatsache, daß es auch in Nissingen weisheitslose, deshalb eigensüchtige und triebbestimmte Charaktere gibt, spitzt den Unterschied zwischen den beiden Gemeinden allein auf die Führer zu – Rüefli Lechspiss und Strudel. Von ihnen hängt es ab, ob die individuellen Leidenschaften beherrscht und die Meinungsbildung ordnungsgemäß gelenkt wird, ob damit Weisheit oder Leidenschaft regiert. Laichdenman führt die Inkompetenz des Lechspiss auf seine Jugend zurück (7459–64), aber das Problem scheint tiefer zu liegen: gerade Lechspiss hat einen völlig korrupten Ehrbegriff (vgl. Abschnitt 23), und bei der Beichte mit Neidhart zeigt gerade er einen ganz veräußerlichten Religionsbegriff (vgl. Abschnitt 24); er läßt sich ohne Widerrede zum Kaiser von Lappenhausen wählen (7260f.), dabei scheint gerade er als *des torffes maiger* (153) einem Grundherrn verpflichtet, Lappenhausen eine unfreie Gemeinde (7212–17), während Nissingen anscheinend reichsfrei (6840), sein *purgermaister* Strudel (6682, 6691) gewählt oder direkt vom Kaiser eingesetzt ist. Aus diesem Grund hat Strudel das Recht, Krieg zu erklären und zu führen, während die Lappenhauser nur mit Zustimmung ihres Grundherren Krieg führen dürften (7212–17) – also ein neues Unrecht Rüeflis, das er trotz kompetenten Widerspruchs begeht.

Wiederum zeigt sich: daß die Lappenhauser als *gpauren* handeln, liegt nicht am Dorf und an ihrem Stand, sondern es liegt am Lenker der Schicksale, an dessen Mangel an Weisheit, Ehrgefühl, Frömmigkeit, Gerechtigkeit, Tugend und Zucht. Er ist nicht nur jung, sondern eben ein *gpaur,* und deshalb stachelt er die Narrheit seiner Untergebenen an, statt sie zu dämpfen. Wie die Narrheit des Einzelnen durch den Mangel an Weisheit und gutem

Willen begründet wird, so auch die Narrheit einer ganzen Gemeinde durch die Narrheit ihres Leiters. Nicht alle Lappenhauser sind völlige *gpauren* – Colman, der Dorfschreiber, Bertschi gegen Ende – aber die Handlungen des Dorfes sind so, als ob alle *gpauren* wären, und die Schicksale aller – bis auf die der Flüchtlinge – sind entsprechend.

Zweierlei wird damit klar: wieder zeigt sich die Ringstruktur als bestimmend für Wittenwilers Denken – wenn der Stein nichts taugt, taugt der ganze Ring nichts. Lappenhausen ist ein „Ring" mit schlechtem, Nissingen einer mit gutem „Stein". Zweitens zeigt sich, daß der Unterschied zwischen Lappenhausen und Nissingen, die dem Leser zunächst wie zwei verschiedene Welten vorkommen, im Grunde nur in der Qualität des Vorstands liegt; die Mischung zwischen Narrheit und Weisheit in der Bürgerschaft scheint gleich. Wo liegt also der Grund für den Eindruck des Lesers, daß hier zwei verschiedene Welten sind, daß die Nissinger als „Vertreter einer realen Welt" gegenüber der „sagenhaft-dämonischen ... Narrenwelt" erscheinen?[244]

31 Die Erklärung dafür liegt im Signaturdenken Wittenwilers und seiner daraus entwickelten Darstellungstechnik. Mit dem Verständnis des ersten wird es möglich, Wittenwilers Wahl der Bauernmetapher vollends zu begreifen, mit der Erfassung der Darstellungstechnik wird es gelingen, dem Problem des „Realismus" und der Verzerrung näher zu kommen.

Der Begriff des *gpauren* konstituiert sich zunächst aus charakterlichen Bestimmungen: er ist böswillig und falsch (9194f.), ohne Frömmigkeit, Weisheit, Tugend und Zucht. Doch haben sich schon eine Reihe von Auswirkungen nach außen hin gezeigt: er ist arm, unfrei, kann sich nicht benehmen bei Tisch. Dies scheinen nun einfache Wirkungen innerer Dispositionen nach außen hin zu sein, einfach läppisches Tun und die daraus folgenden Zustände, die eben auf die innere Verkehrtheit ursächlich zurückzuführen sind nach dem Satze:

> *Man mag es sehen an seinr tat,*
> *Was der man im hertzen hat.*   (8177f.)

Schon weniger ursächlich verbunden als regelrechte Handlungen sind die jähen Bewegungen, die grell verschiedenen Leidenschaftsausbrüche der Lappenhauser Bauernburschen. So ist einer der an Bertschi getadelten Fehler, er sei *an seinen sinnen gar ze gäch* (3602), aber auch die Venus ist *in ir gepärden gar ze gswind* (2300), was später so erklärt wird:

> *Die minner habend wilden muot;*
> *Was seu tuond, das dunkt seu guot.*   (2435f.)

---

[244] Sowinski, Realismus 66 und 70.

Das hier die Ursächlichkeit überlagernde Ausdrucksverhältnis zeigt sich in voller Deutlichkeit da, wo die körperliche Wohlgestalt in direktem Bezug zum Charakter steht. Ofensteck wird von Jungfrau Fina geradezu als *gpaur* bezeichnet, weil er Schönheit und mögliche Verführbarkeit der Frau zusammendenkt (2941–46):

> *Waz sait der maister von nataur?*
> *Spricht er nicht, daz seubreu gstalt*
> *Rains gemüet in ir behalt?*
> *Dar umb schol kain weiser man*
> *Schönes weib für übel han!*　　　　　　　　　(2972–76)

Hier ist also ein unmittelbares Ausdrucksverhältnis zwischen innerer Reinheit und äußerer Schönheit angenommen. Präzisiert wird Wittenwilers Einstellung zu dem umkämpften Problem[245] durch die Eingangsdebatte in Fritzos Haus, in der ein Idealbild des Bräutigams entworfen und seine Anwendbarkeit auf Bertschi geprüft wird. Ochsenchropf erwähnt als erste Voraussetzung nur, der Bräutigam müsse Christ sein, und konzentriert sich dann auf die Gesundheit, Körperkonstitution und Physiognomie des idealen Freiers (3650–76). Lärenchoph ist damit noch nicht zufrieden:

> ‚*Schönes haus uns wenig füegt,*‘
> *Sprach er, ‚da ein böser wirt*
> *Die geste auf und nider siert:*
> *Ist nu Bertschi sauber gar*
> *An dem leib und wol gevar*
> *Und hat der frümkhait nit dar zuo,*
> *Ich schätz in böser dann ein kuo.*
> *Dar umb so muoss er sein ein knecht*
> *Da mit vil erber und gerecht . . .*‘　　　　　　(3678–86)

Es ist nach dieser Aussage also durchaus möglich, daß dem äußerlich schönen Menschen innerlich bestimmte Haltungen fehlen – *frümkhait*, Ehrbarkeit, Gerechtigkeit, Weisheit und Klugheit (3709). Der Ausdruck *rains gemüet*, den Fina gebraucht, muß also ziemlich eng gefaßt werden: es kann sich dabei keinesfalls um einen ausgebildeten menschlichen Charakter, eine innere schöne Gestalt handeln, sondern höchstens um eine Disposition zum Guten. Aber schon das ist genug, um Wittenwilers Glauben an das Signaturverhältnis der äußeren Gestalt zur inneren Ausrichtung zu beweisen: Haltungen können erworben werden, wie das pädagogische Programm des ‚Rings‘ zeigt; Voraussetzung zu ihrer Erwerbung ist jedoch der gute Wille, die Richtung auf das Gute, ein *rains gemüet*.

---

[245] Vgl. Wießners Kommentar zu 2972ff.

Auch an den beiden Helden des ‚Ring' läßt sich dieser Glaube Wittenwilers nachweisen. Mätzli ist das Muster der Häßlichkeit, in jeder Beziehung dem ritterlichen Schönheitsideal widersprechend (76–96, vgl. 3429
bis 3433). Bertschi dagegen ist

> *ein junger, grader knecht,*
> *From und erber, dar zuo schlecht,*
> *Dann daz er mich dunchet ful*
> *Und hat ein überweites mul.* (3729–32)

Die Bestimmungen in v. 3729 beziehen sich auf Ochsenchrophs Beschreibung der äußeren Idealgestalt des Bräutigams: Bertschi ist also äußerlich
das genaue Gegenteil seiner Braut. Nun aber hat sich gezeigt, daß das auch
für die inneren Bestimmungen zutrifft: Bertschi hat einen guten Kern und
entwickelt sich von anfänglicher närrischer Unerfahrenheit zum weisen
Menschen; äußere Gestalt entspricht der inneren Anlage. Mätzli dagegen,
einmal in ihrer Geilheit erregt, läßt nie wieder davon und entwickelt vor
allem böswillige Falschheit, mit der sie ihre Unzucht verdeckt. Bei ihr entspricht die äußere Häßlichkeit der inneren Verderbtheit.[246] Man fragt sich
natürlich, warum Bertschi sich nicht eine Schönere gewählt hat; das scheint
daran zu liegen, daß Mätzli *über all ... den preis* davonträgt (98), daß sie
also wegen der verkehrten Maßstäbe Lappenhausens öffentlich gelobt und
deshalb vor allen anderen begehrenswert erschien (98f.). Bertschi folgt in
der Phase seiner Werbung gedankenlos dem öffentlichen Urteil, er unterdrückt vielmehr das eigene richtige Gefühl angesichts einer andersartigen
öffentlichen Reaktion (223–26); erst beim Hochzeitsmahl wendet er sich
gegen das Urteil und den Willen aller andern.

Nicht nur auf den Zusammenhang zwischen Gestalt und Charakter,
sondern auch zwischen Namen und Charakter macht Wittenwiler aufmerksam. Die zur Hochzeit kommenden Gäste werden so eingeführt:

> *Die schült es alle schätzen*
> *Nach dem, und seu auch sein genant.* (5312f.)

Aus den Namen soll man also auf ihre Charaktere schließen.[247] Die folgende Liste enthält auch entsprechende, zum Teil ironische Hinweise: so
ist Galgenswanch *ein fromer über seinen danch* (5315f.); Chützeldarms
obszöner Name wird bestätigt durch die nähere Bestimmung *die gail*
(5326). Am ausführlichsten wird Mätzlis Name Rüerenzumph diskutiert.
Colman wendet unter anderem gegen sie ein, vor Schande wage sie niemand zu nennen (3434); Laichdenman argumentiert dagegen:

---

[246] Fehrenbach, Marriage 75 vermutet schon dasselbe.
[247] Zur grammatischen Form vgl. 1858,2105,5654.

> *Rüerenzumph ist sei genant;*
> *Daz ist allaine dem ein schand,*
> *Der sei also haissen wolt,*
> *Do man sei zcristan machen scholt.*
> *Chan sei dan geparen nicht,*
> *Von rehten treuwen daz geschicht.* (3465-70)

Daraus wird deutlich, daß Laichdenman eine charakterlich bestimmende Wirkung des Namens auf seinen Träger annimmt, und daß bei der Namengebung gleichsam die inneren Eigenschaften des Kindes vorherbestimmt werden. Was es damit auf sich hat, daß Mätzli nicht *geparen* kann, erklärt der Arzt mit dem selben Gedankengang:

> *Mätzli Rüerenzumph,*
> *Dein nam ghört wol zuo meinem stumph:*
> *So ghört mein stumph zuo deinem muot.* (2117-19)

Name und *muot* stimmen also überein, wie es auch die Maid an der entsprechenden Handlung nicht fehlen läßt (2159f.). Wittenwiler gibt also nicht nur lustspielhaft sprechende Namen, sondern indiziert damit innere Qualitäten. Dies kann natürlich nur für die Personen kontrolliert werden, die auch öfter mit Handlungen oder Lehren auftreten. Verständlich als ironische Kennzeichnung der Differenz zwischen Charakter und Lehre werden die Namen Lastersak, Übelgsmak und Saichinkruog, sicher auch Straub (von ungepflegten Haaren). Strudel dagegen, mit der Bedeutung des wilden Hitzkopfs, gibt ein Beispiel, wie man seinem Namen auch nicht treu sein kann (3470): offenbar will Wittenwiler andeuten, er habe sich aus einem Hitzkopf zum weisen Planer und demütigen Diener Gottes entwickelt, ähnlich wie Höseller, dem Namen nach ein Unsinniger, weise geworden ist im Alter (7163, 7873-78).[248]

Bertschis Zuname Triefnas kann natürlich lächerlich aufgefaßt werden, ohne dann aber bestimmte Aufschlüsse über seinen Charakter zu geben. Es scheint mir eher, der Name sei in der medizinisch-moralischen Funktion zu suchen, die das Mittelalter der Nase gab. Ihre Aufgabe ist es nicht nur, zu atmen, sondern sie ist notwendig *ad ejiciendas superfluitates de cerebro, ad cerebrum expurgandum.* Diese reinigende Funktion wird dem Signaturdenken zum Ausdruck der praktischen Wissenschaften, von denen die Medizin die überflüssigen Säfte austreibt, die Moral aber *docet reprimere et expellere excessus et extrema vitiorum.*[249] In dieser Weise scheint Bert-

---

248 Vgl. die Namenliste mit Erklärungen bei Jones, Übersetzung 200–205.

249 Joannes de San Geminiano: Summa de exemplis et similitudinibus rerum. – Venedig 1497. Lib. VI, caput LXVI. – Vgl. übrigens die lateinische Metapher *emuncta nare* für „mit klarem Kopf, einsichtsvoll", z. B. Horaz *Serm.* 1.4.8.

schis triefende Nase eine medizinisch faßbare Auswirkung seiner langsamen Entwicklung zur Weisheit zu sein, wie sie im Werke festzustellen ist.

Hält man das Signaturdenken, das noch durch Laichdenmans Astrologie vertieft werden kann (7476–7503), an die Auswirkungen der Entfremdung vom reinen göttlichen Menschenbilde, die Wittenwiler darstellen möchte, so wird verständlich, wie er als Verkörperung dieser Entfremdung den *gpauren* und als möglichen Lebensraum das Dorf gewählt hat. Die innere Verkehrtheit des *gpauren* drückt sich äußerlich aus als Häßlichkeit, Armut, Schmutz, schmutzige Arbeit, Umgehen mit unedlen Tieren, Roheit des Benehmens, Hitzigkeit und Unberechenbarkeit der Leidenschaften und Triebe, Anhängen an archaisch-rohe Sitten und Gebräuche, Umgang mit dämonisch-sagenhaften Wesen und damit Nähe zum Teufel.

Wenn auch das Dorf als solches der Wohnort von Landleuten sein könnte, die sich mit treuer Arbeit nähren, so am ehesten der Ort, an dem sich Wittenwilers *gpauren* ansiedeln lassen. Wittenwiler hat sich sicherlich von der Bedeutung des Wortes *gebûre*, von der Neidhart-Tradition und dem Fastnachtsbrauchtum anregen lassen, aber sein Begriff des *gpauren* ist viel tiefer und breiter fundiert als der überlieferte: für ihn ist der *gpaur* der Ungeschlachte, die Verkehrung der göttlichen Idee vom Menschen in äußere und innere Häßlichkeit durch die Perversion des guten Willens und den Mangel an Weisheit, Tugend und Zucht.

32 Jones meint nun, Wittenwilers Beschreibung des Dorflebens lasse Zweifel aufkommen, ob irgendein Bauer jemals tugendhaft sein könnte, er sei für den Dichter vielmehr ein idealer „Kontrast-Typ" zum Ritter gewesen.[250] Diese Behauptung ist in sich richtig, denn solange einer ein *gpaur* ist, kann er nicht tugendhaft sein; aber daran, daß

> *Ein gpaur der wirt ein edelman,*
> *Der sich dar nach gewenen chan*   (4400f.)

läßt Wittenwiler keinen Zweifel, einmal durch diese Formulierung, zum andern durch die aufgezeigten Differenzierungen unter den *gpauren* und die Entwicklung Bertschis zur Weisheit.

Die so oft vertretene Meinung, Wittenwilers *gpaur* sei ein Kontrasttyp,[251] ein Gegenbild,[252] ein Typ,[253] macht ihn zur Konstruktion,[254] zum

[250] Jones, Übersetzung 184.   [251] Jones, Tournaments 1133.
[252] Brinkmann, Zur Deutung 209; Sowinski, Realismus 33,104.
[253] Martini, DVjS 214; Martini, Bauerntum 184,190; Sowinski, Realismus 16, 61,88,116.
[254] Sowinski, Realismus 116.

flachen ungegliederten statischen Kunstgegenstand, der vom Pädagogen *ad usum lectoris* aufgestellt ist, aber keine Wirklichkeit für sich beanspruchen kann. Logische Folge dieses allgemeinen Eindrucks ist es, daß man die Bauern als Masse ohne Stufung und Gliederung versteht,[255] den Weg aus dem allegorischen Bauerntum in die „Wirklichkeit" der Tugend für unmöglich hält.

Die Frage nach dem Wirklichkeitscharakter der Handlung und Personen in Wittenwilers ‚Ring' hat allerdings in der Forschung die disparatesten Antworten gezeigt, einerseits wegen der Vielschichtigkeit und Vielaspektigkeit des Wittenwilerschen Verhältnisses zur Wirklichkeit, andererseits auch wegen der Unklarheit mancher Wirklichkeitsbegriffe, die solcher Vielschichtigkeit nicht gerecht werden. Faltet man die Problematik auseinander, die meist unter dem einen Aspekt „Realismus oder nicht?" behandelt wird, so ergeben sich die verschiedenartigsten Fragen:

Was hat die Bauernwelt im ‚Ring' mit der wirklichen Dorfwelt um 1400 zu tun?

Ist es eine einheitlich dargestellte Welt, d. h. bleibt sich Wittenwilers Darstellungstechnik gleich?

Warum hat Wittenwiler sie in seinem Werk dargestellt – soll sie „Weltlauf" sein oder bloß Unterhaltung?

In welchem Verhältnis stehen die dargestellten Bauern zur Lehre Wittenwilers?

Diese vier Hauptfragen liegen auf ganz verschiedenen Ebenen und treffen ganz verschiedene Aspekte der ‚Wirklichkeit' von Wittenwilers Bauernhandlung. Wer alle vier Fragen auf einmal beantworten will – und das wird oft versucht – verwickelt sich in Widersprüche.

Über die erste Frage, ob ein Zusammenhang zwischen der Bauernwelt des ‚Ring' mit der wirklichen Dorfwelt um 1400 bestehe, gibt es kaum Zweifel. Viele Situationen sind so wahrscheinlich, daß Böckmann vom „Alltag des bäuerlichen Lebens" sprechen kann,[256] andere beruhen sichtlich auf einer beobachteten Wirklichkeit, einem „Seienden", das nur verzerrt auftritt.[257] Man hat deshalb betont, daß „reichlich Bauernsatire im eigentlichen Sinne mit unterläuft",[258] wenn man auch den Gedanken des 19. Jahrhunderts, nach dem sich der ‚Ring' praktisch ganz in der Satire auf die wirklichen Bauern erschöpft,[259] heute mit Recht ablehnt. – Die Hinweise auf städtisches Fastnachtsbrauchtum, in dessen Kübelstechen lächerliche

255 Martini, DVjS 213,216.
256 Böckmann, Formgeschichte 201.   257 Wessels, Ring als Groteske 213.
258 Jungbluth, Wittenwiler 1039; Boesch, Weltsicht und Denkform 47; Fehrenbach, Marriage 53; Jones, Übersetzung 165 f.
259 Zum Beispiel Fränkel, Wittenweiler 613 f.

Bauernmasken verwendet werden,[260] sind sicher richtig, was Einzelbeob-achtungen besonders bezüglich des Turniers am Anfang des ‚Rings' betrifft; auch für andere Szenen mag die Fastnachtsprozession Details geliefert ha-ben. Aber es ist wichtig, daß Wittenwilers Bauern im Kontext einer bäuer-lichen Welt vorkommen und nicht wie die Fastnachtsmasken in einer städ-tischen Prozession oder einem Turnier verkleideter Handwerksgesellen: Wittenwilers Bauern spielen nicht, sie nehmen sich ernst in allem, was sie tun. Der maskierte Städter spielt, und wer die Maske sieht, weiß das; dadurch daß Wittenwiler aber seine Bauern in eine Dorfwelt stellt, gibt er ihrem Tun den Aspekt des Ernstgemeinten – nur so kann die Komik entstehen, die ja auch das Fastnachtsspiel und die Neidhartschule auf diese Weise ausnutzen.

Die Antwort auf die erste Frage kann also lauten: die dargestellten Ereignisse, Situationen und Personen sind auf Beobachtung bäuerlichen Daseins begründet; manche sind, so wie sie dastehen, wahrscheinlich, man-che ins Unwahrscheinliche verzerrt, manche auch, besonders das Auftreten der Dämonen, ganz unwahrscheinlich. Diese Mischung hat Brinkmann als „Teilnaturalismus" bezeichnet;[261] die Frage nach Wittenwilers „Realis-mus" ist damit im Grunde schon beantwortet, denn dieser setzt mindestens den Aufbau einer homogenen Welt durch eine konstant gehandhabte Dar-stellungstechnik voraus, was nun auch immer als Realität gelte: Witten-wiler hat zwar für die meisten Situationen und Personen die Basis der möglichen Erfahrung, aber er behandelt diese Basis in ganz unterschied-licher Weise.

Damit sind wir schon bei der Behandlung der zweiten Frage nach der Einheitlichkeit der dargestellten Welt. Unsere Untersuchungen haben er-geben, daß man von der Einheitlichkeit der Personen im Sinne eines ver-vielfältigten und dann massenhaft auftretenden Typs nicht sprechen kann. Fast jede der Personen, die Wittenwiler auftreten läßt, unterscheidet sich von den andern, wenn auch viele die gleichen oder berufstypische Fehler haben, wie der Müller, der Arzt, der Apotheker. Aber ein Einzelzug wie der Husten Colmans, der ihn an der Beendigung seiner Rede hindert und der sich nachher als ganz *à propos* herausstellt, da der Alte in Wirklichkeit nichts mehr zu sagen hat (3153f.; 3195–3208), ein solches Detail individua-lisiert und macht den Greis unvergeßlich. Laichdenman, Lechspiss, der Arzt, Nabelreiber, Strudel, Bertschi – alles Gestalten, die unverwechselbar spre-

---

[260] Edmund Wießner: „Neidhart und das Bauernturnier in Heinrich Witten-wilers ‚Ring'." Festschrift Max H. Jellinek zum 29. Mai 1928. – Wien und Leipzig 1928, 191–208; 197–201; Hügli, Der deutsche Bauer 137; Jones, Über-setzung 134f.; Jones, Tournaments 1126.
[261] Brinkmann, Zur Deutung 205; vgl. Sowinski, Realismus 21.

chen und handeln, die nach dem Grad ihrer Weisheit, Bosheit, Meisterung der Welt und Menschenbehandlung genau differenziert sind und durch keine andere Person des Epos ersetzbar wären. Das gilt natürlich besonders für die häufiger auftretenden Personen, aber sogar beim Hochzeitsmahl oder beim Turnier ist Wittenwilers Bemühung um den charakteristischen Einzelzug sichtbar.[262] Der Dichter hat also in seinen Personen eine durchaus gegliederte, gestufte, individualisierte Welt geschaffen, in der eine wahrscheinliche Handlung sich abspielen könnte. Auszunehmen sind wieder die sagenhaften Gestalten, die in den Krieg eingreifen, und in ihnen zeigt sich, daß Wittenwilers Darstellungsziel eben nicht die reale Welt war: er braucht Personen, wie sie in der Wirklichkeit vorkommen können, aber die ihnen antwortende Welt, aus der ja die Dämonen kommen, soll andersartig sein. Die Erklärung dafür wird sich im folgenden ergeben.

Nun wurde schon angedeutet, wie die Situationen im ‚Ring‘ sich in wahrscheinliche, unwahrscheinliche auf wahrscheinlicher Basis und ganz unwahrscheinliche einteilen lassen. Beispiele für den wahrscheinlichen Typ sind etwa: Bertschis Aufwecken des Pfeifers (die Komik entsteht hier allein durch die Betrunkenheit und Geldgier des Musikanten), das Haarausraufen bei der Hochzeit, wie überhaupt die Sitten im Zusammenhang mit der Hochzeit (einzelne Übertreibungen wie Bertschis resultierende Glatzköpfigkeit oder Mätzlis Umstoßen von vier Frauen aus Schämigkeit sind abzurechnen), vor allem aber die Ehedebatte und die Lebenslehren, was das Personen- und Situationsdetail angeht.[263] Alles was in Nissingen geschieht, kann als realistische Schilderung bezeichnet werden; erst mit dem Krieg treten unwahrscheinliche Elemente in Gestalt der Zwerge und Rekken auf; diese sind aber Feinde, die die Lappenhauser sich selbst herbeigerufen haben.

Die Techniken, durch die Situationen mit wahrscheinlicher Basis zu unwahrscheinlichen gemacht werden, sind die der Verzerrung normaler Maßstäbe. So ist zum Beispiel die Schärfe eines Schwertes übersteigert, wenn es einen Riesen durchschneiden kann, ohne daß der etwas davon merkt, sondern einfach irgendwann in Stücke bricht; die Zeit ist verzerrt, wenn Mätzli unmittelbar nach der Verführung Anzeichen der Schwangerschaft aufweist, oder wenn die Lappenhauser Boten am Montag in alle Städte Europas ausgesandt werden, deren Vertreter zusammenkommen, beraten und eine Gesandtschaft in die beiden streitenden Dörfer senden, wenn noch am selben Montag Tausende von Verbündeten anrücken und Kriegsrat abgehalten wird.[264] Übertrieben ist der Kenntnisstand der Bauern und die

---

[262] Vgl. Abschnitt 7.   [263] Sowinski, Realismus 85.

[264] Vgl. Wießners Kommentar zu 7484. Boesch, Weltsicht und Denkform 45 lehnt mit Recht den Gedanken ab, daß hier eine Sorglosigkeit des Dichters vorliege.

Höhe des in der Schlacht fließenden Blutes. – An zwei Stellen wird die Technik der Häufung verwandt: bei der Beschreibung Mätzlis, die das Mädchen als Musterkarte sämtlicher möglichen Häßlichkeiten erscheinen läßt, und beim Hochzeitsmahl, wo die einzelnen Personen nur so lange beleuchtet werden, wie sie eine Ungehörigkeit sehen lassen. In beiden Fällen liegt eine Sammlung positiver Bestimmungen zugrunde, die durch Mätzli und durch die Fresser genau umgekehrt werden.

Verzerrung[265] und Häufung sind also die Methoden, mit denen eine mögliche Erfahrung ins Unwahrscheinliche verwandelt wird. Nun ist noch nie gefragt worden, wann und warum Wittenwiler verzerrt, ob also eine bestimmte Absicht hinter dem Auftreten wahrscheinlicher und unwahrscheinlicher Situationen festzustellen ist.

Der Einzelkampf mit Neidhart während des Turniers liefert ein gutes Beispiel.[266] Vier Dorfgesellen haben sich mit Weidenruten an die Sättel festgebunden, um gegen den sattelfesten Ritter im Vorteil zu sein. Burkhart, der erste, wird nur auf den Rücken des Pferdes geworfen, und ein obszönes Mißgeschick macht ihn lächerlich. Der zweite, Lechspiss, trifft Neidhart das erste Mal so, daß ihm selbst fast das Gruppenzeichen (chlainet) entfällt, das er trägt. Beim zweiten Ansturm trifft er nur noch den Sattelbogen des Gegners, aber so stark, daß ihm selbst die Bindung an dem Sattel bricht und er dreier spange tieff in die Erde fällt (438); hier wird die erste Übersteigerung sichtbar, denn in einem Moor wird das Stechen nicht stattgefunden haben. Eisengrein, der nächste Kämpe, hat Pech mit seinem Esel, der mit ihm durchgeht, so daß der Reiter jämmerlich um Hilfe rufen muß. Übertrieben ist die Schnelligkeit eines Müllers, der dem Unglücklichen nachläuft und den Esel wieder zähmt, nachdem er ihn dem Helden zu einem Spottpreis abgekauft hat. Eisengrein wird nicht besiegt, sondern der Esel, den Neidhart in die Seite sticht, begräbt ihn unter sich. Bertschi, der letzte Kämpfer, hat ebenfalls Unglück mit dem Pferde: es stolpert über eine Erbse (553), geht in die Knie, und Bertschi fällt so hart auf seinen giel, daß er weint und die Frauen verflucht, um deretwillen er leidet. Die Erbse ist ein grotesk kleines Hindernis, und man sieht hier die Verzerrungstechnik Wittenwilers am stärksten wirksam; bis zu diesem Höhepunkt hat sie sich in den Mißgeschicken der Helden kontinuierlich gesteigert. Diese Steigerung geht nun parallel mit dem Engagement der Dorfgesellen, das sich in ihren Reden an Neidhart ausdrückt. Burkhart stellt nur fest, Neidhart sei im Sattel geblieben, das sei eine Schande für seine Gegner, und nun

---

[265] Fränkel, Wittenweiler 614; Müller, Deutsche Dichtung 74; Wießner, Neidhart und das Bauernturnier 193; Martini, DVjS 223; Ranke, Zum Formwillen 313; Böckmann, Formgeschichte 198f.,203; Jungbluth, Wittenwiler 1039,1041; Wessels, Ring als Groteske 213; Sowinski, Realismus 93,121.

[266] Das Beispiel bezieht sich auf die Verse 391–558.

müsse er sich weiter wehren. Lechspiss nennt ihn einen *wicht,* also einen bösen Dämon, weshalb er Schmerz leiden müsse. Eisengrein will ihn zum Teufel schicken und schimpft ihn einen hergelaufenen Buben, beleidigt ihn also besonders schwer.[267] Bertschi endlich entwickelt alle Symptome eines rasenden Zornes, rümpft die Nase, geifert, zittert und erbleicht, will den Gast unbedingt töten und ist so erregt, daß *sein rässeu zung* ins Stottern kommt, was Neidhart als *cristan man* sofort nachmacht. – Parallel mit der wachsenden Verzerrung des Mißgeschicks von der Lächerlichkeit bis zur Groteske geht also die emotionale Beteiligung derer, denen es passiert: je blinder den Menschen seine Emotionen, Affekte und Triebe werden lassen, desto weniger meistert er die Situation. Und darüber hinaus: daß Bertschis Pferd über die Erbse stolpert, hat ja ursächlich nichts zu tun mit seinem Zorn; die Wirklichkeit der Dinge macht sich gleichsam selbständig und wendet sich gegen den Triebbesessenen, um seine Tat schon vor dem Beginn zuschanden werden zu lassen. Ähnlich ist der groteske Kampf der Tiere nach dem *nachturner* aufzufassen (1199–1219), in dem Trolls Esel das Pferd Bertschis, und Neidharts Pferd den Esel tötet. Der Zweck ist hier ganz offensichtlich, die Narrheit und tierische Ungeschlachtheit des vorausgehenden Rüpelturniers bloßzustellen. – Die Verzerrung der Zeit bei Mätzlis Schwangerschaft führt die unmittelbare Notwendigkeit herbei, der Jungfrau einen Mann zu verschaffen, da sonst die Schande an den Tag kommt; die Zeit korrespondiert der Geilheit Mätzlis ebenso wie die Erbse dem Zorn ihres Freiers. Umgekehrt scheint nach der Kriegserklärung die Zeit besonders viele Ereignisse in sich fassen zu können, damit der Untergang Lappenhausens beschleunigt werde. In diesem Sinne sind endlich die sagenhaften dämonischen Gestalten zu verstehen, die, von den Lappenhausern gerufen, zur Schlacht erscheinen und die, soweit ich sehe, die einzige Erscheinung im ‚Ring‘ sind, die nicht auf der Basis erfahrbarer Wirklichkeit steht. Die Lappenhauser meinen freundliche Mächte zu rufen, aber sie rufen zu jeder dämonischen Macht gleichzeitig deren Feind, weil sie die Beziehungen der Gerufenen zueinander nicht kennen. Die Episode zeigt also zunächst wieder, wie die Lappenhauser sich mit ihrer eigenen Dummheit schaden. Der Grund, warum Wittenwiler die Unholde überhaupt eingefügt hat, scheint mir genau derselbe wie der Zweck des Tierturniers nach dem Menschenturnier: dem Menschenkrieg geht hier ein mythisch-archaischer Krieg objektiver dämonischer und sagenhafter Wesen voraus, in dem das Böse, Teuflische vernichtet wird. Der dichterische Zweck ist also eine Interpretation durch ein anderen Medium, das aber (wie die Tiere im Turnier) so gewählt ist, daß der Charakter derer als ungeschlacht gekennzeichnet wird, die als Freunde Dämonen rufen können.

---

[267] Wießners Kommentar zu 456.

Damit sind wohl die Fälle beschrieben, in denen die objektive Wirklichkeit in grotesker Weise gleichsam selbst in die Handlung eingreift. Häufig kommt es natürlich vor, daß durch die exzessive Leidenschaft ein Mensch den Dingen und Menschen gegenüber blind wird wie etwa Bertschi gegenüber der Kehrseite seiner Angebeteten und daß daraus groteske Mißverständnisse entstehen. Grotesk ist vollends, daß aus dem kleinen Anlaß der zerkratzten Hand ein Weltkrieg wird.

Überschaut man die hier aufgezählten und analysierten Fälle, so wird die Zweckhaftigkeit der Verzerrung sichtbar, die Wittenwiler Menschen, Dingen und Situationen angedeihen läßt: die Verzerrung ist ein objektives Korrelat der menschlichen Narrheit; je närrischer, triebbesessener der Mensch, desto grotesker die Verzerrung. Wittenwilers Verzerrungstechnik gehorcht also dem gleichen Signaturdenken wie die Verunstaltung des Körpers, der eine häßliche Seele trägt. Je wirklichkeitsgerechter die Handlung, desto realistischer die Darstellung der Wirklichkeit, je närrischer die Handlung, desto grotesker verzerrt die Wirklichkeit, in der sie geschieht.

Daraus erklärt sich nun die Ungleichheit in der Darstellungstechnik Wittenwilers, die Mischung des Wahrscheinlichen mit dem Unwahrscheinlichen, des Bekannten mit dem Fremdartig-Unheimlichen. Die Wirkung dieser Handhabung der Darstellungstechnik durch den Dichter ist leicht einzusehen: wenn der *gpaur* Wittenwilers der Ungeschlachte ist, der sich dem göttlichen Idealbild äußerlich und innerlich entfremdet hat, so würde er sich bei gleichbleibender, sagen wir realistischer Darstellungstechnik von den Weisen oder weniger Ungeschlachten als Fremdling abheben, distanzieren. Folgt nun die Darstellungstechnik, wie gesagt, elastisch dem Grad der Narrheit und Fremdheit, so addieren sich die Effekte: der Umkreis, in dem der Ungeschlachte auftritt, wird plötzlich unheimlich, fremd, dämonisiert. So erscheint Lappenhausen, in dem die Verkehrtheit und das Ungeschlachte regieren, als eine fremde, unwahrscheinliche, dämonische Welt, wie auch dorthin Hexen und Riesen als Freunde gerufen werden können. Und zugleich wird sichtbar, daß zwischen der Wirklichkeitsform Lappenhausens und Nissingens kein qualitativer Unterschied besteht: wie die Personen nach dem Quantum ihrer Narrheit gleichsam linear differenziert sind und vom Narren Lechspiss bis zum weisen Strudel alle Schattierungen bruchlos sich reihen, so besteht auch zwischen der unverzerrten Wirklichkeit Nissingens und der zum Teil grotesk verzerrten Wirklichkeit Lappenhausens kein Bruch. Dies wird bestätigt durch Bertschis Entwicklung, dem in seiner Narrheit das groteske Mißgeschick mit der Erbse passiert und der sich zu immer klarerer Meisterung realer Situationen entwickelt. Die groteske Situation der Verteidigung des Heuhaufens ist zum Nachteil der Nissinger verzerrt: Bertschi helfen seine Vorbereitungen und die Umstände, die beide in grotesker Weise positiv sich auswirken. Hier zeigt sich also die

Flexibilität der Wittenwilerschen Darstellungsweise mit umgekehrten Vorzeichen: Bertschi soll den Nissingern innerlich überlegen gezeigt werden, da trägt ihn die freundliche Welle der Wirklichkeit über sie hinweg.

Die Welt in Wittenwilers ‚Ring' ist also nicht homogen[268] im Sinne eines durchgehaltenen realen, irrealen oder grotesken Aspekts, wohl aber homogen im Sinne einer signaturhaften Entsprechung der inneren und äußeren Entfremdung vom göttlich richtigen Bild. Je mehr sich der Mensch von der göttlichen Idee seines Seins entfernt, desto weiter öffnet sich seine Welt dem Unheimlichen, Dämonischen, Teuflischen. Die Konfrontation zwischen Nissingen und Lappenhausen wird damit eine mythische, gerade auch weil ein ungebrochener Übergang zwischen beiden Bereichen vorhanden ist. Wären es zwei wesensverschiedene Welten, so könnten sie sich nicht zum Kampfe treffen, könnten die Zwerge und Recken, die von Lappenhausen gerufen wurden, nicht ohne weiteres nach Nissingen ziehen und auf der Seite der Weisheit kämpfen.

33   Damit ist die Beantwortung unserer dritten Frage möglich: ob Wittenwiler die Handlung nur zum Zwecke der Unterhaltung aufgenommen habe, oder ob sie gemeinte Tatsächlichkeit für sich beanspruchen könne, so daß sie etwa die Funktion des Weltlaufs übernähme?

Es ist klar geworden, daß die Handlung zwei Funktionen hat. Sie ist einerseits Burleske, andererseits Darstellung des Weltlaufs in bezug zur Lehre. Die Verwendung der *törpel*-Gestalt, die aus der Neidhart-Tradition, dem Fastnachtsspiel und Fastnachtsbrauchtum bekannt war, Wittenwilers genialer Humor, die Komik und Obszönität – eine Hauptquelle der Belustigung im Mittelalter –, kurz, der *gpauren gschrai* erfüllt die Scherzfunktion, die der Dichter intendierte (32–38). Falsch wäre es jedoch, wollte man damit die Funktion der Handlung beendet sehen,[269] wollte man ihr als einer „Scheinwelt"[270] den Wahrheitsanspruch[271] und die Tatsächlichkeit[272] absprechen.

Die Handlung ruht vielmehr fest auf der Wirklichkeit auf; die Darstellung der Vorgänge in Nissingen und vieler Vorgänge und Situationen in Lappenhausen ist realistisch, unverzerrt. Die entfremdende Verzerrung zeigt sich als signaturhafte Darstellung der inneren Verkehrung, hat also die

---

[268] Deshalb kann das Werk nicht, wie Wessels, Ring als Groteske, meint, eine Groteske der Gattung nach sein. Denn diese setzt voraus, daß mindestens im größten Teil des Werkes die verzerrende Darstellungstechnik und die Komposition des Widersinnigen durchgehalten wird. Vgl. die ähnliche Kritik bei Sowinski, Realismus 93 Anm. 1, und Boesch, Weltsicht und Denkform 49.

[269] Keller, Beiträge 63.   [270] Martini, DVjS 209.

[271] Ebd. 221.   [272] Sowinski, Realismus 21,96.

Aufgabe der Sichtbarmachung seelischer Zustände, wie sie auch zeigt, daß bei zunehmender Verzerrung das Dämonische weiter eindringt. Auch die phantastisch, unreal erscheinenden Elemente der Handlung haben also die Aufgabe, Wirklichkeit zu fassen: seelische und unheimliche, mit realistischen Mitteln unfaßbare Wirklichkeit.

Daß diese Wirklichkeit vom Dichter als verbindlich gemeint ist, kann sich nur durch ihr Verhältnis zur Lehre bewähren; dieses ist aber deutlich geworden: realistisch ist die Darstellung, „wirklich" die Wirklichkeit da, wo sie den Weisen umgibt, phantastisch die Darstellung, verfremdet und unheimlich die Wirklichkeit, die den Ungeschlachten umringt. Die Hauptquelle der Komik ist das Mißgeschick des ungeschlachten, rohen, unbändigen Narren und ein Versagen an dem, was er weiß und oft sogar andern beibringen will. Der *gpaur* und die Dorfwelt hat sich als die geeignetste Signatur der Perversion der göttlichen Idee vom Menschen gezeigt (Abschnitt 31); hier liegt die Verbindung zwischen der scherzhaften und der ernsthaften Funktion der Handlung. Es bewährt sich also hier, was aus der Betrachtung der Begriffe *nutz*, *tagalt* und *mär* hervorging (Abschnitt 4): die Funktion der Handlung liegt hauptsächlich im Bezug zur Lehre, sie ist „Weltlauf", auf den die Lehre gerichtet ist; nur in kleinen Teilen der Handlung mag die gewählte Objektivation, das *törpelleben*, den Signaturbezug zum lehrbezogenen Weltlauf für den oder jenen Leser nicht erfüllen: hier macht sich das Medium selbständig, der Scherz ist um seiner selbst willen da, wird zur *mär*.

Damit ist schon ein Teil der letzten Frage nach dem Verhältnis der Bauernhandlung zur Lehre beantwortet: die Handlung ist der Weltlauf, auf den die Lehre bezogen ist und der seinerseits durch die Lehre aufschließbar wird. Der häufig geäußerte, schon besprochene Gedanke, daß die Handlung nur von der Lehre her konstruiert, der Bauer nur ein künstlicher Antityp sei, muß unter Hinweis auf die vorstehenden Untersuchungen abgelehnt werden. Der *gpaur* ist Signaturträger für die Perversion der göttlichen Idee vom Menschen und nicht bloß Umkehrung einzelner Lehrinhalte; dadurch spielt die Handlung unter wirklichen Menschen, von denen einzelne mehr oder minder ausgeprägt die Signatur, die Symptome des Ungeschlachten tragen. Denn das darf nicht vergessen werden: es gibt fast so viele Schattierungen der Perversion wie Personen im ‚Ring' – von der Weisheit, der Übereinstimmung mit der göttlichen Idee, bis zur finsteren Dämonie und animalischen Roheit gibt es alle Ausprägungen, und Bertschi wandert fast von einem Pol zum andern in seiner Entwicklung. Aus der Konstruktion resultiert immer Statik und Flachheit; Wittenwilers dargestellte Welt ist gestuft, gegliedert und enthält die Dynamik der Entwicklung. Entzerrt man die stellenweise verfremdete Welt – die Zeigefunktion der Verzerrung wurde schon dargestellt –, hebt man die Bauernmaske von der Handlung – auch ihre Zeigefunktion wurde erkannt – so erscheint ein durchaus wahrscheinlicher, möglicher Erfahrung zugänglicher Weltlauf mit Weisen und Narren, klugen und dummen Handlungen. Daß es erlaubt ist, probeweise Verzerrung und Bauernmaske wegzudenken, zeigen die Stellen im Werk, die nicht verzerrt sind und in denen das Ungeschlachte des *gpauren* entweder gar nicht oder nur ganz schwach vorhanden ist.

Die primäre Unabhängigkeit der dargestellten Welt von der Lehre ist also deutlich geworden. Der *gpaur* und seine Welt ist kein Gegenbild, keine parodierende Allegorie, kein negatives Sinnbild, von der Lehre her aufgestellt, sondern er ist zunächst Welt, zu beobachtende, zu erfahrende Welt und Wirklichkeit. Diese Wirklichkeit trägt nun eine zugleich verhüllend-distanzierende wie entblößend-signaturhafte Maske und wird einer verzerrenden Darstellungstechnik unterworfen, die die gleiche Funktion des distanzierenden Entfremdens und des signaturhaften Entblößens erfüllt. Maske und Darstellungstechnik schließen diese Wirklichkeit für die Lehre auf: Entfremdung und Entblößung erwecken zunächst die Emotionen des komischen Abscheus, ja sogar Ekels und Hasses, wie auch der Neugier und des Verstehenwollens im Leser. Dies ist die Voraussetzung für den Willen, es besser zu machen, und zu lernen, wie man es besser macht. Man sieht hier, wie präzise Wittenwiler gedacht hat: nicht die Darstellung des Weltlaufs, sondern erst seine Maskierung und Verzerrung durch das *törpelleben* bekehrt den Leser (38), und das ist die Aufgabe des satirischen Prozesses: Distanzierung von der korrupten Wirklichkeit und Bekehrung zum wahren Bild.

Umgekehrt steht auch die Lehre zunächst für sich, und Wittenwiler macht fast immer klar, daß sie als bloßes Wissen wert- und wirkungslos ist. Erst wenn sie zum quantitativen Inhalt einer qualitativen Haltung wird, wenn sie also in das wirkliche Leben eines Menschen eingeht, ist sie wertvoll. Auch die Lehre gewinnt demnach ihren Sinn erst durch die Verbindung mit dem Wirklichen. Es bestätigt sich das Verhältnis der Wechselwirkung zwischen selbständig Seienden, das mit anderem Ansatz für diese Beziehung zwischen Leben und Lehre schon gefunden wurde (Abschnitt 3). Der Raum, in dem diese Wechselwirkung sich vollzieht – so kann jetzt hinzugefügt werden –, ist der Mensch, wie ihn Gott sich gedacht hat. Wo sie aufhört, pervertiert der Mensch diese Idee, wird zum ungeschlachten, tierischen *gpauren*.

34 Nun kann auch eine einigermaßen definitive Antwort auf die Frage nach Wittenwilers Publikum gegeben werden. Die Tatsache, daß es dem Dichter um die göttliche Idee des Menschen und die Bekehrung seiner Leser zu ihr ging, schließt ein bestimmtes ständisch gebundenes Publikum aus.

Der ‚Ring‘ richtet sich an jeden Menschen, sofern er nicht ist, was er sein soll; hinter der Maske des Bauern soll jeder Mensch sich selbst sehen, sofern es ihm an gutem Willen, Weisheit und Zucht mangelt. Wittenwilers Publikum ist also theoretisch unbegrenzt.

Ideengeschichtlich gesehen ist seine Lehre vom Menschen in dem Deutschland seiner Zeit neuartig; es lassen sich zwar gewisse verwandtschaftliche Bezüge zu Scotismus und Nominalismus aufzeigen, besonders in Hinblick auf die Willenslehre und die Skepsis gegenüber dem bloßen Wissen. Die Betonung der Heiligkeit des natürlichen Triebwesens jedoch, die überall hervorleuchtende Idee des Gleichgewichtes und der Wechselwirkung zwischen Leben und Lehre, Trieb und Geist, die Beschäftigung mit der Ehe und der Idee des Menschen, in denen dieses Gleichgewicht und diese Wechselwirkung äußerlich und innerlich manifest wird, – das alles setzt Wittenwiler in Parallele zu der gleichzeitigen italienischen Renaissance. Die Zeit war in Deutschland für solche Neuartigkeit des Gedankens noch nicht reif, das zeigt ja auch der Prager Versuch, der außer der Sprachreform, die administrativ gestützt war, wenig Nachhall fand. So erklärt sich die Wirkungslosigkeit des ‚Rings‘, die Tatsache, daß er kein weiteres Publikum fand.

Der Menschenkreis, den Wittenwiler besonders im Auge hatte, war sicher das junge Stadtbürgertum, das sich ein eigenes Selbstverständnis noch nicht geschaffen hatte und für das das ritterliche wie das geistliche Lebensideal unpassend und ungenügend sein mußte. Der Gedanke an ein bürgerliches Publikum Wittenwilers ist so allgemein akzeptiert, daß er nicht weiter belegt werden muß.[273] Wenn überhaupt irgendwo, so konnte Wittenwiler nur bei dem „bildungsfreudigen Stadtbürgertum“[274] auf ein Echo seiner Ideen hoffen.

Demgemäß sind praktisch alle Lehren auf bürgerliche Bedürfnisse zugeschnitten, was sich besonders bei dem Ritter Neidhart eigenartig ausnimmt. Frauendienst ist nach seiner Aussage nur dann sündlos, wenn er zur Ehe führt (845–47); das Turnieren ist auch um praktischer Zwecke willen da (899–904). Des Schreibers Minnelehre ist ganz bürgerlich im Ton, ebenso sein Brief und der kunstvoll geblümte des Arztes. Über die übrigen Lehren besteht kein Zweifel; der Schülerspiegel weist noch einmal deutlich auf bürgerliches Publikum. Die Diskrepanz zwischen der ständisch betonten Auswahl der Lehren (die nichts mit dem allgemein verbindlichen Menschenbild zu tun hat) und den sie erteilenden Bauern benutzt Wittenwiler,

---

[273] In neuerer Zeit ist es nur Fehrenbach, Marriage 54,57,59, der an ein hauptsächlich bäuerliches Publikum denkt und Wittenwiler zum "peasant's friend" macht (59).

[274] Sowinski, Realismus 42.

wie gezeigt, um den Kontrast zwischen dem, was die *gpauren* wissen und zu sein glauben, und dem was sie wirklich sind und wie sie leben, satirisch auszumünzen, wie auch seiner Skepsis gegen die bloße Lehre, das bloße Wissen ohne zugrundeliegende Haltung Ausdruck zu geben.

35 Der satirische Prozeß ist in seinen Hauptzügen schon deutlich geworden und soll hier noch näher beleuchtet werden. Er zeigt sich in der Maskierung und Verzerrung der Teile der Wirklichkeit, die als Menschen der göttlichen Idee widersprechen oder als Dinge mit solchen Menschen in Berührung kommen. Der Zweck dieser beiden Techniken zeigte sich zugleich als Distanzierung und Entblößung mit der beabsichtigten Wirkung, die Einstellung des Lesers zu der so verwandelten Wirklichkeit zu verändern und ihn zur Besinnung auf das Richtige, von Gott Gemeinte zu bringen, das in der Lehre wenigstens äußerlich enthalten ist.

Der im ‚Ring‘ ständig präsente Autor übernimmt bei seinem Auftreten oft ähnliche Funktionen, abgesehen davon, daß er dem Gedicht ein weiteres Prinzip der Einheitsbildung hinzufügt.[275] Er verfremdet die Handlung, hebt sie aus dem normalen Status des erzählten Faktums heraus, in dem er sich selbst als den darstellt, der den Bauernburschen die Namen gibt (139, 143) oder indem er den als Narren bezeichnet, der ihm eine Übertreibung glaubt (1067). Er stellt die Bauernburschen bloß, indem er ihre Unlust am ferneren Stechen als rechte Furcht bezeichnet und den Lesern ankündigt, er sage ihnen wie es *aigenleichen* sei (621–25). Neben solchen direkten Aussagen verwendet Wittenwiler häufig die Ironie, die er meisterlich handhabt. Ein brillantes Beispiel ist die Episode mit dem Stein, der Nabelreibers Brief an Mätzlis Kopf befördert; der Schreiber wirft ihn mit den Worten:

> ‚Nu ge hin ane füess!
> Dich umbschlahend armen süess.
> Var hin, brief, dar ich dich sende!
> Dich enphahend weisse hende.‘
> Min briefel daz ward fliegen,
> Zum fenster in hin stieben
> Und cham her, da es Mätzen vand.
> Es verfället paider hand
> Und dar zuo lieber armen;
> Es mocht da nicht erwarmen.
> Also es der choph emphieng
> So schon, daz im daz pluot aus gieng. (1919–30)

---

275 Jones, Übersetzung 139f.; Sowinski, Realismus 96.

Nicht genug damit, daß dem hochtrabend geblümten, sentimentalen Schreibergruß die grobe Wirklichkeit Schlag auf Schlag, zum Teil mit denselben Ausdrücken, antwortet, nicht genug, daß Mätzli ohnmächtig wird, wegen ihrer Wunde zum Arzt geht und dort verführt wird – auch der Arzt nimmt noch einmal auf den Vorfall Bezug zu Beginn seines Musterbriefes:

> *Ein briefelein han ich vernomen:*
> *Mich daucht, es wär vom himel komen,*
> *So wunnecleich kam es geflogen*
> *Da her in einem regenbogen,*
> *Einr wulchen swanch sein umbehanch,*
> *Dar inn derchlanch der fröden gsanch,*
> *Mit worten in seinr angesicht,*
> *Sam es ein engel hiet geticht.*
> *Die süessichait mich überwant*
> *Also ser, daz ich ze hant*
> *Verlos des tages liechten schein.*　　　　　(2275–85)

Dasselbe Ereignis in den Worten eines Fälschers. Ironisierte die Wirklichkeit den unschuldig-sentimentalen Wunsch des Schreibers (Wittenwilers Darstellung unterstreicht nur das Faktum), so wird hier bewußt das Faktum ins Religiöse hinein pervertiert, die Ironie des Arztes will vertuschen und letztlich schaden durch verzerrende Technik. Der Arzt ist vielleicht in allen Zügen das Gegenbild des Dichters (wie Neidhart sein Abbild ist). Die Ironie des Geschehens enthüllt die törichte Sentimentalität der Schreiberworte, die Ironie des Arztes entblößt seinen Charakter. – Am häufigsten zitiert wird die erstaunliche „romantische" Ironie, die sich der Schreiber leisten darf. Wie am Ende der Debatte alle, auch der Schreiber, unter dem Eindruck stehen, sie seien zu keinem Ergebnis gekommen – was ja nicht stimmt –, meint der Schreiber:

> *Ich sich wol, war umb es gevält*
> *Habt und gäntzlich nichtz dertält;*
> *Es seid gestanden ze den witzen,*
> *So man mit ruowen scholte sitzen.*
> *Ir habt gereimet und geticht:*
> *Chluogeu sach wil reimens nicht;*
> *Wer mag ein disputieren*
> *Mit gmessner red florieren?*　　　　　(3515–22)

Setzt sich und gibt sein Urteil in Prosa. Solche Tricks (vgl. auch 3484) verfremden die Handlung stark, decken den Autor dahinter auf und bringen den Leser zum Nachdenken über das eigentliche Geschehen. Wittenwiler läßt an keiner Stelle seines Werkes, es sei denn in kurzen Partien des Endkampfes, seinen Leser in Ruhe. Ständig stört er ihn auf, sobald er sich in die Zuhörerpose zurücklehnt.

Einen besonders guten Dienst tun ihm dabei die ironisch illusionszerstörenden Vergleiche. Die Beschreibung der Schönheit Mätzlis ist voll davon (*Ir mündel rot sam mersand, Ir wängel rosenlecht sam äschen* etc.); Bertschi und Neidhart jagen auf ihrem Schlitten nach Lappenhausen hinein *Sam ein bliens fögellein* (862–64). Die Beschreibung des Hochzeitsmahles ist ein glänzendes Beispiel der Vielfalt von Wittenwilers Technik und der Flexibilität ihrer Anwendung. Hier geht es ja darum, die Handlungen der Bauern immer als verkehrt zu entblößen und manchmal auch zu sagen, was richtig gewesen wäre. Die Entblößung des Verkehrten geht von der einfachen Feststellung wie *Er ist ein gpaur, der an in glaubt* (5644) über die ironische Betonung *Daz stuond im wol nach seinem sin* (6002) und ironische Adverbien wie *Und assend zierleich sam die gsellen* (5730) bis zur ironischen Hypothese:

> *Saltz und wädel wärind pracht,*
> *Hieten seu dar an gedacht.* (5561f.)

Ebenso wie die Ironie entblößt auch die Parodie, die der Dichter an manchen Stellen, zum Beispiel in der Beschreibung Mätzlis oder der negativen Tischzucht benutzt. Die Ethopoiie, also die den Charakter enthüllende Rede einer Person, ist ein von Wittenwiler fast ständig gebrauchtes Mittel. So sind inhaltlich die Abgangsreden der beim Stechen verunglückten Bauernburschen bezeichnend; jeder versucht durch einen halben Witz, eine Selbstironie oder die Betonung irgendeines Vorteils der Situation die Schande und das Gelächter von sich abzulenken. Chuontz mißversteht diese Absicht und meint zwei der geäußerten Pfiffigkeiten pedantisch widerlegen zu müssen, was wieder auf seinen Charakter bezeichnendes Licht wirft. Die oben zitierte Epistel des Arztes ist ein weiteres Beispiel brillianter Ethopoiie. – Wittenwiler scheint auch Dialektformen ethopoetisch zu verwenden. Jedenfalls unterscheiden sich die Sprache der Lehren und die der Bauernunterhaltungen deutlich;[276] die bairischen Einsprengsel scheinen nicht nur auf den Schreiber zurückzugehen, sondern von Wittenwiler absichtlich zur Erzeugung des rohen komischen Effekts gebraucht zu sein.[277] Aber noch feiner sind Wittenwilers satirische Mittel in der Verwendung der Sprache: es wurde schon darauf hingewiesen, wie sich das Vokabular Bertschis verwandelt, mit dem er von seiner Liebe zu Mätzli spricht. Zunächst sind es die geschraubten Ausdrücke aus der höfischen Minnespra-

---

[276] Sowinski, Realismus 86f.

[277] Wießner, Heinrich Wittenwiler 165; Keller, Beiträge 23f.; Boesch, Weltsicht und Denkform 51; Boesch, Zum Stilproblem 79.

che, dann werden sie langsam normaler, zuletzt, unter dem Eindruck der Minnelehre des Schreibers, spricht Bertschi von seines *hertzen gir* und will nur noch Mätzli *han*. Kann dies noch im Sinne der Ethopoiie verstanden werden, die hier jedoch aus ihrer traditionellen Statik herausgelöst wäre, so ist Wittenwilers konstante Bezeichnung Bertschis als *der minner* o. ä. (1525, 1857) und seines Gefühls als Minne (1621, 2609) reine Sprachsatire, die mit dem falschen Begriff die immer noch unrechte Geisteshaltung des Helden brandmarkt.[278]

Alle diese Techniken, die Wittenwiler mit souveräner Meisterschaft handhabt, dienen dem gleichen Zweck wie die der Verzerrung und Maskierung: sie distanzieren und entblößen zugleich den Gegenstand, der ihnen unterworfen wird. Das geschieht nun nicht in zufälliger und unterschiedlich gerichteter Weise: die Distanzierung rückt die Gegenstände immer in ein bestimmtes Licht, die Entblößung stellt immer bestimmte Seiten heraus, nämlich solche, die die Perversion der göttlichen Idee vom Menschen zeigen. Hier liegt das Zentrum dieser verzerrenden, übertreibenden, ironisierenden, parodierenden Darstellungstendenzen, so wie im Zentrum der

---

[278] Vgl. zum Beispiel noch 687,735,2045f., etc. – Eine weitere Form der Verfremdung sind die roten und grünen Linien, die den Text begleiten und Ernst und *törpelleben* bezeichnen (40f.). Man hat viel darüber spekuliert, hat den Schreiber für Irrtümer verantwortlich gemacht (die zweifellos da sind, aber wohl nicht im angenommenen Ausmaße) und es für eine Albernheit gehalten, die Verwendung dieser ironisch verteilten Linien zu studieren (Brinkmann, Zur Deutung 220f.). Zunächst muß klar sein, daß „grün" nicht nur „Scherz", sondern *törpelleben* bedeutet, dessen zentrale Definition Wittenwiler mit *Doch vernempt mich, welt ir, eben!* unmittelbar an die Farberklärung anschließt und so darauf aufmerksam macht, daß dieses *törpelleben* eine Doppelfunktion hat: Scherz einerseits, Darstellung des Unrechten und Läppischen im Weltlauf andererseits. Die grün bezeichneten Teile sind also durchaus solche, an denen man Beobachtungen machen kann und soll. Die rote Linie scheint dagegen speziell für solche Teile zu gelten, denen Wissensstoff zu entnehmen ist, entweder direkt als Lehre oder in Umkehrung wie bei der Beschreibung Mätzlis oder beim Hochzeitsmahl. Das vieldiskutierte Problem der grün bezeichneten Gebete findet seine Auflösung in Schilawinggs Botschaft an die Lappenhauser: sein Text wird im Nissinger Rat vorbereitet (6852–59) und dort rot bezeichnet; die fast wörtliche Wiederholung vor den Lappenhausern (6922–29) dagegen grün. Daß dabei nicht entscheidend ist, daß der Bote vor den Tölpeln spricht, zeigt der rot bezeichnete Anfang seiner Rede, wo er eigene Worte findet. Die grüne Bezeichnung des Textes bei der Wiederholung scheint darin begründet, daß die Leser den Inhalt schon kennen und die Lehre daraus gezogen haben. So wird Boeschs Ansicht richtig sein (Phantasie 146 Anm. 17), daß die Gebete grün bezeichnet sind, weil sie eben als schon bekannt und landesüblich gelten können.

Lehren die unpervertierte reine Idee des Menschen steht. Die mit Distanzierung und Entblößung verbundenen schon besprochenen Emotionen lenken den Leser von den Stellen der Wirklichkeit weg, die von der ätzenden
Säure der Darstellungstechniken angegriffen sind, und lassen ihn die positive Wirklichkeit ergreifen, die den Angriffen standhält. Daß dieses Verhältnis der Tendenzen – Distanzierung und Entblößung des Negativen,
Lehre und Lob des Positiven – den Kriterien der Satire genau entspricht,
wird sich erst im abschließenden Kapitel dieser Untersuchungen nachweisen
lassen.

Wittenwilers Satire hat also Zentrum und Ziel. Zentrum ist die neue
Idee vom Menschen im harmonischen Ausgleich von Trieb und Geist; Ziel
ist die Herauslösung des Lesers aus der geliebten, aber teilweise pervertierten Umwelt, und die innere Verwandlung, die Bekehrung des Lesers zu
diesem neuen Menschentum. Nicht ohne Grund ruft Wittenwiler am Ende
seines genialen Werkes Gott als den Verwandler an,

> Der wasser aus dem stain beschert
> Hat und auch ze wein bekert! (9698f.)

Wittenwilers ‚Ring‘ ist also eine Satire. Die Wirklichkeit, auf der sie
fußt, die sie zum Teil angreift und grotesk verzerrt, ist episch geformt, weil
es dem Dichter nicht darum geht, Einzelheiten zu lehren und zu tadeln
oder den Leser intellektuell zu überzeugen und zu formen. Das Menschentum, das im Zentrum der Satire steht, kann nur durch langsame Ausbildung
innerlicher Haltungen, durch Bildung des guten Willens und der Weisheit
als einer Form der Kommunikation mit dem Göttlichen erreicht werden.
Und das läßt sich nur an einer dargestellten langsamen Entwicklung zeigen, an der wiederum der Leser sich ein Beispiel nehmen soll. Bertschis Entwicklung zur Weisheit ist die (bäurisch maskierte) Spiegelung der Bildung,
die im Leser selbst vorgehen soll. Aus dem geistigen Zentrum der Satire,
dem Bild des neuen Menschen, geht also die Trägerstruktur der Satire folgerichtig hervor. Aus dieser Wechselwirkung zwischen Geist und Wirklichkeit
leuchtet noch einmal die Idee der heiligen Harmonie der Entgegengesetzten.

III. SEBASTIAN BRANTS ‚NARRENSCHIFF'

§ 1 Das Problem der Gattung

1 Sebastian Brants Sprache, Stil und Darstellungsart sind nicht gleichförmig; sie nehmen Gestalt an je nach der Bestimmung des Werkes und seiner Leserschaft. So hat Hans Henrich Eberth beim Vergleich der deutschen und lateinischen Fassungen der Flugblätter Brants festgestellt, daß sie sich in wesentlichen Punkten unterscheiden: unverbundene, sorgloser zusammengestellte Satzblöcke der deutschen Fassungen sind in der Gelehrtensprache zu Periodenbauten gefügt; einer Aufzählung von Fakten steht fragende und beweisende Technik gegenüber, „einer gewissen Demagogie" das sichtbare Bemühen, „einen logischen Zusammenhang des ganzen Gedichts" herzustellen.[1] Eberth kommt zu dem Schluß, „daß Brant es verstanden hat, sich sehr stark auf die verschiedenen Lesergruppen einzustellen und seine Gedanken jeder derselben in der für sie wirkungsvollsten Weise nahezubringen. Der Gelehrte findet Gelehrtes, er hört tiefere Gedanken, es werden ihm weitere Zusammenhänge klargelegt. Der ungebildete Leser wird in gewisser Weise agitatorisch behandelt, ihm werden Tatsachen geboten, und das Äußerliche der Ereignisse wird ganz stark in den Vordergrund gestellt."[2]

Ähnliche Unterschiede zeigen sich zwischen dem deutschen ‚Narrenschiff' und Brants Zusätzen zu den Ausgaben von Lochers Übersetzung 1497 und 1498. Im Sinne von Zarnckes Feststellung, Brant habe sich erst „nach und nach die gewandtheit zur handhabung seiner muttersprache erworben",[3] könnte man hier einwerfen, solche Unterschiede seien nicht auf bewußten Stilwillen Brants zurückzuführen, sondern eben auf seine Un-

---

[1] Hans Henrich Eberth: Die Sprichwörter in Sebastian Brants Narrenschiff. Ein Beitrag zur deutschen Sprichwortgeschichte. – Greifswald 1933 (Deutsches Werden. Greifswalder Forschungen zur deutschen Geistesgeschichte, Heft 3); 103–107; die Zitate 103f.   [2] Ebd. 106f.

[3] Friedrich Zarncke: Sebastian Brant, Narrenschiff. – Leipzig 1854 / Darmstadt 1964; S. XXXIV. Der in dem vorliegenden Kapitel benutzte Text ist Sebastian Brant: Das Narrenschiff. Nach der Erstausgabe (Basel 1494) mit den Zusätzen von 1495 und 1499 hrsg. von Manfred Lemmer. – Tübingen 1962 (Neudrucke deutscher Literaturwerke N.F. 5).

fähigkeit, sich in der Muttersprache so gewandt auszudrücken wie im Lateinischen. Der Einwand ist leicht zu entkräften: nicht nur beim Übergang vom Lateinischen zum Deutschen zeigen sich Stil- und Darstellungsdifferenzen, sondern auch innerhalb einer Sprache, ja innerhalb eines Textes. Kap. 61 des ‚Narrenschiffs‘ zum Beispiel zeigt einen Satz, der, kompliziert gebaut, sich über 25 Zeilen erstreckt; hier wird nämlich die Frage behandelt, ob das vom Teufel erfundene Tanzen noch als Narrheit oder schon als Sünde verstanden werden muß. Andere Kapitel und Stellen dagegen, weniger mit Nachweis und Begründung als mit Beschreibung und einfacher Belehrung beschäftigt, begnügen sich mit parataktischer Reihung der Elemente (extrem etwa 13,41–76). Auch in Brants lateinischer Dichtung zeigen sich stilistische Differenzen: kürzere, gereihte Sätze etwa in dem historischen Überblick (vgl. zum Beispiel *De corrupto ordine viuendi pereuntibus* v. 91–110; Zarncke 122 a b), hypotaktisch verbundene längere Perioden in gedanklich bestimmten begründenden Teilen (vgl. zum Beispiel ebd. v. 7–28; Zarncke 121 a b).

Wenn Brant also offensichtlich bewußt und mit feinem Gefühl für Stil- und Darstellungsart sich je auf seinen Leser und auf die Erfordernisse der zu behandelnden Materie einstellt, so erscheint es umgekehrt angemessen und sinnvoll, Werke Brants auf ihre Ausdruckshaltung, Sprache, Stilführung, Darstellungsart und Gattung genauer zu untersuchen. Einige juristische, geistliche und historische Werke Brants bieten keine Schwierigkeit in dieser Hinsicht und sind mit wünschenswerter Klarheit beschrieben.[4] Problematischer sind schon die Flugblätter, denen wohl noch zu wenig Aufmerksamkeit gewidmet worden ist. Ganz verschieden ist jedoch das ‚Narrenschiff‘ beurteilt worden, Brants berühmtestes und meistbesprochenes Werk.

2   Über die literarische Gattung des ‚Narrenschiffs‘ gibt es noch keine ausführliche Untersuchung, wie das Buch ja überhaupt erst in jüngerer Zeit Gegenstand literarischer Untersuchung und Bewertung geworden ist.[5]

---

4 Ausführlich und umsichtig vor allem Charles Schmidt: Histoire littéraire de l'Alsace. Tom. I, Paris 1879; p. 239ff. – Zur geistlichen Dichtung vgl. besonders Sister Mary Alvarita Rajewski: Sebastian Brant. Studies in Religious Aspects of His Life and Works with Special Reference to the Varia Carmina. – Washington 1944. (The Catholic University of America Studies in German, Vol. XX.)

5 Vgl. Edwin Herman Zeydel: "Some Literary Aspects of Sebastian Brant's Narrenschiff." Studies in Philology (Chapel Hill) 42 (1945), 21–30. Dort heißt es (30): "we are justified in asking whether the 'Narrenschiff', which has been first and foremost a philological proving ground, does not deserve a little more consideration as a work of literature."

Quellen- und geistesgeschichtliche Betrachtungsweise haben meist nur je eine Seite des Werkes berücksichtigt und verallgemeinert, so daß es jetzt einer Menge literarischer Typen, Traditionen und Gattungen anzugehören scheint.

Lyrische Züge hat man dem ‚Narrenschiff‘ zwar nicht beigelegt, aber Charles Schmidt vermißt sie offenbar darin: es enthalte wohl einige Passagen, in denen sich das Gefühl mehr als sonst erwärme, aber auch sie seien eher rhetorisch.[6] Das stimmt zu seiner allgemeinen Behauptung, Brant fehle das tiefe und feine Gefühl, der Höhenflug des Gedankens, der Reichtum der Einbildungskraft, der mitreißende Schwung, ohne die es keine Poesie gebe.[7] Auch Wilhelm Scherer mit seiner Bemerkung, bei Brant erinnere eigentlich nur der Reim an Poesie,[8] meint es offenbar zu Recht in diesem Punkte zu tadeln. Doch abgesehen davon, daß Brant im ‚Narrenschiff‘ bestimmt keine lyrischen Intentionen hatte, gibt es lyrische Stellen in einigen Kapiteln, die freilich dem Charakter des Werks gemäß in gedankliche Reihen eingebettet sind, zum Beispiel:

> Der hymel manchen dotten deckt
> Der vnder keynen steyn sich streckt
> Wie kund der han eyn schôner grab
> Dem das gestyrn lücht oben ab /
> Got fyndt die beyn zů syner zyt /   (85,149–153)

Diese Stelle (v. 151–53) scheint übrigens Brants Eigentum zu sein – wenigstens hat sich noch keine Quelle dafür gefunden.

Einen Stilzug des ‚Narrenschiffs‘, nämlich die Ethopoiie in der Selbstdeutung der Narren, greift Wilhelm Scherer[9] heraus, sieht sie mit den Holzschnitten zusammen und zieht eine Verbindungslinie hinüber zum Fastnachtsspiel, ohne jedoch Brants Werk als dramatisch im ganzen zu bezeichnen. Die Technik der Ethopoiie gehört aber nicht nur dem ganzen spätmittelalterlichen Drama an, sondern taucht auch in anderen Dichtungs-

---

[6] Schmidt, Histoire littéraire I 303: «il contient quelques passages plus chaleureux que le reste, mais ils font l'effet de n'être que des discours mis en vers.»

[7] Ebd. I 254: «On aurait de la peine à trouver chez lui la sensibilité profonde et délicate, l'élévation de pensée, la richesse d'imagination, la verve entraînante, sans lesquelles il n'y a pas de poésie. Ce qui lui manque le plus, c'est l'inspiration lyrique, et c'est précisément comme poète lyrique qu'il aurait voulu se faire un nom.»

[8] Wilhelm Scherer und Oskar Walzel: Geschichte der deutschen Literatur. – Berlin 1921; 202. Auch Zarncke „kann die frage, ob sein werk eigentlich poesie enthalte, geradezu verneinen" (Zarncke LXXVIII).

[9] Scherer-Walzel, Literaturgeschichte 201f.

arten auf; es wird sich später zeigen, daß Brant sehr wahrscheinlich diese Darstellungsmethode mit anderen zusammen aus seiner formal-rhetorischen Schulung gewonnen hat.

Wenn zum Lyrischen und Dramatischen selten Bezüge hergestellt werden, so zeigt sich sozusagen die Erwartung der meisten Forscher, im ,Narrenschiff' ein episches Werk zu finden, in der häufigen Kritik, „der epische Grundgedanke der Narrenfahrt zu ungewissem oder bösem Ziele" sei nicht „als Handlung durchgeführt".[10] Diese Kritik geht bis zur Verachtung: „Im Narrenschiff zeigte sich Brant völlig unfähig, eine Erzählung auch nur so weit zu gestalten, daß der elementarste Zusammenhalt der Geschichte gewahrt bliebe."[11] Solche enttäuschten Erwartungen knüpfen sich natürlich an den Titel, die Vorrede und Kap. 108 des Buches an, die tatsächlich eine epische oder wenigstens allegorisch-epische Entwicklung anzudeuten scheinen, welche in den übrigen Kapiteln fehlt.

Doch schon Zarncke hat überzeugend dargetan, „daß die auffassung des verfassers wirklich schwankend und unklar war – die ganze einkleidung ist nicht eine auf einem moralisch-allegorischen gedanken beruhende, mit der conception des werkes zusammenfallende idee, sondern eine dem werke äußerlich umgehängte einkleidung".[12] Hätte Brant etwa vom Kap. 64 an die Narrenschiff-Allegorie konsequent erzählerisch durchgeführt und in der ersten Hälfte nur die wenigen Hinweise stehen lassen, könnte man mit Recht von einem Stil- oder Gattungsbruch sprechen. So aber, wo im ganzen Werke außer in der Vorrede und in Kap. 108 das Bild nur in Hinweisen auftaucht,[13] darf man wohl nicht einen epischen Grundgedanken an-

---

10 Paul Hankamer: Deutsche Literaturgeschichte. – Bonner Buchgemeinde, 1952; 123. – Vgl. E. H. Zeydel: The Ship of Fools. – New York ²1962; 18: "Brant ... was given far more to moralizing than to sustained plot." – Gilbert Highet: The Anatomy of Satire. – Princeton, N.J. 1962; 224: "Although his central idea was to describe the world as a ship manned by fools and steered toward the fools' paradise of Narragonia ..., his book has no plot and no continuous story."

11 M. O'C. Walshe: Medieval German Literature. A Survey. – Cambridge, Mass. 1962; 288: "In the Narrenschiff Brant showed himself totally incapable of organizing a narrative even to the extent of maintaining the most elementary consistency in the story."

12 Zarncke LVIIIf.

13 Vielleicht ist noch die mannigfaltige Schiffsmotivik in Kap. 103 einzubeziehen, ebenso in Kap. 48. Kap. 99 jedoch, das Barbara Könneker ["Eyn wis man sich do heym behalt." Zur Interpretation von Sebastian Brants ,Narrenschiff', in GRM 45.1; S. 46–77] zu den wichtigen „Schiffs"-Kapiteln zählt, gehört doch wohl nicht dazu, denn das Schiff erscheint nur in Metapher und Gleichnis: 99,154 als Metapher für das Reich; 99,177–79 aus Prov. 23,34 als Gleichnis; 99,193–198 als Gleichnis; 99,200 wohl wieder als Metapher für das Reich.

nehmen und Brant dann dafür kritisieren, daß er ihn nicht konsequent durchführe. Das Bild vom Narrenschiff trägt zwar durch sein Vorkommen an vielen Stellen zu der Einheit des Werkes bei; sein gattungsbestimmendes Gewicht aber ist nicht größer zu schätzen als etwa das der „dramatischen", der Rhetorik entstammenden Ethopoiie oder des Dialogs.[14]

Versuche, das Werk Brants einem der drei Gattungsbegriffe oder den entsprechenden Grundhaltungen eindeutig zuzuordnen, sind also meistens negativ verlaufen, oder sie haben nur teilweise gültige Ergebnisse gezeitigt.

3   Die Mehrzahl der Forscher hat das ‚Narrenschiff' in literaturgeschichtliche Bezüge und geistesgeschichtliche Traditionen gestellt. Die damit verbundenen Hinweise auf Form- und Haltungstypen sollen nun untersucht werden.

Die bunte Reihung von Narrheiten führt leicht zum Gedanken der Fastnacht, obwohl dieser dem Dichter bei der ersten Ausgabe noch ziemlich fern gewesen zu sein scheint. Erst der zweiten Ausgabe fügt er ein Kapitel *von fasnacht narrē* an, in dem aber kein Bezug zu dem möglichen Bild von der Welt als einem Fastnachtstreiben genommen wird. Vielmehr kritisiert Brant an der Fastnacht Sittenverderbnis und Störung der heiligen Zeit. Fastnacht ist nicht die zentrale und symbolische Erscheinung der Narrheit, sie ist wie anderes von der Narrheit oder vom Teufel erdacht (110b,25 und 40). Das Bild von der kriegführenden Königin Narrheit etwa, die alle Fürsten unterwirft und in ihr Gefolge zwingt (46,a–c und 68–76) ist im Sinne des Brantschen Werkes viel mächtiger als das der Fastnacht. Umgekehrt scheint Brant in der ersten Ausgabe die Gesellschaftsfunktion des Narren sogar positiv zu bewerten, worin er sich etwa mit Thomas Morus, dem Empfänger des Erasmischen *Encomium Moriae*, träfe: Brant tadelt nicht etwa, daß einer *will nårrisch syn mit allem fliß*, sondern daß *er weder wiß noch gberd* könne und deshalb *eyn narr / vnd nyemans werd /* sei (67,35 bis 48). Selbstverständlich kann Brant auch denjenigen, der in diesem Sinne *kan narrheit wol*, nicht als *witzig* oder rühmenswert bezeichnen (ebd. 49–52), aber der ist wenigstens nicht *eyn seltzen ding vff erd* wie der andere, der den Narren spielen will und es nicht kann und dadurch erst ein Narr im Sinne Brants wird. Die bewußt angenommene Narrheit der Fastnachtsumzüge darf mit der blinden bei Brant nicht verwechselt werden: wir können demnach dem Bild der Fastnacht nicht das Gewicht zumessen, das Rainer Gruenter[15] ihm geben will.

---

[14] Vorkommen und Art der narrativen Elemente und Genera im ‚Narrenschiff' werden in den Abschnitten 20 und 21 dieses Kapitels untersucht.

[15] Rainer Gruenter: „Die ‚Narrheit' in Sebastian Brants Narrenschiff." Neophilologus 43 (1959), 207–221; 219f.

Schon Charles Schmidt hatte mit Bezug auf das ‚Narrenschiff‘ von dem Durcheinander einer Fastnacht gesprochen, aber daran das Amüsante vermißt.[16] Auch Gruenter modifiziert: er sieht das Fastnachtsgleichnis „vor dem Hintergrund eines anderen mächtigen spätmittelalterlichen Bildbereichs...: des Totentanzes".[17] Damit greift er den Gedanken Paul Böckmanns[18] auf, der im ‚Narrenschiff‘ eine satirische Bewältigung der mittelalterlichen „Spannung von Trieb und Glauben" sieht: „Der Dualismus wird nicht mehr im Sinnbild überwunden, sondern entweder schwankhaft umspielt oder satirisch verschärft." Die Satire führe zur Selbsterkenntnis, diese auf „Tod, Sünde und Vergänglichkeit alles Irdischen": „So ist seine Satire von einer Totentanzstimmung durchdrungen, wie sie schon in den Teufelsszenen der geistlichen Spiele anklang." Was den Formtyp anlangt, würde diese Verbindung das ‚Narrenschiff‘ als Ständesatire kennzeichnen, denn „die Teufelsszenen bevorzugen die Ständesatire",[19] und auch die Totentänze sind nach Ständen geordnet. Darauf soll weiter unten eingegangen werden. Doch führt Böckmann gedankensystematisch weiter: „Aus der Totentanzstimmung erwächst die Weltverachtung, die überall nur Narrheit wahrnimmt..."[20] Diese Haltung, die „kaum noch einen unmittelbaren Zugang zur Weltbejahung besitzt",[21] scheint jedoch für Brant nicht durchweg bestimmend. Hier sei nur daran erinnert, daß er im ‚Narrenschiff‘ zwar den Einsiedler verteidigt (Kap. 105), die Allmacht des Todes verkündet (Kap. 85) und die Notwendigkeit des Lebens zum Tode immer wieder darstellt, daß er aber nicht nur in seinem Leben der *vita activa* sich widmet, sondern auch im ‚Narrenschiff‘ ganz deutlich einen Erziehungsplan verfolgt, der die Seelen der Einzelnen aus der Finsternis der Narrheit zum göttlichen Licht kehren will und zugleich durch innere Reform der menschlichen Gemeinschaft die hiesige Welt und ihre Ordnung in der Kirche und im Römischen Reich vor der äußeren Bedrohung durch die Türken zu retten versucht (Kap. 99). Das ist zwar keine Bejahung der Schönheit und des Lebensgenusses, zu der die folgende Generation der jungen Humanisten durchstößt, aber es ist eine Bejahung des tätigen Lebens im Dienste der Weisheit und ihrer weltlichen Spiegelung, der Ordnung.

> *Eyn wyser ist nütz der gemeyn*
> *Eyn narr syn kolben dreitt alleyn* (42,7f.)

Dieser starke Quell im Leben und Denken Brants, den man als glühendes Verantwortungsgefühl für seine Zeit bezeichnen kann, ist bisher meist

[16] Schmidt, Histoire littéraire I 298.   [17] Gruenter, Die ‚Narrheit‘ 219.
[18] Paul Böckmann: Formgeschichte der deutschen Dichtung. Erster Band: Von der Sinnbildsprache zur Ausdruckssprache. – Hamburg (1949); 232f.
[19] Ebd. 225.   [20] Ebd. 233.   [21] Ebd. 234.

übersehen oder als „didactischer tick"[22] abgewertet worden. Wenn Brant im Tod den einen Pol des Absoluten sehen kann, so stellt die Weisheit den anderen dar. Bewußtsein des Todes leitet zur Weltverachtung und zum kontemplativen Leben; Streben nach der Weisheit zur Weltverbesserung und zum tätigen Leben. Brants Verhältnis zu diesen beiden Polen und dem ihnen gemäßen Leben muß an anderer Stelle eingehend untersucht werden: für unseren gegenwärtigen Zweck ergibt sich, daß „das christliche Schaudern vor dem Tod", von Gruenter[23] wie von Böckmann[24] ins Zentrum der Bedeutung des Werks und des Brantschen Denkens gestellt, nur eine Seite des Werks und seines Autors erhellt. Zweifellos bestehen Verbindungen zwischen dem ‚Narrenschiff' und dem geistlichen Drama des Spätmittelalters, den Totentänzen und Teufelsszenen schon in der Formung der Narrengestalt und ihrer Attribute,[25] aber sie dürfen weder bei der Erforschung der Gattung und des Formtyps noch im Nachdenken von Brants Gedankengängen überwertet werden.

4   Weite Anhängerschaft hat Zarnckes Wort vom „satiriker und didactiker" Brant[26] gefunden. Beide Tendenzen, satirische und (innerhalb dieser) didaktische, sind zweifellos im ‚Narrenschiff' wirksam. Daran knüpfen sich jedoch auch formtypische Zuordnungen, die in verschiedene Richtungen führen und deshalb untersucht werden müssen.

Zarncke selbst bringt das Werk in die Nähe der mittelalterlichen Centonen und Spruchanthologien.[27] Es sei „nämlich im wesentlichen eine übersetzung und zusammenkittung von stellen aus verschiedenen alten, bibli-

---

[22] Zarncke XXXII.

[23] Gruenter, Die ‚Narrheit' 219: „Hier [Kap. 85] läßt Brant die Maske des Satirikers fallen und erkennen, was sich hinter seinem Fastnachtsgemälde verbirgt: das christliche Schaudern vor dem Tod, der der Anfang des Gerichts ist." Eine leichte Paraphrase des Zitats bei Hans-Joachim Mähl in der ‚Narrenschiff'-Übertragung (Reclam 1964), 477.

[24] Böckmann, Formgeschichte 232f.: „Das Gefühl, daß der Tod über das Leben herrscht, steht für Brant ganz entscheidend im Mittelpunkt und gibt der Satire zugleich Schärfe und Freiheit." Böckmann selbst betont dagegen am Anfang seiner Darstellung der „Narrensatire als Weg der menschlichen Selbsterkenntnis bei Sebastian Brant" (ebd. 227) „den inneren Zusammenhang eines Lebensverständnisses, das im strafenden und belehrenden Wort den Menschen zu sich selbst zurückzuführen sucht und darin eine nötige Aufgabe sieht, weil ständig der Abfall des Menschen von sich selbst droht."

[25] So bringt Böckmann, Formgeschichte 222 zwei Beispiele vom Seil der Teufel, an dem sie die Narren gefangen führen. Vgl. dazu Brant vom Narrenseil: 27,c; 62,29; 110b,42 und 94; Seil der Venus: 13,a.

[26] Zarncke XLI.   [27] Ebd. XLIVf.

schen und classischen, schriftstellern".[28] Andere sind ihm darin gefolgt: alle, die seine Vermutung über die Entstehung des Werkes aus Dachtler- schen „Eintzigen Zedeln"[29] übernehmen. Zarncke spricht zunächst noch von einer „zusammenkittung", später werden die Epigramme nur noch „zusammengeschoben"[30] und „aneinandergereiht",[31] und wenn Zarncke noch bloß „mehrere stellen des Narrenschiffes" kennt, die es „sehr wahr- scheinlich" machen, „dass Brant die so bereits übersetzten bei ausarbeitung des Narrenschiffes zusammenschob",[32] so heißt es bei den Späteren: „viel- fach verwendet Brant Stücke, die er bereits früher einzeln übersetzt hatte".[33] Diese ungerechtfertigte Vergröberung – es sind tatsächlich vielleicht sechs oder sieben Epigramme, die im Narrenschiff abgewandelt wieder erschei- nen – hat den Gedanken an eine Spruch- oder Sentenzsammlung gestärkt. Wenn man aber sieht, in welch strenger Ordnung die als Sentenzen oder Epigramme wohl aus dem Zusammenhang lösbaren Stellen stehen, er- scheint der Gedanke an Spruchanthologie oder Beispielsammlung geradezu als falsch. Es ist sehr wahrscheinlich, daß Brant zur Abfassung des Werkes Spruch- und Beispielsammlungen verwendet oder selbst zusammengestellt hat. Die in den einzelnen Kapiteln waltenden Formgesetze jedoch zeigen deutlich, wie streng Brant ausgewählt, komponiert und gestaltet hat.

Ständesatire in einzelnen Kapiteln hat Barbara Könneker festgestellt.[34] Doch wie auch sie betont, kann das ganze Werk nicht damit in Verbindung gebracht werden. Was Brant angreift, sind mit wenigen Ausnahmen närri- sche Haltungen und Denkweisen, meistens also nicht einmal Menschen- typen, geschweige denn Angehörige irgendeines Standes.

Viele Forscher sehen eine Verbindung zwischen der spätmittelalter- lichen Moralsatire und dem ‚Narrenschiff'. So konnte Günther Müller es

---

[28] Zarncke XLIV.   [29] Ebd. Anm. auf S. 154f.   [30] Ebd. XLVI.

[31] Ruth Westermann: „Sebastian Brant", in Stammlers Verfasserlexikon des Mittelalters, Bd. I. – Berlin-Leipzig 1933; 283. – Vgl. Karl Goedeke: Das Narrenschiff. – Leipzig 1872 (Deutsche Dichter des 16. Jahrhunderts, Bd. 7); XXII; und F. Bobertag: Das Narrenschiff. –Stuttgart (1889) (DNL Bd. 16); XVI.

[32] Zarncke XLVI.   [33] Westermann, Sebastian Brant 283.

[34] Könneker, "Eyn wis man" 54: „daß es Brant letztlich nicht um einen Laster- katalog oder eine Ständesatire zu tun ist"; ebd. 57 „wo er zur direkten Stän- desatire übergeht und die Selbstüberhebung der Bauern (Kap. 82), die Träg- heit und Unzuverlässigkeit des Hausgesindes (Kap. 81), die Unverschämtheit der Bettler (Kap. 63) usw. kritisiert." – Der Vollständigkeit halber sei hinzu- gefügt: Kap. 48 Eyn gesellen schiff; Kap. 79 Von rütern vnd schribern; Kap. 80 Von narrechter botschafft. Es sind also insgesamt 6 Kapitel mit deutlicher Ständesatire, von denen 4 in der Gruppe 79–82 stehen. Kapitel mit Anklän- gen an Ständesatire, wie etwa Kap. 2, wären noch mehrere zu finden.

„ein reines Beispiel der katalogisierenden Moralsatire" nennen,[35] doch macht Könneker dagegen geltend, daß durch Brants Vermeidung irgendeines ordnenden Gesichtspunktes für die Aufeinanderfolge seiner Kapitel ein grundsätzlicher Unterschied wenigstens zur katalogisierenden Moralsatire geschaffen sei: „Das Typische und immer Gleiche im Wechsel der Erscheinungsformen hebt er durch den Verzicht auf Planung und Systematik eindrucksvoller hervor als etwa der Dichter von ‚Des Teufels Netz‘, der mit pedantischer Genauigkeit ein sorgfältig aufgebautes Sündenregister aufstellt."[36]

Damit ist ein wesentlicher Punkt berührt, der die Verschiedenheit des ‚Narrenschiffs‘ nicht nur vom ausgesprochenen Lasterkatalog, sondern von allen Formtypen der spätmittelalterlichen Moralsatire erhellen kann. Diese sucht, soweit ich sehe, immer Stütze und Einheit in einer äußeren Systematik, während das ‚Narrenschiff‘ nur schwache Ansätze dazu zeigt, von denen keiner für das ganze Werk gültig ist. Diese Stütze kann in einer Allegorie liegen, wie etwa in ‚Des Teufels Netz‘, in dessen erstem Teil die Todsünden als Knechte des Teufels das Netz ziehen, mit dem die Sünder gefangen werden. Das Bild vom Narrenschiff und von der mit Schiffbruch endenden Reise nach Narragonien ist der allegorische Ansatz Brants. Oft genug aber ist festgestellt worden, wie „unzulänglich" das Bild durchgeführt ist, wie sehr es nachträglich aufgeklebt scheint und so weiter. Die Übersetzungen des Werkes, die die Schiffsidee ein wenig konsequenter durchführen,[37] nähern es dadurch eher der spätmittelalterlichen Moralsatire an, während Brants Fassung weit davon entfernt ist.

Eine andere Systematik kann die spätmittelalterliche Satire in einer Gesellschaftsordnung finden, sei es die menschliche wie im zweiten Teil von ‚Des Teufels Netz‘ und wie im ‚Renner‘ Hugos von Trimberg, sei es unter Einwirkung der Fabel die der Tiere wie im ‚Reynke de vos‘. Der Bezug Brants zur Ständesatire wurde oben schon besprochen: die Gesellschaftsordnung als Trägerin und Medium einer satirischen Handlung findet sich bei ihm nicht.

Damit ist schon die dritte Funktion genannt, aus der die Moralsatire

---

[35] Günther Müller: Deutsche Dichtung von der Renaissance bis zum Ausgang des Barock. – Wildpark-Potsdam (1927) (Hb. der Literaturwissenschaft, hrsg. von O. Walzel); 98, vgl. 58.

[36] Könneker, "Eyn wis man" 54. – Der Gedanke schon bei Böckmann, Formgeschichte 230.

[37] Vgl. Fr. Aurelius Pompen: The English Versions of the Ship of Fools. A Contribution to the History of the Early French Renaissance in England. – London 1925; 300f.: "Barclay has again improved upon Locher ... Still he is far from consistent ... The 'Ship' never became a real allegorical motif, but it remained an external ornament, as it had been for Brant."

Einheit gewinnen kann: aus der Handlung, sei sie novellistisch durchbrochen wie bei Vintlers ‚Pluemen der tugent‘, sei sie eine allegorische (‚Teurdannckh‘), fabulistische (‚Reynke de vos‘) oder parodistische (Wittenwilers ‚Ring‘) Abwandlung des höfischen Epos. Im ‚Narrenschiff‘ finden sich nur ganz wenige Passagen im epischen Praeteritum: Andeutungen von Fabel-Beispielen (Kap. 18 und 41 am Schluß), Beispiele überhaupt, die aber über die knappe Chria nicht hinausgehen, historische Berichte (Vordringen der Ungläubigen in Kap. 99), allegorische Ausdeutung der Odyssee im Kap. 108. Zwar hat Brant wie Vintler auch aus Valerius Maximus geschöpft, doch übernimmt er nicht dessen Form der regelmäßigen Folge von theoretischer Abhandlung und Beispielen zur Illustration. Das epische Element ist nicht Einheitsträger oder auch nur bis zur Novelle ausgedehnt, sondern hat seinen genau vorbestimmten Platz in der Reihenfolge der *modi tractandi* für das jeweilige Thema eines Kapitels oder Abschnittes.

Brant zeigt also in Ansätzen manche der einheitstiftenden Funktionen der spätmittelalterlichen Moralsatire. Keiner dieser Ansätze ist jedoch so stark, daß er dem Werke Einheit gäbe und es damit dem Formtyp zuordnen ließe. Wir stimmen also mit Böckmann,[38] Gruenter[39] und Könneker[40] nicht überein, die das Buch in dieser Tradition sehen wollen.

5   Eine Abgrenzung des ‚Narrenschiffs‘ gegenüber den Traditionen der spätmittelalterlichen Dichtung hat sich als nötig erwiesen. Viele Form- und Stilzüge, lyrische, epische und dramatische, Elemente aus der Teufels-, Stände- und Moralsatire haben sich gezeigt, keines jedoch so dominant, daß es Gattung, Formtyp und Tradition des Werkes bestimmt hätte. Im Gegenteil: immer wieder mußte auf die Vielfalt, Verschiedenartigkeit der For-

---

38 Böckmann, Formgeschichte 228: „In der Tat wird man dem Werk nur gerecht werden können, wenn man seine Stellung im Zusammenhang der satirischen Formensprache des Spätmittelalters beachtet.“ Zugleich betont er, Brant tue über das im Spätmittelalter Gegebene hinaus „einen neuen Schritt ...“, sofern er mit der Strafrede bewußter auf die menschliche Selbsterkenntnis hinzuführen sucht und in der Satire ein geistig erkanntes und persönlich durchdrungenes Ethos zur Darstellung bringt“ (227). Vgl. H.-J. Mähl in der ‚Narrenschiff‘-Übertragung 466 u. passim.

39 Gruenter, Die ‚Narrheit‘ 209: „Sebastian Brants Narrenschiff ist aus dieser Tradition moralisierender Lehrdichtung nicht zu lösen, und er hat es bewußt in diese Tradition gestellt. Wenn auch die deutschen Quellen des Narrenschiffs nicht durch Zitate im Einzelnen zu bestimmen sind, so lebt Brants Sprache doch aus diesen Quellen.“

40 Könneker, "Eyn wis man" 48 spricht von „der Dichtung, die sich so eng an die Form der spätmittelalterlichen Moralsatire anschließt.“

men hingewiesen werden, an der bisher alle Einordnungsversuche gescheitert sind.

Eine Beobachtung, seit Zarncke immer wieder aufgegriffen und in neuerer Zeit besonders hervorgehoben, vermag uns weiterzuhelfen. „das specifische in Brants gedichte, wodurch es sofort aus allen ähnlichen schriften sich heraushebt, ist: Die einkleidung des werkes, und zwar in doppelter beziehung, einmal die auffassung aller fehler und schwächen unter dem gesichtspuncte der narrheit, die austheilung der narrenkleidung an jeden sich vergehenden, sodann die rahmeneinkleidung, die ausrüstung eines schiffes zur aufnahme sämmtlicher narren." [41] Wenn man mit der Auffassung vom Bild des Narrenschiffs als einer Einkleidung übereinstimmen kann, so erscheint das für den Narren selbst nicht gerechtfertigt; insbesondere wenn Zarncke später erklärt: „die ganze einkleidung ist nicht eine auf einem moralisch-allegorischen gedanken beruhende, mit der conception des werkes zusammenfallende idee, sondern eine dem werke äusserlich umgehängte einkleidung." [42]

Schon Steinmeyer erfaßt den Begriff des Narren und der Narrheit in seiner über Bildlich-Äußerliches hinausgehenden Bedeutung: „Die Satire als Litteraturgattung, vorzugsweise bisher in Oesterreich gepflegt, hatte wol auch moralische Gebrechen und unschickliches Benehmen neben einander behandelt, aber sie hatte, indem sie unterschiedslos beide als Laster brandmarkte, die Opposition herausgefordert und wenig Eindruck hinterlassen. Auch Brant behandelte beide Kategorien neben einander und unterschiedslos: aber nicht als Laster und Sünde charakterisirte er sie, sondern als Narrheit, als Verstandesschwäche." [43] Die zentrale Bedeutung der Narrheit für das Werk Brants ist besonders seit Böckmann von Gruenter und Könneker behandelt worden. Wir brauchen an dieser Stelle nicht auf Definitionsfragen einzugehen.[44] Nur so viel erscheint wichtig: der Narr Brants deckt sich nicht mit dem derbkomischen der Fastnachtsspiele – Stammler spricht wie Zarncke[45] von „dem ernsten satirischen Grundton. In früheren Narrengedichten oder -spielen hatte man über die Narren gelacht, bei Brant schilt man auf sie, oder man bedauert sie." [46] Der Narr Brants deckt sich auch nicht mit dem der früheren Narrensatire im geistlichen Spiel, in Predigt

---

[41] Zarncke XLVIf.   [42] Ebd. LVIIIf.

[43] Elias Steinmeyer: „Sebastian Brant." In: Allgemeine Deutsche Biographie, Bd. III. – Leipzig 1876, 256–259; 258.

[44] Diesem Problem ist ein noch unveröffentlichtes Kapitel meiner Habilitationsschrift über Brants ‚Narrenschiff‘ mit dem Titel „Die gedankliche Ganzheit" gewidmet.

[45] Zarncke L.

[46] Wolfgang Stammler: Von der Mystick zum Barock. 1400–1600. – Stuttgart ²1950. (Epochen der Deutschen Literatur II,1); 205.

und Didaktik, sondern Brant tut darüber hinaus „einen neuen Schritt ...,
sofern er mit der Strafrede bewußter auf die menschliche Selbsterkenntnis
hinzuführen sucht und in der Satire ein geistig erkanntes und persönlich
durchdrungenes Ethos zur Darstellung bringt ... Die Sprache erhält eine
viel stärkere gedankliche Bestimmtheit; es kommt nicht mehr auf Vorgänge
und Situationen an, sondern nur noch auf den inneren Zusammenhang
eines Lebensverständnisses, das im strafenden und belehrenden Wort den
Menschen zu sich selbst zurückzuführen sucht." [47] Gruenter, auf der Suche
nach möglichen Quellen für diese neue Vorstellung Brants, greift einen
nicht weiter ausgeführten Wink Zarnckes auf: „schon die alten schriftsteller kennen den gegensatz von *stultus* und *sapiens,* und die didaktischen
schriften des Alten Testaments sind erfüllt von ihm." [48] Der Vergleich mit
der römischen Satire ergibt für Gruenter: „Wir sehen, der Tor Juvenals ist
der Narr Sebastian Brants." [49] Er geht noch weiter: „die Frage ist erlaubt,
ob nicht erst die Zuordnung von *stultus* und Welt- und Zeitkritik in der
römischen Satire den epochemachenden Kunstgriff Brants ermöglichte, den
Narren, den die einheimische Überlieferung nur als Nebenperson beschäftigt hatte, ins Zentrum seines moralsatirischen Weltspiegels zu stellen." [50]
Wir haben schon nachgewiesen, daß das ‚Narrenschiff' als Formtyp mit der
spätmittelalterlichen Moralsatire wenig zu tun hat, und umgekehrt ist uns
die Gestalt des Narren bisher als das einzige einheitstiftende Element im
ganzen Werke erschienen. Wenn also der Narr Brants, das Quellprinzip
des ganzen Werkes, gleich dem des Juvenal ist, wäre dann nicht fast anzunehmen, daß Brant auch in der Gattung sich an die römische Satire ange-
lehnt habe?

Ein Einwand erhebt sich: Gruenter berücksichtigt in seiner zitierten
Reduktion auf die römische Satire nicht den an anderer Stelle[51] genannten
alttestamentlichen Quellbereich für den Narrenbegriff. Wenn sich auch im
‚Narrenschiff' noch eine beträchtliche Anzahl von Zitaten und Anspielungen aus dem Bereich der römischen Satire gefunden hat, so bleibt doch das
Gewicht der alttestamentlichen Spruchbücher für die Bestimmung des Begriffs der Narrheit bei Brant bedeutend. Auch durch diesen inhaltlichen
Hinweis Gruenters sind wir also nicht aus der Frage entlassen: es ergibt
sich die Notwendigkeit, den Stil- und Formwillen Brants im einzelnen zu
untersuchen.

---

[47] Böckmann, Formgeschichte 227.
[48] Zarncke XLVII; vgl. Gruenter, Die ‚Narrheit' 213.
[49] Gruenter, Die ‚Narrheit' 212.   [50] Ebd. 212.   [51] Ebd. 213.

6 Brant selbst war auffallend schweigsam über Form und Darstellungsart seines deutschsprachigen Werkes, während er zum Beispiel in den
Varia carmina mit derartigen Hinweisen nicht sparte. Der einzige, nicht
nur auf den didaktischen Zweck des Buches bezogene Kommentar Brants
steht in der *Protestatio* von 1499, wo er sich gegen die Interpolationen
verwahrt:

> *Aber myn arbeyt ist verkert*
> *Vnd ander rymen dryn gemischt*
> *Denen / kunst / art vnd moß gebryst*
> *Myn rymen sint vil abgeschnitten*
> *Den synn verlürt man jn der mitten …*
>
> *(Protestatio, 18–22)*

Die rhythmischen und metrischen Fragen bezüglich des ‚Sebastian-Brant-
Verses' sind von Zarncke,[52] Claus[53] und Heusler[54] ausführlich behandelt.
Der Hinweis auf den Sinn, der durch die Interpolationen verloren gehe, ist
wichtig und gibt Anlaß zur Frage nach der gedanklichen Struktur der Kapitel. Aber über Gattung und Darstellungart des Ganzen erfahren wir
hier nichts.

Brants Zeitgenossen jedoch geben genaue Auskunft. So sagt Locher in
seinem *Argumentum in narragoniam: … potuisset praesens hic noster
libellus, non inconcinne satyra nuncupari: sed auctorem nouitas tituli delectauit.*[55] Gegenüber dem sonst vom Lobe Brants überströmenden Stile
Lochers ist der Ton dieser Feststellung so, daß fast Mißbilligung darin zu
hören ist: als halte Locher insgeheim Brants Titel für unangemessen. Dagegen erfahren wir gleichzeitig, daß Brant selbst den Titel wegen seiner Neuartigkeit liebte. Lochers Gattungsbegriff *satyra* steht gegen Brants Lieb-
lingsidee. Es muß also untersucht werden, ob diese Idee auch als Gattungs-
bestimmung verstanden werden kann oder ob sie nur, wie Locher meint,
ein Titel ist, dessen einziger Vorzug in der Neuartigkeit liegt.

7 Das Narrenschiff erscheint in Brants Werk unter zwei Aspekten: stel-
lenweise wird es als wirkliches Schiff betrachtet, das auf die Fahrt nach
Narragonien geht und unterwegs wegen Unfähigkeit der Narren sinkt.
Anderswo erscheint das Narrenschiff nur als eine Metapher für das Buch,

---

[52] Zarncke 288–91.
[53] Paul Claus: Rhythmik und Metrik in Sebastian Brants Narrenschiff. – Straßburg 1911 (Quellen und Forschungen, Bd. 112).
[54] Andreas Heusler: Deutsche Versgeschichte. Bd. III. – Berlin und Leipzig
1929; § 911ff.   [55] Abgedruckt bei Zarncke 213b.

in dem die Narren gesammelt sind. Der erste Aspekt ist episch und könnte gattungsbestimmend wirken, der zweite ist allegorisch und gibt für die Gattung des Werkes nichts her.

Der epische Zusammenhang ist nur an wenigen Stellen eindeutig durchgeführt. Der Titel mit den Holzschnitten läßt folgendes erschließen: eine Anzahl von Narren, von Narren kutschiert und begleitet, läßt sich vergnügt im Pferdekarren fahren und ist darauf aus, möglichst schnell zu einem Ziele zu kommen, wie die hoch aufgerichteten Schellenohren, die vorandeutenden Gebärden und das wacker ausgreifende Pferd erkennen lassen. Der darunter stehende Holzschnitt versetzt den Betrachter an den Strand der See. In einem größeren Schiffe haben sich schon neun oder zehn Narren eingefunden. Weitere Narren fahren in zwei Booten herbei, um auf das Schiff zu kommen, und werden mit beigeschrieben Rufen von den Winkenden angesport: *har noch* und *Zů schyff Zů schyff brůder: Eß gat / eß gat.* Das Narrenlied *Gaudeamus omnes* ist ebenfalls beigedruckt. Unter einem Narren, der einen Wimpel mit der Narrenschelle hält, steht *doctor griff.*[56] Man kann also aus der Zusammenschau beider Holzschnitte entnehmen, daß die Narren sich gesammelt haben, mit dem Wagen zum Meer gereist sind und nun auf dem Schiff sich mit anderen Wagenladungen von Narren treffen. Das Schiff, wie die Überschriften aussagen, ist das Narrenschiff und soll nach Narragonien fahren. Der Holzschnitt auf der Rückseite des Titelblattes zeigt einige Veränderungen: die Beischriften *Ad Narragoniam* und *Gaudeamus omnes* mit Melodie sind gleichgeblieben; *doctor griff* ist auf einer Fahne abgebildet und dominiert über die ganze Gesellschaft. Vor allem aber ist das Schiff jetzt randvoll mit Narren, während es vorher noch fast leer war. Von einer Landschaft im Hintergrund ist jetzt auch nichts mehr zu sehen: es befindet sich jetzt wohl auf Fahrt. (Dieser Holzschnitt wird später vor Kap. 108 wieder verwandt, und dort sprechen die Narren von der Fahrt her.) Überschrift und Unterschrift des Schnittes kündigen noch einmal Objekt und Ziel an: *Das Narren Schyff* und *Gen Narragonien.* Darunter folgt ein Zitat aus Ps. 106, mit dem Brant jedoch eine wichtige Veränderung vorgenommen hat. Wir stellen die beiden Texte nebeneinander, soweit die Veränderung geht:

Brant	Vulgata. Psalm 106 (107)
Hi sunt qui descendunt mare in nauibus facientes operationem in aquis multis.	[23] *Qui descendunt mare in navibus, Facientes operationem in aquis multis,*

---

[56] In ihm vermutet E. H. Zeydel Brant selbst: "Notes on Sebastian Brant's Narrenschiff." Modern Language Notes 58 (1943), 340–46, bes. 343f. Vgl. seinen Kommentar zu Kap. 76 in The Ship of Fools 381.

<table>
<tbody>
<tr>
<td></td>
<td>²⁴ Ipsi viderunt opera Domini,
Et mirabilia eius in profundo.</td>
</tr>
<tr>
<td></td>
<td>²⁵ Dixit, et stetit spiritus procellae,
Et exaltati sunt fluctus eius.</td>
</tr>
<tr>
<td>Ascendunt usque ad caelos / et
descendunt usque ad abyssos:...⁵⁷</td>
<td>²⁶ Ascendunt usque ad caelos, et descendunt
usque ad abyssos: . . .</td>
</tr>
</tbody>
</table>

Brant verändert den ersten Vers völlig. Auf die im Holzschnitt gezeigten Narren im Schiffe hinweisend, stellt er dem Relativsatz *Qui descendunt* den Hauptsatz *Hi sunt* voran und läßt den ursprünglichen Hauptsatz v. 24 weg. Vom Wunder Gottes wird also nicht mehr gesprochen. Denn der Psalmist fährt nach der Beschreibung des Seesturms fort: sie riefen Gott in ihrer Angst an, und er führte sie aus ihrer Not; er dämpfte den Sturm zum Lüftchen, und die Wellen beruhigten sich. Da freuten sie sich, und Gott führte sie in den gewünschten Hafen. – Der Bezug zu Gott bleibt also bei Brant ganz fort, insbesondere die Anrufung und die darauf folgende Barmherzigkeit Gottes. Wenn jedoch Brant auf den 106. Psalm verweist, so deutet er dem aufmerksamen und lernbegierigen Leser die Möglichkeit des Gebets zu Gott für seine eigene Rettung an, während die Narren unbekümmert bleiben und im Seesturm umkommen können. Diese beiden Möglichkeiten werden in Kap. 108 gegeneinandergestellt.[58] Hier, am Anfang des Buches, steht nur die Warnung vor der gefahrvollen Fahrt ohne Hinweis auf ihr gutes oder schlechtes Ende.

Wir können aus den Titel-Holzschnitten demnach entnehmen: Narren ziehen von allen Seiten zum Schiff und gehen auf gefahrvolle Fahrt, deren Ziel Narragonien ist.

Die Vorrede, deren Titel vom Narrenschiff im Singular spricht,[59] erweitert nun jedoch das eine Schiff zur Flotte. Gab der zweite Holzschnitt zwar Boote an, so wurden diese nur als Zubringerfahrzeuge benutzt. Hier jedoch heißt es:

> *Des hab ich gdacht zů diser frůst*
> *Wie ich der narren schiff vff rüst*
> *Galleen / füst / kragk / nawen / parck*
> *Kiel / weydling / hornach / rennschiff starck*
> *Schlytt / karrhen / stoßbåren / rollwagen*
> *Ein schiff möcht die nit all getragen*
> *Die yetz sindt jn der narren zal*   (Vorred, 13–19)

---

[57] Von hier ab gleich. – Die Abkürzungen des Druckers sich aufgelöst.
[58] Dazu vgl. Abschnitt 8 und Ulrich Gaier: Studien zu Sebastian Brants Narrenschiff. – Tübingen 1966, 187.
[59] Hier ist der Begriff allerdings wohl Metapher für das Buch.

Nicht nur Schiffe aller Art, sondern auch Landfahrzeuge werden aufgeboten. Gleich darauf wird aber wieder im Singular gesprochen: viele Narren getrauen sich, *zů dem schiff* zu *schwymmē*, jeder will *vorman* werden. Das ist der Widerspruch, der Brant viel Kritik und Hohn eingetragen hat. Bevor wir ihn zu erklären – wenn auch nicht zu lösen – versuchen, wollen wir die epischen Züge weiter herauslösen, wie sie dem Leser in der Reihenfolge der Kapitel entgegentreten.

Die Vorrede gibt keine Auskunft über Ziel oder Schicksal des Narrenschiffs. Nur v. 128 wird festgestellt, daß auch einige Böse im Narrenschiff seien. Dieser Anspielungstyp ist von nun an auf weite Strecken die einzige Art, wie der Leser an das Narrenschiff erinnert wird. Anders gehalten ist nur der Anfang des 1. Kapitels, wo der Büchernarr seine Sonderstellung im Schiff erklärt:

> *Das jch sytz vornan jn dem schyff*
> *Das hat worlich eyn sundren gryff*
> *On vrsach ist das nit gethan*
> *Vff myn libry ich mych verlan* (1,1–4)

Allerdings macht Brant nicht deutlich, ob dieser Narr durch seinen Platz eine bevorzugte Stellung oder eine besondere Funktion erhält – auch aus der Tatsache, daß er den *vordantz* hat, geht das nicht hervor.[60] Es drängt sich der Gedanke auf, daß die Stelle mit dem Blick auf die Metapher Narrenschiff = Buch entstanden ist und nicht mit der Absicht, das Narrenschiff allegorisch-episch auszudeuten.

Auch Kap. 48 unterscheidet sich von den übrigen. Der ganzseitige Holzschnitt verhindert den normalen Kapiteleinsatz mit dem Motto über und vier Textversen unter dem Holzschnitt. Ganz ungewöhnlich setzt das Kapitel ein:

> *Eyn gsellen schiff fert yetz do hår /*
> *Das ist von hantwercks lüten schwår*
> *Von allen gwerben vnd hantyeren /*
> *Jeder syn gschyrr důt mit jm fůren* (48,1–4)

Während sonst alle Kapitel (außer 81,a–c und denen mit Ethopoiie oder Prosopopoiie) mit einer deutlich auf Brant als Sprecher bezogenen Reflexion einsetzen, ist dieser Anfang berichtend, beschreibt ein Bild. Erst in

---

[60] Dagegen versucht der Geistliche in der von Spamer entdeckten Narrenschiff-Predigt, den 21 Narren und Närrinnen ihrer besonderen Narrheit entsprechend Funktionen auf dem Schiff zuzuteilen und so eine regelrechte Allegorie zu gestalten. So steht z. B. der 21. Narr *vornen am schiff, ist der müssig gänger.* – Adolf Spamer: „Eine Narrenschiffspredigt aus der Zeit Sebastian Brants." In: Otto Glauning zum 60. Geburtstag. Festgabe aus Wissenschaft und Bibliothek, Bd. II. – Leipzig 1938; S. 113–130; besonders 118–129.

v. 5 beginnt ganz abrupt der gewöhnliche Gedankengang mit der Analyse der Dekadenz des Handwerkes. Die Tatsache der Diskrepanz zwischen mehreren Schiffen auf dem Holzschnitt und dem einen *gsellen schiff* des Textes bedeutet keinen Widerspruch, wie oben an der Vorrede gezeigt wurde. Derselbe Widerspruch begegnet uns gegen Schluß, wo v. 72 von dem einen Schiff und v. 90 von *vil schifflin* die Rede ist. Dieser Schlußvers, zusammen mit dem Holzschnitt, ist nach der Vorrede der erste Hinweis auf eine größere Anzahl von Schiffen. Es mag sein, daß auch das abschließende Reimpaar im Hinblick auf den Holzschnitt nachträglich angehängt oder ein früheres geändert wurde: jedenfalls zeigt es keinen gedanklichen Zusammenhang mit dem vorhergehenden Kontext.

Das seltsame Bild Kap. 72,11 von der Sau, die das Narrenschiff beim Schwanz hält, damit es nicht untergehe, erklärt sich sicher aus der mittellateinischen Redensart *per caudam asinum tenere* – seine Sache selbst betreiben, sie keinem andern überlassen.[61] Die Sau hat, gemäß der Anwendung dieser Redensart, Herrschaft über die gesamte Narrheit und sorgt für ihre Erhaltung. Wenn auch der Text dadurch wieder den Anschein des episch auszubauenden Vorstellungsbildes verliert, so ist doch der Hinweis auf einen möglichen Untergang des Narrenschiffes wegen Überlastung der erste in dieser Richtung.

Die vier Kapitel 79–82 beleben das Bild mit neuen Zügen: Reiter und Schreiber werden von Brant ins Narrenschiff geführt, ohne daß er sie besonders bitten müßte. Im Gegenteil: sie geben ihm sogar selbst den Fuhrlohn für den Transport und verpflichten sich freiwillig, noch viele Klienten mit ins Narrenschiff zu bringen (79,21–25). Die Boten laufen dem Narrenschiff nach und finden es zwischen hier (wohl Basel?) und Aachen[62] (80,23f.). Das Hausgesinde wird seine Funktion auch im Schiff übernehmen und wird von Brant „interviewt", als es auf der Straße daherzieht, um dem Boten nach ins Narrenschiff zu kommen[63] (81,a–10 und 61). In Kap. 82 will Brant *noch eyn schyff* einführen, um die Narrheit der Bauern darin anzu-

---

[61] Du Cange 2,236,1. Vgl. Wander 1,868: Wem der Esel gehört, der hält ihn beim Schwanze.

[62] Archer Taylors Vorschlag, die Wendung bedeute „nirgends", kommt mir weniger wahrscheinlich vor als eine Ortsangabe, die wenigstens real klingt. Brant hält die ironisch-allegorische „Realität" seiner Ortsangaben sonst konsequent durch (vgl. Kap. 108). – Archer Taylor, in: Journal of American Folk Lore, XLVII, 11. – Siehe auch in: Studies in Honor of John Albrecht Walz. – Lancaster 1941; 29.

[63] Zwischen dieser Geschichte und dem Holzschnitt besteht eine große Diskrepanz: dort werden die Angehörigen des Gesindes in Ausübung ihrer verschiedenen Obliegenheiten in einem Hause gezeigt, das sich nach links hin zum Meere öffnet. In einem Boot steht ein Narr und hält alle am Narrenseil.

greifen (82,b und c). Hier ist es allerdings sehr wahrscheinlich, daß „Schiff"
Metapher für „Kapitel" ist. – Diese vier Kapitel sind, die Ausnahme von
Kap. 48 abgerechnet, die erste ausführliche Aufnahme des episch deutbaren
und auszubauenden Vorstellungsbildes vom Narrenschiff seit der Vorrede.
Sie heben sich als Gruppe auch deshalb heraus, weil sie einige der wenigen
Kapitel des Buches mit Ständesatire sind.[64]

Danach folgt wieder eine Reihe von Kapiteln, in denen vom Narrenschiff nicht die Rede ist. Erst wieder Kapitel 91 bringt drei kurze Hinweise
in derselben Richtung: die unnütz ratschlagenden Chorherren planen die
Fahrt nach Narragonien mit Schiff und Karren und bringen sie doch nicht
vorwärts. Das charakterisiert jedoch eher das nutzlose Reden der Chorherren, als daß die Narrensammlung wirklich damit gefährdet wäre, die
ja nach den Holzschnitten des Anfangs und den verstreuten Hinweisen
schon im Gange ist. Immerhin bringt es das Ziel Narragonien seit den
Titel-Holzschnitten zum ersten Mal wieder ins Gedächtnis.

Kapitel 103 stellt verschiedene Schiffe gegeneinander.[65] Der Anfang
spricht von den falschen Bibelauslegern, die beim *narren schiff vmb traben*
und das papierene Schiff (des Glaubens) benetzen und zerstören, damit es
in Zukunft eher zum Sinken komme. Das scheint der Wunsch dieser *rechten
knaben* zu sein (v. 12; die ganze Stelle v. 1–12), und Brant kündigt auch
den Untergang des Schiffes an (v. 24). Schiff und Karren, mit denen der
endkrist und sein Gefolge umherfahren, werden trotz ihrer Macht und
Menge brechen und nicht an Land kommen (v. 56–62).[66] Daß dieses große
Schiff, in dem der *endkrist* sitzt und von dem aus er Falschheit verkündet,
das Narrenschiff ist, läßt v. 89f. vermuten, wo es von den Druckern heißt:

> *Die mag das schiff dann nym getragen*
> *Sie müssen an den narren wagen*   (89f., vgl. 56)

Die Verbindung von Schiffen und Wagen ist seit der Vorrede und den
Titel-Holzschnitten typisch für das Narrenschiff. Der Antichrist benutzt
also das Narrenschiff als Fahrzeug für seinen Feldzug; und das Narrenschiff erhält damit den Aspekt des Gefährlichen. War es seither immer nur

---

[64] Vgl. oben Abschnitt 4. Das von Brant in dieser Kapitelgruppe tatsächlich besprochene Thema ist die Veruntreuung persönlicher und sozialer Vertrauens-
verhältnisse, vgl. meine „Studien" 160–164.

[65] Vgl. die ausführlichere Interpretation im Ergänzungskommentar der „Studien", 373–77.

[66] Brants Formulierung *Ich vorcht* (v. 62) ist ironisch zu fassen. Es wäre daran
zu denken, die Zeile auf *Sant Peters schyfflin* zu beziehen, das auch in Seenot
ist (v. 63–66), aber hier wird deutlich zwischen dem großen Schiff der Narren
und *Sant Peters schyfflin* unterschieden. Das Schiff, in dem der Antichrist und
seine Anhänger umfahren, ist also auch in Gefahr, bald unterzugehen (v. 55f.).

als harmloses Gefährt erschienen, auf dem sich die Narren sammeln, um nach Narragonien zu fahren, und das höchstens dem Untergang geweiht war – konnte man also bisher froh sein, die Narren alle auf dem Schiff verpackt zu sehen und ihrer ledig zu sein –, so wird jetzt das Narrenschiff zum gefährlichen Vehikel des Antichrist, das den Jüngsten Tag vorbereiten hilft.[67] So steht auch am Ende des Kapitels eine direkte Prophezeiung vom Untergang des Glaubens und damit des Glaubensschiffes. Das stimmt zusammen mit den biblischen Prophezeiungen von der Überwindung der Gläubigen durch den Antichrist am Ende der Tage.[68] Wie dort ist auch bei Brant das Ende der Herrschaft des Antichrist prophezeit (v. 55f.).

Die Zuordnung des Narrenschiffs zum Antichrist verbindet die Narrheit als allgemeinen menschlichen Zustand mit Brants Endzeitstimmung, wie sie etwa in den Flugblättern und im Zusatz zur *Nauis stultifera* von 1498 erscheint. Die Konjunktion zwischen Schiff und Antichrist gilt jedoch nur für dieses Kapitel, und auch da wertet Brant sie nicht in vollem Sinne episch aus. Wenn auch die Erwähnung der verschiedenen Schiffe nicht „alles nur für den augenblick berechnete bilder" sind,[69] sondern in bestimmten

---

[67] Vielleicht ist hierin – neben der Tatsache, daß er einen Anlaß für seine ‚Narrenbeschwörung' braucht – ein Grund für Murners Behauptung zu suchen, Brant habe die Narren erst nach Deutschland gebracht. – Thomas Murner: Narrenbeschwörung, hrsg. von M. Spanier. – Halle 1894 (Neudrucke deutscher Litteraturwerke 119–124) Vorrede 69–73.

[68] Dan 7,21; Apoc 13,5–8.

[69] Zarncke 449 zu v. 8 *Das bapyren schyff*. Die Verbindung zwischen dem Narrenschiff und dem *grossen schiff*, in dem der Antichrist sitzt, wurde schon gezeigt. Die Identität des „papierenen" Schiffes mit *Sant Peters schyfflin* und dem Schiff, das v. 151 *den boden vast vmbkört*, ist durch zwei gemeinsame Bezüge gesichert – alle drei sind Schiffe des Glaubens, und alle drei sind dem Untergang geweiht, wobei eine zeitliche Steigerung zu beobachten ist: v. 12 zerstören die Narren das papierene Schiff, *Das es dest ee mög vndergon*, und durch ihre bewußte Verkündigung der Unwahrheit aus Eitelkeit *verfart das schiff zů zyt* (v. 24). Diese beiden Hinweise sind Vorausdeutungen auf eine unbestimmte Zukunft. Dagegen wird *Sant Peters schyfflin* in der bedrohten Situation im Seesturm gezeigt, und am Schluß, in einer praesentischen Gipfelung seiner im übrigen futurischen Prophezeiung, sieht Brant *Das schiff* gerade umschlagen. – So kann man mit einiger Sicherheit die Identität dieser drei Schiffe annehmen. Sofern allerdings ein papierenes Schiff, das durch Benetzen (v. 8) seeuntüchtig gemacht werden kann, sowieso nicht vertrauenswürdig aussehen will, hat Zarncke recht: Brants Denken war wohl logisch, aber nicht bildlich konsequent, und insofern ist das Bild nicht einmal „für den augenblick" gut zu nennen. Man darf aber nicht, was für *bapyren* gilt, auf alle Schiffe im Kapitel ausdehnen. – Ich bin mir bewußt, daß ich hiermit der Evidenz des Holzschnittes widerspreche. Dieser zeigt jedoch auch an meh-

Bezügen zusammenhängen, so ist vom Narrenschiffe, in dem der *endkrist* sitzt, doch nicht mehr ausgesagt, als daß es, von Karren begleitet, überall umherfährt, daß es das Zentrum des widergöttlichen Werbefeldzugs ist und schließlich untergehen wird. Berührungen zwischen dem großen Schiff und *Sant Peters schyfflin* gibt es nicht, nur einige Narren versuchen durch Erschütterung der hergebrachten Bibelauslegung das „papierene" Schiff seeuntüchtig zu machen. Im übrigen aber sind die *plagen* und Gefahren, denen das Schifflein ausgesetzt ist, durchaus natürlicher Art (v. 63–66). Man kann allerdings annehmen, daß die als Erklärung und Begründung[70] für die Gefährdung des Glaubensschiffs stehenden Zeilen

> *Gar wenig worheyt man yetz hört*
> *Die heilig gschrifft würt vast verkört*
> *Vnd ander vil yetz vß geleitt*
> *Dann sie der munt der worheit seyt*   (67–70; vgl. v. 5–24)

reren kontrollierbaren Punkten Differenzen zum Inhalt des Kapitels. Im Bild sitzt der Antichrist auf dem Rumpf eines kieloben liegenden Schiffes; das Kapitel zeigt ihn in einem Schiff sitzend (v. 72), das bald brechen wird (v. 56). Die auf dem Bilde an der völligen Zerstörung des Schiffes arbeitenden Narren (einer reißt offenbar am Segel, ein anderer zerschlägt mit einer Axt den Rumpf) sind ebenfalls mit dem umgestürzten Schiffe beschäftigt, während sie dem Text nach es benetzen, Teile von ihm abreißen, vor allem Ruder und Riemen, damit es um so eher untergehe, also in einer unbestimmten Zukunft (v. 8–12). Daß das Schiff kieloben geht, wird erst am Ende gesagt und steht im Präsens (v. 151). Die von Brant in der gedanklichen Steigerung des Textes sozusagen „eingeholte" Zukunft wird offenbar vom Bildner in *eine* zeitliche Ebene projiziert, wodurch eine erhebliche Verzerrung der kausalen Bezüge entsteht, nach denen das Glaubensschiff durch den Abbruch der Theologen erst untergehen soll. Endlich steht im Text nichts von einer Rettung von *Sant Peters schyfflin* durch den Heiligen selbst, wie sie das Bild darstellt; vielmehr hört man, daß es jetzt schon so schwankt, daß Brant den Untergang besorgt, und daß es in Zukunft viel Sturm und Plagen haben wird (v. 63–66). Auch über die von der Besatzung des umgestürzten Schiffes(?) noch im Wasser langsam versinkenden Narren weiß der Text nichts. Man sieht also, daß fast jedes Element des Bildes im Text entweder in anderem Zusammenhang steht oder dort gar nicht vorkommt. Der Bildner hat offenbar den Text interpretiert, und seine Deutung widerspricht dem Texte in vielen Punkten oder führt über ihn hinaus.

Für die Annahme, das papierene Schiff des Glaubens sei gleich *Sant Peters schyfflin*, stimmt auch Locher, der an der Stelle des papierenen Schiffes sagt: *Clauigeri Petri nauem lacerosque rudentes Frangunt remigium dilaniantque sacrum* (Zarncke zu v. 8). – Auf einige der Unterschiede zwischen Text und Holzschnitt macht Manfred Lemmer aufmerksam: Die Holzschnitte zu Sebastian Brants ‚Narrenschiff'. – (Leipzig) Insel 1964; 158.

[70] Vgl. die Analyse des Kapitels im Ergänzungskommentar; „Studien" 373–77.

die Allegorie vom Glaubensschiff, Stürmen und Plagen für einen Augenblick auflösen und die Ernstbedeutung dieser Gefahrensituation darstellen. Hier allerdings erscheint dann eine wirkliche Einwirkung des Antichrist und seiner Anhänger, denn sie sind verantwortlich für die alles durchdringende Falschheit und Verkehrung. Kontinuität besteht also im gedanklichen Zusammenhang, nicht aber in dem episch auswertbaren Bild von den zwei Schiffen.

Die Ausführung des Bildes ins Epische wird am weitesten in Kap. 108 vorangetrieben, und dieses Kapitel hat durch seine verhältnismäßig große erzählerische Faßbarkeit die Aufmerksamkeit vieler Interpreten auf sich gelenkt und dem Werk im Ganzen die Definition einer ungenau durchgeführten Erzählung eingetragen.

Bestimmend in dem Kapitel ist der Vergleich der Narrenfahrt mit den Schicksalen des Odysseus. Nicht nur die Mehrzahl der Gefahren, denen die Narren auf ihrer Irrfahrt sich ausgesetzt sehen, stammt aus der Odyssee-Tradition, sondern auch Episoden von Odysseus' Leiden und Listen werden nacherzählt, wobei nicht nur Homer, sondern offenbar auch Dictys[71] Pate gestanden hat.

Während die Geschichte von Odysseus im epischen Praeteritum erzählt ist, steht die Erzählung der Narrenreise in der Form der selbstdefinierenden Ethopoiie, also im Praesens. Dadurch werden in der Erzählung praesentisch-futurische Zeitbezüge geschaffen, die besonders für den Ausgang der Geschichte von Bedeutung sind.

Das Kapitel scheint zunächst gar nicht vom Narrenschiff zu sprechen, jedoch später wird das *schluraffen schiff* mit ihm identifiziert (v. 111; vgl. auch v. 149f.). Im Motto fassen die Narren zusammen: Ziel ist das *schluraffen landt,* aber es wird nicht erreicht. Im Kapitel kommen genauere Ausführungen: die Narren fahren überall umher, von *Narbon* nach *Schluraffen landt,* von da aus *gen Montflascun* und schließlich in das seit dem Titelholzschnitt bekannte Narragun. Gegen diese geplante Route spricht jedoch, daß sie aus Mangel an Erfahrung und aus Leichtsinn sich überall aufhalten, endlos fahren und nie ans Ziel kommen. Durch Mißachtung nau-

---

[71] „Dictys": Ephemeridos belli Troiani, hrsg. F. Meister, 1872. Darin wird VI 14f. berichtet, wie des Odysseus Sohn Telegonus, den er mit Circe hatte, nach der Ankunft und Wiedereinsetzung des Odysseus kommt, um seinen Vater aufzusuchen. Durch ein Mißverständnis tötet er ihn mit dem Speer. Vielleicht hatte Brant die Version des Dictys und die des Homer im Gedächtnis und brachte den Tod des Odysseus bei Dictys mit der in der Odyssee beschriebenen Szene bei der Heimkunft zusammen, wo der Geprüfte nur noch von dem alten Hunde erkannt wird. Vielleicht aber schöpfte Brant hier nicht direkt aus den antiken Quellen und fand die Vermischung der Versionen schon vor.

tischer Hilfsmittel geraten sie in die bei Homer beschriebenen Wunder, wobei Polyphem und *Antyphates* mit den Lästrygonen als Narrenfresser allegorisiert werden. Das zeitliche Verhältnis der Polyphem-Episode zur Gegenwart der Sprechenden ist nicht ganz klar. Die Stelle, wo die Sirenen singen

> *Vnd machen vns als vast entschloffen*
> *Das vnsers zů lend ist keyn hoffen*
> *Vnd můssen såhen vmb vnd vmb*
> *Cyclopem mit dem ougen krumb*   (108,43–46)

scheint in das Futurum zu weisen, da das Praesens der Sprechenden durch den Sirenengesang vom Schlaf erfüllt ist. Ebenso deutet v. 55f. auf den Zeitpunkt, an dem Polyphem des Narrenheers erst ansichtig wird. Die Stelle kann jedoch nicht mit Sicherheit auf die Zukunft bezogen werden, da keine Form des Futurums in der Episode gebraucht wird. Dagegen ist die folgende Episode mit den narrenfressenden Lästrygonen deutlich in die Zukunft gesetzt:

> *Do würt der narren herberg syn*   (108,68)

Wenn es dort heißt, die Lästrygonen würden diejenigen Narren, die den Zyklopen entrinnen, vollends verspeisen, so ist hier das Schicksal der Narren besiegelt. Brant bezeichnet allerdings diese Wunder als Fiktionen Homers (v. 69f.). Nach der Erzählung einiger Erlebnisse des Odysseus kommt Brant wieder auf die Narrenfahrt zu sprechen, die inzwischen in ein Stadium unmittelbar drohender Gefahr getreten ist: Mast, Segel und Taue brechen, die Wellen schlagen übers Schiff und reißen immer mehr Ruderer in die See. Dabei können die Narren nicht wie Odysseus an Land schwimmen. Steuerlos, von den Winden hin und her geschleudert, treibt das Schiff. Für die unmittelbare Zukunft wird vorhergesagt: Strandung (v. 104), Raub von Matrosen und schließlich Fahrgästen durch die Wellen (v. 121f.); als Möglichkeit wird vorhergesehen, daß das Schiff von einem Wirbel verschlungen wird (v. 124f.); mit der Zeit wird es jedenfalls untergehen (v. 127) und nicht wiederkommen. Das Narrenschiff bleibt also nicht so lange im Gesichtskreis, bis es wirklich untergegangen ist, und noch der Schluß des Kapitels betont:

> *Wir hant vil brůder dussen gelon*
> *Das schiff ouch würt zů boden gon*   (108,155f.)

Das ist das letzte, was wir über das Schicksal des Narrenschiffs erfahren. Es kommt also zum Bekannten nicht viel hinzu: einige lustige Namen als Reiseziele, Meerwunder und Gefahren, der Seesturm, der alle zu verschlingen droht. Abgesehen von den Namen sind das gerade die Dinge, die die von Brant auf der Rückseite des Titelblatts zitierten Psalmenverse beschreiben; Wunder und Sturm allerdings läßt Brant dort weg, was ihm ermöglicht, in diesem Kapitel, dessen Holzschnitt mit dem der Rückseite des Titelblatts gleich ist, die homerischen Meerwunder und Gefahren leichter einzuflechten, als wenn es dort hieße: *Ipsi viderunt opera Domini Et mirabilia eius in profundo.* Aber die dort angedeuteten Wirkungen des Sturms auf den Geist der Narren, ihre völlige Ratlosigkeit und Angst, das Hin- und Herschwanken sind in dem Abschnitt v. 102–128 in der dramatisch steigernden Form der Ethopoiie beschrieben. Wir können also Zarnckes Annahme eines bewußt hergestellten Zusammenhangs zwischen Anfang und Kapitel 108 durch einen weitern Beleg stützen.[72] Dieser Schluß ist eine Illustration des Vorspruchs aus Psalm 106 durch vergegenwärtigende Ethopoiie und Einflechtung homerischer Motive zur Veranschaulichung. Genau genommen ist also die ganze epische Ausfaltung des Narrenschiff-Bildes in den drei Titelholzschnitten und dem Vorspruch enthalten.[73]

Dort nicht genannt, aber auch mit dem Narrenschiff nur mittelbar verbunden, ist die Vorstellung, daß auch der Weise sich auf dem Meer befindet. Er soll sich zwar daheimhalten und nicht leichtsinnig hinauswagen, es sei denn, daß er Erfahrung hat oder an Land schwimmen kann wie Odysseus (v. 129–135). Barbara Könneker macht v. 129 *Eyn wis man / sich do heym behalt* zum Titel ihres Aufsatzes und möchte in dieser Zeile Brants Grundhaltung erkennen. Wenn wir diese Frage auch erst an anderem Orte genau untersuchen können, so scheint doch schon an dieser Stelle der Hinweis auf folgende Verse wichtig:

> *Zům stad der wißheyt yeder yl*
> *Vnd nåm den růder jnn die hend*
> *Do mit er wiss / wo er hyn lend*
> *Wer wis ist / kumbt zů land mit fůg*   (108,137–140)

Daraus geht doch hervor, daß Brant mindestens an dieser Stelle sich das Leben des Narren und des Weisen als eine Fahrt auf dem Meer vorstellt, bei der man zwei Verhaltensmöglichkeiten hat – sorglos wie die Narren ins Verderben zu fahren oder mit Bewußtsein und Sorge um sich selbst zu leben wie der Weise, der nicht nach Narragonien, sondern ins Land der Weisheit kommen möchte. Auch hier scheint also ein Ansatz zu einer gro-

---

[72] Zarncke LV.

[73] Ähnlich schon Schmidt, Histoire littéraire I 297: «Brant a pris ces mots [aus Ps. 106] pour épigraphe; son poème n'en est en quelque sorte que l'application allégorique.» – Pompen, The English Versions 299, vermutet überhaupt, daß Brant die Idee des Schiffes vom Holzschneider hat.

ßen Allegorie, die hinter dem ganzen Werke stehen könnte: Brant jedoch deutet sie nur an und verläßt sie sofort wieder.[74]

8 Die Untersuchung der epischen Ausfaltung des Bildes vom Narrenschiff zeigt also, daß alle, auch die längeren und ausführlicheren Stellen als Anspielungen, als Illustrationen der bildlichen und textlichen Gegebenheiten des Titelblattes verstanden werden können, also nicht etwa Brants Bemühung um eine Entwicklung über das in den Holzschnitten und vor allem im Psalmtext Gegebene hinaus sehen lassen. Ferner haben die untersuchten Stellen und Kapitel gezeigt, daß nie im Zusammenhang des Narrenschiff-Bildes und seiner Ausfaltung das epische Praeteritum verwandt wird.[75] Daß Brant erzählen kann, beweist etwa die Odysseus-Episode in Kap. 108. Er wollte also keine erzählerische Ausfaltung der Vorstellung.

Versuchte Brant eine allegorische Entwicklung des Bildes? Deutlich zeigen sich Ansätze, aber sie gehen in verschiedene Richtungen und bauen keine allegorischen Bezugssysteme aus.

Ein Ansatz wäre die Placierung der Narren auf dem Schiff nach ihren jeweiligen Narrheiten, wie sie die von Spamer veröffentlichte Narrenschiff-predigt hat. Kap. 1 zeigt diesen Ansatz, jedoch ohne Hinweis, warum der Büchernarr vorne sitzen soll. Ein zweiter Ansatz ist die Idee der Fahrt nach verschiedenen Zielen, wie die Titelholzschnitte und Kap. 108 sie andeuten. Drei der Örtlichkeiten sind Verbalhornungen wirklich existierender Lokalitäten,[76] von denen *Montflascun* allegorische Valenz haben könnte; *Schluraffen landt* könnte trotz seines sagenhaften Hintergrundes ebenfalls allegorisch gewertet werden. Es fehlt aber der Sinn der Reise zu diesen Lokalitäten. Ortsallegorien schließen gewöhnlich den Sinn der Reise von einem zum andern Punkt ein.[77] Hier aber ist darüber keine Auskunft gegeben. Wir erfahren nicht einmal, warum die Narren zu Schiff ziehen und nach Narragonien fahren wollen, warum sie überhaupt ihre Reise antreten. Brant gibt an, er rüste die Narrenflotte, weil die frommen Lehren und Bücher nicht zur Besserung der Menschheit beigetragen hätten. Das kann entweder im Sinne der häufigen Metapher Narrenschiff = Buch heißen, er

---

[74] Kap. 109 bringt dieselben Gedanken und Vorstellungen.

[75] Das Praeteritum 81,1ff. bezieht sich auf das vorige Kapitel zurück, stellt also nur einen Zeitbezug zwischen den Kapiteln her, nicht aber zwischen dem Erzähler und dem Erzählten.

[76] *Narbon* – Narbonne (Frankreich); *Montflascun* – Monte Fiascone (vgl. Zarncke 458); *Narragun* – Aragon.

[77] Vgl. z. B. den Teuerdank; *La Carte de Tendre* in Mlle de Scudérys ‹Clélie›; John Bunyan: ʻPilgrimʼs Progressʼ.

wolle in einem neuen, andersartigen Buch mit vielen Kapiteln die Narren sammeln und satirisch beleuchten, um sie so zu bessern, oder es kann allegorisch aufgefaßt werden in dem Sinne, daß Brant die Narren auf ein Schiff packt und dem Untergang weiht. Darüber wird jedoch nichts gesagt; die Narren des Kap. 108 prophezeien zwar den Untergang ihres Schiffes und melden den Tod vieler Brüder, aber dies scheint jedenfalls nicht der Zweck ihrer Reise. Auch die Zeile 108,103 *Wir sůchen gwynn jn dieſſen můr* läßt im Dunkeln, welcher Art der *gywnn* sein soll, und ist wohl nur als Oxymoron zu werten, das die Unsinnigkeit des ganzen Unternehmens darstellt.

Ein dritter allegorischer Ansatz liegt im Bezug zwischen Narrenschiff und Meer. Auch dieses Verhältnis ist nicht immer klar aufrechterhalten: manchmal scheint es, als ob nicht nur die Karren oder Wagen, sondern auch die Schiffe auf dem Lande führen.[78] Erstes Zeichen dieses allegorischen Ansatzes ist die Möglichkeit, daß das Schiff wegen Überlastung untergehen könnte (72,11 ff.). Auch müssen die Drucker an den *narren wagen*, weil das Schiff sie nicht mehr tragen mag (103,89 f.). Das Meer als gefahrvolles Element zeigt sich zuerst in Kap. 103, wo *Sant Peters schyfflin* Wellen und Sturm ausgesetzt ist und schließlich kentert (v. 63–66,151). Hier ist das Meer und seine wachsenden Gefahren, wie wir gezeigt haben, allegorisch für die gegenwärtige Endzeitsituation zu fassen, die sich durch die Wirkungen des Antichrist noch immer mehr verschlechtert. – In Kap. 108 zeigt sich das Meer von verschiedenen Seiten: zunächst ist es ein Element, das vom Seemann Navigationserfahrung verlangt; die Narren sind unerfahren und sorglos und geraten deshalb in die gefährlichsten Unfälle, lassen sich durch Sirenen einschläfern und durch Polyphem und Lästrygonen auffressen. Diese Erlebnisse illustrieren den Leichtsinn der Narren und wären vermeidbar gewesen. Unvermeidbar jedoch ist der Seesturm. Hier ist Meer und Wind die unheimliche Gewalt, die den Menschen in Angst und Ratlosigkeit stürzt: doch nur den Narren, der nicht wie der Weise nur dann sich in eine bestimmte Gefahr begibt, wenn er sieht, daß er ihr gewachsen ist. Die beiden Aspekte des Meeres sind ungefähr die, von denen die beiden im Vorspruch ausgelassenen Verse des Psalms reden: *Ipsi viderunt opera Domini, Et mirabilia eius in profundo. Dixit, et stetit spiritus procellae, Et exaltati sunt fluctus eius. Ascendunt usque ad caelos, et descendunt usque ad abyssos* etc. Es wäre jedoch schwer, eine allegorische Bedeutung in ihnen zu finden. Alle Erlebnisse der Narren auf See sind Illustrationen, Beispiele ihrer Sorglosigkeit, Unerfahrenheit, Ablenkbarkeit. Davon auszunehmen wäre vielleicht der Cyclop, der hier offenbar zum

---

[78] Vgl. etwa 108,5. Auch das Umgekehrte ist zu beobachten: *Das schiff vnd wag / von land bald gat* (91,c).

Prinzip der Unwahrheit umgedeutet wird (108,50), das von der Weisheit (Odysseus) geblendet wurde, und dessen Auge angesichts der Narren wieder wächst, damit er sie besser sehen und verschlingen kann. Doch haben die Lästrygonen wieder keinerlei allegorische Bedeutung; sie fressen nicht wie bei Homer Menschen allgemein, sondern nur Narren: das ist eine witzige Umformung, aber kein allegorischer Bezug. – Auch der Seesturm wird nicht allegorisch ausgewertet; es ist nicht „die stürmische See des Lebens", auf die alle Menschen hinausmüssen, denn sonst könnte der Weise nicht aufgefordert werden, zu Hause zu bleiben, wenn er nicht *mit den wynden stritten* kann (v. 129–132). Sondern auch hier haben wir einen Beispielfall für die Folgen der mangelnden Selbsterkenntnis und Selbsteinschätzung. Die Theorie dazu ist am gleichen Bildbereich in Kap. 109 noch einmal dargestellt.

Ein letzter umfassender allegorischer Ansatz zeigte sich in den schon zitierten Zeilen 108,137–140, nach denen tatsächlich jeder auf dem Meere ist und ermahnt wird, das Ruder selbst in die Hand zu nehmen, um zum Ufer der Weisheit zu gelangen; der Weise wird auch recht an Land kommen, während die Narren auf eins der Narrenschiffe steigen und singend untergehen werden. Hier mag man das Meer als „das Leben" ansehen und die Mahnung, das Ruder zu nehmen und zum Ufer der Weisheit zu fahren, als Brants Lehre, mit Ernst und Verantwortungsbewußtsein für sich selbst die Weisheit anzustreben und sich nicht sorglos treiben zu lassen. –

Es zeigt sich also, daß auch ein allegorisches Verständnis des epischen Aspektes der Narrenschiffvorstellung nicht möglich ist. Wir haben vier verschiedene, teilweise einander ausschließende allegorische Ansätze herausgelöst, von denen keiner konsequent durchgeführt ist.

9   Schon Zarncke[79] hat darauf aufmerksam gemacht, daß das Narrenschiff auch, zunächst ohne Bezug auf seine episch auszufaltende Reise, als Metapher für das Buch selbst verwandt wird. Von deutschen Texten zitiert Zarncke nur die Protestation von 1499; man könnte also annehmen, diese Idee sei Brant erst nachträglich gekommen. Doch schon im Buche selbst findet sich eine Reihe derartiger Hinweise. Schon der Anfang zeigt das: *Ein vorred in das narren schyff.* Auch scheint sich der diesem Titel folgende Prosatext auf das Narrenschiff als Subjekt zu beziehen, das demnach *mit besunderem flyß ernst vnd arbeyt / gesamlet* ist. Deutlicher noch der Epilog des Autors: *End des narrenschiffs. Hie endet sich / das Narrenschiff / So ... gesamlet ist ... Gedruckt zů Basel* ... Sehr nahe gerückt sind die beiden Begriffe an der folgenden Stelle über die Bösen:

---

79 Zarncke LVIII.

> *Der selben man ein teil hie fyndt*
> *Die jnn dem narren schiff ouch syndt*
> *Dar vmb mit flyß sich yedes sůch*
> *Fyndt eß sich nit jn dysem bůch ...* (Vorred, 127–130)

Daß Brants Bauen des Narrenschiffes nicht in den epischen Kreis der Narrenreise zu ziehen ist, sondern sich auf das Schreiben des Buches bezieht, deutet folgende Stelle an:

> *Ich bin gar offt gerennet an*
> *Wile ich diß schiff gezymberet han*
> *Ich soll es doch eyn wenig fårben*
> *Vnd nit mit eychen rynden gårben*
> *Sunder mit lynden safft ouch schmyerē*
> *Vnd ettlich ding ettwas glosyeren*
> *Aber ich ließ sie all erfryeren*
> *Das ich anders dann worheyt seyt* (104,50–57)

Wenn man noch das Motto von Kap. 82 hinzu zieht, wo „Schiff" deutlich für „Kapitel" steht, kann man das grundsätzliche Schwanken zwischen der Idee eines einzigen Schiffes und einer Flotte begreifen: sofern die epische Vorstellung einer Reise nach Narragonien dominiert, ist das eine Schiff das angemessene Bild; sofern die unepische Vorstellung eines Buches mit vielen Kapiteln im Vordergrund steht, kommt es zum Bild der Menge von Fahrzeugen. Hier haben wir auch den Anlaß für das Bild von der Verwendung verschiedener Fortbewegungsmittel: der Bote und das Hausgesinde gehen zu Fuß (Kap. 80 und 81), die Drucker müssen an den Narrenwagen (103,89), die Handwerker haben viele Schifflein (Kap. 48), für die Herrenknechte hätte Brant gerne *eyn verdeckt schiff*, damit sie allein und *vngetrengt von der gmeyn* sitzen könnten (100,1–6). Der Grund für diese Verwendung ist allerdings nicht klar: Brant scheint einige der Fortbewegungsmittel wegen sozialer Stellung zuzuteilen, andere wegen besonderer Charaktereigenschaften der Narren; vielleicht ließen sich sogar Bezüge zwischen Fortbewegungsart und Form des Kapitels finden.[80]

In diesen Zusammenhang scheinen schließlich auch die Verse der Vorrede zu gehören, in denen Brant die vielen Fahrzeuge für die Narren bereitstellt und doch wieder von dem *schiff* spricht (v. 13–22). Nimmt man „das Schiff" als Metapher für das ganze Werk, die einzelnen Fahrzeuge für die Kapitel, so läßt sich die Stelle eher verstehen. Allerdings wird auch so keine logische Konsequenz des Bildes geschaffen. Diese liegt bei Brant eben nicht in der Vorstellung, sondern im gedanklichen Zusammenhang, für den

---

[80] Kap. 81 z. B. zeigt nicht die übliche rhetorische Form.

spielerisch von Stelle zu Stelle Metaphern gewählt werden, die aber unter
sich gar nicht zusammenzuhängen brauchen.

10 Dieses Ergebnis wird bestätigt, wenn wir die vielen anderen Bildkreise
berücksichtigen, die mit der Schiffsvorstellung im Wettstreit stehen: *narren
bry, narren orden, narren seyl* – wir brauchen sie nicht aufzuzählen.[81] Von
größerer Wichtigkeit für die Bedeutung des Werkes scheinen zwei Vorstellungen zu sein: Spiegel und Tanz.

Der Narrenspiegel taucht nur in der Vorrede auf, aber gleichsam als
zweiter von Brant autorisierter Titel für das Buch:

> *Den narren spiegel ich diß nenn*
> *In dem ein yeder narr sich kenn*　　　　(*Vorred*, 31f.)

Er hängt mit dem Zentralbegriff der Selbsterkenntnis aufs innigste zusammen. Wenn die Nennung des Narrenschiffs und des ganzen Fahrzeug-
parkes in der Vorrede als Allegorisierung des Buches mit seinen vielen
Kapiteln aufzufassen ist, so ist in der Spiegelmetapher der Zweck des Werkes erfaßt: Besserung durch Erkenntnis der eigenen Narrheit in der Beschreibung der vielen Narrheiten.[82]

Das Motiv des Tanzes ist zwar auch nicht besonders häufig oder her-
vorstechend, aber es steht an zwei Stellen, die ihm eine gewisse Bedeutung
zumessen lassen. Der Büchernarr fängt seinen Monolog an:

> *Den vordantz hat man mir gelan*　　　　(1,a)

und Kap. 62 beginnt:

> *Jetz wer schyer vß der narren dantz*　　　　(62,1)

Auf Grund dieser letzteren und ähnlicher anknüpfender Bemerkungen in
den folgenden Kapiteln hat Zarncke behauptet, das Buch zerfalle „deutlich
in zwei hälften“,[83] von denen die zweite also mit Kap. 62 anfange. Daß
das Werk nicht „zerfällt“, habe ich anderwärts gezeigt, doch ist deutlich,
daß ungefähr nach Kap. 62 etwas Neues anfängt.[84] Wenn das Narrenschiff-

---

81 Gesammelt bei Eberth, Die Sprichwörter 92–94.
82 Vgl. dazu die Analyse der Vorrede im Ergänzungskommentar („Studien“
　　195–203).
83 Zarncke LII.
84 Spekulationen über ein Zerfallen des Werkes setzen voraus, daß die Reihen-
　　folge der Kapitel, wie sie uns Brant überliefert, wenigstens weitgehend die der
　　Entstehung ist. Zarncke versucht eine Stützung seiner Annahme auf stilisti-
　　scher Basis und auf Grund der Verwendung des Bildes vom Narrenschiff.
　　Was den Stil angeht, so scheinen mir auch einige Kapitel vor dieser Grenze

Thema in dem „ersten Teil" recht zufällig erscheint und Brant im Kap. 64 eine Anspielung auf die Vorrede macht, in der die Idee des Narrenschiffs neben Kap. 108 am stärksten entwickelt wird, mag man annehmen, daß die Vorrede und mit ihr die relative Dominanz des Schiffsbildes erst nach der Vollendung der Kapitel 1–61 entstand (ob Brant die Schiffsidee vorher gar nicht hatte und erst nachträglich in die wenigen Kapitel des „ersten Teils" einfügte, oder ob er sie zunächst wie viele andere Vorstellungen ab und zu, doch nicht in dominanter Stellung verwandte, können wir nicht entscheiden).

Wenn das Bild vom Narrenschiff in diesem „ersten Teil" jedenfalls nur eine geringe Rolle spielte und die Vorstellung eines Tanzes an den beiden Enden des Teils erscheint, möchte man fast annehmen, daß Brant für den ersten Teil die Vorstellung einer Reihe von Tänzern hatte, die der Büchernarr anführt. Am Schluß des Teils stünde dann das Kap. 61 *Von dantzen*, in dem eine wichtige Definition des Narrenbegriffs steht und wo das Tanzen für Hoffart, Üppigkeit, Unlauterkeit, Unkeuschheit und Vernichtung der Ehrbarkeit verantwortlich gemacht wird. Auch das Motto mit dem Hinweis, das Beste am Tanzen sei, daß man umkehren könne, und der Gedanke am Schluß, der Tanz gebe Anlaß zur Erkenntnis vieler verschiedener Narrheit, weisen auf eine Bedeutung des Kapitels hin, die weiter reicht als bei den übrigen Narrheiten.

Das Bild vom Tanz ist jedoch nicht auf den „ersten Teil" beschränkt; im „zweiten" finden sich sogar mehr Hinweise darauf als dort. Kapitel 62 bringt insgesamt drei Verwendungen, von denen die eine

Vnd dantzt er an dem narrenseyl (62,29)

allgemeiner bekannt zu sein scheint. Sie kehrt noch in Kap. 110b,42 wieder. Vielleicht bestehen Bezüge zum Teufelsseil der geistlichen Dramen und zum Seil der Venus (13,a), an denen allerdings nicht getanzt wird. Nach Kap. 72 beherrscht die Sau *yetz alleyn den dantz* (v. 11). Ausführlich aber erscheint das Tanzmotiv verbunden mit dem Tod in Kap. 85: er lehrt die Menschen den *dotsprung* (v. 30–33; vielleicht eine direkte Analogiebildung zum „Narrensprung"), und weiter unten (v. 89–94) erscheint das Totentanzmotiv mit der Ständeordnung verknüpft. Dieser Umstand ist wichtig: Brant hatte also die Systematik der ständischen Ordnung in Verbindung mit dem Totentanz vor Augen; wenn er Stände überhaupt nur in sechs Kapiteln

---

stilistisch wohl gelungen zu sein, und die Verwendung des Narrenschiff-Bildes setzt erst mit Kap. 72 stärker ein; die Freiheiten in der Länge der Kapitel erscheinen erst mit Kap. 66 ohne, ab Kap. 75 mit Veränderung des Normalstandorts der Holzschnitte. Ausführliche Diskussion in Kap. II § 4 meiner „Studien".

charakterisiert und keinerlei ständische Systematik in der Folge seiner Kapitel hat, ist das Totentanzmotiv als formgebender Grundplan nicht wohl anzunehmen. Möglicherweise hat Brant jedoch gerade als Gegenbild zum streng geordneten Totentanz das Durcheinander eines Narrentanzes gestalten wollen, in dem – ein Gegenstand von Brants großer Besorgnis, vgl. Kap. 82 – die ständischen Grenzen völlig verwischt werden. Wie alle anderen Bilder und Allegorien ist das Tanzmotiv nicht konsequent durchgeführt und erscheint nur anspielungsweise in wenigen Kapiteln. Wir kommen also zu dem allgemeinen Ergebnis, daß Brant keinen der vielen untersuchten Bild-Ansätze so weit ausführt, daß er für das ganze Werk bestimmend wirkte und es zu einer epischen oder allegorischen Einheit gestaltete. Vielmehr wird gerade durch die Vielzahl der Ansätze die Gültigkeit eines Motivs geschwächt. Wir müssen also Locher recht geben, wenn er den Titel ‚Narrenschiff‘ kritisiert und ihn lieber durch einen andern ersetzt haben möchte. Er ist tatsächlich mit dem Werke nicht so notwendig verbunden, daß er nicht durch einen Titel wie ‚Narrenspiegel‘ ersetzt werden könnte, ohne daß zum Verständnis Wesentliches verloren ginge. Natürlich ist das nur ein Denkexperiment zur Probe des Ergebnisses – *novitas tituli nos quoque delectat.*

11 Diese Instabilität des Titels zeigt sich in noch größerem Maßstab bei den Zeitgenossen. Zarncke hat schon darauf hingewiesen;[85] deshalb geben wir nur eine kurze Revue der Möglichkeiten.

Bei Locher erscheinen: *Stultifera nauis, nauis stultorum, nauis fatuorum, narragonica nauis,* aber auch ganz neue Titel wie *Prologus* oder *argumentum in Narragoniam, Libellus Narragonicus,* und ein Mischtitel wie *Narragonia seu Nauis fatuorum.*

Geiler nennt seine Predigtsammlung *Nauicula seu speculum fatuorum,* wie Brant in der Vorrede den zweiten Titel *narren spiegel* vorschlägt.

Auch die verschiedenen von uns herausgelösten allegorischen oder epischen Ansätze wären sowohl in Brants lateinischen Hinzufügungen wie auch in den Übersetzungen, Bearbeitungen oder Kommentaren der Zeitgenossen weiter zu verfolgen.[86] Wir wollen uns jedoch hier hauptsächlich auf das ‚Narrenschiff‘ beschränken.

Es erhebt sich die Frage, ob Brant unfähig war, einen Bildzusammenhang durchzuführen, oder ob er es im ‚Narrenschiff‘ nicht wollte. Charles Schmidt sagt dazu: „er hat vor allem das Schiff in seinem ‚Narrenschiff‘

---

85 Zarncke LVIII.
86 Pompens Vorarbeit (The English Versions . . .) könnte hier sowohl nach Gesichtspunkten der Genauigkeit wie auch der Ausführlichkeit ergänzt werden.

allegorisiert. Aber wie es den meisten Liebhabern der Allegorie geht: er hat sich oft in mehrfachen oder gar widersprüchlichen Sinnrichtungen verwirrt." [87]

Daß Brant eine Allegorie und allgemein einen Bildzusammenhang durchhalten kann, zeigt zum Beispiel das Gedicht *De periculoso scacorum ludo*.[88] Allerdings ist es eher ein Gespräch als eine wirkliche Schachallegorie mit Erklärung der Personen und ihrer Stellungen. Eine gut ausgeführte Allegorie findet sich jedoch in dem Gedicht an Maximilian über die Fuchshatz.[89] Zunächst wird die Natur des Fuchses als List und Tücke erklärt und der Bezug zwischen heutiger Welt und füchsischer Natur hergestellt. Dann verweist Brant auf den Holzschnitt, auf dem bei genauer Betrachtung mehr zu sehen sei, als er sagen könne. Manche der dort gezeichneten Fuchsarten mit ihren Beischriften werden erklärt. Besondere Aufmerksamkeit widmet er einer Gruppe von fünf Tieren: ein Luchs (seine Beischrift und ein Jägerhorn kennzeichnen ihn als Jäger: *Es mûß syn gar eyn gschider luchs Wer vermeynt fahen fuchs myt fuchs*) hält an einer Leine ein Fuchspaar mit umeinander gewundenen Schwänzen. Ihre Beischrift lautet: *Er hat me dan eyn dyng betracht Der vns die schwentz hat zamē brocht*. Brant sagt von ihnen im Gedicht:

> *Zwē fuchs die schwåntz vermischet hāt*
> *Werden doch wenig schaffen mitt*
> *Eynander sie vertrüwen nyt*

Der Luchs will Fuchs mit Fuchs jagen, was schwierig ist, da ein Fuchs dem andern an List gleich ist. Deshalb hat er die Listen zweier verbunden, um so etwas auszurichten. Aber da diese beiden einander nicht trauen, da jeder den andern überlisten könnte, werden sie wenig Erfolg haben bei der Jagd.

> *Des würt sunst eyner fürhar gan*
> *Der vor keyn fuchschwantz hat gehan.*
> *Doch wurt er jm wachsen zů lest*
> *Biß er den altten findt jm nest*

Der zweite Versuch wird also mit einem Fuchs gemacht, der ursprünglich

---

87 Schmidt, Histoire littéraire I 261: «il a allégorisé surtout le vaisseau dans son *Narrenschiff*. Mais comme cela arrive à la plupart des amateurs d'allégories, il s'est maintes fois embrouillé dans des sens multiples et même contradictoires».

88 Abgedruckt bei Zarncke 153f.

89 *An den großmechtigsten aller durchluchtigsten herren Maximilianū Romischē Kunig: von dem Fuchshatz. ein gediecht Sebastiani Brant.* 1497. (Paul Heitz: Flugblätter des Sebastian Brant. Mit einem Nachwort von Franz Schultz. – Straßburg 1915; Nr. 18).

keinen Schwanz hatte, also kein Emblem und Zentrum von *Alfantz / betrug / beschißß on zal.* Vielleicht ist hiermit der an sich Gute gemeint, der aber durch Erfahrung so viel List erwirbt, daß er den Betrug der Bösen durchschaut. Darauf scheint auch die Beischrift hinzuweisen:

> *Man wirt gar bald myns jagns jnn*
> *Glückt myr das ich eyn schwantz gewyn̄*

Doch auch er findet seinen Meister, den „Alten im Nest". Der letzte Fuchs, den der Jäger so lange an der Leine hält, bis seine Zeit gekommen ist, hat statt des Schwanzes eine brennende Fackel; das Bild zeigt ihn auch feuerspeiend. Er hat damit unheimliche, zerstörerische Macht:

> *Er wurt anzünden vff dem plan*
> *Me dann sunst kein füchs vor hatt gtan*
> *Er wurt anzünden myt sym schwantz*
> *All rich / all land / der erden gantz*
> *Der jäger laßt jn noch nit ab*
> *Bys das syn zyt baß zůher trab /*
> *Dan̄ würt er syn für zünden an*
> *Das nit mag lǒschen yederman /*

Dies klingt fast wie eine apokalyptische Prophetie. Weiter wird vorhergesagt, daß der Fuchs, obwohl sofort selbst gejagt, zunächst alle Feinde überlistet, endlich aber doch erwürgt wird. Damit sind alle vier Füchse des Jägers, der Füchse mit Füchsen jagen möchte, unschädlich gemacht. Der Gedankengang ist offenbar der, daß das Böse mit dem Bösen ausgetrieben wird, aber daß auch das Austreibende, Gefährliche und Böse endlich verschwinden muß. Der letzte Teil des Gedichts beschäftigt sich zunächst mit der Furcht der zahmen und der Freude der wilden Tiere; dann wird der Ton allgemeiner, menschlich bezogen:

> *Eyn yeder lůg zů syner schantz*
> *Vnd såh für sich wem er vertruw*
> *Das es zů letst jn nyt geruw*
> *Truw / gloub / vn̄ lieb hat gar kein pflätz*
> *Wol dem den yetz der fuchs nit rantz*
> *Die welt loufft hien jn fuchses glantz*
> *Der fuchs wadel hangt an der lantz*
> *Doch ist jn vast sǒrglich verhagt*
> *Der blibt niemer ston den got jagt /*

Diese letzte Zeile, nach der die Füchse durch Gott gejagt werden, gibt der Allegorie einen deutlich religiösen Sinn, und vielleicht ist die oben geäußerte Vermutung richtig, wo eine Umsetzung apokalyptischer Prophetien in das

Bild einer Jagd von Füchsen durch Füchse, die selbst wieder durch Gott gejagt werden, darin zu vermuten war. Wenn auch nicht alle Einzelheiten erklärt wurden, so zeigte sich doch bis hierher die Allegorie bruchlos durchgeführt. Auch der Schluß, wo Brant dem Reiche Schutz vor Füchsen und dem König gute Fürsorge gegen Füchse von Gott erbittet, bleibt im Bilde. Brant zeigt also, daß er einen allegorischen Zusammenhang aufrechterhalten kann.

Auch im ‚Narrenschiff‘ gibt es Belege dafür. Kap. 107 zum Beispiel führt das Motiv von Licht und Dunkelheit konsequent durch. Am Anfang will der Gelehrte, der nur die Weltweisheit erstrebt, für *der welt eyn liecht* gehalten werden. Nach der Parabel von Herkules am Scheidewege stellt Brant fest, daß wir Menschen, weil keiner des Lebensziels achtet, *blyntzend jn der nacht* leben und nicht wissen, wohin uns der Weg führt (v. 41–48). Unser angeborener Trieb nach dem Guten hier auf der Erde drängt uns voran, kann aber nicht erfüllt werden: *wir jrren jn vinsterm schyn*. Aber zu unserer Rettung

> *hat got geben vns das liecht*
> *Der wißheyt / dar von man gesicht*
> *Die macht der vinsterniß eyn end*
> *Wann wir sie nemen recht für hend*
> *Vnd zeigt vns bald den vnderscheit*
> *Der doren weg / von der wißheit /*   (107,59–64)

Menschen, die diese Weisheit erworben haben, *schynen wie das firmament* (v. 79); solche, die Gerechtigkeit erkannt haben und sich und andere darin unterweisen, leuchten wie Morgen- und Abendstern (v. 80–84). Wer nicht den Glanz der rechten Weisheit erreichen kann, naht sich ihr *durch vil tugent zier* (v. 89–92).

In diesem Kapitel ist also das Bild von Licht und Nacht in Verbindung mit Weisheit und Sorge um Irdisches konsequent durchgeführt – der Weltweise kann höchstens *der welt eyn liecht* werden. Diese Metaphorik geht nahe zusammen mit der von der Blindheit, die an vielen Stellen des Werkes erscheint und auf antike und biblische Quellen zurückführt, zum Beispiel:

> *Die welt jnn üppikeyt ist blynt*   (47,27)

> *Vff jrdeschs yeder narr erblyndt*
> *Vnd sůcht syn freüd / vnd lust dar jnn*
> *Des er me schad hatt dann gewynn*   (66,128–130)

Einen Bildbereich hat Brant im ‚Narrenschiff‘ so konsequent durchgehalten, daß seiner niemand im Zusammenhang mit der Durchführung von Bildern oder Allegorien gedachte: den der Narrheit und des Narren. Nur Zarncke scheint so etwas gemeint zu haben, wenn er Narrheit und Narrenkostüm zu der „einkleidung des werkes"[90] zählt. So heißt es dann bei ihm: „... stellte er, was bisher nur nebenbei vorgekommen war, in den vordergrund, machte es zum mittelpuncte seiner ganzen darstellung."[91] Diesen Gesichtspunkt scheint er später wieder vergessen zu haben, wenn er behauptet, die ganze Einkleidung sei dem Werke äußerlich umgehängt.[92] Hier geht es ihm offenbar nur noch um das Bild vom Schiffe. Der Narr jedoch ist so universell in Brants Buch, daß man kaum mehr von einem Bilde oder einer Einkleidung sprechen mag. Barbara Könneker hat sich mit dem Symbolbegriff beholfen, doch können wir ihre Begründung nicht annehmen.[93] Sofern der Narr in der Narrenkleidung mit Kappe, Schellen, Kolben erscheint, ist er ein Bild. Dieses Bild wird gewählt für den Zustand des Menschen, in dem es ihm an göttlicher Weisheit und an dem Streben danach mangelt – also für etwas Spirituelles. Die Narrheit zeigt sich auch als äußere Erscheinung, als Signatur des inneren seelisch-geistigen Zustands:

> Nit nott das man narren vff merck
> Man spůrt eyn narren an sym werck /   (68,31f.)

In diesem Sinne der Signatur teilt Brant den Narren bildlich die typische Kleidung zu. Und es ist Brant, der über diese Zuteilung entscheidet:

> Ich schrot ein kapp hie manchem man
> Der sich des doch nit nymet an
> Het ich in mit sym namen gnent
> Er sprech / ich het in nit erkent /   (Vorred, 61–64)

Er hofft zwar, daß seine Wahl, Bestimmung und Entscheidung über Narrheit oder Freiheit von ihr bei den Weisen auf Zustimmung trifft (Vorred, 65–72), aber letzten Endes ist es doch er allein, der die meisten der Kapitel definierend und urteilend beginnt: Der ist eyn narr ... Hier haben wir den Schlüssel für die ungebrochene Kontinuität des Bildes vom Narren: sie ist in Brant selbst begründet; die Kontinuität seines Urteilens und Definierens schafft die Kontinuität der Durchführung dieses dominanten Bildes. Ebenso ist es mit dem der Narrheit entgegengesetzten Bereich der Weisheit, der mit der Lichtmetapher[94] verbunden erscheint und Nacht und Blindheit als Gegenbilder erzeugt: ihm gilt das innerste Streben Brants, er ist das Zentrum seiner Lehre. Analyse und Lehre, die beiden Ausdrucksformen seiner Grundhaltung, schaffen Bildkontinuitäten.

---

[90] Zarncke XLVII.   [91] Zarncke L.   [92] Zarncke LVIIIf.

[93] Könneker, "Eyn wis man" 48; sie bezieht sich in der angeschlossenen Anmerkung 14 auf Gruenters Ansicht von der Verschmelzung des Fastnachtsspiels mit dem Totentanz in der Narrengestalt; s. oben Abschnitt 3.

[94] Auch die Spiegelmetapher gehört dazu. In ihr drückt sich der Sinn des Werkes aus, vgl. oben Abschnitt 10.

Nicht so jedoch die vorher besprochenen Bildkreise und viele andere, die wir nicht erwähnt haben. Es hat sich gezeigt, daß die Vermutung, Brant könne keine bildliche Vorstellung durchhalten, falsch ist. Folglich muß die mangelhafte Durchführung etwa des Bildes vom Narrenschiff andere Gründe haben. Man hat immer wieder vorgebracht, Brant sei zu spät auf die Idee gekommen. Aber wir haben selbst in Kap. 108, wo das Bild das ganze Kapitel bestimmt, drei verschiedene Sinnrichtungen der Allegorie festgestellt, und das Phänomen der Inkonsistenz in der Durchführung ließ sich auch an anderen Bildkreisen des Werkes nachweisen.

Man muß also schließen, daß der Unterschied zwischen der Durchführung des Schiffs-Bildes und der des Narren-Bildes in Brants Einstellung zu den beiden Bildern liegt. Das Bild vom Narren war, wie sich zeigte, unmittelbarer Ausdruck seines persönlichen Denkens und Urteilens. Dem Bild vom Schiff gegenüber zeigt er sich frei, spielt damit nach allen Richtungen, wendet es fast immer nur in Anspielungen, kurzen Bemerkungen und für kleine Illustrationen an: er ist ihm sozusagen nicht verpflichtet, kann es als Schmuck hier und da und im Verein mit anderen Schmuckideen einstreuen. Dem entspricht genau Lochers Aussage: *auctorem nouitas tituli delectauit* – es ist die Freude an dieser „neuartigen" schmückenden Vorstellung vom Narrenschiff, die Brant den Titel wählen läßt. Das Wesen des Werks wird nicht durch den Titel getroffen, nur eine seiner schmückenden Ideen. Deshalb Lochers Kritik und Besserungsvorschlag.

Hier zeigt sich etwas gänzlich Unmittelalterliches: die Abhängigkeit der Durchführung eines Bildkomplexes von der persönlichen Einstellung des Autors. Wir haben auf diesen Punkt schon oben[95] hingewiesen, um das ‚Narrenschiff' von der spätmittelalterlichen Moralsatire abzusetzen. Die Einheit von Brants Werk liegt ausschließlich in der individuellen Persönlichkeit begründet, mit der er in fast allen Kapiteln unmittelbar gegenwärtig ist, und die sich in der Konsequenz oder Inkonsequenz der Entfaltung von Bildvorstellungen ausdrückt. Der spätmittelalterliche Dichter nennt zwar oft seinen Namen am Anfang oder Ende des Werkes, tritt aber nie als sein Zentrum auf. Vielmehr wählt er eine äußere Stütze in einer erzählerischen, allegorischen, gesellschaftlichen Ordnung – in dem also, was Brant nur im Spiel und als Schmuck verwendet. Wir werden diesem Gesichtspunkt noch an mehreren Stellen der folgenden Untersuchung begegnen.

12   In der Frage nach der Gattung des ‚Narrenschiffs' sind wir zu dem Ergebnis gelangt, daß die Vermutungen bis jetzt immer nur für einen Teil des Werkes, doch nie für das Ganze gültig waren, oder daß umgekehrt nicht

---

[95] Abschnitt 4.

eine einzige, sondern eine Vielzahl von Ausdrucksformen und Gattungstypen darin zu finden ist. Das scheint wieder auf die Theorie zu führen,
das Werk „zerfalle" – diesmal nicht nur in zwei Hälften oder unendlich
viele Dachtlersche Zettel, sondern in eine Anzahl von Kapitelgruppen, die
je einer anderen gattungstypischen Richtung angehören. Doch haben wir
schon in den Bildkreisen neben den „zerfallenden" Schmuckbildern zum
Beispiel das kontinuierlich durchgeführte Bild des Narren erkannt, das auf
der ständigen Anwesenheit des Autors in seinem Werk ruht. Analog müßte
die Gattung also bei einer Vielzahl von Ausdrucks- und Formtypen eine
innere Einheit, wohl ebenfalls die der Persönlichkeit des Autors, aufweisen.

Wir brauchen gar nicht weit danach zu suchen. Locher, dessen Kritik
am Titel ‚Narrenschiff' sich bestätigt hat, betont im Gegensatz zu Brants
Schmucktitel: *potuisset praesens hic noster libellus, non inconcinne satyra
nuncupari: sed . . .*[96] Daß alles, was er dazu sagt, nicht nur auf seine Übersetzung[97] zu beziehen ist, sondern vor allem auf Brants deutsches Original,
geht aus seinem *Epigramma in Narragoniam* hervor: der berühmte Brant
habe mit angenehmem Spott das Narrenschiff vom Stapel gelassen; Locher
könne es eine Satire nennen, denn es beschreibe die glänzenden Geschenke
der Tugenden und tadle mit Verachtung die Untugend.[98] Noch an zwei
weiteren Stellen in den Vorreden gebraucht er für Werk und Haltung des
Autors diese Bezeichnung: *Narragonia seu Nauis fatuorum (quam non
inepte satyram appellare possumus)*[99] und: „So haben es auch einst die
satirischen Dichter gemacht, die die Schande und ihr Unrecht mit beißen-
dem Hohn überschütteten. Diesen folgen wir."[100] Locher stellt hier also

---

[96] Locher: *Argumentum in narragoniam* (Zarncke 213b).

[97] Obwohl er ziemlich ändert (vgl. Pompen, The English Versions, 308 und passim), will er mit Horaz den Sinn genau wiedergeben: *verbum nos verbo
minus reddere (vt Flaccus ait) Sensus enim duntaxat notasque vernaculi car-
minis simplici numero latine transtulimus* (ebd. *Argumentum;* Zarncke 213b).

[98] *Epigramma in Narragoniam Iacobi Locher philomusi. ad lectores,* v. 1–4
(Zarncke 212a): *Nauem stultorum iucundo scommate promsit Brant: cuius
celebris fama decusque viget. Quam Satyram vocitare queo: nam candida
pangit Munera virtutum: conterit atque probrum.*

[99] Im *Prologus* (Zarncke 212b).

[100] *Hecatostichon in proludium* v. 91–93: *Sic quoque Satyrici quondam fecere
poetę: Mordentes populi dedecus atque nefas. Hos sequimur* (Zarncke 213b).
Vgl. noch den Anfang von Kap. 62 in Lochers Übersetzung: *Iam satyrę finem
posuissem pene* (Zarncke 215b). Die französischen Übersetzer scheinen das
‚Narrenschiff' als Sammlung von Satiren aufgefaßt zu haben. So schreibt
Jehan Droyn, er habe *plusieurs satyres* zum Originale hinzugefügt (Zarncke
227a). Vor allem der Anonymus erklärt sich ganz deutlich: *ce present liure
lequel est diuise en satyres* (Zarncke 231b); jedes der einzelnen Kapitel wird
als *satyre* bezeichnet.

das Werk in die Tradition der satirischen Dichtung. Daß es nicht die deutsche, sondern die römische Satire ist, beweist sein Prosa-Prolog.[101] Dort spricht er zunächst von der immerwährenden Bemühung der Weisen, die Menschheit von Irrtum und Verletzung des Geistes besser als Aesculap zu heilen. Zu diesen gehören Philosophen und Dichter im allgemeinen. Von der alten griechischen Komödie geht er dann zur römischen Satire über und bespricht ihre Exponenten Lucilius, Horatius, Persius, Juvenalis nach Horaz und Quintilian.[102] Dann beklagt er die Stumpfheit der Zeitgenossen, daß sie nicht weise werden wollen, die Dichter und ihre Ausleger nicht pflegen und verehren. „Weil es wahrlich in unserer Zeit fast unzählige eingebildete und närrische Menschen gibt, die die Liebe zur Tugend vernachlässigen und der Finsternis und den Lockungen dieser Welt zustreben, war es wichtig, daß *wieder* ein gelehrter und feinsinniger Dichter und Seher aufstand, um die offenkundigen Vergehen der Narren und ihr so äußerst unreines Leben zu tadeln." Dies habe Brant geleistet.[103] Für Locher ist also Brant ein direkter Nachfolger der römischen Satiriker, und sein Werk ist eine Satire.

Die Zeitgenossen sind ihm in dieser Zuordnung gefolgt. Wimpheling schreibt in der Vorrede zu des Iodocus Badius *stultiferae naviculae*: „Sebastian Brant von Straßburg, ein Mann von größten Gaben und ein Glanz aller Gelehrsamkeit, hat in deutscher Sprache Satiren geschrieben, die man das Narrenschiff nennt, und hat sie mit Historien, Fabeln und den Sprüchen der größten Weisen so durchflochten, daß ich nicht glaube, in unserer Volkssprache ein ähnliches Buch finden zu können." [104] Trithemius schreibt: „Narragonia oder das Narrenschiff, das wir zutreffend als Satire bezeichnen können..." [105] Auch er stimmt in Lochers Kritik des Narrenschiff-

---

[101] *Prologus Iacobi Locher: Philomusi: In Narragoniam* (Zarncke 212b).

[102] Über die Quellen dieses Prologs vgl. unten Abschnitt 13.

[103] *Cum vero nostra tempestate tam pene innumeri sint fatui et stulti homines, qui neglecto virtutis amore: ad tenebras ac huius mundi illicebras tendant: operę precium fuit, vt denuo vates aliquis eruditus et vafer resurgeret, qui manifestaria stultorum delicta; vitamque spurcissimam taxaret. Hanc scribendi libertatem ... Sebastianus Brant ... lingua vernacula celebrauit.* (Zarncke 212b, Hervorhebung von mir.)

[104] *Sebastianus Brant Argentinensis, maximi vir ingenii et omnis doctrinae splendor, sathyras germanica lingua scripsit quas navem stultorum appellant, historiis fabulis et sapientissimorum sententiis adeo respersit, ut in nostra populari lingua minime mihi persuadeam librum huic esse parem.* Zitiert bei Adam Walther Strobel: Das Narrenschiff von Dr. Sebastian Brant, nebst dessen Freiheitstafel. – Quedlinburg und Leipzig 1839 (Bibliothek der gesammten deutschen National-Literatur Bd. 17); 54f.

[105] *Narragonia seu navis fatuorum, quam non inepte satyram appellare possu-*

Titels ein: „er hätte das Werk eigentlich nicht Narrenbuch nennen sollen, sondern eher *Divina satyra*. Ich weiß nämlich nicht, ob zu unseren Zeiten etwas gelesen werden kann, das bei häufigem Gebrauch heilsamer oder erfreulicher wäre."[106] In diesem von Tritheim vorgeschlagenen Titel ist dreierlei vereinigt: das überschwengliche Lob, das die Freunde dem Dichter für sein Werk spendeten, indem sie es mit Dantes *Divina Commedia* verglichen, der Vergleich mit diesem Werke, weil auch Brants ‚Narrenschiff‘ aus der lateinischen Dichtungstradition in die Volkssprache überging, und endlich die Gattungsbezeichnung Satire.

Iodocus Badius vergleicht in einer eigenen Vorrede zu seinen *stultiferae naviculae* Brant mit Aesop, lobt seine Gelehrsamkeit und Literaturkenntnis und sagt dann: „er lehrt und tadelt die Eingebildeten und Narren, deren es eine Unzahl gibt,[107] mit seiner witzigen und angenehm zu lesenden Beweisführung[108] derart, daß sie, durch seine Schärfe[109] und seinen humorvollen Gesprächston[110] angezogen, nicht eher seine Anklage gegen sie selbst spüren, als bis er (wie man[111] von Horaz sagt), bei ihnen eingelassen, mit ihren innersten Gefühlen spielt und sie, die wieder zum Verstand kommen (wenn sie sich überhaupt als heilbar erweisen), dazu zwingt, die Meinung der Weisen als richtig anzuerkennen."[112]

---

mus. De script. eccl. p. 222, zitiert bei Schmidt, Histoire littéraire I 303 Anm. 155.

106 *Ut non jure stultorum librum, sed divinam potius satyram opus illud appellasset. Nescio enim si quid tempestatis nostrae usibus salubrius aut jucundius legi posset. De script. eccl.* p. 222, zitiert bei Schmidt, Histoire littéraire I 313.

107 *Stultorum infinitus est numerus* (Eccl. 1,15).

108 Daß Badius hier wahrscheinlich Quintilians *terminus technicus* für das rhetorische *enthymema* meint (Quint. *Inst.* 5.10.1), wird aus Kap. I der „Studien" wahrscheinlich.

109 *Sal*, ziemlich häufig in bezug auf Lucilius gebraucht: Hor. *Serm.* 1.10.3; Quint. 10.1.94, Horaz auch von seiner Satire: *Epist.* 2.2.60.

110 *Sermo* ist die von Horaz für seine Satiren bevorzugte Bezeichnung: *Serm.* 1.4.42.

111 Persius I 116f.: *Omne vafer vitium ridenti Flaccus amico Tangit et admissus circum praecordia ludit.*

112 *Sebastiano Brant Alemaño ... qui faceta iucundaque comentatione fatuos ac stultos, quorum infinitus est numerus, ita erudit et castigat, ut salibus eius atque festivissimo sermone illecti non prius in se animadvertere eum sentiant, quam (ut de Flacco dicitur) admissus circum praecordia ludat, eosque resipiscentes (si quidem sese curabiles exhibeant) in prudentium sententiam concedere cogat.* – An Engelbert von Marnef. Abgedruckt bei Strobel, Das Narrenschiff, 55.

252

13   Diese Feststellungen des Badius sind aus zwei Gründen wichtig. Die eingestreuten Zitate, hauptsächlich aus römischen Satirikern, zeigen, daß auch er Brants Werk (das in diesem Falle ohne weiteres mit Lochers Übersetzung identifiziert werden kann) als Satire verstand und mit den Methoden und Zwecken der römischen Satiriker, vor allem des Horaz, verband. Das ist um so bedeutsamer, als Badius wohl einer der ersten Humanisten war, die die gattungstypische Eigenart der römischen Satire erkannten und den Unterschied des lateinischen Begriffs *satura : satira* von den griechischen Satyrn schriftlich fixierte.

Es ist behauptet worden, dieser Unterschied sei erst von Casaubonus 1605 in seinem Aufsatz *De satyrica Graecorum poesi et Romanorum satira* geklärt worden.[113] Badius jedoch differenziert schon, und das bemerkenswerter Weise in seiner Bearbeitung des Narrenschiffs: „Das ganze Werk könnte mit ‚*satyra*' betitelt werden, nicht so sehr von den Satyr-Göttern, deren Schamlosigkeit wir hier nicht nachahmen wollten, als von der *lex satura*, die in einem einzigen Vorgang Verschiedenartiges festlegte. Denn ich gebrauche verschiedene Gattungstypen in meinen Gedichten und gehe der Ordnung nach alles durch, was man bei Horaz und Boethius finden kann."[114]

Ganz deutlich bezieht sich Badius damit auf eine der ausführlichsten Definitionen und Ursprungsbestimmungen der römischen Satire, die des Grammatikers Diomedes: „*Satira* heißt heute bei den Römern ein Scheltgedicht, das zur Beschimpfung der Laster der Menschen in der Art der alten Komödie geschrieben ist, so wie Lucilius, Horaz und Persius es taten. Früher hieß eine Dichtung *satira*, die aus verschiedenartigen Einzelgedichten zusammengesetzt war, so wie Pacuvius und Ennius sie schrieben. Der Name *satira* kommt entweder von den Satyrn, weil in dieser Dichtart lächerliche und schamlose Dinge gesagt werden, ähnlich wie sie auch von den Satyrn vorgebracht und getan werden: oder sie heißt *satura* wegen der Menge oder Fülle der Sachen nach dem bunten Teller, der bei den Alten mit vielen verschiedenen Erstlingsfrüchten gefüllt, im Heiligtum den Göttern dargebracht wurde ... oder von einer Art Geflügelfülle, die aus vielen Dingen besteht und nach Varro *satura* genannt wird ... Andere aber glauben, sie heiße so nach dem Gesetz namens *satura*, das in einem einzigen Vorgang zugleich vieles zusammenfaßt, weil ja auch in der Dichtart der

---

[113] Gilbert Highet: Juvenal the Satirist. A Study. – Oxford 1954; S. 207. – Vgl. seine Anatomy of Satire, 47.

[114] *Posset quidem opus totum satyra inscribi: non tam a satyris diis, quorum petulantiam hic noluimus imitari, quam a satyra lege, quae vno rogatu varia sanciebat. Nam vario vtar carminum genere: persequens suo ordine omnia quae apud Horatium et Boetium conspiciuntur.* (Abgedruckt bei Zarncke 217b).

satura viele Gedichte zugleich zusammengefaßt werden."[115] Obwohl Badius hier die verschiedenen Schreibweisen begründet sehen konnte, verwandte er weiterhin die eingebürgerte und falsche der *satyra*. Damit mußte erst Casaubon aufräumen.

Wir brauchen aber, eben auf Grund dieser Weiterverwendung bei Badius, wegen Lochers Schreibung *satyra* nicht anzunehmen, er sei sich über die Gattung weniger im klaren gewesen als jener. Sein Prolog benützt einige der Zentralstellen über die Satire aus Horaz und Quintilian; auch Diomedes kann ähnlich wie bei Badius in der Abwehr des unzüchtigen Satyr-Elements gehört werden.

Locher geht in diesem Prolog von der Tatsache aus, daß sich schon viele Weise und Dichter darum bemüht haben, die Irrtümer und Krankheiten des menschlichen Geistes zu heilen. Nach einem längeren Abschnitt über Sokrates und Platon, die als Weise den philosophischen Hintergrund des ‚Narrenschiffs‘ andeuten,[116] geht er auf die Dichter über. Kurz gestreift

---

[115] *Satira dicitur carmen apud Romanos nunc quidem maledicum et ad carpenda hominum vitia archaeae comoediae charactere conpositum, quale scripserunt Lucilius et Horatius et Persius. et olim carmen quod ex variis poematibus constabat satira vocabatur, quale scripserunt Pacuvius et Ennius. satira autem dicta sive a Satyris, quod similiter in hoc carmine ridiculae res pudendaeque dicuntur, quae velut a Satyris proferuntur et fiunt: sive satura a lance quae referta variis multisque primitiis in sacro apud priscos dis inferebatur et a copia ac saturitate rei satura vocabatur; ... sive a quodam genere farciminis, quod multis rebus refertum saturam dicit Varro vocitatum...alii autem dictam putant a lege satura, quae uno rogatu multa simul conprehendat, quod scilicet et satura carmine multa simul poemata conprehenduntur.* Diomedis *Artis Grammaticae libri III.* In: Heinrich Keil: Grammatici Latini. – Leipzig 1857 / Hildesheim 1961; Vol. I 485.30–486.16. Die *editio princeps* der Grammatik des Diomedes erschien bei Nicolaus Jenson in Venedig ca. 1476 (Hain 6214). Zur Interpretation vgl. Ulrich Knoche: Die römische Satire. – Göttingen 1957 (Studienhefte zur Altertumswissenschaft, H. 5); 11. – Auch Isidor von Sevilla hat offenbar diese Stelle im Auge, wenn er schreibt: *De lege Satura. Satura vero lex est quae de pluribus simul rebus eloquitur, dicta a copia rerum et quasi a saturitate; unde et saturas scribere est poemata varia condere, ut Horatii, Juvenalis et Persii. Et.* V. 16. – Gilbert Highet, Juvenal the Satirist, 303 (Cap. XXIX A 4) hat offenbar diese Stelle bei Isidor übersehen. Er zitiert *Et.* 8.7.7., wo Isidor über die neue Komödie spricht und ihre Dichter als *satyrici* bezeichnet. Ganz offensichtlich macht er einen Unterschied in der Schreibung und damit wohl auch Bedeutung zwischen der oben zitierten und der jetzigen Stelle.

[116] Starke platonische Einflüsse lassen sich in Brants Weltbild nachweisen. Die Kenntnis der „Gesetze" und des „Staates", wie sie Locher zeigt – *scripsit saluberrimas leges: aedificauit rem publicam speciosissimam (Nauis* fol. VII r

werden die heroischen, elegischen und tragischen Dichter. Erst bei den drei Großen der alten Komödie verweilt er länger: sie bilden nach Horaz den Ursprung der satirischen Haltung[117] und des einfachen Stils,[118] mit dem die Satire die Fehler und Sünden angreift.

Daraus haben die Römer eine geschmackvolle[119] Gattung oder Schreibart gestaltet.[120] Lucilius war der erste, der den Römern die Satire gab.[121] Darin besang er, Namen nennend, die Untaten der römischen Adligen, der Bürger und Privatleute[122] und gab der ganzen Stadt mit großer Schärfe und angenehm geistvollem Witz eine Abreibung.[123] Sicher wollte er sich nicht in unsittlichen Reden und ungezügelter Schamlosigkeit üben,[124] son-

---

und v) –, bestätigt, daß Lochers Platonkenntnis weit über den im Mittelalter fast ausschließlich bekannten Timaios hinausgeht (Ernst Cassirer, Individuum und Kosmos, 133). Daß diese Kenntnis Platons auch für Brant gilt und in dessen ‚Narrenschiff‘ eingegangen ist, bestätigt das der Ausgabe von 1498 beigegebene *Epigramma Thome Beccadelli*, wo es heißt: *Pythagorę hii celebrant: hii docti dogma Platonis Hic reperis vires o medicina tuas* (Zarncke 217a).

117 *Reliqui Commediam (quam Greci archęam vocarunt) cum magna dicendi libertate coluerunt. E quorum numero Aristophanes: Eupolis atque Cratinus / laudatissimi vates claruerunt. Cum enim viderent iuuentutem Atheniensium: ceteręque Gręcię: omnibus libidinum generibus irretiri: occasionem notandi acceperunt.* (*Nauis* fol. VII v) – Vgl. damit Horaz *Serm.* 1.4.1–5: *Eupolis atque Cratinus Aristophanesque poetae Atque alii, quorum comoedia prisca virorum est, Siquis erat dignus describi, quod malus ac fur, Quod moechus foret aut sicarius aut alioqui Famosus, multa cum libertate notabant.*

118 *Et plano quidem eloquio ... mordebant.* (*Nauis* fol. VII v), vgl. Horaz *Serm.* 1.4.39–62.

119 *Non ineligans* – vgl. vielleicht Cicero *Brutus* 81,282: *orationis non inelegans copia*.

120 Als *genus* bezeichnet Horaz die Satire *Serm.* 1.4.24, doch nicht im Zusammenhang mit des Lucilius „Erfindung" der Gattung (1.10.48 und 66). Die Überlegung, die Römer hätten mit der Satire eine Gattung neu geschaffen, gehört also offenbar Brant/Locher an (ich finde auch außerhalb der Horazischen *sermones* keinen diesbezüglichen Hinweis). Dies ist um so wichtiger, weil dadurch das Bewußtsein der beiden, in einer Gattungstradition zu stehen, bestätigt wird.

121 Horaz *Serm.* 1.10.48 und 66; Quint. *Inst.* 10.1.93.

122 Horaz *Serm.* 2.1.68f. *atqui Primores populi arripuit populumque tributim.*

123 *Salibus multis: iucundaque dicacitate totam perfricabat urbem* (*Nauis* fol. VII v). Vgl. Horaz *Serm.* 1.10.3f. *at idem, quod sale multo Urbem defricuit, charta laudatur eadem.*

124 Zwar nicht wörtlich auf Diomedes' Satiredefinition anspielend, aber sinngemäß auf dessen erste Etymologie bezogen: *satira autem dicta sive a Satyris, quod similiter in hoc carmine ridiculae res pudendaeque dicuntur, quae velut a Satyris proferuntur et fiunt.* Siehe oben Anm. 115.

dern zum Streben nach Tugend und heilsamem Lernen aufrufen und die Laster austreiben.[125] So ist nach Quintilians Aussage[126] die Satire (als Gattung) ganz römisch, anstelle von Brants und Lochers[127] Satire hatten die Griechen ihre alte Komödie. Nach Lucilius, der zwar einen ungeschliffenen Stil schrieb,[128] aber doch an Witz und öffentlicher Bissigkeit ohne Tadel war, folgte Horaz aus Venusinum.[129] Dieser war in seinem Gesprächsstil[130] knapper,[131] schärfer und feiner,[132] und er verdiente sich kein geringes Lob mit seinen Satiren.[133] Persius hinterließ ein einziges Buch, mit dem er seinen Namen der Unsterblichkeit empfahl. Juvenal, der letzte von allen, ist ihr Fürst: was bei den einzelnen Satirikern hervorglänzte, das alles hat er in seinem herrlichen wundersamen Gedichte zusammengefaßt.[134] Nach dieser Darstellung von Ursprung und Geschichte der römischen Satire beklagt Locher die Gegenwart, die den Ruf dieser Dichter nicht hören will oder nicht weiß, was in ihnen steckt. Denn, und nun zitiert er Horaz:

> aut prodesse volunt aut delectare poetae
> aut simul et iucunda et idonea dicere vitae.   (*Ars poet.* 333f.)

Marginal wird aus der ersten Satire des Juvenal zitiert:

> quidquid agunt homines, votum timor ira voluptas
> gaudia discursus, nostri farrago libelli est   (1.85f.)[135]

Das Marginalzitat weist darauf hin, daß des Horaz allgemeine Aufgabenstellung für den Dichter hier spezifisch auf den Satiriker angewandt wer-

---

125 Horaz *Serm.* 2.1.70; Juvenal 1.165.   126 Quint. *Inst.* 10.1.93.

127 *Pro Satyra quam nos habemus* (*Nauis* fol. VII v – VIII r): Locher fühlt sich also mit seinen humanistischen Lesern ganz der römischen Tradition zugehörig.

128 *Eloquio rudem*, vgl. Horaz *Serm.* 1.10.1–3.66.

129 Horaz *Serm.* 2.1.35.   130 Horaz *Serm.* 1.4.42.

131 Quint. *Inst.* 10.1.94 *Multum est tersior ac purus magis Horatius.*

132 Wohl noch im Anschluß an Quint. *Inst.* 10.1.94 (Anm. 131). Horaz verwendet *emunctae naris* für Lucilius *Serm.* 1.4.8.

133 Quint. *Inst.* 10.1.94: Horaz sei für ihn, *nisi labor eius amore, praecipuus.*

134 Es ist bemerkenswert, mit welcher Kürze Horaz, Persius und Juvenal abgemacht werden. Man sieht daran deutlich, wie Locher getreu seinen Quellen folgte, die sich hauptsächlich mit Lucilius auseinandersetzen, und im übrigen sich darauf beschränkte, Rangstufen zu setzen: Juvenal ist der höchste, Persius unsterblich, Horaz hat sich keinen geringen Ruhm verdient.

135 Marginalie von 1498; ich zitiere nach Knoches Ausgabe Juvenals. Bei Brant, der die Marginalie wohl einfügte (cf. *De singularitate quorundam nouorum fatuorum* v. 119–122 mit Zwischentitel; Zarncke 120b) endet v. 86 *nostri est farrago libelli*, nach Knoche (Apparat z.St.) die „gemeinsame Lesart der Vulgata".

den soll. Entsprechend fährt Locher fort: „Sie geben nämlich genaue Belehrung darüber, was böse und gut, was Laster und Tugend ist, und wohin der Irrtum führt." Von den Unfrommen bis zu den Narren zerreißen sie alle Tadelhaften (durch unbeschönigte Wahrheitsdarstellung), heben dagegen die glänzendsten Nachahmer der Tugend [136] durch großes Lob empor und schreiben jedem seinen verdienten Lohn zu.

Und nun wird das Erscheinen des satirischen Dichters Brant aus der Narrheit der Zeitgenossen, durch den Mangel an Liebe zur Tugend und das daraus folgende Streben zur Finsternis und zu den Verlockungen der Welt notwendig gemacht: er muß die offenbaren Vergehen der Narren und ihr höchst unreines Leben tadeln und strafen. – Brant steht also für Locher in derselben Haltungstradition wie Lucilius, Horaz, Persius und Juvenal, ja wie Sokrates und Platon, und sein Werk wird eindeutig in die Gattungstradition der römischen Satire gestellt.

Angesichts dieser Fülle von Verbindungen des ‚Narrenschiffs' zur Gattung der Satire, die von allen Freunden Brants hergestellt wurden, mag man schließlich noch ein Epigramm in Betracht ziehen, das Brant selbst anläßlich des Erscheinens von Erasmus' *Encomium moriae* schrieb: „Zufrieden, in unserem Schiff die vulgären Narren geführt zu haben, haben wir die Toga [137] des Zorns [138] unberührt weggelegt. Jetzt tritt die *Moria* ans Licht, die den Purpur, die Schleppenkleider und die Rutenbündel (der hohen Beamten) tadelt und Philosophen und Geistliche sammelt. Wehe, was für Aufruhr und Blutvergießen wird sie hervorrufen, wieviel Galle und Ärgernis erregen!" [139] Die zwei Anspielungen, von denen die auf Juvenal fast sicher zu nennen ist, und die Gleichordnung des ‚Narrenschiffs' mit dem *Encomium moriae,* das in der Renaissance weithin als satirisch im Charakter angesehen wurde, machen es ziemlich wahrscheinlich, daß auch Brant hier unter der Voraussetzung schrieb, das ‚Narrenschiff' sei eine satirische Dichtung. Der Unterschied, weshalb sein Werk nicht so viel

---

[136] *Virtutis candidissimos imitatores* (*Nauis* fol. VIII r): die Vorstellung der Abbildlichkeit ist nach Brants Vorstellung das Grundcharakteristikum des Weisen.

[137] Vielleicht Anspielung auf Persius V 14: *verba togae sequeris iunctura callidus acri.*

[138] Der Zorn ist eine der mächtigsten Triebkräfte für Juvenals satirische Dichtung, vgl. 1.45: *quid referam quanta siccum iecur ardeat ira.*

[139] *Vulgares nostra stultos vexisse carina*
   Contenti, intactam liquimus ire togam.
   Moria nunc prodit, quae byrrhum, syrmata, fasces
   Taxans, philosophos convehit et druidas.
   Heu mihi, quas turbas, quas sanguinis illa lituras
   Eliciet, biles, cum stomachisque ciens.
   (Zitiert bei Schmidt, Histoire littéraire I 315 Anm. 172)

Staub aufwirble wie das des Erasmus, liege nur in der gesellschaftlichen Stellung der Angegriffenen. Tatsächlich ist Erasmus sein Leben lang Anschuldigungen und Gegenangriffen ausgesetzt,[140] während Brant seine Unberührtheit auch für die Zukunft richtig gesehen hat.

14 Es ist eigenartig zu sehen, wie die Brant-Forschung an diesen Hinweisen vorbeigegangen ist. Zarncke bezeichnet es nur als „dies auffallende urtheil der gebildeten unter seinen zeitgenossen", wenn die humanistischen Freunde Brant als ersten wirklichen Dichter in deutscher Sprache, „und zwar als mit seinem beginnen heraustretend aus dem kreise der lateinischen literatur" preisen.[141]

Schmidt beachtet wohl die Aussagen der Freunde, spricht dem ‚Narrenschiff‘ aber rundweg die Möglichkeit ab, Satire zu sein: „wenn das Ziel der Satire ist, die Verkehrtheiten lächerlich zu machen, um die Leser zum Nachdenken zu zwingen, indem sie ihnen den Gegensatz zeigt zwischen dem, was sie sind, und dem, als was sie erscheinen wollen, – dann verdient das ‚Narrenschiff‘ nicht diese Bezeichnung. Freilich versichert Brant, er wolle auch belustigen; in seinem Brief an Geiler sagt er sogar, er habe sich angesichts der eitlen Freuden und Sorgen der Menge das ständige Lachen des Demokrit angewöhnt; das kann nicht wörtlich genommen werden, es sei denn, er hätte von einem forcierten Lachen sprechen wollen. Wenn mancher Leser beim Lesen seines Buches gelacht hat, hat Brant bestimmt beim Schreiben nicht gelacht. Er sucht nicht mit Absicht die spaßige Seite der Dinge, er glaubt, man könne die Menschen nicht bessern, wenn man sich über sie lustig mache, und seine einzige Absicht ist sie zu bessern."[142] Der Grund für dieses Urteil Schmidts ist in seiner sehr eingeschränkten Satirendefinition zu suchen – Juvenal wäre kein Satiriker, wenn es danach ginge –

---

[140] Johan Huizinga: Europäischer Humanismus: Erasmus. Übers. v. Werner Kaegi. – Rowohlts deutsche Enzyklopädie, Hamburg 1958; S. 70.

[141] Zarncke LXXV.

[142] «Si la satire a pour but de tourner les travers en ridicule, afin de faire réfléchir les lecteurs en leur montrant le contraste entre ce qu'ils sont et ce qu'ils veulent paraître, le *Narrenschiff* ne mérite pas cette qualification. Brant assure, il est vrai, qu'il veut aussi amuser; dans une lettre à Geiler il dit même que, voyant les vains plaisirs et les vains soucis de la foule, il s'est habitué au rire perpétuel de Démocrite; cela ne peut pas être pris à la lettre, à moins qu'il n'ait voulu parler d'un rire forcé. Si quelque lecteur a ri en lisant son livre, il n'a certainement pas ri lui-même en l'écrivant. Il ne cherche pas à dessein le côté plaisant des choses, il croit qu'en se moquant des hommes on ne les corrige pas, et sa seule intention est de les corriger.» Schmidt, Histoire littéraire I 303.

und in seiner gefühlsbestimmten Art, Brant über einen fertigen Leisten zu schlagen.

Die neuere Forschung schwankt bezüglich Brants Verhältnis zur Antike und speziell zur römischen Satire. Böckmann meint von den Bildungselementen aus der Antike, ihre Aufnahme geschehe „nicht nur mit einem der Antike sehr fernen, sondern ihr geradezu feindlichen Sinn".[143] Gruenter hält dagegen, das könne „nur gelten, wenn man die Vorstellungswelt der römischen Satire nicht zum Ideenhaushalt der Antike rechnet",[144] und stellt an derselben Stelle fest, der Tor Juvenals sei der Narr Sebastian Brants. Doch kann es bei ihm am Ende wieder heißen, vor dem Todesgedanken lasse Brant „die Maske des Satirikers fallen und erkennen, was sich hinter seinem Fastnachtsgemälde verbirgt: das christliche Schaudern vor dem Tod, der der Anfang des Gerichtes ist".[145] Barbara Könneker endlich sieht in Tritheims Wort von der *divina satira* nur den Aspekt der „umfassenden und grundsätzlichen Lebensdeutung und Weltlehre".[146]

Der Grund für die Vernachlässigung dieser Hinweise auf die Verwandtschaft mit der römischen Satire ist wohl darin zu suchen, daß man mit der Zuordnung des ‚Narrenschiffs' zu deutsch-mittelalterlichen Literaturtraditionen dem Werke vollauf Genüge getan zu haben glaubte. Es hat sich jedoch gezeigt, daß keiner der für das Buch angenommenen Gattungstypen für das Ganze zutrifft, daß der Titel vom Narrenschiffe ein reiner Schmucktitel ist, der dem Werke keine Einheit gibt, und daß das Einheitsprinzip offensichtlich in der Persönlichkeit Brants selber liegt.

Wenn deshalb das Werk schon vom Bildlichen her ein vielgestaltiges Äußeres und eine innere persönliche Einheit zeigt, scheint es nicht falsch, dem einstimmigen Urteil der Zeitgenossen, das ‚Narrenschiff' sei eine Satire (von manchen präzisiert: eine Satire in der römischen Tradition) Aufmerksamkeit zu schenken. Im folgenden soll also die Möglichkeit der Zuordnung von Brants Werk zu den Hauptwerken der römischen Satire untersucht werden.

§ 3 Zuordnung zu der römischen Satire

15 Ein Vergleich zwischen der Gruppe der lateinischen Satiren und Brants Buch würde erfordern, daß jedem der Werke gleiche Aufmerksamkeit zukäme. Er würde voraussetzen, daß das ‚Narrenschiff' schon als Satire erkannt wäre und in allen Einzelheiten, gedanklich und formal, mit den Werken der Römer verglichen werden könnte.

---

[143] Böckmann, Formgeschichte 238.   [144] Gruenter, Die ‚Narrheit' 212.
[145] Ebd. 219.   [146] Könneker, „Eyn wis man" 48.

Nachdem die Möglichkeit einer Verbindung erkannt ist, muß ihre Tatsächlichkeit erst nachgewiesen werden. Es ist also sinnvoll, wenn Brant und seinem Werk größere Aufmerksamkeit geschenkt wird und die römischen Satiren, zu denen im übrigen hervorragende Studien vorliegen, je nur als Ausgangsbasis für die Betrachtung des ‚Narrenschiffs‘ benutzt werden.

Locher führt in seinem Prolog zur *Stultifera nauis* die Satiriker Lucilius, Horaz, Persius und Juvenal an. Der erstere war ihm und Brant sicher nur aus wenigen Zitaten bekannt, doch konnten sie sich bei Horaz über seine Art zu schreiben unterrichten. Brant kannte die drei übrigen offenbar ganz und recht gut: über die von Zarncke und Späteren nachgewiesenen Zitate und Anspielungen hinaus haben sich noch eine Menge aus allen Teilen ihrer Werke gefunden, die der Ergänzungskommentar meiner ‚Studien‘ im einzelnen verzeichnet.

Die Frage kann also präzisiert werden: Gibt es einen Zusammenhang zwischen Brants Persönlichkeit und Haltung, den Methoden, Ausdrucksformen und Stilmitteln im ‚Narrenschiff‘ mit denen der römischen Dichter und ihrer Werke?

16   „Nicht sowohl der objective zustand der sittlichen welt umher schafft den satiriker und didactiker, sondern weit mehr der subjective zustand des gemüthes und der stimmung dieses selbst." [147] Diese Ansicht Zarnckes bestätigt sich bei der Betrachtung der römischen Satiriker, die zu ganz verschiedenen Zeiten, in unterschiedlichen politischen und moralischen Umständen Form und Haltung der Satire ergriffen haben. Doch ist Aktualität eins der Hauptkennzeichen der Gattung, und so zeigt sich natürlicher Weise ein Bezug zwischen den behandelten und angegriffenen Gegenständen und der politischen und kulturellen Gegenwart des Satirikers.

Lucilius, der selbstbewußte Ritter, verwandelte die von Ennius und Pacuvius übernommene *satura*, die bunte Sammlung von Dichtungen über verschiedene Themen ohne polemische Schärfe, zur Waffe im Kampf gegen bestimmte Individuen, persönliche Feinde und Gegner des Kreises um den jüngeren Scipio. Sicherheit und Freimut seiner Angriffe sind durch seine hohe soziale Stellung wie auch durch seine Zugehörigkeit zu diesem Kreise bestimmt, der damals „Roms kraftvollstes Bildungszentrum" war,[148] und in dessen Dienst er seine Dichtung stellte. Neben dem Ausdruck seiner starken Persönlichkeit, deren Lebendigkeit sich in persönlichen Geständnissen wie in der Vernichtung von Gegnern durch das Wort erweist, ist also ein wesentliches Motiv seines Dichtens die Verantwortung gegenüber

---

147 Zarncke XLI.
148 Ulrich Knoche: Juvenal Satiren, übertragen und mit Anmerkungen versehen. – München 1957 (Das Wort der Antike. 2); S. 11.

der Idee des rechten, bewußten und gebildeten Lebens, wie er sie etwa in dem ausgedehnten Fragment über die *virtus* zum Ausdruck bringt:

> *virtus est, homini scire id quod quaeque habeat res,*
> *virtus, scire, homini rectum, utile quid sit, honestum,*
> *quae bona, quae mala item, quid inutile, turpe, inhonestum,*
> *virtus quaerendae finem re⟨i⟩ scire modumque . . .*[149]

Horaz war als Sohn eines Freigelassenen in ganz anderer Stellung als Lucilius, seine Zeit bestimmt durch den Übergang von der sterbenden Republik zum Kaisertum des großen Augustus. Seine Freundschaft mit Maecenas und später mit Augustus selbst[150] gab ihm Sicherheit, der von Maecenas geschenkte sabinische Bauernhoff finanzielle Unabhängigkeit. Bestimmend aber scheint für ihn der große Niedergang der Republik gewesen zu sein, wie er ihn etwa in *Carm.* III.6 *Delicta maiorum* beschreibt. Das Rom seiner Zeit büßt die Vergehen der Väter, die sich an der Mißachtung der Götter am eindrücklichsten zeigen. Erst wenn ihre zerfallenden Tempel und rauchgeschwärzten Standbilder wieder aufgerichtet sind, werden der Verfall des Staates und die Bürgerkriege enden (v. 1–8). Nicht nur die Mißachtung der Götter, sondern insbesondere die sittliche Zersetzung der Familie hat Unheil gebracht.

> *hoc fonte derivata clades*
> *in patriam populumque fluxit.*   (v. 19f.)

Dagegen setzt Horaz die gesunde, von der strengen Mutter beherrschte Familie der früheren Zeiten. Am Ende steht zusammenfassend:

> *damnosa quid non inminuit dies?*
> *aetas parentum peior avis tulit*
> *nos nequiores, mox daturos*
> *progeniem vitiosiorem.*

Wichtig erscheint dabei, daß dieses Bild das Schlußstück des großen patriotischen Zyklus ist, in dessen Zentrum die Figur des *Caesar altus* steht.[151] Fraenkel faßt das Gedicht in dieser Stellung als eine ernste Mahnung des Horaz an seine Zeitgenossen, die unangenehmen Erinnerungen in der Zeit der neuen staatlichen Ordnung nicht beiseite zu schieben, damit nicht auch diese Ordnung durch „selbstzufriedene Sorglosigkeit" wieder brüchig werde.[152] Daß Horaz nicht nur die letzten Generationen des römischen Volkes

---

[149] Lucilius, Saturae, frg. 594 Diehl (1328ff. Marx), zitiert sind v. 3–6. In: Ernestus Diehl: Poetarum Romanorum Veterum Reliquiae. – Berlin ⁵1961 (Kleine Texte für Vorlesungen und Übungen. 69); S. 145.
[150] Eduard Fraenkel: Horace. – Oxford 1957; S. 12 und 354ff.
[151] Ebd. 288.   [152] Ebd. 288.

mit seiner pessimistischen Feststellung kontinuierlicher moralischer Dekadenz im Auge hatte, beweist die Übernahme der Hesiodischen Zeitalterlehre am Ende der 16. Epode:

> *Iuppiter illa piae secrevit litora genti,*
> *ut inquinavit aere tempus aureum,*
> *aere, dehinc ferro duravit saecula.* (v. 63–65)

In dieses Bild fügt sich gut die Grundeinstellung des Horaz in seinen *Sermones* und *Epistolae*. Monolog, Gespräch, Beschreibung und Lehre kreisen immer wieder um die Frage nach dem *recte vivere*, nach dem rechten Maß und den Abweichungen davon, dem also, was Lucilius in dem angeführten Zitat zur *virtus* gerechnet hatte. Ging es aber diesem um Einzelnes, Aktuelles, so sieht Horaz die Notwendigkeit einer allgemeinen, das ganze Volk, die Zeit und alle Zeiten betreffenden Besserung, denn alle sind lasterhaft:

> *quemvis media elige turba:*
> *aut ob avaritiam aut misera ambitione laborat.* (Serm. 1.4.25 f.)

Alle, er eingeschlossen, sind Narren:

> *. . . insanis et tu stultique prope omnes* (Serm. 2.3.32)

Diese geistige Krankheit, die sich in einer Blindheit aus Narrheit und Unkenntnis der Wahrheit ergibt,[153] will Horaz heilen durch lachendes Darstellen der Wahrheit und durch graziös ausgedrückte Lehre. Dabei glaubt er an die Besserungsfähigkeit der Menschen:

> *invidus, iracundus, iners, vinosus, amator,*
> *nemo adeo ferus est, ut non mitescere possit,*
> *si modo culturae patientem commodet aurem.* (Epist. 1.1.38–40)

Es ist zweifellos richtig, wenn man auf die hohe und unnachahmliche Kunst der horazischen Satiren immer wieder hinweist.[154] Man darf dabei aber nicht vergessen, daß sie nicht nur um der künstlerischen Vollendung willen geschrieben sind, sondern auch den Stempel des ernsten Suchens tragen, von dem Horaz in seiner ersten Satire spricht (*Serm.* 1.1.27).

Während Horaz zwischen der persönlichen Anrede an seine Freunde und dem allgemein menschlichen Bezug innehält, vermeidet Persius den aktuellen Kontakt. Unter Nero lebend, den an politischer Öffentlichkeit

---

[153] *Quem mala stultitia et quemcumque inscitia veri Caecum agit, insanum Chrysippi porticus et grex Autumat. Serm.* 2.3.43 ff. Wir haben es zwar hier mit der Rede des Damasippus zu tun, aber Horaz stimmt damit überein: ebd. 305 und 326.

[154] Vgl. z. B. Knoche, Juvenals Satiren 15.

unmöglichen Widerstand gegen die Herrschaft und ihre Satelliten[155] philosophisch in der stoischen Haltung und künstlerisch in der kunstvoll-schwie-
rigen Sprache ausbauend, folgte er seinem Satz vom Ende der vierten
Satire:

> respue, quod non es; tollat sua munera Cerdo;
> tecum habita; noris, quam sit tibi curta supellex.   (IV 51f.)

Auch Persius lacht (I 12), aber verächtlich, denn für seine Epoche „hoffte
er auf keine allgemeine Besserung mehr".[156] Abgeschlossen von der Welt
außerhalb eines kleinen Kreises von Gleichgesinnten, versucht er in sich
selbst hinabzusteigen (IV 23), sich selbst zu erkennen.

> auriculas asini quis non habet?   (I 121)

Aber er ist ferne davon, sich wie Horaz selbst wirklich einzubeziehen.
Cornutus, sein verehrter Lehrer, hat ihn geformt, er ist eins mit ihm und
somit nahe der Vollkommenheit. Es fehlt ihm deshalb die Fähigkeit, andere menschlich zu verstehen, die Horaz darin gewinnt, daß er freimütig
seine eigenen Fehler erkennt und sogar die anderer taktvoll auf sich nehmen kann.[157] Dagegen will auch er heilen, zur Wahrheit führen. Als häufigste Metapher zur Bezeichnung seiner Tätigkeit wählt er die des Arztes,
der durch Kratzen säubert oder irritiert:

> Sed quid opus teneras mordaci radere vero
> auriculas?   (I 107f.)

> ore teres modico, pallentis radere mores
> doctus et ingenuo culpam defigere ludo   (V 15f.)

Der stoicus, der fertige Philosoph, hat ein mit scharfem Essig gesäubertes
Ohr, damit die Wahrheit ungehindert eindringe (V 86). Im Zentrum der
dritten Satire, deren Leitmetapher die Krankheit ist,[158] steht die bedeutsame Analogie:

---

155 Vgl. Knoche, Römische Satire 80.   156 Knoche, Juvenals Satiren 16.

157 Fraenkel, Horace 12. – Vgl. Otto Weinreich (Hrsg.): Römische Satiren. Ennius, Lucilius, Varro, Horaz, Persius, Juvenal, Seneca, Petronius. Übersetzt
  von Otto Weinreich, Chr. M. Wieland et al. – (Hamburg) 1962 (Rowohlts
  Klassiker der Literatur und der Wissenschaft. Lateinische Literatur Bd. 4);
  322: „Persius vertieft die Satire philosophisch, gibt ihr stoisches Ethos, und
  Juvenal ersetzt durch verbissene Schärfe den überlegenen, versöhnlich wirkenden Spott. Beiden geht Selbstironie ab, und aus Horazens Devise des
  ridentem dicere verum streichen sie beide das ridentem."

158 W. S. Anderson in W. S. Merwin: The Satires of Persius. – Bloomington 1961;
  S. 39.

Helleborum frustra, cum iam cutis aegra tumebit,
poscentis videas: venienti occurite morbo,
et quid opus Cratero magnos promittere montis?
discite, o miseri, et causas cognoscite rerum . . . (III 63–66)

Lernen also, Weisheit und Wahrheit erkennen, heißt der Krankheit schon begegnen, wenn sie herankommt. Die Metaphorik von Arzt, Krankheit und Heilung ist also bei Horaz und Persius zu finden und drückt ihre Einstellung zu den andern, das Ziel ihrer Satire aus. Die eben zitierte Stelle kann direkt auf Horaz zurückbezogen werden (*Epist.* 1.2.33–37), wo ebenfalls Krankheit und Lernen der Weisheit einander gegenüberstehen. Während aber Horaz im Bewußtsein, daß er einer bestimmten Lebensart und -haltung sich nicht verpflichten kann und will (vg.. z. B. *Epist.* 1.17.23ff.) sich auf einfache Sätze der Erfahrung und im Grunde immer nur auf die Idee des rechten Maßes stützt, lebt und spricht Persius aus der Einheit und Starrheit der stoischen Lehre, alles verdammend, was nicht zu seinen Idealen stimmt. Wer ihm folgen soll, wird nicht langsam und mit überzeugenden Gedanken von seinen Narrheiten weggeführt, sondern durch beizende, oft obszöne Sprache von ihnen weggeschreckt und muß einen Sprung tun, um auf Persius' Seite zu stehen. Das trifft mit der eingezogenen, esoterischen Einstellung zusammen, die wir auf Grund seiner politisch-sozialen Lage an ihm beobachtet haben.

Juvenal dagegen scheint in den frühen Satiren sozusagen stets auf der Straße zu sein (1.63), unermüdlich Details sammelnd für die überscharf gezeichneten Bilder aus der Vergangenheit. Denn die Beispiele seiner Satiren sind aus der Epoche Domitians genommen, die zwar Juvenal stark beeindruckte und wohl mit dem tiefen Pessimismus[159] erfüllte, von dem seine Satiren sprechen, die aber bei der Abfassung der Dichtungen schon den neuen Regenten gewichen war. Wie Horaz am Ende des Zyklus auf Augustus die Ode über die kontinuierlich fortschreitende Dekadenz der Menschheit und besonders der Römer stellt, so entläßt Juvenal mit seinem grellen Bild der vergangenen Scheußlichkeiten seine Zeitgenossen nicht in die Selbstzufriedenheit unter den neuen Herrschern Trajan und Hadrian.

Wohl spielt auch die Gefährlichkeit der direkten Satire gegen zeitgenössische hochgestellte Personen eine Rolle in der Wahl von Beispielen aus der Vergangenheit, wie Juvenal am Ende der ersten Satire dem fiktiven Gesprächspartner zugibt. Aber diesen Abschnitt leitet er ein durch die Feststellung, jegliches Laster sei zu seiner Zeit auf dem Höhepunkt, die

---

[159] Highet, Juvenal, versucht eine Rekonstruktion: Juvenal sei im Exil in Ägypten gewesen (4–29). Später schreibt er: "Whether by exile, or by fear, he had been converted into a bitter, distrustful, pessimistic man, whose world was out of joint" (55).

Enkel wüßten nichts mehr hinzuzufügen (1.147–149). Damit wird der Leser also darauf hingewiesen, daß er selbst und seine Zeit noch weit schlimmer sei als das der Vergangenheit Entnommene. Das bestätigen Zeilen wie 6.345, nach der Clodius, der Schänder des Frauenfestes, heute an jedem Altare zu finden sei, oder 6.655f.:

> occurrent multae tibi Belides atque Eriphylae
> mane, Clytaemestram nullus non vicus habebit.

An solchen Stellen also führt Juvenal seinem Leser gleichsam die Hand: jedes geschilderte Verbrechen, das in der Vergangenheit von Einzelnen begangen und wegen seiner Scheußlichkeit im Gedächtnis der Menschen bewahrt wurde, jedes muß in der Anwendung auf die Gegenwart wenn nicht an Scheußlichkeit gesteigert, so doch in der Quantität vervielfacht und verallgemeinert werden. Man kann seinen Vorgang damit als gleichsam metonymisch verstehen; auch etwas von der emphatischen Aposiopese spielt herein. Jedenfalls erreicht Juvenal damit, daß die Lebendigkeit und Eindrücklichkeit seiner Beispiele nicht mit bloßer aktueller Polemik und Publizistik verwechselt werden kann, sondern in allgemeinerem Sinne genommen werden muß: so verbindet er Drastik der Darstellung und Analyse mit überzeitlichen Gesichtspunkten, also die Qualitäten, die Lucilius in der tagesbezogenen Publizistik und Polemik, Horaz auf der anderen Seite in der betonten Abwendung von Zeitbezogenem und Hinneigung zum Allgemeinmenschlichen erreicht hatten. Daß er wie Horaz seine Zeit als das Ende eines langen geschichtlichen Dekadenzprozesses versteht, zeigt nicht nur die oben besprochene Stelle 1.147–149, sondern auch etwa 6.286–300, wo die Verderbnis Roms aus der arbeitslosen Üppigkeit, dem Fehlen von Härte, Leid und Armut hergeleitet wird.

Zorn auf die Erscheinungen dieser universalen Verderbnis erfüllt Juvenal (1.45); in den ersten Satiren ist er nur Werkzeug dieser Empörung:

> si natura negat, facit indignatio versum
> qualemcumque potest, quales ego vel Cluvienus.   (1.79f.)

Kaum erlaubt er sich da, ein Wort positiver Lehre einzuflechten, die Grundlage seiner leidenschaftlichen Anklage zu nennen. Aber aus der Wahl seiner Themen, Beispiele, Stoffe läßt sie sich erschließen: es ist Zorn über Ungerechtigkeit und Laster,[160] die Auswirkungen der langen Verderbnis durch Üppigkeit, Frieden und Reichtum. Was ihn also entzündet, ist das verletzte Gefühl der Rechtschaffenheit, der *probitas*, die zwar von allen heuchlerisch gelobt wird, aber in dieser Welt zu nichts kommt (1.74).

Doch später läßt die wilde Glut dieses Geistes nach, die durch die in der

---

160 Knoche, Juvenals Satiren 18.

Entrüstung hervorspringenden Bilder und Gestalten den gedanklichen Grundbau der ersten Satiren zu verdecken droht. Das letzte Buch fängt mit einer *consolatio* an. Ein Freund, der durch einen Vertrauensbruch Geld verloren hat, wird durch Argumentationen getröstet. Der Gedankengang herrscht hier vor. Die Satire beginnt mit einem allgemeinen Satze:

> *Exemplo quodcumque malo committitur, ipsi*
> *displicet auctori: prima est haec ultio, quod se*
> *iudice nemo nocens absolvitur, improba quamvis*
> *gratia fallaci praetoris vicerit urna.* (13.1–4)

Hier treten dann auch die positiven Begriffe zutage, die Juvenals Denken bestimmen: die Guten, die heute so selten sind (13.26f.), Einfalt, Treue, Achtung vor der Würde, die man in den saturnischen Urzeiten zu suchen hat (13.38–59), die endlich doch sichtbar werdende Wirkung und Existenz der Götter (13.247–249). Hier wird der Freund belehrt, daß das Bewußtsein der bösen Tat ein viel gewaltigerer Rächer ist als schwächliche äußere Vergeltung (13.192–198). Dies leitet zurück zum Ende der ersten Satire, wo die Wirkung der Lucilianischen Angriffe darin gesehen wird, daß

> *rubet auditor cui frigida mens est*
> *criminibus, tacita sudant praecordia culpa.* (1.166f.)

Das scheint also ein tief verankerter Glaube Juvenals zu sein, und seine Satire erscheint von dieser späteren Sicht wie bei Lucilius als ein bewußtes Peinigen der schuldigen Gewissen seiner Zeitgenossen – nicht durch direkte, auf je eine Person beschränkte Polemik, sondern durch Aufzeichnung allgemeingültiger Bilder, wie sie jeden an die eigene geheime Schuld erinnern können, damit der verborgene Peiniger wieder einen Schlag mit der Peitsche tue.

Beim Vergleich der vier Persönlichkeiten und ihrer historisch-politischen Zeitsituationen haben sich mehrere Gemeinsamkeiten gezeigt, die wir zusammenfassen wollen. Alle vier erscheinen als kraftvolle Persönlichkeiten in ihrer Dichtung, beschreibend, beurteilend, strafend, belehrend, ernst und lachend. Viel zu mannigfaltig wäre der Stoff und die Wahl der Ausdrucksmittel, als daß durch sie eine Einheit in den Werken oder auch oft nur in einem einzigen Stück entstände: die Persönlichkeit des Autors, der fast an jeder Stelle im Werke gegenwärtig ist und nur selten das Wort einem andern abgibt, ist die Lichtquelle des Ganzen, in ihr ruht Einheit und Zusammenhalt des Vielfältigen. Die Persönlichkeit des Autors steht in unmittelbarem Kontakt mit der umgebenden Welt, den Menschen, der Gesellschaft, dem Staat und seinen Führern. Etwas in ihm aber paßt nicht in diese Welt hinein, und er macht dieses Innere zum Maßstab der Dinge, setzt es als Sein-Sollen dem So-Sein gegenüber. Am Kontakt dieses Maßgebenden mit der Welt kann Satire entstehen, wenn der Autor die entsprechende Haltung einnimmt (aus einer andern Haltung im gleichen Problemfeld kann etwa Philosophie entstehen). Die Haltungen der vier Dichter sind später zu studieren.

Bei allen jedoch haben wir bestimmte Zentralbegriffe der Rechtschaffenheit, Tüchtigkeit, des richtigen maßvollen Lebens gefunden, die als Maßstäbe an das Verhalten der Menschen und die zeitlichen Gegebenheiten gehalten werden. Da die Satire im unmittelbaren Kontakt der bestimmten Persönlichkeit mit ihrer bestimmten Zeit und Gesellschaft entsteht, ist die wirkliche Stellung dieser Persönlichkeit in dieser Zeit und Gesellschaft wichtig für die Art möglicher Stellungnahme. Wir haben bei allen vier Dichtern gesehen, daß die Art, wie sie auf die Menschen ihrer Zeit einzuwirken suchen, in unmittelbarer Verbindung steht mit der politischen Lage, mit ihrer Stellung in der Gesellschaft und mit den Erlebnissen, die sie durch die Gesellschaft gehabt haben. Sofern also die Satire eine Zweckform ist, die auf die bestimmte historische Situation unmittelbar einwirken will, erweist sich auch der Autor als von der bestimmten historischen Situation beeinflußt und tritt so in seiner Dichtung auf.

17 Demnach erscheint es gerechtfertigt, auch Brants Stellung in und zu seiner Zeit ins Auge zu fassen, wenn wir die Beschaffenheit und Begründung seiner Dichtung erkennen wollen, die Locher ja als Satire im römischen Stil bezeichnet hat.

Freunde und Tätigkeiten werfen Licht auf Brants Persönlichkeit, so wie man sie sich bis zur Zeit der Dichtung des ‚Narrenschiffs‘ vorstellen muß. Wir brauchen hier nicht ins Detail zu gehen, das die kompetenten Studien von Strobel, Zarncke und Schmidt liefern. Nur kurz sei zusammengefaßt.

Der Anschluß Brants an Johannes Heynlin a Lapide und seinen Kreis war entscheidend für sein Leben; viele der Haltungen, Ansichten und Handlungen Brants können darauf zurückgeführt werden. Da er diesem Kreis schon zur Zeit seiner Immatrikulation 1475 näher trat, stand sein ganzes Studium, mindestens das Interesse für bestimmte Gebiete, unter den Aspekten der dort gepflegten Gedankengänge. Heynlin wandte sich gegen die scholastische Philosophie, deren Einfluß das geistige Leben bis hinunter in den Grammatikunterricht hemmte.[161] Damit gehörte Brant von Anfang einer geschlossenen Gruppe an, die sich gegen die allgemeine Zeitströmung stellte.

---

[161] Vgl. z. B. die instruktiven Auszüge aus Grammatiken und zeitgenössischen Kommentaren bei Zarncke 346–350.

Wie sehr sich Brant für die Ideen einsetzte, zeigt der anonyme Brief, der sich schon 1480 gegen den Baccalaureus richtete;[162] der Anonymus wendet sich gegen Brants Angriffe auf „die Grammatik, die unsere Väter gelernt haben", wogegen sich dieser allerdings mit einem Lobe des Donatus verteidigt. In der Hauptsache jedoch geht es Brant um das Studium der Texte (daher seine genaue Kenntnis vieler lateinischer Schriftsteller), um die Sammlung und Bereitstellung von Texten, die schon Heynlin in Paris betrieben hatte und die Brant in Basel durch seine enge Verbindung zum Buchdruck kräftig unterstützt.

Wie schon Steinmeyer feststellte,[163] schränkt der Verzicht auf philosophische Spekulation den Wirkungskreis der Gruppe um Heynlin auf die praktische Moral und humanistische Erziehung ein. Ich möchte noch hinzufügen: praktische Religiosität, wie sie sich in den Gestalten Heynlins und Geilers von Keysersberg ausprägt. Auch Schott zog es mehr zur Theologie, der er sich noch nach der Erlangung des Doktorgrads *utriusque iuris* widmete.[164] Jeder widmete sich einem Berufe, in dem die Gedanken des Kreises weiter verbreitet werden konnten und direkte Anwendung auf die Zeit fanden: Heynlin und Geiler waren Prediger, Wimpheling erwarb sich hohe Verdienste mit seinen pädagogischen Tätigkeiten, Brant war Jurist, Universitätslehrer und später Stadtschreiber. Wie sehr Brant sich in einem heiligen Sinne als Diener göttlicher Ordnung auf Erden gefühlt haben muß, geht aus vielen Stellen seiner Dichtung hervor: aus dem ‚Narrenschiff‘ und mehreren Epigrammen, wo er die Dekadenz der Gerechtigkeitsidee beklagt, und wo Gott hauptsächlich unter dem Aspekt der Gerechtigkeit erscheint; und vor allem aus dem Zusatz zur *Stultifera nauis* von 1498, *De corrupto ordine uiuendi pereuntibus*: Narrheit erscheint da überhaupt als Bruch des göttlichen Gesetzes und Maßes, als Heraustreten aus der klaren, alldurchdringenden Ordnung, in der jedes Kleinere dem Größeren gerne gehorcht.[165] Aber dieses Heilige, diese göttliche Signatur der Dinge, sah er in seiner Zeit überall zerbrochen, gestört von innen durch Eigennutz, Lüge, Habgier, Übertretung der Standesgrenzen, religiöse Uneinigkeit, bedroht von außen durch den politischen und religiösen Feind: die Türken. Wohin er blickte, überall wurde sein Sinn für Ordnung und Gerechtigkeit verletzt durch die Handlungen der Mitmenschen, die Zustände in Kirche, Gesellschaft und Politik.

Man hat Brant häufig den Vorwurf gemacht, daß er sich nicht wie

---

162 Abgedruckt bei Strobel ‚Das Narrenschiff‘, 3ff.; Zarncke XXI A 1.
163 ADB III 257.
164 Brief an Geiler *ad XIII Kalendas Ianuarias 1480.* – Lucubraciunculae Nr. 13 fol. VIIb.
165 V. 15–28 (Zarncke 121a b).

Luther, Zwingli, Erasmus, Reuchlin und Hutten am Sturz der bestehenden Autoritäten beteiligt habe.[166] Abgesehen davon, daß die meisten der Genannten bedeutend jünger sind und in eine Zeit hineinwuchsen, die sowohl politisch als auch kulturell ganz andere Voraussetzungen bot, sind gerade die Älteren, Reuchlin und Erasmus, in den Streit durch Angriffe auf ihre zunächst gänzlich unaggressive philologische Tätigkeit auf das Schlachtfeld gerufen worden. Auch Brant scheute den Kampf nicht, wo ein persönliches Anliegen in Gefahr geriet: der Streit mit Wiegand Wirt zeigt das deutlich. Es ist erstaunlich, wie wenig man sich bemüht hat, Brant in seiner Haltung zu verstehen. Dabei ist es doch ganz deutlich, wie der von Heynlin gelehrte bewußte Verzicht auf Spekulation in religiöser oder historisch-philosophischer Hinsicht, der Verzicht auf den Versuch, mit dem Denken ein Verständnis der Wege Gottes zu erzwingen, eine solche Haltung notwendig hat hervorbringen müssen.

> Nit lasz vom glauben dich abfüren,
> Ob man davon will disputieren;
> Sonder glaub schlecht einfeltiglich,
> Wie die heilig Kürch thut lehren dich.
> Nimb dich der scharpffen Lehr nit an,
> Die dein Vernunfft nit mag verstahn.
> Das Schäfflin schwembt offt usz an Stad,
> da der Helffant ertrinckht mitt schad,
> Niemandts nachfragen soll zu gnow
> dem glauben unnd seiner Ehefraw,
> dasz es zu letst ihn nit gerauw.
>
> (Epigramm 1; Zarncke 154f.)

Dogmen und Erklärungen über das Verhalten Gottes, wie sie die Kirche liefert, sind also weitaus genügend; es ist der Seele gefährlich, sich denkend mit theologischen Problemen abzugeben. Diese „Kirchentreue" hat ihm die Forschung seit hundert Jahren sehr übel genommen.[167] Dabei hat man aber übersehen, daß Brant der Kirche zwar institutionell und dogmatisch ihre beherrschende Stellung nicht nehmen will, daß er aber nirgends im ‚Narrenschiff' ihre Mittlerstellung zwischen Gott und Individuum erwähnt. Im Gegenteil, jeder Einzelne ist allein vor Gott, ihm selbst ver-

---

[166] Diese Namen zählt Zeydel auf: The Ship of Fools 8.

[167] Vgl. z. B. Hermann Schönfeld: „Die kirchliche Satire und religiöse Weltanschauung in Brants ‚Narrenschiff' und Erasmus' ‚Narrenlob', resp. in den 'Colloquia'." Modern Language Notes VII (1892), 39–46, 69–75, 173f., und William Gilbert: "Sebastian Brant: Conservative Humanist." Archiv f. Reformationsgeschichte, Jg. 46 (1955) 2, 145–167.

antwortlich, und keine geistliche Macht kann die Sünden von ihm nehmen. Brant strebt also nach innerer Reformation, während er die einheitschaffende institutionelle und geistige Macht der Kirche durchaus befürwortet.

Sein Vorbild in diesem Bestreben scheint Bernhard von Clairvaux gewesen zu sein, den er als *meus dulcis pater: et magister* bezeichnet.[168] So wie die Cluniazensische Reform von innen her auf die Glieder der Kirche und schließlich nach außen auf den Kreuzzugsgedanken wirkte, so versucht Brant eine innere Neuformung des ganzen geistigen und sittlichen Lebens, die eine neue, auch politische Einheit und schließlich den Kreuzzug gegen die Türken zur Folge haben sollte. Es fällt schwer, unter diesem Gesichtspunkt noch an dem Gedanken der „mehr oder weniger bewussten resignation"[169] festzuhalten, die den Charakter des Kreises um Heynlin bestimmt haben soll. Gewiß, das Basler Reformkonzil war mit seinen praktischen und gesunden Ideen unterdrückt worden; das Bedauern darüber und der Versuch der Weiterführung der Ideen zeigen sich in der Veröffentlichung der Konzilsakten, an der sich Brant maßgeblich beteiligte. Aber es schien in dieser Zeit noch andere Wege zur allgemeinen Besserung zu geben als den Angriff auf Dogmen und Institutionen der Kirche, um deren spitzfindige Formulierung und Diskussion es diesen aufs Praktische gerichteten Männern gar nicht zu tun sein konnte. Wenn sie die angegriffenen Dogmen zu verteidigen und zu beweisen suchen, dann sicher aus dem Bedürfnis heraus, die letzte äußerlich intakte Einheit ihrer überall zerbrechenden Welt aufrecht zu erhalten. Aus diesem Bedürfnis kann auch ihre Verteidigung des Ablasses Erklärung finden. Wenn ihre innere Reformation auch in der Kirche den geplanten Erfolg haben würde, könnten die Gelder des Ablasses nur zur wirklichen Stärkung der Kirche verwandt werden.

Unhistorisch gedacht, mittelalterliche Ideen von der Unterwerfung des Kaisers unter den Papst – freilich, aber man darf die unmittelbare Bedrohung durch die Türken, das Gefühl der plötzlichen Auflösung alles Bestehenden, die Ahnung des Neuen, das sich zerstörerisch ankündigte, nicht unterschätzen. Das Werk über die Geschichte Jerusalems und das Kapitel 99 des ‚Narrenschiffs' beweisen, wie groß Brants Angst vor der Vernichtung

---

168 *In diui Onophrii laudem. Var. Carm.* 13, Flugblatt 6, Heitz. Die Verbindung des Elsässer Kreises mit Bernhard scheint überhaupt stark gewesen zu sein, vgl. z. B., von Wimpheling herausgegeben: *Divus Bernardus in symbolum apostolicum. Idem in orationem dominicam. Idem de fide christiana. Thomas Wolphius iunior in Psalmum benedicite. – Argentoraci quae insignis Elvetiorum urbs est: Nonis Ianuariis Anno Christi septimo et quingentesimo supra millesimum. Ioannes Knoblochus imprimebat Matthias Schürerius recognovit.* In 4° (Schmidt, Hist. litt. II 334, No. 71).
169 Zarncke XVIII.

des ganzen Abendlandes durch die Türken war. Zu dieser politisch greif-baren Gefahr kam eine weitere, die nach Brants fester Überzeugung seine Zeit bedrohte, und die von der Forschung bisher kaum beachtet, jedenfalls nicht in ihrer Auswirkung auf Brants Denken gewürdigt wurde: die her-einbrechende Endzeit.

Diese Vorstellung kann nur bei einer Untersuchung von Brants Denken ausführlich besprochen werden. Hier sei bloß an das häufige Vorkommen solcher Ideen bei Brant erinnert: die Flugblätter sind voll davon – anläß-lich der ,Fuchshatz' wurde schon darauf hingewiesen.[170] Ein Gedicht an Reuchlin[171] führt die Europa epidemisch verheerende Syphilis auf die Rache Gottes in der Endzeit zurück: kein Volk ertrage mehr die angestammte Herrschaft, jeder denke nur an sich. Auch die Deutschen wollten sich selbst das Haupt abschlagen. Das Ende sei nahe. Deshalb schicke der *deus ultor* die fürchterlichen Krankheiten und Fieber, Ungeheuer, Wunderzeichen und vielgestaltigen unbekannten Tod, um Sünden und Unrecht zu strafen. Das Gedicht *De corrupto ordine viuendi pereuntibus* verbindet Brants Endzeit-gefühl mit der Vision Daniels (v. 269ff., Zarncke 124 a b). Das vierte Tier in der Vision (Dan. 7,7 und 8) wird als das Römische Reich gedeutet (das für Brant wie für das Mittelalter mit Caesar beginnt). Die zehn Hörner deuten Zerteilung der Herrschaft und Regierungswechsel an. Wie die Ge-schichte Brant zeigt, ist die gegenwärtige Unruhe im Römischen Reich ein deutliches Anzeichen für einen neuerlichen Regierungswechsel, der die Macht wieder aus den Händen der Deutschen nehmen wird. Dieser wird für das Jahr 1503 vorhergesagt, in dem eine besonders ungünstige Gestirn-konstellation zu erwarten ist (v. 305ff.). Der türkische Einbruch erfüllt Brant mit Furcht, daß die Herrschaft an diese Ungläubigen übergehen wird (v. 423f.). Der Schluß des Gedichtes setzt Hoffnung auf Symptome der Einigung unter den deutschen Landesherren mit dem Kaiser Maximilian, durch die das drohende Unheil noch einmal abgewandt werden könnte. Noch spät, als durch frühen Tod Maximilian, Brants ständige Hoffnung, hinweggerafft wurde, dringt in seinem *Epicedion* die ganze Angst vor dem Untergang des Römischen Reiches wieder durch: die Zeilen 22–28 dieses Gedichtes[172] wiederholen drei prophetische Distichen des über zwanzig Jahre früher geschriebenen Gedichtes *De corrupto ordine*: Die Kurfürsten wählen schon einen würdigen Nachfolger –

---

[170] Abschnitt 11.

[171] *Ad ornatissimum Imperialium legum interpretem Johannem Reuchlin ... de pestilentiali scorra sive mala de Franzos: anni XCVI.* Flugblatt 17 (Heitz); vgl. *Var. Carm.* 57.

[172] *In mortem divi Caesaris Maximiliani Epicedion, autore Sebastiano Brant* (Zarncke 198b).

Sin aliter, sceptrum a nobis tolletur et ibit
   Longius, ah graviter Theutona terra gemet. (De corr. ord. 321f.)

Dii melius, vates utinam sim falsus, at illud
   Fata canunt, monstrant tempora et astra docent.   (ebd. 429f.)

Noxius obiectus ludus, iacta alea pernix,
   Senio displicuit, unio saeva cadet.   (ebd. 427f.)

Wenn schon die Verbindung mit der Vision Daniels den religiösen Charakter dieser Endzeitstimmung Brants gezeigt hat, so wird dies im ‚Narrenschiff' ganz deutlich. Kap. 56 sagt vorher, daß Gottes Zorn in Kürze entflammen wird (v. 45), Kap. 99 prophezeit dem Christenglauben, der Kirche und dem Römischen Reich Untergang, wenn ihre Glieder weiterhin nur den eigenen Nutzen betrachten. Kap. 103 vor allem schließt aus der alldurchdringenden Falschheit, Unwahrheit und Lüge die unmittelbare Zukunft des Antichrist, was wieder auf die Visionen Daniels zurückführt.

Wer dem Antichrist folgen und mit ihm untergehen wird, sind die Narren des ‚Narrenschiffs'. Brants Aufruf an die Menschen seiner Zeit, ihre Narrheit zu erkennen und sich der göttlichen Weisheit zu öffnen, steht also in unmittelbarem Bezug zu einer politisch-religiösen gegenwärtigen Gefahr: dem drohenden Einbruch der Türken und dem Kommen des Antichrist. Dies ist der aktuelle Bezug seines Werkes: er versucht die Menschen seiner Zeit und das Römische Reich vor dem Untergang zu retten durch innere Reformation. Wie Horaz und Juvenal sieht er sich und seine Zeitgenossen in einer geschichtlichen Grenzsituation, die bei ihm allerdings viel stärker als bei jenen mit religiöser Angst erfüllt ist. Nicht Zorn und Empörung wie bei Juvenal, nicht Verachtung wie bei Persius, nicht freundschaftliche Fürsorge wie bei Horaz, sondern ernstes Verantwortungsgefühl bewegt Brant dazu, das ‚Narrenschiff' zu schreiben. Er gehört einer zwar nicht politisch, aber geistig führenden Gruppe an. Da seine Kritik sich auf dem geistigen Feld zwischen Narrheit und Weisheit bewegt, kann sie deshalb mit Freiheit geäußert werden. Er braucht keine Namen zu nennen, denn seine Kritik bezieht sich auf allgemeine geistige Haltungen. Nur an wenigen Stellen, in der Ständesatire, nähert er sich der direkten Benennung von Personengruppen. Zudem würde eine Nennung von Namen den Zweck verfehlen; er möchte ja Selbsterkenntnis bei allen erzielen, und eine Nennung Einzelner könnte alle übrigen zwar vielleicht schadenfroh machen, aber nicht auf den Weg zur eigenen Besserung bringen. Daß Brant als Tadler, Richter, Lehrer, stets als Individuum und Persönlichkeit im ‚Narrenschiff' anwesend ist, geht aus dem Texte klar hervor. Schon Böckmann macht darauf aufmerksam: „Zugleich besitzt Brants Satire eine persönliche Entschlossenheit und Zielstrebigkeit, einen Mut zur Paradoxie, wie sie erst durch die Entschiedenheit einer bestimmten Persönlichkeit in die Dichtung eindringen kann. Erst bei Brant ist die Dichterindividualität wieder so wichtig wie auf anderer Ebene schon bei Walther oder Wolfram."[173] Die Begriffe und Attribute von Narrheit und Weisheit werden nicht rigoros und absolut festgestellt, sondern je persönlich von Brant verliehen. Ja, Brant rechnet sich selbst zu den Narren, und zwar nicht „an versteckter Stelle", wie es Gruenter haben möchte,[174] sondern über die von ihm angegebene Stelle in der Protestatio hinaus noch mehrere Male: 111, 67–75 in der *entschuldigung des dichters*, wo er mit Bezug auf seine eigene Narrheit den langen Weg zur Weisheit begründet, auf dem er sich befinde; 110,27f. heißt es von der Narrenkappe:

> *Ich hab langzit gezogen dar an*
> *Vnd will mir doch nit gantz ab gan /*

Auch 99,c *Lont mir myn narrenkapp alleyn* und 100,24 *went mir die narrenkapp nit lon* sind deutlich. Das ganze Kapitel 108 schließt ihn ein: er ist der Sprecher der Narren, der nach der Erzählung von Odysseus' Schicksalen neu einsetzt:

> *Do mit kum ich vff vnser für*   (108,102)

Er ist derjenige, der für das Narrenschiff, in dem er mitfährt, den Untergang vorhersagt; sich und seine Genossen stellt er dem Weisen als schlimme Exempel gegenüber (108,129f.). Brant besitzt also die sokratisch-horazische Einsicht und den Humor, sich selbst unter die Narren zu zählen und auf dem Wege zur langsamen Besserung und Erkenntnis zu sehen.

Wenn man auf die Kriterien zurückschaut, die bezüglich der Persönlichkeit des Satirikers und ihrer historischen Situation aus dem Vergleich der vier römischen Satiriker gewonnen wurden, stellt man Übereinstimmung mit dem fest, was sich bei Brant gefunden hat: die Einheit des Werkes wird durch seine ständig darin sichtbare Persönlichkeit gestiftet; Brant sieht seine Gegenwart durch die Narrheit aller Menschen bedroht und stellt die Begriffe der göttlichen Weisheit, der Ordnung und Gerechtigkeit dagegen; Brant dichtet aus einem starken persönlichen Grundgefühl heraus: der Verantwortung für seine Zeit, das Römische Reich, seine Mitmenschen und endlich sich selbst; Brants Stellung in seiner Zeit ist nicht so sehr sozial, sondern vor allem geistig bedeutsam: er gehört einer geistig führenden Gruppe an und kann deshalb mit Schärfe und Freiheit, im Bewußtsein ungeschwächter Wirkung seiner Rede, die geistig moralische Unzulänglichkeit der Mitmenschen kritisieren.

---

[173] Böckmann, Formgeschichte 235.   [174] Gruenter, Die ‚Narrheit' 215.

18 Nun sind die Haltungen darzustellen, die die Satiriker zu ihren Objekten und zu ihrem Publikum einnehmen. Es hat sich gezeigt, daß alle untersuchten Autoren auf ihre Zeitgenossen oder auf die Menschen aller Zeiten mit ihrer Dichtung einwirken wollten. Nun gibt es verschiedene mögliche Richtungen und Zwecke dieser Einwirkung, die wir als Haltungen bezeichnen und die jeweils bestimmten Methoden, Ausdrucksformen und Stilmittel hervorbringen. Erst in diesen Haltungen unterscheidet sich der Satiriker von anderen Autoren, die ebenfalls direkt auf ihre Zeit einwirken wollen, aber andere Haltungen einnehmen. So ist zum Beispiel Sokrates im platonischen Dialog darauf aus, die Menschen seiner Zeit aus ihrer eingebildeten Besserwisserei zur Erkenntnis zu führen. Dabei liegt aber der Akzent auf der zu gewinnenden Erkenntnis; Sokrates' Haltung ist die des Suchenden, der andere aufruft, mit ihm nach der Wahrheit zu forschen. Doch bevor Sokrates seine Hörer zur Suche bereit findet, muß er sie an den Punkt führen, wo ihre eingebildete Kenntnis in ihrer Unzulänglichkeit erscheint; das wird sich als satirischer Moment erweisen, und so erklärt sich, warum der argumentierende Dialog eines der traditionellen Stilmittel der Satire ist.[175] Der Satire noch näher kommt Bion von Borysthenes, den Horaz (*Epist.* 2.2.59f.) dem Stil und der Art nach seiner Satire verwandt sieht.[176]

Bei allen untersuchten Dichtern haben wir bestimmte Idealvorstellungen vom guten, weisen, rechten Leben gefunden, die sie in ihrer Zeit nicht erfüllt sahen. Bei ihnen wird also nicht wie bei Sokrates erst nach dem Richtigen gesucht, sondern es steht schon fest als gelernte Philosophie wie bei Persius, als Lebenserfahrung und Popularphilosophie[177] wie bei den andern.

Am Kontrast dieser Verhaltensidee mit dem tatsächlichen Leben der andern entspringt je nach dem Temperament des Dichters ein bestimmtes dominantes Grundgefühl, das wir bei Lucilius als persönlichen Haß, bei Horaz als freundschaftlich wohlwollende Mißbilligung, bei Persius als Verachtung, bei Juvenal als Zorn und Empörung, bei Brant als Angst und Verantwortungsbewußtsein andeutend umschrieben haben – bei allen lassen sich natürlich an verschiedenen Stellen ihrer Werke auch andere Leitgefühle feststellen; es kommt hier nicht so sehr auf die präzise und für jede Stelle gültige Bestimmung dieser Grundgefühle an, sondern auf die Be-

---

175 Highet, Juvenal, zitiert in Anm. 1 auf S. 274: R. Hirzel: Der Dialog (Leipzig 1895), 2.62–63, wo dieser die neunte Satire Juvenals in diese alte Tradition stellt.

176 Highet, The Anatomy of Satire 31–35 diskutiert Bion und seinen Bezug zur Satire ausführlich. Vgl. Knoche, Die Römische Satire 52.

177 Knoche, Juvenal Satiren 14 über Horaz.

stimmung der verschiedenen Stufen der dichterischen Verfahrungsweise bis zur vollendeten Satire.

Bei Juvenal haben wir nun festgestellt, daß in den frühen Satiren, wo die Empörung aus ihm herausschrie, eine einzige Haltung durchgehend vorherrschte: der Wille, den Zeitgenossen auf die brutalste Weise die Wahrheit ins Gesicht zu schleudern, und dies mit tödlichem Ernst.[178] An besonders schrecklicher Stelle, wo er davon spricht, wie Kinder wegen des Erbes von der Mutter vergiftet werden, tritt er einen Schritt zurück und fragt sich:

> *Dichte ich dies? Oder greift zum hohen Kothurn die Satire?*
> *Und übertret ich das Recht und die Grenze der Alten? Ich singe*
> *Wohl ein erhabenes Lied in des Sophocles tönender Weise,*
> *Fremd den Rutulischen Bergen und Latiums friedlichem Himmel?*
> *O, wär es ein Schein! Doch Pontia ruft: „Ich tat's, ich bekenn' es ..."*
>
> (6.634–639)[179]

Von der Tragödie unterscheidet die Satire also der Anspruch auf absolute Wahrheit, und daß die Wahrheit so schrecklich ist, ist eben das Empörende für Juvenal. In diesen ersten Satiren, wo der Zorn die Verse macht, schreibt er sich einfach das Empörende von der Seele, hat also anscheinend keinen vorwaltenden Zweck, etwa auf andere zu wirken – höchstens sie zu verletzen durch das gesteigerte Bild ihrer eigenen Verkommenheit, sich zu rächen für die Verletzung seiner eigenen Ideale.

Später aber, mit dem Beginn des fünften Buches, zeigt sich eine Änderung in Juvenals Haltung. Der Rächer im Gewissen des Übeltäters, strenger als der strafende Gott der Unterwelt, tröstet den zu Schaden gekommenen Freund und auch den über Ungerechtigkeit empörten Juvenal. Damit ist das dominante Gefühl gemildert, Distanz und damit Reflexion, Trost und Belehrung können gewonnen werden. Die Darstellungen der Wahrheit beherrschen nicht mehr die Satire, sie stehen nur als Beispiele für die zugrundeliegenden Gedanken,[180] Form und Denkführung werden sicht-

---

[178] Highet, Juvenal the Satirist 161.

[179] Übersetzung von Knoche, Juvenal Satiren.

[180] Highet, Juvenal the Satirist 138, sagt über die späten Satiren: "Illustrations, when he used them, he took more and more from the collection of stock mythical and historical examples known to every school-boy [Details in De Decker, Juvenalis declamans. (Recueil de Travaux publiés par la Faculté de Philosophie et Lettres, 41. – Ghent 1913. p. 107–9)]. This diminishes both the vividness and the variety of these later poems." Seine Erklärung ist allerdings die, daß "age and disappointment grew on him and ... he turned away from the crowded streets of Rome to his own home and his little circle of friends".

barer. Differenzierungen erscheinen anstelle der früheren Verdammung aller, so etwa 14,33–35, wo einige von Natur aus edlere Charaktere angenommen werden, die die Bosheiten der Eltern nicht nachahmen und steigern. Glaube an die Besserungsfähigkeit der Menschen zeigt sich: die ganze vierzehnte Satire beschäftigt sich mit der Frage der Kindererziehung, denn

> parcendum est teneris: nondum implere medullas
> maturae mala nequitiae. (14,215f.)

Und dies steht ausdrücklich als (zwar ironischer) Widerspruch Juvenals gegen einen Vater, der seinen Sohn mit Lehren vollstopft, die ihn nur schlechter machen, als er selbst ist. Am Ende der Satire (14.316ff.) gibt er dann sogar eine regelrechte Lehre über die Genügsamkeit. Das ist also eine neue Haltung: Belehrung der andern aus dem Bedürfnis heraus, sie zu bessern.

Zweierlei hat sich in dieser kurzen Diskussion für unsere allgemeinere Frage ergeben: einmal, daß es verschiedene Haltungen des Satirikers gibt, und zweitens, daß die eingenommene Haltung in einem bestimmten Verhältnis zur Stärke des Grundgefühls steht. Die zwei Haltungen, die wir bei Juvenal herausgelöst haben, entsprechen genau den Polen des Ausgangskontrastes zwischen So-Sein und Sein-Sollen: dem So-Sein der unbedingte Wille zur Wahrheit, dem Sein-Sollen der Wille zur Besserung der andern, die Lehre.

Das mitreißende Grundgefühl des brennenden Zornes verhindert das Hervortreten der aus der Distanz der Reflexion sprechenden Lehre und nimmt die Ausgangsfrage, zum Beispiel, ob eine Heirat empfehlenswert sei (Sat. 6), nur zum Anlaß, um Beispiel auf Beispiel über die Schlechtigkeit der römischen Frauen zu häufen. Doch der Unterschied zu der bloßen naturalistischen Schilderung ist klar: das dem Kontrast zwischen So-Sein und Sein-Sollen entspringende Grundgefühl dringt in der Darstellungsart und in bestimmten Stilmitteln durch und erzeugt beim Leser Betroffenheit, Bestürzung, Scham, Gewissensbisse und ähnliche Haltungen, die ihn der Lehre öffnen. Latent bleibt also die belehrende Haltung des Satirikers auch da vorhanden, wo er sich der Gewalt des Grundgefühls hingibt.

Andererseits haben wir beobachtet, wie mit dem Durchdringen der reflektierenden Haltung die aktuelle Gewalt der Beispiele nachläßt, wie sie zum Beweismittel für den Gedankengang werden.

Nun ist zu untersuchen, ob sich bei den andern römischen Satirikern ähnliche und noch weitere Haltungen erkennen lassen.

Wenn Lucilius „einen Gegner durchhechelte, dann wollte er ihn durch seine Satire auch vernichten; und darum ist es verständlich, daß dieser Zug seiner Dichtung schon zu seinen Lebzeiten als der eigentlich bezeichnende, weil am meisten schmerzende, empfunden wurde".[181] Persius bestätigt das:

> *secuit Lucilius urbem,*
> *te Lupe, te Muci, et genuinum fregit in illis*   (I 114f.)

und Horaz spezifiziert: Lucilius habe die Maske *(pellem)* denen vom Gesicht gezogen, die nach außen hin sauber erschienen, innerlich aber korrupt gewesen seien *(Serm. 2.1.64f.)*. Hier ist es also der Kontrast zwischen Sein und Schein, der des Lucilius satirische Feder anregt. Gleich darauf aber heißt es, er habe nur die *virtus* und ihre Freunde geschont (v. 70). Da ist wieder die lehrende Haltung, die wir schon in dem Fragment über die *virtus* haben wirken sehen. Der Kontrast zwischen Sein und Schein nämlich würde spezifische Lehre nicht unbedingt nötig machen. Ihm könnte eine bloße Darstellung der Wahrheit Genüge tun und allgemeines Lob der Wahrheit; bestimmte Lebensregeln und Lehren würde seine Lösung nicht verlangen. Bei Lucilius finden sich also auch wieder die beiden Grundhaltungen: der Wille zur Wahrheit, durch persönlichen Haß verschärft und gegen bestimmte Personen sich richtend, und die Lehre der *virtus* und einer neuen lebendigen und individuellen Geistigkeit.[182]

Horaz verteidigt sich: Böswilligkeit und direkter vernichtender Angriff sei nie in seiner Satire *(Serm. 1.4.100f.; 2.1.39–42)*. Wenn er zu frei oder zu grob scherze, so möge man ihm vergeben – daran habe ihn sein Vater gewöhnt, der durch Beispiele alle Laster illustriert und bezeichnet habe, damit der Sohn sie fliehe *(Serm. 1.4.103–106)*. Wie eine Leichenfeier in der Nachbarschaft die kranken Fresser entmutige und sie zwinge, in ihrer Todesangst sich zu schonen, so schrecke die Schande anderer oft jugendliche Geister von den Lastern ab *(Serm. 1.4.126–129)*. Das ist des Horaz eigene Umschreibung seiner Haltung: sein Grundgefühl der Diskrepanz zwischen Sein und Sein-Sollen ist nicht so gewalttätig und mitreißend wie das des Lucilius oder des Juvenals; seine Darstellung der Wahrheit will nicht in sich schon zweckvoll sein und den andern verletzen oder gar vernichten, sondern sie dient der Lehre, die Horaz seinen Freunden väterlich weitergibt, wie sein Vater sie ihm gegeben hat. Denn auch in den Inhalten der väterlichen Lehren findet sich manches, was Horaz an anderer Stelle den Freunden empfiehlt.

Die Unabhängigkeit von einem gewaltsamen Gefühl erlaubt es ihm, „lachend die Wahrheit zu sagen", wie ein Lehrer seinen ABC-Schützen ein Bonbon gibt, damit sie besser lernen *(Serm. 1.1.24–26)*; wie das wirkt, beschreibt Persius:

> *omne vafer vitium ridenti Flaccus amico*
> *tangit et admissus circum praecordia ludit*   (I 116f.)

---

181 Knoche, Juvenal Satiren 12.   182 Ebd. 11, vgl. Fraenkel, Horace 151.

So unterbricht Horaz plötzlich das zweite Beispiel für die unersättliche Habgier der Menschen mit dem Satze:

> *quid rides? Mutato nomine de te*
> *fabula narratur* (*Serm.* 1.1.69f.)

Das ist die Ironie des Sokrates, der mit harmlosen Fragen den Gesprächspartner aufs Eis führt und ihm dann plötzlich nur einen ganz kleinen Stoß gibt. Dem väterlich einfachen Rat gemäß lehrt Horaz keine anspruchsvolle Philosophie, sondern er mißt „der Einwirkung der populären Ethik auf seine Dichtungen ... große, zunehmende Bedeutung" bei.[183] Die den Ton setzende Eingangsepistel des ersten Buches ist dem rechten Leben und der Weisheit gewidmet:

> *Quid verum atque decens, curo et rogo et omnis in hoc sum*
> (*Epist.* 1.1.11)

und es ist bemerkenswert: Horaz stellt sich selbst als den Suchenden dar. Immer mehr wird seine Dichtung eine Reflexion auf sein eigenes Leben, ironisch, ernsthaft, apologetisch, wie es die Gelegenheit ergibt. Nicht daß damit die Satire in bloße Selbstbespiegelung überginge und ihren nach außen, auf die andern gerichteten Zweck verlöre: in der achtzehnten Epistel des ersten Buches macht Horaz klar, daß es darauf ankomme, sein eigener Freund zu werden (*quid te tibi reddat amicum, Epist.* 1.18.101), mit sich selbst zu harmonieren und in allen Umständen und Situationen sich selbst den gleichmäßig heiteren Geist zu schaffen (ebd. 112). Dieser Gedanke hat schon bei den *sermones* herein gespielt, wo er den Lucilius nachahmen möchte, der sein ganzes Leben und seine innerste Persönlichkeit der Satire anvertraut hat (*Serm.* 2.2.30–34). Denn Lucilius bot für Horaz das Bild des Mannes, der mit sich selbst übereinstimmte, zufrieden war und nicht wünschend und sorgend über seine eigenen Grenzen hinausdrängte:

> *publicanus vero ut Asiae fiam, ut scripturarius*
> *pro Lucilio, id ego nolo, et uno hoc non muto omnia*[184]

Die Darstellung des eigenen βίος[185] in der Nachfolge des Lucilius fließt also aus der lehrenden Haltung des Satirikers Horaz. Damit sind in dieser Form der Satire wieder beide Grundhaltungen vereinigt, nur daß nicht mehr wie bei den bisher besprochenen Zusammenhängen ein schlechtes Beispiel durch die Satire kritisiert, sondern ein gutes Beispiel als Ideal hingestellt wird. Solche Technik mag für manche Beurteiler ein spezifisches Gattungskriterium der Satire, den Angriff und die Kritik, vermissen lassen;

---

[183] Knoche, Juvenal Satiren 14.   [184] Lucilius frg. 671 s. Marx (330 Diehl).
[185] Fraenkel, Horace 151. – Vgl. Knoche, Die Römische Satire 57.

doch scheint es im Ganzen einer Sammlung von Satiren durchaus annehmbar und als zur Gattung gehörig verstehbar. Von Lucilius wissen wir, daß er Scipio als Beispiel des Gerechten und Mutigen beschrieben hat (Horaz, *Serm.* 2.1.16f.), und Horaz hat zum Beispiel in den *sermones* (2.2) den Bauern und Naturphilosophen Ofellus als gutes Beispiel den schlechten gegenübergestellt. Aber es ist sichtbar, daß vor allem dann, wenn der Kontrast des Schlechten nicht mehr stark genug ist, die lehrhafte Haltung das Übergewicht bekommt und die Satire in die reine Didaxe übergeht. Es müssen also immer beide Grundhaltungen bis zu einem gewissen Grade an jeder Stelle der Satire wirksam sein, damit die Gattung erhalten bleibt. Setzt die Lehrtendenz aus, so fällt der Autor in reine naturalistische Beschreibung; läßt der Wille zur rücksichtslosen Aufdeckung der schlimmen Wirklichkeit zu sehr nach, so wird Didaxe daraus.

Des Persius Haltung ist schon anläßlich seiner Persönlichkeit und historischen Situation diskutiert worden, so daß hier nur kurze Wiederholung notwendig ist. Das Lachen, mit dem er die Narrheit der Menschen sieht (I 12), ist nicht das ironisch-selbstironische Lachen, das Horaz mit dem Hörer teilt, sondern es ist das verächtliche, mit dem der noch etwas Unreife, der sich schon weise dünkt, auf seine närrischen Zeitgenossen herabsieht. Stechende Verachtung, Herbe und Bitterkeit kennzeichnen deshalb seine Darstellungen der Wirklichkeit. Auch er deckt oft die Schlechtigkeit der Menschen in der Differenz von Sein und Schein auf, zum Beispiel am Anfang der zweiten Satire über die Verschiedenheit zwischen lauten und geflüsterten Gebeten (II 6ff.). Doch bleibt er dabei nicht stehen, sondern gleich dem Arzt – wie gezeigt, ist das sein bevorzugtes Bild – geht er nach der Diagnose zur Heilung über. Manchmal in der Mitte, manchmal gegen Ende der Satiren steht die Lehre, immer verbunden mit Persius, dem Sprecher, der sich nur immer einen Gesprächspartner herbeiholt oder fingiert. Auch bei ihm findet sich das Beispiel des Guten, Cornutus (Sat. V), den Narren entgegengesetzt.

Die beiden Grundhaltungen sind also ebenfalls bei Persius ständig wirksam. Auf dieser Stufe können wir noch nicht mit Andersons Meinung übereinstimmen, Persius isoliere sich von den Lesern, er sei der stoische Weise in seinem Privatparadies, aus dem er uns mit beißenden Worten anrede, überzeugt, wie er I 121 versichert, daß wir alle Eselsohren hätten. Von dem Punkt auszugehen, alle Menschen außer den Stoikern seien Narren, schließe eine beträchtliche Verzerrung ein; noch schlimmer, es rufe eher Widerstand als Bekehrung hervor.[186] Anderson benutzt V 119 *nil tibi con-*

---

[186] "Everything in his style and his manner, that is, his *persona*, tends to isolate him from the rest of us. He is the Stoic sage in his private paradise, from which he addresses us with his biting words, convinced, as he asserts in I,121,

cessit ratio als Beispiel dafür, wie Persius eher nur schlecht machte als be-lehre.[187] Dies steht jedoch nach dem Bedingungssatz 115 ff., wo Persius den heuchlerischen Weisen entlarvt, und nur für diesen Renegaten gilt der Satz. Vorher jedoch, nachdem das Problem der Freiheit angeschnitten ist (V 73 ff.) und Persius sich über die „Freiheit" des freigelassenen Sklaven Dama lustig gemacht hat, fügt er dem Hohn die ernstgemeinte Lehre an, die er so einleitet:

> *Disce, sed ira cadat naso rugosaque sanna,*
> *dum veteres avias tibi de pulmone revello.* (V 91 f.)

Freilich, das ist eine hochfahrende Art zu lehren und wird nicht viele Freunde gewinnen. Auch die prasselnden Lehrfragen V 104–110 sind so herablassend und unfreundlich formuliert, daß einer, der sie mit Ja beant-worten könnte, sie schon wegen dieser Formulierung nicht beantworten würde. Doch ist wohl sichtbar: nicht in der fehlenden Lehrhaltung liegt der Grund für den Bruch im Lehrbezug, sondern in der Einwirkung des domi-nanten Grundgefühls, der Verachtung, auf die Lehrsituation. Der Lehrende sollte anziehen, führen, leiten wollen; Verachtung stößt zurück. Das do-minante Grundgefühl bei Persius drängt also wie bei Juvenal in den ersten Satiren die Lehrhaltung in eine gewisse Latenz zurück, wenigstens was ihre Wirksamkeit betrifft. Doch ihre Anwesenheit ist nicht zu leugnen.

Im Vergleich der vier römischen Satiriker haben sich also zwei Grund-haltungen feststellen lassen, die sie alle zu ihren Lesern, zu ihren Zeitgenos-sen einnehmen. Es zeigten sich Schattierungen, die an bestimmten Stellen auf den Einfluß anderer Haltungen schließen ließen; dominant sind jedoch diejenigen Haltungen, die dem fundamentalen Kontrast zwischen Sein und Sein-Sollen entsprechen: der Wille zur Darstellung der unbeschönigten Wahrheit, und der Wille zur Belehrung. Die Einwirkung des Grundge-fühls, mit dem der Dichter diesen Kontrast erfährt, kann die Wirklich-keitsdarstellung auf Kosten der Lehrhaltung verschärfen wie bei Juvenal in den frühen Satiren, oder den Lehrbezug brechen, wie bei Persius. Horaz, der Augusteische Künstler, zeigt die größte Ausgeglichenheit der beiden Grundhaltungen; ihm ist deshalb auch freies heiteres Lachen gegeben.

19 Nun ist wieder Brant mit diesen Ergebnissen zu vergleichen. Charles Schmidt, obwohl an einer Stelle überzeugt, Brant habe kein Ideal gehabt,[188]

---

that we all have asses' ears. To argue from the premise that all men are fools except for the Stoics involves considerable distortion; still more serious, it tends to antagonize rather than convert the majority." In: The Satires of Persius, translated by W. S. Merwin, 42.

187 Ebd. 43.   188 Schmidt, Histoire littéraire I 263.

280

sagt wenig später, sein Ideal sei das der Ordnung in den sozialen Verhältnissen wie auch im Verhalten der Einzelnen. Alles, was der Regel widersprach, habe seine leicht reizbare Natur verletzt. „Enttäuscht, die Dinge
anders anzutreffen als er sie sich vorstellte, ärgerte er sich, wurde wütend,
und die groben Ausdrücke entfuhren ihm nur so – wobei auch der Zeitge-
schmack mithalf." [189]

Das ist eine genaue Beschreibung des Ausgangskontrastes zwischen So-
Sein und Sein-Sollen. Gruenter meint zwar, Brants Vorstellung von der
Narrheit entzünde sich „wie alles satirische Denken am Widerspruch von
Sein und Schein", erweitert jedoch etwas inkonsequent im nächsten Satz:
„Der Satiriker hat es mit dem Menschen zu tun, der vorgibt, zu sein, was
er nicht ist, und der nicht ist, was er sein soll." [190]

An drei Stellen im ,Narrenschiff' scheint dieser Kontrast zwischen Sein
und Schein deutlich hervorzutreten:

> Wer sich recht spiegelt / der lert wol
> Das er nit wis sich achten sol
> Nit vff sich haltten / das nit ist /   (Vorred, 35–37)

Hier liegt aber die Täuschung im Narren selbst, nicht in dem Schein, den
er nach außen hin erwecken will und den zum Beispiel Lucilius zerstört
hat. Ebenso:

> Eyn narr ist wer gesprechen dar
> Das er reyn sig von sünden gar
> Doch yedem narren das gebrist
> Das er nit syn will / das er ist   (29,31–34)

Diese Stelle ist gedanklich bestimmt von v. 25: *Eyn yeden dunckt syn leben
gůt.* Auch hier also wieder die Selbsttäuschung. Nur im Kapitel 76 kommt
der Kontrast zwischen äußerem Glänzenwollen und innerem Unwert zur
Sprache:

> Die gåcken / narren / ich ouch bring
> Die sich berümen hoher ding
> Vnd wellent syn / das sie nit sint
> Vnd wånen / das all welt sy erblindt
> Mann kenn sie nit / vnd frag nit noch /   (76,1–5)

[189] «Son idéal ... c'est celui de l'*ordre* dans les relations sociales aussi bien que
dans la conduite de l'individu ... tout ce qui sortait de la règle blessait sa
nature facilement irritable ... désappointé de trouver les choses autrement
qu'il les concevait, il se fâchait, il s'emportait, et, le goût du siècle aidant, les
gros mots lui partaient tout seuls.» Schmidt, Hist. litt. I 273.
[190] Gruenter, Die ,Narrheit' 213. Ähnlich Mähl in der Narrenschiff-Übertragung
(Reclam 1964), 484.

Und auch der Schluß, der 29,33f. so ähnlich ist, muß im anderen Sinne verstanden werden:

> Dann yedem narren das gebryst
> Das er wil sin / das er nit ist   (76,94f.)

Selten außer in diesem Kapitel,[191] das ja ausdrücklich *Von grossem ruemen* handelt, geht es Brant um die Aufdeckung einer Heuchelei oder Gleisnerei, durch die die Umwelt getäuscht würde. Nicht um Aufklärung der andern über des Einen verborgene schlimme Wahrheit ist es ihm zu tun, sondern um Aufklärung des Einen über das, was unerkannt, unbewußt, von Wunschbildern der eigenen Person verdrängt, in ihm selbst ruht. Er will dem Menschen über seine Selbsttäuschung und Blindheit hinweghelfen. Deshalb hält er ihm den Spiegel vor, in dem er sich erkenne (*Vorred*, 32). Verglichen etwa mit der Satire des Lucilius hat sich hier das Verhältnis zum Publikum ganz umgekehrt: wollte Lucilius allen andern die scheußliche Wahrheit über den Einzelnen sagen, damit dieser in den Augen der andern vernichtet werde, so ist bei Brant jeder als Narr angesprochen, jeder wird sich im Spiegel sehen und sich bessern müssen. Lucilius spricht zu allen, Brant zu jedem einzelnen über ihn selbst. Diese Andersartigkeit deutet sich übrigens auch bei Persius an, der beklagt, daß niemand versuche, in sich selbst hinabzusteigen, sondern daß alle nur immer das Päckchen auf dem Rücken des Vordermannes im Auge haben (IV 23f.). Brant, nicht nur von der Stoa, sondern vor allem von den Ideen der Sünde, Reue, Buße im Christentum beeinflußt, greift den Einzelnen nicht von außen über das Urteil der andern an, sondern persönlich von innen. Sogar da, wo er den äußeren Schein zerstört, geht es ihm nicht um das zu korrigierende Urteil der andern, sondern um den Wahn der Narren selbst, denn man weiß ja schon genau über sie Bescheid (vgl. 76,1–5); es geht ihm um die zerstörerische Diskrepanz, die Narrheit im Wesen des Menschen, die durch Verstellung entsteht:

> Wann yeder wer / als er sich stellt
> Den man für frumm / vnd redlich helt
> Oder stelt sich als er dann wer
> Vil narren kappen stünden lår   (100,31–34)

Die eine Grundhaltung des Satirikers, die Darstellung der Wahrheit für jeden Einzelnen, hat sich schon durch die Spiegel-Absicht gezeigt. Brant bestätigt das Streben nach Darstellung unbeschönigter Wahrheit in seiner Verteidigung gegen die Narren, die ihn während der Aufrichtung des

---

191 Zum Beispiel noch in den Kapiteln mit Ständesatire, vgl. 63,62–77; 79, bes. v. 26; 81,15–30, und in den Kapiteln über Betrug anderer, vgl. 100,31–34; 102 ganz; 103,22f.

282

Schiffes bestürmt haben, er möge doch manche Dinge ein wenig färben *Vnd nit mit eychen rynden gårben*: hätte er sich nicht an die reine Wahrheit gehalten, wäre er einer der größten Narren (104,50–65).

Das Grundgefühl Brants haben wir bestimmt als Angst vor der drohenden politisch-religiösen Katastrophe, die durch die alldurchdringende Narrheit wenn nicht ausgelöst, so doch beschleunigt wird. Es ist also Angst um das Bestehende, sofern es göttlich gesetzte Ordnung ist. Dies hindert nicht, daß er von den Freuden der Welt nichts hält. Er verachtet sie nicht fanatisch, so daß er alles ablehnen würde, was damit zu tun hat. Sonst dürfte keiner mehr Wein trinken: ein Weiser aber ist, *wer syttlich drinckt* (16,20); sonst dürfte keiner mehr spielen: Brant aber sagt, *Was stand eym rechten spyeler wol* (77,67–95), nämlich er solle es nicht zur Sucht werden lassen, sondern stets Distanz halten, sonst allerdings verfalle er dem Teufel. Es ist hier nicht der Ort, im Detail die Frage der Narrheit und der Stellung Brants zu untersuchen, aber diese Beispiele genügen vielleicht schon, um die Unzulänglichkeit von Zarnckes Erklärung darzustellen, man könne „nicht härter alle regungen der natur verdammen, als Brant in seinem Narrenschiffe",[192] und um Böckmanns Kommentar mit Vorsicht aufzunehmen: „Aus der Totentanzstimmung erwächst die Weltverachtung, die überall nur Narrheit wahrnimmt und der Satire das Recht gibt, weil alles Welttreiben nur vom Glück beherrscht ist, das mit seinem ständigen Wechsel keinen Halt zu geben vermag und den Menschen nicht zu sich selbst bringt."[193] Daß Brant die Dinge nur so weit verachtet, als sie den Menschen von sich selbst abziehen, zeigen die oben angeführten Beispiele. Brant verachtet auch nicht die Menschen überhaupt, denn sonst wollte er sie nicht bessern und hielte sie nicht für besserungsfähig. Seine Verachtung richtet sich nur gegen ihren Zustand der Verblendung durch das Irdische, die Narrheit. So heißt es gleich in Brants Prosa-Vorrede: *Ouch zů verachtung vnd straff der narheyt* ... So weit glauben wir mit Böckmann übereinzustimmen. Wenn er nun aber die Totentanzstimmung als Grund der Verachtung annimmt, wenn er meint, die Selbsterkenntnis führe Brant „wieder auf Tod, Sünde und Vergänglichkeit alles Irdischen ..., so daß er alles menschliche Streben in Frage stellen muß",[194] so gibt es mehrere Gründe dagegen: erstens muß es jedem Menschen darum gehen, nach Weisheit zu streben, in der Erklärung Brants also nach dem rechten Gebrauch der Dinge dieser Welt; zweitens geht es Brant um die Erhaltung und Stärkung, zum Beispiel des Römischen Reichs (Kap. 99), also einer Sache, die der Welt angehört, aber deren Institution er als gottgegeben, weisheiterfüllt erkennt, weil seiner Ansicht nach seit 1500 Jahren durch die Untertänigkeit des Kaisers gegenüber dem Papst die spirituelle Begabung dieses

[192] Zarncke XIX.   [193] Böckmann, Formgeschichte 233.   [194] Ebd. 232.

Weltgegenstandes gewährleistet ist.[195] Die Erklärung für die Differenzierung von verächtlichen und wertvollen Weltgegenständen findet sich in dem Zitat, das Böckmann zur Stützung seiner These anführt:

> *Sydt als das vnder der sunnen ist*
> *Vnnütz ist / vnd dem wißheyt gbrist /*   (54,22f.)

Die Gegenstände und Menschen, die ohne Weisheit, ohne göttlichen Einfluß sind, sind unnütz und verächtlich, so auch der Narr und die Narrheit. Alles andere aber, in dem sich Weisheit zeigt, ist wertvoll, erstrebenswert und dem Tode nicht gänzlich verfallen. Gerade darum geht es ja Brant, die Menschen der Weisheit zu öffnen, sie danach streben zu lassen, damit ihr Leben, ihr Dasein auf der Erde einen Sinn bekommt. Das Leben soll also nicht durch die Totentanzstimmung negativen, sondern durch das Streben nach Weisheit positiven Sinn erhalten.

Brants Grundstimmung ist also nicht die der Weltverachtung, sondern die der Sorge um das Bestehen der Weisheit und ihrer Ausdrucksformen in der Welt, denn davon hängt für Brant der Bestand des Christentums und des Römischen Reichs ab.

Mit dieser Sorge verbindet sich innig Brants Wille zur Besserung und Heilung der Menschen seiner Zeit. Zarncke nennt das seinen „didactischen tick“;[196] Newald ist etwas verständnisvoller, wenn er sagt, der Stoff sei „von Gediegenheit, Tüchtigkeit, ehrlichem Besserungswillen und spöttischem Frohsinn durchpulst“.[197]

Das Element des Frohsinns scheint ihn Horaz nahezubringen. Auch Badius weist auf die Ähnlichkeit hin in dem schon einmal zitierten[198] Ausspruch über Brants Haltung. Von vielen anderen wird Brant jedoch als völlig humorlos bezeichnet. Wir haben bei Horaz gesehen, daß seine relative Freiheit von der Gewalt eines dominanten Grundgefühls es ihm möglich macht, lachend die Wahrheit zu sagen. Dies scheint bei Brant nicht der Fall zu sein: die Aufgabe, die er sich gestellt hat, ist zu dringend, die Verantwortung zu ernst, als daß er zum heiteren Lachen über sich und die Narren fähig gewesen wäre. Doch ist er nicht weit davon entfernt – er ist der einzige der verglichenen Autoren, außer Horaz, der zur Selbstironie fähig ist, der sich als Narren bezeichnet,[199] wenn er sich auch auf dem Wege zur Besserung sieht. Wenn wir also zwar nicht heiteren Humor und Froh-

---

[195] *De corr. ord.* 257–264 (Zarncke 124a).
[196] Zarncke XXXII.
[197] Richard Newald: Humanismus und Reformation 1490–1600. In: H. O. Burger: Annalen der deutschen Literatur. – Stuttgart 1952; S. 289.
[198] Abschnitt 12 und Anm. 108.
[199] Vgl. die im Abschnitt 17 angeführten Belege.

sinn in seiner Haltung sehen können, so dringt doch an vielen Stellen durch den vorwaltenden Ernst eine Ironie der Darstellung und Benennung, wie zum Beispiel in Kap. 16, wo der Prasser sich verhält,

> *Als ob er dar zů wer geboren*
> *Das durch jn wurd vil wyns verloren*
> *Vnd er wer eyn tåglicher riff* (16,5–7)

Aber auch Zarncke hat recht, wenn er feststellt, Brants Tadel sei, „obgleich ein grundton des wohlwollens, der wunsch, zu belehren und zu bessern, überall durchscheint, doch im einzelnen hart bis zu eisiger kälte, zumal wo der humor sich mit dem hohne paart".[200] Die Intensität seines Grundgefühls variiert sehr stark zwischen den einzelnen Typen der Narrheit, so daß im ganzen mancherlei Schattierungen der Haltung zu erkennen sind.

Übrigens scheint auch bei Brant die Metapher des Heilens für sein Tun eine große Rolle gespielt zu haben. Zwar verbindet er nie direkt wie etwa Persius und Horaz seine eigene Person mit einem heilenden Arzte, wenn man von der sprichwörtlich gewordenen und von Brant auch an anderer Stelle (21,18) verwandten Formulierung aus Lc 4,23 absieht: *artzt heyl selber dich* (111,69). Doch verbindet Brant oft in Analogien die Vorstellung von der Heilung der Seele durch Erziehung zur Weisheit mit der körperlichen Heilung. Dies um so mehr, als er seelische und leibliche Krankheit und Heilung in ursächlichen Zusammenhang setzt:

> *Kranckheyt vß sünden dick entspringt*
> *Die synd vil grosser siechtag bringt*
> *Dar vmb wer kranckheyt will entgan*
> *Der soll gott wol vor ougen han*
> *Lůgen das er der bicht sich noh*
> *Ee er die artzeny entpfoh*
> *Vnd das die sel vor werd gesunt*
> *Ee dann der liplich artzet kunt* (38,55–62)

Der Induktionsbeweis in Kap. 23 verwendet das Bild vom Arzt als Analogie; der Beweis verläuft mit folgendem Gedankengang: Glück ist ein Zeichen der Abwendung Gottes von einem bestimmten Menschen. Wenn nämlich ein Arzt einen Kranken quält, will er ihn heilen; läßt er ihm aber alle Freiheit, hat er ihn schon aufgegeben. Deshalb ist Glück ein Betrug des Teufels. – Auch Locher benützt die Idee der Heilung. Er verbindet sie mit der satirischen Tradition und der allgemeinen Aufgabe der Satire: „So haben es auch einst die satirischen Dichter gehalten, die Schande und Verbrechen der Leute beißend kritisierten. Diesen folgen wir, wiewohl an

---

[200] Zarncke XLI.

Eifer und Sprachgewalt geringer, und streben, die heute so schlechten Sitten zu bessern (*medicare*)."[201]

Beide satirischen Grundhaltungen, die der unbeschönigten Darstellung der Wirklichkeit (verbunden mit Verachtung oder Ironie) und die der Belehrung, finden sich also auch bei Brant.[202] Wie sehr er sich über die Duplizität seiner Haltungen und Aufgaben im klaren war, zeigen zwei zentrale Stellen. Die eine davon ist die Prosa-Vorbemerkung mit ihrer Parallele im Epilog: *Zů nutz vnd heylsamer ler / vermanung vnd ervolgung der wyßheit / vernunfft vnd gůter sytten: Ouch zů verachtung vnd straff der narheyt / blintheyt yrrsal vnd dorheit / aller stât / vnd geschlecht der menschen*... Lehre und verachtende Kritik sind die beiden Aufgaben hier. Die andere Stelle steht im Kap. 98, das mit *vslendigen narren* eine Anzahl von Narren umfaßt, die nicht mehr zu bessern sind. Von denen heißt es:

> *Die sint nit würdig der gesatz*
> *Oder das man sie ler / vnd fatz* (98,32f.)

Lehre und Spott heißen hier die beiden Haltungen. Die Differenz zwischen verachtender Kritik und Spott bestätigt die oben festgestellte Variabilität des Grundgefühls, das die Wirklichkeitsdarstellung färbt. Die Lehrhaltung jedoch ist fest und im Glauben an die Besserungsfähigkeit der meisten Menschen verankert.

---

[201] *Sic quoque Satyrici quondam fecere poetę:*
    Mordentes populi dedecus atque nefas.
   Hos sequimur: quamuis studio, linguaque minores:
    At cupimus mores nunc medicare malos.
   Locher, *Hecatostichon in proludium,* v. 91–94; Zarncke 213b).

[202] Hans-Joachim Mähl in der ‚Narrenschiff'-Übertragung (Reclam 1964) arbeitet an verschiedenen Stellen diese beiden Grundtendenzen heraus, ohne sie jedoch als konstitutive Elemente der römischen Satire zu erkennen. So wird im Widerspruch zwischen Sein und Schein das Grundgesetz der Satire erkannt (vgl. Gruenter, Die ‚Narrheit' 213), und die Ebene des Scheins „ermöglicht es Brant, zugleich den Motivkreis der Zeitkritik, die speziellen Laster und Vergehen, die Modetorheiten und Schwächen der Zeitgenossen, in sein Werk einzubeziehen und satirisch zu geißeln" (484). Zwei Seiten weiter heißt es, die zwei Schichten des Werkes, „Sündenschelte und Zeitkritik", seien „nicht voneinander zu trennen", sondern gingen „oft höchst widerspruchsvoll ineinander über" (86). Sofern Mähl in diesen beiden „Werkschichten" mittelalterliche Traditionen sieht, sind sie allerdings manchmal höchst widerspruchsvoll, doch existieren in der römischen Satire die beiden nicht als getrennte Traditionen, sondern als konstitutive, einander ergänzende Tendenzen. Freilich handelt es sich bei Brant so wenig wie bei den Römern um Sündenschelte, sondern um Tadel an der Narrheit. – Ganz deutlich wird das Zusammenspiel von Darstellung und Lehre im folgenden Satze Mähls: „Brants Darstellung ... liefert

Im Verhältnis zu seiner Umwelt und in den gegen sie eingenommenen Grundhaltungen läßt sich Brant im ‚Narrenschiff' demnach als Satiriker verstehen.

20 Der Unterschied der Brantschen Satire zu der Moralsatire des Spätmittelalters hat sich jedoch bisher nur darin gezeigt, daß die Einheit der spätmittelalterlichen Satire immer in einem äußeren Prinzip zu suchen ist, während die des ‚Narrenschiffs' allein in Brants Persönlichkeit gründet. Obschon dies ein deutliches Kennzeichen der römischen Satire ist, genügt es noch nicht für eine eindeutige Zuordnung des ‚Narrenschiffs' zu dieser Tradition. Haben wir in der Einheit durch die Persönlichkeit einen „inneren" Beweis geliefert, so muß jetzt noch ein Kriterium aufgestellt werden, das die Vergleichbarkeit mit der römischen und die Verschiedenheit von der spätmittelalterlichen Satire auch in der äußeren Darstellungsform zeigt. Es sollen deshalb jetzt die Stilmittel und Darstellungsformen verglichen werden, die sich aus den beiden Grundhaltungen bei den römischen Satirikern und bei Brant ergeben. Für die ersteren erheben die folgenden Darstellungen weiterhin keinen Anspruch auf Vollständigkeit; es geht ja hier nur darum, die Formen als in der römischen Satire gebräuchlich zu erkennen. Der Wille zur unbeschönigten Darstellung der Wirklichkeit

seiner Lehre das satirische Demonstrationsmaterial" (514). Vgl. Gruenter, Die ‚Narrheit' 209: „Brants Darstellung der Wirklichkeit hatte didaktische Ursachen und verfolgte didaktische Zwecke. Die Anschauung des Alltags, wie sie der grob unterhaltende Schwank in üppigstem Maße bot, lieferte der Lehre Demonstrationsmaterial. Doch benutzte Brant, *wie keiner vor ihm*, die Narrensatire, um das Gelehrte mit dem Volkstümlichen, Lehre mit Anschauung zu verknüpfen." [Hervorhebung von mir.] So etwa wieder Mähl: „er schließt etwas zusammen, *was bisher getrennt und fast unversöhnlich nebeneinander herlief* in der Volksdichtung des Schwanks oder des Fastnachtsspiels und in der didaktischen Gelehrtendichtung seiner Zeit" (515). [Hervorhebung von mir.] Man sieht also die Übereinstimmung der beiden Forscher in der Feststellung, Brant habe mit der Zusammenfügung von unbeschönigter Wirklichkeitsdarstellung und Lehre etwas ganz Neues geleistet. Wenn sich nun diese Doppelheit als in der römischen Satire schon gegeben nachweisen läßt, so wird damit Lochers und der übrigen Freunde Ansicht aufs schönste bestätigt, Brant habe eine römische Satire geschrieben und sich nicht eigens um die Zusammenfügung literarischer Traditionen seiner Zeit bemüht, wenn auch von daher manches in das ‚Narrenschiff' eingeflossen ist. Bei Wittenwiler, den man ja in mancher Hinsicht als Vorläufer Brants betrachten muß, fällt durch die epische Einkleidung der Aspekt bewußt unbeschönigter Wirklichkeitsdarstellung weg; er kann allerdings vom Leser durch Rückübersetzung in seinen Alltag gewonnen werden.

287

drückt sich natürlicher Weise in den Formen der *narratio* aus. Von den sieben *elementa narrationis* scheinen die Bestimmungen von Person, Raum und Zeit von besonderem Interesse. Diese seien vor den *genera narrationis* kurz besprochen.

Die Entscheidung über die Nennung lebender Personen ist für den Autor der Satire besonders wichtig. Höchste Wirksamkeit der Satire erreicht ein Autor wie Lucilius, der seine Opfer mit Namen nennt und „mit gezogenem Schwert" individuell bedroht:

> *dann errötet der Hörer, dem Schuld den Busen durchschauert,*
> *Schweiß bricht am Leibe ihm aus im Bewußtsein heimlicher Untat:*
> *Daher der Haß und die Tränen!* [203]

Zugleich aber beschränkt Lucilius damit seine Satire auf einen kleinen Kreis persönlicher Feinde und auf seine unmittelbare Gegenwart; das größere Publikum wird sich nicht betroffen fühlen, und die Satire wird mit ihren Opfern untergehen. Hierin muß man vielleicht einen Grund sehen, warum das Werk des Lucilius nur fragmentarisch überliefert ist: das Ganze veraltete schnell und war für die nur an der Lehre interessierten späteren Jahrhunderte nicht mehr ansprechend genug.

Horaz verwendet die Namen der Zeitgenossen in ganz anderer Weise, nicht nur, weil er sich direkte persönliche Angriffe auf Zeitgenossen nicht so freimütig erlauben durfte wie der reiche Ritter. Sondern „im Gegensatz zu des Lucilius Publizistik wollte Horazens Satire Dichtung im strengsten Sinne des Wortes sein, untertan nur den unerbittlichen Forderungen des künstlerischen Gewissens".[204] Und genau wie er an Lucilius die ungeschliffene Form tadelt, so hebt er die Satire aus ihrer unmittelbaren Zeitgebundenheit auf die Ebene des Allgemeingültigen. Wenn er Namen nennt, so tragen sie immer den Charakter des Beispiels oder Typs, oder sind es die Namen seiner Freunde, an die die Ansprache sich richtet oder die als Gesprächspartner auftreten. Oft stehen sogar die Freunde oder Horaz selbst im Schein der satirischen Lampe. Das beweist, daß es nicht mehr um vernichtende Angriffe auf Einzelpersonen geht, sondern um die Fehler selbst,[205] die bei allen zu suchen sind.

Bei Persius schrumpft die Zahl der zeitgenössischen Namen noch mehr zusammen. „Gemeint" als Personen sind wohl nur die wenigen Freunde, die angeredet werden: Cornutus, Caesius Bassus, Macrinus. Viele der andern Namen sind der Literatur, besonders Horaz, entnommen, oder sind Typennamen wie der des Freigelassenen in der fünften Satire. An manchen

---

[203] Juvenal 1,166–18, übersetzt von Knoche. – Vgl. Knoche, Röm. Satire 27f.
[204] Knoche, Juvenal Satiren 14. – Vgl. Knoche, Röm. Satire 47.
[205] Vgl. W. S. Anderson in Merwin: The Satires of Persius, 22.

Stellen macht er sogar deutlich, daß er den personalen Aspekt seiner Satire nur zum Schein aufrechterhält:

> Quisquis es, o, modo quem ex adverso dicere feci   (I 44)
>
> At tu, meus heres,
> quisquis eris, paulum a turba seductior audi.   (VI 41f.)

Diesen Mangel an Fixierung der Satire vermeidet Juvenal dadurch, daß er zwar auch kaum Zeitgenossen nennt, aber die Personen der jüngst vergangenen Epoche um so eindrücklicher der Satire unterwirft. Dadurch erzielt er zweierlei: den Eindruck der beobachteten und unbeschönigt dargestellten Wahrheit und eine solche Allgemeingültigkeit, daß trotz der Nennung von Namen jeder Hörer seiner Zeit sich getroffen fühlen muß. Die letztere Verbindung betont er dadurch, daß er die eigene Zeit als in direkter Linie sich aus der geschilderten entwickelnd und in allem noch schlimmer bezeichnet.

Brant vermeidet konsequent die Nennung zeitgenössischer Namen. Einige nicht im Beispiel vorkommende Personen tragen fiktive Namen, die deutlich als solche erkennbar sind, oder die wohl bereits in den Volksmund übergegangen waren. So zum Beispiel Ritter *Peter von Brunndrut* (76,20), *doctor Gryff* (Titelholzschnitte; 76,72), *Herr Ellerkůntz* (72,33). Typennamen sind wohl *meyster hans vō Mētz* und sein Sohn *juncker Vincentz* (76,15f.). Man kann annehmen, daß *Henn von narrenberg* (28,6) ein Schüttelreim über „Narr von Hennenberg" sei;[206] trotzdem werden als Bezeichnungen lebender Personen nur die Namen Maximilians (99,159) und Brants selbst empfunden werden, wenn man nicht noch mit Zeydel *doctor Gryff* als Pseudonym Brants versteht.

Dagegen spart Brant nicht mit Namen aus Geschichte, biblischer Geschichte und klassischer Mythologie. Hier kann die Fülle bis zum Katalog gehen (vgl. z. B. 13,41–76). Durch diese auch von den römischen Satirikern schon in geringerem Maße benützte Technik verbindet er den Wahrheitsanspruch mit der Allgemeingültigkeit. Die Text- und Schriftgläubigkeit der Zeitgenossen erlaubte es ihm, den namenlosen Beschreibungen der einzelnen Narrheiten durch den literarischen Beleg den gewünschten Wahrheitscharakter zu verleihen. Zugleich gelang es damit, durch die namenlosen Beschreibungen jeden einzelnen anzusprechen, damit er sich selbst im Spiegelbilde zu erkennen suche, wie es die Vorrede vorschreibt. Durch die Belege aus der biblischen und klassischen Antike werden die Narrheiten überdies noch als uralte Fehler, Plagen und Krankheiten der Menschheit dargestellt, deren vernichtende Wirkung oder mögliche Heilung an den Beispielen studiert werden kann. Diese Vorzüge tendieren auf das didaktische

---

206 Vgl. den Ergänzungskommentar zur Stelle („Studien" 253).

Feld hinüber, und es ist deutlich, daß durch das Fehlen unmittelbar ansprechender Personennamen die Spontaneität, Aktualität, und plötzlich zuschlagende Wirkung der Satire stark gehemmt wird. Es wird sich zeigen müssen, ob es Brant gelingt, diese Schwächung der satirischen Aktualität mit anderen darstellerischen Mitteln wettzumachen.

Genauigkeit in Ort- und Raumvorstellung ist ein wichtiges Stilmittel zur Aktualisierung der *narratio*. So haben Lucilius (*Iter Siculum*, Buch III) und Horaz (*Iter Brundisinum, Serm.* 1.5) zwei Reisebeschreibungen geliefert. Doch zeigt sich gerade bei Horaz, wie die durch Raumschilderung erreichte Lebendigkeit den lehrhaften Aspekt der Satire völlig ausschaltet: Der *sermo* ist eine Reihung köstlich amüsanter Genrebilder, doch außer in dem Stück Selbstironie (1.5.82–85) fehlen der Beschreibung sozusagen die unangenehmen Wahrheiten, an deren Aufdeckung sich die Lehre schließt. Anders wirkt die Beschreibung eines Ortes da, wo er für eine bestimmte Lebensform steht, so etwa in der Gegenüberstellung von Rom und der eigenen Farm bei Horaz (*Epist.* 1.14 und 1.16), was sich wieder bei Persius (Satire VI) andeutet und als Gegenüberstellung von Rom mit dem Landstädtchen Cumae Juvenals dritte Satire bestimmt. Bei Brant, der sich nie gegen den faszinierend-lasterhaften Einfluß der *magna Roma* oder einer andern Großstadt zu bewahren hatte, verlagert sich der Gegensatz auf die Sammlung in der Zelle des Einsiedlers und das Herumreisen aus Habgier (Kap. 89) und sogar Wißbegier:

> Dann wem syn synn zů wandeln stot
> Der mag nit gentzlich dienen got   (66,153f.)

Rom als Hintergrund ist in vielen Satiren von Horaz, Persius und Juvenal anwesend, und ein gelegentlicher Hinweis auf eine Straße, einen Tempel, das Forum gibt dem römischen Leser das Gefühl der Aktualität, des *hic et nunc* Geschehenden.

Persius ist dabei der am wenigsten Spezifische. Brant hingegen benützt dieses Stilmittel ziemlich oft, indem er zweimal deutsche und ausländische Universitäten aufzählt (Kap. 27 und 92), die in jüngerer und jüngster Vergangenheit geschehenen Einbrüche der Türken genau beschreibt (Kap. 99), und vor allem ein paarmal auf die unmittelbare Entstehungslandschaft des ‚Narrenschiffs‘ eingeht. Dies ist besonders in Kap. 76 *Von grossem ruemen* der Fall, wo die adligen Prahler als aus kleinen Dörfern wie Porentruy (*Brunndrut*) und *Bennfeldt* und *rûprecht owen* kommend dargestellt werden, um den Lesern von Basel und Straßburg etwas zu lachen zu geben und den Großhänsen einen satirischen Schlag zu versetzen. Kap. 63 nennt Straßburg und Basel sogar direkt (v. 34 und 37).

Selten wird der Schauplatz der Satire aus dem Gesichtskreis derer hinausverlegt, für die sie geschrieben ist. Juvenals fünfzehnte Satire spielt in Ägypten, aber um das volle Interesse für die bestialische Menschenfresserei zu erregen, muß er proömial die Wahrheit der Satire gegen die Fiktion der Odyssee absetzen. Fiktive Landschaften und Situationen in der Satire kommen wohl zuerst bei Lukian auf und werden unter dem Einfluß seiner Satire später zum Beispiel bei Swift verwendet. Auch Brant hat eine fiktive Landschaft, nämlich die Fahrt des Schluraffenschiffes zu den verschiedenen Narrenorten, durch die fiktive Seelandschaft der Odyssee und schließlich in den Seesturm. Es ist nicht notwendig, in dieser Technik einen Einfluß Lukians zu sehen; wir haben erkannt, wie in der Verbindung des Narrenschiff-Bildes mit den Psalmversen die Idee und ihre Ausführung entstanden sein kann.[207]

Durch die relativ häufige und bezeichnende Verwendung von Raumvorstellungen holt Brant also gewissermaßen etwas an Aktualität von dem herein, was er sich durch den weitgehenden Verzicht auf Namensnennung entgehen läßt. Nicht zu vergessen ist hier die Wirkung der Holzschnitte, die in die gleiche Richtung geht: in Hintergrund, Kleidung und Gebärden der Dargestellten, seien es Narren oder Weise, tritt dem zeitgenössischen Leser seine eigene Gegenwart entgegen und aktualisiert das Beschriebene beträchtlich.

Das einflußreichste erzählerische Element ist die Zeit; ihr Gebrauch durch den Dichter der Satire bestimmt die Art der Wirkung auf den Leser. Es seien nacheinander die drei Aspekte der Zeit besprochen.

Wie schon angedeutet, vermeidet Horaz die Gegenwartsgebundenheit des Lucilius. Obwohl er gegenwärtige Freunde anredet und selbst in den Satiren auftritt, sind die von seiner Satire angegriffenen Fehler allgemeiner Natur, in keiner Weise an das Geschehen des Tages gebunden. Ebenso verzichtet Persius auf Aktualität. Noch deutlicher als bei Horaz sind die dargestellten Szenen bei ihm nur beweisende Belege für das, was der Stoiker die Menschen lehren möchte. Wie gezeigt, kommt es bei ihm zweimal vor, daß ein Gesprächspartner als fingiert bezeichnet wird: das Gespräch, das Aktualität mit sich bringt, wird als erdacht dargestellt. Ebenso stehen bei Persius verschiedene Handlungen und Beispiele für seine Theorien unter dem Vorzeichen der Annahme: etwa das „anschauliche" Beispiel vom Freigelassenen Dama (V 76ff.), der aber nicht als wirklich, sondern als nur in Persius' Vorstellung freigelassen gezeigt wird.[208] An diesen Stilmitteln wird die Kluft zwischen Persius und den Mitmenschen klar. Getreu dem Vorbild seines Meisters Cornutus nimmt er zwar eine lehrende Haltung

---

[207] Abschnitt 7.
[208] *verterit hunc dominus* . . . V 78; vgl. dieselbe Konjunktivkonstruktion V 189.

ein, aber in den Stilmitteln erweist sich, daß die Haltung nicht echt, nicht „gemeint" ist.

Juvenal dagegen richtet sich ausdrücklich an seine Zeit. Das Laster ist heute auf dem Höhepunkt; dieses gilt es zu umschreiben. Wenn auch die Beispiele der Vergangenheit entnommen sind: der glühende Zorn Juvenals, der sie belebt, richtet sich, für jeden Leser deutlich, gegen die Gegenwart. Besonders in den ersten Satiren wird der zugrundeliegende Gedankengang durch die Flut der Beispiele, die Spontaneität des Zornesausbruchs einfach überschwemmt.[209] Aber dadurch, daß die Beispiele der Vergangenheit entstammen, daß keine Tagesereignisse, nur das Laster im allgemeinen im Brennpunkt stehen, erhält sich Juvenal die ungeschwächte Wucht seines Zornes für alle seine Zeitgenossen und für spätere Generationen.

Die erste Zeile des ‚Narrenschiffs' enthält das Wort *yetz*, der Anfang des Prologs enthält noch weitere Hinweise auf die unmittelbare Gegenwart, und Brant als erläuternder Autor verbindet sich damit. Die Kapitel 99 und 103 beziehen sich mit Bestimmtheit auf die historische Gegenwart. In den Kapiteln, die die vielen Narrheiten besprechen, wird eine besondere Art von Gegenwart hergestellt. Die meisten fangen mit einer Formulierung an wie *Der ist eyn narr* und bringen dann die Beschreibung einer närrischen Meinung oder Handlungsweise. Die Beschreibung selbst hat also allgemeinen, zeitlosen Charakter; auf wen sie aber – jetzt in der Gegenwart, wie überhaupt immer – zutrifft, der ist ein Narr. Die Aktualität und Unmittelbarkeit der Satire wird also nicht wie bei den römischen Autoren (wo sie sie hatten) durch genaue Bezeichnungen in den Text eingeformt, sondern sie entsteht jedesmal dann, wenn eine Beschreibung paßt, zündet und für den Leser das eigene Wesen oder die Handlungsweise eines andern plötzlich durchleuchtet. Brant war sich dieser Qualität seines Werkes bewußt:

> *Diß büchlin wurt güt zü dem kouff*
> *Zü schympff vnd ernst vnd allem spil*
> *Findt man hie narren wie man wil /*   (Vorred, 54–56)

Das Suchen seiner selbst und vor allem der andern wird zum fröhlichen Spiel, und die Satire tritt aus ihrer Latenz jeweils erst im Leser heraus, der in den Spiegel schaut und sich oder andere darin sieht. Dabei besteht eine gewisse Freiheit, die Satire anzunehmen oder nicht:

> *Ich schrot ein kapp hie manchem man*
> *Der sich des doch nit nymet an*   (Vorred, 61f.)

Während also Lucilius, am andern Extrem, durch Nennung von Namen und Verlegung der Satire mitten ins Tagesgeschehen unmittelbare bestimmte

---

[209] Vgl. z. B. Highet, Juvenal 47.

Wirkungen im Äußern erzielt, will Brant durch die beschriebene Technik ebenso unmittelbare, aber unbestimmbare Wirkungen im Innern der Leser erzielen. Lucilius vernichtet den Gegner in den Augen der Öffentlichkeit, Brant erzeugt durch die intellektuelle Freude an der plötzlichen Übereinstimmung von Person und Spiegelbild den Anfang jener inneren geistigen Erneuerung, zu der er die Menschen führen will. Absicht und Methode stimmen bei beiden also je zusammen.

Auch hier sind wieder die Holzschnitte von eminenter Bedeutung. Obwohl Brant sie, seiner Vorrede nach (*Vorred*, 25–30), für Illiteraten bestimmt hat, bedürfen doch die meisten der Erklärung durch den Text, um Bedeutung und vollen Humor des Dargestellten klar werden zu lassen. Ein zweiter Vergegenwärtigungsprozeß geschieht also in der ständigen Vergleichung zwischen Text und Bild. Denn es genügt nicht, sich den Holzschnitt einmal anzusehen und dann den Text zu lesen, sondern das Auge und mit ihm das Erkennen muß dauernd vergleichend hin und her gehen. Damit zwingt Brant den Leser, auf zwei Ebenen – Sprache und Bild – gleichzeitig seine Erkenntnisfähigkeit für närrisches Wesen zu üben. Und wenn der Leser im Beschriebenen noch einen Narren aus seiner Bekanntschaft oder gar sich selbst erkennt, wird die Erkenntnis durch die drei gleichzeitig als übereinstimmend sich präsentierenden Seinsebenen im Spiel einen großen Schritt vorangebracht. Brant betont selbst am Anfang der Vorrede die Umweghaftigkeit seines Vorgehens. Wie viel besser wäre es, wenn die Menschen direkt aus den heiligen Büchern lernen würden. Keiner tut es jedoch; im Gegenteil, die Narrheit wächst:

> *Des hab ich gdacht zů diser früst*
> *Wie ich der narren schiff vff rüst*   (*Vorred*, 13f.)

Es biegt hier ins Bild aus, aber wir können seiner Technik und dem Fortgang der Vorrede entnehmen, daß er durch das Such- und Rätselbilderspiel der einzelnen Kapitel in scherzhafter Weise auf den Weg des Ernstes und der Weisheit bringen möchte. Die Lust, sich am Lösen und Anwenden dieser Rätselbilder zu beteiligen, wird für die Leser noch erhöht dadurch, daß Brant durchblicken läßt, er habe bestimmte Zeitgenossen im Auge gehabt:

> *Ich schrot ein kapp hie manchem man*
> *Der sich des doch nit nymet an*
> *Het ich in mit sym namen gnent*
> *Er sprech / ich het in nit erkent /*   (*Vorred*, 61–64)

Wir können jetzt des Jodocus Badius schon zitiertes Wort eher verstehen, Brant schleiche sich wie der schlaue Horaz ins Innere des durch den Scherz angelockten Narren ein und spiele unvermerkt mit dessen innersten Gefühlen.

Wenn Brant auch den Eindruck des Aktuell-Gegenwärtigen erst im zündenden Kontakt zwischen Leser und Text entstehen läßt, so beruhen doch seine Beschreibungen auf scharfer Beobachtung des zeitgenössischen Lebens. Dies zeigt sich in den Kapiteln mit der Definition einer allgemeinen Narrheit nicht in der Definition selbst, sondern in den Begründungen und Analogien, mit denen sie erläutert wird. Die Kapitel mit Ständesatire dagegen, die weniger auf die Erkenntnis einer speziellen Narrheit führen als einen bestimmten Stand in seinen Fehlern und Lastern kritisieren, bestehen fast ganz aus Beobachtungen und lebensnahen Schilderungen. Wie auch etwa bei Horaz je nach Stoff und Zweck die belehrende hinter der schildernden Komponente zurücktritt, so entscheidet auch bei Brant Allgemeinheit und Besonderheit über das Verhältnis zwischen aktueller Schilderung und allgemeiner Definition.

Die hier zwischen Brant und seinen Vorbildern festgestellte Verschiedenheit in der satirischen Aktualität führt nicht aus der Satire heraus in eine andere Gattung, sondern liegt durchaus in ihren Möglichkeiten. Die satirische Wirkung der unbeschönigten Wahrheit entsteht; sie ist nicht mehr vom Autor schon dem Text eingezeichnet: der Text öffnet nur die Möglichkeit dazu, die sich im Innern des Lesers verwirklichen muß. Die intellektuell-schöpferische Beteiligung des Lesers an der Satire, die wir noch durch manche Stilzüge gefördert sehen werden, löst genau das aus, was Brant im Unterschied zu den römischen Satirikern beabsichtigt: wollten diese mit ihren Schilderungen vernichten, schrecken oder ein beispielhaftes Bild geben, also von außen auf den passiven Leser einwirken, so will Brant schon durch die Aufforderung, sich zu suchen, den Leser zur inneren Aktivität des Erkennens und Selbst-Erkennens auffordern. Wir brauchen wohl nicht zu zögern, diesen Zug als humanistisch zu bezeichnen.

Nicht minder wichtig als das Verhältnis zur Gegenwart ist das zur Vergangenheit. Hesiodisches Lob der Vergangenheit impliziert, daß die Gegenwart weit schlechter ist, und daß wenig Hoffnung für ihre Besserung bleibt. Gebraucht der Satiriker das Lob der Vergangenheit in diesem Sinne, so zweifelt er in demselben Grade am Erfolg seiner Lehrtendenz.

Es ist bemerkenswert, daß Horaz, der in Oden und Epoden (*Carm.* III.6 und *Epod.* XVI am Ende) [210] Hesiods Vorstellung der immer schlechter werdenden Zeitalter aufnimmt, das in den Satiren und Briefen unterläßt. Ein Rückblick in die Geschichte dient dazu, den Ursprung des Rechtsgefühls und der Gesetze in der Furcht vor dem Unrecht nachzuweisen (*Serm.* 1.3.111). Ein Vergleich der Gegenwart mit der Vergangenheit Roms zeigt, daß zwar viele Zeitgenossen des Horaz das Gefühl der Qualitätsarbeit und verantwortlichen Tätigkeit verloren haben, daß aber zum Bei-

---

[210] Vgl. Abschnitt 16.

spiel Horaz sich die Sitten der Alten bewahrt hat (*Epist.* 2.1.103–117), und der literaturgeschichtliche Überblick (ebd. 139ff.) zeigt, wie man sich im ganzen doch zum Besseren, zum verfeinerten Geschmack entwickelt habe. Horaz scheint hier eher den zyklischen Wechsel der Zeit zu betonen, wie er ihn etwa in *Epist.* 1.6 sieht:

> *Quidquid sub terra est, in apricum proferet aetas,*
> *defodiet condetque nitentia.*   (*Epist.* 1.6.24f.)

Dies trifft genau mit seiner Lebenshaltung zusammen, die er in der Darstellung seiner *vita* die Freunde lehren will: nicht nach rückwärts zu schauen und nicht nach vorwärts zu drängen (*Epist.* 1.2.71), mit dankbarer Hand das Glück der Stunde zu ergreifen, damit das gelebte Leben immer als richtiges, erfülltes erscheine (*Epist.* 1.11.22–25), und so zu versuchen, *traducere leniter aevum,* und mit sich selbst Freund zu werden (*Epist.* 1.18.96–101).

Persius, der überhaupt wenig Bezug zur gelebten und historischen Zeit hat, sondern sich an unverbindliche, zum Teil erdachte Beispiele hält, gibt wenigstens einmal den Hinweis auf frühere bessere Zeiten. Früher benutzte man irdenes Geschirr und Bronzegefäße, heute muß alles aus Gold sein. Das sündige Fleisch hat uns seither verführt (II 59–68).

Juvenal dagegen sah, wie schon gezeigt, seine Epoche als Produkt eines langen Dekadenzprozesses, der aus den früheren guten Zeiten herab in den Sumpf des Lasters führte. Die jüngstvergangene Epoche ist ihm „Vorbereitung und Beweis für die Schlechtigkeit der Gegenwart".[211] Früher jedoch, in der goldenen Zeit des Saturn, war Keuschheit das Natürliche (6.1ff.); Treue, Ehrfurcht und Sinn für Rangordnung wurden gepflegt (13.38ff.); Roms Frühzeit war gekennzeichnet durch Strenge, Härte, Armut und Genügsamkeit (6.287ff.; 11.77ff.; 14.161ff.), und erst die Zeit des Wohllebens, des Reichtums und der Üppigkeit haben die Laster und die Verderbnis erzeugt. Früher verehrte man gläubig die Götter – „heut fehlt ein Clodius keinem Altare" (6.342ff.; Übersetzung von Knoche). Und zumindest in den ersten Satiren sieht Juvenal keinen Ansatz und keine Möglichkeit zur Besserung; da fühlt er nur die Verachtung, die die Alten vor ihren Enkeln haben müssen (2.72ff.; 153ff.).

Obwohl man Brants „literarische Voraussetzungen ... in der Zeitklage, im Lob einer wertbeständigen Vergangenheit" gesehen hat,[212] ist bei näherer Betrachtung die Ausbeute an offensichtlichen Rückbezügen und an Beschreibungen dieser wertbeständigen Vergangenheit im ‚Narrenschiff' recht gering.

---

211 Highet, Juvenal the Satirist 58, "the badness of the past is both a preparation and a proof of the vileness of the present".

212 R. Newald, Humanismus und Reformation 289.

Die einzige längere Stelle, die eine derartige Interpretation zuläßt, ist 83,66–91, wo die Armut als Ursprung und Begründerin alles Guten erkannt wird. Doch ist die Stelle nicht etwa wie Juvenal 6.1–20 eine Beschreibung des goldenen Zeitalters als einer – wenn auch fiktiven – begrenzt-historischen Periode, sondern die Erkenntnis eines zu allen Zeiten, bei allen Völkern und Individuen möglichen Zustandes. Und darum muß es ja dem Satiriker gehen, sofern er lehren will: den Zeitgenossen die Möglichkeit ihrer Besserung vor Augen zu halten, nicht das Gute als unerreichbar an ein Ende der Zeiten zu setzen.

Auf die jüngere Vergangenheit, die besser gewesen sei, führen einige Stellen zurück: in der Mode gilt das jetzt als akzeptabel, was früher eine Schande war (4,1ff.), Spruchsprecher hatten einst eine soziale Aufgabe, heute ist es ein Bettelberuf (63,55ff.); die Bauern waren noch bis vor kurzem einfältig und gerecht, heute können die Städter Betrug bei ihnen lernen (82,1ff.); einst hatten die Deutschen großes Lob, heute vernichten sie selbst ihr Reich (99,140–146). Auch da wo Brant deutlich von der Neuheit eines Fehlers spricht, unterläßt er ausführlichere Anspielungen auf die gute alte Zeit: der neue Heilige *Grobian* wird zwar im Text von einer Häufung von *yetz* begleitet, aber über die Vergangenheit spricht nur die eine Zeile:

$$\textit{Sufer jns dorff / ist worden blyndt} \qquad (72,31)$$

und andeutend:

$$\textit{Das man nit vil vernunfft me tribt} \qquad (72,43)$$

Dieser letzteren Form folgen die meisten Hinweise auf die Vergangenheit: eine den Zustand der Gegenwart negativ beschreibende Formulierung impliziert eine bessere Vergangenheit. Auch viele der einfachen *yetz*, die die Analysen von Narrheiten an den Kapitelanfängen häufig begleiten, können in die Vergangenheit weisen: allein ihre Formulierung ist präsentisch. Brant selbst beschäftigt sich fast ausschließlich mit der Gegenwart, gibt aber dem Leser immer wieder Hinweise, sich selbst auf die bessere Vergangenheit zu besinnen. Wir sehen also dieselbe Technik walten wie bezüglich der satirischen Unmittelbarkeit: während die römischen Schriftsteller, wo sie das Gute im Vergangenen sehen, die goldene Zeit für den Leser beschreiben, aktiviert Brant seinen Leser und macht ihn nachdenklich.

Man kann Brant jedoch nicht geschichtliche Interessen absprechen. Beweis dafür ist im deutschen ‚Narrenschiff‘ das Kapitel 99, das eine verkürzte Bearbeitung der längeren Geschichte von Jerusalem darstellt und eine ganze Reihe historischer Daten, natürlich im Lichte der Kirchenrechtslehre, bringt. Auch die Geschichte der Wissenschaften und Entdeckungen ist im Kapitel 66 mit Persönlichkeiten, Daten und neuesten Entdeckungen berührt. Der Zusatz zum lateinischen Narrenschiff von 1498 *De corrupto ordine viuendi pereuntibus* zeigt Brants Geschichtskenntnis und Fähigkeit zu historischem Darstellen, das bestimmt ist von dem Gesichtspunkt der wiederkehrenden Abweichung vom göttlichen Gesetz und von der teleologischen Periodik der Danielsvision.

Aus dieser Beeinflussung durch christlich-eschatologisches Denken erklärt sich auch, daß Brant der einzige der verglichenen Satiriker ist, bei dem die Zukunft als konstituierendes Element wirkt. Juvenal spricht zwar einmal von den Enkeln, aber nur, um den Zeitgenossen ins Gesicht zu sagen, daß die Nachwelt kein Laster und keine Steigerung des Lasters mehr erfinden könnte; die Gegenwart sei wahrhaftig der Gipfel (1.147–149).

Brant dagegen, dessen Überzeugung sich schon gezeigt hat, daß die Endzeit gekommen sei, macht seine Leser immer wieder darauf aufmerksam, am ausführlichsten in Kap. 103 und im lateinischen Zusatz von 1498. Interessant und genau dem satirischen Zweck entsprechend ist seine dort gezeigte Einstellung zu den kommenden Ereignissen. Durch ihr lasterhaftes Leben haben die Deutschen die Zeit so weit gebracht, daß sie ihnen die Krone wegnehmen muß. Dazu kommt noch eine Sternkonstellation, die für das Jahr 1503 Schlimmstes vorhersagt.[213]

> *Dii melius: vates vtinam sim falsus: at illud*
> *Fata canunt: monstrant tempora, et astra docent*
>
> (*De corr. ord.* 429f.)

Doch besteht die Möglichkeit, das drohende Schicksal abzuwenden und den Einfluß der Gestirne zu hemmen; schon zeigen sich in der *Conclusio wormaciensis* Anzeichen einer deutschen Einigung, durch die Ordnung und Reformation der deutschen Zustände entstehen kann:

> *Ordine sic currus noster procedat opimo:*
> *Temonemque trahent ordine rursus equi:*
> *Sic quoque vertemus cancri tam nobile signum:*
> *Vt cauda obtorta scorpio proueniat:*
> *Iupiter aspiciet vultu nos forte sereno:*
> *Firmior Alcocothen Mars quoque noster erit.*
>
> (*De corr. ord.* 575–580)

Brants Einstellung zur Astrologie muß an anderer Stelle besprochen werden; jedenfalls gelingt es ihm hier, durch düstere Prophetien die Zeitgenossen zu schrecken und gleichzeitig das Nicht-Eintreffen des Prophezeiten von ihrer gegenwärtigen Besserung abhängig zu machen.

Hiermit sei der Vergleich der Behandlung narrativer Eelemente abgeschlossen. Die Unterschiede, die sich gezeigt haben, heben Brant nicht aus

---

[213] *De corr. ord.* v. 305–324, 419–448 (Zarncke 124b und 126a).

der satirischen Tradition heraus, denn auch die römischen Satiriker unterscheiden sich bezüglich dieser Elemente je nach der Absicht ihrer Satire. Im Gegenteil: es wurde nur deutlich, mit welcher einheitlichen Konsequenz Brant das Ziel verfolgt, eine innere Reformation seiner Zeitgenossen hervorzurufen.

21 Unter den *genera narrationis* scheinen sich besonders Schilderung, *sermocinatio* und vergangenheitliche Erzählung dem Zweck der unbeschönigten Wahrheitsdarstellung anzubieten, während zum Beispiel Fabel und Chria dem lehrhaften Zweck dienen.

Es ist selten, daß eine ganze Satire der Schilderung gewidmet ist. Nur Juvenals fünfte Satire, die den Kontrast zwischen dem üppig speisenden Virro und dem armselig bedienten, hungrigen Klienten beschreibt, ist präsentische Schilderung, die aber hier und da verallgemeinert und aus dem einmaligen Präsens herausgehoben wird, wie zum Beispiel 5.37ff.: während Virro teure Trinkgefäße benützt, wird dem Klienten Gold nicht anvertraut, „oder wenn man es gibt *(vel si quando datur)*, dann nur mit einem Wächter, der die Steine nachzählt und die spitzigen Nägel beobachtet". Hier zeigt sich also, daß die Szene, obwohl meist als Schilderung des Einmaligen gehalten, an manchen Stellen ins Allgemeine, häufiger Geschehende ausgreift und damit den reinen Schilderungscharakter verliert. Auch Brants Kapitel 110a über das Benehmen bei Tisch ist präsentisch, aber es zerfällt in eine Masse von Einzelbeobachtungen, die meist durch Allgemeinpronomina wie „manche", „etliche" eingeleitet sind. Nur einmal sammeln sich mehrere Unsitten in einer Person, die sofort Leben annimmt: 110a,71–95. Doch zugleich ändert sich damit merkbar das Erlebnis des Textes – muß sich der Leser sonst immer fragen: Gehöre ich auch zu den Beschriebenen; macht er sich über mich lustig?, so ist es hier deutlich ein anderer, über den man gerne zu lachen bereit ist, dessen Unsitten aber nicht bei sich selbst sucht. Und das widerspricht Brants Zweck.

Kürzere Schilderungen innerhalb eines Kapitels sind dagegen häufig und dienen als Beispiel-Schilderungen. Wie bei Brant schon beobachtet, sind sie häufig durch verallgemeinernde Wörter eingeleitet. Horaz ist ein Meister der andeutenden Beispielschilderung. „Nimm wen du willst aus der Menge: er leidet entweder an Habgier oder an einem elenden Wunsch. Dieser ist verrückt auf Matronen, der auf Knaben; diesen bannt der Glanz des Silbers, den Albius Bronzen, dieser schlägt vom Aufgang der Sonne bis zu der Stunde, wo sie die abendliche Landschaft wärmt, Waren um, und wirklich kopfüber wird er durch die Gefahren gewirbelt wie aufgewehter Staub, bloß weil er Kapitalverlust fürchtet oder seinen Reichtum mehren möchte." *(Serm.* 1.4.25–32).

Persius in seinen Schilderungen hat eine unheimliche Knappheit, mit der er Details in grelles Licht setzt und eindrucksvoll-abstoßende Bilder hervorbringt. „Der geht ins Bad, prall vom Essen und mit bleichem Bauch, aus dem Schlund gasen ihm langsam schweflige Gifte; aber beim Wein schüttelts ihn plötzlich und schlägt ihm den heißen Becher aus den Händen, die entblößten Zähne schnattern, und dann entfallen triefende Brokken den lockeren Lippen. Dann folgen Trompete und Kerzen, und schließlich liegt der Selige auf einem hohen Bette, mit groben Salben beschmiert, streckt die steifen Fersen gegen die Tür: und Bürger seit gestern, Freiheitshütchen auf den Köpfen, schultern ihn weg" (III 98–106).

Größere Ausdehnung haben meistens die Schilderungen Juvenals. Es ist unnötig, hier Beispiele zu bringen; die ersten Satiren leben aus der Schilderung, von Zorn und Empörung diktiert.

Bei Brant ist die Schilderung ebenfalls ein wichtiges Mittel zur satirischen Darstellung der Narrheiten. Viele Kapitel besprechen zwar eine närrische Haltung, die auf Einbildungen und törichten Wünschen beruht; bei diesen greift Brant zur direkten oder indirekten Rede, zum Bild oder zur kurzen äußeren Beschreibung wie etwa 54,1ff.:

> *Eyn gwisses zeichen der narrheyt*
> *Ist / das eyn narr nyemer vertreyt*
> *Noch mit gedult gelyden mag*
> *Das man von wysen dingen sag*

Manche Anfänge jedoch definieren die Narrheit durch die Schilderung einer kleinen Szene wie etwa Kap. 9:

> *Vil gandt gar stoltz jn schuben har*
> *Vnd werffent den kopff har vnd dar*
> *Dan hyn zů tal / dann vff zů berg*
> *Dann hyndersich / dann vberzwerg*
> *Dann gont sie bald / dann vast gemach* (9,1–5)

Erst dann folgt die Auswertung. – Auch ein knappes Bild erfüllt den Zweck:

> *Eyn narr ist wer will fahen sparen*
> *Vnd für jr ougen spreit das garn* (39,1f.)

Auch längere Schilderungen über die Sitten der Schützen (75), der Spieler (77), des Hausgesindes (81), der Handwerker am Sonntag (95), der Unerzogenen bei Tisch (110a), der Narren an Fastnacht (110b) hat Brant, doch sie sind alle aus kleinen Einzelbildern zusammengesetzt, die jeweils verschiedene Fälle darstellen, nicht eine Gesamtvorstellung erzeugen wollen. Jede sich langsam aufbauende Gesamtvorstellung kann in sich selbst Bedeutung annehmen und den satirischen Zweck verlieren; deshalb versucht Brant, dem die Lehre mehr am Herzen liegt als das bloße Heraussagen

der Wahrheit, das Behagen des Lesers durch verschiedene Verfremdungs-
techniken zu stören: die eine ist der Wechsel zwischen Schilderung, Lehre
und Beispiel, dessen Formen im ersten Kapitel der ‚Studien' untersucht
sind; die andere ist die Verwendung von allgemeinen Einleitungen wie
„manche, etliche, viele". Eine dritte ist die Häufung von Einzelbeobachtungen, die aber je mit verschiedenen Personen verbunden werden und so
eine Fülle von Miniaturen ergeben.[214] So zum Beispiel im Kap. 95 *vō
verfurūg am fyrtag:*

> *Dem eynen / mūß man roß beschlagen*
> *Dem andern knōpflin setzen an*
> *Das man nūn langst soltt han gethan*
> *Do man saß by dem spyl vnd wyn /*
> *Dem füllet man die spitzen syn*
> *Vil hudelen mūß man dar jn stossen /*
> *Dem mūß man an dūn rōck / vnd hosen*
> *Das mōcht er sunst nit legen an*
> *Hett ers nit vff eyn fyrtag gthan /* etc.   (95,5–13)

Brant zeigt damit die allgemeine närrische Haltung, den Feiertag nicht heilig zu halten, an möglichst vielen einzelnen Ausdrucksformen und nimmt
so möglichst viele Leser bei den Ohren (76,b); zugleich vermeidet er, daß
die Leser sich gemütlich in ein Bild versenken und über dem Schmunzeln
über andere vergessen, daß sie selbst damit gemeint sind. Ein Gegengewicht
gegen die Vielzahl der Bildchen bildet die stark ausgeprägte und zusam-
menfassende Lehre, die Brant nie zu geben vergißt. Ein weiteres Gegengewicht bilden die detailreichen Holzschnitte, in deren Betrachtung sich
der Leser versenken kann. Aber wie schon festgestellt, bedürfen die Holzschnitte zum vollen Verständnis meist des erläuternden Textes, und so ist
auch hier nur nachdenkende Vertiefung möglich.

Während also besonders bei Juvenal die Schilderung sich manchmal so
verselbständigt, daß die lehrhafte Haltung dahinter verschwindet, ist bei
Brant umgekehrt die lehrhafte Haltung im Übergewicht. Ihre Wirkung
geht jedoch nicht so weit, daß sie die Schilderung verdrängte, sondern sie
tritt in Verfremdungseffekten zutage, die es dem Leser unmöglich machen,
sich in die Schilderung um ihrer selbst willen zu versenken.

22   Eine Form der Schilderung, aber durch direkte Rede vergegenwärtigt
und damit dramatischer Charakterisierung sich nähernd, ist die *sermocinatio* oder Ethopoiie. In dieser Form, die auch als rhetorisches *praeexer-*

---

[214] Zeydel, Some literary aspects 22: "Brant is also a master at painting striking
and humorous little genre pictures when he is so disposed."

citamentum gebräuchlich war,[215] wurden einer durch Stand, Beruf, Geistesgaben irgendwie gekennzeichneten historischen oder typischen Persönlichkeit Reden in den Mund gelegt, die entweder den besonderen Charakter dieser Persönlichkeit im allgemeinen enthüllen *(morales)* oder die eine Person in einer bestimmten leidenschaftlich erregten Stimmung zeigen *(passionales),* oder endlich gemischte, die eine Persönlichkeit zugleich charakterisieren und in leidenschaftlicher Erregung darstellen *(mixtae).*[216] Die Reden können als Monologe oder Dialoge, in direkter oder indirekter Rede erscheinen. Wie der charakterisierende Monolog vom Lehrmonolog unterschieden werden muß, ist auch der charakterisierende Dialog vom Lehrgespräch zu unterscheiden.

Es ist klar, daß der Satiriker die Gelegenheit nicht versäumen darf, seine Opfer sprechend einzuführen und ihre Dummheit, Verwerflichkeit oder Verächtlichkeit selbst demonstrieren zu lassen. Für ihn kommen weniger die Spielarten der passionierten oder gemischten Ethopoiie in Frage – diese bestimmen den hochdramatischen Monolog –: er nimmt meist einen eingewurzelten, dauerhaften Fehler aufs Korn und bedient sich deshalb der moralischen Ethopoiie.

So gibt Horaz in *Serm.* 1.9 mit wenigen Einsprengseln von Erzählung den Dialog zwischen ihm und dem aufdringlichen Literaten wieder, der von ihm bei Maecenas eingeführt werden will und den er nur durch das gütige Eingreifen des Schicksals wieder loswird, denn auch ein Bekannter, den er zu Hilfe ruft, läßt ihn mit ironischer Entschuldigung in der Klemme. Die Ethopoiie betrifft nicht nur den Literaten, sondern auch den schadenfrohen lieben Freund Aristius Fuscus und Horaz selbst, der sich selbst mit all den fehlschlagenden kleinen Tücken und Lügen darstellt, durch die er sich des Lästigen entledigen will.

Auch *Serm.* 2.7, in dem der Sklave Davus seinem Herrn Horaz allerlei unangenehme Wahrheiten sagen darf, hat ethopoetischen Charakter, sofern das Normalverhältnis zwischen Sklave und Herrn hier ironisch umgekehrt wird und es trotzdem ein Sklave ist, der spricht, und sofern Horaz am Ende die freimütige Rede nicht mehr aushält und das Verhältnis äußerlich wieder herstellt, indem er den Sklaven bedroht und damit für dessen Kritik den besten Richtigkeitsbeweis liefert. Im Hauptteil allerdings muß die Rede des Sklaven eher als Lehrmonolog verstanden werden.

Ganze Kapitel umfassende Ethopoiien sind auf die *sermones* beschränkt; in die Briefe sind wie in die Satiren häufig kurze charakterisie-

---

[215] Vgl. Priscianus, *De praeexercitamentis rhetoricae ex Hermogene liber: De allocutione.* In Heinrich Keil: Grammatici Latini III. – Leipzig 1859 / Hildesheim 1961, 330–40.
[216] Diese Unterscheidungen nach Priscian/Hermogenes.

rende Gespräche eingestreut. So etwa in 1.8 die Selbstanalyse des Horaz, die so sehr mit seinen sonstigen Lehren disharmoniert; oder in 1.16.27–29 die Rede des Schmeichlers.

Persius gibt nie auf lange Zeit die Rede an einen andern ab. Doch manchmal unterbricht er sich für eine knappe, genaue Ethopoiie, so etwa die des böckisch stinkenden *centurio* über die Verächtlichkeit von Philosophen und Philosophie in Satire III 77–85. Den Anfang der vierten Satire bildet ein Gespräch zwischen Sokrates und Alkibiades, doch ist es nur in geringem Maße charakterisierend und stellt eher eine schulmäßige Übung im Sinne des platonischen Lehrgesprächs dar.

Juvenal dagegen widmet wieder eine ganze Satire, die neunte, der Klage des alternden Perversen. Juvenal fragt nach seinem Kummer. „Auf zwei brillanten Seiten, in sechzig Zeilen, die an Einsicht manch einem modernen psychologischen Roman gleichkommen, antwortet Naevolus. Sein Monolog kompromittiert und beschuldigt ihn selbst; aber er weiß es nicht, weil er völlig ohne Schamgefühl ist." [217] Das ist die Wirkung der satirischen Ethopoiie, die Juvenal natürlich auch in den andern Satiren an vielen Stellen zur Veranschaulichung gebraucht.

Brant benützt sie ausgiebig. Gleich das erste Kapitel ist eine Ethopoiie des Büchernarren, der schon weise zu sein meint, weil er Bücher sammelt. „Es ist ein alter irrthum, der sich bis in die neuesten literaturgeschichten von Gervinus, Vilmar und ihren nachtretern fortgepflanzt hat, dass Brant sich in diesem capitel selbst gemeint, sich (vgl. v. 1) vornan in das narrenschiff gesetzt habe." Diese Bemerkung Zarnckes[218] muß leider für die heutige Zeit wiederholt werden, denn noch heute wird geredet von „der netten Stelle, wo der Dichter sich selbst als Büchernarr vorführt".[219] Mit gleicher Berechtigung müßte Brant sich zu den alten Narren (Kap. 5) und zum Hausgesinde (Kap. 81) rechnen, denn auch diese Kapitel, bis auf eine kurze Einschaltung des Autors am Ende, sind durchgängig in der Form der Ethopoiie gehalten. Daß Brant sich zu den auf dem Schluraffenschiff Fahrenden zählt (108,102), wurde schon bemerkt.[220] Auch dieses Kapitel ist ganz als Ethopoiie gestaltet, wenn man die beiden eingefügten Erzählungen über die Schicksale des Odysseus (108,47–54 und 72–101) als Fortführung der Narrenrede betrachtet, durch die zwar die Selbstinterpretation, nicht aber die Rede unterbrochen wird. In diesem Kapitel scheint übrigens eine pathe-

---

217 Highet, Juvenal the Satirist 117: "In two brilliant pages, in sixty lines equivalent in perception to many a modern psychological novel, Naevolus replies. His monologue exposes and incriminates himself; but he does not know it, because he is quite dead to shame."

218 Zarncke zu 1,a (301a).

219 Henrik Becker: Bausteine zur deutschen Literaturgeschichte. Ältere deutsche Dichtung. – Halle/Saale 1957; 252.   220 Abschnitt 17.

tische Ethopoiie intendiert; der Bericht über den Seesturm (108,102–128) ist von Angst und Verzweiflung erfüllt und steigert sich über mehrere Stufen, auf denen Schilderung und Reflexion in immer kürzeren Abständen wechseln, zum Höhepunkt:

> *All hülff / vnd rott hat vns verlon*
> *Wir werden jnn die harr vndergon*
> *Der wynd verfůrt vns mit gewalt*   (108,126–128)

Mit diesem Fortissimo der Angst plötzlich abbrechend (Reimbrechung!) fährt der Narr lehrhaft fort

> *Eyn wis man / sich do heym behalt*
> *Vnd năm by vns eyn wißlich ler*   (108,129f.)

und fällt damit in einen Ton, den die Ethopoiie bei den römischen Satirikern noch nicht hatte: den der unwahrscheinlichen Selbstinterpretation. Dort sagten die Charaktere nur das psychologisch Wahrscheinliche und charakterisierten sich durch ihre Wortwahl, ihre geäußerten Ansichten als Narren und Verwerfliche; die Erkenntnis der Narrheit und Verwerflichkeit war aber entweder der Zwischenrede des Autors oder dem Verständnis des Lesers überlassen. Brant jedoch stört es nicht, wenn die Narren Weisheitslehren austeilen, über die sie als Narren gar nicht verfügen dürfen. „Ähnliche verstösse bieten übrigens die selbsteinführungen in den alten dramen ebenfalls häufig dar." [221] Möglich wird dieser Prozeß wohl durch eine von der unseren verschiedene Auffassung der dramatisch redenden *persona*; Brants Zweck ist, soweit er nicht gedankenlos eine Zeitmode mitmacht, wieder der der Verfremdung: durch die Einzeichnung lehrhafter und inkongruenter Elemente in die Schilderung erreicht er, daß der Leser nie die reflektierende zugunsten der bloß genießenden Haltung aufgibt.

Neben diesen vier Kapiteln, die ganz oder fast ganz von der Ethopoiie bestimmt sind, gibt es viele Stellen, an denen die Form innerhalb eines Kapitels verwandt wird; im Motto (z. B. Kap. 60 und 80), zur Einführung des Narren (Kap. 78), zu Argumentationen, was allerdings schon ins Lehrgespräch hinübergeführt (Kap. 72 und 105). Den häufigsten Gebrauch findet die Ethopoiie in der einleitenden Beschreibung der Narrheit, die oft als Darstellung der Meinung des Narren erscheint, zum Beispiel:

> *Eyn narr ist / wer berůmet sich*
> *Das er gott ließ syn hymelrich*
> *Begerend / das er leben mag*
> *Inn narrheyt / biß an jungsten tag*
> *Vnd blyben mốcht eyn gůt gesell*
> *Er far joch dann / war gott hyn well*   (43,1–6)

---

[221] Zarncke zu 1,16 (302a).

Darauf antwortet dann Brant mit eigenen Argumenten, und es entsteht eine Art Lehrgespräch.

An zwei Stellen im ‚Narrenschiff‘ benutzt Brant auch die Prosopopoiie, in der leblose Dinge oder abstrakte Begriffe als redend eingeführt werden. In Kap. 13 erscheint Frau Venus und verkündet ihre Macht über die Narren, in Kap. 22 die Weisheit, die den Menschen ihre Lehre gibt. Soweit die Prosopopoiie hier geht, hat Brant sie allerdings aus Prov. 8 übernommen. Beide Male hat die Form auch starke Lehrtendenzen.

Brant verwendet also im Verhältnis mehr Ethopoiie als bloße Schilderung. Dies entspricht seiner allgemeinen Tendenz, weniger äußere Fehler des Verhaltens als ihre inneren Anlässe durch die Satire anzugreifen. Während die Entfaltung der Schilderung durch Verfremdungseffekte häufig gestört wird, ergibt die Einwirkung der lehrhaften Haltung auf die Ethopoiie nur den Bruch in der psychologisch wahrscheinlichen Kontinuität des Charakters, der zu seiner Zeit nicht negativ gewertet wurde, und den zum Beispiel auch die Narrheit im *Encomium moriae* des Erasmus zeigt.

23 Als letzte der *genera narrationis* soll die Erzählung kurz besprochen werden. Sie ist dem Aktualitätsstreben der satirischen Haltung, die Wahrheit unbeschönigt zu sagen, entgegengesetzt, denn die Erzählung mit ihren praeteritalen Tempora läßt immer den Eindruck des nachträglich Ausgewählten und Gestalteten zu, während die praesentische Schilderung und noch mehr die dramatische Ethopoiie den Eindruck des Spontanen, Unbearbeiteten, der kruden Wahrheit erzeugen. Die hier untersuchten Satiriker benutzen deshalb die Form der Erzählung nur selten.

Des Lucilius und des Horaz Reise-Erzählungen wurden schon erwähnt. Horazens anekdotische Erzählungen *Serm.* 1.7 über den Rechtsstreit zweier Grobiane und in *Epist.* 1.7 über das Experiment des Philippus, dem Vulteius durch Reichtum die Seelenruhe zu rauben, haben verschiedene Wirkungen. Die erste ist offensichtlich nur um der antiheroischen Charaktere und der Schlußpointe willen geschrieben; die zweite hat eine Moral, die Horaz am Ende anschließt: wer erlebt hat, um wieviel besser das Verlassene als das Erstrebte ist, soll wieder zum früheren Zustand zurückkehren (*Epist.* 1.7.96f.). Dadurch wird die Geschichte zum Beispiel für einen Lehrsatz und verliert ihren Darstellungscharakter zugunsten der Beweisfunktion. Die Geschichte über die beiden Hexen Canidia und Sagana *Serm.* 1.8 scheint mir satirisch mit der wachsenden Spannung des Hörers zu spielen, indem sein Interesse durch die schauerlichen Handlungen der Hexen immer höher gesteigert wird und ins Gruseln übergeht, um auf dem Höhepunkt durch die unanständige Explosion des priapischen Feigenholz-Hinterteils in eine lächerliche Antiklimax zu stürzen. Hier also geht es ebenfalls weniger um die erzählte Geschichte und das in ihr Erzählte, sondern um das, was mit ihr erreicht werden soll. Auch in der Erzählung des Fundanius über das Gastmahl beim reichen Nasidienus *Serm.* 2.8 entsteht die Satire nicht so durch den Inhalt des Erzählten wie durch den Kontrast zwischen der selbstverständlichen Erzählweise des Fundanius und den Lächerlichkeiten, von denen er erzählt.

Persius hat keine vergangenheitlichen Erzählungen in seinen Satiren. Nur an zwei Stellen spricht er über Kindheit und Jugend. Aber das sind Erinnerungen, die als Kontraste gesetzt und nicht selbst der Satire unterworfen werden. Juvenal dagegen bringt zwei Erzählungen, die je eine ganze Satire bestimmen. Die erste ist die epische Parodie über den Butt und Domitians Einberufung des Staatsrats, weil das Tier zu groß für die normalen Kochtöpfe und Platten ist. Die zweite ist die Erzählung in der fünfzehnten Satire über den ungeheuerlichen Fall von Kannibalismus in Ägypten. Doch dient Juvenal die Geschichte als Beispiel dafür, wie bestialisch zu seiner Zeit die Menschen sind, und erfüllt nur die Aufgabe eines eindrucksvollen Beweises. Käme es ihm auf die unmittelbar schreckende Wirkung der Wahrheit an, so dürfte er die Geschichte nicht nach Ägypten und nicht in die Vergangenheit setzen. Von Juvenals beiden Erzählungen hat also nur die epische Parodie nicht-lehrhaften Charakter.

Brant hat nur zwei Stellen mit Erzählung, die nicht als Beispiele aufgefaßt werden müssen. Davon wurde die Rekapitulation von Odysseus' Abenteuern schon erwähnt. Es ist ein lehrhafter Kontrast, der dabei entsteht: Odysseus war der Weise, dessen Klugheit ihn aus allen Gefahren rettete, in die die Narren durch ihre Unachtsamkeit geraten und in denen sie untergehen. Die andere Stelle ist Kap. 76, das in mehreren Ansätzen die lächerliche Wirklichkeit unter den Großtaten und Ruhmreden der prahlenden Narren aufdeckt. Hier aber tritt die vergangenheitliche Rede nicht so sehr unter dem Aspekt der einläßlichen Erzählung wie der faktischen Richtigstellung auf und erfüllt so die Forderung der zur Wahrheit drängenden Haltung.

Damit sei die Betrachtung der narrativen Elemente und Darstellungsformen, die der zur unbeschönigten Wahrheit drängenden Haltung entspringen, abgeschlossen. Sie zeigte Brants ,Narrenschiff' als den römischen Satiren durchaus vergleichbar. Verschiedenheiten führten nicht aus der Gattung heraus, sondern machten darauf aufmerksam, daß der Angriffspunkt der Brantschen Satire im Innern jedes einzelnen Lesers liegt, während die Angriffspunkte der verglichenen römischen Satiren meist im Äußern lagen. Die narrativen Elemente und Formen sind bei Brant nie ganz Selbstzweck, sondern werden durch bestimmte Verfremdungseffekte immer wieder von der lehrhaften Haltung durchbrochen, aber nicht etwa verdrängt oder vernichtet.

24 Auch die lehrhafte Haltung drückt sich in einer Reihe von Stilzügen und Darstellungsformen aus. Da die Verwendung lehrhafter Elemente bei den römischen Satirikern und bei Brant evident ist, erübrigt sich ein einläßlicher Vergleich, wie wir ihn für die narrativen Elemente durchzuführen suchten. Deshalb sollen nur die längeren Beweisformen der *inductio* und *ratiocinatio* und die Darstellungsformen von Lehrmonolog und Lehrgespräch andeutend verglichen werden. Für Brant jedoch sind auch die Vorformen und Elemente der Lehre zu untersuchen: wenn sich nämlich gezeigt hat, daß die lehrhafte Haltung auf die narrativen Elemente und Formen übergreift, so ist zu fragen, ob auch der umgekehrte Prozeß, ein Übergreifen des Narrativen auf die lehrhaften Elemente und Formen, stattfindet.

Die Knappheit, eines der hervorstechenden Merkmale für Brants Stil, drängt ihn zur sententiösen Formulierung. Vorbilder dafür sind ihm die Sprichwörter Salomons und die übrigen Spruchbücher des Alten Testaments und die vielen Sentenzen und Sprichwörter, die er in der Muttersprache kannte oder aus dem klassischen oder mittelalterlichen Latein übersetzte.[222] In unserem jetzigen Zusammenhang braucht die Unterscheidung zwischen Sentenz und Sprichwort bei Brant nicht berücksichtigt zu werden: beide sind Träger des Gedanklichen und der Lehre. Hans Henrich Eberth[223] hat 684 solcher Gedankenelemente im ‚Narrenschiff' zusammengesucht. Verhältnismäßig wenige darunter sind rein gedanklich, wie zum Beispiel:

> *Dann gwonheyt / andere natur ist /*   (49,31)

> *Alls übels Armůt ist wol on*
> *All ere vß Armůt mag erston*   (83,70f.)

Manche sind bildlich bestimmt, wie etwa

> *Der furet vff eym strowen dach*
> *Der vff der welt rům / setzt syn sach*   (92,1f.)

> *Die erste stund / die lest ouch braht*   (85,19)

> *Es zůht die stråbkatz mancher man*
> *Der doch das merteyl noch můß lan /*   (64,31f.)

Viele, ohne bildlich zu sein, machen den zugrunde liegenden Gedanken an einem beispielhaften Fall anschaulich:

> *Eyn gůt frow / senfft des mannes zorn*   (64,9)

---

[222] Über Brants Verhältnis zum mittellateinischen Sprichwort vgl. meine „Studien" 192–94.
[223] Eberth, Die Sprichwörter 31–80.

Nůn hab doch gott das hymelrich
Den gensen ye gantz nit gemacht (14,8f.)

Pfēnīg / nyd / früntschafft / gwalt vñ gůst
Zerbrechen yetz / recht / brieff / vnd kunst / (46,61f.)

Das Übergewicht der anschaulichen über die rein gedanklichen Sentenzen
und Sprichwörter zeigt einen starken Einfluß der darstellenden auf die
lehrhafte Tendenz.

Selten treten solche beispielhaften Sentenzen zur Priamel zusammen,
wie zum Beispiel:

Wer eym artzt jn der kranckheyt lügt
Vnd jn der bicht eyn priester drügt
Vnd vnwor seyt sym aduocat
Wann er will nemen by jm ratt
Der hatt jm selbs alleyn gelogen
Vnd mit sym schaden sich betrogen (38,25–30)

Hier ergänzen sich die einzelnen Fälle durch analogische Erhellung, und
der über sie ausgesagte Gedanke erhält dadurch für jeden einzelnen Fall
Stütze und Gewicht. Auch die Zahlensprüche, wie Brant sie vor allem in
Kap. 64 verwendet, haben diese Wirkung für ihre einzelnen Glieder.

Dem Beweisvorgang dienen Beispiel und Analogie, das Beispiel als Beleg im Vorgang der *ratiocinatio*, die Analogie als Vergleichsbereich der
inductio. Daß Brant sehr viele Beispiele verwendet, ist bekannt und auf
den ersten Blick sichtbar. Wie Persius fiktive oder literarische Fälle einführt, Juvenal auf die unmittelbar vorhergehende Epoche schildernd zu-
rückgreift, so sammelt Brant Beispiele aus der Bibel und den römischen
Schriftstellern und hat für jeden Fall meist drei oder vier, manchmal (Kap.
13 und 66) sogar ganze Kataloge anzuführen. Beispiele sind erzählerische
Elemente, die in den Dienst des Lehrens und Beweisens gestellt werden.[224]
Die Menge der Beispiele ist also wieder ein Hinweis auf die Einwirkung
der darstellenden Tendenz auf die lehrhafte. Brant erzählt sie meist nicht
einläßlich, sondern deutet sie nur in den Umrissen an. Wenn das Bedürfnis
nach vielfältigem Beleg in seiner Zeit allgemein verbreitet war, so können
wir in dieser bei ihm besonders ausgeprägten Form der knappen Andeutung
besondere Absicht vermuten: der Leser soll angeregt werden, sich die angedeutete Geschichte zur Ganzheit wieder ins Gedächtnis zurückzurufen, oder,
sofern er sie noch nicht kennt, den gegebenen Namen und Umrissen nach-
zuforschen. Lochers lateinische Ausgabe fügt sogar noch Angaben über kon-

---

[224] Vgl. Hildegard Kornhardt: Exemplum. Eine bedeutungsgeschichtliche Studie. –
Diss. Göttingen 1936; 14,86f.

307

kordante Stellen zu den gegebenen Beispielen an,[225] damit der gelehrte Leser noch über Brants Beispiele oder Sentenzen hinaus studieren könne. Brant verfolgt also das schon öfter festgestellte Ziel, den Leser geistig anzuregen, zu sich kommen zu lassen durch die erarbeitete Erkenntnis. Wenn ihm an manchen Stellen Ungenauigkeiten bei der Anführung eines Beispiels unterlaufen, so darf man wohl nicht mit Zarncke annehmen, daß er „gerade auf die nichtkenntnis seiner leser bei der flüchtigen weise der anführung rechnet".[226] Die meisten der Flüchtigkeiten unterlaufen nämlich bei biblischen Beispielen, die den Lesern mindestens besser bekannt waren als viele der klassischen. Es ist anzunehmen, daß Brant bei einigen sich auf sein Gedächtnis verlassen hat. Auch ist nicht gesichert, ob Brant bei manchen Beipielen, die auch in der Bibel erscheinen, nicht andere Quellen benutzt hat.[227]

Neben dem Beispiel benützt Brant sehr häufig die Analogie zur Erhellung gedanklicher Zusammenhänge. Ich verstehe darunter die Durchführung des zu erhellenden Gedankenganges in einem dem Leser bekannten Bereich. Voraussetzung der Analogie ist der Glaube an ihre Möglichkeit. Ein solcher Glaube ist nur in einem nicht kausalen Denken möglich; kausales Denken setzt für jeden Wirkzusammenhang spezifische Ursachen und Bedingungen und macht die so geschaffene Relation zwischen spezifischer Ursache und spezifischer Wirkung grundsätzlich unvergleichbar. Wenn deshalb bei der Analogie zwar Wirkzusammenhänge angenommen, aber durch den Vergleich und die gegenseitige Erhellung ihrer spezifischen Ursachen und Bedingungen entkleidet werden, so haben wir es bei der Analogie mit einer unmittelbaren Vorstufe des kausalen Denkens zu tun, die zwar das Grundprinzip der Kausalität schon anwendet, aber noch nicht alle daraus folgenden Gesetze. Man sieht das Analogische sich im Mikrokosmos-Makrokosmos-Denken und im Signaturdenken zum Weltbild ausformen. Wenn das kausale Denken sich vollends ausbildet und die grundsätzliche Unvergleichbarkeit verschiedenartiger Wirkzusammenhänge erkannt ist, kann die Analogie nicht mehr als erhellender Denkprozeß verstanden werden. Sie wird dann zum spielerisch-witzigen Gegenüberstellen zweier Bereiche mit verschiedenen Wirk- oder Denkzusammenhängen, zur Allegorie. Brant verwendet die Allegorie selten, und dann oft inkonsequent, wie es sich bei der Untersuchung des Narrenschiff-Bildes zeigte. Die Analogie jedoch spielt bei ihm eine große Rolle und ist oft das einzige Beweismittel für einen Gedanken:

---

[225] Brants Erläuterung in *De singularitate quorundam nouorum fatuorum additio Sebastiani Brant* (zur ersten Ausg. 1497) v. 119–122 (Zarncke 120b).

[226] Zarncke XLVI.

[227] Zeydel, The Ship of Fools, 367: "In many of his biblical references Brant may have used other sources not known to us."

> *Gar seltten jn sym wesen blibt*
> *Eyn můd roß / das man vber tribt*
> *Eyn willig roß würt stettig baldt*
> *Wann man daß fůtter jm vorhaldt*
> *Wer eym vil ding zů můten gtar*
> *Vnd lonen nitt / der ist eyn narr* (59,9–14)

Brant bringt hier zunächst zwei Analogien, dann den zu beweisenden, „gemeinten" Satz. Im selben Kapitel findet sich auch die umgekehrte Anordnung:

> *Vndanckberkeyt nymbt bősen lon*
> *Sie macht den brunnen wassers on*
> *Eyn altt Cystern nit wasser gytt*
> *Wann man nit wasser ouch dryn schytt /*
> *Eyn důren angel gar bald kyerrt*
> *Wann man jn nit mit ől ouch schmyert* (59,22–27)

Beim Vergleich der beiden Beispiele zeigt sich, daß die Analogie aus verwandten (Pferd im ersten Beispiel) und aus fremden (Zisterne und Türangel im zweiten Beispiel) Bereichen gewählt werden kann. Die Analogie kann auch den Gedanken im Vergleichsbereich weiterführen:

> *Die jugent ist zů bhaltten gering*
> *Sie mercket wol vff alle ding /*
> *Was man jn nůwe håfen schitt*
> *Den selben gsmack verlont sie nit /*
> *Ein junger zwyg sich biegen lot /*
> *Wann man ein altten vnderstat*
> *Zů biegen / so knellt er entzwey* (6,13–19)

Der unbildliche Satz am Anfang spricht nur von der schnellen Auffassungsgabe der Jugend. Die erste Analogie ist ein analogischer Beleg dafür – ein neuer (unglasierter) Krug nimmt sofort den Geschmack an – und zugleich eine Weiterführung des Gedankens: der Geschmack bleibt im Krug, also der Mensch behält lange, was er in der Jugend gelernt hat. Die zweite Analogie spricht über die Lernfähigkeit: nur in der Jugend kann man lernen und sich erziehen lassen, im Alter nicht mehr. Es ist deutlich, daß bei der Analogie noch mehr als beim Beispiel die darstellende Tendenz die belehrende durchdringt. Während im Beispiel nämlich nur die Anwendbarkeit des speziellen Lehrsatzes auf einen Vorstellungszusammenhang wichtig ist, muß sich der Leser bei der Analogie denkend in den gegebenen Vorstellungszusammenhang hineinvertiefen, um aus ihm erst Beweis, Erhellung und Weiterführung der noch unvollständigen Lehre zu erhalten.

309

Die größere Wertigkeit der Analogie tritt vor allem in den ausgeführten Beweisformen zutage. Hier ist die Analogie notwendiger Bestandteil der *inductio*, während das Beispiel sowohl in der *ratiocinatio* wie *inductio* gebraucht werden kann, aber in keiner von beiden notwendig ist.

Die *ratiocinatio*, aus dem philosophischen Syllogismus als rhetorische Entsprechung der Argumentation entwickelt, ist in ihrer vollen drei- oder fünfteiligen Form für den Satiriker schwierig zu verwenden, wenn er den lehrhaften Charakter seiner Satire zu verbergen sucht. Denn die strenge Form der Beweisführung, wenn sie nicht sehr geschickt eingebettet oder durch sprachliche Mittel verdeckt wird, nimmt mit ihrer Durchdachtheit den Eindruck des Spontanen, unmittelbar aus dem Moment Geborenen weg. Juvenal, dessen frühe Satiren aus dem Quell des Zorns sprudeln, vermeidet die Form deshalb. Horaz dagegen hat an wenigen Stellen die Ratiocinatio. So etwa beim Trost, den der Philosoph Stertinius *Serm.* 2.3.39ff. dem Damasippus wegen seiner Narrheit gibt: Narrheit sei nach der Schule des Chrysippus Blindsein aus Dummheit und Unkenntnis der Wahrheit (Propositio). Das aber treffe auf alle Menschen mit Ausnahme des Weisen zu (Assumptio). Deshalb sei er nicht der einzige und dürfte sich seiner Dummheit nicht schämen (Complexio). Dies ist also die dreiteilige Form der Ratiocinatio; nur daß Horaz die Complexio als Thema an den Anfang setzt und nachher nicht wiederholt:

> *„pudor" inquit „te malus angit,*
> *insanos qui inter vereare insanus haberi.*
> *primum nam inquiram, quid sit furere: hoc si erit in te*
> *solo, nil verbi, pereas quin fortiter, addam.*
> *quem mala stultitia et quemcumque inscitia veri*
> *caecum agit, insanum Chrysippi porticus et grex*
> *autumat. haec populos, haec magnos formula reges,*
> *excepto sapiente, tenet."* (*Serm.* 2.3.39–46)

Man sieht, wie geschickt Horaz den Gedankengang verschleiert und trotz des angeschlagenen Vorlesungstons in Gesprächsform ausdrückt. An die Stelle schließt er übrigens eine Inductio an, die unten besprochen werden soll.

Persius benützt den Syllogismus wenigstens ebenso selten. Er „verwendet lieber die nicht-logische Methode der Metapher und der symbolischen Szene".[228] Er versucht nicht, seine Sätze zu beweisen, sondern schleudert die Behauptungen und Bilder dem Leser entgegen. Akzeptiert sie dieser unbesehen, so ist er auf seiner Seite, nimmt er sie nicht an oder kümmert er sich

---

[228] "Persius prefers the non-logical method of the metaphor and the symbolic scene." W. S. Anderson in W. S. Merwin, The Satires of Persius 43.

310

nicht darum, so ist er ein unverbesserlicher Narr. Persius will nicht durch den erzieherischen Beweis überzeugen, er will fast demagogisch Parteiung herbeizwingen. Während Horaz die Narrheit aller nachweist, begräbt Persius den Gedanken als sein Privatgeheimnis in das Buch seiner Satiren (I 120f.). Einmal, und da ironisch, verwendet Persius die Ratiocinatio: Wer anders ist frei, als wer leben kann, wie er will? (Propositio) Ich aber, Freigelassener Marcus Dama, kann leben wie ich will (Assumptio), also bin ich freier als Brutus (Complexio):

> *An quisquam est alius liber, nisi ducere vitam*
> *cui licet, ut voluit? licet ut volo vivere: non sum*
> *liberior Bruto?*   (V 83–85)

Sogleich wird sein Schluß von einem Stoiker angegriffen, der ihm beweist, daß die wahre Freiheit nicht in der Freiheit vor dem Gesetz bestehe, sondern im feinausgewogenen Verhältnis zu den Dingen und im rechten Gebrauch des schnellschwindenden Lebens (V 93f.) – aber der Beweis läuft über eine Inductio und nicht, wie es dem Philosophen anstünde, über einen Syllogismus.

Juvenal, der in den frühen Satiren kaum ausgesprochene Lehre gibt, verwendet dort auch nicht die Beweis- und Schlußgänge. In den späteren Satiren benützt er wenigstens das Enthymema, die verkürzte Form der Ratiocinatio. So in der 13. Satire. Zu ergänzen ist die Propositio: Der schwache, kranke Geist begehrt unmittelbare, äußere Wirkungen. Juvenal beginnt mit der Assumptio: Chrysippus, Thales und Sokrates lehren, man solle nicht nach Rache verlangen, und Sokrates hat es im Leben bewiesen (Beispiel als Begründung). Deshalb (Complexio) verlangen nur schwächliche Geister nach Rache. Beweis und Beispiel: am meisten freut sich das Weib der Vergeltung (13.184–192). So zeigt sich auch hier noch, daß er „der Künstlichkeit der Logik ausweicht", um damit der Tradition der römischen Satire treu zu bleiben.[229]

Brant jedoch scheut sich nicht vor dem streng durchgeführten Gedankengang. Im ersten Kapitel meiner „Studien" habe ich im Detail untersucht, welch große Rolle die Ratiocinatio in seinen Kapiteln spielt, und wie sie den Aufbau vieler ausschließlich und vieler anderer teilweise bestimmt. Brant möchte von der Wahrheit überzeugen und zur Erkenntnis erziehen. Der klare Beweisgang ist dazu das beste Mittel, denn er zwingt zum Mit-Denken. Trotzdem fällt der vielfältige Gebrauch der Ratiocinatio im ‚Narrenschiff‘ nicht ins Auge, wenigstens ist die Forschung bisher daran

---

[229] "The tradition of Roman satire, which affected spontaneity and (as we can see from the satires of Horace) eschewed the artificiality of logic." Highet, Juvenal the Satirist 47. Dies ist allerdings über die frühen Satiren gesagt.

vorbeigegangen in der Meinung, die Kapitel seien völlig formlose Zusammenstellungen von Epigrammen und Beispielen. Auch hier sehen wir also eine Tendenz zum Verdecken des streng logischen, gekünstelt klingenden Denkzusammenhangs. Brants Mittel zur Verschleierung der Bezüge zwischen den Gliedern sind: Knappheit und epigrammatische Rundung der Glieder, Auslassen der Bindemittel, zum Beispiel der Konjunktionen.

Die *inductio* ist eine lockere Form des Beweises und wird deshalb von den römischen Satirikern lieber benützt als die anspruchsvollere Ratiocinatio. Horaz verwendet sie besonders häufig in *Serm.* 2.3 und *Epist.* 1.2. Im Anschluß an die oben besprochene Ratiocinatio bespricht er die Möglichkeit des Satzes, daß alle Narren seien und daß doch einer von allen als Narr verspottet werde. Die Analogie ist: viele Menschen haben im Wald den Weg verloren. Alle gehen in verschiedene Richtungen, jeder meint den richtigen Weg zu haben und verspottet darum die andern, aber alle irren sie. So ist es möglich, daß einer wegen seiner spezifischen Narrheit verspottet wird von allen andern, die vielleicht unter sich manches gemeinsam haben und sich deshalb sicherer fühlen, aber nichtsdestoweniger Narren sind:

> nunc accipe, quare
> desipiant omnes aeque ac tu, qui tibi nomen
> insano posuere. velut silvis, ubi passim
> palantis error certo de tramite pellit,
> ille sinistrorsum, hic dextrorsum abit, unus utrique
> error, sed variis inludit partibus: hoc te
> crede modo insanum, nihilo ut sapientior ille
> qui te deridet caudam trahat.   (Serm. 2.3.46–53)

Auch Persius benützt den Induktionsbeweis an der schon besprochenen Stelle III 63ff.: Es ist sinnlos, Heilung zu suchen, wenn die Krankheit schon weit vorangeschritten ist: man muß die Krankheit bekämpfen, wenn sie anfängt. Deshalb muß man lernen und weise werden:

> Helleborum frustra, cum iam cutis aegra tumebit,
> poscentis videas: venienti occurrite morbo,
> et quid opus Cratero magnos promittere montis?
> discite, o miseri, et causas cognoscite rerum.   (III 63–66)

Bei der Inductio ist auch Juvenal nicht so zurückhaltend wie beim strengen Syllogismus. Sie erscheint zum Beispiel schon in der achten Satire, wo es ihm darum geht, einem hochnäsigen Adligen zu beweisen, daß nur Leistung Adel bedeute, nicht aber der Name. Die Analogie wird von edlen Rennpferden genommen: Was hilft einem Pferde, daß es von einem berühmten Rennpferd abstammt? Wenn es nicht schnell genug ist, selbst Preise zu erringen, muß der Eigentümer es billig abgeben und Karren ziehen lassen. Nur die eigene Leistung also, nicht der Name, darf Bewunderung heischen. Die Stelle (8.39–70) ist zu lang, als daß sie hier zitiert werden könnte.

Brant, dessen Tendenz zum analogischen Denken schon besprochen wurde, benützt die Inductio ausgiebig, und zwar besonders in einer deutlich sich abzeichnenden Gruppe von Kapiteln (19–66), wo sie in wenigstens zwölf Kapiteln, in manchen davon mehrmals, verwendet wird. An zwei Stellen (Kap. 23 und 38) wird die Analogie zwischen leiblicher und seelischer Krankheit induktiv durchgeführt. In Kap. 23 geht es um den Nachweis, daß glückliche Lebensumstände ein Zeichen dafür sind, daß Gott sich von einem Menschen abgewandt hat. Der Arzt nämlich, wenn er einen Kranken gesund machen möchte, quält ihn mit bitterer Arznei, und der Chirurg meißelt und schneidet, damit der Kranke bald gesundet. Wenn aber der Arzt dem Kranken alles gestattet, ihn nicht mehr quält, sondern ihm ganz den Willen läßt, so ist es ein Zeichen, daß er nicht mehr an die Heilung glaubt und verzagt hat. Deshalb ist ein Mensch, der Glück und Reichtum hat, vom Teufel betrogen (dem Gott die Macht über ihn gelassen hat). Die Stelle (23,5–24) ist wieder zu lang, als daß sie zitiert werden könnte.

Brants ‚Narrenschiff‘ zeigt also starke Verwendung lehrhafter Elemente und Beweisformen. Wenn er stärker zur Didaxe neigt als seine römischen Vorbilder, so ist das auf sein pädagogisches Ziel zurückzuführen, das die Satire bewußt als Mittel benützt (*Vorred*, 1–60). Wenn die Didaxe offener, merkbarer durchgeführt ist, so deshalb, weil er die Zeitgenossen zum Denken und Erkennen erziehen will. Das kann man bei den römischen Satirikern höchstens von Horaz sagen, und gerade bei ihm zeigen sich die didaktischen Elemente in stärkerem Maße als bei Persius und Juvenal. Brant vermeidet jedoch mit deutlich sichtbarem Stilwillen, daß die Didaxe die darstellende Tendenz verdrängt oder auch nur überwiegt. Wir haben festgestellt, wie die lehrhaften Elemente von darstellenden Zügen durchdrungen werden. Die Masse der Beispiele und Analogien gibt ein darstellendes Gegengewicht gegen strukturbestimmende Gedankenformen wie die Ratiocinatio und die später zu untersuchende Expolitio. Die Inductio ist eine Form des genauen Ausgleichs zwischen didaktischer und darstellender Ausdruckshaltung.

25   Nun sind noch Lehrmonolog und Lehrgespräch als didaktische *genera* zu besprechen. Während die monologische oder dialogische Ethopoiie der Charakterisierung und damit der darstellenden Tendenz der Satire dient, legen ihre didaktischen Entsprechungen nur Wert auf klare Durchführung von Gedankengängen und langsames Erlangen der Erkenntnis.

Jede zweite Satire in Horaz’ zweitem Buch der *sermones* ist ein Lehrdialog. Nur in der ersten Satire ist Horaz selbst derjenige, der Gedanken und Lehre gibt und sich gegen die Einwände des Trebatius verteidigt, er müsse Satiren schreiben. In der dritten, fünften und siebten Satire gibt er die didaktische Rolle an andere ab. In der dritten Satire belehrt ihn Damasippus über die allgemeine und die eigene Narrheit, in der siebten der Sklave Davus über seine geheuchelte Freiheit. Die fünfte Satire ist ein Rollengespräch zwischen dem verarmten Odysseus und Teiresias, der ihm ironische Lehren gibt, wie er wieder zu Reichtum gelangen kann. Außer den schon genannten charakterisierenden und erzählenden Satiren finden sich viele Monologe, die jedoch öfter durch dialogische Einsprengsel unterbrochen sind. Meistens wird durch eine Initial-Anrede die lehrhafte, auf andere gerichtete Funktion des Monologs betont.

Bei Persius ist nur die einleitende Programmsatire als Lehrgespräch zwischen einem imaginären Gegner und Persius gestaltet, und die fünfte Satire läßt den verehrten Cornutus mit seinem Rat zu Wort kommen. Sonst aber sind die Satiren des Persius Lehrmonologe, in denen er immer wieder andere Narren aufs Korn nimmt und sie direkt anredet, meist ohne sie je zu Wort kommen zu lassen, oder um ihnen nur eine Bemerkung zu gönnen, in der sie ihre Narrheit demonstrieren dürfen.

Juvenals neunte Satire ist Ethopoiie, charakterisierender Dialog, und außer ihr sind alle Monologe.[230] Eine Besonderheit stellt der Monolog des Umbricius in der dritten Satire dar, zu dem Juvenal den Rahmen gibt. Elf dieser Monologe sind „Argumentationen, in denen Juvenal einen Gedanken beweisen will, den er in den ersten Zeilen klar ausdrückt, um den Beweis dann, Argument auf Argument, dem Leser einzuhämmern. Selbstverständlich finden sich feine Beschreibungen, glänzende Erzählungen und Dialogfragmente da und dort in den elf Argumentsatiren, aber sie zeigen keine zentrale Geschichte und keine ununterbrochene Linie der Schilderung: sie werden durch den ständig nachstoßenden Überzeugungsdrang und die unablässige Anklage Juvenals zusammengehalten.“[231] Wie Gilbert Highets Analysen zu den einzelnen Satiren zeigen, sind manche darunter als regelrechte *orationes* aufgebaut.

Brant verwendet das Gespräch in verschiedenen Direktheitsgraden. Nur an zwei Stellen steht direkte Rede des Narren gegen direkte Rede Brants.

---

[230] Highet, Juvenal the Satirist 44.
[231] Ebd. 45: "Eleven are arguments, in which Juvenal sets out to prove a point, laying it down clearly in the first few lines and then hammering it home with argument after argument to prove it. Of course there are fine descriptions and brilliant narratives and snatches of dialogue here and there in the eleven argumentative satires, but they have no central story and no unbroken chain of description: they are held together by the continuous thrust of Juvenal's persuasion and denunciation."

314

Das Motto von Kap. 43 bringt eine unpsychologische Ethopoiie des Narren, der nur auf das Zeitliche gerichtet ist. Am Anfang des Kapitels referiert Brant noch einige Gedanken und Wünsche des Narren in indirekter Rede, um v. 7–34 Gegenargumente zu bringen, die manchmal in allgemeinen Sentenzen, meist in persönlich gehaltener Gegenrede formuliert sind. Kap. 105, *Hyndernys des gutten*, bringt im Zentrum eine lange Rede der Narren, die den Eremiten verspotten und mit allerlei Argumenten von seinem Drang in die Einsamkeit abhalten wollen. Nach dieser Rede setzt Brant, zunächst zum Leser gewandt, ein:

> *Solch red důnt narren tag / vnd nacht /*
> *Die jnn der welt hant als jr teil*
> *Des sůchen sie nit selen heyl /*   (105,50–52)

Dann aber wendet er sich direkt an die Narren und wirft ihnen v. 53–65 seine Argumente entgegen: *Hôr zů / wårst du joch wiß vnd klůg . . .*

Eine häufigere Form des Dialogs bei Brant ist die, daß die Rede des Narren indirekt und zusammengefaßt, die Rede Brants mit direkter Apostrophe an den Narren erscheint. Die Form ist mir an fünf Stellen aufgefallen, zum Beispiel in Kapitel 57, das von dem Narren handelt, der sich durch Bücherlesen zur Prädestinationslehre gewandt hat:

> *Meynend / hab got eym gůts beschert*
> *So werd jm das nyemer entwert /*
> *Sol er dann faren zů der hell*
> *So well er syn eyn gůt gesell*
> *Vnd leben recht mit andern wol /*
> *Im werd doch / was jm werden sol /*   (57,7–12)

Hier setzt nun Brant ein:

> *Narr loß von sollcher fantesy*
> *Du gsteckst sunst bald jm narrenbry /*
> *Das gott on arbeit belonung gytt*
> *Verloß dich druff / vnd bach du nytt . . .*   (57,13–16)

Umgekehrt kommen auch manchmal die Narren zu Wort, ohne daß Brant in direkter Gegenrede auf ihre Argumente eingeht. So zum Beispiel in Kap. 5, wo er nach der Rede des alten Narren nur verachtungsvoll sagt:

> *Do mit důt alter yetz vmb gan*
> *Alter will gantz kein witz me han*   (5,29f.)

oder nach der Rede der Grobiane am Ende von Kap. 72, wo er sich begnügt, ihr böses Ende vorherzusagen:

Mit solcher red / narren vmb gon
Vnd dūnt mit jrer groben rott
All welt geschenden / vnd ouch gott
Doch werden sie zū letst zū spott   (72,92–95)

Manchmal antwortet Brant auch, ohne daß eine Meinung des Narren direkt oder indirekt ausgesprochen wäre (z. B. 51,19–24), und in vielen Kapiteln stehen die Argumente oder Gedanken der Narren und Brants Gegenargumente gar nicht mehr apostrophisch in Bezug zueinander, sondern
treten gleichsam nebeneinander auf: Brant berichtet über die Meinungen
des Narren und wendet sich dann sogleich zum Leser, ohne weiter auf den
Narren einzugehen.

Der Grund für die Seltenheit des direkten Lehr- oder gar Streitgesprächs
ist darin zu suchen, daß durch das Auftreten eines Narren als Sprecher der
Narr viel mehr zu einer Persönlichkeit wird, als wenn nur Meinungen berichtet werden. Brant will aber vermeiden, daß die Vorstellung des Lesers
auf Persönlichkeiten sich konzentriert und dadurch von den Haltungen abgelenkt wird, die in jedem zu suchen sind und auf deren Präzision es Brant
ankommt.

Die meisten Kapitel des ‚Narrenschiffs‘ sind Monologe Brants, in denen
er die närrischen Haltungen beschreibt und sein Urteil begründet, warum
er eine Haltung als närrisch bezeichnet hat. Neben Ratiocinatio und Inductio benützt Brant sehr häufig die Expolitio, eine ebenfalls rhetorische
Form der Beleuchtung eines Gedankens von allen Seiten mit verschiedenen
Hilfsmitteln der Gedankenführung. Ich habe die Form bei den römischen
Satirikern nirgends verwendet gefunden. Da sie keine Entwicklung des
Gedankens zuläßt, sondern dieselbe Idee hin und her wendet, durch Beispiele und Vergleiche eingängig und bekannt macht, dient sie in der Rhetorik dazu, einen Hauptpunkt der Rede dem Publikum wieder und wieder vorzuzeigen. Brant benützt die Form wohl aus einem andern Grunde
im ‚Narrenschiff‘. Sein Werk soll ein Narrenspiegel sein. Die „Narren“,
haben wir festgestellt, sind nur in ganz seltenen Fällen wirkliche Personen
oder auch nur Stände; Brant hat es auf Narrheiten, bestimmte Haltungen
vieler Menschen abgesehen. Der Spiegel darf also nicht Äußeres wiedergeben, sondern er muß Inneres, Gedanken und Haltungen schildern und ihnen
Gedanken und Haltungen entgegensetzen. Zu dieser statischen Spiegelung
taugen die dynamisch über Stufen schreitenden Beweisformen der Ratiocinatio und Inductio weniger. Die Expolitio ist dazu jedoch hervorragend
geeignet. Sie hat formale Vorschriften für ein doppeltes Gegensatzpaar, das
Brant oft zur Gegenüberstellung der weisen und der närrischen oder der
himmlisch-absoluten und der irdisch-bedingten Aspekte benützt. Die Verwendung der Expolitio ist damit durch die besondere Aufgabe des Brant-

316

schen Werkes gerechtfertigt. Sie kann nicht nur als didaktische Form verstanden werden, da sie zwar eine Begründung und Beispiele, doch nicht den Beweis des Ausgangsgedankens oder eine gedankliche Progression einschließt. In dem Sinne, wie Brant sie verwendet, kann sie auch als Form der Schilderung innerer gedanklicher oder triebhafter Haltungen verstanden werden, die damit der Tendenz zur Darstellung der Wahrheit entgegenkommt, ohne ihren didaktischen Grundcharakter zu verleugnen. Dies bestätigt die von uns öfter geäußerte Ansicht, daß Brants Satire sich nicht auf das äußere Verhalten bezieht wie die der römischen Satire außer Horaz, sondern auf innere Haltungen und Gedankenrichtungen. Die satirische Tendenz zur unbeschönigten Darstellung der Wahrheit muß sich deshalb auch eine Form schaffen, die diese Haltungen und Gedankenrichtungen darstellen, spiegeln, kritisieren kann, und dazu scheint Brant die Expolitio zu verwenden. Wenn dieser Form etwa zwei Fünftel der Kapitel und Kapitelteile gehorchen, so sehen wir, wie innerhalb der lehrhaften Formen ein Gleichgewicht zwischen Nachweis und Darstellung geschaffen wird.

Hier muß noch auf einige der Formen hingewiesen werden, die bei der Ergänzung von darstellenden und beweisenden Formen entstehen können: zwei Kapitel, zum Beispiel die Vorrede, erweisen sich als *orationes,* wie auch Juvenal sie für seine Satiren gebrauchte, manche als groß angelegte Beweisgänge (Enthymema), in denen sich drei solcher Formen zusammenschließen. Diese Erkenntnisse ergeben sich in den Analysen, die der Ergänzungskommentar meiner „Studien" bietet, und deren erstes Kapitel versucht sie zusammenzufassen.

Brant zeigt also in der Verwendung von Lehrgespräch und Lehrmonolog ein klares Stilgefühl, das auf dem Bewußtsein des eigenen Zieles beruht. Außer der Expolitio verwendet er dieselben Formen wie die römischen Satiriker, aber mit besonderer Ausprägung, die dem Zwecke der „inneren" Satire entspricht.

26   In einem letzten Abschnitt in der Untersuchung der satirischen Darstellungsmittel sollen die Formen und Stilerscheinungen andeutend verglichen werden, in denen die beiden Grundhaltungen der Satire, Tendenz zur Darstellung und Tendenz zur Didaxe, direkt aufeinander wirken, oder die im Kontakt der beiden Tendenzen entstehen.

Eine der wichtigsten Erscheinungen an der Kontaktstelle der beiden Tendenzen ist die Verallgemeinerung des einzelnen Dargestellten: die Lehrhaltung wirkt dabei auf die Darstellung abstrahierend, nimmt das Einzelne aus seinem einmaligen Zeit-Raum-Kontext heraus. Besonders Juvenal benützt dieses Stilmittel häufig. Schon dadurch, daß seine Beispiele aus der Vergangenheit stammen und doch alle auf die Gegenwart zu beziehen sind, müssen sie vom Leser aus ihrer historischen Einbettung herausgenommen und verallgemeinert werden. Aber auch im einzelnen generalisiert Juvenal. So wird zum Beispiel *Virro*, der reiche Gastgeber der fünften Satire, dadurch typisiert, daß seine reichen Gäste als *Virrones*, identisch mit ihm, bezeichnet werden (5.149).[232] Auch mythische Figuren können verallgemeinert werden: dem Morgenwanderer begegnen viele Beliden und Eriphylen, und jedes Dorf hat eine Klytaemestra (6.655f.). Auch Untaten werden verallgemeinert: jede Gemahlin gibt ihrem Gatten Liebesträke und gefährdet seine Zurechnungsfähigkeit, denn alle handeln ja wie die Kaiserin (6.614–617). Man sieht, wie durch die Verallgemeinerung das an sich Tatsächliche hyperbolisch übersteigert und um so eindrucksvoller, erschreckender gemacht wird, damit der vom Übel sich umringt sehende Leser sich schleunigst dagegen wende. – Auch Brant benützt das Stilmittel, und schon Zarncke macht darauf aufmerksam, daß „bekannte geschichtliche namen als vertreter von tugenden und lastern gebraucht werden".[233] So übernimmt er zum Beispiel von Juvenal:

> *Clodius beschisßt all weg vnd stroß /*   (33,26 vgl. Juv. 6.345)

> *Des findt man cathelynen vil*   (6,30 vgl. Juv. 14.41f.)

> *Brutus / vnd Catho sint beyd dott*
> *Des mert sich Cathelynen rott /*   (49,21f. vgl Juv. 14.41–43)

Auch im Sinne der Nachkommenschaft werden Personen verallgemeinert:

> *Pyeris hat vil jungen gmaht*
> *Den ist gelüpt die zung so wol*
> *Das sie dick brennet wie eyn kol /*
>   (64,22–24; vgl. Ovid *Met.* 5.295ff.)

> *Semey hat noch gar vil sůn*
> *Die gern mit steynen werffen tůn*   (42,33f.; vgl. 2 Reg 16,5)

Das historische Beispiel wird damit immer wieder aus seiner vergangenheitlichen Indifferenz herausgehoben und in die Gegenwart hereingestellt. Dabei behält es die für Brants Zeit so wichtige Beglaubigung durch den biblischen oder klassischen Text.

Eine Darstellungsform, die am Berührpunkt von Lehr- und Zeigtendenz entsteht, ist die Fabel, die vor allem Horaz gerne benützt. Bei ihm gibt es die Fabel von der vorsorgenden Ameise (*Serm.* 1.1.32–35); von

---

232 Andere Verallgemeinerungen von Namen zum Beispiel 3.133; 14.41f.
233 Zarncke 362, zu 30,30 *Symon vnd Hyesy*, wo er als Beispiele 7,22 und 10,29 anführt.

Stadtmaus und Feldmaus (*Serm.* 2.6.79–117), vom kranken Löwen und dem schlauen Fuchs (*Epist.* 1.1.73–75), vom Füchslein, das mit vollgefressenem Bauch nicht mehr durch die Ritze entschlüpfen kann, durch die es hereinkam, und so weiter. Persius und Juvenal verwenden die Fabel kaum. Nur bei Juvenal 6.361 finde ich eine Anspielung auf die Fabel von der vorsorglichen Ameise. Brant benützt Hinweise auf Fabeln nur an drei Stellen.

> *Der esel starb / vnd wart nie satt*
> *Der all tag nuwe herren hatt*   (18,33f.)

> *Der fuchs wolt nit jnn berg / vmb das*
> *Nye keyner wyder kumen was /*   (40,33f.)

> *Ler narr / vnd würd der omeyß glich*
> *In gûter zyt versorg du dich*
> *Das du nit mûssest mangel han*
> *Wann ander lüt zû freüden gan*   (70,31–34)

Das erste Beispiel deutet eine Fabel an, die nach Zarncke (z. St.) auch Boner erzählt. Im zweiten Beispiel erkennen wir wohl den Einfluß des Horaz (*Epist.* 1.1.73–75). Das dritte Beispiel will Zarncke auf Prov. 6. 6–8 zurückführen, was mit gleichem Recht auch auf Horaz und Juvenal zurückgehen könnte; denn für die Verse 33 und 34 bieten weder die Proverbia, noch die beiden Römer eine Parallele. In allen drei Beispielen fällt die andeutende Behandlung auf: wieder zeigt sich das Gesetz der Knappheit, das dem Leser nur eine Anleitung geben will, selbst weiterzusuchen und weiterzudenken.

Eine letzte Darstellungsmethode der Satire, die hier besprochen werden soll, ist die Ironisierung. Sie entsteht nicht am Kontakt der beiden Grundhaltungen, sondern in der bewußten Verkehrung der Tendenz zur Darstellung der Wahrheit. Sie kann verschiedene Formen annehmen. Horaz zum Beispiel bringt zwei ironische Satiren hintereinander: *Serm.* 2.4 präsentiert Catius, der dem erstaunt ihn über seine Eile befragenden Horaz antwortet, er habe wichtige Regeln niederzuschreiben, die Pythagoras', Sokrates' und Platos Lehren in den Schatten stellten. Auf diese gewichtige Einleitung rasselt Catius eine Serie von Winken für die Küche herunter, die Horaz am Ende als Geheimnisse des glücklichen Lebens bezeichnet. Ebenso ironisch ist *Serm.* 2.5, wo Teiresias dem Odysseus Rat gibt, wie er wieder reich werden kann. Scheinbar ernst gemeint, beschreibt dieser Rat die Techniken der Speichellecker und Erbschleicher bis ins kleinste und ist damit der zwei heroischen Gestalten völlig unwürdig, eben eine Travestie in die „modernen" Zeitgenossen des Horaz. Noch eine weitere Ebene der Ironie liegt in der Form der Ethopoiie als einer rhetorischen Übungsform für Schuljungen. Darin wird, wie schon angedeutet, genaue Übereinstimmung der Wortwahl, der Inhalte, des Tons mit dem historischen Charakter der redenden Person verlangt. So also, kann man Horaz sagen hören, muß angesichts der modernen „Heroen" sich ein Schuljunge von heute Teiresias und Odysseus vorstellen!

Bei Persius finde ich keine Ironie, und bei Juvenal nur die epische Parodie in der vierten Satire und ihren ironischen Inhalt, der die lächerliche Disproportion[234] zwischen der eiligen Einberufung des kaiserlichen Rates und der besprochenen Frage darstellt: worin nämlich der übergroße Butt zuzubereiten sei.

Bei Brant erscheint die Ironie in mannigfachen Gestalten. In inhaltlichen Aussagen, wie zum Beispiel von dem bibelkundigen Narren, der

> *dunckt sich stryffecht vnd gelert*
> *So er die bůcher hat vmb kert*
> *Vnd hat den psaltter gessen schyer*
> *Biß an den verß / Beatus vir /*　　　　　　　　(57,3–6)

wobei der genannte Vers der erste des ersten Psalms ist; oder am Ende der Vorrede, wo er demjenigen, der sich nicht in seinem Buche finde, Hoffnung macht und ihm Frohsinn gestattet – *Byß ich ein kapp von Franckfurt bryng* (Vorred, 136). – Häufig erscheint die Ironie in Bildern, wie etwa von der Gardinenpredigt, die der Ehemann hören muß, *So manch barfůsser lytt vnd schlofft,* wenn sogar die Predigtmönche ruhen (64,29f.), oder etwa die Einführung eines neuen Heiligen, nämlich des Grobian (72,1).

Hier schließt sich die Ausdehnung der Bildvorstellung zur Parodie an, die Brant mit den *septem horae canonicae* vornimmt:

> *Vor vß / wann prasser zamen kumen*
> *So hebt die suw die metten an*
> *Die prymzyt / ist jm esel thon*
> *Die tertz ist von sant Grobian /*
> *Hůtmacher knecht / syngen die sext*
> *Von groben fyltzen ist der text /*
> *Die wůst rott sytzet jnn der non*
> *Schlemmer vnd demmer dar zů gon /*
> *Dar noch die suw zůr vesper klingt*
> *Vnflot / vnd schamperyon / dann syngt*
> *Dann würt sich machen die complet*
> *Wann man / all vol / gesungen hett*　　　　(72,46–57)

Eine parodistisch-ironische Wappenbeschreibung gibt Kap. 76:

---

234 Highet, Juvenal the Satirist 79.

> *Eyn hapich hat farb wie eyn reyger*
> *Vnd vff dem helm eyn nest mit eyger*
> *Dar by eyn han / sitzt jnn der muß*
> *Der will die eyger brůten vß*   (76,29–32)

Häufig zeigt sich Brants Ironie in Kontrastbemerkungen zu den Meinungen der Narren. Oft sind sie kurz, wie etwa bei den fluchenden, prahlerisch-starken Burschen, der nur *vß der flåschen freydig* ist (87,16), manchmal länger, wie in Kapitel *Von grossem ruemen*, wo er die Tapferkeit des Ritters Peter bei Murten so kommentiert, daß

> *jm so not*
> *Zů flyechen was / das jm der kot*
> *So hoch syn hosen hatt beschlembt*
> *Das man jm weschen můst das hembd*   (76,23–26)

oder von dem Weltreisenden, dessen Schicksale so sehr an die Schelmuffs-ky's erinnern,

> *Der doch nye kam so verr hyn vß*
> *Hett syn můter / do heym zů huß*
> *Eyn pfannkůch / oder würst gebachen*
> *Er hetts geschmeckt / vnd hồren krachē*   (76,88–91)

Am stärksten wird jedoch seine Ironie, wenn er mit scheinbarer Selbstverständlichkeit die Meinung der Narren in ihrer ganzen Absurdität berichtet, wie etwa in Kap. 31:

> *Was got an trifft / vnd recht ist gton*
> *Das will gar schwårlich naher gon*
> *Vnd sůcht eyn vffschlag jm allzyt*   (31,13–15)

und vor allem, wenn er die Narren selbst zu Wort kommen läßt. Dies geschieht in den Ethopoiien, von denen oben gesprochen wurde. Sie sind bei Brant auf zwei Ebenen ironisch: auf der Ebene der Darstellung und der Ebene der Lehre. Zunächst redet der Narr in seiner ganzen Narrheit, preist und begründet seine Ansichten, die von den Lesern von vornherein als Dummheiten erkannt sind. So zum Beispiel der Büchernarr, der begründet, warum er so wenig in seinen vielen Büchern liest:

> *Worvmb wolt ich brechen myn synn*
> *Vnd mit der ler mich bkümbren fast*
> *Wer vil studiert / würt ein fantast*
> *Ich mag doch sunst wol sin eyn here*
> *Vnd lonen eym der für mich ler*   (1,20–24)

Auf der zweiten Ebene der Ironie läßt Brant den Narren selbst seine Narrheit bestätigen. Für uns heute durch die psychologische Unwahrscheinlichkeit nicht annehmbar, ist das Stilmittel zu Brants Zeit gängig und muß um so lustiger wirken, wenn einmal statt der ernsthaften Selbstbeschreibung einer personifizierten Tugend ein Narr sich selbst als Narr bezeichnen muß. So etwa der alte Narr:

> Myn narrheyt loßt mich nit sin grys
> Ich byn fast alt / doch gantz vnwys
> Eyn bößes kynt von hundert jor
> Den jungen trag ich die schellen vor   (5,1–4)

Gruenter sieht eine „unüberbrückbare Kluft" zwischen Brant und Erasmus von Rotterdam, der das Lob der Narrheit schrieb. Brants „Denkweise würde ihm niemals erlaubt haben, eine *laudatio* der Narrheit zu verfassen, auch wenn er des ironischen Kunstgriffs fähig gewesen wäre, das Narrenlob in den Mund der Narrheit zu legen".[235] Es ist hier nicht die Stelle, über des Erasmus Denken zu sprechen. Einiges darf jedoch angemerkt werden. Zunächst muß festgestellt werden, daß Erasmus eine Prosopopoiie schreibt, also eine Form, in der der personifizierte Begriff in genau der Weise sprechen muß, die seiner Idee, seinem Wesen und Sinn angemessen ist. Wenn also Erasmus das Selbstlob der Narrheit schreibt, so bedeutet das für ihn ein Denkspiel, *ingenii nostri lusum*,[236] das illustre Vorgänger ebenfalls versucht haben, und das der alten Schulübung entwachsen ist, die vom Schüler der Rhetorik verlangte, etwa eine Rede der Andromache zu verfassen, die sie angesichts des toten Hektor halten konnte, oder die Worte des Achilleus über den toten Patroklos.[237] Die Erziehung ging also dahin, sich geistig in den Charakter hineinzuversetzen, den Geist in den Dienst der Rolle zu stellen. Es ist bisher weithin angenommen worden, Erasmus selbst sei es, der das Lob der Torheit ausspreche. Er stellt jedoch nur seinen Geist spielerisch in den Dienst der Narrheit und sucht die besten Argumente, die sie in ihrem Selbstlob brauchen kann. Grundsätzlich angreifbar ist deshalb Gruenters Satz, mit dem er fortfährt: „Die Erasmische Zweideutigkeit würde ihn [Brant] befremden, ja er würde sie seiner ganzen Natur nach wie die Narrheit selbst mit satirischem Grimm verfolgen müssen, wenn einer Natur wie der seinen gestattet wäre, die ominösen Qualitäten der Erasmischen Zweideutigkeit zu bemerken und zu begreifen."[238] In der Zeit, die Rollenreden als Schulübungen betrieb, goutierte und bewertete man die Selbstbeschreibung und Argumentation, sofern sie Ausdruck der

---

235 Gruenter, Die ‚Narrheit‘ 217.
236 Erasmus, *Laus Stultitae, Praef.* in Desiderius Erasmus Roterodamus: Colloquia Familiaria, Laus Moriae etc. – Lipsiae: Weidmann 1736; 1170.
237 Priscian, *De Praeexercitamentis*, 9.   238 Gruenter, Die ‚Narrheit‘ 217.

redenden Person war, und verwechselte sie nicht mit den Anschauungen des Autors. Das wird deutlich etwa bei Brants Ethopoiien, in denen er genau denselben spielerischen Prozeß durchführt: er leiht seinen Geist gleichsam an die Büchernarren, närrischen Alten, Schluraffen, Spötter über den Eremiten aus, ohne im geringsten mit ihnen verwechselt werden zu wollen. Gruenter müßte auch bei Brant die Erasmische Zweideutigkeit sehen, denn auch er läßt Narren sprechen und ihre eigene Narrheit beschreiben und begründen. Loben allerdings läßt er sie die Narrheit im allgemeinen nicht, wenn sie auch ihre spezifische Ausprägung der Narrheit mit Selbstzufriedenheit beschreiben oder verteidigen; vielleicht war Brant dazu doch nicht spielerisch genug veranlagt und zu sehr von Verantwortungsbewußtsein erfüllt. – Jedenfalls aber ist der Satz nicht richtig, mit dem Gruenter den besprochenen Abschnitt schließt: „Das Entscheidende des Unterschiedes zwischen Brant und Erasmus liegt wohl hier: bei Brant gelangt die Narrheit von den Gegenständen seines Denkens nie, wie bei Erasmus, ins Denken selbst." [239] Was die Narrheit sagt, hat mit den persönlichen Anschauungen des Erasmus nur so weit zu tun, als er sich selbst als Narren erkennt und der Satire unterwirft: *Quod obsecro nominibus ipse me taxo*.[240] Aber für Erasmus – wie für Brant und Horaz, die sich selbst ebenfalls als Narren erkennen – gilt ebenso die Teilhabe an einem Erkennen, das höher ist als die Narrheit, und das sie zu erfassen vermag. Auf keinen Fall also wird das ganze Denken von Zweideutigkeit und Narrheit erfaßt.[241] Sofern das Denken irdisch ist, den Objekten hingegeben und auf sie gerichtet, gehört es der Narrheit an und untersteht ihren Gesetzen. Das gilt jedoch genauso für Brant, der, schon von Johannes a Lapide auf diese Spur gesetzt, sie nicht mehr verließ. So heißt es im ‚Narrenschiff':

---

[239] Gruenter, Die ‚Narrheit' 217f.   [240] Erasmus, *Laus stultitiae, Praef.*, 1172.

[241] Das zeigt auch der Schluß der eigentlichen Rede, wo die Narrheit Christus als Narren bezeichnet, sofern er Mensch wurde. Als Weisheit Gottes ist Christus jedoch Gegensatz der Narrheit. Diese liegt also im Menschlichen. Sofern Erasmus seine eigene Narrheit erkennen kann, hat er sich der Weisheit genähert, oder ist er Weisheit (ebenso übrigens bei Brant – das geht aus dem Gedankensystem des ‚Narrenschiffs' deutlich hervor, vgl. Kap. 107). Hier ist der Grund absoluter Sicherheit im Denken des Erasmus. Erasmus selbst sah das ‚Lob der Torheit' als wohl formal verschieden, aber der Haltung nach gleich mit dem ‚Enchiridion militis christiani' an: *Nec aliud agitur in Moria sub specie lusus, quam actum est in Enchiridio* (Brief 337,91f. Allen). Paul Mestwerdt (Die Anfänge des Erasmus. Humanismus und „Devotio moderna". – Leipzig 1917) zitiert S. 23 Hoefer: «L'éloge de la folie est une véritable profession de foi sous la forme satirique.» Bei Mestwerdt (ebd.) wird das Lob der Torheit übrigens „in die Linie des Reinecke-Fuchs-Romans und des Brantschen Narrenschiffes" gestellt.

Noch grosser kunst stellt mancher thor
Wie er bald werd meyster / doctor /
Vnd man jnn haltt / der welt eyn liecht
Der kan doch das betrachten nicht
Wie er die rechte kunst erler
Mit der er zů dem hymel ker
Vnd das all wißheyt diser welt
Ist gegen got eyn dorheyt gzelt   (107,1–8)

Unsere gegenwärtige Aufgabenstellung läßt nicht zu, den Unterschied
zwischen Brant und Erasmus bis ins Detail herauszuarbeiten. Es sollte hier
nur gezeigt werden, daß die Kluft zwischen den beiden nicht groß und
nicht unüberbrückbar ist, daß der Hauptgrund für die Annahme einer solchen Kluft im Mißverständnis der Rollenrede liegt und daß gerade Brants
Verwendung der Ethopoiie unter denselben Voraussetzungen und Impli-
kationen wie bei Erasmus ihn diesem sehr nahe rückt.

27 Die Zuordnung Brants zur Tradition der römischen Satire soll mit
einer Betrachtung der Sprache abgeschlossen werden. Horaz, der in der
vierten Satire des ersten Buches über die Gattung theoretisiert, verbindet
die Sprache der Satire mit dem Konversationston, und zwar nicht nur seinen eigenen Vers, sondern auch den des Lucilius.

> his, ego quae nunc,
> olim quae scripsit Lucilius, eripias si
> tempora certa modosque, et quod prius ordine verbum est
> posterius facias praeponens ultima primis,
> non, ut si solvas ,postquam Discordia taetra
> belli ferratos postis portasque refregit‘,
> invenias etiam disiecti membra poetae.   (Serm. 1.4.56–62)

Die Verse der Satire sind *sermoni propiora* (*Serm.* 1.4.42), weil so die
Sprache der Gattung dem unmittelbar persönlichen und individuellen
Quellpunkt der Satire ein verwandteres Medium liefert als der hohe, künstliche Stil der Poesie oder der Tragödie. Für Horaz heißt das jedoch nicht,
daß seine Verse kunstlos seien. Er kritisiert Lucilius für seine Vielschrei-
berei und Mißachtung der reinen Form. Vielmehr bedeutet das für Horaz,
höchste Grazie und Leichtigkeit durch höchste Kunst zu erreichen. Seine
Lässigkeit ist nur scheinbar;[242] hätte Lucilius in der Augusteischen Epoche
gelebt, so hätte er manches geglättet, alles Unvollkommene herausgeschnit-
ten und beim Versemachen sich oft am Kopfe gekratzt und die Nägel zer-

---

242 Knoche, Juvenals Satiren 15.

bissen.[243] Aber die Mühe gilt eben dem Ziel, den informellen, graziös spontanen Gesprächston zu erreichen, der seine Satire kennzeichnet.

Auch Persius meint, das Geschreibsel seiner Zeitgenossen *nec pluteum caedit, nec demorsos sapit unguis* (I 106). Aber bei ihm hat die Arbeit nicht auf den vollkommenen Einfachen Stil geführt: „Persius verletzt die Gattungsregeln in seinem Stil: er ist zu direkt und kompromißlos für den Hohen Stil, aber gleichzeitig hat er die Einfachheit verlassen, um in einer Vielfalt von komplizierten Wendungen und Bildern zu schwelgen." [244] „Immer wieder überrascht er den Leser durch die Paradoxie und durch aphoristische Zusammenpressung des Ausdrucks; immer wieder zwingt er zur Überlegung durch gewaltsame Verkürzung der Rede und durch gewollte Dunkelheit." [245] Trotzdem ist durch den ständig dialogisch ausgerichteten Stil (wenn auch die Redepartner fiktiv sind) die Spontaneität des Gesprächs aufrecht erhalten. Nach Juvenals Aussage sind es wenigstens in den frühen Satiren Zorn und Empörung, die seine Verse diktieren (1.79f.). Sein Stil ist demgemäß spontan, verwendet rücksichtlos die gröbsten Ausdrücke, ist von einer „oft plötzlichen Entschlossenheit zur Verdichtung der Rede".[246] In den späteren Satiren ist er ausgeglichener, distanzierter, reflektierter, obwohl auch hier durch die ständige Gesprächshaltung die Spontaneität gewahrt bleibt.

Brants Stilwille im ‚Narrenschiff' kann aus Lochers Vorbemerkung zu seiner Übersetzung erschlossen werden: er habe sich beflissen, poetische Ausflüge und fabelhafte Dunkelheit zu vermeiden und habe seine Übersetzung mit nackten und einfachen Wortkonstruktionen und mit leichter Satzbindung gemacht.[247] Hier wirkt deutlich der Horazische Kanon des Gesprächsstils nach, und auch Pompen gesteht ihm "the unadorned words and straightforward constructions" zu, wenn er den Hauptteil des Buches mit der hochtönenden Verbosität von Lochers einleitenden Beiträgen vergleicht.[248] Die Überlegungen, die sich hier bei Locher spiegeln, haben sicher Brants Entschluß mitbestimmt, das ‚Narrenschiff' auf deutsch zu schreiben. Zweifellos waren noch andere Gründe dafür da: die Deutschtümelei des ganzen elsässischen Gelehrtenkreises um Brant und Wimpheling, und das

---

243 Horaz *Serm.* 1.10.67–71.
244 "Persius violates the canons in his style: he is too direct and uncompromising to fit the Grand Style, yet at the same time he has forsaken simplicity in order to riot in a variety of studied phrases and conceits." – W. S. Anderson in W. S. Merwin, The Satires of Persius 35f.
245 Knoche, Juvenals Satiren 17.   246 Ebd. 5.
247 *„poeticas nempe egressiones: et fabulosam obscuritatem studiose praeterii: nudisque et natiuis verborum structuris: facilique senteniarum iunctura: opus absolui."* Argumentum in Narragoriam (Zarncke 213b).
248 Pompen, The English Versions 280.

Bedürfnis, auch das ungelehrte Volk für die innere Reformation zu gewinnen und durch die Satire aufzuwecken. Diesen letzteren Grund gibt er für seine Übersetzung des *Facetus* ins Deutsche an,[249] doch ist wegen der Vielzahl ziemlich verwickelter Gedankengänge und der Masse der nur kurz angedeuteten Beispiele nicht anzunehmen, daß sein Werk ausschließlich für das Volk geschrieben war. Zum Spaß für die Gelehrten wollte er es zwar noch ins Lateinische übersetzen und mußte die Arbeit Locher überlassen,[250] aber wie es die Vorrede zum ‚Narrenschiff‘ ausdrückt: es ist für alle geschrieben –

> *Hie findt man doren arm vnd rich*
> *Schlym schlem / ein yeder findt sin gleich /*   (*Vorred*, 59f.)

und es ist nicht unbedeutend, daß gerade auch die gelehrten Freunde so voll des Lobes darüber sind.

Die Wahl des Reimpaars unterstützt eine Tendenz zu epigrammatischer Rundung mindestens im „ersten Teil" des Werkes. Im allgemeinen „war es Regel, daß Satz und Versende zusammenfielen. Brant durchbricht zwar auch diese Regel häufig durch Anwendung des Enjambements; im großen und ganzen ist er aber doch bemüht, mit acht resp. neun Silben für den Satz auszukommen."[251] Das Enjambement wird im „zweiten Teil" des Werkes viel häufiger verwendet als im ersten;[252] dort gibt das sentenziöse Bestreben dem spontaneren Gesprächston Raum. Das zeigt sich auch in der Länge der Kapitel. Während Brant erst ausführliche Gedankengänge meist auf 37 Zeilen zusammendrängt, nimmt gegen Ende die Zahl der längeren Kapitel zu. In dem Bestreben nach Knappheit, das sich auch schon in der Behandlung der Beispiele und Fabeln bemerkbar machte, kann man eine Befolgung der horazischen Vorschrift sehen:

> *est brevitate opus, ut currat sententia neu se*
> *inpediat verbis lassas onerantibus auris*   (*Serm.* 1.10.9f.)

Während er zunächst nur die Regel der *brevitas* befolgte, scheint er sich später des Metrums so sicher geworden zu sein, daß seine Sätze auch anfingen zu „laufen", daß er es wagen konnte, den Vers nach dem Vorbild der Römer gesprächsmäßig zu stilisieren[253] und die verwischte Versgrenze des Horaz nachzuahmen.[254] Erst in diesen späteren Kapiteln kommt dem heutigen Leser, der den parataktisch gefügten Gedankenstil nicht mehr gewohnt ist, die Vielfalt und Biegsamkeit der Brantschen Gedankengänge eher zum Bewußtsein. Wenn man aber versucht, den knappen Einheiten

---

[249] Im lateinischen Epilog, v. 3f. (Zarncke 142a).
[250] *Ad Iacobum Philomusum*, v. 6 (Zarncke 118a).
[251] Paul Claus, Rhythmik und Metrik 57.
[252] Ebd. 118.   [253] Knoche, Juvenals Satiren 6.   [254] Ebd. 15.

der früheren Kapitel nachzudenken und sie in die von Brant intendierten Bezüge zu setzen, so zeigt sich auch da die spätere Kraft – hier geballt, später gelockerter.

Der epigrammatische Stil der frühen Kapitel hindert aber nicht den persönlichen Stil der Satire an der Entfaltung. Zarncke hat darüber das Wesentliche gesagt: „Das grosse im stil und in der darstellung des Narrenschiffes ist, dass es Brant gelang, der sprache vollständig den stempel dieser seiner individualität aufzudrücken; man muss diese eigenschaft um so mehr bewundern, wenn man sich der mühsamen weise erinnert, in der er den stoff des werkes aus den gelehrten quellen zusammenklaubte. den finstern gravitätischen ernst und den wildaufjauchzenden neckenden humor, diese beiden eigenschaften, die besonders den bürgerstand des 14.–16. jahrh. kennzeichnen, hat Brant in einer weise zu einem einzigen gusse verschmolzen, dass ich auch darin seinem werke kein anderes ähnliches an die seite zu setzen wüsste. Brants stil ist von einer quecksilberähnlichen lebendigkeit, springend, oft im balladentone, die kühnsten anacoluthe nicht scheuend, und doch stets klar, fast nie ein misverständnis zulassend. selbst noch in den, sonst so wenig interesse bietenden, langen beispielaufzählungen weiss er durch mannichfaltigkeit und abwechselung des tons zu fesseln." [255] Wir haben diese Abwechslungen des Tons nicht im einzelnen untersucht; manche aber sind erwähnt worden. Abwechslung des Tons gehört ebenfalls zu den wichtigsten Charakteristika der römischen Satire, denn Horaz, ihr Theoretiker, fährt nach der oben zitierten Stelle fort:

> *et sermone opus est modo tristi, saepe iocoso,*
> *defendente vicem modo rhetoris atque poetae,*
> *interdum urbani, parcentis viribus atque*
> *extenuantis eas consulto.*   (*Serm.* 1.10.11–14)

28   Damit schließen wir den Versuch der Zuordnung des ‚Narrenschiffs' zur Tradition der römischen Satire ab. Brant und sein Werk wurden nach verschiedenen Gesichtspunkten den gattungsbestimmenden Vorbildern verglichen: unter dem Aspekt der Persönlichkeit und ihres Verhältnisses zur Periode und zu den Zeitgenossen, unter dem Aspekt der satirischen Grundhaltungen, unter dem Aspekt einiger der von diesen Haltungen erzeugten Stilmittel und Darstellungsformen.

Es hat sich gezeigt, daß Brant sich in manchen Grund- und Einzelzügen von den Vorbildern unterscheidet, und zwar deshalb, weil er konsequent auf eine innere Reformation seiner Zeitgenossen und damit seiner Periode

---

[255] Zarncke LXXVIf.

hinarbeitet. Verschiedenheiten gegenüber den Vorbildern in Betonung und Gebrauch bestimmter Formen weisen konsistent in diese Richtung.

Es ließ sich jedoch immer wieder feststellen, daß diese Verschiedenheiten in Betonung und Gebrauch nicht aus der satirischen Gattung hinausführen. Im Gegenteil: Brant hat innerhalb des durch die vier Exponenten der römischen Satire gesteckten Feldes eine eigene Position gewählt, die genau seinen besonderen Voraussetzungen und Zwecken entspricht.

Ein Mißverständnis muß vermieden werden: es geht hier nicht um den literarisch-künstlerischen Wert des ‚Narrenschiffs‘ im Vergleich zu dem der römischen Satiren. Es wäre sinnlos, wollte man unter diesem Gesichtspunkt einen Vergleich etwa zwischen Horaz und Brant anstellen. Es geht hier nur um die Schreibart, d. h. um die Frage: wollte Brant eine Satire schreiben und hielt er sich dabei an die Vorbilder der römischen Satire? Und diese Frage kann nun positiv beantwortet werden.

Damit wird den Hinweisen der gelehrten Freunde und besonders des Übersetzers Locher recht gegeben. Damit erweist sich, daß viele der Urteile, die über Brant und sein Werk gefällt wurden, falsch sind, weil sie das Werk nach Gesetzen richten, denen es nicht unterworfen ist.[256] Damit öffnet sich schließlich der Weg zum Verständnis der Tatsache, daß das Werk mit so ungeteilter Begeisterung nicht nur beim Volk, sondern auch bei den Gelehrten aufgenommen wurde. Das Volk spürte, daß es nun auch vom Einstrom der antiken Kultur getroffen wurde und ihn spielerisch lernend aufnehmen durfte. Die Humanisten erlebten das Auferstehen einer klassischen Form. Die deutschen Humanisten erlebten diese Renaissance in ihrer Nationalsprache. Aus diesem Erlebnis leiten sich endlich die unzähligen Wirkungen, Übersetzungen, Bearbeitungen und Nachahmungen des ‚Narrenschiffs‘ in ganz Europa her.

---

[256] Ähnliches Unrecht ist Juvenal getan worden. Highet, Juvenal the Satirist 170, schreibt dazu: "It may mean that most of his critics have not understood the right standards to apply to satiric poetry, and have been trying him for breaking laws to which he is not subject."

IV. ENTWURF EINER DEFINITION DER SATIRE

1 Rechtfertigung an diesem Titel verlangt zunächst der Begriff „Satire", der hier verwandt wird, ohne daß von der formalen Verssatire römischer Tradition im besonderen die Rede wäre, auf die manche den Gattungs-begriff eingeschränkt wissen wollen.[1] Die folgende Untersuchung wird zei-gen, daß einmal den zur Diskussion stehenden sprachlichen Erscheinungen ähnlich wie dem Lyrischen, Epischen und Dramatischen ein bestimmter zeitloser Bezug zur empirischen Wirklichkeit zugrunde liegt – er soll, wo es zur Unterscheidung kommt, das Satirische genannt werden – und daß zweitens eine Gruppe von Darstellungsformen zu erkennen ist, die diesen bestimmten Wirklichkeitsbezug des Satirischen im bestimmten historischen Moment zur Sprache bringen, ähnlich wie die zeitlosen Wirklichkeitsbezüge des Lyrischen, Epischen und Dramatischen von je typischen historischen Darstellungsformen sprachlich gefaßt werden. Der Unterschied der Satire zu den übrigen Gattungen liegt darin, daß die Sprachwerke, die den sati-rischen Wirklichkeitsbezug aufweisen, nicht durch so typische äußere Merk-male gekennzeichnet sind wie etwa das Epos durch den Erzählvers oder das Drama durch die mimisch-dialogische Erscheinungsweise. Die Satire ist ein Proteus;[2] ihre Darstellungsformen prägen sich leicht und beweglich anderen auf und überformen sie, so daß es wohl keine Gattung und Schreibart gibt, in der noch keine Satire geschrieben worden wäre. Es er-scheint deshalb als fruchtloses und unhistorisches Verfahren, eine zu einer begrenzten Zeit besonders beliebte Erscheinungsform oder Methode des Satirischen, wie etwa die „verkehrte Welt"[3] oder die Sprachsatire[4] oder

---

[1] So etwa Johann Christoph Gottsched: Versuch einer Critischen Dichtkunst. Nachdruck der Ausgabe Leipzig 1751. – Darmstadt 1962; 551. Eigenartig und unbegründet erscheint der Begriff „Gattungssatire" als Bezeichnung für die „reihende Lastersatire" von Brant, Murner und Moscherosch bei Felix Th. Schnitzler: Die Bedeutung der Satire für die Erzählform bei Grimmelshau-sen. – Masch. Diss. Heidelberg 1955; 1, Anm. 1.

[2] Carl Friedrich Flögel: Geschichte der komischen Litteratur. – Band I, Lieg-nitz und Leipzig 1784; 294.

[3] Klaus Lazarowicz: Verkehrte Welt. Vorstudien zu einer Geschichte der deut-schen Satire. – Tübingen 1963 (Hermaea N.F. 15); 312. Lazarowicz wählt seine Beispiele hauptsächlich aus dem 18. Jahrhundert; rein kann er die von ihm postulierte verkehrte Welt nur an *einem* Beispiel aufzeigen.

den satirischen Weltbetrachter[5] für ein solches Merkmal zu erklären, das die Satire als Gattung ein für allemal festlegen ließe. Satire soll hier ein Sprachwerk heißen, in dem die noch näher zu beschreibenden Bezüge des satirischen Wirklichkeitsverhältnisses die dominante Rolle spielen und allen Darstellungsformen wie etwa dem Dialog oder der Erzählung das satirische Wirklichkeitsverhältnis aufprägen, indem sie sie überformen.[6]

Einer Rechtfertigung bedarf ferner der Entwurfcharakter der vorgelegten Untersuchung über das Wesen der Satire, der unter doppeltem Aspekt gesehen werden muß. Einmal ist keine Definition einer Schreibart möglich ohne Berücksichtigung ihres Wandels in der Geschichte. Dies gilt besonders für die Satire, die durch ihre enge Bindung an den historischen Augenblick in ihren Verwandlungen, ihrem Auftreten und Ausbleiben wie ein Präzisionsinstrument auf den geschichtlichen Wandel reagiert. Wer eine vollständige Definition des Satirischen und der Satire geben wollte, könnte das nur auf der Basis ihrer Geschichte. Eine Geschichte der Satire aber bedarf zunächst eines an Beispielen gewonnenen Vorbegriffs, und diesen zu umreißen nimmt sich die folgende Untersuchung vor. Es wird sogar möglich sein, diesen Vorbegriff historisch aufzugliedern und einen gewissen Einblick in die Gründe und Richtungen des historischen Wandels zu gewinnen.

Entwurf müssen die folgenden Überlegungen auch bleiben, sofern sie das Verhältnis der Satire zu anderen Schreibarten betreffen. Auf Grund des Kunstbegriffs, der sich gegen Ende des 18. Jahrhunderts bildete, unterscheidet sich die Satire wegen ihrer starken Wirklichkeitsbindung von den Werken echter Dichtung, die eine vom Empirisch-Tatsächlichen unabhängige „zweite Welt in der hiesigen" sein sollen.[7] Der Begriff der Satire muß

---

4 Helmut Arntzen: Satirischer Stil. Zur Satire Robert Musils im „Mann ohne Eigenschaften". – Bonn 1960 (Abhandlungen zur Kunst-, Musik- und Literaturwissenschaft, Bd. 9); 1–8. Vgl. Helmut Arntzen: „Nachricht von der Satire." Neue Rundschau 74 (1963), Heft 4, 561–76; 571. Arntzen wählt seine Beispiele hauptsächlich aus dem 20. Jahrhundert.

5 Kurt Wölfel: „Epische Welt und satirische Welt. Zur Technik des satirischen Erzählens." Wirkendes Wort 10 (1960), Heft 2, 85–98; 89ff. Dagegen schon Arntzen, Nachricht 561f. Auch andere von Wölfel herausgestellte Prinzipien haben wohl nicht das Gewicht, das er ihnen zu geben versucht.

6 Diese Überformung ist je nach der überformten Darstellungsform verschieden gerichtet und verschieden stark. Keinesfalls läßt sich wohl mit Lazarowicz, Verkehrte Welt 312, pauschal von „Art- oder Gattungsverkehrung" sprechen, „die zwar die Kontur der Arten und Gattungen nicht antastet, sie aber gleichsam von innen substantiell verkehrt".

7 Jean Paul: Vorschule der Ästhetik, 1. Programm, § 1. – In: Jean Pauls Sämtliche Werke. Historisch-Kritische Ausgabe. Erste Abteilung, Bd. 11. – Weimar 1935; 21 z. 11f.

330

sich demnach mit dem Begriff der Dichtung auseinandersetzen, nicht nur im ästhetischen Sinne, sondern auch im rein sprachlich-technischen der Schreibart. Hier muß nämlich die Linie gezogen werden, die Satire von anderen Schreibarten trennt, nicht im Bereich des behandelten Stoffs und der Quantität historischer Details; sonst müßte ein Roman Fontanes als Satire verstanden werden oder zumindest als nicht dichterisch gelten können, Goethes ‚Reineke Fuchs' aber könnte keine Satire sein. Die Untersuchung des Verhältnisses der Satire zu anderen Schreibarten ist also unumgänglich, ebenso wie einige Probleme der Ästhetik zur Sprache kommen müssen. Und hier ist es wiederum unmöglich, einige Vollständigkeit zu erreichen; was über die Satire und ihre Probleme, die neuere darauf bezügliche Literatur hinausgeht, muß im Rahmen der vorliegenden Untersuchung skizzenhaft und oft im Stadium der unbewiesenen Behauptung bleiben, bis es in anderem Zusammenhang eingehend behandelt werden kann.

§ 1 Satire und Wirklichkeit

2 Als wirklich wird im folgenden das bezeichnet, was auf den Menschen aus seiner Umwelt wirkt und bewußt gemacht werden kann und was er selbst im Auftrag der Umwelt auf sich wirken läßt. Wirklich sind also zum Beispiel Einflüsse physischer und wirtschaftlicher Macht, Ausstrahlungen bestehender Ordnungen, eine durch freie Entscheidung des Selbst verwirklichte Ordnung, mit der sich der Mensch seiner Welt einfügt. Die Wirklichkeit ist das Gesamtgefüge dessen, was im jeweiligen Augenblick wirklich ist; sie wandelt sich von Augenblick zu Augenblick. Die Wirklichkeiten verschiedener Individuen stimmen weder nach ihrem Inhalt noch nach den Spannungsverhältnissen im Gefüge des Wirklichen je genau überein; sie können jedoch mehr oder weniger Ähnlichkeit miteinander haben. Darauf verläßt sich der Satiriker, noch mehr als jeder, der die Sprache gebraucht, denn sein Sprechen setzt voraus, daß die Veränderung seiner eigenen Wirklichkeit, die er sich in der Satire schafft und die den Leser oder Hörer als bestehende Ordnung in der Sprache betrifft, sich als ähnliche Veränderung an der Wirklichkeit des Lesers oder Hörers auswirken kann.

Das Sprechen des Satirikers meint das Wirkliche [1] [8]

Nicht jedes Sprechen meint Wirkliches: das Sprechen der Erzählung oder des Dramas zum Beispiel meint etwas, das erst durch dieses Sprechen selbst entsteht.[9] Dieses „die einzige zweite Welt in der hiesigen" erzeugende Spre-

---

[8] In eckigen Klammern stehende Ziffern numerieren Sätze, die für den Gang der Definition wichtig sind und auf die im Text häufiger verwiesen wird.

[9] Vgl. etwa Wilhelm Emrich: „Das Problem der Symbolinterpretation im Hin-

chen ist wegen seines schöpferischen Charakters in der Periode zwischen Klopstocks „Messias" und den Jungdeutschen[10] besonders hoch bewertet und über alle andern Schreibarten gestellt worden. Während die Literatur sich seit 1830 immer mehr von diesem Urteil entfernt, hält die Germanistik noch weithin daran fest.[11] Da die Theorie einer Periode meist als reflektierende Rechtfertigung ihres von früherer Gepflogenheit sich unterschei-

---

blick auf Goethes ‚Wanderjahre'." DVjS 26 (1952), 331–52; 333: „Die Dichtung muß, im Unterschied zur wissenschaftlichen Wahrheitserforschung, das Phänomen erst erbauen, dessen Wahrheit sie aufschließen will." Aber nicht nur die Wissenschaft, sondern zum Beispiel auch die Satire bezieht sich auf ein Gegebenes; es wird sich im folgenden zeigen, daß das noch für andere Schreibarten zutrifft, die heute meist ohne Unterscheidung zur „Dichtung" in Emrichs Sinne gezählt werden.

10 Vorbereitet bei Harsdörffer im „Poetischen Trichter" (zitiert bei Lazarowicz, Verkehrte Welt 25 f.) und bei Gottsched durch seine Trennung der Behandlung von Dichtkunst und Redekunst (für diesen Hinweis danke ich Herrn Prof. Preisendanz), obwohl in den „Gedanken und Anmerkungen von der Poesie" (1728) die Einheit von Poesie und Rhetorik noch unerschüttert scheint. – Heine andererseits lehnt schon wieder die Auffassung der „Goetheaner" ab, die „die Kunst als eine unabhängige zweite Welt" betrachten: „die Goetheaner ließen sich dadurch verleiten, die Kunst selbst als das Höchste zu proklamieren und von den Ansprüchen jener ersten wirklichen Welt, welcher doch der Vorrang gebührt, sich abzuwenden." Heinrich Heines Sämtliche Werke, hrsg. von E. Elster, Bd. 5. – Leipzig und Wien [1890]; 251f. Ludolf Wienbarg in seinen „Ästhetischen Feldzügen" bezieht eine ähnliche Stellung. – Mit dem Problem der „Vermittlung der Gegensätze von Poesie und Wirklichkeit" im 19. Jahrhundert (17) setzt sich instruktiv auseinander Wolfgang Preisendanz: „Humor als dichterische Einbildungskraft. Studien zur Erzählkunst des poetischen Realismus. – München 1963.

11 Lazarowicz, Verkehrte Welt 26f., sieht zum Beispiel als die Aufgabe des Satire-Forschers, „die Satire in die Zuständigkeit der Ästhetik zu überführen. Dabei müßte gezeigt werden, ob die Frage nach dem Satirisch-Schönen den Vorrang vor dem Gesichtspunkt der Zweckmäßigkeit und der Nützlichkeit beanspruchen darf." Schon diese Formulierung der Aufgabe zeigt, wie sehr Lazarowicz die Forderungen der Ästhetik modifizieren muß, auf die er sich bezieht, wenn er überhaupt die Satire damit in Verbindung setzen will. In der offenbar gemeinten, von Kant und Schiller geprägten Ästhetik des Zwecklos-Schönen kann es nicht eine Frage nach dem *Vorrang* der Schönheit vor der gleichzeitigen Zweckmäßigkeit und Nützlichkeit eines fraglichen Werkes geben, sondern das Kunstwerk ist für diese Ästhetik nur schön, wenn es seinen Zweck ganz in sich selbst trägt. Das kann nun keinesfalls für Satire gelten, denn „zweifellos empfängt die Satire entscheidende Impulse von der Wirklichkeit; und es ist andererseits zumindest wahrscheinlich, daß sie auch auf die Realität einzuwirken sucht." (Lazarowicz ebd.)

denden Schaffens verstanden werden kann, scheint es nicht sinnvoll, den in dieser Periode geschaffenen Kunstbegriff gleichsam als überhistorisch zu nehmen und sowohl frühere wie auch spätere Werke danach zu beurteilen. Wenn der Bezug der Satire zum Wirklichen jene Abgeschlossenheit und Zwecklosigkeit von vornherein ausschließt, die etwa Kant vom Kunstschönen fordert, so bedeutet das nicht, daß die Satire nicht für eine andere, zum Beispiel unsere, Zeit als Kunstwerk gelten kann.

Daß die Satire Wirkliches meint, ist schon oft erkannt,[12] aber meines Wissens noch nirgends zur Grundlage eines Verständnisses der Satire gemacht worden. Meist nimmt man die Tatsache als negatives Merkmal: „Zeitverfallenheit und Zeitenthobenheit gelten auch heute noch weithin als die entscheidenden Charakteristika" von Satire und Dichtung,[13] und Satire scheint nur dann nicht mehr verächtlich, wenn sie „den Sprung aus dem Nexus der historisch-empirischen Realität in die Zone der Fiktionalität" getan,[14] wenn sie also einen wesentlichen Grundzug aufgegeben hat. Satire muß ja nicht nur nennend an der Wirklichkeit kleben und schnell veraltende Tageskolportage treiben;[15] ihre Haupttendenz ist vielmehr, wie sich zeigen wird, Distanzierung von der Wirklichkeit, aber diese muß geschehen, ohne daß das Spannungsverhältnis zum Wirklichen je unterbrochen wird. Viele Satiren werden heute in ihrer Richtung mißverstanden wie etwa Neidharts Gedichte oder sind Kinderbücher geworden wie ‚Gullivers Reisen', weil unsere Wirklichkeit gegenüber der damaligen radikal verändert ist. Dies sind keine Satiren mehr, eben weil die Spannung zum Wirklichen gerissen ist; ihre Darstellungselemente haben erst jetzt den Charakter der Fiktionalität ohne Rückbindung an das Wirkliche angenommen. Es gibt also kein satirisches Sprechen, ohne daß ein Wirkliches damit gemeint wäre.

---

[12] Für viele Beispiele vgl. Persius I 114f. *secuit Lucilius urbem, te Lupe, te Muci, et genuinum fregit in illis.* In der Theorie hat Schiller zwar „in der Satyre ... die Wirklichkeit als Mangel, dem Ideal als der höchsten Realität gegenüber gestellt" („Über naive und sentimentalische Dichtung." Schillers Werke, Nationalausgabe, Bd. 20. – Weimar 1962; 442), aber die Tatsache, daß er mit der Satire Elegie und Idylle auf eine Ebene stellt, daß er mit strafender und scherzhafter Satire Tragödie und Komödie gleichsetzt (ebd. 444f.), zeigt deutlich, daß er die Wirklichkeit, gegen die die Satire sich richtet, nicht von der als Fiktion kenntlich gemachten Kunstwirklichkeit der Dichtung unterscheidet.

[13] Helmut Arntzen: „Deutsche Satire im 20. Jahrhundert." Deutsche Literatur im 20. Jahrhundert. Strukturen und Gestalten. Hrsg. von Hermann Friedmann und Otto Mann. Bd. 1 Strukturen. – 4. erw. Aufl. Heidelberg 1961, 224–55; 224.

[14] Lazarowicz, Verkehrte Welt 183.

[15] Davor warnt richtig Arntzen, Satirischer Stil 30.

3 Nun fragt sich, ob die Begriffe „Realismus" oder „Naturalismus" zur Bezeichnung eines solchen Verhältnisses zur Wirklichkeit dienen können. Richard Brinkmann kommt zu folgendem Ergebnis: „Das Materialobjekt des Begriffs Realismus (immer im Sinne von Realismus der Dichtung des 19. Jahrhunderts) sind die Strukturformen der Dichtung, d. h. die Formen, in denen die Dichtung die Wirklichkeit der ‚dargestellten' Welt eben als ihre, der Dichtung eigene Wirklichkeit auferbaut." [16] Da Satire nie eine „eigene Wirklichkeit auferbaut", sondern sich immer auf eine bestehende Wirklichkeit bezieht, kann Brinkmanns Begriff des Realismus nicht auf sie angewandt werden. – Auch der Realismusbegriff bei Georg Lukács setzt eine „eigene Welt" [17] des realistischen Sprachwerks voraus: „Die künstlerisch erzeugte Illusion, der ästhetische Schein beruht also einerseits auf der von uns analysierten Abgeschlossenheit des Kunstwerkes, darauf, daß das Kunstwerk in seiner Gesamtheit den Gesamtprozeß des Lebens widerspiegelt und nicht in den Einzelheiten Widerspiegelungen von Einzelerscheinungen des Lebens darbietet, die in ihrer Einzelheit mit dem Leben, mit ihrem wirklichen Vorbild verglichen werden könnten. Die Unvergleichbarkeit in dieser Hinsicht ist die Voraussetzung der künstlerischen Illusion, die von jedem solchen Vergleich sofort zerrissen wird. Andererseits und untrennbar hiervon ist diese Geschlossenheit des Kunstwerkes, die Entstehung des ästhetischen Scheins nur möglich, wenn das Kunstwerk den Gesamtprozeß des Lebens *objektiv richtig* widerspiegelt." [18] Wie bei Brinkmann wird hier mit dem Begriff des Realismus die „Geschlossenheit des Kunstwerks" verbunden, die das satirische Sprechen, das die Wirklichkeit meint, nicht intendiert. Daß übrigens diese Geschlossenheit des Kunstwerks gegenüber dem außerhalb bestehenden Wirklichen eine relativ späte Errungenschaft ist und nicht unbedingt für „das kleinste Lied ... wie das mächtigste Epos" gelten muß,[19] wird sich im Lauf dieser Untersuchung zeigen. Was nun die Widerspiegelung der objektiven Wirklichkeit angeht, die nach Lukács „jede Auffassung der Außenwelt" bestimmen soll,[20] so trifft das für die Satire nicht zu, wie übrigens auch nicht für andere Schreibarten:

Das satirische Sprechen meint ein Wirkliches, das wirkt, bevor es als etwas Bestimmtes aufgefaßt ist, und erst durch das Sprechen wird eine bestimmte Auffassung vorgeschlagen. [2]

---

16 Richard Brinkmann: Wirklichkeit und Illusion. Studien über Gehalt und Grenzen des Begriffs Realismus für die erzählende Dichtung des neunzehnten Jahrhunderts. – Tübingen (1957); 79.

17 Georg Lukács: „Kunst und objektive Wahrheit." In: Georg Lukács: Probleme des Realismus. – Berlin 1955, 5–46; 18.

18 Ebd. 19.   19 Ebd. 17.   20 Ebd. 5.

Auch Lukács' Widerspiegelungstheorie setzt das Dasein eines Gespiegel-
ten vor der Spiegelung voraus, nur scheint für ihn jede Spiegelung in der
Richtung der Erkenntnis zu gehen, in deren dialektischem Prozeß die Wahrheit in vielfältig kontrollierender Spiegelung langsam gewonnen werden
kann.[21] Deshalb wählt er den Begriff „Auffassung", der sowohl das erste
Ergreifen eines Wirklichen durch das Bewußtsein wie auch das endgültige Begreifen bedeuten kann, und verhindert so das Bewußtwerden der Möglichkeit, daß nach der ersten Einwirkung eines Wirklichen auf das Bewußtsein
die Behandlung, die Art der Auffassung völlig verschieden gerichtet sein
kann. „Spiegelung" insinuiert die Vorstellung der planen, stets gleichblei-
benden Reproduktion des Wirklichen im Bewußtsein und die Vorstellung
einer einseitig in Richtung des Einsehens und Erkennens gehenden Tätigkeit
des Bewußtseins. Das trifft nun für die Satire nicht zu: sie will, wie sich zeigen wird, nicht erkennen, sondern bekämpfen; ihr Wort ist nicht formulierte
Erkenntnis, sondern Kampfmittel. Die bloße Existenz von Schreibarten
wie der Satire scheint also die Widerspiegelungstheorie von Lukács zu
widerlegen, und es ist kein Zufall, daß er sich mehr oder weniger einseitig
mit erzählender Dichtung beschäftigt hat.

Wenn also der Begriff des Realismus auf das Wirklichkeitsverhältnis
der Satire nicht zuzutreffen scheint, so könnte vielleicht der Begriff Naturalismus die Sache treffen. Aber auch hier steht der kämpferische Aspekt
des satirischen Sprechens der wissenschaftlichen Objektivität der Detailbe-
schreibung diametral gegenüber, die das Ideal der Naturalisten am Ende
des 19. Jahrhunderts war. Sofern der Naturalismus sich als kämpferisch
und gesellschaftskritisch versteht, geht er in Satire über; entsprechend formuliert er dann sein Ziel um als nicht „die objektive Wahrheit, die dem
Kämpfenden entgeht, sondern die individuelle Wahrheit".[22] Die Bezeichnung Naturalismus für diese Erfassung subjektiver Wahrheit beizubehal-
ten scheint mir irreführend. – Auch Alewyns Begriff des Naturalismus läßt
sich auf das Wirklichkeitsverhältnis der Satire nicht anwenden: „Naturalismus entspringt immer einem nicht unmittelbaren, sondern auf irgendeine
Weise gestörten und darum negativ oder positiv übertriebenen Verhältnis
zur Wirklichkeit. Seine Wurzel ist eine innere Wirklichkeitsferne, durch die
eine (romantische) Sehnsucht nach der Wirklichkeit geweckt wird, die in
ihrem leidenschaftlichen Wirklichkeitsdrang über ihr Ziel hinausschießt,
die Wirklichkeit da sucht, wo sie besonders ‚wirklich' scheint, d. h. nicht in
ihren schlichten alltäglichen Gebreiten, sondern in ihren extremen und un-

---

[21] Lukács: „Kunst und objektive Wahrheit." 7f.
[22] Otto Brahm: „Freie Bühne für modernes Leben. Zum Beginn. (29. 1. 1890)"
In: Otto Brahm: Kritiken und Essays. Ausgewählt, eingeleitet und erläutert
von Fritz Martini. – Zürich und Stuttgart 1964 (Klassiker der Kritik); 317.

gewöhnlichen Äußerungen."[23] Mag man vielleicht das Verhältnis des Satirikers zur Wirklichkeit gestört nennen, so doch nie in dem Sinne, daß er
sich nach dem Kontakt mit der Wirklichkeit sehnte, sondern eher umgekehrt: er fühlt sich von der Wirklichkeit bedrängt und bedrückt. Dies hat
sich deutlich bei Neidhart gezeigt, der die ritterliche Ordnungswelt von
den titanischen Kräften des Triebes bedroht sieht, die im Innern dieser
Ordnung entstehen. Alewyns Naturalismusbegriff trifft eher auf den
Riuwentaler zu, den es unwiderstehlich zu den Bauernmädchen zieht, nicht
aber auf Neidhart, dessen Satire sich gegen den Riuwentaler richtet und
gegen alles, was er repräsentiert.

Die Begriffe Realismus und Naturalismus lassen sich offenbar nicht auf
das Verhältnis des Satirikers zur Wirklichkeit anwenden. Dieses Verhältnis muß also näher beschrieben werden.

4 Andeutend war schon die Rede von der satirischen Sprache als einem
Kampfmittel und der zugehörigen Wirklichkeit als einer bedrohlichen.
Diese Andeutungen sind nun zu vervollständigen.

Satz [2] hat darauf aufmerksam gemacht, daß zwischen dem Moment
der Einwirkung eines Wirklichen und der sprachlichen Reaktion darauf
ein Prozeß eingeschaltet ist, den ich als Deutung bezeichnen möchte. Sehr
viele Einwirkungen, die potentiell bewußt gemacht werden könnten (wie
etwa die Härte des Stuhls, auf dem ich sitze, oder das Rauschen von Wasser
in der Leitung) bleiben unbewußt, weil sie für die momentane Wirklichkeit unwichtig sind. Nur das wird überhaupt bewußt, was auf irgendeine
Weise bedeutsam ist. Die Wirklichkeit hat also einen aktuellen Kern und
einen potentiellen „Hof", der diesen Kern umgibt. Die Bedeutsamkeit des
Aktualisierten ist nun nicht uniform (wie Lukács mit der Theorie der Widerspiegelung offenbar annimmt), sondern nach verschiedenen Bedeutungen getrennt, nach denen sich dann wieder das Erkennen und Verhalten
des Menschen richtet. Es gibt, soweit ich sehe, vier Grundbedeutungen oder
Bedeutungsbereiche, in denen die Wirkungen erscheinen können. Benennung ist schwierig, da die Wörter ja selbst schon Ausdruck bestimmter Bedeutungsrichtung sind. Ich stelle zwei Serien von Benennungen nebeneinander, um Einseitigkeit des Bildes zu vermeiden: unbekannt oder faszinie-
rend-bedrohlich; bekannt oder dienlich; befreundet oder gleichwertig; eigen
oder selbstgeschaffen. Man sieht, daß die Reihen von einem Äußersten an
Fremdheit zu einem Äußersten an Nähe und Innerlichkeit verlaufen, und

23 Richard Alewyn: „Naturalismus bei Neidhart von Reuental." ZfdPh 56
(1931), 37–69; 39. Vgl. Richard Alewyn: Johann Beer. Studien zum Roman
des 17. Jahrhunderts. – Leipzig 1932, 196–215.

daß die Zwischenpositionen zwischen den angegebenen Polen nur markante Farbeinschnitte auf einem kontinuierlichen Spektrum sind.[24]

Erscheint eine Einwirkung im Bereich des Unbekannten, so erhält sie nicht etwa Tendenz, bekannt gemacht zu werden – dann erschiene sie sofort im Bedeutungsbereich des Bekannten –, sondern sie behält die Gestaltlosigkeit, die bergende und ängstigende, bedrohliche und faszinierende, schöne oder widerwärtige Macht, mit der sie ins Bewußtsein kommt, ohne daß dieses sich zunächst abstrahierend und definierend davon lösen könnte.

Erscheint eine Einwirkung im Bereich des Bekannten, so wird daraus im Bewußtsein ein Gegenstand des Erkennens, Erklärens und Kritisierens, des Gebrauchs und Nutzens zu bestimmten Zwecken.

Erscheint eine Einwirkung im Bereich des Befreundeten, so kommt sie unter den Aspekt von Sympathie und Antipathie, persönlicher Bindung und Verantwortung, ethischer Bewertung und Beurteilung.

Erscheint eine Einwirkung im Bereich des Eigenen, so bedeutet sie Spiel und Kunst oder Harmonie und Disharmonie mit den menschlichen Gegebenheiten.

Nicht jede Einwirkung erscheint immer in demselben Bedeutungsbereich; eine Einwirkung kann oft mehrere Bedeutungen in sich vereinigen und so eine größere Bedeutungsdichte annehmen. Das künstlerische Symbol ist zum Beispiel dadurch bestimmt, daß es alle vier Bedeutungen in sich vereinigt und damit die Bedeutungsfülle der gesamten Wirklichkeit enthält. Beispiele für diese vier Bedeutungsbereiche werden in Abschnitt 10 analysiert.

Die Wirklichkeit, die nun die Satire meint, ist ein Einwirkendes, das im Bereich des Unbekannten erscheint; es kann darüber hinaus noch die Bedeutung anderer Bereiche tragen. Zu dieser Wirklichkeit des Unbekannten sind nämlich zwei Haltungen des Bewußtseins möglich: der ambivalente Charakter dieser Wirklichkeit gestattet zwar wiederum nur ambivalente Antworthaltungen, aber man kann entsprechend einer jeweiligen Prävalenz des bergenden, schönen, anziehenden oder des ängstigenden, widerwärtigen, bedrohlichen Aspektes der unbekannten Wirklichkeit eine prävalent fasziniert-enthusiastische von einer prävalent von Angst, Über-

---

[24] Ausführliche Darlegung und Begründung dieser Theorie muß an anderer Stelle erfolgen. Hier kann nur angedeutet werden, was für das Wirklichkeitsverhältnis der Satire unmittelbar wichtig ist. Die Fragestellung ist nicht psychologisch, sondern philosophisch, da es sich darin um die Beschaffenheit des Wirklichen handelt. Allerdings wird dieses nicht auf eine Weise erkundet, die sich mit den traditionellen Begriffen des idealistischen oder realistischen Zugangs bezeichnen ließe. Im Lauf der Untersuchung wird sich das Problem der Bedeutungsbereiche noch weiter klären (vgl. z. B. Anm. 150).

wältigtsein und Ekel bestimmten Haltung unterscheiden.[25] Die erstere scheint die Basis des Lyrischen[26] zu bilden, die zweite die der Satire. Jede der Haltungen fordert Antwort, die das Bewußtsein aus dem Überwältigtsein vom Wirklichen erlöst: sprachliche Antwort auf die fasziniert-enthusiastische Haltung ist die Preisung und der hymnische Anruf; Antwort auf Angst und Ekel ist Schmähung, Kampfgesang, Fluch – oder Gelächter: also die Satire.[27]

Das kämpferische Wesen der Satire ist schon oft beschrieben worden. Robert C. Elliott nennt als einen grundlegenden Wesenszug: „Alle Satire greift etwas an." [28] Nach Schillers Definition wird in der satirischen Dar-

---

[25] Diese Ambivalenz erklärt wohl Rilkes Verse: „Denn das Schöne ist nichts Als des Schrecklichen Anfang, den wir noch grade ertragen, Und wir bewundern es so, weil es gelassen verschmäht, Uns zu zerstören." (1. Duineser Elegie) – Vgl. auch Kenneth Burke: The Philosophy of Literary Form. Studies in Symbolic Action. – Louisiana State U.P. 1941; 61: "As soon as we approach [aesthetic speculation in terms of the ridiculous and the sublime], we have in the very terms themselves a constant reminder that the *threat* is the basis of beauty. Some vastness of magnitude, power, or distance, disproportionate to ourselves, is 'sublime'. We recognize it with awe. We find it dangerous in its fascination. And we equip ourselves to confront it by piety, by stylistic medicine, and by structural assertion." Es ist von diesem Gesichtspunkt aus völlig richtig, wenn Schiller vorschreibt: „Die strafende Satyre erlangt poetische Freyheit, indem sie ins Erhabene übergeht, die lachende Satyre erhält poetischen Gehalt, indem sie ihren Gegenstand mit Schönheit behandelt." (Über naive und sentimentalische Dichtung; Nat.-Ausg. 20,442.)

[26] Wie bei der Satire ist beim Lyrischen das Wirklichkeitsverhältnis nicht immer einstimmig, sondern die Bedeutung des „schönen Unbekannten" kann sich mit anderen Bedeutungen verbinden. Jedenfalls aber scheint das Unbekannte im beschriebenen Sinne am Grunde alles Lyrischen zu liegen und den im allgemeinen Sprachgebrauch damit verbundenen Aspekt der gelösten Begeisterung und des Einschwingens in die Totalität zu konstituieren, der selbst das Klaglied im Mund der Geliebten herrlich macht. Daß das Lyrische wie die Satire das Wirkliche meint, ist durch seinen apostrophischen Grundcharakter verbürgt.

[27] Aristoteles Poetik IV 1448b 27 nimmt als Beginn der Dichtung einerseits Hymnen und Preislieder (ὕμνους καὶ ἐγκώμια), andererseits Schmäh- und Rügelieder (ψόγους) an. – Robert C. Elliott: The Power of Satire. Magic. Ritual. Art. – Princeton U.P. 1960, 39 berichtet über die altirischen Dichter, ihre Funktion "requires them to *blame* as well as to *praise*". Dasselbe gilt auch von altarabischen Dichtern (ebd. 15–18).

[28] Robert C. Elliott: "The Definition of Satire. A Note on Method." Yearbook of Comparative and General Literature 11 (1962), 19–23; 22: "If I could find an essential property, it would be so general as to be useless for purposes of definition: 'All satire attacks something', for example."

stellung die Wirklichkeit als „Gegenstand der Abneigung" ausgeführt;[29] Friedrich Schlegel spricht von der „polemischen Dichtkunst, welche an einem feindlichen Stoffe und den widerstrebenden Gegenständen einer absichtlich oder willkührlich als unpoetisch aufgefaßten Wirklichkeit ihr Genie und ihre genialische Begeisterung ausläßt";[30] sie stelle das innere Dasein dar „im Kampfe mit der äußern Welt".[31] Über die unzähligen literarischen Zeugnisse hinaus enthält der populäre Begriff von der Satire in besonders starkem Maße die Vorstellung des Beißenden, Ätzenden, Vernichtenden, Angreifenden.

Satire ist sprachliche Auseinandersetzung mit dem Wirklichen. [3]

Nun ist die satirische Auseinandersetzung von anderen Formen der Auseinandersetzung zu unterscheiden. Jeder Bedeutungsbereich ist ambivalent, folglich gibt es in jedem eine Form der Auseinandersetzung; Bedeutungskombinationen erzeugen wieder Mischformen.

Zunächst die Form sprachlicher Auseinandersetzung mit einer einsinnig bedeutenden Wirklichkeit: die Form der Auseinandersetzung mit der bedrohlich-widerwärtigen Seite des Unbekannten wurde schon besprochen und *Satire* genannt. *Kritik* heißt die Form der Auseinandersetzung mit einer Behauptung, einem Urteil, einem Gegenstand des Erkennens im allgemeinen. *Tadel*, Rüge oder Strafe (im älteren Sinne) heißt die Form der Auseinandersetzung mit menschlichem Verhalten. Der Bedeutungsbereich des Eigenen kennt nur die Gleichgültigkeit; was nicht in eigener Entscheidung als adäquat aufgefaßt wird, ist nicht Gegner, sondern Nichts. Kritik und Tadel sind Formen der rein aktiven Auseinandersetzung. Das Kritisierbare und das Tadelhafte ist zwar wirklich, doch das Bewußtsein nimmt beiden gegenüber eine gleichstarke oder überlegene Haltung ein; Kritik und Tadel werden sozusagen freiwillig unternommen.

In der Auseinandersetzung mit dem Unbekannten ist das Bewußtsein jedoch unterlegen, denn es wird da mit einem Wirklichen konfrontiert, das in keiner Weise verständlich, ordentlich und assimilierbar ist. Jede Handlung des Bewußtseins angesichts einer unbekannten Wirklichkeit ist deshalb reaktiv, teilweise erzwungen, und dient einerseits dazu, die Identität und Kontinuität, das „Leben" des Bewußtseins überhaupt zu bewahren. Andererseits dient die Handlung des Bewußtseins dazu, die lebenbedrohende

---

29 Schiller, Über naive und sentimentalische Dichtung; Nat.-Ausg. 20,441, vgl. 442.
30 Friedrich von Schlegel's sämmtliche Werke. Zweite Original-Ausgabe, Bd. 5. – Wien 1846; 240 (Zusatz der Ausgabe von 1823 zum „Gespräch über die Poesie").
31 Ebd. 240.

Wirklichkeit zu schwächen und womöglich ganz zu vernichten. Juvenals *difficile est saturam non scribere* (I 30) oder *si natura negat, facit indignatio versum* (I 79) gehört zur Charakteristik jener defensiven, fast instinktiv reagierenden Haltung des Bewußtseins. Schiller bezeichnet die satirisch darzustellende Wirklichkeit als „empörend";[32] in diesem Wort ist der Einfluß des Wirklichen registriert, der das Bewußtsein zur Reaktion „emportreibt". Arntzen stellt bezüglich Musils fest: „Aber diese Ambivalenz [von Richtigem und Falschem] in allem ist es gerade, über die er sich nicht darstellend beruhigt, sondern die er als tief Beunruhigendes immer wieder aufruft..."[33] Viele Satiriker schreiben aus der Angst um das Zerbrechen ihrer Welt, wie sich etwa bei Juvenal und Brant, aber auch bei Horaz gezeigt hat (Kap. III 16). Theodor Haecker bekennt: „ich habe auch gekämpft um mich und gegen die eigene drohende Verzweiflung und um die eigene Erkenntnis ... und daß meine Seele empor sich schwinge aus dem Meer der Schwermut, darein sie zu versinken drohte... Also gleichsam im Inferno, nein, oft wahrhaft im Inferno."[34]

Die Wirklichkeit, mit der sich die Satire auseinandersetzt, ist zunächst und wesentlich bedrohlich. [4]

Aber die Wirklichkeit der Satire braucht nicht nur die unbekannt-bedrohliche zu sein. Wie angedeutet, können die Bedeutungsbereiche kombiniert werden, kann ein Wirkliches mehrere verschiedenartige Bedeutungen annehmen. Demgemäß, wo es sich um die negativen Seiten der ambivalenten Bedeutungsbereiche handelt, sind auch die Formen der Auseinandersetzung mehrdeutig. So ist die *Polemik* zum Beispiel eine Form der Auseinandersetzung, in der Kritik und Rüge, Sachlichkeit und persönlich-moralisierender Angriff verbunden sind. Die wesentlich bedrohliche Wirklichkeit, mit der sich die Satire auseinandersetzt, kann nun auch mit dem Falschen, (Kritisierbaren), dem Unordentlichen, Verwerflich-Wertlosen (Tadelhaften) und dem in sich Unstimmigen verbunden werden. Die Drohung des Unbekannten bleibt also bestehen, nimmt aber gleichsam auf der Oberfläche Gestalt an und zeigt sich also nicht übereinstimmend mit dem Wahren oder Guten oder mit sich selbst. Die Aufgabe des Satirikers wird dadurch nicht leichter, denn er wird leicht verführt, hinter dem definitiven Feind die gesichtslose Drohung des Unbekannten zu vergessen und in bloße Kritik, Rüge oder Polemik zu verfallen. Die aufklärerische Verleugnung des Unbekannten im 18. Jahrhundert und die positiv-materia-

---

[32] Schiller, Über naive und sentimentalische Dichtung; Nat.-Ausg. 20,443.
[33] Arntzen, Satirischer Stil 38.
[34] Theodor Haecker: „Vorrede zu Satire und Polemik" (1922). In: Theodor Haecker: Essays. – München 1958, 89–94; 91.

listische Einstellung zu Sünde und Laster in bestimmten Denkrichtungen des späten Mittelalters haben mit der gefallenden Satire und dem Laster-katalog der Ständesatire Formen geschaffen, die die Auseinandersetzung mit dem bedrohlichen Unbekannten nur noch rudimentär enthalten, und haben damit nur Randerscheinungen des Satirischen hervorgebracht, die manchmal den Namen gar nicht mehr verdienen. Eine Bezeichnung der satirischen Auseinandersetzung muß also den Aspekt dieser kämpferischen Reaktion auf das Andringen des Bedrohlichen enthalten, und der haupt-sächlich in der neueren amerikanischen Satire-Forschung gebrauchte Begriff des *criticism* scheint von diesem Gesichtspunkt aus nicht zureichend.[35] Vor-ausgesetzt also, daß die von der Satire gemeinte Wirklichkeit neben der unbekannten auch noch andere Bedeutungen annehmen kann, lassen sich die Sätze [1–4] folgendermaßen zusammenfassen:

> *Satire ist sprachliche Auseinandersetzung mit einer bedrohlichen Wirk-lichkeit. [5]*

5 „Ich habe aber zugeschlagen, gleichsam ohne Erbarmen, ich bin der letzte, der es leugnet; gegen wechselnde Feinde mit wechselnden Waffen: aber immer mit uralt ehrlichen Waffen: dem Feinde zugekehrt Gesicht und Namen, auch wenn er weder Namen hatte noch Gesicht und nur ein na-menloses Ungesicht war, dem die Satire erst den Namen gab, ein leerer Schrecken, ein Greuel, eine Finsternis, eine Mückenplage, eine Pest, eine Zeitung, ein wimmelndes Gewürm in Gräbern der Toten." [36] Die Präzision, mit der Theodor Haecker hier die bedrohliche, unheimliche, widerwärtige Wirklichkeit benennt, mit der die Satire sich auseinandersetzt, ist nach dem Vorhergehenden deutlich. Zugleich aber tritt hier ein wichtiges Problem zutage: der Satiriker kämpft gegen einen unfaßbaren Gegner; die unbe-kannte Wirklichkeit ist gestalt- und gesichtslos.

---

[35] Zum Beispiel Edgar Johnson: A Treasury of Satire. – New York 1945; 7: "The one ingredient common to all these activities, from satire in cap-and-bells to satire with a flaming sword, is *criticism*." – David Worcester: The Art of Satire. – New York 1960; 13: "In the formation of any kind of satire there are two steps. The author first evolves a criticism of conduct – ordinarily human conduct, but occasionally divine. Then he contrives ways of making his readers comprehend and remember that criticism and adopt it as their own." – Vgl. auch Helmut Olles: „Von der Anstrengung der Satire." Ak-zente 1 (1954), 154–63; 155: ernst genommene Satire sei nicht „die vergnügte Banalität des Spottes über den lokalen Mißstand..., sondern ... eine Me-thode der Kritik am Bestehenden".

[36] Haecker, Vorrede zu Satire und Polemik 90.

Die Form des Wirklichen ist durch seine Bedeutung bestimmt, oder: eine bestimmte Bedeutung läßt die Formelemente des Wirklichen, die diese Bedeutung anzeigen, stärker hervortreten als andere. Andere werden in Relief gesetzt, wenn sich die Bedeutung ändert. (Ein Apfel als Gegenstand ästhetischer Betrachtung hat für den Maler eines Stillebens andere Qualitäten, Formzüge als für den Esser.) Je mehr Bedeutungen ein Wirkliches annimmt, desto dichter wird, wie schon gesagt, seine Wirklichkeit, und desto deutsamer, facettierter, dimensionierter wird seine Form oder Struktur. (Das Symbol, das alle vier Bedeutungsbereiche verbindet, hat die dichteste Wirklichkeit und eine alldeutsame Struktur.) Die Formzüge, die den vier Bedeutungsbereichen sozusagen günstig und spezifisch sind, können, soweit ich sehe, folgendermaßen bezeichnet werden:

Dem Unbekannten spezifische Wirklichkeit: gestaltlose bezuglose Macht, die sich jedem Versuch des Verstehens und der Einordnung widersetzt (später „Substanzwirklichkeit" genannt).

Dem Bekannten spezifische Wirklichkeit: vergleichbare, in Reihen zu setzende Beschaffenheit oder Eigenschaft; das Urbild des Vergleichs und das vorstellbare Sein der Reihe wird als dem einzelnen Wirklichen transzendent vorgestellt („Gestaltwirklichkeit").

Dem Befreundeten spezifische Wirklichkeit: Abhängigkeitsbezüge, Relationen der Wechselseitigkeit oder der Dependenz, Funktionen in Ordnungen mit Zuordnung auf ein funktionales Zentrum („Funktionswirklichkeit").

Dem Eigenen spezifische Wirklichkeit: Übereinstimmung mit sich selbst in allen Elementen und Übereinstimmung mit den Gegebenheiten des jeweiligen Bewußtseins, zu dessen Eigenem dieses Wirkliche werden soll („Figurwirklichkeit").

Diese Strukturen der Wirklichkeit werden in § 2 ausführlich diskutiert.

Die Satire kämpft also gegen das, mit dem das Bewußtsein nicht fertig wird, gegen eine pure Macht und Plage, wie Haecker es formuliert; gegen eine Lücke im System der Reihen, durch die das Chaos eindringt (*horror vacui*); gegen ein Sein, das sich jeder Funktionalisierung widersetzt (Friedrich Schlegels „unpoetische Wirklichkeit"); gegen das Wirkliche überhaupt, sofern es jeden Versuch der Aneignung vereitelt.

Direkte Auseinandersetzung mit der bedrohlichen Wirklichkeit ist unmöglich. [6]

Jeder Kämpfer braucht einen definitiven Gegner, und gerade das ist die bedrohliche Wirklichkeit nicht. Definitive Gegner sind Fehler im System und unlogische Schlüsse, Narren, Verbrecher und Friedensstörer, Menschen oder Dinge, die sich selbst widersprechen und im Wege sind. Leicht ist es, solche definitiven Gegner zu bekämpfen oder zu verspotten. In der vollwichtigen Satire ist der Satiriker dagegen Don Quixote im Kampf mit den Windmühlenflügeln, Perseus im Kampf mit der Medusa.[37] Jener wird lächerlich, weil er sich unter dem Bekämpften etwas ganz anderes vorstellt und demgemäß einen völlig inadäquaten Streit führt. Dieser ist erfolgreich, da er seinen Kampf mit genauer Einschätzung der Medusa führt: er kann sie nicht direkt bestürmen, er braucht eine List. Nach der einen Version des Mythos beobachtet er sie rückwärts gehend in seinem blanken Schild und schlägt ihr dann das Haupt ab, nach der andern hält er ihr seinen Schild vor, und sich erblickend verwandelt sie sich selbst zu Stein. Beide Listen kennt die Satire, beide vernichten das drohende Wirkliche.

Um kämpfen zu können, muß der Satiriker sich zuerst das bloß gesichtlos Drohende, das Widerwärtige zum Gegner umschaffen. Dieser erste Schritt des Satirikers ist, genauer betrachtet, schon der Beginn der Auseinandersetzung mit dem unbekannten Wirklichen. Denn dessen Wesen liegt ja gerade darin, unbegrenzte, undefinierbare Macht zu sein. Wenn es dem Satiriker gelingt, das drohende Wirkliche als definitiven Gegner zu formulieren, so hat er seinen Kampf eigentlich schon gewonnen, denn er hat die Wirklichkeit in ihrem Wesen verwandelt und gezähmt.

Das Wirkliche, wie jetzt die in Abschnitt 1 gegebene erste Definition zu ergänzen ist, kommt als potentielles Wirkliches von außen und hängt in seiner Verwirklichung und seiner Bedeutung vom Bewußtsein ab. Das hat sich gezeigt in der Überlegung, daß der Großteil potentieller Wirklichkeit in jedem Moment gar nicht aktualisiert wird (Beispiel war: Härte des Stuhls, Rauschen der Wasserleitung), und daß auch die Bedeutung des Wirklichen nicht a priori feststeht. Genauer: die Bedeutung des Eigenen wird einem Wirklichen freiwillig *gegeben* – das ist der eine Pol –, die Bedeutung des Unbekannten wird vom Wirklichen *mitgebracht* (Gegenpol): hier trifft das potentielle Wirkliche mit solcher Potenz und Plötzlichkeit auf die aufnehmenden Organe, daß es gleichsam ungesichtet und ohne spezielle Bedeutung als reine Potenz an die Oberfläche des Bewußtseins durchstößt und sich dort aktualisiert. Es gibt zwei Möglichkeiten, sich gegenüber dieser fremden Aktualität zu verhalten; ein Beispiel mag sie zunächst andeuten: Ein Autofahrer wird nach längerer Fahrt in der Dunkelheit plötzlich von dem vollen Lichtstrahl eines entgegenkommenden Fahrzeugs überrascht. Zunächst ist er geblendet, dann geschieht zweierlei: seine ursprünglich ganz offenen Pupillen und Augen verengen sich und passen sich dem starken Licht dadurch an, daß sie die Menge des eindringenden Lichtes reduzieren; zweitens wird der Mann, wenn er ein guter Fahrer ist, nicht mehr ins Licht blicken, sondern seitwärts auf den Straßenrand. Ohne die Stärke des Lich-

---

[37] Burke, Philosophy of Literary Form 63, zitiert den Mythos im Zusammenhang mit dem, was er "stylistic medicine" nennt.

tes an der Quelle zu vermindern hat er erreicht, daß er nicht mehr geblendet wird.

Dieselben Verfahren wendet der Satiriker an: er schränkt das Wirkliche künstlich auf einen Teil ein, limitiert und definiert es damit, oder er bekämpft das unbekannte Wirkliche über ein Objekt, das primär bekannte oder befreundete oder eigene Bedeutung hat. Das erste Verfahren ist das der Synekdoche, das zweite das der Metapher, der Übertragung in einen andern Wirklichkeitsbereich. Es ist bei Wirklichkeiten, die neben der Bedeutung des Unbekannten noch eine oder mehrere andere Bedeutungen haben, möglich, nur über die anderen Bedeutungen zu sprechen, sie als falsch oder verwerflich anzugreifen und vom unbekannten Aspekt ganz abzusehen. Dieses Verfahren muß dann wohl wieder als Synekdoche bezeichnet werden, da es die volle Wirklichkeit des Gegenstandes einschränkt, ohne ganz von ihr abzusehen.

Gemeint ist auch bei diesen einschränkenden und übertragenden Verfahren, sofern es sich um Satire handelt, immer die ganze drohende Wirlichkeit;[38] wo sich die Verfahren verselbständigen und den Bezug zum Unbekannten verlieren, entstehen andere Objektstrukturen: Satz [1] und [4] sind notwendige Voraussetzungen der Satire. Selbst wo das Objekt der Satire ein sich als Wahrheit ausgebender Schein oder eine sich als löblich aufspielende Verwerflichkeit ist, muß hinter dem Schein das Chaos, hinter der Verstellung das Urböse lauern, sonst hat die Haltung des Satirikers ihre Berechtigung verloren. Sein Angriff richtet sich dann nur gegen Lappalien, die sich selbst vernichten oder für die in der menschlichen Gesellschaft die nötige Korrektive schon vorhanden sind; die Anprangerung solcher Dinge erscheint dann als unnötig, vorlaut, anmaßend und unmoralisch. Daher rühren die häufigen Verbote der Satire durch das Gesetz,[39] die Diskussion über die Unmoralität der Satire im 18. Jahrhundert. Wo der Satiriker nicht deutlich machen kann, daß er den Esel meint, wenn er den Sack schlägt, daß das Objekt seiner Satire nicht alles ist, was er damit

---

[38] Vgl. Elliott, The Power of Satire 271: "An attack by a powerful satirist on a local phenomenon seems to be capable of indefinite extension in the reader's mind into an attack on the whole structure of which that phenomenon is part. Significantly, I think, this imaginative process is magical; it functions by synekdoche, which is one of the foundations of magic." – Burke, Philosophy of Literary Form 26, hält die Synekdoche für "the 'basic' figure of speech", wohl etwas zu einseitig.

[39] Zum Beispiel das Verbot der alten Komödie in Griechenland und die Todesstrafe im römischen Zwölftafelgesetz gegen den, der *mala carmina* verfaßt. Natürlich kann von dem Objekt einer Satire die Gesetzesgewalt auch gegen eine echte Satire mobilisiert werden. Dann muß aber der Totalitätsbezug der Satire verleugnet werden.

meint, sondern nur der Sündenbock, da hat er keinen Beruf mehr, und sein sprachlicher Angriff ist entweder milder predigender Tadel oder von persönlichem Haß diktiertes *Pasquill*.

Das in der Satire angegriffene Objekt ist Repräsentant der gemeinten bedrohlichen Wirklichkeit, entweder im Sinne der Einschränkung (Synekdoche) oder auf Grund einer Übertragung (Metapher). [7]

Das angegriffene Objekt der Satire hat also eine Doppelnatur: es ist, als was es angegriffen wird, und es ist es zugleich nicht.[40] Wenn das Objekt im einschränkenden Verfahren der Synekdoche gewonnen ist, so gehört es seiner ursprünglichen Bedeutung nach zu der drohenden Wirklichkeit, die es repräsentiert, aber es ist nicht identisch mit ihr, denn es ist erstens bestimmt und begrenzt, zweitens ist es schwächer an Potenz und Macht als die drohende Totalität. Wenn das Objekt im übertragenden Verfahren der Metapher gewonnen ist, so gehört es seiner ursprünglichen Bedeutung nach nicht der drohenden Wirklichkeit an, sondern die Funktion der Stellvertretung wird ihm durch einen Akt der Willkür übertragen. Dieses Verfahren ist nicht weniger wirksam als das erstere, obgleich der Stellvertreter nicht realiter etwas von der drohenden Wirklichkeit enthält. Das Bewußtsein empfängt nicht nur passiv bedeutende Wirklichkeiten, sondern es kann auch aktiv Bedeutungen delegieren und aufprägen. Sofern also der willkürlich gewählte Stellvertreter die drohende Wirklichkeit bedeuten soll, bedeutet er sie auch wirklich für den Satiriker; dessen Aufgabe ist nur, auch dem Bewußtsein des Lesers diese Bedeutung zu suggerieren, genauer: auch den Leser zu einer willkürlichen Delegation dieser Bedeutung auf den Gegenstand anzuregen. Aber auch dann, wenn das Übertragungsverfahren gelingt, hat der Gegenstand wie das durch Synekdoche gewonnene Objekt der Satire nur stellvertretende Bedeutung für die Totalität der drohenden Wirklichkeit: er ist als bestimmter Gegenstand einer unbestimmten Drohung, als Greifbares einem Ungreifbaren entgegengesetzt. Ein Unterschied besteht allerdings zwischen dem durch Übertragung und dem durch Synekdoche gewonnenen Gegenstande: der letztere bleibt immer ein Teil des drohenden Wirklichen, während dem ersteren die willkürlich aufgeprägte Bedeutung auch willkürlich wieder genommen werden kann. So sind zum Beispiel bei Neidhart die Bauern durch Synekdoche gewonnene Repräsentanten der titanischen Kräfte, während dem Ich der Gedichte willkürlich

---

[40] Burke, Philosophy of Literary Form 45: "A ritualistic scapegoat is felt both *to have* and *not to have* the character formally delegated to it." Burke unterscheidet übrigens nicht scharf zwischen dem synekdochischen und dem metaphorischen Verfahren, dem der Sündenbock entspringt. Diese Unterscheidung hat aber gerade für den sprachlich-literarischen Bereich wichtige Konsequenzen.

der Charakter des Sündenbocks aufgeprägt ist und ihm wieder genommen wird, wenn nicht der Riuwentaler, sondern Neidhart selbst spricht.

In jedem Falle aber ist das Objekt der Satire nicht das einzige, was gemeint ist, sondern es vertritt nur dessen Stelle. Es muß also vom Satiriker als solches gekennzeichnet werden. Ein Objekt, das keine solche Kennzeichnung trägt, ist kein satirisches, und das Sprachwerk keine Satire; der Leser mag willkürlich den Bezug auf eine dem Objekt vergleichbare oder analoge Wirklichkeit herstellen und das Sprachwerk privat als Satire verstehen; es ist jedoch keine Satire, da sein Objekt nicht es selbst und zugleich Repräsentant, sondern nur es selbst ist.

Das Objekt der Satire fordert zur Rückübersetzung in die gemeinte Wirklichkeit auf. [8]

6 Die Methoden dieser Kennzeichnung sind vielfältig und hängen oft von dem gewählten Objekt der Satire ab. Alle haben jedoch den Effekt, den Blick des Lesers über das Objekt hinaus auf die Totalität des drohenden Wirklichen zu lenken. Bestimmend für die Behandlung satirischer Objekte ist also die Abweichung dieser Behandlung von einer „normalen" Behandlung:

Die Behandlung des satirischen Objekts ist unerwartet und inkonsequent. [9]

Es tritt zum Beispiel der Autor auf wie bei Wittenwiler mit der Ankündigung, wer ihm das Gesagte glaube, sei ein Narr. Oder – ebenfalls bei Wittenwiler – eine der Personen tritt aus dem Werk heraus in einer Art „romantischer Ironie". Oder, wie bei Brant, der Autor steht in ständigem dialektischem Verhältnis zu der geschilderten Wirklichkeit, bezeichnet sich zugleich aber als ihr angehörig, nämlich als Narr. Neidharts Ich repräsentiert einmal die Maske des Falschen, einmal ist es die Stimme des Richtigen. Erasmus' *Stultitia* verfällt plötzlich in direkten Tadel der Geistlichkeit. Wechsel der satirischen Methoden oder Themen, wenigstens momentane Unterbrechungen einer Methode, die in Gefahr ist, sich einzuspielen und den Leser den Totalitätsbezug vergessen zu lassen, sind der satirischen Darstellung notwendig und gehören durch den Namen *satura* (Fruchtschüssel, Füllsel) zu den Hauptcharakteristika der römischen Gattung. Durch diese Agilität und Variabilität der Satire wird vermieden, daß der Leser sich je mit Genuß der Behandlung des Objekts hingibt; er wird durch den ständigen Wechsel immer über das Objekt hinausgerissen und mit der Wirklichkeit konfrontiert. Je sicherer der Satiriker des Verständnisses bei den Lesern sein kann, desto unauffälliger können die Unterbrechungen und Methodenwechsel sein. Bei Neidhart zum Beispiel genügt ein einziges unschuldiges Wort bäuerlicher Herkunft, um eine ganze Rede über höfische Ideale als dummstolzes Geplapper eines Bauerndirnchens zu entlarven und gleichzeitig die Wirklichkeit der radikalen *inordinatio* ihres Verhaltens offenbar zu machen. Je sparsamer die Inkonsequenzen und Unterbrechungen gesetzt sind, desto intensiver muß die geistige Arbeit des Lesers werden, der dann immer mehr die Stelle und Aufgabe des satirischen Autors – Kampf mit der bedrohlichen Wirklichkeit – selbst übernimmt. Das Extrem dieser Sparsamkeit mit Inkonsequenzen ist das Zitat oder die Ethopoiie als dem Ursprung nach fiktives, aber dem Charakter nach wahrscheinliches Zitat. Das formelle Zitat wird erst in neuerer Zeit satirisch verwendet (besonders bei Karl Kraus); die Ethopoiie als gedankliche wie sprachliche Selbstcharakteristik ist wohl so alt wie die Satire. Sie tritt in der Alten Komödie stark hervor, Horaz und Juvenal liefern glänzende Beispiele (vgl. Kap. III 22), der Großteil von Neidharts Liedern ist Ethopoiie, und das bekannteste Beispiel dafür sind wohl die *Epistolae obscurorum virorum*. Bei diesen wie bei Neidhart und anderen kaum unterbrochenen Ethopoiien ist das Risiko des Mißverständnisses sehr groß, um so größer aber die Aufgabe und der Genuß des Lesers, der nun ungelenkt die Auseinandersetzung führen muß.

In den Fällen, wo die unbekannte Wirklichkeit mit bekannter, befreundeter oder eigener Wirklichkeit verbunden ist, kann die Entlassung des Lesers aus der Lenkung durch den Satiriker zur Oberflächlichkeit führen: der Leser kann sich mit der Entlarvung der Ethopoiie oder des Zitats in ihrer Unwahrheit, Verwerflichkeit oder Widersprüchlichkeit zufrieden geben und nicht noch darüber hinaus das entlarvte Objekt auf die Totalität einer dahinter drohenden Wirklichkeit beziehen; er kann eine Detektivarbeit genießen, wo es für den Satiriker einen Kampf fast auf Leben und Tod gilt. Auch diese Oberflächlichkeit gehört zum Risiko der ungelenkten Satire.

Nur in der direkten vom Autor gelenkten Satire ist die Reaktion des Lesers vorherzusehen, denn sie wird vorherbestimmt und vom Autor beispielhaft vorgeführt. Der Autor entlarvt, kommentiert, verurteilt und schilt; er steht repräsentativ für den Leser dem Wirklichen gegenüber und bekämpft es. Während alles, *was* er sagt, nur gegen das spezifische Objekt der Satire und nicht direkt gegen die drohende unbekannte Wirklichkeit gerichtet sein kann, hat er als Autor ein Mittel, den Leser über das Objekt hinaus zu führen und zu drängen: die Emotion, die mit dem gewählten Objekt der Satire in gar keinem Verhältnis steht. Die Angst vor der bedrohlichen Wirklichkeit schlägt um in den kämpferischen Zorn, der nun aber seiner Quantität nach immer noch der Totalität des Wirklichen, nicht jedoch dem einzelnen gewählten Objekt und Repräsentationsmittel entspricht. Die Disproportion der Emotion des direkten Satirikers mit der Gewichtslosigkeit seines Gegenstandes ist der unmittelbare Hinweis darauf, daß er nicht so sehr mit dem Gegenstande beschäftigt ist als mit dem, für was dieser steht. Juvenals zorniges Pathos richtet sich etwa gegen fast gewichtslose Gegenstände: die von ihm benützten Beispiele sind entweder typisch oder gehören einer vergangenen Epoche an; sein Zorn jedoch richtet sich, wie er einmal andeutet (1.147–49) gegen die totale und jeder Beschreibung spottende Verderbnis seiner eigenen Gegenwart, also gegen eine echte bedrohliche Wirklichkeit. Bei einem Dichter, der seiner rhetorischen Mittel weniger sicher ist als Juvenal, ist die Gefahr dieser gesteigerten Emotion die Lächerlichkeit.[41] Damit hat der Satiriker die seiner Absicht entgegengesetzte Wirkung hervorgebracht: das Lachen vernichtet nicht das drohende und widerwärtige Wirkliche, sondern ihn selbst.

Das bei der Darstellung der Inkonsequenz entstehende Risiko ist Überbetonung und damit Lächerlichkeit in der gelenkten Satire, zu starke Abschwächung und damit Mißverständnis in der ungelenkten Satire. [10]

Der Satiriker muß also den Kampf nicht nur so führen, daß trotz des bloß repräsentativen Objekts die Totalität des drohenden Wirklichen getroffen wird, sondern daß auch der Leser in der richtigen Weise ergriffen und in die Auseinandersetzung einbezogen wird.

Das Verhältnis des Satirikers zum Leser variiert im gleichen Verhältnis, wie die Lenkung der Auseinandersetzung durch den Satiriker sichtbar wird: je häufiger der satirische Autor kommentierend, verurteilend und kämpfend auftritt, desto eher macht er sich zum Stellvertreter des Lesers, der es auf Grund seiner sprachlichen Fähigkeiten auf sich nimmt, den Kampf gegen das drohende Wirkliche zu führen. Je nach Temperament betrachtet dann der Leser den Kampf vielleicht mit innerer Zustimmung, aber doch detachiert wie ein interessantes Schauspiel, oder er engagiert sich mit dem Satiriker in der Empörung über das Wirkliche und in der Begeisterung für ein Besseres. Dem Satiriker muß es schon einen halben Mißerfolg bedeuten, wenn sein Leser nicht mitgerissen wird; denn für ihn ist die bekämpfte Wirklichkeit allgemein bedrohlich, und der Leser sollte sich deshalb mit der gleichen Intensität wie er selbst gegen die Bedrohung richten. Dies wird jedoch eher in der ungelenkten Satire erreicht: wo der Satiriker sich zurückhält und nur durch Inkonsequenzen dem Objekt den Hinweis auf Rückübersetzung beigibt (Sätze [8] und [9]), muß der Leser die ganze Auseinandersetzung selbst führen, und der Satiriker hat sich einen kompetenten Verbündeten geworben.

---

[41] Vgl. das Kapitel über Jung-Stillings „Schleuder eines Hirtenknaben" bei Lazarowicz, Verkehrte Welt 84–94.

Wenn die ungelenkte Satire so viele Vorteile zu haben scheint, so fragt sich, warum der Satiriker überhaupt gelenkte Satire schreibt. Das scheint zunächst wieder eine Temperamentsfrage; ungelenkte Satire verlangt vom Autor ein hohes Maß von Distanz, Selbstbeherrschung und klugem Arrangement der Inkonsequenzen, ferner verlangt sie von ihm Vertrauen auf die Fähigkeit seiner indirekten Darstellungsmittel, im Leser die beabsichtigte Empörung hervorzubringen, und eine gewisse Gleichgültigkeit gegen die Waffen, die der einzelne Leser in seinem Kampf gegen die Wirklichkeit benutzen wird. – Ein weiteres Element spielt eine Rolle: wenn der Satiriker sich als den Beauftragten seiner sozialen Gruppe sieht, der auf Grund seiner sprachlichen Fähigkeit diese bestimmte, von keinem andern auszuführende Aufgabe hat, wird er die gelenkte Form wählen, denn es kommt ihm dann nicht auf aktive Mitarbeit des Lesers an. – Endlich ist sehr wichtig, ob der Satiriker bei seiner Leserschaft die Voraussetzungen der Auseinandersetzung mit dem drohenden Wirklichen zu finden hoffen kann. Wo zum Beispiel eine fremde oder neue Wirklichkeit ein wertvolles Bestehendes bedroht, ist die Leserschaft durch Kenntnis der Werte des Bestehenden zum Kampf vorbereitet; Beispiel dafür ist etwa Neidhart, dessen Satire im wesentlichen ungelenkt ist. Wo der Satiriker den Wert in einem Neuen sieht, erscheinen ihm die Reste des Bestehenden als Bedrohung des neuen Wertes.[42] Richtet sich nun seine Satire an Leser, denen das Neue noch unvertraut und das Bestehende noch lieb ist, so muß er sie zuerst gewinnen, ihnen den Sinn des Kampfes erklären, den Wert des Neuen einsichtig machen und sie zum Kampf ausrüsten. In diesem Fall, in dem sich etwa Brant und Wittenwiler befinden, wird der Satiriker häufig zur mehr oder weniger gelenkten Satire tendieren. – Es hängt demnach von verschiedenen Umständen ab, ob der Satiriker gelenkte oder ungelenkte Satire schreibt; das Ziel beider Arten ist dasselbe: Auseinandersetzung, an der auch der Leser teilnimmt, mit einer bedrohlichen Wirklichkeit. Eine der beiden Arten als

---

[42] Hier könnte ein gewisses Mißverständnis des Terminus „Unbekanntes" für die bedrohliche Wirklichkeit auftreten: natürlich ist das Bestehende bekannt, sofern es besteht. „Unbekanntes" heißt im Sinne der Theorie der Bedeutung des Wirklichen ein Wirkliches, das gar nicht als etwas bekannt zu Machendes aufgefaßt wird, sondern das bloß als drohende Potenz wirkt. Selbst wenn das Drohende also bekannt ist, bedroht es das Neue und erscheint dem Satiriker, der sich auf die Seite des Neuen gestellt hat, nur unter diesem Bedeutungsaspekt. Man muß sich auch immer vor Augen halten, daß, *psychologisch* gesehen, das „bedrohliche Unbekannte" hier nur repräsentativ für eine ganze Reihe von Möglichkeiten steht: für das Eklige, Widerwärtige, Ärgerliche ebensogut wie für das Ängstigende.

künstlerisch, die andere als unkünstlerisch zu bezeichnen, wie Lazarowicz und Arntzen es versuchen, scheint ungerechtfertigt.[43]

Gelenkte und ungelenkte Satire sind zwei Arten der Satire, die bruchlos ineinander übergehen können und nur methodisch, nicht aber wesentlich verschieden sind. [11]

7 Faßt man das Bisherige überblickend zusammen, so kommt man zu folgender Feststellung:

Satire ist sprachliche Auseinandersetzung mit einer bedrohlichen Wirklichkeit, in die auch der Leser einbezogen werden soll. [12]

Muß der Leser nicht erst gewonnen werden, so genügt eine Vorstellung der empörenden und bedrohlichen Wirklichkeit, um ihn an der Satire zu beteiligen. Muß er erst noch gewonnen werden, so kommt zu dieser Vorstellung noch der Versuch, den Leser zu erziehen und zu überzeugen, denn erst als Gewandelter kann er an der Satire teilnehmen. Nur wenn der Leser, entweder als „Auftraggeber" des kämpfenden Satirikers in der gelenkten oder als selbsttätiger Streiter in der ungelenkten Satire, in den Prozeß einbezogen ist, funktioniert die Satire. Sie ist erst vollständig, wenn der Kontakt zwischen dem wirklichen Leser und der angegriffenen Wirklichkeit so geschlossen ist, wie er zwischen dem Satiriker und der Wirklichkeit

---

[43] Beide halten eine Form der ungelenkten Satire für die einzige Art Satire, die künstlerisch zu nennen sei: Lazarowicz den Typ, in dem „der künstlerische Aufbau einer verkehrten Welt angestrebt und wenigstens ansatzweise (auf jeden Fall aber: deutlich erkennbar) geleistet worden ist" (Verkehrte Welt 312). – Arntzen, Satirischer Stil 2–5 und passim meint, das von ihm gut und ausführlich dargestellte Prinzip des satirischen Stils zur einzig dichterischen Form der Satire erheben zu können. Sofern beide es mit Satire zu tun haben (Lazarowicz mit Liscow und mit Goethes ‚Reineke Fuchs', Arntzen mit Musils ‚Mann ohne Eigenschaften'), sind durch die allen diesen Werken innewohnenden Anweisungen zur Rückübersetzung auf eine allgemein bedrohliche Wirklichkeit (bei Liscow ist es die durch Philippi repräsentierte Kleingeisterei, bei Goethe und Musil sind es die zeitgenössischen Umwälzungen der Geschichte) diese Werke keine nur in sich geschlossenen „Spielwerke", sondern haben den keiner „Dichtung" im hergebrachten Sinne zulässigen Bezug zur empirischen Wirklichkeit, wie er im Vorhergehenden beschrieben worden ist. Das Fehlen des in der gelenkten Satire stets eingreifenden Autors, durch das sich beide Forscher wohl haben täuschen lassen, konstituiert noch keine in sich geschlossene Welt; jede satirische „Welt", so viel Geschlossenheit sie zu haben scheint, weist über sich hinaus auf die gemeinte Wirklichkeit.

besteht, und wenn der Leser dann den Kontakt ebenso unterbricht und vernichtet wie der Satiriker.

Denn darum geht es in diesem Kampf: das Bewußtsein von einer drohenden und widerwärtigen Wirklichkeit zu befreien, die als undefinierbare und gesichtslose Macht in das Bewußtsein eingedrungen ist und es zum selbständigen Handeln unfähig macht. Da sich das Bewußtsein an solche es bestimmenden Mächte zu gewöhnen scheint, ist es oft die Aufgabe des Satirikers, die Aufmerksamkeit des Lesers erst wieder auf diese ihn besitzende Macht zu lenken (so etwa bei Neidhart, der die Aufmerksamkeit der Leser ständig auf die Aushöhlung höfischer Begriffe in ihrem eigenen Sprachgebrauch aufmerksam macht).

Die Befreiung des Bewußtseins von dieser Wirklichkeit geschieht durch mehrere gleichzeitige Vorgänge, von denen einer schon beschrieben wurde: die Einschränkung (Synekdoche) oder Übertragung (Metapher) der drohenden Totalität auf ein bestimmtes Objekt, einen Stellvertreter also, gegen den sich alle Angriffe richten. Durch diesen Stellvertreter ist das Drohende schon in seiner Wirklichkeit verwandelt, denn das Bewußtsein meint nur noch den bestimmten Gegenstand, der ja durch seine Setzung die ganze Totalität vertritt. Der unbestimmbare Charakter der Wirklichkeit verwandelt sich also in etwas Bestimmtes, das zugleich es selbst und mehr oder anderes als es selbst ist. Das Bewußtsein des satirischen Autors befreit sich schon durch die Setzung dieses eingeschränkten oder übertragenen Objekts und kann seine Freiheit benutzen, um den sprachlichen Kampf zu lenken oder im Leser die Befreiung anzuregen. Der Leser ist nämlich in einer grundsätzlich anderen Position. Wenn er mit dem Objekt der Satire konfrontiert wird, muß er es zunächst auf die Wirklichkeit beziehen, die es repräsentiert, d. h. diese Wirklichkeit wird in ihrer ganzen Drohung eigentlich erst durch das Objekt hervorgerufen und bewußt gemacht. Seinem Bewußtsein ist die Objektivation gleichsam verschlossen, da ein repräsentatives Objekt ihm die Angst eingejagt hat und dieses Objekt nun weiterhin ängstigend bleibt, doch nicht durch ein eigenes ersetzt werden kann. Für ihn ist deshalb der Kampf mit diesem Objekt als dem sozusagen aggressiven (nicht wie für den Satiriker geschwächten) Repräsentanten des Wirklichen notwendig. Dieser Kampf vollzieht sich mit Hilfe der Sprache und der Schreibart, die der Satiriker dem Leser zur Verfügung stellt.

8 *Die Auseinandersetzung der Satire mit der Wirklichkeit vollzieht sich in der Sprache. [13]*

Wie das satirische Objekt am ehesten im größeren Rahmen des Wirklichkeitsbezuges zu erfassen war, so läßt sich auch die Sprache der Satire am besten im System der Bezüge zwischen Sprache und Wirklichkeit überhaupt erkennen.

Als wirklich gilt hier wieder das, was aus der unendlichen Möglichkeit jedes Augenblicks unter dem Gesichtspunkt irgendeiner Bedeutung ausgewählt wird und so auf das Bewußtsein wirkt. Es gibt eine ganze Reihe von Möglichkeiten für das Bewußtsein, auf diese Wirklichkeit bewältigend zurückzuwirken: zum Beispiel Handlung, Gestus, Sprache. Diesen aktuellen Rückwirkungen liegt jeweils voraus die Einstellung des Bewußtseins auf den Bedeutungsbereich, in dem die Wirklichkeit erscheint; diese Einstellung bestimmt die Bedeutung und die Funktion der aktuellen Rückwirkung: in der Auseinandersetzung mit einem Unbekannten ist Handlung, Geste und Sprache Kampf- und Befreiungsmittel oder kultisches Mitwirken; in der Auseinandersetzung mit einem Bekannten oder Bekanntzumachenden sind sie Mittel der erkennenden und technischen Bewältigung, Einordnung, Nutzung; in der Rückwirkung auf ein Befreundetes sind sie Mittel der Liebe und Strafe, der Bitte und des Befehls, des Gesetzes und der Demut; in der Bewirkung eines Eigenen sind sie Medien des Schaffens oder Nachschaffens.

Jede dieser durch die Bedeutungsbereiche bedingten Funktionen kann die Sprache (ihr soll jetzt die Aufmerksamkeit allein gelten) mit spezifischen oder unspezifischen Methoden[44] erfüllen; unspezifische müssen durch spezifische Methoden überformt sein, da sonst die Funktion ungenügend erfüllt ist – das wird für die Satire zu zeigen sein.

Um nun die Methoden der Sprache erkennen und sie den Funktionen als spezifisch oder unspezifisch zuordnen zu können, müssen wir uns mit den Bezügen der Sprache zu der Wirklichkeit beschäftigen, die sie anspricht, begreift, regelt oder bildet. Wenn es auch hier nur möglich ist, die Bezüge der Sprache zur Wirklichkeit am Beispiel des nominalen Wortes und nicht ebenso am Satz und am ganzen Werk zu beschreiben, werden sich die Methoden doch erfassen lassen. Der folgende Paragraph beschreibt dieselben Verhältnisse noch einmal am Beispiel der Schreibarten. – Die ersten „ein-

---

44 Burke, Philosophy of Literary Form 1–3 und passim spricht hier von "strategy" in der Sprachbenutzung. Allerdings behandelt er in dem Werk nur die magische oder symbolische Strategie, ohne andere zu erwähnen; wenn er von Strategien spricht, meint er eigentlich bestimmte Taktiken der magischen Strategie.

fachsten" sprachlichen Prozesse werden uns sogleich zur Möglichkeit einer spezifischen Sprachform der Satire führen; ihre ausführliche Diskussion ist deshalb angebracht.

9 Das nennende Wort meint ein bestimmtes Feld von Möglichkeiten, die je in verschiedenen Kombinationen verwirklicht werden können.

Das Wort „Hund" zum Beispiel meint die Merkmale aller dem Sprecher bekannten Hunderassen und alle Erfahrungen, die er mit Hunden je gemacht hat; die Grenzen des Feldes „Hund" sind gegen andere Felder, zum Beispiel „Fuchs" und „Wolf" mehr oder weniger genau gezogen.

Die Kombination mit dem bestimmten Artikel „der Hund" meint[45] sämtliche in dem Feld enthaltenen Merkmale und Erfahrungen als unbestimmte und unverwirklichte Möglichkeiten, denen noch mehr Erfahrungen und Merkmale hinzugefügt werden können; wer versuchen soll, „den Hund" zu beschreiben und zu definieren, kommt nicht zu Rande, weil die Menge der Erfahrungen und Merkmale schon sehr groß und möglicherweise noch unendlich viel größer ist. Die Entscheidung, ob ein bestimmtes Wirkliches zu dem Feld „Hund" oder etwa dem Feld „Fuchs" gehöre, erfolgt diskursiv und nicht etwa intuitiv wie Platon mit dem Konzept der Idee andeuten möchte. Dies läßt sich mit dem Vorhandensein von Sprachen beweisen, in denen mehrere Wörter sich in das Feld teilen, das in einer andern Sprache mit einem einzigen Wort gemeint wird: so gibt es Eingeborenensprachen, in denen etwa zehn bis zwanzig Wörter sich in das Feld teilen, das die deutsche Sprache mit „grün" benennt.[46] Es müßte also eine Idee „grün" für das Deutsche, aber zwanzig verschiedene Ideen für dasselbe in der Eingeborenensprache geben, was bei der postulierten Allgemeingültigkeit der Ideen nicht wohl möglich ist. In einem Grenzfall richtet sich die Aufmerksamkeit auf die an der betroffenen Feldgrenze liegenden Merkmale und Erfahrungen, und in manchen Fällen muß die Grenze zu einem angrenzenden Wortfeld erst oder neu gezogen werden. „Der Hund" meint also die offene Unendlichkeit der in dem gemeinten Feld angelegten Möglichkeiten, ohne daß eine dieser Möglichkeiten bei dem Aussprechen der Wortkombination verwirklicht wäre; vielmehr bleiben alle Möglichkeiten im Schwebezustand, in Potentialität der Verwirklichung: jede kann durch das sprachlich Folgende hervorgerufen werden. Dies geschieht zum Beispiel,

---

45 Wenn der bestimmte Artikel keine deiktische Funktion hat, also im Falle des „Gattungsnamens".

46 Beim Übersetzen aus einer Sprache in die andere stößt man dauernd auf das Phänomen, daß die Bedeutungs- und Merkmalgrenzen der ungefähr gleichbedeutenden Wörter anders gezogen sind.

wenn ich fortfahre: „Der Hund ist ein Haustier" oder „Der Hund ist seinem Herrn treu"; hier werden die Merkmale „Haustier" und „Treue gegen den Herrn" aus dem potentiellen Zustand herausgehoben und aktualisiert, während alle andern Merkmale und Erfahrungen (wie etwa Vierbeinigkeit, Dressierbarkeit, die Gefährlichkeit mancher Hunde etc.) in der Kombination „der Hund" weiterhin im Zustand des Möglichen, der Potenz, eingefaltet bleiben.

Die Kombination mit dem unbestimmten Artikel „ein Hund" setzt das Bewußtsein insofern unter Spannung, weil mit der bestimmten Zahlangabe „ein" die unbestimmte Vielfalt aller möglichen Hunde kombiniert wird. Auf die Auskunft „Herr X. hat jetzt einen Hund" wird denn auch gleich eine Frage folgen können wie „Was für eine Rasse?" oder „Wozu? Braucht er einen Wachhund?" Auch in dem Fall, wo der unbestimmte Artikel die Bedeutung „irgendein" trägt, soll man sich aus der Vielfalt der Möglichkeiten ein ungefähres Bild zusammensetzen, das dem Kontext gerecht wird. So wird man sich bei der Redensart „leben wie ein Hund" einen schlecht behandelten, etwa einen Kettenhund vorstellen. Die Kombination mit dem unbestimmten Artikel fordert also dazu auf, einige Merkmale aus dem Zustand völliger Potentialität herauszunehmen und gleichsam vorläufig zu aktivieren, in Bereitschaft zur Verwirklichung zu versetzen, bis mehr Information durch den Kontext oder die Wirklichkeit vorhanden ist.

Die Demonstrativkombination „dieser Hund"[47] meint ein bestimmtes Wirkliches, das dem Sprecher und dem Angesprochenen sichtbar oder wenigstens bekannt ist. Hier wird also das Feld der Möglichkeiten differenziert: für diesen Hund gelten nur bestimmte Eigenschaften und Merkmale, während alle andern nicht gelten; die für diesen Hund zutreffenden Eigenschaften werden endgültig aktiviert und verwirklicht, während die nicht zutreffenden im Zustand der Potentialität bleiben. Es könnte also ohne weiteres statt von „diesem Hund" die Rede etwa von „diesem schwarzen Pudel" sein, dann wäre das Feld inaktiver Möglichkeiten von dem großen Feld „Hund" auf das kleinere Feld „schwarzer Pudel" eingeschränkt. Die drei besprochenen Kombinationen zeigen also verschiedene Grade der Verwirklichung des mit einem Wort gemeinten Bedeutungsfeldes. Die Skala könnte verfeinert werden, es wurde jedoch sichtbar, daß an ihrem einen Ende die Potentialität aller gemeinten Eigenschaften und Merkmale steht, wenn nämlich das Wort sich auf keine bestimmte Wirklichkeit richtet,[48] am anderen Ende die volle Aktualität aller Eigenschaften und

---

47 Mitgemeint sind natürlich Kombinationen wie „jener Hund", „der Hund da", *der* Hund" (mit deiktischer Bedeutung von „der").

48 Hierher gehört Kants Satz: „Gedanken ohne Inhalt sind leer." Kritik der reinen Vernunft, Transz. Elementarlehre II, Einleitung I (Kants gesammelte

Merkmale. Diese ist in dem Fall erreichbar, wenn das Wort ein individuel-
ler Name ist (Eiffelturm, Herr X.) und wenn es sich auf das gemeinte
Wirkliche direkt bezieht („Das ist der Eiffelturm"). Zwischen diesen Polen
liegt eine fein gestufte Skala des Verhältnisses von Aktualität und Potentialität; manche Bedeutungsfelder, wie etwa die aller Abstrakta, kommen
nie aus dem Zustand der Potentialität heraus, andere können zwar jeweils
teilweise, aber nie ganz aktualisiert werden.

Ein „treffendes Wort" ist ein solches, dessen Bedeutungsfeld optimal
von den Eigenschaften des gemeinten Wirklichen ausgefüllt und aktualisiert wird. Es wäre also treffender, im Falle „dieses Hundes" von „diesem
schwarzen Pudel" zu sprechen. Nicht immer geht es jedoch darum, die ge-
naueste Bezeichnung, das treffende Wort zu finden und zu benutzen; Abweichungen davon sind möglich und stellen bestimmte Methoden der Formung und Funktionalisierung der gemeinten Wirklichkeit dar.

Wenn der Sprecher statt von „diesem schwarzen Pudel" von „diesem
Hund" redet, so stellt er den ihm und dem Redepartner bewußten schwarzen Pudel vor den Hintergrund des gesamten Möglichkeitsfeldes „Hund".
Das kann nun verschiedenes bewirken: in dem bestimmten Pudel kann sich
erstens die ganze Potenz des Feldes sammeln und kann in ihm angesprochen
und wirksam sein.[49] Die Wortverwendung kann zweitens zu einem Vergleich des bestimmten Pudels und seiner Eigenschaften mit dem ganzen
Feld möglicher Eigenschaften und Merkmale der Hunde auffordern, wodurch entweder der Pudel erkannt oder das Feld der Merkmale erweitert
wird. Wertende Maßstäbe können drittens angelegt werden, durch die der
Pudel nach den Kriterien beurteilt wird, die dem Sprecher und dem Redepartner für Hunde im allgemeinen wichtig sind. Viertens wird es möglich,
durch die Wortverwendung, obwohl ja nur der bestimmte Pudel besprochen
wird, alle mit Hunden in der Erfahrung des Sprechers und des Redepart-
ners verbundenen Assoziationen, Kindheitsängste und -freuden wachzu-
rufen.

Je unzutreffender das gebrauchte Wort für die gemeinte Wirklichkeit
ist, desto stärker wird die Aufforderung, eine der genannten Richtungen
einzuschlagen und damit gleichsam die unaktivierte Potentialität des zu
breiten Ausdrucks doch zu aktualisieren. Es gibt allerdings für jedes Wirkliche und jeden Kontext eine Grenze, an der das gebrauchte Wort zu weit
ist und die fordernde Spannung erschlafft: dann wird der Ausdruck sinnlos.

Schriften, Akademie-Ausgabe, Bd. 3. – Berlin 1911; 75). Wie sich zeigt, sind
sie nicht völlig leer, sondern von Möglichkeit erfüllt.
[49] Dies war schon im Abschnitt 5 am Objekt der Satire zu beobachten.

10 Zur Illustration des Gesagten möchte ich einige Beispiele geben; ihre ausführliche Besprechung wird wichtige Einblicke vermitteln:

[Polizeikommissar Bärlach auf einem nächtlichen Gang] Er mußte nun nach seiner Berechnung auf Tschanz stoßen, und er sah angestrengt auf das mit Licht überflutete Feld, bemerkte jedoch zu spät, daß wenige Schritte vor ihm ein Tier stand.

Bärlach war ein guter Tierkenner; aber ein so riesenhaftes Wesen hatte er noch nie gesehen. Obgleich er keine Einzelheiten unterschied, sondern nur die Silhouette erkannte, die sich von der helleren Fläche des Bodens abhob, schien die Bestie von einer so grauenerregenden Art, daß Bärlach sich nicht rührte. Er sah, wie das Tier langsam, scheinbar zufällig, den Kopf wandte und ihn anstarrte. Die runden Augen blickten wie zwei helle, aber leere Flächen.

Das Unvermutete der Begegnung, die Mächtigkeit des Tieres und das Seltsame der Erscheinung lähmten ihn. Zwar verließ ihn die Kühle seiner Vernunft nicht, aber er hatte die Notwendigkeit des Handelns vergessen. Er sah nach dem Tier unerschrocken, aber gebannt. So hatte ihn das Böse immer wieder in seinen Bann gezogen, das große Rätsel, das zu lösen ihn immer wieder aufs neue verlockte.

Und wie nun der Hund plötzlich ansprang, ein riesenhafter Schatten, der sich auf ihn stürzte, ein entfesseltes Ungeheuer an Kraft und Mordlust, so daß er von der Wucht der sinnlos rasenden Bestie niedergerissen wurde, kaum daß er den linken Arm schützend vor seine Kehle halten konnte, gab der Alte keinen Laut von sich und keinen Schrei des Schreckens, so sehr schien ihm alles natürlich und in die Gesetze dieser Welt eingeordnet.[50]

Bärlachs Begegnung mit dem Hund seines Feind/Freundes Gastmann ist eine zeichenhafte Vorwegnahme der ganzen Geschichte, deren kriminalistisches Oberflächen-Problem die in der Ödipustradition stehende Selbstentlarvung des Polizeibeamten Tschanz ist, deren Grundfragen jedoch um das Böse kreisen. Gastmann, bei dessen Haus die Szene spielt und dem der Hund gehört, wird von einem Schriftsteller als „schlechter Mensch" gedeutet, der „das Gute ebenso aus einer Laune, aus einem Einfall tut wie das Schlechte", denn „bei ihm ist das Böse nicht der Ausdruck einer Philosophie oder eines Triebes, sondern seiner Freiheit: Der Freiheit des Nichts".[51] Bärlach verfolgt Gastmann, seitdem beide vor über vierzig Jahren in Jugendlaune eine Wette abgeschlossen hatten: Gastmann vermaß sich, in Bärlachs Gegenwart ein Verbrechen zu begehen, ohne daß dieser es werde nachweisen können, und gewann die Wette. Seither ist er dem Verfolger in immer neuen Verbrechen immer einen Schritt voraus,[52] und durch Tschanz' Mord an dem jungen Polizeibeamten Schmied, den Bärlach auf Gastmanns Spur gesetzt hatte, ist dem Verfolger die letzte Hoffnung auf Überführung Gast-

---

[50] Aus Friedrich Dürrenmatt: Der Richter und sein Henker. – Einsiedeln, Zürich, Köln (1952); 38f. [51] Ebd. 96–99. [52] Ebd. 78–82.

manns genommen. Bärlach ist also in dem Augenblick, als er mit Tschanz, den er zu seinem Assistenten gemacht hat, bei Gastmanns Haus ist, in der Situation des fast verlorenen Kampfes gegen das Böse, das er jedoch immer noch umkreist. Wie der Text schildert, springt Gastmanns Hund ihn an und reißt ihn zu Boden; das Tier wird aber im nächsten Augenblick von Tschanz erschossen. Tschanz also, selbst Mörder an dem Kollegen Schmied, den Bärlach auf Gastmann angesetzt hat, rettet Bärlach das Leben. Er ist es auch, der Gastmann endlich erschießt, um sich ein Alibi zu schaffen: er läßt seine Pistole in der Hand eines der Diener Gastmanns. Auch hier erfüllt Tschanz Bärlachs letzte Absicht, Gastmann zu besiegen. Sofern Gastmann das „Böse" ist und sein Hund im Text mit dem Bösen analog gesetzt wird, wird das Böse vernichtet durch Tschanz, der als Mörder aus Ehrgeiz und Eifersucht zwar in anderer Weise als Gastmann, aber doch auch böse ist. Bärlachs Rolle in beiden Fällen ist diktiert durch die Erkenntnis, daß das Böse ihm überlegen, immer einen Schritt voraus ist, und daß er es nur vernichten kann, indem er es gegen sich selbst richtet. Er benutzt Tschanz als todbringendes Werkzeug gegen Gastmann, indem er ihn durch verschiedene Manipulationen dazu treibt, Gastmann aus Ehrgeiz und aus Furcht um sein Alibi zu erschießen. Im Falle des Hundes nun – und hier führt die Abschweifung zum Text zurück – ist Bärlach durch einen starken Verband um den linken Arm („wie es bei jenen Brauch ist, die ihre Hunde zum Anpakken einüben"[53]) auf Gastmanns Bluthund durch Schmieds Berichte über Gastmann vorbereitet und wird deshalb nicht verletzt. Die Kugel, die den Hund tötet, ist für Bärlach zugleich das entscheidende Beweisstück gegen Tschanz, denn sie stammt aus demselben Revolver wie die Kugel, die Schmied getötet hatte. Also auch Tschanz vernichtet sich selbst in dem Kampf des Bösen gegen das Böse, und Bärlachs Kampf mit dem Hund ist eine Falle für Tschanz, damit dieser das Beweisstück liefere.[54]

Über die an der zitierten Textstelle noch notwendige Mystifikation des Lesers hinaus, der erst am Ende des Kapitels verwundert erfährt, daß Bärlach den Armverband und auch einen Revolver gehabt hatte, und über Bärlachs Absicht hinaus, Tschanz glaubwürdig zum Schuß zu verleiten, bietet der Text Bemerkenswertes: Bärlachs völliges Unterlassen jeder Gegenwehr gegen den Hund ist nicht zum Schauspiel vor Tschanz nötig; ein Anpackenlassen hätte dafür genügt. Wenn Bärlach ohne Gegenwehr sich zu Boden reißen läßt, so ist das nicht bloß eine Falle für Tschanz, sondern die Reaktion auf die unerwartete Grauenhaftigkeit des Tiers. Bärlach hatte einen Bluthund erwartet, das zeigt der Verband und der Revolver. Aber „das Unvermutete der Begegnung, die Mächtigkeit des Tieres und das Seltsame der Erscheinung lähmten ihn", so daß er „die Notwendigkeit des

---

[53] Dürrenmatt, Der Richter und sein Henker 52.   [54] Ebd. 138f.

Handelns" vergaß und sich lautlos niederreißen ließ. Was für Bärlach unerwartet kommt und was ihn lähmt, ist die „grauenerregende Art" der Bestie und die Tatsache, daß für ihn das Böse, das er in Gastmann seit langem vergeblich bekämpft, in ihr zu einer neuen Verkörperung zusammenschießt. Nicht nur sieht das Tier grauenerregend aus, ist ein Ungeheuer von Kraft und Mordlust: „Er sah, wie das Tier langsam, scheinbar zufällig, den Kopf wandte und ihn anstarrte. Die runden Augen blickten wie zwei helle, aber leere Flächen." Hier sind zwei wesentliche Bestimmungen enthalten, die der Schriftsteller für die Beschreibung des Bösen bei Gastmann gebraucht: das Zufällige seiner Entscheidung für Gut oder Schlecht und das Nichts, dessen Freiheit diese Zufälligkeit und Launenhaftigkeit des „Nihilisten" Gastmann entstehen läßt, und das in der leeren Flächenhaftigkeit der Tieraugen Bärlach anblickt.

Diese neue unerwartete Verkörperung des Bösen in dem Hunde ist es, was Bärlach lähmt, und berechtigt erscheint deshalb der Satz: „So hatte ihn das Böse immer wieder in seinen Bann gezogen, das große Rätsel, das zu lösen ihn immer wieder aufs neue verlockte." Das Böse ist hier als ein Unbekanntes dargestellt, das Bärlach in Gastmann und in dem Hunde als Wirklichkeit begegnet; diese Wirklichkeit hat dementsprechend die typische Ambivalenz des Unbekannten: Bedrohung[55] und Faszination, Anziehung und Lähmung. Bärlach, immer einen Schritt hinter dem Bösen zurück, ist hier wie bei Gastmann gelähmt und nur fähig, das Minimum an Selbstverteidigung aufzubringen: er hält zwar den bandagierten Arm vor die Kehle und in den Biß des Hundes, läßt sich aber lautlos[56] niederwerfen, „so sehr schien ihm alles natürlich und in die Gesetze dieser Welt eingeordnet". Er läßt sich also in diesem Augenblick ganz von der drohend-faszinierenden Wirklichkeit hinreißen, sein Bewußtsein gibt die Behauptung seiner Existenz auf, die Vernichtung „schien ihm ... natürlich".[57]

---

[55] Auch Gastmann bedroht Bärlach unmittelbar, vgl. „Es ist noch jeder umgekommen, der sich mit mir beschäftigt hat, Bärlach." (120) Es ist außerdem wahrscheinlich, daß man Bärlachs Magengeschwüre auf den vierzigjährigen vergeblichen Kampf gegen Gastmann zurückführen und damit eine psychosomatische Bedrohung durch Gastmann annehmen soll: der todkranke Bärlach feiert die Vernichtung des Bösen durch sich selbst mit einem Schlemmermahl, das rituelle Züge trägt.

[56] Das beweist übrigens noch einmal, daß zwar die Begegnung mit dem Hund in Bärlachs Plan vorgesehen war, aber nicht die Art, wie sich die Begegnung abspielte. Da Bärlach nicht wußte, wie weit Tschanz noch entfernt war, hätte ein Laut seinerseits die Wirksamkeit der Szene für Tschanz nur unterstützen können. Das Fehlen jedes Schreis wird also ohne Mitspielen der Mystifikation aus Dürrenmatts Formulierungen zu erklären sein.

[57] Wir haben also zugleich ein Beispiel für das kennengelernt, was in Abschnitt

Die Faszination und Lähmung Bärlachs durch das unerwartete Unbekannte wird nun in der Wortwahl Dürrenmatts direkt greifbar, da die ganze Episode aus der Perspektive Bärlachs erzählt wird. Bärlach hat einen Hund erwartet, ist auch „ein guter Tierkenner", aber die gewählten Begriffe sind bis auf einen unscharf und unzutreffend: „ein Tier, ein so riesenhaftes Wesen, die Bestie, das Tier, der Hund, ein riesenhafter Schatten, ein entfesseltes Ungeheuer an Kraft und Mordlust, die sinnlos rasende Bestie". Bis zum Beginn des letzten Abschnitts weiß der Leser nicht, was für einem Tier Bärlach gegenübersteht; Bärlach, der auf einen Hund gefaßt und zudem ein guter Tierkenner ist, kann dieses Ungeheuer nicht einmal im Bedeutungsfeld „Hund" unterbringen. Die unscharfen Begriffe, die Dürrenmatt für ihn wählt, öffnen für den Leser einen weiten Raum von Potentialität, der nun durch Bestimmungen wie „riesenhaft", „grauenerregend" und durch die beschriebene lähmend-faszinierende Doppelwirkung auf Bärlach sich genau mit der Bedeutung erfüllt, die der Hund auch für Bärlach annimmt: mit der Bedeutung einer drohend-anziehenden unbekannten Wirklichkeit. Hätte Dürrenmatt Bärlach einen seltenen südamerikanischen Bluthund in dem Tiere gleich bei der Begegnung erkennen lassen, so hätte Bärlach als Tierkenner ein zutreffendes Wort gewählt, zugleich wäre aber er und der Leser einem Bekannten gegenübergestanden, das dieses Maß an lähmend-faszinierender Bedrohlichkeit nie hätte tragen können. Dann wäre der Hund zwar ein gefährlicher Gegner gewesen, nie aber die Verkörperung des Bösen, die Erscheinung des Nichts, die er für Bärlach im Moment der Begegnung wird und die sich durch den beschriebenen Wortgebrauch auf den Leser überträgt. Die ungewöhnliche unerwartete Bedeutung des Hundes zeigt sich unmittelbar in einer Potentialisierung der Sprache, in einer Umgehung des zutreffenden Wortes. Das präzisere Wort „Hund", am Anfang des letzten Abschnitts endlich gebraucht, wird sogleich durch eine extrem unzutreffende Wendung wieder neutralisiert – „ein riesenhafter Schatten, der sich auf ihn stürzte" –, so daß das Grauen sich wieder einstellt und eine Rechtfertigung für Bärlachs Einverständnis mit dem Überfall gewonnen wird.

4ff. als „das Unbekannte, die drohende Wirklichkeit" bezeichnet worden ist. Satire gegen den Hund wäre allerdings nicht sinnvoll (die fast ausschließliche Bezogenheit der Satire auf Menschen wird sich noch zeigen); Gastmann dagegen wäre ein echtes Objekt der Satire. Dürrenmatts Geschichte ist keine Satire, da in ihrem Zentrum kein vom Autor bekämpfter Gastmann, sondern der mit Gastmann kämpfende Bärlach steht, von dessen Kampf mit erzählerischer Distanz erzählt werden kann. Es ist aber bemerkenswert, daß ähnlich wie bei Wittenwiler die Vernichtung des Bösen durch sich selbst die einzige Lebensgarantie des Guten und Richtigen ist.

In diesem Beispiel aus Dürrenmatts Geschichte hat sich also gezeigt, wie durch den Gebrauch unscharfer Benennungen um ein Wirkliches herum ein weiter Raum von Potentialität, ein Kraftfeld aufgespannt werden kann, das sich unter dem Einfluß des Kontexts so ausrichtet, daß das besprochene Wirkliche eine im Normalfall nicht mit ihm verbundene Bedeutungsrichtung annimmt, hier die Bedeutung des bedrohlich anziehenden Unbekannten.

Es sei gestattet, versuchsweise einen Teil derselben Episode umzuformen und ihr eine andere Bedeutungsrichtung aufzuprägen:

> Als Bärlach über das mit Licht überflutete Feld nach Tschanz spähte, bemerkte er wenige Schritte vor sich ein großes Tier. Er sah nur die Silhouette, die sich von der helleren Fläche des Bodens abhob. Da er keine Einzelheiten unterschied, blieb er abwartend stehen, ohne sich zu rühren. Das riesengroße Wesen wandte langsam den Kopf, und zwei helle flächige Augen blickten ihn an. Es mußte Gastmanns Hund sein, wahrscheinlich ein gefährlicher Wachhund.

Die Bedeutungsrichtung, die den unscharfen Begriffen durch den veränderten Kontext gegeben wird, ist die des Bekanntzumachenden. Bärlach steht dem Bluthund nicht als einem Unheimlichen, als der Verkörperung des Bösen gegenüber, sondern als einem Wesen, dessen Natur, Eigenschaften und eventuelle Gefährlichkeit er kennenlernen will, um sich danach richten zu können. Die Transformation der Bedeutungsrichtung müßte entsprechend auch eine inhaltliche Veränderung nach sich ziehen: Bärlach dürfte nicht wehrlos sich niederreißen lassen, sondern müßte mindestens versuchen, gegen den Angriff des Hundes standhaft zu bleiben. Seine Absicht, Tschanz eine Falle zu stellen, würde damit nicht durchkreuzt, wohl aber verlöre die Episode die beschriebene zeichenhafte Funktion in der Geschichte: der Hund wäre dann nur ein Wachhund und ein geschickt gewähltes Objekt für Bärlachs Pläne, nicht aber eine Verwirklichung des Bösen.

Um nicht Dürrenmatts Text durch erneute Umformung noch einmal zu „verhunzen", wähle ich für die dritte Bedeutungsrichtung – das Befreundete – ein Beispiel aus Bergengruens Gedicht „Der Hund in der Kirche".[58] Die Szene ist die Dorfkirche während der Messe:

> *Durch die Stille, die der Bitte folgte,*
> *klang ein dünnes, trippelndes Bewegen*
> *von der Tür, im Rücken der Gemeinde,*
> *zaghaft erst, verlegen, dann geschwinder.*
> *Viele Augen wandten sich zur Seite.*
> *Manche Fromme runzelte die Stirne,*
> *gern bereit, ein Ärgernis zu nehmen.*

---

[58] Werner Bergengruen: Die heile Welt. – München 1950; 117–19.

Auf den schwarz und weiß geschachten Fliesen
kam ein kleiner Hund auf kurzen Beinen
flink den Mittelgang entlanggelaufen,
ohne Abkunft, bäuerlicher Artung,
mißgefärbt und haarig wie ein Wollknäul,
aber drollig, jung und voller Neugier.

Tief am Boden lag die schwarze Nase,
witternd, schnuppernd suchte er die Richtung.
Er verhielt, er hob die rechte Pfote
eingewinkelt an, er hob die Ohren
und mit freudigem Kläffen schoß er schräge
ganz nach vorne zu den linken Bänken,
wo gedrängt die kleinen Mädchen knieten.

... Selig, daß die Herrin er gefunden,
mit dem Stummelschwänzchen munter wedelnd
suchte durchs Gewirr der Kinderfüße
sich der Hund zu ihr hindurchzuzwängen.

Durch den Titel auf das Erscheinen eines Hundes in der Kirche vorbereitet, deutet der Leser schon das dünne, trippelnde Bewegen auf das Tier. Daß dessen Anwesenheit in der Kirche die Andacht stört und sich nicht schickt, wird durch das Stirnrunzeln der Frommen und im Fortgang des Gedichts durch die Verlegenheit der Herrin und die „kleine heilige Schadenfreude" ihrer Nachbarinnen belegt, sowie durch die Flucht von Herrin und Hund aus der Kirche, die jedoch vom Glöckchen der Wandlung verhindert wird. Die Situation für sich betrachtend wäre der Leser wie die Andächtigen in der Kirche geneigt, ein Ärgernis zu nehmen, den „Hund in der Kirche" negativ zu werten und Bergengruens Gedichtvorwurf ein wenig abgeschmackt oder ungehörig zu finden. Mindestens macht schon der Titel gespannt, wie der Dichter diese ungehörige Situation behandeln wird; der Leser verhält sich demnach von vornherein wertend, beurteilend, also einer Wirklichkeitsbedeutung entsprechend, die wir „befreundet" genannt haben. Sein Urteil ist jedoch wie das der Kirchenbesucher vorläufig negativ.

Der Titelbegriff „Hund" läßt wieder alle Möglichkeiten offen, und Bergengruen, der das negative Urteil des Lesers in ein positives umkehren will, nimmt sich als erstes vor, die Potentialität des unscharfen Begriffs auf die Bedeutung des Sympathischen hin auszurichten. Das dünne, trippelnde Bewegen deutet auf einen kleinen Hund, die Bestimmungen „zaghaft erst, verlegen" vermenschlichen das Tierchen, ebenso die späteren Bezeichnungen „drollig ... und voller Neugier" sowie sein freudiges Kläffen und munteres Schwanzwedeln. Die Beschreibung des Tiers zeichnet das Bild eines jungen Hundes, dessen Erscheinen in der Kirche nicht auf einen Mangel an Erziehung, sondern auf jugendlich-naive Neugier zurückzuführen und deshalb zu entschuldigen ist. Hätte Bergengruen einen großen ausgewachsenen reinrassigen Hund geschildert, wäre die Bereitschaft des Lesers, das Tier zu entschuldigen, nicht so leicht zu gewinnen gewesen wie bei dem drolligen Kerlchen, das man „einfach gern haben muß". Die Bestimmungen des Kontexts geben also dem offenen Kraftfeld „Hund" hier eine Bedeutungsrichtung, die ganz anders ist als die in den beiden vorhergehenden Beispielen erfaßte: im ersten Beispiel wurde der Hund die Verkörperung des drohend-faszinierenden Bösen, im zweiten war er ein Gegenstand des Erkennens und der handelnden Einstellung auf das Erkannte; hier nun ist der Hund eine sympathische Erscheinung, eine befreundete, als gut zu beurteilende Wirklichkeit, und die Vergebung seines an sich ungehörigen Benehmens wird nicht nur möglich und gerechtfertigt, sondern endlich sogar notwendig angesichts der vielen Tiere der heiligen Geschichten, die über den Eindringling lächeln.[59]

Zur Veranschaulichung der vierten Bedeutungsrichtung, die dem unscharfen Wort aufgeprägt werden kann, wähle ich ein Gedicht Georg Trakls:

Musik im Mirabell

Ein Brunnen singt. Die Wolken stehn
Im klaren Blau, die weißen, zarten.
Bedächtig stille Menschen gehn
Am Abend durch den alten Garten.

Der Ahnen Marmor ist ergraut.
Ein Vogelzug streift in die Weiten.
Ein Faun mit toten Augen schaut
Nach Schatten, die ins Dunkel gleiten.

Das Laub fällt rot vom alten Baum
Und kreist herein durchs offne Fenster
Ein Feuerschein glüht auf im Raum
Und malet trübe Angstgespenster.

Ein weißer Fremdling tritt ins Haus.
Ein Hund stürzt durch verfallene Gänge.
Die Magd löscht eine Lampe aus,
Das Ohr hört nachts Sonatenklänge.[60]

---

59 Spätestens hier muß der Leser des Gedichts sich über die Fiktionalität des Ganzen klar werden, aus der auch die Freiheit Bergengruens resultiert, einen sympathischen kleinen Hund statt eines großen zu wählen und sich nicht etwa „realistisch" an ein bestimmtes Ereignis zu binden.

60 Georg Trakl: Die Dichtungen. – 6. Aufl. Salzburg o. J.; 14.

Fast jedes Wort des Gedichts würde eine ähnliche Untersuchung zulassen; wir konzentrieren uns, dem einmal gewählten Beispiel getreu, auf die drittletzte Zeile: „Ein Hund stürzt durch verfallene Gänge." Die Frage ist also: was bedeutet die Zeile in dem Gedicht und speziell das Wort „Hund"? Die Zeile ist in sich selbst widersprüchlich, denn verfallene Gänge sind nicht mehr passierbar; es kann sich nicht um die Schilderung eines realen Vorfalls handeln. Die Unmöglichkeit des ausgesagten Vorgangs hebt die trotzdem dastehende Aussage aus der Realitätsbindung heraus; man muß also zunächst darauf verzichten, sich einen realen Hund und reale verfallene Gänge vorzustellen, durch die er stürzt. Ist die Bindung des Satzes an eine zu schildernde Realität aufgehoben, so bleibt doch die Bindung an die umstehenden Sätze, an das ganze Gedicht bestehen: der Satz bezieht sich auf eine Wirklichkeit, die sich offenbar in den Sätzen, in der Sprache dieses Gedichtes konstituiert und deren Teil er damit zugleich ist. Diese Beobachtung bestätigt sich bei dem Vergleich zwischen Titel und Aussagen des Gedichtes: erwartete man die Schilderung eines Konzerts im Salzburger Mirabellgarten, so würde man enttäuscht. Einzelheiten des Gartens – Brunnen, Marmor, Faun – werden zwar erwähnt, außer zwei auditiven Hinweisen ist das Gedicht jedoch gänzlich auf Visuelles gerichtet, das mit einem etwa stattfindenden Konzert nichts zu tun hat. Die zwei auditiven Aussagen – „Ein Brunnen singt" und „Das Ohr hört nachts Sonatenklänge" – sind auch nicht so formuliert, daß sie über das Ganze dominieren würden; sie stehen allerdings bezeichnend am Anfang und am Ende des Gedichts, aber eine Art bestimmenden Orgelpunktes könnten sie nur konstituieren, wenn das Ende den Anfang exakt wiederholen würde; so aber sind sie einander im Bereich der Musik diametral entgegengesetzt: der Brunnen singt, das Ort hört Musik; der Brunnen ist das Gebende, das Ohr das Aufnehmende;[61] der Gesang des Brunnens ist ursprünglich, natürlich und einfach, die vom Ohr gehörten Sonatenklänge sind kunstvolle Musik, Menschenwerk. Es besteht also eher eine scharfe Spannung zwischen Anfang und Ende, als daß man von einer rahmenbildenden Musikalität sprechen könnte.

Näher betrachtet zeigt das Gedicht auch ziemlich genau in der Mitte einen Szenenwechsel: die beiden ersten Strophen machen durchweg Aussagen über Dinge, die sich im Freien befinden; die beiden folgenden nennen mit der Ausnahme der beiden Strophenanfänge nur Dinge, die sich in Innenräumen befinden; am Strophenanfang steht jeweils wie ein Wegweiser eine Bewegung, die ins Innere zeigt. Verfolgt man die Blickrichtungen in

---

[61] Vgl. das verwandte Bild in Rilkes Sonett an Orpheus II 15: „O Brunnen-Mund, du gebender, du Mund, / der unerschöpflich Eines, Reines, spricht, ... das Marmor-Ohr, in das du immer sprichst."

den aufeinanderfolgenden Aussagen, so gewinnt man Einsicht in diesen „Szenenwechsel"; mit einem Orts- oder Richtungsadverb sei im folgenden kurz die Situation oder Bewegungsrichtung der Dinge angegeben, über die Aussagen gemacht werden.

I.	unten	Brunnen
	oben	Wolken
	unten	Menschen, Garten
II.	unten	Marmor
	oben	Vogelzug
	unten	Faun, Schatten
III.	herunter	Laub
	herein	durchs Fenster
	empor	Feuerschein
	innen	Feuerschein, Angstgespenster
IV.	hinein/herein	Fremdling
	durch (unmöglich)	Hund

Die Aussagen in den beiden ersten Strophen nennen im angegebenen Wechsel von „unten" und „oben" Dinge, die im Garten und am Himmel sind. Die Begriffe „unten" und „oben" sind jedoch irreführend, da sie einen Betrachter voraussetzen, der etwa in der „Mitte" zwischen Garten und Himmel seinen Standpunkt hätte und die genannten Dinge als über und unter ihm befindlich ordnete. Die in diesen beiden Strophen gereihten Aussagen sind jedoch in dieser Hinsicht ganz unbezogen, da kein Beobachter sich nennt oder adverbial seinen Standpunkt festlegt. Man muß demnach entweder einen „Standpunkt" annehmen, der mit den genannten Dingen auf und ab schwingt, oder man muß einen „Unendlichkeitsstandpunkt" annehmen, von dem aus Unterschiede wie oben und unten nicht existieren und ohne Wechsel der Blickrichtung Dinge genannt werden können, die von einem fixierten Standpunkt aus „oben" oder „unten" wären. Jedenfalls, ob man einen mit den Dingen wechselnden oder einen im Unendlichen festen Standpunkt annimmt, ein redendes Ich konstituiert sich nicht, das die Aussagen unter gemeinsamem Gesichtspunkt zusammenfaßte und in Zeit und Raum ordnete.[62] Das ändert sich aber in der dritten Strophe mit

---

[62] Käte Hamburger: Die Logik der Dichtung. – Stuttgart 1957; 195: „Dieses Gedicht hat logisch die Struktur eines völlig von einem Erlebenden abgelösten, in sich ruhenden Bildes, einer in sich verdichteten Stimmung. Und eben das Moment, daß das lyrische Ich sich ganz verbirgt, ist die Ursache, daß das gestaltete Bild so zeitindifferent ist wie ein Gemälde." Was K. Hamburger hier von dem ganzen Gedicht sagt, gilt nur für die beiden ersten Strophen. Außerdem würde nur die Unendlichkeitsperspektive den Eindruck eines „in sich

der Formulierung „herein durchs offne Fenster" in der zweiten Zeile. Die so beschriebene Bewegung der Blätter kann nur auf ein sprechendes Ich als Raumzentrum zu geschehen; zugleich verändert sich auch die „Szene" vom freien Naturraum in den Innenraum. Dieses „herein" definiert nachträglich die Fallbewegung der Blätter[63] und kennzeichnet den in der dritten Zeile genannten Raum als den Aufenthaltsort des sprechenden Ich. In diesem Raum werden die zwei Vertikalbewegungen der Strophe aufgehoben: das Laub fällt zunächst und kreist dann herein, der Feuerschein glüht auf, aber „im Raum". Was in den beiden ersten Strophen ein rhythmisches Auf und Ab war, wird gebremst, abgelenkt und aufgehoben durch den Bezug auf das Ich, dem eine Raumtiefung nach innen Ausdruck gibt.

Unsicher werden die Bezüge wieder mit dem Beginn der vierten Strophe. Tritt der Fremdling in das Haus des sprechenden Ich herein oder in ein anderes hinein? Wo ist das sprechende Ich bezüglich der vom Hund durchstürzten Gänge? Die Magd löscht nicht *die* Lampe (also die auf das sprechende Ich bezogene), sondern irgendeine; und der Klang der Musik hat keine Lokalität im Raume mehr. Man sieht also die feste Raumstruktur der dritten Strophe sich progressiv wieder auflösen bis in völlige Raumlosigkeit.

Wenn die punkt- oder mosaikhafte Räumlichkeit der beiden ersten Strophen die Außenwelt bezeichnet, so verläuft die Auflösung in Raumlosigkeit deutlich in eine Innenwelt hinein. Dies zeigt sich an einer Reihe deutlich aufeinander bezogener Begriffe, die im Raum des sprechenden Ich ihren Ausgangspunkt nimmt: Angstgespenster – Fremdling – Hund – Magd – Ohr. Man sieht, die Reihe nähert sich dem Menschen gleichsam immer mehr an, aus dem gespenstisch Ängstigenden stuft sich ein Vertrautes und schließlich greifbar Eigenes heran. Parallel miteinander laufen also eine Reihe der Auflösung und eine Reihe der Aneignung; auf diese Weise konstituieren sich jeweils „Widersprüche". Im eigenen Raum des sprechenden Ich entstehen Angstgespenster; in den größeren, immer noch vertrauten Raum „Haus" tritt ein Fremdling; ein Hund stürzt durch verfallene, also unpassierbare, nicht mehr vertraute Gänge; die Magd, eine vertraute Person, schafft irgendwo Dunkelheit und nimmt die Möglichkeit des Sehens, Raumfindens; das Ohr endlich vernimmt raumlose Struktur der Sonatenklänge. Der Wendepunkt dieser fünf Stationen liegt genau in der Mitte bei der Zeile „Ein Hund stürzt durch verfallene Gänge". Vor dieser

---

ruhenden Bildes" rechtfertigen; der, wie beschrieben, rhythmische Wechsel des Standpunktes würde das Erlebnis einer starken Dynamik ergeben.

[63] Nämlich als Herunterfallen, während die Formulierung „fällt vom Baum" zunächst auch die Richtungen des Hinunterfallens oder einfach des undefinierten Abfallens zuläßt.

Zeile nämlich sind die „Widersprüche" negativ – Angstgespenster im eigenen Raum, der Fremde in der Wohnung – nach dieser Zeile sind sie positiv: die Voraussetzung für das Hören der raumlosen unmusikalischen Gestalt ist das Nichtvorhandensein des Raums, und dieses kommt durch das Löschen einer Lampe zustande; wo nämlich die Lampe erlischt, ist kein Bezugsraum mehr möglich, kein Ding mehr sichtbar, und mit dieser Zeile geht die Aussage wieder in den Bereich des Auditiven über, mit dem das Gedicht begann. Das Hören ist „nachts" möglich, wo der Bereich des Visuellen, der im Sehen mögliche Bezugraum und das beziehende Ich unmöglich, nicht mehr vorhanden sind. Das Gedicht als Ganzes entwickelt sich also, was den Raum angeht, von einem Noch-Nicht über ein Dasein zum Nicht-Mehr des ichbezogenen Raums; die Bewegung führt von den Naturdingen des Mirabellgartens in den Raum des sprechenden Ich und sozusagen in das Ich hinein und hindurch in eine immer „nähere" (vgl. die Reihe Angstgespenster–Ohr), zugleich aber immer unendlichere, ichlosere, bezuglosere Innigkeit. Deshalb ist es ein Ausdruck von höchster Präzision, wenn Trakl in der Schlußzeile statt etwa „Ich höre" seine Formulierung „Das Ohr hört" wählt: das hörende Organ ist ohne Bezug auf das hörende Ich tätig; nicht „ich höre", sondern „es hört in mir", die raumlose bezuglose Struktur der musikalischen Sonatengestalt ereignet sich in einer inneren Unendlichkeit, in die das alles Sichtbare auf sich beziehende Ich nicht mehr hineinreicht. Das Gedicht entwickelt sich also durch drei Formen des Wirklichen hindurch: von der noch nicht bezogenen realen Naturwirklichkeit[64] über die im ichbezogenen Raum geordnete Wirklichkeit bis in die nicht mehr bezogene innere Wirklichkeit, in der dann erst und nur noch die Musik existiert.

Auf dem Wege zu dieser letzten Wirklichkeit bildet, wie gesagt, die Zeile „Der Hund stürzt durch verfallene Gänge" den Wendepunkt zwischen „negativen" und „positiven" Widersprüchen; sie trägt einen ambivalenten Charakter. Die Gänge waren einst zugänglich und begehbar, sind nun verfallen; der Hund rennt nicht, sondern stürzt, also halb fallend, halb aus eigener Kraft; er kann aber gar nicht durch die Gänge kommen, denn sie sind nicht mehr begehbar, sein Stürzen ist also unmöglich, die räumlich formulierte Aussage spricht hier schon von einem unmöglichen Raum, der im Sagen der Zeile einerseits entsteht, andererseits durch seine Unmöglichkeit sich selbst vernichtet. Die Zeile bildet also den Moment der Schwebe,

---

[64] Hier müßte eine genauere Analyse differenzieren: die Gartenwirklichkeit enthält in Menschen, Marmor und vor allem Faun definitiv beziehende Elemente – die Gartenwirklichkeit entwickelt sich vom reinen natürlichen Ursprung langsam auf den Ichbezug zu, wie sich der Ichbezug nachher auch wieder stufenweise auflöst.

die im nächsten Augenblick, im Erlöschen der Lampe, in die bezuglose Innerlichkeit umschlägt.

So bestätigt sich von der Funktion der Zeile auch die Bedeutung des unscharfen Wortes „Hund", die aus seiner Position in der Reihe Angstgespenster – Fremdling – Hund – Magd – Ohr erschlossen werden kann: der Hund ist auf dem Weg in die Innenwelt das Wesen, das gerade auf der ambivalenten Grenze zwischen dem gefährlich Fremden und dem vertrauten Eigenen steht, Spielgefährte und bellender Beißer, Tier, aber dem Menschen vertraut – die Ambivalenz hat weite Anwendungen, aber als bestimmt qualifizierte Ambivalenz ist sie durch die Position an dieser Stelle des Gedichts präzis determiniert. Das Wort und die Zeile ist Stufe in der Entwicklung, Wendepunkt in der Figur: das Gedicht hängt davon ab und es hängt vom Gedicht ab. So ist in diesem Gedicht – denn jede Stelle wäre auf ähnliche Weise zu erfassen – das Einzelne das Konstituens des Ganzen und das Ganze das Konstituens des Einzelnen; es gibt keinen festen Bezugspunkt, sondern jedes Wort, jede Zeile könnte in der gezeigten Weise zum Bezugspunkt werden und ist es tatsächlich im Gedicht. Die Wirklichkeitsform dieses Gedichts ist also genau die der Sonatenklänge, raumloser und bezugloser Strukturen in einer Wirklichkeit, die das beziehende Ich nicht mehr erreicht. Jedes Element der bezuglosen Wirklichkeit ist mögliches Bezugszentrum aller andern und bekommt durch alle andern seine mögliche Bedeutung. Dies sollte an der Zeile „Ein Hund stürzt durch verfallene Gänge" gezeigt werden.[65] Die exakte Bedeutung der Zeile ist nur von der Bedeutung abhängig, die der Leser dem ganzen Gedicht gibt. Das Gedicht konstituiert eine Struktur oder Figur, von der kein Teil mehr in unmittelbarer Beziehung zu einem festen Bezugszentrum steht und damit feste Bedeutung häte. Die Figur ist nur in sich bezogen und hat damit eine Vielzahl, ja eine Unendlichkeit möglicher Anwendungen und Bedeutungen, die ihr vom jeweiligen Leser gegeben werden oder nicht. Wir haben bei

---

[65] Wie schon erwähnt, ist die Analyse des Gedichts nicht vollständig, und es gibt z. B. noch einige Reihen, die untersucht werden könnten und neue Aspekte liefern würden. So etwa die Reihe der Farben, der Hinweise auf Alter und Verfall, der Verben, Subjekte und Objekte. Die in diesen Reihen gezeichneten Figuren laufen parallel oder konträr, ergänzen und widersprechen einander, durchziehen jede Zeile und spannen sie in Kraftlinien und Bezugsfelder ein, von denen dann jeder Punkt ein möglicher Bezugspunkt des ganzen Systems wird, aber zugleich auch auf jeden andern Punkt gerichtet ist. Daraus geht hervor, wie äußerst prekär und im Grunde falsch es ist, etwa aus den Umkreisen von Trakls Farbbestimmungen auf eine „Farbsymbolik" bei Trakl zu schließen und die Aussage eines Gedichts auf ein anderes anzuwenden. Jede „Aussage" eines Gedichts hat bei Trakl nur innerhalb dieses Gedichts mögliche Bedeutung; außerhalb seiner ist sie sinnlos.

unserer unvollständigen Analyse den Gesichtspunkt der Wirklichkeit in den Mittelpunkt gestellt und den Hund dadurch determiniert als Wendepunkt der Verwandlung einer Wirklichkeitsform in die andere. Eine ganz andere Betrachtungsweise könnte das Wort zum Beispiel als Lautkörper nehmen, zunächst in der Zeile, die eine fast systematische Vokalmusik aufweist:

ei u ü u e a e ä e

und dann im Lautleib des ganzen Gedichts; die damit determinierte Bedeutung des Wortes ist genauso berechtigt wie die von uns aufgezeigte, denn die eine ist ebenso möglich, ebenso wenig „gemeint" wie die andere. Die bestimmte Bedeutung, die das Wort „Hund" hier für den Leser annimmt, entsteht in dem freien Zusammenspiel zwischen der figuralen vielseitigen Ermöglichung des Wortes im Gedicht und der Verwirklichung durch den Leser, deren Richtung vom Leser abhängt, wenn sie nur eine der Figur entsprechende Wirklichkeit schafft. Die Bedeutungswirklichkeit „Hund" ist also hier die eigene des Lesers; die Tiefen seiner Erfahrung und Erlebnisintensität schaffen erst die Bedeutung des Wortes und des Gedichts: „Meine Verse haben den Sinn, den man ihnen verleiht." [66]

11 An vier Beispielen ist gezeigt worden, wie die Benennung „Hund" vermöge ihres Reichtums an Bedeutungsmöglichkeiten (umgekehrt: vermöge ihrer Unschärfe) durch den Kontext in die verschiedensten Bedeutungsrichtungen gedrängt werden kann. Wir mußten das Beispiel „Hund" beibehalten, damit nicht durch die Verschiedenartigkeit der betrachteten Gegenstände die Aufmerksamkeit abgelenkt werde. Die Beschreibung der Bedeutungsrichtungen stellt im gegenwärtigen Zusammenhang jedoch nur ein Nebenergebnis dar. Es ergab sich dabei, um noch einmal kurz zusammenzufassen, daß eine einzige Wirklichkeit (in unseren Beispielen: „Hund") unter ganz verschiedenen Bedeutungsaspekten erscheinen kann, die das auf die Wirklichkeit reagierende Bewußtsein in jeweils verschiedene Verhaltensrichtungen lenken können. Die besprochenen vier Beispiele brachten je

---

[66] Paul Valéry: «Commentaires de *Charmes*» in Paul Valéry: Oeuvres I, éd. par Jean Hytier. – Paris 1957 (Bibliothèque de la Pléjade 127), 1507–12; 1509: «Mes vers ont le sens qu'on leur prête. Celui que je leur donne ne s'ajuste qu'à moi, et n'est opposable à personne. C'est une erreur contraire à la nature de la poésie, et qui lui serait même mortelle, que de prétendre qu'à tout poème correspond un sens véritable, unique, et conforme ou identique à quelque pensée de l'auteur.» Was Valéry hier kategorisch für alle Dichtung erklärt, gilt in diesem ausschließlichen Sinne wohl nur für viele moderne Gedichte, z. B. auch für das analysierte Gedicht Trakls.

einen Ausschnitt aus den vier in sich unendlichen Bedeutungsbereichen des Unbekannten, Bekannten, Befreundeten und Eigenen.[67]

Der Hauptzweck der Beispielanalysen war jedoch, zu zeigen, daß ein gemeintes Wirkliches durch eine zu weite Bezeichnung verschiedene Bedeutungen annehmen kann. Die durch das gemeinte Wirkliche in der Bezeichnung nicht aktualisierte Potentialität fordert zur Erfüllung auf, und die gezeigten Bedeutungsrichtungen sind Methoden der ersatzweisen Erfüllung des Leergelassenen. Das zur Erfüllung herangezogene Material kommt nicht aus dem Wirklichen, denn dies ist gegenüber der genannten Bezeichnung viel zu begrenzt, sondern aus dem Innern des Hörers oder Lesers, aus dem Schatz der Erfahrungen und Archetypen, Kenntnisse und Anlagen. Die Bedeutung des Unbekannten sammelt alles im Innern des Hörers mit der Bezeichnung verbindbare Drohend-Faszinierende und verkörpert es in dem gemeinten Wirklichen: Dürrenmatts Bezeichnungs-Serie Wesen – Tier – Hund für Gastmanns Bluthund gab das Beispiel. Die Bedeutung des Bekannten vergleicht das gemeinte Wirkliche mit allem Einzelnen, was die gewählte Bezeichnung enthalten kann und stellt es in die Reihe der so und so qualifizierten Dinge: der bekannt gemachte Gegenstand wird zum Repräsentanten aller in der Bezeichnung möglichen Dinge. Die Bedeutung des Befreundeten fordert dazu auf, das gemeinte Wirkliche unter dem gleichen Gesichtspunkt zu beurteilen wie alle in der gewählten Bezeichnung möglichen Wirklichen. Die Bedeutung des Eigenen fordert dazu auf, in dem gesamten im Innern vorhandenen Möglichkeitsfeld, das der Bezeich-

---

[67] Es wäre also falsch anzunehmen, die vier analysierten Beispiele umfaßten die besprochenen Bedeutungsbereiche auch nur annähernd. Die Bedeutungsbereiche erfassen vielmehr je die ganze Wirklichkeit: so wie der Hund kann potentiell jedes Wirkliche allen vier Bedeutungsbereichen angehören. Es gibt auch, abgesehen vom „Stoff" des Wirklichen, unendlich viele Abschattungen der Bedeutung innerhalb jedes Bereiches; so hätte z. B. ein größerer ausgewachsener Hund in der Kirche eine andere Bedeutungsnuance innerhalb des Befreundeten erhalten als der kleine junge Hund. Unterschieden sind die Bedeutungsbereiche also nicht im Stoff und nicht in der Vielfalt der Nuancen, sondern in der beschriebenen Art der Bedeutungen und in der völlig verschiedenen Reaktion des Menschen auf ein so oder so Bedeutendes. Bärlach wäre nie auf den Gedanken gekommen, sich in seiner Lage zu fragen, ob das Verhalten des Bluthundes schicklich oder unschicklich sei; niemand in der Kirche erlebte in dem Hündchen die Verkörperung des Bösen, und so weiter. – Es ist jetzt sicher auch klar geworden, daß der Begriff der „Bedeutung" hier nicht wie etwa bei Roman Ingarden: Das literarische Kunstwerk. – 2. erw. Aufl. Tübingen 1960, 61–229 im Sinne der „Wortbedeutung" verwandt wird, sondern im Sinne der Bedeutung von Gegenständen, wie sie z. B. auch durch das Wort bezeichnet und beeinflußt werden kann.

nung entspricht, ein Gemeintes auszuwählen, das dem Zusammenhang, in dem es steht, harmonisch und „richtig" zugeordnet ist. Die Bestimmung des „Hundes" in Trakls Gedicht ist dem Leser überlassen, sie muß aber mit dem Kontext des Gedichts harmonieren, also zum Beispiel die beschriebenen Merkmale der Ambivalenz aufweisen.

Die Bedeutung ist also die Methode, die Diskrepanz zwischen Bezeichnung und Gemeintem, zwischen Benennung und Wirklichkeit durch Einbeziehung der eigenen erworbenen, geleisteten oder mitgebrachten Wirklichkeit zu erfüllen. Anders gewendet: die Benutzung eines unzutreffenden Wortes, einer zu weiten Bezeichnung ist ein machtvolles sprachliches Mittel, den Leser oder Hörer zur Deutung des Bezeichneten aufzufordern. Bei der reinen Benennung kann die Richtung dieser Deutung durch den Kontext gelenkt werden.

Das genau zutreffende Wort regt nicht nur Deutung an, und wie festgestellt, kann als genau zutreffendes Wort nur der Individualname eines Wesens oder Gegenstandes gelten. Ein Satz wie: „Das ist Herr X" fordert zu keiner weiteren Deutung auf, dagegen verlangt ein Zusatz wie „Er ist Arzt" zum Beispiel den Vergleich mit anderen Ärzten aus dem eigenen Erfahrungsbereich. Das individuelle Benannte braucht nicht anwesend, sichtbar oder greifbar zu sein; heißt es zum Beispiel „Herr X ist gestern verreist", so mag zwar die Erinnerung an Herrn X bei Sprecher und Hörer verschieden sein, als (in diesem Fall innere) Wirklichkeit stimmt sie jedoch für jeden mit dem Namen überein. Das Problem der verschiedenartigen Wirklichkeit bei Sprecher und Hörer, das vor allem bei nicht durch Anschauung verifizierbaren Benennungen (etwa wissenschaftlichen Terminis) eine große Rolle spielt, braucht uns hier nicht zu beschäftigen.

Nur ein ganz kleiner Teil des Benennungsbestandes ist individuell. Bei allen Wörtern, die mehr als *ein* mögliches Wirklichkeitskorrelat haben, ist Deutung notwendig, Mitgestaltung des gemeinten Wirklichen aus den eigenen Vorräten, nach eigenen Maßstäben und Kriterien. Bei einfachen nichtindividuellen Benennungen wird die Deutungsrichtung ausschließlich durch den Kontext gelenkt. Dieser Kontext kann, aber muß nicht, eine „Beschreibung" des gemeinten Wirklichen sein, wie wir sie in den Beispielen von Dürrenmatt und Bergengruen fanden. Eine solche Beschreibung nennt oder schafft Bestimmungen des gemeinten Wirklichen, die geeignet sind, eine bestimmte Deutung herbeizuführen, etwa bei Dürrenmatt „ein riesenhaftes Wesen", bei Bergengruen „drollig, jung und voller Neugier". – Aber auch der scheinbar mit ganz anderem beschäftigte Kontext kann eine bestimmte Deutung herbeiführen; das zeigte sich bei Trakl ganz klar. Hier wirken dann gewisse Techniken des Bewußtseins in der Verbindung von Wirklichen, die im folgenden besprochen werden sollen; bei Trakl ist es eine figural-assoziative Technik.

370

12 Die bei der Benennung zur bestimmten Bedeutung führende Methode besteht also aus zwei Schritten: Erweiterung der Benennung über das Gemeinte hinaus und damit Schaffung eines Feldes von unerfüllten Möglichkeiten, zweitens Lenkung des Deutens durch den Kontext.

Nun gibt es eine Reihe anderer Methoden, die es erlauben, den hier zweistufigen Prozeß auf einen Schritt zu reduzieren und die Aufforderung zur Deutung sowie die Lenkung des Deutens auf einmal zu vollziehen.

Dies geschieht zum Beispiel bei allen Formen der *Synekdoche*. Wenn ein Arzt seinen Kollegen erzählt, eben sei ein Blinddarm eingeliefert worden, so meint er einen Patienten mit Blinddarmentzündung. Ein Bürochef sieht in seiner Sekretärin die Schreibkraft. Das Dorf eines Pfarrers hat fünfhundert Seelen. – In diesen Beispielen werden wieder unzutreffende Benennungen gewählt; nun sind es solche, deren Feld kleiner ist als das gemeinte Wirkliche: von dem Wirklichen wird hier nur der Teil benannt, der für den Sprecher Bedeutung hat, es wird verstümmelt, indem das gewählte sprachliche Korrelat nur die Existenz eines Teils der tatsächlich wirklichen Wirklichkeit zugibt. Diese Form der Synekdoche, die *pars pro toto,* ist deshalb eine der wirksamsten Waffen der Satire, die es mit einer bedrohlichen Wirklichkeit zu tun hat – das satirische Objekt hat sich ja ebenfalls als *pars pro toto* gezeigt. Wenn in der Ehedebatte des ‚Ring‘ die alte Laichdenman die Argumente des greisen Colman gegen Mätzli treffen will, der über ihren Mangel an Schönheit hergezogen hatte, so leitet sie giftig ein:

> *Sim, was er chan, der schimlig zan!*   (Ring 3440)

Die Deutung geht hier speziell auf sein Alter, das ihm solche Gesichtspunkte in ihren Augen gar nicht mehr erlaubt. An anderer Stelle hat ihre *pars pro toto* nur die verstümmelnde, den Gesprächsgegner vernichtende Wirkung:

> *Her Colman, wisst, es ist ein schand*
> *Ze lernen einem greisen palch*
> *Siben und sibentzig jaren alt!*   (Ring 3210–12)

Wenn bei Neidhart der zudringliche Liebhaber von der Flachsschwingerin als *leider vüdestecke* (47,16) bezeichnet wird, wenn der Riuwentaler von den Bauernburschen als von *oeden kragen* (60,33) und *oeden krophen* (60,39) spricht, so zeigt sich deutlich der satirische Gebrauch der Synekdoche: die Sprache reduziert das aufdringlich-widerwärtige Wirkliche auf einen Teil seiner selbst, verstümmelt es, schwächt es damit und distanziert den Sprecher davon. Die Synekdoche erweist sich als eine Form der Entwirklichung.

Grundsätzlich gleiche Funktion haben die andern Spielarten der Synekdoche[68] und der Metonymie.[69] In allen diesen Formen ist die Benennung so gewählt, daß die durch die Benennung eigentlich bezeichnete Wirklichkeit entweder zu dem gemeinten Wirklichen gehört oder daß das gemeinte Wirkliche auf irgendeine Weise dem Bezeichneten zugehört. Die Bezeichnung ist also entweder zu eng oder zu weit für das Gemeinte.[70] Im negativen Falle wird das Gemeinte dadurch in seiner Wirklichkeit geschwächt: entweder wird nur ein Teil seiner selbst im Worte genannt, oder es erscheint als kleiner und damit schwacher Teil eines größeren Ganzen, als Sohn eines mächtigen, bekannten Vaters, Verkörperung einer allumfassenden Idee etc. Der in der negativen Metonymie sich vollziehende Prozeß ist der einer Schwächung eines gemeinten Wirklichen. Im positiven Fall wird durch das Verfahren der Metonymie das Gemeinte in seiner Wirklichkeit intensiviert und gestärkt: das genannte Ganze manifestiert sich in seiner Größe in dem gemeinten Wirklichen, der Sohn des berühmten Vaters erhält den Glanz durch die neue Offenbarung dieser Familiensubstanz, die Nennung des wertvollsten Teils aus einem gemeinten Ganzen hebt das Ganze in günstiges Licht. Die erweiternde Richtung von Synekdoche und Metonymie eignet sich besser zur positiven und intensivierenden, die verengende besser zur negativen und schwächenden Wirklichkeitsbehandlung.

Wichtig ist dabei, daß die gewählte Benennung immer in einem Substanz- oder Potenzzusammenhang mit dem Gemeinten steht. Dies ist ganz deutlich bei der *pars pro toto,* wo die Benennung eben nur einen Teil der gesamten Potentialität des Gemeinten verwirklicht: beim *totum pro parte* ist die gesamte Potentialität des Gemeinten in der Benennung enthalten und verwirklicht, jedoch zusammen mit einem größeren Kreis von möglichen Gemeinten, wodurch seine Wirklichkeit sich als individuelle schwächt und der genannten Allgemeinheit mitteilt oder von der genannten Allgemeinheit dadurch intensiviert wird, daß sich deren Wirklichkeit im gemeinten Gegenstande versammelt.

Dasselbe gilt für die Numerus-, die Gattungs-, die Gefäß-Inhalt-Beziehung und die Abstraktum-Konkretum-Beziehung, denn in jedem dieser

---

68 Zusammengestellt etwa bei Heinrich Lausberg: Handbuch der literarischen Rhetorik. Eine Grundlegung der Literaturwissenschaft. – München 1960; §§ 572–77.

69 Zusammengestellt ebd. §§ 565–71.

70 Unter dem Gesichtspunkt der zu weiten Bezeichnung könnte auch das bei der Benennung beobachtete Phänomen zur Synekdoche oder Metonymie gerechnet werden. Nur ist in der Metonymie die Möglichkeit gegeben, die verengende oder erweiternde Bezeichnung nach Bedeutungsgesichtspunkten zu wählen, obwohl es auch hier häufig den Fall gibt, wo einfach der sprachliche Prozeß ohne spezifische Bedeutung vollzogen wird, um den Effekt der Entwirklichung herbeizuführen, vgl. etwa das zitierte *schimlig zan* gegen *greiser palch.*

Fälle ist ein potentielles oder substantielles Teilhabe-Verhältnis deutlich, sofern hier von Wirklichkeit im Sinne von „Wirklichkeit für das Bewußt-sein" gesprochen wird. In diesem Sinne sind nämlich eine Gattung, ein Abstraktum, ein Gefäß gleichermaßen umfassende, umschließende Wirk-lichkeiten für alles, was unter sie subsumiert wird. Unterschiede bestehen allerdings in anderer Hinsicht: in der *pars pro toto* und im *totum pro parte* werden das Genannte und das Gemeinte in ihrer vollen Wirklich-keitsdichte angesprochen, während etwa in der Abstraktum-Konkretum-Beziehung das Konkrete nur angesprochen wird, sofern es unter das Ab-straktum subsumiert werden kann: spricht der Riuwentaler von *oeden krophen,* so sind damit wirkliche Körperteile der verhaßten Bauernbur-schen in ihrer vollen Wirklichkeit angesprochen; heißt es von einem Manne, er sei schon achtzig Lenze alt, so ist damit nicht das Frühjahr mit seiner spezifischen Witterung, lebenspendenden Kraft und dem Aufleben der Na-tur angesprochen, sondern nur die Jahreszeit, die sich jedes Jahr wieder-holt und deren Wiederholung demnach für das Jahr im Ganzen stehen kann.[71] Diese Unterschiede in der Wirklichkeitsdichte müssen später be-sprochen werden; die Metonymie jedenfalls behandelt Abstraktum und Konkretum so, als ob beide den gleichen Grad von Wirklichkeitsdichte hätten, als ob beide substantiell gleich, nur unterschiedlich groß wären. Die Metonymie ist also ein sprachlicher Prozeß, der einer bestimmten Wirk-lichkeitsauffassung zugehört – der Auffassung von der Wirklichkeit als to-taler Substanz und Potenz – und der auch andere Wirklichkeitsformen wie diese Art Wirklichkeit behandelt. Die Metonymie hat demnach gegenüber jeder Wirklichkeit die beschriebene schwächende und intensivierende Wir-kung, die Reduktion oder Aufhöhung des Wirklichen in seiner Totalität.

Das Gesagte gilt nicht nur für die besprochenen, sondern auch für die übrigen Formen der Metonymie und für die Antonomasie.[72] Auch die Be-

---

[71] Ursprünglich mag allerdings in dieser speziellen Metonymie eine volle Sub-stanzbeziehung gemeint gewesen sein und der Frühling als Beginn eines neuen Lebensjahres (im Gegensatz zu unserer Feier des Geburtstages) gegolten ha-ben. Das scheint sich daran zu zeigen, daß der Sprachgebrauch sich scheut, den „Lenz" durch eine der andern Jahreszeiten zu ersetzen. Eine reine Metonymie der Abstraktum-Konkretum-Beziehung findet sich etwa im folgenden Beispiel: „Sieh diesen Schaffner an mit dem Lederbandelier, dem gewaltigen Wachtmei-sterschnauzbart und dem unwirsch wachsamen Blick. Sieh, wie er die alte Frau in der fadenscheinigen schwarzen Mantille anherrscht, weil sie um ein Haar in die zweite Klasse gestiegen wäre. Das ist *der Staat, unser Vater, die Auto-rität* und *die Sicherheit."* (Thomas Mann: „Das Eisenbahnunglück", in: Thomas Mann, Gesammelte Werke in 12 Bänden, Bd. 8; 417. Hervorhebun-gen von mir.)

[72] Lausberg, Handbuch § 580f.

ziehungen zwischen Person und Sache, Grund und Folge, Sache und Zeichen sind, wenn auch nicht mehr für das heute gängige Denken, im Gebrauche der Metonymie von derselben Wirklichkeitsdichte und Substanz. Wenn Rachel dem Ehemanne eines bösen Weibes rät:

> *so sey hinfort geduldig*
> *Und zieh die Hosen auß, und leg den Schleyer an,*
> *Gleich wie Alzides that, O lieber Hornemann.*[73]

So verwendet er die *signa* der Hosen und des Schleiers nur noch als sprichwörtlich gewordenen Tropus; das Beispiel der noch im Rom der späten Kaiserzeit üblichen Kleiderriten zeigt jedoch, daß eine bestimmte Kleidung nicht nur die Altersklasse eines Menschen sichtbar machte: das Kleid des *vir*, die *toga*, wurde in einem kultischen Akte verliehen, der neu Eingekleidete war ein anderer Mensch, das Kleid bestimmte sein Wesen, seine Rolle in der Gesellschaft und stellte damit unmittelbar einen Teil der neuen Wirklichkeit dieses Menschen dar. – Das Verhältnis zwischen Grund und Folge wurde ursprünglich nicht als reines Kausalitätsverhältnis, sondern als Herkunftsverhältnis zeitlicher Art betrachtet, wovon zum Beispiel noch die zeitlichen Aspekte in „Ursache" und „Folge" zeugen. Dieses Herkunftsverhältnis ist aber auch als substantielles Hervorgehen des einen aus dem andern zu verstehen – jedenfalls macht die metonymische Setzung des einen für das andere das Verhältnis zum substantiellen, in dem das unter kausaler Betrachtung sichtbare Gefälle in der Wirklichkeitsdichte aufgehoben ist.[74] – Bei der Beziehung zwischen Person und Sache spielen ebenfalls archaische Identitätsvorstellungen herein, die sich etwa im Reliquienkult bis heute erhalten haben. Die Antonomasie braucht nicht eigens erläutert zu werden, da sie nur die auf Dinge bezüglichen metonymischen und synekdochischen Prozesse auf Eigennamen anwendet.

In Metonymie und Synekdoche haben wir sprachliche Prozesse beobachtet, in denen Wirklichkeit geschwächt und verstümmelt oder intensiviert und aufgehöht wird. Die Methode dieser Schwächung oder Intensivierung ist die, das *verbum proprium*, also das Sprachkorrelat des ganzen gemeinten Wirklichkeitsbereichs, durch ein anderes Wort zu ersetzen, das den gemeinten Wirklichkeitsbereich nicht genau trifft und entweder zu weit oder zu eng oder nach archischen Identitätsvorstellungen mit dem Gemeinten substantiell verbunden ist. Wenn das *verbum proprium* ostentativ umgangen

---

[73] Joachim Rachels Satyrische Gedichte. Nach den Ausgaben von 1664 und 1677 hrsg. von Karl Drescher. – Halle 1903 (Neudrucke deutscher Litteraturwerke 200–202); „Das Poetische Frauenzimmer" v. 178–80.

[74] Die Ursache ist „wirklichkeitsdichter", weil sie die Wirkung bedingt. Wird in der Metonymie das eine für das andere gesetzt, so wird dieselbe Wirklichkeitsdichte für beide angenommen.

374

wird, fordert der Sprachprozeß zur Rückübersetzung in das *verbum proprium* auf (vgl. Satz [8]); das bedeutet zugleich ein Gegeneinanderhalten der genannten mit der gemeinten Wirklichkeit. Bei diesem von ihm geforderten Vergleich geht der Leser den Weg der metonymischen Verzerrung wieder zurück, den der Autor gemacht hat, um zu der Verzerrung zu kommen; die Richtkraft der Verzerrung wird also unmittelbar in ihm wirksam und ergibt die Bedeutung der Metonymie. Reine Schwächung oder Intensivierung des gemeinten Wirklichen, wie sie etwa in des Riuwentalers *oeden krophen* für die Bauernburschen oder in einer Redensart wie „die gute Seele"[75] sichtbar wird, richtet sich auf das Unbekannte, auf ein Wirkliches, das nur entweder zu schmähen oder zu preisen ist. – Einschränkung oder Erweiterung auf eine bestimmte Wahrheit hin richtet sich auf das Bekannte, ein Wirkliches, das entlarvt oder erhellt werden soll; Beispiele wären etwa Colman als *der schimlig zan* – die unangenehme Wahrheit seines Alters wird ihm kämpferisch entgegengehalten – oder der Schaffner bei Thomas Mann als „der Staat, unser Vater, die Autorität und die Sicherheit"[76] – in den vier Metonymien wird er als Verkörperung der ordnenden Strenge überhaupt bekannt gemacht. – Einschränkung oder Erweiterung auf einen bestimmten Wert hin richtet sich auf das Befreundete, ein Wirkliches, das tadelnd verurteilt oder gelobt und hochgeschätzt werden soll; Beispiele wären einerseits der Ausdruck *leider vüdestecke* der Flachsschwingerin bei Neidhart – die *pars pro toto* konzentriert sich auf das Verwerfliche – oder umgekehrt eine Anrede wie „Liebes Herz!",[77] die den Blick auf die Angesprochene als ein schön und edel fühlendes Wesen richtet. – Einschränkung oder Erweiterung in bezug zu einem andern Wirklichkeitsbereich kann Harmonie und Disharmonie andeuten; ein Text aus Hölderlins „Hyperion" mag als Beispiel dienen:

> Handwerker siehst du, aber keine Menschen, Denker, aber keine Menschen, Priester, aber keine Menschen, Herrn und Knechte, Jungen und gesetzte Leute, aber keine Menschen – ist das nicht, wie ein Schlachtfeld, wo Hände und Arme und alle Glieder zerstükelt untereinander liegen, indessen das vergoßne Lebensblut im Sande zerrinnt?[78]

---

[75] Ursprünglich mag diese Synekdoche noch beurteilende Bedeutung gehabt haben (Seele als dem Körper an Wert überlegen); heute scheint mir nur noch die unbekannte Bedeutung und preisende Tendenz vorzuherrschen.

[76] Vgl. Anm. 71. Die Ironie der Formulierung Thomas Manns, der nachträglich den bärbeißigen Schaffner als Schwächling entlarvt, ist hier abzurechnen. Sie verkehrt die Richtung der metonymischen Positivität nachträglich ins Negative.

[77] Hölderlin, Sämtliche Werke. Große Stuttgarter Ausgabe (StA), Bd. 4. – Stuttgart 1961; 8: Der Tod des Empedokles, 1. Fassung, v. 151.

[78] Hölderlin ebd. Bd. 3, 153. Der Vergleich im zweiten Teil des Zitats gehört

Die Emphase „Mensch" ist hier der Harmoniebegriff, gegenüber dem die eingeschränkten Begriffe disharmonisch werden. Da hier Hölderlins Gedanke der gewählten Sprachform genau entspricht, läßt sich aus dem mitzitierten Vergleich der Gedanke der Verstümmelung auch auf die Sprachform der Metonymie übertragen und bestätigt unsere Ergebnisse für die negativ gerichteten Metonymien.

Metonymie und Synekdoche können also wie die Benennung auf alle Bedeutungsbereiche gerichtet werden. Während aber bei der Benennung allein der Kontext die Bedeutungsrichtung bestimmt, ist die Bedeutungsrichtung bei Metonymie und Synekdoche in der Richtung der Einschränkung oder Erweiterung enthalten und bestimmt damit unmittelbar das Bewußtsein des Lesers. Es gibt allerdings keine feste Grenze zwischen erweiterter oder verengter Benennung einerseits und Metonymie oder Synekdoche andererseits; manches, was hier unter dem einen besprochen wurde, kann auch unter dem Aspekt des andern gesehen werden. Die sprachlichen Prozesse sind grundsätzlich dieselben; je ostentativer eine Benennung von dem *verbum proprium* (dem in dem ganz bestimmten Falle geeigneten Wort) abweicht, desto eher wird man von Metonymie oder Synekdoche sprechen, weil durch die ostentative Abweichung die Aufforderung zur Rückübersetzung und damit zur Aktualisierung der im Worte enthaltenen Bedeutungsrichtung gegeben wird. Je ostentativer die Abweichung vom *verbum proprium* ist, desto offensichtlicher wird auch die in Metonymie und Synekdoche geleistete und oft als solche intendierte Verstümmelung oder Intensivierung. Es hat sich gezeigt, daß diese beiden Prozesse grundsätzlich allen Bedeutungsrichtungen unterliegen, daß also die Richtung der Metonymie, die gegenüber dem Unbekannten in reiner Form erscheint, sich in allen Richtungen durchsetzt. Dies ist mit dem schon gebrauchten Ausdruck des Spezifischen gemeint: Metonymie und Synekdoche sind also gegenüber einer unbekannten Wirklichkeit spezifisch, gegenüber anders bedeutenden Wirklichkeiten unspezifisch.[79]

---

natürlich nicht mehr zu den Metonymien, kann aber den Eindruck der Disharmonie noch bestätigen.

[79] Es wird sich zeigen, daß aus diesem Grunde diese Tropen der Satire spezifisch sind. Außerdem ergibt sich eine Verbindung zwischen der festgestellten Tatsache, daß die beiden Tropen auf die totale Wirklichkeit der Substanz gerichtet sind, die nur als solche wirklich eingeschränkt und erweitert werden kann, und der in § 1 behandelten Tatsache, daß die Satire es mit einer solchen Wirklichkeit zu tun hat. Diese Beziehungen sind unten noch eingehender zu behandeln.

13   Man kann die bei Metonymie und Synekdoche beobachtete Einschränkung und Erweiterung auch als Verzerrung und Verformung des gemeinten
Wirklichkeitsbereichs durch das gewählte Wort und den in ihm genannten
Wirklichkeitsbereich verstehen. Diese Verformung verzerrt den gesamten
gemeinten Wirklichkeitsbereich.

Es gibt nun eine ganze Reihe von Verzerrungen, die sich nur auf Teile
eines gemeinten Wirklichen richten; grundlegend scheinen Groteske, Ironie,
Hyperbel und Emphase. Es ist hier nicht möglich, sie alle mit der gleichen
Ausführlichkeit zu behandeln wie die Metonymie; auch die bei der Metonymie geübte Beschränkung auf den Wort-Tropus wird im folgenden nicht
mehr so genau durchgeführt, da die ins Spiel kommenden sprachlichen Verfahren bei Wort- und Gedankentropen ohnehin dieselben sind (es gilt deshalb auch für den Gedankentropus der Synekdoche, was über den Wort-
Tropus gesagt worden ist).

Im *Grotesken* wird ein Teil des gemeinten Wirklichen ins Unmögliche
verzerrt. Wenn in Wittenwilers ‚Ring‘ Bertschis Pferd über eine Erbse stolpert, so ist bis auf die Erbse alles möglich – das Stolpern des Pferdes an
einem Hindernis und der Unfall des Reiters. Die Erbse als Hindernis jedoch
ist unmöglich, und die Szene wird dadurch lächerlich. Das Unmögliche des
Grotesken wird manchmal durch Steigerung erreicht wie etwa die riesischen
Elemente in Rabelais' „Gargantua", manchmal auch durch freie Phantastik,
so wie etwa die Geburt des Gargantua durch das Ohr der Mutter die Geburt
der Athene aus Jupiters Haupt grotesk nachahmt und obendrein durch ein
scheinwissenschaftliches raisonnement dabei begründet wird. Das ist bezeichnend, denn der Groteskendichter muß sich bemühen, die Unmöglichkeit des verzerrten Teils plausibel zu machen. Die Metonymie fordert oft
zur Rückübersetzung der Verzerrung ins Normale auf, wobei die zur Verzerrung angewandte Energie sozusagen im Leser frei wird. Auch das Groteske kann zur Rückübersetzung in das Mögliche auffordern, aber durch
die plausible Verbindung des Unmöglichen mit seiner „normalen" Umgebung muß auch diese mitverwandelt werden – Bertschis Erbse läßt bei ihrer
Rückübersetzung in normale Verhältnisse den ganzen Helden, besonders
seinen Zorn, in dem Lichte des Unmöglichen erscheinen. Das Groteske will
die Unmöglichkeit,[80] und das kann nur dadurch geschehen, daß die unmöglichen Elemente als notwendige in die gemeinte Wirklichkeit eingefügt sind.
Daraus ist die Detail-Genauigkeit der grotesken Malerei und Dichtung zu
erklären. Das Widernatürliche soll ohne Bruch mit dem Gewohnten verbunden sein, in ihm erscheinen und es mitbestimmen: es ist die Verzerrung
in das Unbekannte hinein, das dem Alltäglichen gerade durch die notwen-

---

[80] Heinrich Schneegans: Geschichte der grotesken Satire. – Straßburg 1894; 46:
„Das Groteske beginnt, wo die Unmöglichkeit anfängt."

dige Verbindung um so bedrohlicher wird. Diese in der Groteske durchgeführte Einfügung des Unmöglichen in das Mögliche und Wahrscheinliche
scheint Kayser zu meinen, wenn er in der „Ratlosigkeit des Beschauers ...
das Korrelat zu jenem Wesenszug [sieht], der sich bei allen Gestaltungen
des Grotesken als bestimmend heraushob: daß der Gestaltende selber keine
Sinndeutung gab, sondern das Absurde gerade als das Absurde stehen-
ließ".[81] Kayser scheint nur mit der Betonung des Zerstörenden an jenem
Absurden (in unserer Terminologie: Unbekannten) allzu einseitig den
Aspekt des Grauens, der Lebensangst zu verbinden,[82] ohne den Aspekt
der Faszination genügend zu berücksichtigen, den wir als zum Unbekannten gehörig erfaßt haben und der auch die Beschäftigung mit dem „Absurden" des Grotesken in vielen Fällen bestimmt.

So teilt sich zum Beispiel in E. T. A. Hoffmanns Märchen „Der goldene
Topf" das Teuflisch-Abgründige mit dem Lichten und Paradiesischen
gleichmäßig in das Stilmittel des Grotesken: die schwatzenden Schulbuben-
Vögel im Garten des Archivarius Lindhorst, die zugleich Blüten sind,[83]
muß man zum Beispiel ebenso als grotesk bezeichnen wie den Türklopfer,
in den sich das Äpfelweib verwandelt. In beiden Beispielsfällen dient das
Groteske dazu, die normale Welt von Vögeln und Türklopfern, Blüten,
Schulbuben und Äpfelweibern zu entfremden[84] dadurch, daß unmögliche
Verwandlungen dieser Gegenstände ineinander statthaben, aber in dem
einen Falle sind sie teuflisch, feindlich und vernichtend, im andern wunder-
bar, paradiesisch und konstitutiv. Gerade in diesem Märchen läßt sich zeigen, daß Hoffmann sogar den lichten faszinierenden Aspekt der grotesken
Verwandlungen für ursprünglicher hält als den drohend-unheimlichen.
Beide Aspekte erwecken „Grausen und Entsetzen",[85] denn das „Unbekannte
und Wunderbare"[86] entfremdet die Welt, aber die lichten Verwandlungen
sind „Wunder der Natur", in denen der Mensch seine Existenz finden
kann,[87] während Hoffmann die abgründig drohenden Verwandlungen des
Äpfelweibs als „bösen Spuk", als Wirkung „von außen hinein ins Innere"
bezeichnet.[88] Man muß also wohl Kaysers Ausführungen (und auch die
Auswahl seiner Beispiele) in dem Sinne ergänzen, daß der Bedeutungsbereich des Unbekannten in seiner ganzen Ambivalenz im Grotesken auf-

---

[81] Wolfgang Kayser: Das Groteske. Seine Gestaltung in Malerei und Dichtung. –
Oldenburg und Hamburg 1957; 38.
[82] Vgl. ebd. 199.
[83] „Der goldene Topf. Ein Märchen aus der neuen Zeit" in E. T. A. Hoffmann:
Dichtungen und Schriften sowie Briefe und Tagebücher. Gesamtausgabe in
15 Bänden, hrsg. von Walther Harich. Bd. 3. – Weimar 1924; 72.
[84] Kayser, Das Groteske 198: „Das Groteske ist die entfremdete Welt."
[85] Der goldene Topf, 76 und 81.
[86] Ebd. 75.   [87] Ebd. 79.   [88] Ebd. 81.

scheint. Das Lachen angesichts manches Grotesken braucht deshalb gar nicht „Züge des höhnischen, zynischen, schließlich des satanischen Gelächters" zu tragen:[89] Bertschis Fall über die Erbse löst das Gelächter aus, mit dem wir uns über das Unmögliche, Inkongruente hinwegsetzen, das zwar unser Bedürfnis nach Stimmigkeit momentan narrt und stört, aber nicht total desorientiert oder aufhebt – in diesem Falle ist dann nämlich kein Lachen mehr möglich, auch nicht zynisches oder satanisches, sondern nur der von Kayser als „Lebensangst" bezeichnete Versuch des Bewußtseins, über dem offenen überwältigenden Einstrom des Unbekannten sich selbst wieder zu gewinnen und zu konstituieren. Denn durch die fixierende, nicht rücküber-setzbare Verzerrung im Grotesken gelingt es, Unbekanntes unmittelbar wirklich werden zu lassen, und das Maß der Verzerrung bestimmt die Stelle des jeweiligen Textes auf dem Reaktionsspektrum zwischen den Polen des Gelächters und der Lebensangst. Es könnte nach Kaysers Ausführungen auch leicht scheinen, als sei der Bedeutungsbereich des Unbekannten der einzige, in dem sich das Groteske bewege. Wie die übrigen besprochenen Sprachphänomene, die auf eine Verformung und Verzerrung eines Teils des gemeinten Wirklichen zurückgehen, ist das Groteske dem Bedeutungs-bereich des Unbekannten spezifisch, und dieses überformt alle anderen Be-deutungen. Aber es gibt wie bei den andern besprochenen Sprachphänome-nen die übrigen Bedeutungsbereiche, und wie dort möchte ich versuchen, je ein Beispiel anzudeuten, um die Wirkung des Grotesken zu beobachten. Groteske Elemente in dem Krieg am Ende von Wittenwilers ‚Ring' haben zum Teil die Funktion, das Dämonische, Unheimlich-Bedrohende der Strei-ter hervorzuheben, so besonders bei *fro Hächel*, der Anführerin der Hexen, und ihrem Reittier, einem Wolf. Sie speit dem Zwergenkönig Laurein an die Wangen,

> *So sere, pei der treuwe mein,*
> *Daz im blatren wuochsen auf*
> *Grösser dann ein sneggenhaus.*
> *Des gab der wolff von im ein tunst*
> *Aus dem mund recht sam ein brunst.*
> *Wem er gen dem hertzen schluog,*
> *Der muost sich plägen sam ein chruog.*   (‚Ring' 8828–34)

Das Unmögliche der Giftwirkung von Speichel und Atem wird hier in den Dienst der Bedeutung des Unbekannten selbst gestellt: die Hexe und ihr Reitwolf sind dämonische Wesen. – Die meisten Anwendungen des Gro-

---

[89] Kayser, Das Groteske 201 tendiert dazu, diesen Typus für das Groteske allein zu beanspruchen, wiewohl er feststellt: „Die Frage nach dem Lachen im Gro-tesken stößt auf den schwierigsten Teilkomplex in dem ganzen Phänomen" ebd.).

tesken finden sich wohl im Bedeutungsbereich des Bekannten; aus dem ,Ring' könnte man Bertschis Fall über die Erbse zitieren, aus Hoffmanns ,Goldenem Topf' etwa den „Fall ins Kristall", wo der Student Anselmus in einer Kristallflasche auf einem Repositorium des Archivars Lindhorst sitzt und zugleich auf der Elbbrücke steht und „gerade hinein ins Wasser" sieht.[90] In beiden Beispielen hat das Unmögliche die Funktion, nicht nur die Welt des Bekannten zu durchbrechen und zu entfremden, sondern auch nach der Natur der Kräfte fragen zu lassen, die diese Entfremdung hervorbringen. Im ,Ring' zeigt sich der unkontrollierte Trieb als Punkt des Einstroms unheimlicher zerstörerischer und weltverzerrender Kräfte,[91] bei Hoffmann ist der groteske Zustand ein Ergebnis der Durchdringung der alltäglichen Realität mit den Kräften einer inneren Überwirklichkeit; das Unmögliche im System der Alltagsrealität wird zum Möglichen im System jener anderen Welt, und die Maßstäbe der einen relativieren die der andern. Hier ist also deutlich der Bedeutungsbereich des Bekannten an seine Grenze getrieben durch das Element des Unmöglichen. – Das Ende des ,Rings' mit Bertschis siegreicher Verteidigung des Heuschobers stellt das Groteske in den Dienst der Beurteilung des Helden: Bertschi handelt nun vorsorglich und weise, er ist ein Vorbild menschlicher Haltung geworden, deshalb gelingt ihm das Unmögliche (Bedeutungsbereich des Befreundeten). Wohl ist die Szene lächerlich, aber das Lachen richtet sich nicht im Spott gegen Bertschi, sondern es ist wieder das angstlose Lachen über die Inkongruenz der Ereignisse, die geradezu einen übermenschlichen Wert des Helden indizieren. Wie im Bedeutungsbereich des Bekannten kommt durch die Verwendung grotesker Elemente hier der Bedeutungsbereich des Befreundeten an eine Grenze: das Urteil über Bertschi muß gleichsam über den Superlativ hinausgehoben werden, wobei eine kleine Ironie Wittenwilers unverkennbar mitspielt. – Die Sprachgroteske bei Rabelais und Fischart kann als Beispiel für die Wirkung des Grotesken im Bedeutungsbereich des Eigenen dienen. Die Sprache, sonst unauffälliges Medium der Kommunikation, macht sich hier selbständig, wird an die Grenze ihrer Funktion und ihres Sinns geführt durch unendliche Häufung und Verzerrung. Liest man *der Trunckenen Litanei* in Fischarts ,Geschichtklitterung',[92] so scheint die Sprache noch einigermaßen adäquat die Trunkenheit auszudrükken wie etwa auch in Weckherlins ,Drunckenheit';[93] aber die Sprache Fisch-

---

[90] Der goldene Topf 97.   [91] Vgl. Kap. II, Abschnitt 32.

[92] Johann Fischart: Geschichtklitterung (Gargantua). Text der Ausgabe letzter Hand von 1590, hrsg. von Ute Nyssen. – Darmstadt (1963), 117–45.

[93] Georg Rudolf Weckherlin: „Drunckenheit", abgedruckt in Herbert Cysarz: Vor- und Frühbarock. – Leipzig 1937 / Darmstadt 1964 (Deutsche Literatur in Entwicklungsreihen, Reihe Barock, Barocklyrik Bd. 1); 127–30.

arts ist durchweg so geartet, und das Riesenhafte, Ungeheuerliche, Unmögliche der Helden des Werkes drückt sich unmittelbar in der Sprache aus und überträgt sich damit direkt auf den Leser: „das Monströse ist das erste und offensichtlichste Merkmal an Gargantuas Welt",[94] aber „der Taumel und die Verwirrung, in die Fischart den Zuhörer zunächst zu versetzen droht, lösen sich in klingende und rhythmische Bewegung auf":[95] die Harmonie des Eigenen konstituiert sich, nachdem sie durch das Groteske bis an die Grenze geführt und vom bloßen Funktionieren gereinigt ist.

Das Groteske kennt also trotz der starken Fixierung im Unbekannten sämtliche andern Bedeutungen. Die Wirkung des Grotesken ist, die Erfahrung des gemeinten Wirklichen je an eine Grenze zu führen und durch dieses Grenzerlebnis die normale freie Deutung, das Verständnis, die Beurteilung, die Einschwingung zu unterbrechen. Je länger und konsequenter diese Unterbrechung durchgeführt ist, desto bedrohlicher wird sie dem Bewußtsein, das an der Deutung und Verwirklichung verhindert wird, durch die es sich sonst in jedem Moment konstituiert. Je nach dem Bedeutungsbereich, in dem das Groteske wirkt, sieht sich das Bewußtsein durch die konsequente Durchführung des Unmöglichen dämonisch bedroht (im Bereich des Unbekannten) oder, am andern Ende des Bedeutungsspektrums, einfach ermüdet und unfähig zur weiteren Verwirklichung.[96] Dem momentanen, inkonsequenten Grotesken, dem punkthaft Unmöglichen, begegnet das Bewußtsein durch das Lachen, das die augenblickhafte Angstspannung wieder lockert. Diese Andeutungen haben gezeigt, daß Kaysers Begriff vom Grotesken zu einseitig auf das Unheimliche, Bedrohliche ausgerichtet ist und vielseitiger Ergänzung bedarf.[97]

---

[94] Hugo Sommerhalder: Nachwort zur Ausgabe der ‚Geschichtklitterung', 436.

[95] Ebd. 440.

[96] Vgl. Sommerhalder ebd. 434: „Der Leser sieht sich durch Fischarts ‚Geschichtklitterung' in eine Welt versetzt, deren Eigenart zwar seine Neugierde weckt, bald aber Befremden auslöst und einer frühen Ermüdung ruft. Kein Fassungsvermögen ist Fischarts monströser Sprache gewachsen, die durcheinanderwirbelt, was in der Schöpfung vernünftig geordnet nebeneinanderliegt."

[97] Das hier vorgeschlagene Verständnis des Grotesken würde zum Beispiel eine Verlegenheit vermeiden, in die Kayser gerät: „Die Kunstwissenschaft ist gegenwärtig bemüht, die Formensprache des Hieronymus Bosch zu dechiffrieren. Gelänge es, so wäre der Nachweis erbracht, daß die Bilder nach der Intention des Künstlers nicht eigentlich grotesk wären" (Kayser, Das Groteske 195). Dieser Gesichtspunkt kann nur entstehen, wenn man das Groteske inhaltlich auf etwas Bestimmtes festlegt, das dann durch einen anderen Inhalt aufgehoben werden kann. Unserer Anschauung nach ist das Groteske eine Spannung, die auf jeden „Inhalt" wirken kann und ihn einem Prozeß der momentanen oder länger dauernden Entgrenzung unterwirft, die ihrerseits wieder

Wie das Groteske durch Kayser hat auch die *Ironie* in der jüngeren Vergangenheit gesonderte Behandlung erfahren, besonders durch Allemann[98] und Jankélévitch.[99] Allemann sieht das Wesen der Ironie vor allem in der „Anspielung ... auf ein hintergründig Mitgewußtes und Unausgesprochenes",[100] doch scheint es mir im Wesen der Anspielung zu liegen, auf ein dem Leser Bewußtes hinzuweisen, ohne daß jede Anspielung als ironisch bezeichnet werden könnte. Ähnlich unspezifisch ist Allemanns Begriff der Wiederholung, die er als „eine Hauptmöglichkeit des ironischen Stils" bezeichnet. Er erklärt jedoch, diese Wiederholung gewinne „ihren eigentlichen ironischen Reiz dadurch, daß sie das Gleiche (oder etwas auf die gleiche Weise) sagt in einer veränderten Situation".[101] Auch die Wiederholung ist also unspezifisch für das Ironische, denn sie wird ironisch erst dadurch, daß etwas in einer Situation wiederholt wird, auf die es nicht paßt. Wenn also der alte Briest bei Fontane (Allemanns Beispiel) immer wieder einmal sagt: „Das ist ein zu weites Feld, Luise", so ist die Wiederholung nur dann ironisch, wenn sie inhaltlich nicht zutrifft, wenn sie zum Beispiel nur aus „sich ergebender Schwierigkeit und Stockung im Gespräch zwischen dem Ehepaar Briest" [102] herausführen soll und nicht etwa bedeutet, daß Briest seiner Gattin etwas wirklich nicht erklären will oder kann. Auch die leitmotivischen Etiketten, die etwa Thomas Mann bei seinen Charakteren verwendet, werden nicht durch die Wiederholung selbst ironisch, sondern weil sie zum Beispiel gegen die Erwartung des Lesers, der eine lebendig sich entwickelnde Gestalt vor sich zu haben meint, die Romanfigur in etwas Stereotypes, Marionettenhaftes verflachen, oder weil sie zum Beispiel die Gewohnheit vieler Menschen, ihre Bekannten ein für allemal mit einer Etikette zu versehen und danach zu beurteilen, ironisch-satirisch spiegeln.[103] Die Beispiele zeigen, daß Ironie erst da anfängt, wo die Aussage gegenüber dem Gemeinten auf irgendeine Weise falsch ist und den Leser zur Rücküberset-

---

das Bewußtsein in der beschriebenen Weise affiziert. Wäre Kayser der auf derselben Seite zitierten Einsicht der modernen Stilforschung gefolgt, daß ein Stilzug wie das Groteske „nicht ‚eindeutig' [ist], sondern ... von den verschiedensten Gehalten her aufgefüllt" werden kann, so hätte sich ein differenzierteres Bild des Grotesken ergeben.

98 Beda Allemann: Ironie und Dichtung. – Pfullingen 1956.

99 Vladimir Jankélévitch: L'ironie. – Paris 1964.

100 Allemann, Ironie 12f.   101 Ebd. 18.   102 Ebd. 18.

103 Ebenso unspezifisch scheint mir die von Allemann (16) und Jankélévitch (13 und 195) hervorgehobene Beweglichkeit der Ironie. Die in der Ironie zwischen dem Gesagten und dem Gemeinten rasch und beweglich hergestellten Bezüge erweisen sich auch in allen anderen auf Verzerrung beruhenden Sprachprozessen als vorhanden, zumindest, soweit sie eine Rückübersetzung fordern. Diese Einschränkung gilt jedoch auch für die Beweglichkeit der Ironie.

zung, zur Erkenntnis des eigentlichen Sachverhaltes anregt. „Die Ironie ist ... ein überhelles und seiner selbst so sicheres Wissen, daß es sich befähigt, mit dem Irrtum zu spielen."[104] Es ist ganz richtig, wenn immer wieder festgestellt wird, daß der Tropus der *ironia,* nach dessen Definition das Gegenteil des Gemeinten gesagt wird, zur Erfassung des Phänomens der Ironie nicht genügt.[105] Aber der Ersatz für diese zu enge Definition scheint mir bis auf Jankélévitchs zitierten Ansatz etwas zu vage. Allemanns Begriff der Anspielung mit seinen Unterbegriffen wurde schon als zu weit erkannt; ebenso allgemein ist es, wenn in der Ironie „ein Grundverhalten, dem vor allem Distanz von der Wirklichkeit eignet, ein Schweben" gesehen wird,[106] denn in gewisser Weise distanziert jede der besprochenen Formen der Verzerrung den Leser und den Autor von der Wirklichkeit.[107]

Daß Ironie eine Verzerrung eines Teils der gemeinten Wirklichkeit vollzieht, ist unmittelbar einsichtig. Spreche ich ironisch von „schönem Wetter", wenn ich ein Hundewetter meine, so verzerre ich nicht die ganze Wirklichkeit, denn „Wetter" bleibt die umfassende Ganzheit; innerhalb dieser jedoch verzerre ich, in diesem Fall meine Beurteilung, indem ich statt „schlecht" fälschlich „schön" sage. An diesem Beispiel zeigt sich zweierlei: erstens sage ich etwas erkennbar Falsches, zweitens liegt dieses Falsche hier im Bedeutungsbereich des auf mich Bezogenen, zu Beurteilenden, kurz: des Befreundeten. Die folgenden Beispiele deuten das Vorkommen der Ironie in allen vier Bedeutungbereichen an.

Der „König Oedipus" von Sophokles ist ein bekanntes Beispiel sogenannter tragischer Ironie: der königliche Richter sucht den Befleckten und

---

[104] Jankélévitch, L'ironie 62 f.: «L'ironie est ... un savoir extra-lucide, et si maître de soi qu'il se rend capable de jouer avec l'erreur.»

[105] Allemann, Ironie 19 bezeichnet diesen Tropus als „Spezialfall der ironischen Spielweise". – Arntzen, Satirischer Stil 3 stellt fest: „Der Ironiebegriff läßt sich längst nicht mehr erfassen als Gegensatz von Aussage und Sinn der Aussage." – Edgar Johnson, A Treasury 25 setzt Übertreibung und Ironie voneinander ab: "Exaggeration understates what we don't mean and overstates what we do mean. Irony overstates what we don't mean and carefully understates what we do mean. From this is derived the popular conception of irony as confined to saying the opposite of what we mean."

[106] Arntzen, Satirischer Stil 3.

[107] Das muß auch Jankélévitch entgegengehalten werden und mit ihm Alexander Blok, den er in L'ironie 21 f. zitiert: «Ironiser, écrit le grand poète russe Alexandre Blok..., c'est s'absenter: la conscience impliquée dans le second mouvement de l'ironie transforme la présence en absence.» Der bei allen Formen der Verzerrung mögliche, manchmal geforderte Vorgang der Entzerrung, der „Rückübersetzung", kann nur aus der Distanz geschehen, in die die sprachliche Formulierung von der Wirklichkeit gesetzt ist. Distanzierung und „Entwirklichung" sind also nicht spezifische Charakteristika der Ironie.

Befleckenden, ohne zu wissen, daß er selbst es ist, und seine Entdeckungen führen immer genauer auf ihn selbst zurück. Denn ohne daß er es weiß, haben sich schon lange die göttlichen Orakel an ihm und seinen wirklichen Eltern erfüllt, die Orakel, die sich gerade erfüllten, indem er ihnen zu entgehen meinte. Das wird dadurch möglich, daß der junge Oedipus über sich selbst und seine wirklichen Eltern nicht Bescheid wußte, und dieses Unwissen verwandelt sich in den Szenen von Sophokles' Tragödie in schreckliches Wissen. Oedipus vollzieht hier nichts anderes als die Rückübersetzung einer göttlichen Ironie, die erkennende Durchdringung der durch göttliche Lenkung verfälschten verzerrten Wirklichkeit seiner eigenen Person und Herkunft. Was also hier verzerrt ist, ist ein wißbares Element; was in der Verzerrung wirkt und was bei ihrer vollständigen Entzerrung in drohender Wirklichkeit sich enthüllt, ist das grausam genau lenkende Göttliche. Die Ironie weist hier also in den Bereich des Unbekannten.

Dieselbe Problematik, jedoch invertiert, erscheint in dem schon zitierten Kriminalroman Dürrenmatts „Der Richter und sein Henker". Der Polizist Tschanz, der seinen Kollegen Schmied aus Eifersucht umgebracht hat, wird durch Bärlach auf den Mordfall angesetzt, muß also entweder sich selbst entlarven oder einen andern möglichen Täter finden.[108] Sein Versuch, in Gastmann einen andern Täter wahrscheinlich zu machen, ist eine Irreführung, ähnlich wie sie in der Ironie vollzogen wird. Allein sie enthält keine Indikationen zur Rückübersetzung, sondern soll als Verzerrung des Tatsächlichen fixiert bleiben: sie ist nicht Ironie, sondern Lüge.[109] Dagegen ist Bärlachs Verhalten in mehrfacher Weise ironisch: zunächst dadurch, daß er Tschanz bewußt zur Selbstentlarvung zwingt,[110] zweitens dadurch, daß er Tschanz, der verzweifelt nach einem möglichen Täter sucht, dadurch auf Gastmann hetzt und Gastmann durch Tschanz, die „Bestie durch die Bestie", töten läßt. Die Ironie Bärlachs, der Tschanz nicht, wie an sich notwendig, als Mörder verfolgt, sondern als Verfolger einsetzt, ist nicht nur das Mittel, Tschanz sich selbst entlarven zu lassen, sondern zugleich Bärlachs einzige Möglichkeit, mit dem bösen Prinzip Gastmann fertig zu werden.

---

108 Die Problematik des ‚Oedipus Rex' ist hier also in ähnlicher Weise invertiert wie in Kleists ‚Zerbrochenem Krug'.

109 Vgl. Jankélévitch, L'ironie 64: «En réalité l'ironie est une pseudo-pseudologie, un mensonge qui se détruit lui-même comme mensonge en se proférant, et désabuse l'abusé, et détrompe le trompé, ou plutôt laisse à ce soi-disant trompé les moyens de se détromper lui-même.»

110 Bärlach vermutet zunächst, daß Tschanz der Mörder ist; Tschanz gibt ihm den endgültigen Beweis mit der Pistolenkugel, mit der er Bärlach vor dem Hund rettet – doch dieser war auf den Hund vorbereitet, sein Bedrohtsein durch den Hund ironische Verstellung mit dem Zweck, eine von Tschanz abgeschossene Kugel zu gewinnen.

Würde Tschanz Bärlach gleich anfangs durchschauen, so wäre Fort- und Ausgang der Geschichte unmöglich: Bärlachs ironische Verstellung ist also zunächst für Tschanz und den Leser undurchsichtig; sie klärt sich allerdings am Ende auf, und Tschanz' Erkenntnis, daß Bärlach sich verstellt hat, worauf ihn das ungeheure Essen des Magenkranken hinweist, bedeutet zugleich für ihn die Erkenntnis, daß er entlarvt ist und daß Bärlach ihn durchschaut hat. Die Rückübersetzung der Ironie, die Bärlach durch sein ungewohntes Essen herausfordert, führt hier also auf ein zu Erkennendes, nämlich Tschanz' Bewußtsein, daß er durchschaut ist; die Ironie steht hier im Bedeutungsbereich des Bekannten; die Inversion des Oedipus-Mythos bringt demnach einen Wechsel der Bedeutungsbereiche mit sich.

In Thomas Manns schon zitierter Erzählung „Das Eisenbahnunglück" findet sich folgende Szene: der Schlafwagenkondukteur kommt an das Kabinett eines Herrn, der „kraft seines Herrenrechtes im Leben" seinen Hund mit ins Abteil genommen hat, und klopft an:

> Aber das hätte er lassen sollen, denn dort wohnte der Herr mit den Gamaschen, und sei es nun, daß der Herr seinen Hund nicht sehen lassen wollte oder daß er bereits zu Bette gegangen war, kurz, er wurde furchtbar zornig, weil man es unternahm, ihn zu stören, ja, trotz dem Rollen des Zuges vernahm ich durch die dünne Wand den unmittelbaren und elementaren Ausbruch seines Grimmes. „Was ist denn?!" schrie er. „Lassen Sie mich in Ruhe – Affenschwanz!!" Er gebrauchte den Ausdruck „Affenschwanz", – ein Herrenausdruck, ein Reiter- und Kavalierausdruck, herzstärkend anzuhören.[111]

Was uns hier angeht, ist der letzte Satz des zitierten Textes, der die Reaktion des Erzählers auf den Ausdruck des feinen Herrn enthält. Zunächst wiederholt er den Ausdruck – jedoch ohne entrüstetes „tatsächlich" oder „denken Sie nur" –, bloß um ihn gewissermaßen selbst einmal auszuprobieren. In der zweiten Hälfte des Satzes, nach einem grammatischen Bruch, ist der Herrenausdruck Subjekt des elliptischen Satzes, der etwa durch ein „das ist" zu ergänzen wäre: der Erzähler gibt sein Urteil ab, nachdem er das Wort selbst ausprobiert hat. Aus diesem Urteil geht hervor, daß die Probe, wie der Ausdruck sich im eigenen Munde ausnehmen würde, negativ ausgefallen ist; der Erzähler kann ihn nicht selbst gebrauchen, er ist für Herren, Reiter und Kavaliere. Aber er ist „herzstärkend anzuhören", d. h. der Erzähler bekennt, gegenüber solcher Kraft und Herrlichkeit schwach zu sein; er beneidet den Herrn darum, daß er so „zu Hause im Leben und ohne Scheu vor seinen Einrichtungen und Gewalten" ist [112] und solche Ausdrücke ungestraft zu gebrauchen wagt. Wenn nun nach dem Stoß des Eisenbahnunglücks der Herr mit von Angst entstellter Stimme um Hilfe schreit, obwohl ihm nichts geschehen ist, wenn er dreimal demütig Gott an-

---

111 Thomas Mann, Sämtliche Werke VIII 419.   112 Ebd. 418.

ruft und gleich darauf mit wilden Püffen durch die versammelten Fahrgäste sich einen Weg ins Freie bahnt, so entlarvt sich die ganze sichere mutvolle Herrenhaftigkeit als Schein und Außenseite eines verächtlichen Schwächlings, und der bewundernde Neid des reisenden Schriftstellers erweist sich als Naivität. Sofern nun der Erzähler auf ein vor zwei Jahren geschehenes Unglück zurückblickt und alles ausdrücklich im Nachhinein und aus der Übersicht über das ganze Ereignis erzählt, ist die anfangs so anerkennende Darstellung des Herrn und der bewundernde Neid auf seine Sicherheit im Leben bewußt unrichtig und irreführend, und ihre Auflösung durch die Ereignisse erst deckt die Ironie auf. Es ist eine doppelte Ironie, bezogen auf den Herrn und seine Entlarvung wie auch auf den reisenden Schriftsteller und seine unkritische Bewunderung, vor allem aber auf den letzteren, denn auch die anerkennende Darstellung des Herrn spiegelt die Naivität des Schriftstellers. Die Auflösung der irreführenden Darstellung des Erzählers enthüllt also ein Fehlurteil, eine falsche Bewunderung des reisenden Schriftstellers: die Ironie weist in den Bedeutungsbereich des Befreundeten.

Die sogenannte „romantische Ironie" führt in den Bedeutungsbereich des Eigenen. Wenn in Wittenwilers ‚Ring' der Schreiber den debattierenden Bauern erklärt, sie seien zu keinem Ergebnis gekommen, weil sie in Reimen und nicht in Prosa gesprochen hätten, und dann selbst sein Urteil in Prosa vorträgt, so hat man das wohl zu Recht als romantische Ironie bezeichnet. Der Schreiber sagt den Bauern etwas im Sinne der „dargestellten Wirklichkeit" Falsches, denn wirkliche Bauern debattieren nicht in Reimen; die Versform ruht allein in Wittenwilers Darstellung. Durch die falsche Aussage des Schreibers wird also nichts gegen die Bauern ausgesagt, denn die Aussage kann in ihrer Welt gar nicht vorkommen; vielmehr der Leser wird darauf aufmerksam gemacht, daß die dargestellte Welt in einem bestimmten Medium – Vers und Reim – erscheint, das seine definitiven Grenzen hat: Urteile können zum Beispiel darin nicht wirklich ausgesprochen werden. Wenn der Leser die Ironie auflöst, wird ihm das Willkürliche, Spielerische des gewählten Mediums und damit auch der darin erscheinenden Welt bewußt: es ist eine Welt, der er frei gegenübersteht und mit der er sich in freiem Entschluß zum Mitspielen einläßt, und sofern er als Mitspieler notwendig ist, ist diese Welt und ihre Darstellung seine eigene. Die Irreführung der romantischen Ironie erschließt also in ihrer Auflösung den Bedeutungsbereich des Eigenen. Was hier an einem Beispiel aus Wittenwilers ‚Ring' nachgewiesen wurde, könnte ohne weiteres auch etwa an der romantischen Ironie der Romantiker gezeigt werden, an der Durchbrechung der Illusion in Tiecks ‚Gestiefeltem Kater', am plötzlichen Wechsel von Prosa zu Vers in den Romanen, an der Mischung der Gattungen und Stilarten, am Gedanken der Endlichkeit alles Geschaffenen.

386

Die Ironie erscheint also in allen Bedeutungsbereichen; der darin vorgehende gedanklich-sprachliche Prozeß ist immer derselbe: eine irreführende Aussage wird gemacht und der Leser gleichzeitig oder nachträglich zur Rückübersetzung des Falschen in das Gemeinte aufgefordert. Die Auflösung des Irrtums ist für den Leser, wirkungspsychologisch gesehen, „eine genußvolle Massage seiner Eitelkeit",[113] aber sie ist auch etwas anderes: durch den von ihm verlangten Prozeß der Rückübersetzung des Falschen in das Gemeinte findet der Leser in sich selbst das Eigentliche, läßt es sich nicht von außen aufdrängen, sondern schöpft es aus der eigenen Erkenntnis. Dadurch wird die Eigentlichkeit des Gemeinten und seine Bedeutung um so kraftvoller, tiefer und wirksamer für den Leser,[114] je mühsamer die Auffindung und Richtigstellung war – die Ironie tendiert zur Reduktion der Rückübersetzungssignale bis zum Äußersten, wie sich bei der Betrachtung der Lieder Neidharts gezeigt hat. Über die Fälle, wo die Ironie sich auf nichts bestimmt Gemeintes bezieht, wird unten zu sprechen sein, doch schon die romantische Ironie ist auf keinen bestimmten Inhalt, sondern eine Erfahrung des Autors und des Lesers bezogen.

Die *Hyperbel* verzerrt das gemeinte Wirkliche dadurch, daß sie einen Teil davon quantitativ steigert und übersteigert. Liest man von der übermenschlichen Leistung eines Sportlers, so ist damit seine Leistung über Menschenmaß hinaus gesteigert; die Formulierung ist, wörtlich genommen, unglaubhaft und übertrieben und fordert zur Rückübersetzung auf. Was gesteigert wird, ist nur ein kleiner Ausschnitt, ein Aspekt der Leistung, nämlich die Tatsache, daß sie von einem Menschen ausgeführt wurde. Ihr Nutzen, ihre Eleganz, ihr ästhetischer Wert zum Beispiel sind von der Steigerung nicht betroffen. Der Wirklichkeitsbereich „Leistung" wird also einseitig verzerrt in ein Höchstmaß oder – in anderen Fällen – Mindestmaß. Was nun zur Verzerrung ausgewählt wird, indiziert den Bedeutungsbereich: in der übermenschlichen Leistung soll ein Vergleich zum normalen Menschenmaß angestellt werden (Bedeutungsbereich des Bekannten); durch die Beschreibung des Tiers als „riesenhaftes Wesen"[115] erweckt Dürrenmatt

---

[113] Johnson, A Treasury 26: "The whole process of understood irony is a delightful massage to our vanity."

[114] Vgl. Jankélévitch, L'ironie 67: «Ce voyage [du sens au sens à travers les chiffres] n'est pas un détour, ni du temps perdu; ce voyage est, comme toute médiation, une épreuve; ... La vérité à laquelle l'ironisé, enfant prodigue, retourne finalement est une vérité trempée par le péril du malentendu, par les menaces d'erreur et par le jeu du contraire avec son contraire.» Vgl. die Behandlung der Ironie unter neuem Aspekt im folgenden Abschnitt 14.

[115] Vgl. den im Abschnitt 10 besprochenen Text aus Dürrenmatts Geschichte ‚Der Richter und sein Henker'. Eine leichte Umformulierung wie etwa „riesen*groß*" würde die Hyperbel in den Bedeutungsbereich des Bekannten umbeziehen.

Grauen und Furcht vor der Bedrohung (Bedeutungsbereich des Unbekannten); ruft Hyperion Diotima als „himmlisches Wesen" an,[116] so wird darin das Übermaß seiner idealischen Liebe zu ihr sichtbar: bezogen auf ihn ist sie nicht Mensch und Mädchen, sondern Ideal (Bedeutungsbereich des Befreundeten); ein „unmenschliches Verbrechen" wird als nicht im Einklang mit der Wirklichkeit „Mensch" abgelehnt (Bedeutungsbereich des Eigenen). Man sieht, daß die Verzerrung wie bei Metonymie und Synekdoche im positiven und im negativen Sinne geschehen kann und daß jeder Bedeutungsbereich der Hyperbel zugänglich ist.

Die *Emphase* verzerrt insofern, als sie ein gemeintes Wirkliches mit einer Bedeutungsintensität erfüllt, die es normalerweise nicht hat. Der Grad der Intensität ist durch die bloße emphatische Nennung nicht sichtbar und muß vom Hörer oder Leser ergänzt werden: je stärker der individuelle Leser selbst im allgemeinen und im besonderen Moment auf die Emphase prädisponiert ist, desto größer wird die Intensität sein, mit der das Gemeinte in ihm wirklich wird. Wie die andern Tropen erscheint die Emphase in allen Bedeutungsbereichen.

Der Ruf „Feuer!" zum Beispiel ist eine Emphase der Normalwirklichkeit, wie sie etwa in dem Satz zum Ausdruck kommt „Ein lustiges Feuer knatterte im Kamin". In dem emphatischen Ruf ist die Wirklichkeit „Feuer" mit der Bedeutung des Bedrohlichen, Vernichtenden geladen. Für den Hörer kommt es nun ganz darauf an, wie ängstlich er im allgemeinen ist und in welcher Lage er sich im Augenblick des Rufs befindet: auch ein nicht besonders ängstlicher Mensch kann panisch erschrecken, wenn er den Ruf zum Beispiel in einem vollen Theater weit vom Ausgang weg vernimmt, während ein sonst Ängstlicher gleich beim Ausgang den Raum ohne Panik verläßt. Die Intensität der bedrohlichen Bedeutung ist also vom Einzelnen abhängig. – Ein Satz wie „Er ist auch nur ein Mensch" fordert auf, in dem Wort „Mensch" nicht das normal damit Gemeinte zu verstehen, sondern speziell die natürliche Begrenzung und Schwäche des Menschen zu bedenken. Es geht hier also um eine erkennende Sonderung des Menschen von dem, was er nicht sein kann und nicht ist. Wie weit und wie genau die Sonderung vollzogen wird, ist dem Einzelnen überlassen. Die Emphase weist also in den Bedeutungsbereich des Bekannten. – In einem Beispiel wie der Aufforderung „Sei ein Mann!" soll die Normalwirklichkeit „Mann" (etwa in „ein Mann kam die Straße entlang"), die für den Angesprochenen auf jeden Fall zutrifft, zum sittlichen Ideal intensiviert werden und den Maßstab des Verhaltens bilden (Bedeutungsbereich des Befreundeten). Auch hier ist das Ausmaß und die Gestalt der Intensivierung vom Einzelnen abhängig. Die Anrede an die Rose in Rilkes Grabspruch ist empha-

---

[116] Hölderlin, ‚Hyperion oder der Eremit in Griechenland'; StA 3,53.

tisch insofern, als in diesem Wort durch lange Zeit des Erlebens und Er-
fahrens sich für Rilke eine eigene Wirklichkeit verdichtet hat, die der nach-
folgende Kommentar „du reiner Widerspruch . . ." nur andeutet. Um Rilkes Begriff zu erfassen, genügt es nicht, aus seinen Gedichten und Schriften
Auskunft über die Art dieser Wirklichkeit zusammenzutragen: man müßte
den Begriff nicht als Mosaik von Informationen, sondern mit derselben
Dichte und Intensität der Wirklichkeit erfahren wie er sie für Rilke hatte.
Die Emphase weist hier also in den Bedeutungsbereich des Eigenen. Der
Tropus der Emphase erscheint demnach wie die andern Tropen in allen
vier Bedeutungsbereichen.

Es gibt außer den besprochenen Prozessen der Verzerrung noch eine
ganze Reihe anderer, die hier jedoch nicht besprochen werden sollen. Sie
können, soweit ich sehe, alle als Mischformen der besprochenen verstanden
werden: so ist zum Beispiel die Litotes eine Verbindung von Emphase und
Ironie. Über die Metapher als Verbindung von Metonymie und Vergleich
oder Allegorie wird unten zu sprechen sein.

14 Die bisher besprochenen sprachlichen Prozesse beziehen sich alle auf
eine gemeinte Wirklichkeit in ihrer ganzen Vielschichtigkeit und allseitigen
Potentialität. Wenn sie, wie Metonymie und Synekdoche, das Gemeinte
erweitern oder verengern, so geschieht das mit dem Gemeinten als Gan-
zem, als einer Totalität von Möglichkeiten. Wenn sie, wie die vier in Abschnitt 13 besprochenen Tropen, nur einen Teil des Gemeinten verzerren,
so bleibt der Rest des Ganzen unangetastet und immer als Totalität gemeint. Für diese volle Potenz-Wirklichkeit, auf die sich die besprochenen
sprachlichen Prozesse beziehen, möchte ich den Begriff der Substanz vor-
schlagen – nicht im Sinne eines Gegensatz- oder Trägerverhältnisses zu
Akzidenzen, sondern im Sinne des im Äußeren gegebenen substantiellen
Seins aller Akzidenzen, Funktionen, Bedeutungen im Zustande der Möglichkeit, die sich im Bewußtsein als Möglichkeit, Potenz reproduziert.[117]

Die besprochenen sprachlichen Prozesse, die alle auf diese Substanzwirklichkeit bezogen sind, sind durchweg Verzerrungsprozesse: entweder
wird das Gemeinte als Ganzes verengt oder erweitert, oder wird einer seiner Teile verzerrt. Diese Verzerrung hat nun mehrere Aspekte.

---

[117] Dieser Form der Wirklichkeit werden in den folgenden Abschnitten drei weitere Wirklichkeitsformen oder -schichten hinzuzufügen sein. Sie wurde in Satz
[2] als Wirkliches beschrieben, „das wirkt, bevor es als etwas Bestimmtes aufgefaßt ist" (Abschnitt 3). Die Satire und die sprachlichen Verzerrungsprozesse
richten sich also gegen dieselbe Wirklichkeitsschicht; die sprachlichen Verzerrungsprozesse sind somit der Satire spezifisch.

Zunächst verwandelt sie das Wirkliche, das sich dem Bewußtsein des Sprechenden als chaotischer Möglichkeitskomplex aufdrängt und es aufzuheben droht; es wird durch Erweiterung und Verengung geschwächt oder intensiviert, oder es wird durch Teilverzerrung in einen Zustand innerer Differenzierung versetzt: der dem Verzerrungsprozeß unterworfene Teil wird geschwächt oder intensiviert, während die übrigen Teile des gemeinten Wirklichen im Zustand normal-indifferenter Potentialität bleiben. Die verzerrenden Handlungen des Bewußtseins sind bereits als Handlungen gegenüber der Substanzwirklichkeit wichtig, denn sie versetzen das Bewußtsein, das von dem chaotischen Möglichkeitskomplex der Substanz mitgerissen und aufgehoben zu werden droht, wieder in den Zustand der Selbstbeherrschung, sie heben das Entsetzen vor der drohenden, den Enthusiasmus angesichts der faszinierend-erhabenen Wirklichkeit auf und befreien das Bewußtsein. Dies ist die stärkste, sozusagen notwendige Motivation der Verzerrungsprozesse, ob sie nun in Sprache, Gestus oder Handlung sich ausdrücken. Die Verzerrungsprozesse sind also nicht nur der Substanzwirklichkeit spezifisch, sondern sie sind in den Fällen, wo die Substanzwirklichkeit die Bedeutung des Unbekannten trägt, absolut notwendig, es sei denn, das Bewußtsein wolle sich aufgeben wie im Erlebnis mystischer Verzückung oder panischer Angst. – Je näher jedoch die Substanzwirklichkeit der Bedeutung des Eigenen rückt, desto freier wird das Bewußtsein ihr gegenüber, bis schließlich die Verzerrungsprozesse als Tropen mit rein ornamentaler Funktion in der Rhetorik und Poetik verwandt werden können.

Wenn der verwandelnde Akt des Bewußtseins die rein potentiale Struktur der Substanzwirklichkeit ansatzweise verändert und sich dadurch selbst in Freiheit von dem versetzt, was sich als eventuell bedrohliche Potenz im Bewußtsein unbeherrschbar manifestiert, so entsteht das, was man als „Distanz von der Wirklichkeit" bezeichnet. Da, wo es dem Bewußtsein nicht möglich ist, sich dem Schönen, das nur des Schrecklichen Anfang ist, hinzugeben, sich in seinen Rhythmus einzuschwingen und selbstlos darin zu leben, da muß es sich davon distanzieren, auch wenn es nicht im vernichtenden Sinne gefährdet und bedroht wird. Auch die hymnische, enthusiastische Sprache ist Distanzierung; schon durch das Du der Anrede, durch das benennende Wort, das ja nur in den seltensten Fällen das gemeinte Wirkliche exakt trifft, wird Abstand zwischen das Wirkliche und den Sprecher gelegt. Goethes „Ganymed", die Rede eines, der sich dem schönen Faszinierenden immer intensiver hingibt, zeigt in den Benennungen der Angeredeten einen entscheidenden Schritt: zunächst wird der Frühling angeredet, am Ende der Vater; bezüglich beider steht „an deinem Busen" – die Personifikation des Frühlings zum Geliebten, an dessen Busen Ganymed liegt, ist sprachlich weit gewaltsamer und energischer als die gewohnte Personifikation des alliebenden Vaters, an dessen Busen Ganymed aufwärts-strebend getragen wird. Daß zwischen Ganymed und Frühling größere Distanz besteht als zwischen Ganymed und Vater, wird daraus klar, daß Ganymeds Wunsch, den geliebten Frühling in den Arm zu fassen, unbefriedigt bleibt, während er am Ende „umfangend umfangen" nach oben entschwebt. Die größere sprachlich-gedankliche Energie dient also dazu, die größere Distanz zu überwinden (wie im umgekehrten Fall größere sprachlich-gedankliche Verzerrungsenergie aufgebracht werden muß, um größere Distanz zu schaffen). Aber das Ende des Gedichtes zeigt, daß die Distanz Ganymeds von dem Faszinierend-Schönen zwar geringer geworden, aber noch nicht aufgehoben ist. Die zwei Partizipia „umfangend um-fangen", so intensiv sie die Vereinigung bedeuten, weisen doch auf die Handlung zweier Individuen zurück und legen deshalb noch eine letzte Schranke vor die tatsächliche Einheit; ebenso bedeutet das Wort „Vater" zwar eine innige Verwandtschaft, aber nicht die Identität, die ja dem mystischen Erlebnis eignet, das Ganymed anstrebt. Diese mystische Identi-tät ist jenseits der Sprache, weil in ihr das Bewußtsein sich aufgegeben hat – das ist aus den Berichten der Mystiker über ihre Erfahrung bekannt. Was sich nun hier noch gezeigt hat, ist die Fähigkeit des Bewußtseins, durch Aufwendung sprachlich-gedanklicher Energie, die ein bestehendes Wirk-liches verzerrt und verformt, Distanz zu schaffen oder zu überwinden; und zwar wächst die geschaffene oder überwundene Distanz proportional zur aufgewandten Verzerrungs-Energie. Distanz wird nicht nur durch die Ironie geschaffen, sondern durch alle bisher besprochenen sprachlichen Prozesse, die alle auf die Substanzwirklichkeit bezogen sind.

Zwei Aspekte der Verzerrung sind nun beleuchtet: die Wirkung auf das gemeinte Wirkliche und die Wirkung auf das verzerrende Bewußtsein. Dem letzteren muß noch hinzugefügt werden, daß durch alle besprochenen sprachlichen Prozesse der ursprünglich durchweg bedeutungsindifferenten Wirklichkeit in der Verzerrung eine bestimmte Bedeutung gegeben wird, die einem der immer wieder erwähnten Bedeutungsbereiche zugehört. Un-terschiede in den Verzerrungsprozessen bestehen hinsichtlich der Fähigkeit des Tropus, bestimmte Bedeutung ohne Beihilfe des Kontextes zu registrie-ren: am meisten auf den Kontext angewiesen ist die Benennung, am wenig-sten sind es die vier teilverzerrenden Tropen. Diese enthalten, genauer be-trachtet, in ihrer Struktur schon eine generelle Bedeutungsrichtung – das Groteske ein Unmögliches (Unbekanntes), die Ironie ein Falsches (Bekann-tes), die Hyperbel ein Übermäßiges (Befreundetes), die Emphase ein über-normal Intensives (Eigenes). Diese generelle, in der Struktur angelegte Be-deutungsrichtung wird in der Anwendung des Tropus dann mit einem speziellen Bedeutungsaspekt gekoppelt, wie wir es an den Beispielen ge-sehen haben.

Der dritte Aspekt der Verzerrung ist ihre Wirkung auf den Leser oder Hörer des Wortes oder Sprachzusammenhangs, in dem die Verzerrung eines gemeinten Wirklichen registriert ist.

Hier ist nun eine drastische Einschränkung auf das notwendig, was unmittelbar zur Satire und ihrer Sprache gehört. Jeder der Verzerrungsprozesse kann nämlich dem Leser gegenüber in ganz verschiedenen Graden der Ernst- und Spielbedeutung erscheinen, die auf die Wirkung der Spracherscheinung entscheidenden Einfluß haben. Was damit gemeint ist, möchte ich an dem einen Beispiel der Ironie andeuten.

Völlig unauflöslich, absolut notwendig und sozusagen die substantiale Erscheinung der Ironie ist zum Beispiel die Maske des Dionysos, die bei den Kultfesten an einem Baum oder Pfahl aufgehängt wurde.[118] Der Gott hat keine so feste vorgestellte Gestalt wie Apollon oder Athena, sondern seine vielen Verkörperungen und Verwandlungen sind Masken vor einem gestaltlosen Eigentlichen. Die Maske ist demnach als Irreführung bewußt, aber nur durch sie ist die Anwesenheit des Gottes möglich. Die Ironie ist demnach notwendig und unauflöslich. – Es gibt zweitens Fälle, in denen die Ironie durch die Situation geboten, aber an sich nicht notwendig ist. Sie dient in solchen Situationen als Mittel, direkte Aussage zu vermeiden, weil sie gefährlich, unnütz, unschicklich oder unschön ist. Manche satirische Ironie ist entstanden, weil es dem Satiriker wegen äußeren Druckes unmöglich war, die Wahrheit direkt herauszusagen. Die anglo-amerikanische Satirentheorie scheint die Tendenz zu haben, diesen Klugheitsfaktor als einziges Motiv hinter dem Erscheinen verzerrender Sprachprozesse in der

---

[118] Vgl. Bieber, Art. „Maske" in RE XIV 2, 2070–2120; 2072: die Masken „bilden das wichtigste und charakteristischste Kultgerät des Gottes" [Dionysos]. Vgl. ebd. 2112. – Die Maske des Dionysos ist keine sprachliche Erscheinung, aber sie scheint mir eines der deutlichsten Beispiele für notwendige Ironie. Von da aus wird aber auch die sprachliche Seite des Dionysoskults, besonders auch Tragödie, Komödie, Satyrspiel in das Licht notwendiger unauflöslicher Ironie gestellt. Genau das drückt Hölderlins Theorie der Tragödie aus, wie sie im „Allgemeinen Grund" zum ‚Empedokles' formuliert ist: „Aber wie dieses Bild der Innigkeit überall seinen lezten Grund in eben dem Grade mehr verläugnet und verläugnen muß, wie es überall mehr dem Symbol sich nähern muß, je unendlicher, je unaussprechlicher, je näher dem *nefas* die Innigkeit ist, je strenger und kälter das Bild den Menschen und sein empfundenes Element unterscheiden muß, um die Empfindung in ihrer Gränze vestzuhalten, um so weniger kann das Bild die Empfindung unmittelbar aussprechen, es muß sie so wohl der Form als dem Stoffe nach verläugnen, der Stoff muß ein kühneres fremderes Gleichniß und Beispiel von ihr seyn, die Form muß mehr den Karakter der Entgegensezung und Trennung tragen." (StA 4, 150,20–30; vgl. „Die Bedeutung der Tragödien", ebd. 274.)

Satire zu sehen.[119] Betrachtet man etwa Voltaires ironische Satire, so wird man vieles finden, was tatsächlich unter diesem Gesichtspunkt entstanden ist, denn der Dichter mußte sich ständig vor Verfolgung schützen. Aber zum Beispiel seinen „Candide", diese herrlich ironische und groteske Satire auf die beste aller möglichen Welten, kann man nicht unter diesem Gesichtspunkt verstehen; hier geht es nicht um einen äußeren Druck, der die Ironie und Groteske ratsam machte:

Es ist ein dritter Bedeutungsaspekt der Ironie, der hier ins Spiel kommt und auf den sich die bisherigen Untersuchungen fast ausschließlich beschränkt haben, nämlich die Form der Ironie, die den Hörer oder Leser auffordert, durch Auflösung des Falschen, Berichtigung des Irreführenden, kurz: durch Rückübersetzung sich eine eigene Auffassung des Gemeinten zu erwerben. Es ist die Form der Ironie, von der Jankélévitch sagt: „Die Wahrheit, zu der das Ironisierte ... endlich zurückkehrt, ist eine durch die Gefahr des Mißverständnisses, die Bedrohungen des Irrtums und das Spiel des Gegenteils mit seinem Gegenteil gestählte Wahrheit."[120] Nach zwei Richtungen muß dieser Satz jedoch erweitert werden: es hat sich bei der Diskussion des Tropus im vorhergehenden Abschnitt gezeigt, daß nicht nur Wahrheit (der Bedeutungsbereich des Bekannten), sondern alle Bedeutungsbereiche durch den Sprachprozeß der Ironie erfaßt werden können. Zweitens kann man über die eigentlichen Vorgänge und Wirkungen besser Auskunft gewinnen, wenn man beachtet, daß der vollständige Sprachprozeß dieser Form der Ironie auf zwei Personen verteilt ist, nämlich den „Hinübersetzer" und den „Rückübersetzer". Der Autor als Hinübersetzer der Ironie ist hier nicht wie bei der notwendigen oder klugen Ironie von außen her mehr oder weniger zur irreführenden Aussage gezwungen, sondern zur direkten Aussage frei – Voltaire hätte seine Kritik am Aufklärungsglauben in der Tradition Leibniz' auch ohne Gefahr direkt äußern können. Die irreführende Aussage ist hier vielmehr frei gewählt und mit dem mehr oder weniger feinen Signal zur Rückübersetzung verbunden.

---

[119] Johnson, A Treasury 9: Satire "is criticism getting around or overcoming an obstacle. Let me call this obstacle the Censor." – Elliott, Power of Satire 264: "Irony, innuendo, burlesque, parody, allegory – all the devices of indirection ... help make palatable an originally unacceptable impulse. It is a nice complication, however, that the devices which make satire acceptable to polite society at the same time sharpen its point. 'Abuse is not so dangerous,' said Dr. Johnson, 'when there is no vehicle of wit or delicacy, no subtle conveyance.' The conveyances are born out of prohibition." – Elliott zitiert mit ähnlichen Gedanken Shaftesbury und Kenneth Burke (ebd. 264f.).

[120] Jankélévitch, L'ironie 67: «La vérité à laquelle l'ironisé ... retourne finalement est une vérité trempée par le péril du malentendu, par les menaces d'erreur et par le jeu du contraire avec son contraire.»

Der Hörer oder Leser der notwendigen oder klugen Ironie ist zwar auch in der Lage, die Irreführung zu durchschauen; die notwendige Ironie kann er ebensowenig auflösen wie der Autor sie vermeiden konnte; die kluge Ironie kann er verstehen, wenn er der Gruppe der Auserwählten angehört, für deren Verständnis die Ironie erdacht ist, aber die Ironie wird ihm wie dem Autor eine vielleicht geschickt und witzig gewählte, doch im ganzen informativ gebrauchte Chiffre bedeuten. Erst da, wo der Hörer oder Leser merkt, daß der Autor ohne Zwang nicht den direkten Ausdruck gebraucht, sondern einen falschen, ist ihm die Irreführung nicht mehr als Notmaßnahme verständlich und fordert ihn zur Korrektur auf. Er folgt also den Rückübersetzungssignalen des Autors, macht sich selbst auf die Suche nach dem Gemeinten in seiner Eigentlichkeit und muß dieses in sich selbst, aus seiner eigenen Sicht der Dinge gewinnen. Für den Autor ergibt sich daraus die Gefahr, daß sein Leser oder Hörer bei der Rückübersetzung etwas anderes findet als gemeint war, und er muß versuchen, in seinen Signalen zur Rückübersetzung[121] den rechten Weg anzudeuten. Für den Leser ergibt sich daraus aber, daß er das eigentlich Richtige selbst findet, ohne daß es ihm fertig geboten wird. Er erlebt in der tragischen Ironie das Göttliche in sich, er erkämpft sich die Wahrheit gegen das Falsche der Formulierung, er stellt die richtige Bewertung der Dinge gegen eine närrische oder verwerfliche, er wird sich seines schöpferischen Mitwirkens an einer Sache bewußt, der er passiv gegenüberzustehen meinte.[122] Im Leser oder Hörer wird also nur in einer ersten Vorphase das Wort des Autors wirklich; es zerstört sich durch die Rückübersetzungssignale in seiner Wirklichkeit selbst und wird dann ersetzt durch die Wirklichkeit, die der Leser oder Hörer durch eigene Verifikation oder aus dem Gedächtnis als richtig und eigentlich feststellt. Dabei wird die ganze Energie, die der Autor in die Verzerrung investiert hat, in der Bedeutungsintensität des Richtigen und Eigentlichen wieder frei: je irreführender die Ironie war, als desto gewichtigere, bedeutsamere Erkenntnis oder Erfahrung erscheint dem Leser oder Hörer der Fund, den er bei der Richtigstellung gemacht hat. Die Ironie in dieser Bedeutung ist deshalb ein erzieherisches Mittel höchsten Ranges.

Eine vierte Form der Ironie ist die spielerische. Sie beruht wie die erzieherische auf einer freien Verzerrung des Autors, aber was er verzerrt, ist nicht wie dort ein aktuell vorkommendes Wirkliches, sondern eine sub-

---

121 Diese Signale bestehen meist aus Übertreibungen, Inkonsequenzen und anderen Verzerrungen der Ironie selbst, die dem Leser andeuten, daß der Autor gar nicht meint, was er sagt. «Il n'y a pas … d'ironie systématique» (Jankélévitch, L'ironie 189). – Vgl. Satz [9].

122 Für diese Bedeutungsrichtungen der Ironie vgl. die Beispiele in Abschnitt 13 unter „Ironie".

stantial strukturierte Spielwirklichkeit ohne Relation zur aktuellen. Die Ironie in dieser Spielwirklichkeit verweist also den das Eigentliche suchenden Leser immer nur wieder auf die Spielwirklichkeit und hat damit ornamental-erheiternden Charakter. Wo die Spielwirklichkeit sich als durchweg ironisch, d. h. durchsetzt von Rückübersetzungssignalen, erweist und immer mehr Ironien nur auf andere Ironien als das einzige auffindbare „Eigentliche" rückübersetzbar sind, da erst entsteht jene totale Ironie, in der alle Positionen aufgehoben,[123] die Welt eitel[124] und die Wirklichkeit negiert scheinen.[125] Es scheint nur so, denn die Wirklichkeit etwa des „Erwählten" von Thomas Mann ist ja von vornherein eine Spielwirklichkeit, die durch die totale Ironie nur ihren Spielcharakter beweisen, nicht aber den Leser von der Eitelkeit der tatsächlichen Welt überzeugen will. Man nimmt die spielerische Ironie zu ernst und faßt sie falsch auf, wenn man ihr diese Relativierung jeglichen Maßstabs und Verständnisses zumißt. Sie ist nichts anderes als die kontinuierliche Selbstbestätigung des wirkenden Dichters und des mitwirkenden Lesers.

Was hier am Beispiel der Ironie erläutert wurde, könnte in ähnlicher Weise für alle besprochenen Verzerrungsprozesse gezeigt werden; alle erscheinen in den Formen des Notwendigen, Klugen, Erzieherischen und Spielerischen.

Wir haben verschiedene Schichten der sprachlichen Verzerrungsprozesse abgehoben und einzeln beleuchtet. Hier soll nun in einigen Sätzen das Wichtigste zusammengefaßt und mit der Satire in Verbindung gebracht werden, denn nun ergibt sich, daß wir es in der ganzen bisherigen Sprachuntersuchung mit den Sprachprozessen zu tun hatten, die der Satire spezifisch sind, wenn sie auch noch einer Reihe anderer Schreibarten dienen können.

Die sprachlichen Verzerrungsprozesse richten sich auf die substantiale

---

[123] Arntzen, Satire im 20. Jahrhundert 238.   [124] Jankélévitch, L'ironie 167.
[125] Arntzen, Satirischer Stil 32. Die erzieherische und die spielerische Form der Ironie werden in einem Gespräche mit Hans Castorps mit Settembrini in Thomas Manns ‚Zauberberg' gegenübergestellt: „Ach ja, die Ironie! Hüten Sie sich vor der hier gedeihenden Ironie, Ingenieur! Hüten Sie sich überhaupt vor dieser geistigen Haltung! Wo sie nicht ein gerades und klassisches Mittel der Redekunst ist, dem gesunden Sinn keinen Augenblick mißverständlich, da wird sie zur Liederlichkeit, zum Hindernis der Zivilisation, zur unsauberen Liebelei mit dem Stillstand, dem Ungeist, dem Laster." [Castorp etwas später:] „Aber eine Ironie, die ‚keinen Augenblick mißverständlich' ist, — was wäre denn das für eine Ironie, frage ich in Gottes Namen, wenn ich schon mitreden soll? Eine Trockenheit und Schulmeisterei wäre sie!" (Thomas Mann, Gesammelte Werke in 12 Bänden, Bd. 3 ‚Der Zauberberg'. – [Frankfurt 1960]; 309.)

Schicht der Wirklichkeit. Nach Satz [2] ist das auch die Wirklichkeitsschicht, mit der sich die Satire auseinandersetzt.[126] Wie sich zeigen wird, ist die Satire nicht die einzige Schreibart, die auf die Substanzwirklichkeit bezogen ist; die sprachlichen Verzerrungsprozesse sind deshalb, alle ihre Verwendungen zusammengenommen, nicht nur der Satire spezifisch. Sie sind primär der besonderen substantialen Wirklichkeitsform zugeordnet und stellen die sprachlichen Verfahren dar, mit dieser Wirklichkeitsform umzugehen; werden sie einer anderen Wirklichkeitsform oder -schicht gegenüber verwandt, so wird diese betrachtet und behandelt, als wäre sie substantiale Wirklichkeit. Das wird im folgenden sehr wichtig werden. Die substantiale Wirklichkeit ist dadurch gekennzeichnet, daß sie als allseitig gerichtete totale Potenz sich im Bewußtsein manifestiert, also beim Bewußtwerden zunächst und primär unbekannt ist und wie alles Unbekannte eine bedrohlich widerliche und eine faszinierend schöne Seite haben kann. Alle sprachlichen Verzerrungsprozesse können auf diese beiden Seiten gerichtet sein; die Satire jedoch hat es immer mit der bedrohlichen Seite der Wirklichkeit zu tun (Satz [4]); sie benützt deshalb die Verzerrungsformen fast ausschließlich unter negativem Aspekt. Unter diesem Aspekt bewirken die Verzerrungsprozesse einen Angriff auf das Wirkliche, der dieses schwächt, verzerrt und verwandelt, ihm Bedeutungsrichtungen aufprägt und ihm die reine bedrohliche Potentialität dadurch nimmt. Das verzerrende Bewußtsein schafft sich eine Distanz und beherrschende Stellung über die Substanzwirklichkeit, die es in seiner Existenz bedrohte.[127]

Dem Leser können die Verzerrungsprozesse – wie übrigens jede sprachliche Handlung – auf verschiedenen Stufen der Ernst- und Spielbedeutung erscheinen: als notwendig, klug, erzieherisch und spielerisch. Das Objekt der Satire fordert zur Rückübersetzung in die gemeinte Wirklichkeit auf (Satz [8]); das trifft nun auch auf die erzieherische Form der Verzerrungsprozesse zu. Man kann also zusammenfassen:

Der Satire spezifisch sind die sprachlichen Verzerrungsprozesse (Metonymie, Synekdoche, Groteske, Ironie, Hyperbel, Emphase und ihre Kombinationen) unter negativem Aspekt und in erzieherischer Form. [14]

---

126 Der Vergleich wird in Anm. 117 schon gezogen.

127 Unter dem faszinierend-schönen Aspekt bewirken die Verzerrungsformen ebenfalls eine Schwächung des ursprünglichen bestürzenden Erlebnisses; für das Bewußtsein bedeuten sie eine Befreiung von der bedrängenden Begeisterung; im Leser oder Hörer werden die Verzerrungsenergien frei und erwecken in ihm einen Teil der Begeisterung des Autors. Wo eine schwächere Wirklichkeit aufgespannt werden soll durch die Handlung des Bewußtseins, wirken die Verzerrungsformen intensivierend; das gilt für die bedrohliche so wie für die faszinierende Seite.

Es zeigt sich also, daß die ausführliche Diskussion der Verzerrungsprozesse potentiell immer mit der Satire beschäftigt war, wenn auch diese Prozesse in anderen Schreibarten konstitutiv wirken können. Es zeigt sich ferner, daß die Untersuchung des satirischen Objekts mit den Bestimmungen der Repräsentanz [7], der Rückübersetzung [8], des inkonsequenten Charakters der Darstellung (Rückübersetzungssignale) [9] genau mit den Bestimmungen übereinkommt, die wir für die der Satire spezifischen Sprachprozesse herausgearbeitet haben: die Struktur des inhaltlichen Objekts stimmt also mit seiner sprachlich-formalen Erfassung zusammen.

Die Aufgabe und Wirkung der sprachlichen Verzerrungsprozesse in der Satire ist dreifach: die bedrohliche Wirklichkeit wird geschwächt durch Verzerrung und verwandelt durch die Erfüllung mit Bedeutung; das Bewußtsein des Sprechers befreit sich von der Bedrohung seiner Existenz; der Leser oder Hörer wird durch die Forderung der Rückübersetzung veranlaßt, in sich die gemeinte bedrohliche Wirklichkeit mit der bestimmten vom Autor gegebenen Bedeutung intensiv zu verwirklichen und ebenfalls zu bekämpfen. [15]

Diese dritte Wirkung soll unter dem Aspekt der Satire noch kurz beleuchtet werden: durch die Verzerrungsprozesse fordert der Satiriker den Leser auf, die Gefährlichkeit oder schlimme Wahrheit oder Verwerflichkeit oder Widersprüchlichkeit des gemeinten Wirklichen mit der Energie in sich zu verwirklichen, die bei ihm die Verzerrung hervorgebracht hat. In den Verzerrungsprozessen sind also die beiden Funktionen der Satire, die sich in den Werkanalysen der Kapitel I–III gezeigt haben, nämlich die Darstellungs- und die Erziehungsfunktion, schon enthalten. Die Erziehungsfunktion kann je nach der Situation des Satirikers noch ausgedehnt werden durch positive Lehre; in der ungelenkten Satire bleibt sie auf die erzieherische Leistung der satirischen Verzerrungsprozesse beschränkt (vgl. Abschnitt 6 und Sätze [10] und [11]).

15   Nun sollen andere sprachliche Prozesse und mit ihnen andere Schichten der Wirklichkeit besprochen werden. Kürze ist dabei in diesem Zusammenhang geboten, da diese sprachlichen Prozesse nicht in reiner Form, sondern nur im Zustand der Überformung durch die Verzerrungsprozesse der Satire spezifisch werden. Die Besprechung konzentriert sich deshalb auf je einen einzigen Prozeß, an dem sowohl der sprachliche Vorgang wie die Wirklichkeitsform sichtbar wird.

Der erste sprachliche Vorgang, den wir nach den Verzerrungsprozessen betrachten, ist der Vergleich. In dem Satz „Heinrich ist so stark wie ein Löwe" vollzieht sich wieder ein bestimmter Prozeß, der ein gemeintes

Wirkliches unter einem bestimmten Gesichtspunkt behandelt. Das Gemeinte ist Heinrich, und die Nennung seines Namens eröffnet dieses Gemeinte zunächst als allseitige Möglichkeit (vgl. Abschnitt 9). Schon die attributive Formulierung „Heinrich ist stark" verwandelt diese allseitige Möglichkeit in der Weise, daß sie nur noch mit einer ihrer Schichten in Betracht kommt: *der* Schicht dieser Totalität, die mit anderen Wirklichkeiten (hinsichtlich der Stärke) vergleichbar ist. Es handelt sich hier nicht um Verzerrung einer gemeinten Wirklichkeit im ganzen oder in einem Teil, sondern um eine Elimination aller Schichten des Gemeinten außer der vergleichbaren aus der Wirklichkeit. Die anderen Schichten sind zwar noch potentiell in dem genannten Heinrich vorhanden, aber die vergleichbare Schicht ist verwirklicht und drängt damit die andern Schichten in den Hintergrund.

Die Trennung zwischen den potentiell belassenen Schichten und der verwirklichten Schicht kommt dadurch zustande, daß Heinrich unter dem Gesichtspunkt eines So-Seins in Betracht kommt, das mit dem So-Sein anderer vergleichbar und in eine Reihe zu stellen ist. Heinrich wird hier also nur so weit verwirklicht, als er der Reihe der Starken einzugliedern ist, als er demnach von einer übergreifenden Wirklichkeit bestimmt wird.

Dieses Verhältnis darf nicht verwechselt werden mit dem substantialen Teilhabe- und Repräsentanzverhältnis etwa in der Synekdoche *(totum pro parte)*, wo auch das Gemeinte in bezug zu einem Größeren gesetzt wird. Wird statt Hund „Tier" gesagt, so besteht kein Zweifel, daß der Hund ein Tier ist und daß seine ganze potentielle Wirklichkeit in dem umfassenderen Begriffe aufgehoben ist. Wird Heinrich „stark" genannt, so ist ganz deutlich, daß er nicht mit der Stärke identifiziert werden darf, daß die Stärke ihn nicht als ganze Wirklichkeit in sich aufhebt wie „Tier" den „Hund". Die Stärke erscheint vielmehr *an* Heinrich und andern. Ferner ist ein „Tier" anschaulich, die „Stärke" nur vorstellbar – man wird einen Satz wie „vor ihm stand ein Tier" durchaus als richtig empfinden, während man „Stärke" in ähnlichem Kontext nicht akzeptieren könnte. Die einzige Möglichkeit der Veranschaulichung eines Vorstellungsbegriffs ist fiktiv, nämlich im Ideal: Gott wird als die Kraft, die Güte, die Herrlichkeit vorgestellt.

Der Vorstellungsbegriff der Stärke indiziert die Reihe der Dinge, die unter dem *tertium comparationis* „stark" vergleichbar sind. Heinrich wird in unserem Satze in diese Reihe eingeordnet; diese Einordnung ist eine Verwirklichung deshalb, weil die Reihe als unabhängig von ihren Gliedern vorgestellt wird: nicht die Anschauung Heinrichs und seiner Stärke konstituiert den Vorstellungsbegriff „Stärke" und die Reihe der Starken, sondern Heinrich ist nur deshalb stark, weil es die Stärke gibt: Heinrichs So-Sein wird bezüglich der Stärke wirklich, sofern es der Stärke zugeordnet werden kann.[128] Umgekehrt jedoch wird die Vorstellungsreihe der Stärke an einem bestimmten Punkte für den Hörer oder Leser durch Heinrichs bestimmte Stärke präzisiert und anschaulich ausgefüllt. Wir finden also ein polar-chiastisches Verhältnis zwischen dem „gegenwärtig" gemeinten Heinrich und der „seit jeher" bestehenden Vorstellungsreihe der Stärke:

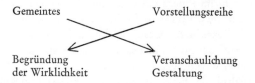

Gemeintes   Vorstellungsreihe

Begründung   Veranschaulichung
der Wirklichkeit   Gestaltung

Die Neigung der Pfeile deutet an, in welcher Richtung die bestimmende Wirkung verläuft: so ist die Vorstellungsreihe bestimmend für das Gemeinte, was dessen Wirklichkeit betrifft, während das Gemeinte bestimmend ist für die Vorstellungsreihe, was deren Anschauungsgehalt betrifft.

Die Vorstellungsreihe ist in sich auf zweierlei Weise gegliedert: graduell und nach Bedeutungsrichtungen. Stärke ist wie alle andern Vorstellungsbegriffe in sich steigerbar,[129] und die Stärke Heinrichs wird einem bestimmten Punkte der Skala zugeordnet. Das geht deutlich aus dem vollständigen Vergleiche „Heinrich ist so stark wie ein Löwe" hervor: die Stärke Heinrichs wird an der gleichen Stelle der Skala eingeordnet, an der schon die Stärke des Löwen steht. Hier wird noch einmal deutlich, daß die Vorstellungsreihe dem einzelnen Vorzustellenden voraus liegt, sogar in bezug auf einzelne Inhaltstellen, die als „allgemein bekannt" gelten. Da der Löwe im Vergleich nicht in gleicher Weise gemeint ist wie Heinrich, ist er nicht vorhanden, sondern nur vorgestellt als Wirkliches. Die Anschauung seiner Stärke wird jedoch als allgemein reproduzierbar und bekannt vorausgesetzt; deshalb kann sie als Leitanschauung für die Einordnung von Heinrichs Stärke dienen. Die graduelle Anordnung der Reihe erlaubt es, durch verschiedene sprachliche Prozesse (stärker, nicht so stark wie, am stärksten), ein Gemeintes bezüglich seines So-Seins genau zu definieren. So wie die spezifische Grundbedeutung der Verzerrungsprozesse das Unbekannte ist, so ist das Bekannte die spezifische Grundbedeutung der Vergleichsprozesse: so wie dort die Potenz in ihrer Totalität wirkte, so wird hier das Vergleichbare aus der bloßen Potentialität herausgehoben und verwirklicht; nur das So-Sein des Gemeinten kommt in Betracht, seine

---

[128] Platons Ideenlehre und der scholastische Realismus sind Ausdruck dieses sprachlich-gedanklichen Sachverhalts. Der scholastische Nominalismus greift dagegen auf die substantiale Totalität des einzelnen Wirklichen zurück, ebenso wie einzelne Sophisten.

[129] Platons Idee ist deshalb durch einen Steigerungsprozeß wenigstens anzunähern.

übrigen Möglichkeiten werden verdeckt und bleiben als unbekannte Substanz, die jederzeit gefährlich in Potenz ausbrechen kann und zugleich faszinierend zur Zerstörung des bekannten und erhellten So-Seins verlockt, unter der definierten Außenseite bestehen – dasselbe polar-chiastische Begründungsverhältnis wie zwischen dem Gemeinten und der Vorstellungsreihe besteht im Innern des gemeinten Wirklichen zwischen der Substanz und dem verwirklichten Akzidens. Für diese Wirklichkeitsschicht schlage ich die Bezeichnung Gestaltwirklichkeit vor, denn Gestalt scheint mir der Inbegriff des So-Seins, des Vergleichbaren und Definierbaren an einem gemeinten Wirklichen.

Das Verhältnis des Bewußtseins zu dieser Gestaltwirklichkeit ist wiederum polar-chiastisch in zweierlei Hinsicht, einmal gegenüber dem einzuordnenden Gegenstande (im Beispiel: Heinrich), zum andern gegenüber der Vorstellungsreihe (im Beispiel: Stärke). Gegenüber dem gemeinten Gegenstande ist das Bewußtsein dasjenige, was das So-Sein von der Substanz trennt und so die besondere Wirklichkeit des Gegenstandes schafft, während das „wahre Sein" des Gegenstandes in seiner Tiefe ungestaltet und unverwirklicht bleibt. Es begründet also die Wirklichkeit des Gegenstandes. Dieser jedoch regt das Bewußtsein zu der verwirklichenden Tätigkeit überhaupt an und bestimmt durch die in ihm enthaltenen Möglichkeiten des So-Seins sowie die Intensität der jeweiligen Möglichkeiten die Gestalt dessen, was das Bewußtsein verwirklicht. Die Intensität der Möglichkeit „Stärke" zum Beispiel bestimmt nicht nur den Punkt auf der Skala der Starken, auf der Heinrich einzuordnen ist, sondern auch bis zu einem gewissen Grade die Bedeutung, die diese Stärke annimmt. In dem Vergleich „Heinrich ist so stark wie ein Löwe" trägt die Stärke den Charakter des Gefährlichen; heißt es etwa: „Heinrich ist so stark wie ein ausgewachsener Mann", so wird rein informativ die Kraft des jungen Heinrich bezeichnet und vergleichbar gemacht; die Tendenz zur Beurteilung zeigt sich etwa in einem Satze wie „er ist stark wie ein Held"; die Evokation möglicher Jugenderinnerungen ruft das Eigene auf in einem Satz wie „er ist stark wie ein großer Bruder". Die vier Bedeutungen des Unbekannten, Bekannten, Befreundeten und Eigenen werden dem Bewußtsein zum Teil durch den Gegenstand aufgetragen.[130] In dem Verhältnis zwischen Bewußtsein

---

[130] Genaue Erfassung des Verhältnisses zwischen Bewußtsein und Gegenstand bezüglich der Bedeutungen ist relativ kompliziert und muß einer anders gerichteten Studie vorbehalten bleiben, da es nicht speziell mit der sprachlich-literarischen Fragestellung der vorliegenden Untersuchung zu tun hat. Grundsätzlich kann gesagt werden: am wenigsten Bestimmungsgewalt über die Bedeutung des Gegenstandes ist in der Substanzschicht und im Bereiche des Unbekannten gegeben, immer mehr in Richtung der Bedeutung des Eigenen und der (später zu besprechenden) figuralen Wirklichkeitsschicht.

und gemeintem Wirklichem bestimmt also das Bewußtsein die Wirklich-keit des Gegenstandes, der Gegenstand aber die Gestalt des Bewußtseins.

Gegenüber der Vorstellungsreihe steht das Bewußtsein ebenfalls in einem polar-chiastischen Verhältnis. Die Gestaltung des Gegenstandes ist ihm nicht möglich, wenn es nicht auf die Vorstellungsreihe zurückgreifen kann; die Handlung des Bewußtseins ist also nicht eine schöpferische, son-dern eine dienende; die Gestaltung des Gegenstandes ist ein Schauen des Vorstellungsbegriffs an dem Gegenstande, nicht ein eigenes Hervorbrin-gen. Das Bewußtsein ist also von der Vorstellungsreihe in seinem Handeln bestimmt, und Handlung ist die Wirklichkeit des Bewußtseins. Umgekehrt aber erfüllt das Bewußtsein mit seiner Schau die Vorstellungsreihe mit an-schaulichen Beispielen und gestaltet sie dadurch.

Dem Hörer oder Leser können diese Vergleichsprozesse wieder in ver-schiedener Form entgegentreten. Notwendig sind sie nur gegenüber dem Vorstellungsbegriff: so kann die Idee der Stärke nur durch höchste Steige-rung des Starken angenähert werden. Die Hauptfunktion der Vergleichs-prozesse ist, erhellend, vergleichend, ordnend der Erkenntnis zu dienen. Der tendenziöse Vergleich unterwirft den Gegenstand einer Beurteilung; der spielerische Vergleich hat eine *ornatus*-Funktion im geblümten Stil.

Man sieht aus diesem knappen Überblick über die Vergleichsprozesse und die Gestaltwirklichkeit, der sie spezifisch sind, daß diese sprachlichen Prozesse in ihrer dargestellten Reinform nicht zur kämpferischen Ausein-andersetzung mit der Wirklichkeit dienen können, wie sie in der Satire vollzogen wird. Die Vergleichsprozesse sind demnach der Satire nicht spe-zifisch. Tendenziöse Vergleiche können zum Ausdruck von Lob und Tadel benützt werden, aber beide haben nicht den vernichtenden oder wenigstens schwächenden Grundzug der Satire: Tadel ist nicht gleich Schmähung, Spott und Verlachen.

16 Da wo die Vergleichsprozesse von Verzerrungsprozessen überformt werden, dienen sie wieder der Preisung oder Schmähung. Groteske, ironi-sche, hyperbolische und emphatische Vergleiche sind Sprachmaterial von Satire und Lyrik, je nach dem sie negativ oder affirmativ gerichtet sind. Wittenwilers ,Ring' wimmelt von solchen Formen; hier ein Beispiel aus der Beschreibung Mätzlis:

> *Die hiez Mätzli Rüerenzumph.*
> *Sei was von adel lam und krumpf,*
> *Ir zen, ir händel sam ein brand,*
> *Ir mündel rot sam mersand.*
> . . . . .

Ir wängel rosenlecht sam äschen,
Ir prüstel chlein sam smirtäschen.
Die augen lauchten sam der nebel,
Der aten smacht ir als der swebel.   (‚Ring' 75–92)

Heißt es zum Beispiel von dem Mündchen, es sei rot wie Meersand, so ist
die ironische Verzerrung des Vergleichs deutlich sichtbar. Irreführend gewählt ist die Vorstellungsreihe „rot", während der Beispielgegenstand
„Meersand" mit seiner meist graugelben Farbe wohl das Gemeinte trifft.
Rot ist jedoch die Farbe idealer Mündchen, und so entsteht die Diskrepanz
zwischen Ideal und gemeinter Wirklichkeit, die Wittenwiler in Mätzlis
Wirklichkeit und Bertschis Vorstellung von ihr zeigen will. – Es ist wohl
nicht notwendig, für die übrigen genannten Überformungen des Vergleichs
durch Verzerrungsprozesse Beispiele herzusetzen. Nicht nur die teilverzerrenden, sondern auch die im ganzen verzerrenden Prozesse, Metonymie
und Synekdoche, können die Vergleichsprozesse überformen; das Resultat
ist die vergleichende Metapher.[131] Heißt es zum Beispiel „Heinrich der
Löwe" oder im Zusammenhang schließlich nur noch „der Löwe", so ist
deutlich, daß das nicht bloß ein zusammengefalteter oder elliptischer Vergleich ist. Denn aus der Formulierung „Heinrich der Löwe" lassen sich
viele Vergleiche ableiten, etwa „Heinrich ist stark wie ein Löwe, mutig,
königlich wie ein Löwe, er brüllt oder kämpft wie ein Löwe". Die Definition der Metapher als eines verkürzten Vergleichs träfe nur dann zu, wenn
die Metapher sich in einen bestimmten Vergleich auflösen ließe; nun zeigt
sich aber an dem Beispiel, daß die Metapher in eine unbestimmte Zahl von
Vergleichen auflösbar ist; je mehr *tertia comparationis* auffindbar sind,
desto vielseitiger ist die Metapher. Der Prozeß der Überformung des Ver-
gleichsprozesses durch den Verzerrungsprozeß kennt verschiedene Stufen:

Heinrich ist stark wie ein Löwe   (1)
Heinrich kämpft wie ein Löwe   (2)
Heinrich der Löwe   (3)
der Löwe   (4)

Die Form (1) ist der reguläre, nicht verzerrte Vergleich. Die Form (2) hat
kein *tertium comparationis,* und deshalb ergibt sich die Möglichkeit, im Be-

---

131 Ich unterscheide die vergleichende Metapher, die sich in Vergleiche rücküber-
setzen läßt, von der funktionalen Metapher, die sich in Allegorien rücküber-
setzen läßt; zur letzteren vgl. Abschnitt 18. – Die im folgenden Beispiel mit
Heinrich dem Löwen verbundene Eigenschaft der Stärke ist nur ein Beispielfall; es ist anzunehmen, daß bei dem historischen Heinrich das Tier die Gerechtigkeit bedeuten sollte. Vgl. dazu Friedrich Ohly: „Vom geistigen Sinn
des Wortes im Mittelalter." ZfdA 89 (1958), 1–23; S. 7 und 19 sowie die in
Anm. 1 auf S. 19 verzeichnete Literatur.

reich des Kämpfens mehrere Vorstellungsreihen anzusprechen (z. B. mutig, wild). Die Form (3) öffnet die Totalität der Vorstellungsreihen, mit denen ein Löwe verbindbar ist; der Löwe, in der Form (1) nur ein Beispiel zur Veranschaulichung einer einzigen Vorstellung, wird hier zum Träger einer indefiniten Anzahl möglicher Vorstellungen: die Gestaltwirklichkeit, unter Bewahrung des Vorstellungscharakters, wird zur Potentialität und Vielseitigkeit zurückverwandelt. Durch die Kombination von Heinrich und dem Löwen bleibt jedoch die Anzahl möglicher Vorstellungen auf die Vergleichbarkeit zwischen Mensch und Tier beschränkt. Erst in Form (4) ist auch diese Beschränkung aufgehoben; alle mit dem Tier verbindbaren Vorstellungen sind potentiell in der Metapher enthalten. Darüber hinaus wird aber durch das Vordringen der Metonymie noch die Substanzwirklichkeit aktiviert: der Löwe ist in den Formen (1–3) Vergleichsbeispiel, in dem sich progressiv eine immer weitere Vorstellungsbreite versammelt; seine Substanzwirklichkeit ist zurückgedrängt. Dagegen ist Heinrich, in den Formen (1–3) als gemeintes Wirkliches genannt, zunächst potentiell auch Substanzwirklichkeit; er wird jedoch durch den folgenden Vergleichsprozeß auf seine Vorstellungswirklichkeit festgelegt; diese wird aktualisiert, während die Substanzwirklichkeit zurückgedrängt wird. Wenn der Löwe in der Metapher nun Heinrich ganz ersetzt, so ist das Gemeinte mit einem Worte angesprochen; der seither polar-chiastisch in potentielle Substanzwirklichkeit und Vorstellungswirklichkeit getrennte Ausdruck wird von einem Worte ersetzt, das nun in sich beide Wirklichkeiten vereinigt: sowohl eine potentielle Unendlichkeit von Vorstellungen wie auch die Substanzwirklichkeit des nun ja direkt angesprochenen Löwen, die jedoch in die Substanzwirklichkeit des gemeinten Heinrich rückübersetzbar ist. Diese Struktur ist es, was die Metapher so viel tiefer, sinnvoller, bedeutsamer macht als der reine Vergleich es je sein kann. Daher auch der lyrische Charakter der Metapher.

Wie bei allen betrachteten Sprachprozessen gibt es bei der Metapher die vier Bedeutungsrichtungen und die vier Formen der Wirkung auf den Leser. Vielleicht zu den letzteren eine Andeutung: Fluch und Euphemismus sind notwendige Formen der Metapher; die kluge Metapher tritt häufig auf, wo sich eine Privat- oder Gruppensprache bildet. Die erzieherische Metapher fordert zur Rückübersetzung auf, da sie im Hörer den Eindruck der Freiwilligkeit erzeugt. Das bedeutet im Fall unseres Beispiels „der Löwe", daß der Leser oder Hörer die in dem Löwen durch den oben beschriebenen „Hinübersetzungsvorgang" aktivierte indefinite Vorstellungspotentialität und Substanzwirklichkeit wieder auf Heinrich zurücküberträgt und nun in Heinrich nicht nur den löwenhaften Menschen erschaut, sondern auch den Löwen selbst erspürt. Diese erzieherische Form der Metapher ist lyrisch preisend, wenn sie positiv gewandt ist („der Löwe" ist positiv); sie ist satirisch schmähend, wenn sie negativ gewandt ist. Kombinationsformen mit Groteske, Ironie, Hyperbel und Emphase sind auch hier wieder möglich und bilden ein unerschöpfliches Waffenarsenal für den Satiriker. – Die spielerische Metapher endlich macht die Sprache als solche bewußt und dient oft ornamental-harmonischen Zwecken.

Es zeigt sich also, daß die Vergleichsprozesse in ihrer reinen Form nicht spezifische Sprachformen der Satire (und übrigens auch nicht des Lyrischen) sind, daß sie aber durch Überformung mit Verzerrungsprozessen zu solchen werden können. Die Wirkung dieser hybriden Sprachformen ist in gewissem Sinne noch intensiver als die der reinen Verzerrungsprozesse, sowohl im Lyrischen wie auch in der Satire, denn die gemeinte Wirklichkeit wird auf zwei Wirklichkeitsebenen angegangen, der Substanz- und der Vorstellungsschicht zugleich: der lyrische Gegenstand wird nicht nur preisend intensiviert, sondern auch vergleichend über andere emporgesteigert; der satirische Gegenstand wird nicht nur schmähend geschwächt und verwandelt, sondern zugleich kritisch herabgesetzt im Vergleich mit andern, besseren Gegenständen.

Vergleichsprozesse werden zu spezifischen Mitteln der Satire, wenn sie durch Verzerrungsprozesse überformt sind. [16]

17   Der nächste sprachliche Vorgang, der uns mit einer dritten Wirklichkeitsschicht bekannt machen soll, ist die Allegorie. Das folgende Beispiel stammt aus Daniel Casper von Lohensteins „Venus":

> *Denn lieben ist nichts mehr / als eine schifferey /*
> *Das schiff ist unser hertz / den seilen kommen bey*
> *Die sinn-verwirrungen. Das meer ist unser leben /*
> *Die liebes-wellen sind die angst / in der wir schweben /*
> *Die segel / wo hinein bläst der begierden wind /*
> *Ist der gedancken tuch. Verlangen / hoffnung sind*
> *Die ancker. Der magnet ist schönheit. Unser strudel*
> *Sind Bathseben. Der wein und überfluß die rudel.*
> *Der stern / nach welchem man die steiffen segel lenckt /*
> *Ist ein benelckter mund. Der port / wohin man denckt /*
> *Ist eine schöne frau. Die ufer sind die brüste.*
> *Die anfahrt ist ein kuß. Der zielzweck / süße lüste.*
> *Wird aber hier umwölckt / durch blinder brünste rauch /*
> *Die sonne der vernunfft / so folgt der schiffbruch auch /*
> *Der seelen untergang / und der verderb des leibes:*
> *Denn beyde tödtet uns der lustbrauch eines weibes.*[132]

---

[132] V. 95–110. In Benjamin Neukirchs Anthologie: Herrn von Hoffmannswaldau

Wie beim Vergleich werden hier je zwei Dinge aneinandergehalten, von denen das eine (Liebe) gemeint und das andere (Schiffahrt) willkürlich beigezogen ist. Beide Dinge werden analytisch ausgefaltet; jedem Unterbegriff der Liebe wird ein Unterbegriff aus der Schiffahrt zugeordnet. Der Zweck der Zuordnung ist der Beweis der Ausgangsthese, Lieben sei nichts mehr als eine Schiffahrt. Es ist deutlich, daß dieser Beweisgang nicht notwendig ist, sondern die didaktische Form der Allegorie darstellt, aber es gibt andere Allegorien, etwa die Theorie der Analogie von Mikrokosmos und Makrokosmos, die philosophisch-erkennende und gar religiös-notwendige Ernstbedeutung tragen. In unserem Beispiel werden die Zusammenhänge, Umstände und Gefahren des Liebens lehrhaft an dem analog strukturierten Bereich der Schiffahrt aufgewiesen.

Die Wahl des Bereichs der Schiffahrt kann nicht wie beim Vergleich auf ein Erschauen vergleichbarer Vorstellungen, Eigenschaften, Qualitäten zurückgeführt werden: Liebe und Schiffahrt sind nicht auf gleiche Vorstellungen zu bringen. Nimmt man einen Satz wie „Der Magnet ist Schönheit", so sind die beiden Begriffe nur so zusammenzubringen: „Die Funktion der Magnetnadel auf dem Schiffe ist, immer in die gleiche Richtung zu zeigen und so die Navigation möglich zu machen; so hat die Schönheit in der Liebe die Funktion eines unwandelbaren Richtungsanzeigers." Magnet und Schönheit sind also nicht an sich selbst verbunden, sondern nur, sofern sie im Abhängigkeitssystem der Schiffahrt beziehungsweise der Liebe gleiche Stellen einnehmen. Sie sind verbindbar nur durch ihre Funktion, ihre Relation zum jeweiligen Zentralbegriff. Dies gilt aber auch für die beiden Zentralbegriffe: der herangezogene Bereich der Schiffahrt ist mit der Liebe nur verbindbar, weil er sich analog in Funktionen aufgliedern läßt. Das *tertium comparationis*, wenn man es noch so bezeichnen möchte, ist eine Funktion und Wertigkeit hinsichtlich eines Bezugszentrums. Die Wirklichkeitsschicht, die hier aus der Handlung des Liebens herausgelöst wird, um durch die Allegorie allein in Betracht gesetzt zu werden, ist weder substantial noch qualitativ, sondern funktional gerichtet, und ich möchte sie als Funktionswirklichkeit bezeichnen.

Nimmt man in dem Beispiel die beiden analytischen Reihen für sich, so haben in beiden Reihen die Einzelbegriffe ihren Sinn, ihre Wertigkeit und Wirklichkeit nur durch ihren Bezug zu dem Begriffszentrum Liebe oder Schiffahrt; keiner der Unterbegriffe hätte sozusagen ein Recht, an dieser Stelle zu stehen ohne die so und so bestimmte Relation zum Zentrum. Die

---

und andrer Deutschen auserlesener und bißher ungedruckter Gedichte erster theil. Nach einem Druck vom Jahre 1697 mit einer kritischen Einleitung und Lesarten hrsg. von Angelo George de Capua und Ernst Alfred Philippson. – Tübingen 1961 (Neudrucke deutscher Literaturwerke N.F. 1); 293f.

Ausfaltung ist analytisch, d. h. die Unterbegriffe sind ihrer Wirklichkeit und Relation nach schon alle in dem Zentralbegriff enthalten. Zugleich aber sind sie die materiale Grundlage, auf der das Funktionensystem ruht, sie sind die tatsächlichen Gegebenheiten – Sinnverwirrungen, Begierden, Hoffnung oder Schiff, Wellen, Anker etc. –, die in den Funktionsstellen stehen. Das Verhältnis zwischen diesen materialen Gegebenheiten und dem Begriffszentrum ist nicht mehr polar-chiastisch wie in der Gestalt-wirklichkeit, sondern dual-funktional, da die Wesensarten der beiden Gegensätze einander nicht wie in der Gestaltwirklichkeit ergänzen, sondern einander widersprechen. Das zeigt sich daran, daß ein analoges Bezugs-system in unserem Beispiel über zwei völlig verschiedene Gegebenheits-komplexe gelegt wird, und daß dadurch die Allgemeingültigkeit und Gesetzhaftigkeit des Bezugssystems gegenüber den mehr oder weniger zu-fällig gewählten materialen Grundlagen evident wird. Das Gedanklich-Gesetzliche des Bezugssystems steht also dem Material-Zufälligen gegen-über, und die beiden schließen einander ihrer Natur nach aus.

Aber auch sie stehen in einem Funktionsbezug zueinander. Betrachtet man nämlich die beiden Reihen von Schiffahrt und Lieben nicht wie seit-her für sich, sondern in dem durch die Allegorie gesetzten Zusammenhang, so zeigt sich der schon vorher angedeutete Beweischarakter. Der Satz, der dem angeführten Beispiel vorausgeht, lautet so:

Ja unser lieben lehret /
Daß Acidalie dem wasser angehöret;　　　　　　　　(93f.)

In der Allegorie, die ja mit *Denn* anfängt, soll diese Behauptung, die Ver-bindung der Venus mit dem Wasser, begründet werden. Und genauer be-trachtet, ist die zitierte Allegorie nur die dritte Stufe in einem längeren Versuch, diese Verbindung nachzuweisen; die erste Stufe bespricht die These:

Gewißlich / saltz und schaum kömmt deiner eigenschafft
Und würckung ziemlich bey.　　　　　　　　　　　(71f.)

Die zweite stellt die Analogie im Auf und Ab der Wogen und in den Wandlungen des Liebesglücks fest und beginnt so:

Noch eines fällt mir bey:
Warum das saltz-glaß auch noch sonst dir ähnlich sey.　　(83f.)

Erst danach beginnt die zitierte Allegorie. Zum Beweis der Verbindung setzt Lohenstein also dreifach an und macht beim Beginn der zweiten Stufe auch ganz deutlich, daß er selbst es ist, der diese Verbindung aufweist, daß der Nachweis einer tatsächlich bestehenden Relation von ihm selbst stammt. Vorgegeben ist dem Polyhistor Lohenstein der Mythos von der

Geburt der Aphrodite aus Schaum und Meer (61–70), der ihm von allen andern Erklärungen am meisten gefällt (61f.). Er begnügt sich aber nicht mit der mythischen Schau, sondern versucht, in dreistufigem Ansatz den Mythos denkend zu rechtfertigen: der Mythos ist ihm ein Gegebenes, Vorgefundenes, eine materiale Grundlage, die ihren Wert, ihre Wirklichkeit erst dadurch gewinnt, daß sie ihm zunächst „gefällt" und dann denkend gerechtfertigt werden kann. So wie in den einzelnen Reihen von Schifffahrt und Liebe die Unterbegriffe nur stehen, weil sie für den Zweck der analogischen Allegorisierung günstig sind – Lohenstein erwähnt zum Beispiel nicht das Ruder des Schiffes oder die sonst so oft besungenen Augen der barocken Damen –, so ist die Verwendung des Mythos, der dreifache Beweis und die Benutzung des Schiffsbildes zur Allegorisierung des Liebens direkt von der Zweck- und Zielsetzung Lohensteins abhängig. Es zeigt sich also dieselbe dual-funktionale Struktur wie bei den einzelnen Systemen, nur daß jetzt statt des Zentralbegriffs der Systeme das denkende, sich erinnernde, rechtfertigende und durch Gefallen und Mißfallen bewertende und Wirklichkeit setzende Bewußtsein des Autors steht. Dieses ist es letzten Endes, was in der funktionalen Wirklichkeitsschicht Wert und Wirklichkeit verleiht, was Relationen setzt und Funktionssysteme entwirft. Es bedarf allerdings, wie gesagt, der materialen Grundlage: Lohenstein geht es um Nachweis des Gedankens am Gegebenen; ihm „gefällt" der Mythos, d. h. er beeinflußt ihn, er bietet seinem Denken am meisten Facetten zur Deutung. Das Verhältnis zwischen Materiellem und Geistigem, hier zunächst als Bezug von Rohstoff zu verarbeitender Handlung gesehen, kann aber auch negativ-ausschließlich werden: der Stoff kann sich gegen den Geist erheben, der Geist über den Stoff hinwegsetzen –

Wird aber hier umwölckt / durch blinder brünste rauch /
Die sonne der vernunfft / so folgt der schiffbruch auch /   (107f.)

Die Allegorie ist hier außerordentlich erhellend; sie erläutert nicht nur, wie das Verhältnis zwischen denkendem Bewußtsein (Vernunft) und körperlichem „Rohstoff" (Brünste) gefährlich und vernichtend wird, sondern die allegorischen Zuordnungen „Sonne" und „Wolken" („Rauch") bilden als Vorstellung des Zentral-Lichts und seiner Verdunkelung durch Chaotisch-Materielles die dual-funktionale Wirklichkeitsstruktur genau ab.

Wie schon zu Anfang des Abschnitts angedeutet, ist die Allegorie nur einer von vielen funktionalen Sprachprozessen, die hier zu besprechen allerdings kein Raum ist. Da alle diese Sprachprozesse der besprochenen Wirklichkeitsstruktur angehören, in der das Äußere dem denkenden und bewertenden Bewußtsein nur noch als stofflicher Widerpart gilt, dem von dem Bewußtsein erst durch die Beurteilung Wirklichkeit verliehen wird, können diese Sprachprozesse in reiner Form nicht der Satire spezifisch sein.

Denn diese hat es, wie gezeigt, mit einer äußeren Wirklichkeit zu tun, die sich als unbekannte im Bewußtsein manifestiert und das Bewußtsein zu vernichten droht. Hier hat das Bewußtsein gewissermaßen schon so viel Herrschaft im eigenen Hause gewonnen, daß es nur noch einläßt, was es in Bezug zu sich selbst bringen kann: verwirklicht wird nur, was Wert und Bedeutung hat. Wenn das Bewußtsein *durch blinder brünste rauch* gestört wird, so unterliegt dieser Vorgang folgerichtig ethischer Beurteilung und Bewertung und wird nicht wie in anderen Wirklichkeitsschichten (ebenso folgerichtig) auf die unüberwindliche äußere Macht der Liebe zurückgeführt. Die rein funktionalen Sprachprozesse können also höchstens dem Tadel und der Moraldidaxe dienen, nicht aber der Satire im besprochenen Sinne. Das soll nicht heißen, daß in vielen „Satiren", etwa des 17./18. Jahrhunderts, Tadel und Moraldidaxe nicht eine große Rolle spielen; sie ermöglichen sogar weitgehend das aufgeklärte Strafgedicht dieser Zeit.

Wie alle Sprachprozesse kann auch die Allegorie in verschiedenen Bedeutungsbereichen erscheinen; das zitierte Beispiel enthält wenigstens drei davon. Heißt es *Unser strudel Sind Bathseben. Der wein und überfluß die rudel* (101f.), so tragen *strudel* und *rudel* die Bedeutung des Gefährlichen. Die schon besprochene Formulierung *Der magnet ist schönheit* (101) ist rein informativ. Die ebenfalls erwähnten Formulierungen *blinder brünste rauch* und *sonne der vernunfft* (107f.) sind beurteilend, moralisch wertend, und zwar die eine im tadelnden, die andere im lobenden Sinne. Eine rein spielerische Bedeutung findet sich etwa, wo Lohenstein, statt „Schiff" zu sagen, ornamental von dem *fluten-pferd* spricht, das *die Thetis pflügen* soll (122).

Schon zu Anfang dieses Abschnitts wurde auf die verschiedenen Formen hingewiesen, in denen der funktionale Sprachprozeß (in unserem Beispiel: die Allegorie) auftreten und auf den Hörer oder Leser wirken kann. Notwendig ist funktionales Sprechen da, wo es um die Selbstdarstellung des handelnden, wirklichkeitsetzenden und systemschaffenden Bewußtseins geht, denn die Kraft kann sich nur am Stoff, die Handlung nur am Behandelten, die Kategorie nur im Schema ausdrücken. Als Beispiel einer „notwendigen" Allegorie wäre etwa das Märchen Klingsohrs am Ende des ersten Bandes des „Heinrich von Ofterdingen" von Novalis zu nennen. – Nützlich sind die funktionalen Sprachprozesse etwa zum Nachweis und zur Demonstration; sie bestimmen deshalb die wissenschaftliche Sprache. – Kommunikativ wirken sie etwa in der Didaxe oder im persönlichen Selbstausdruck, der sich als Ausdruck einer bestimmten Sicht, Beurteilung und Bewertung der Wirklichkeit an die andern richtet, also zum Beispiel in der Satire, soweit sie etwa moralisch beurteilt oder belehrt, oder in der Lyrik. – Spielerisch werden die funktionalen Sprachprozesse da, wo sie als Selbstbestätigung des bezugsetzenden Bewußtseins stehen. Viele barocke Allegorien sind zum Beispiel nur entworfen, um die Artistik des Autors im Zusammenbringen entferntester Gegenstände zu belegen. Das Eigene, in diesem Fall das Bewußtsein, genießt hier sich selbst.

18   Wie die vergleichenden können auch die funktionalen Prozesse durch Verzerrung überformt werden und dann der Preisung oder Schmähung, Intensivierung oder Schwächung dienen. Groteske, ironische, hyperbolische, emphatische Allegorie finden sich zum Beispiel in der Dichtung des Barock häufig. – Ironisch-parodistisch wird die allegorische Funktionalisierung in den folgenden Versen:

> *Der glieder haut gleicht sich der weichsten bircken-rinden /*
> *Der augen gold / das fast den agtstein überwindt /*
> *Aus denen thränen-saltz wie fette milch abrinnt /*
> *Ist gut / daß Venus ihr daraus läst fackeln winden.*
> *Ihr haar / der liebes-strick / ist weisser als der schnee /*
> *Die lippen dörffen nicht den blausten veilgen weichen /*[133]

Analysiert man etwa die letzte Zeile des Zitats, so ergibt sich folgender gedanklicher Prozeß: Rote Lippen werden im allgemeinen von den Poeten hyperbolisch gepriesen – hier geht die Hyperbel in die entgegengesetzte Richtung. Man hat es also zu tun mit einer ironischen Verzerrung einer sonst gebräuchlichen hyperbolischen Funktionalisierung, die die Lippen etwa mit Rosen in einen Wettstreit um das höhere und schönere Rot treten läßt.

Ein Beispiel grotesker Überformung bietet Benjamin Neukirchs Beschreibung des Asinius, wo es heißt:

> *Die nase kömmt mir vor / wie eine kramer-tütte /*
> *In welche man ein pfund rosinen schütten kan.*[134]

Hier scheint ursprünglich ein Vergleich zugrundezuliegen, denn die Nase erweist sich zunächst als groß und weit geöffnet. Grotesk und zugleich allegorisch überformt wird der Vergleich dadurch, daß die *kramer-tütte* nicht bloß als Trägerin der Eigenschaft des Weitgeöffneten dargestellt wird, sondern auch der Funktion, *ein pfund rosinen* zu beinhalten. Man sieht hier eine Verbindung dreier Wirklichkeitsschichten durch Überformung; die Einbeziehung des verzerrenden Elements bringt die satirische Wirkung hervor.[135]

---

[133] Aus Lohensteins „Sonnet an Mirabellen", Herrn von Hoffmannswaldau ... Gedichte 128.

[134] Benjamin Neukirch „An den Asinius" v. 6of.; ebd. 245.

[135] Man wird mit Recht darauf hinweisen, daß schon der Vergleich der Nase mit

Wie zum Vergleich die vergleichende Metapher, so gibt es zur Allegorie eine Art der Metapher, die sich in verschiedene Funktionen auflösen läßt, und die wir als funktionale Metapher bezeichnen können. Wie zwischen Vergleich und vergleichender Metapher gibt es hier verschiedene Stufen der Einschränkung der funktionalen Gegenüberstellung, in denen sich der Bereich möglicher Funktionalisierungen der Metapher immer weiter ausdehnt. Wenn zum Beispiel Christian Gryphius die ungetreue Geliebte als *falsche lust-Sirene*[136] bezeichnet, so ist das eine Vorstufe der vollständigen Metapher, die nur „Sirene" heißen würde. Aber schon die Formulierung Gryphius' läßt sich in zwei vollständige Funktionen auflösen: die Dame, die unter Vorspiegelung falscher Lust den Liebhaber wie eine Sirene zum Scheitern bringt, oder die falsche Lust, die sich der Dame bedient, um sirenengleich den Liebhaber zum Bösen zu verlocken. Wäre der Vorgang ganz auf „Sirene" eingeschränkt, so würde sich die ganze dämonische Monstrosität dieser mythologischen Wirklichkeit zu den Funktionen des verführerischen Singens, Scheiternlassens und Auffressens der Opfer in dem Mädchen verkörpern: es wäre eine allegorische Metapher mit gefährlicher Bedeutung.

Wenn Christian Gryphius dieselbe falsche Doris ein paar Zeilen weiter unten als *brandmahl meines lebens*[137] bezeichnet, so soll sie erkannt werden als die Stätte, auf der sein Leben verbrannt ist (wieder ließe sich die Metapher noch um einen Zug weiter einschränken zu „Brandmal" und wäre dann wieder bedeutungsreicher und wirklichkeitsdichter). – Metaphern wie

Falsche Doris / vor mein himmel /
Itzund nichts denn höll und nacht / (49f.)

tragen noch hyperbolischen Charakter über die Metonymierung der Allegorie hinaus; dieses Übermaß, einmal positiv, einmal negativ, deutet darauf hin, daß das Mädchen hier bewertet und gefühlsmäßig eingestuft

---

einer Krämertüte satirisch sei, und genauer besehen beruht auch er auf einer Verzerrung. In der vergleichenden Gestaltschicht und dem ihr entsprechenden Denken werden der Sach- und der Vergleichsgegenstand streng eigenschaftlich betrachtet und drücken keinerlei Rang- oder Wertbezeichnungen aus; so kann Homer den Ajax mit einem Maulesel vergleichen, ohne ihn lächerlich zu machen. Unter dem Einfluß des mit der funktionalen Wirklichkeitsschicht verbundenen Denkens erscheinen die Gegenstände neben ihrer Eigenschaftlichkeit und Funktion mit einer bestimmten Werthaftigkeit belastet, die sie für das Bewußtsein bekommen: unter diesem Gesichtspunkt wird (für uns) der Vergleich mit dem Maulesel lächerlich und verzerrend, ebenso der Vergleich einer Nase mit einer Tüte, da er das menschliche Riechorgan mit dem niedrigen, aus Abfallpapier gedrehten Behälter zusammenstellt.

136 Herrn von Hoffmannswaldau ... Gedichte 427, v. 7.   137 Ebd. v. 13.

wird. – Ein Epigramm des Andreas Gryphius endlich kann als Beispiel für die eigene Bedeutung der funktionalen Metapher stehen:

Grabschrifft L a e l i i , welcher sich selbst erschossen.

Hir ligt in einer Grufft / der Kläger / der beklagte /
Der Recht sprach / der gezeugt / und der die Zeugen fragte /
Und der das Recht außführt / und der so must erbleichen:
Du zehlest siben zwar und findst nur eine Leichen.[138]

Hier vergnügt sich trotz des ernsten Objekts der Geist des Juristen daran, daß dem Selbstmörder zugleich sieben Funktionen des Gerichtswesens zugelegt werden können, die sonst durch getrennte Personen vertreten sind: die Metapher hat spielerisch-eigene Bedeutung, das funktionalisierende Bewußtsein genießt im „Witz" sich selbst.

Die Struktur der funktionalen Metapher zeigt sich also der der vergleichenden Metapher ähnlich, nur daß die funktionale Wirklichkeitsschicht darin mit der substantialen und eventuell auch mit der vergleichenden verbunden ist. Die Kombinationsmöglichkeiten und damit die vielseitigen Erscheinungsformen der funktionalen Metaphern sind bereits so zahlreich, daß wir an dieser Stelle nicht daran denken können, für jede mögliche Kombination ein Beispiel anzugeben und zu besprechen. Die besondere Wirkung der Verzerrungsprozesse hat sich jedoch wieder wie bei den Vergleichen gezeigt:

Funktionale Prozesse werden zu spezifischen Mitteln der Satire, wenn sie durch Verzerrungsprozesse überformt sind. [17]

19   Die vierte und, soweit ich sehe, vorläufig letzte Wirklichkeitsschicht ist in Abschnitt 10 bei der Besprechung von Trakls Gedicht „Musik im Mirabell" schon ausführlich zur Sprache gekommen. Es hat sich dort gezeigt, daß die zur Diskussion stehende Zeile (und ebenso alle andern Sprachorte des Gedichts) eine bestimmte Stelle in einem Netz vielfältiger Spannungslinien einnimmt, die wir als Figuren bezeichnet haben. Der Sinn der Zeile und jedes einzelnen Wortes ist nicht eindeutig und ein bestimmt „gemeinter", sondern ist der deutenden Handlung des Lesers überlassen, und zwar in verschiedenen Hinsichten. Zunächst kommt es darauf an, welche der Figuren er aktualisiert: so haben wir uns in unserer Betrachtung auf

---

[138] Andreae Gryphii Bey-Schrifften Das dritte Buch No LXXXVI. – Andreas Gryphius: Gesamtausgabe der deutschsprachigen Werke, hrsg. von Szyrocki und Powell, Bd. 2 Oden und Epigramme, hrsg. von Marian Szyrocki. – Tübingen 1964 (Neudrucke deutscher Literaturwerke N.F. 10); 214.

die Figur der Wirklichkeitsform konzentriert und andere außer acht gelassen, in denen das Wort „Hund" ebenfalls eine bestimmte Stelle einnimmt. Zweitens kommt es darauf an, welche Assoziations- und Erinnerungsintensität das Wort „Hund" bei dem bestimmten Leser hat, der diese eigene Intensität dann auf das Wort im Gedichte anwendet; dadurch wird zum Beispiel die Gestalt der Figur bestimmt, die wir über die Wörter „Angstgespenster – Fremdling – Hund – Magd – Ohr" laufen sahen – die eigene Intensität jedes dieser Wörter bestimmt die endgültige Gestalt der Kurve bei dem individuellen Leser. Drittens wirkt bei der Sinngebung mit, welche Bedeutungsrichtung der Leser dem bestimmten Wort gibt, denn auch hier kommt es ganz auf den individuellen Betrachter an und die dominante Bedeutung, die das im Wort Genannte für ihn ganz persönlich hat. Wir haben in Abschnitt 10 die Zeile als Beispiel für die Bedeutungsrichtung des Eigenen analysiert: hier muß nun ergänzt werden, daß das Wort „Hund" je nach Stimmung und Disposition des individuellen Lesers auch sämtliche andern Bedeutungsrichtungen annehmen kann und daß es in dieser Art von Sprachprozessen dem Leser überlassen ist, die Bedeutung des Genannten zu verleihen, nicht, wie in allen andern, zu empfangen.

Gegenüber der funktionalen Wirklichkeitsschicht hat sich also zweierlei geändert: Das Substrat materieller Wirklichkeit, das der funktionalen Subjektivität zur funktionalisierenden Handlung notwendig ist, ist hier in den Zustand möglicher Wirklichkeit gerückt; das Bewußtsein hat die Freiheit, es auf sich wirken zu lassen oder sich allein auf die mit dem genannten Wirklichen privat verbundenen Assoziationen und Intensitäten zu beziehen. Entscheidet sich das Bewußtsein dazu, ein Äußeres uneingeschränkt auf sich wirken zu lassen, so fällt dieses in den Bedeutungsbereich des Unbekannten;[139] entscheidet sich das Bewußtsein hingegen, nichts vom Äußeren auf sich wirken zu lassen, so ist die Bedeutung des Gemeinten ganz aus dem Eigenen gespeist.[140] Dazwischen liegen die – ebenfalls freiwillig verliehenen – Bedeutungen des Bekannten und des Befreundeten.[141]

Zweitens hat sich gegenüber der funktionalen Wirklichkeitsschicht das

---

[139] Dies scheint mir am deutlichsten beim richtigen Hören bestimmter Typen moderner Musik der Fall zu sein.

[140] Anregung zu dieser Form des Erlebnisses geben etwa die dadaistischen Lautgedichte. Prinzipiell ist sie jedoch bei jedem modernen Gedicht möglich.

[141] Da die erkenntnistheoretische Voraussetzung dieser Theorie der Bedeutungsrichtungen und Wirklichkeitsschichten hier nicht gegeben worden ist, kann die genaue Stelle der Bereiche des Bekannten und Befreundeten „zwischen" dem Unbekannten und Eigenen nicht bezeichnet werden. Es ist hier jedoch sichtbar, daß die Bedeutungsbereiche etwas zu tun haben mit der Fähigkeit des Bewußtseins, sich gegenüber Einflüssen von außen zu öffnen und zu verschließen.

Verhältnis der Zuordnungen untereinander geändert. Waren die einzelnen Elemente der allegorischen Begriffsausfaltung alle auf einen Zentralbegriff bezogen und bekamen von daher ihren Funktionswert, so ist hier jedes Element die Funktion jedes andern und Funktionszentrum aller andern Elemente. Dadurch daß unsere Deutung des Trakl-Gedichts sich auf das Wort „Hund" konzentrierte, erschien alles andere unter dem Gesichtspunkt dieses Wortes und dieser Zeile; mit jedem andern Wort hätte dasselbe geschehen können. Die hier in der Sprache aufgezeigte Veränderung hat ihre Parallele etwa in der Veränderung der Siebentonleiter zur Zwölftonreihe: in der ersteren gibt es einen Grundton, zu dem alle andern Töne der Leiter in bestimmtem Funktionszusammenhang stehen, etwa als Terz, Quinte oder Septime; in der letzteren gibt es keine solchen Funktionen mehr; als Töne sind alle aufeinander bezogen, jeder kann in jedem Moment „Grundton" einer Reihe werden.

Die Grundstruktur, die diese Wirklichkeitsschicht bestimmt, ist also nicht die auf einen Fixpunkt zugeordnete Funktionalität, sondern eine Art Mobile-Struktur, in der jedes Element von jedem andern abhängt und alle andern bestimmt.[142] Diese Struktur ist nun auch in verschiedenen anderen Verhältnissen sichtbar. Welche Wirklichkeit mit welcher Intensität und Bedeutung im Zusammenhang mit einem Satz wie „Ein Hund stürzt durch verfallene Gänge" verbunden wird, hängt wie gesagt von Stimmung und Disposition des individuellen Bewußtseins ab. Die genannten Gegenstände „Hund" und „Gänge" sind, so wie sie im Gedicht stehen, Möglichkeiten, die in Figurbezug zu anderen Möglichkeiten stehen und durch das individuelle Bewußtsein zusammen mit ihnen realisiert werden. Diese Verwirklichung der Figur durch das Bewußtsein ist aber nie gleich, weil sie einmal vom individuellen Bewußtsein und zweitens von dessen momentaner Stimmung abhängt. Hier besteht also ein bedeutsamer Unterschied zu dem Bewußtsein, das der funktionalen Wirklichkeit zugeordnet ist: dieses wird als immer gleichmäßig und stabil angenommen, gleich beim Autor und bei jedem Leser, sonst würden etwa die in der Allegorie festgelegten Funktions- und Rangstufen einfach als unrichtig erscheinen müssen. Das Bewußtsein, das dieser Mobile-Struktur zugeordnet ist, ist dagegen auch frei von sich selbst, unbelastet durch eine Vergangenheit, in der ein Funktionszusammenhang, eine Rang- und Wertordnung gesetzt wurde, unbelastet auch

---

142 Der Begriff der Funktionalität könnte auch, und vielleicht besser, auf diese Wirklichkeitsschicht angewandt werden, da hier jedes die Funktion jedes andern ist. Es scheint mir aber, daß der Begriff der Funktion im allgemeinen Sprachgebrauch noch zu stark von der Wirklichkeitsschicht beeinflußt ist, die wir als Funktionswirklichkeit bezeichnet haben; im mathematischen Sprachgebrauch dagegen bedeutet sie eher die hier gemeinte „Polyfunktionalität".

durch eine Zukunft, in der es eine ideale Rang- und Wertordnung zu verwirklichen gäbe. Das Bewußtsein konstituiert die Ordnung gleichsam in
jedem Augenblick neu, indem es sich mitbestimmen läßt durch die momentane Kräftekonstellation des Äußern und des Innern, so etwa auch durch
die Sprachfiguren eines Gedichts. Wenn also das Bewußtsein das Verwirklichende ist, so wird doch seine Gestalt und Relation zu dem Verwirklichten von diesem mitbestimmt: man kann also sagen, das Bewußtsein sei
seiner momentanen Gestalt und Relation nach im Zustande der Möglichkeit wie auch das, was es zu einer bestimmt gestalteten und bezogenen
Wirklichkeit erhebt; in dem Akte der Verwirklichung des äußeren Möglichen verwirklicht sich das Bewußtsein selbst. Was an ihm dauerhaft ist,
ist allein seine verwirklichende Tätigkeit; wandelbar mit dem Kräftespiel
des Äußeren und mit dem Wechsel des Interesses ist seine Gestalt und
Relation.

Auch das dichterische Sprachwerk selbst zeigt diese Wirklichkeitsstruktur. Es ist nicht mehr Funktion, Gemachtes mit der Aufgabe, einen bestimmten Sinn zu enthalten, ein bestimmtes Gefühl zu erwecken oder einen
bestimmten Zustand der Dinge widerzuspiegeln oder die inneren Fähigkeiten des Menschen in freies Spiel zu versetzen. All das *kann* es leisten
je nach der in ihm enthaltenen figürlichen Voraussetzung und nach der
Disposition und Stimmung des Lesers. „Ein (Sprach-)Werk ist ein Gegenstand oder Ereignis der Sinne, indes die verschiedenen Werte oder Deutungen, die es suggeriert, Folgen davon sind (Ideen oder Gefühle), die es in
seiner fundamentalen Fähigkeit nicht verändern können, noch ganz andere
Werte oder Deutungen hervorzubringen." [143] „Ton, Rhythmus, leibliche
Nähe der Wörter, ihre Induktionseffekte oder ihre Einflüsse aufeinander
sind bestimmend auf Kosten der Fähigkeit der Wörter, sich an einen bestimmten und sicheren Sinn zu verbrauchen." [144] Interpretationen können
gegeben und versucht werden, und jede ist richtig, die den figuralen Bedingungen des Sprachwerks Rechnung trägt. Aber keine spezifische Deutung
erschöpft das Sprachwerk, und es ist nicht in seiner Wirklichkeit dadurch
erschöpft, daß es vielen Interpretationen zugänglich ist. Das figurale
Sprachwerk ist kein Modell, denn das wäre eine designierte Funktion und
Aufgabe; es ist kein mehr oder minder ausgedehntes Sprichwort, das sich
auf viele Situationen anwenden läßt und darin seine Bedeutung und Exi-

---

[143] Paul Valéry, Commentaires de *Charmes*, 1511: «Une oeuvre est un objet ou
un événement des sens, cependant que les diverses valeurs ou interprétations
qu'elle suggère sont des conséquences (idées ou affections), qui ne peuvent
l'altérer dans sa propriété toute matérielle d'en produire de tout autres.»

[144] «C'est le son, c'est le rythme, ce sont les rapprochements physiques des mots,
leurs effets d'induction ou leurs influences mutuelles qui dominent, aux dépens
de leur propriété de se consommer en un sens défini et certain.» (ebd. 1510).

414

stenzberechtigung hat. Es kann bei entsprechender Konstellation mit dem Bewußtsein alle diese Funktionen annehmen, aber das sind in Valérys Worten Folgen, nicht Bedingungen seiner Existenz. Das Sprachwerk ist vielmehr Figur oder Netz von Figuren. Das Wesen der Figur ist begrifflich kaum zu fassen, da Begriffe auch zu ihren Folgen gehören; wir können hier deshalb nur mit einem Beispiel Klarheit zu gewinnen suchen: die vorliegende Untersuchung etwa arbeitet nichts als Figuren heraus – die Struktur der Sprachprozesse, Bedeutungsbereiche, Wirklichkeitsschichten. Ähnlich wie bei Kant die Kategorie die Verbindung von Begriffen bestimmt, so bestimmt die Figur auf einer höheren Ebene, daß und wie in einer so und so beschaffenen Situation überhaupt gedacht oder gefühlt oder ästhetisch erlebt wird etc. Ähnlich wie – mit seinem schon zitierten Beispiel – das Auge des Autofahrers sich durch Verengung der Pupille auf plötzliches starkes Licht einstellt, ist die Figur eine Art Verhaltensgestus des Bewußtseins, der sich in Raum, Zeit, Denken, Erleben, in Sprache, Musik, Sozialstruktur, Technik – in jedem dem Menschen zugänglichen Medium schematisieren kann: so haben wir festgestellt, daß etwa der polar-chiastische Verhaltensgestus des Bewußtseins in der Gestaltwirklichkeit in dem Verhältnis zwischen Gegenstand und Vorstellungsreihe, im Gegenstand selbst zwischen Akzidenzkomplex und Substanz, im Verhältnis des Bewußtseins zur Gestaltwirklichkeit und zur Vorstellungsreihe wirksam und konstitutiv ist, und bei der Besprechung der Schreibarten werden sich noch weitere wesentliche Ausprägungen feststellen lassen. Die Figur ist also nicht ein Modell, eine abstrahierte allgemeingültige Formel, vom Bewußtsein als Instrument zur Bewältigung von Einzelfällen hergestellt, sondern sie bestimmt das Bewußtsein selbst, seine Gestalt und sein Verhältnis zu den Dingen, so wie sie alle Dinge bestimmt, sofern sie bewußt werden.

Diese Verhaltensgesten des Bewußtseins also versucht das figurale Sprachwerk darzustellen; die Beschaffenheit dieser Darstellung, die ja eine Art Schematisierung sein muß, steht jedoch unter bestimmten Bedingungen. Sie darf nicht in ein gewohntes Schema der Figur verfallen, denn sonst wäre das Sprachwerk eindeutig, auf ein Denkbares, Fühlbares etc. interpretierbar. Soll es das nicht sein, soll es vielmehr die reine vielseitige Deutbarkeit der Figur darstellen, so muß die „Verständlichkeit" des Sprachwerks, die gewöhnliche Form des besprochenen Objektbereichs, die normale Verwendung der Sprache vermieden werden: die Sprache erscheint zum Beispiel hauptsächlich als Lautkörper oder Assoziationsträger verwendet, der Objektbereich wird kafkaesk entfremdet. Auf diese Weise wird das Sprachwerk, was seinen Inhalt, seinen Sinn, seine Bedeutung betrifft, in den Zustand vielseitiger Möglichkeit versetzt: Kafkas Erzählungen etwa können als religiöse Abhandlungen und als Satiren auf die Bürokratie verstanden werden und sind so verstanden worden – die darin dargestellte

Figur läßt sich auf beide Bereiche verwenden; man hat das Recht, die Erzählungen so zu interpretieren, nur sollte man nicht meinen, daß irgendeine schematisierende Verwirklichung die „richtige", allgemein verbindliche wäre: jede solche Verwirklichung hat einen distinkt privaten Charakter.

Satire ist also eine von vielen Deutungsmöglichkeiten des rein figuralen Sprachwerks. Wo der Autor eine bestimmte Interpretation anregen will, gibt er durch Kombination mit Sprachprozessen anderer Wirklichkeitsschichten gewisse Deutungssignale. Solche Kombinationen zeigen sich etwa bei Rilke in der zehnten Duineser Elegie, wo er die Allegorie benutzt, aber nicht im funktionalen, sondern figuralen Sinne. Wo Verzerrungsprozesse zur Überformung der figuralen Sprache verwandt werden, bekommt sie Tendenz zum Hymnisch-Ekstatischen einerseits oder zum Satirischen andererseits. Über das besondere Problem der Satire in der Figurwirklichkeit wird anläßlich der Schreibart zu sprechen sein.

Was mit der Kombination figuraler und verzerrender Sprachprozesse gemeint ist, soll hier noch an einem Beispiel verdeutlicht werden. Musil spricht an einer Stelle von „Menschen mit unzerreißbarer Weltanschauung".[145] Kombiniert werden zwei Wörter, die in normaler Sprachverwendung nicht zusammenpassen; das ist ein häufiges Verfahren der figuralen Sprachprozesse – wie etwa Rilkes Zeile „Und fast ein Mädchen wars"[146] oder Valérys Bezeichnung des Straßenlebens als «un incessant cheval de couleur».[147] Während aber in Rilkes und Valérys Formulierungen nur die Wörter nicht nach ihrem Substanz-, Qualitäts-, Funktionsinhalt genommen werden dürfen, sondern unter dem Aspekt ihrer Erlebnisintensität betrachtet werden müssen, um zusammenzupassen und einander gegenseitig mit diesen Intensitäten zu „induzieren",[148] sind es hier auch zwei nicht zusammenpassende Wörter, die aber anders aufeinander wirken: das Adjektiv „unzerreißbar" trägt mit sich einen Hauch von Strumpfreklame, der sich unmittelbar auf die Weltanschauung der gemeinten Menschen überträgt: sie ist zwar fest, lückenlos und gesichert, aber sie ist vorgefertigt, gekauft und übergezogen wie ein Strumpf. Ein normaler Ausdruck wäre gewesen: „Menschen mit unerschütterlicher Weltanschauung"; „unzerreißbar" bedeutet demgegenüber nur eine sinngemäß unwesentliche Veränderung. Was aber irregeführt wird, ist die Erwartung des Lesers, der mit dem Wort

---

145 Robert Musil: Der Mann ohne Eigenschaften, hrsg. von Adolf Frisé. – Hamburg 1952 (Gesammelte Werke in Einzelausgaben, Bd. 1); 57 (zitiert auch bei Arntzen, Satirischer Stil 48).

146 Rainer Maria Rilke: Sonette an Orpheus I 2. In: Sämtliche Werke, Bd. 1. – Insel (Frankfurt) 1955; 731.

147 Paul Valéry: «La Promenade avec Monsieur Teste»; Oeuvres II, 58.

148 Vgl. Valérys Formulierung «leurs effets d'induction» in dem Zitat Anm. 143.

„unzerreißbar" einen fabrikmäßig hergestellten Artikel verbindet und nun etwas so Individuelles und Unverwechselbares wie „Weltanschauung" damit verbinden soll. Die Kombination ist also ironisch verzerrt, das Adjektiv ist ohne Not gewählt und deshalb rückübersetzbar (vgl. unsere erprobende Rückübersetzung in „unerschütterlich"): die Wirkung der Kombination ist satirisch.[149]

Figurale Sprachprozesse werden zu spezifischen Mitteln der Satire, wenn sie durch Verzerrungsprozesse überformt sind. [18]

20 Ausführlicher für die Verzerrungsprozesse, andeutend nur für die übrigen sprachlichen Prozesse haben wir einen gewissen Überblick gewonnen.

Aus grundlegend für alle besprochenen Phänomene haben sich Figuren gezeigt, Kraftverhältnisse des Bewußtseins, die sich auf allen Ebenen und in allen Medien ausprägen und die miteinander kombinierbar sind.[150]

Nun lassen sich auf Grund der vorstehenden Untersuchungen historische und unhistorische Ausprägungen dieser Figuren unterscheiden, d. h. solche, die dem Bewußtsein immer gegeben sind, und solche, die einer histo-

---

[149] In einer vollständigen Analyse der Formulierung müßte noch erwähnt werden, daß das Adjektiv „unzerreißbar" der Struktur nach funktional ist: unzerreißbare Gegenstände erfüllen bestimmte Zwecke und sind dazu hergestellt. Die Formulierung hat also an mehreren Wirklichkeitsschichten teil. – Ich verstehe übrigens nicht, warum Arntzen, Satirischer Stil 48, die Formulierung als satirische Metapher bezeichnet.

[150] Die Vollständigkeit der aufgezeigten vier Grundfiguren kann an dieser Stelle nicht nachgewiesen werden. Zur vorläufigen Stützung mache ich auf die Verwandtschaft der vier Figuren mit Kants vierteiliger Kategorientafel aufmerksam, die, funktional überformt und mit nur ansatzweise erfaßter vierter Figur (die Modalitäten gehen zwar auf das Verhältnis des Ausgesagten zum denkenden Bewußtsein; dieses wird jedoch nicht auch zugleich modal differenziert, sondern bleibt in seiner abstrakten Fixpunkthaftigkeit als transzendentale Synthesis bestehen), offenbar die vier Grundfiguren widerspiegeln. – Die vier Figuren als Bedeutungsbereiche prägen sich offenbar aus in Goethes Ehrfurchten vor dem was über, was unter und was uns gleich ist; wieder ist die vierte noch unsicher erfaßt: die Ehrfurcht vor uns selbst erscheint als Vereinigung und Gipfelung der drei andern. – Auch die in der Romantik getrennten und in ihrem möglichen Prioritätsverhältnis z. B. von Friedrich und August Wilhelm Schlegel sowie Schleiermacher diskutierten Bereiche der Religion, Philosophie, Ethik und Kunst weisen auf die Bedeutungsbereiche zurück, die wir allgemeiner das Unbekannte, Bekannte, Befreundete und Eigene genannt haben. – Schelling macht in seiner Historischen Einleitung zur Philosophie der Mythologie einen hervorragenden Versuch, die Wirklichkeitsschichten

rischen Entwicklung des Bewußtseins unterstehen.[151] Wir haben hier nur diejenigen Ausprägungen besprochen, mit denen die Satire zu tun hat und durch die sie sich erfassen läßt.

Unhistorischen Charakter tragen die Bedeutungsbereiche, in denen Wirkliches erscheinen kann; wir haben sie probeweise als Unbekanntes, Bekanntes, Befreundetes und Eigenes bezeichnet. Die Wirklichkeit, mit der sich die Satire auseinandersetzt, zeigte sich als dem bedrohlichen Aspekt des Unbekannten angehörig (Satz [4]). Da die Bedeutungen miteinander kombinierbar sind, gibt es Wirklichkeiten, die neben der unbekannt-bedrohlichen noch andere Bedeutungen tragen können; in diesem Falle werden bekannte, befreundete oder eigene Wirklichkeiten als Repräsentanten des Unbekannt-Bedrohlichen erfahren (Synekdoche-Verfahren), oder das Unbekannt-Bedrohliche wird durch fiktive Setzung auf sie übertragen (Satz [7]). So entstehen die kritisierende, die strafende und die innere Widersprüche aufdeckende Satire.

Unhistorischen Charakter tragen auch die Wirkungsformen, unter denen zum Beispiel ein Sprachwerk dem Leser oder Hörer erscheinen kann; wir haben sie als notwendig, klug oder nützlich, erzieherisch und spielerisch bezeichnet. Die Sprache der Satire hat sich als der erzieherischen Wirkungsform zugehörig erwiesen. Das bedeutet, daß der Autor den Leser dazu zu bringen sucht, sich in derselben Auseinandersetzung mit der bedrohlichen Wirklichkeit zu engagieren, in der er sich befindet. Die Richtungen der Einbeziehung des Lesers variieren je nach Situation und Temperament des Satirikers: er kann den Leser zum Lachen bringen oder ihn ängstigen, er kann ihn zur Erkenntnis führen, er kann ihm moralische oder sittliche Verachtung einflößen, er kann ihn gleichgültig machen. Alle diese Vorgänge, wenn sie im Leser stattfinden, distanzieren den Leser und schwächen oder vernichten das angegriffene Wirkliche. Auch die Techniken der Einbeziehung wechseln je nach Situation und Temperament des Satirikers: manche versuchen, durch Erklärung und Belehrung, Schelten und Lästern die besagten Wirkungen hervorzubringen; andere verlassen sich auf die Verzer-

---

der Substanz- und der Gestaltwirklichkeit voneinander zu trennen, der leider von Ernst Cassirer in seiner Philosophie der symbolischen Formen nicht beachtet wird; Cassirer trennt dagegen von der von ihm angenommenen magisch-mythischen Mischwirklichkeit die funktionale Wirklichkeitsschicht sauber ab.

151 Auch dieser Unterschied kann hier nicht begründet werden; er entsteht, um es kurz anzudeuten, durch die passiv-empfangende und die aktiv-bildende Seite des Bewußtseins: dem empfangenden Bewußtsein sind z. B. die Bedeutungen immer gegeben, während das bildende Bewußtsein in seinen Fähigkeiten wächst und immer größere Herrschaft über das Äußere gewinnt, was sich etwa in den Wirklichkeitsschichten ausprägt.

rungsprozesse der Sprache: die Rückübersetzung dieser Verzerrungen, zu der der Leser in der erzieherischen Wirkungsform durch Diskontinuitäten und Rückübersetzungssignale (Sätze [8] und [15]) aufgefordert ist, bringt die beschriebenen Wirkungen im Leser selbst hervor; der Leser ist dabei produktiv, und deshalb ist der Engagierungsgrad bei der Verwendung dieser Techniken weit höher als bei der Technik, in der der Autor *expressis verbis* den Kampf führt und der Leser nur rezeptiv sich verhält. Wie sehr die Situation mitspielt, sieht man an den drei untersuchten Autoren: Neidhart kann es sich leisten, in den meisten Liedern nur Verzerrungsprozesse zu verwenden und den Hörer extrem produktiv sein zu lassen, da er eine Welt, die jeder seiner Hörer kennt, gegen ein Neues Bedrohliches verteidigt. Wittenwiler dagegen bekämpft das Alte als bedrohlich für ein Neues, das noch kaum einer seiner Hörer in formulierter Form kennt; es muß deshalb ausführliche Lehren einführen. Geschickt vermeidet er jedoch die Unproduktivität des Hörers dadurch, daß er nur den Stoffkomplex des Neuen als Lehre vortragen läßt von dem Alten, das den inneren Zusammenhalt dieses Neuen gar nicht versteht und daran scheitert; auf diese Weise wird der Hörer bezüglich des Wichtigsten produktiv, nämlich des inneren Zusammenhalts, der neuen Menschlichkeit. Brant kann bezüglich des Neuen schon auf die Vorarbeit eines Jahrhunderts zurückblicken; bei ihm halten sich deshalb die beiden Techniken der Belehrung und der verzerrenden Sprachprozesse ungefähr die Waage.[152]

Historischen Charakter tragen die Verhältnisse des Bewußtseins zur Wirklichkeit, aus denen sich die aufgezeigten Strukturen und Schichten der Wirklichkeit ergeben: Substanz-, Gestalt-, Funktions- und Figurwirklichkeit. Der historische Charakter zeigt sich daran, daß es die Figurwirklichkeit und ihre Struktur erst seit dem Ende des 19. Jahrhunderts gibt und daß man erst allmählich anfängt, ihre Eigenart zu begreifen; sie zeitigt nicht nur sprachliche Figuren, sondern ganz allgemein eine neue Denkform, die solche Dinge wie Relativitätstheorie und die Verwandlung von Masse in Energie möglich macht: die Relativitätstheorie zum Beispiel setzt die in Abschnitt 19 beschriebene Defunktionalisierung voraus, die Herauslösung des Bewußtseins aus seiner Fixpunktstellung, die Ersetzung der funktionalen perspektivischen Erfahrungsstruktur durch die Mobile-Struktur der Figurwirklichkeit, in der das Bewußtsein sich erst in der ganz bestimmten Situation seiner Gestalt nach konstituiert und zu einer veränderten Situation sich eine neue Gestalt gibt. – In ähnlicher Weise läßt sich im okzidentalen Kulturkreis das Einsetzen der funktionalen Wirklichkeit um 1300

---

[152] Wir haben sie im Kapitel III als Lehre und Analyse oder unbeschönigte Wahrheitsdarstellung bezeichnet. – Zur gelenkten (Belehrung) und ungelenkten Satire vgl. auch die Sätze [10] und [11].

bis 1500, der Gestaltwirklichkeit mit der Völkerwanderungszeit beobachten; im vorderorientalisch-hellenischen Kulturkreis findet sich ein Ansatz des Funktionalen seit Platon und Aristoteles: die ersten literarischen Zeugnisse der Gestaltwirklichkeit sind die Dichtungen Hesiods und Homers. Vor den angegebenen Einsätzen der Gestaltwirklichkeit zeigen sich in beiden Kulturkreisen deutliche Reste der Substanzwirklichkeit.[153] Die Entwicklung des Bewußtseins von Substanz- zu Figurwirklichkeit beruht auf einer in zwei Hinsichten wachsenden Fähigkeit des Bewußtseins, nämlich einerseits den ungehinderten Einfluß des Äußeren, Wirklichen immer mehr zu kontrollieren, andererseits dem von Außen Eingeflossenen immer stärker die eigene Struktur und Gestalt, die innere Wirklichkeit aufzuprägen. Die Substanzwirklichkeit ist durch ein Maximum von äußerem Einstrom und ein Minimum an Bildungsfähigkeit des Bewußtseins charakterisiert: die Substanz verwirklicht sich im Bewußtsein unmittelbar als Potenz und Kraft, das Bewußtsein kann sie nur verzerren, durch die Verzerrung sich davon distanzieren und sie schwächen. Die Figurwirklichkeit dagegen ist durch ein Minimum an äußerem Einstrom und ein Maximum an Bildungskraft des Bewußtseins charakterisiert: das Äußere existiert nur noch im Zustande der Möglichkeit; das Bewußtsein kann darauf zurückgreifen oder nicht und kann ihm die Gestalt aufprägen, die es in der bestimmten Situation braucht, zum Beispiel Masse oder Energie.[154] Dazwischen liegen die

---

[153] Diese Behauptungen können hier nicht bewiesen werden, da sie ausführliche religions- und philosophiegeschichtliche Diskussionen nötig machen, für die hier kein Raum ist. Daß die Figurwirklichkeit ein ausschließlich modernes Phänomen ist, wird einleuchten, und damit ist wenigstens an einer Stelle der historische Charakter der Wirklichkeitsschichtung nachgewiesen. Die im nächsten Paragraphen versuchte Rahmengliederung der Geschichte der Satire wird eine gewisse Beweisbasis in diesem beschränkten Felde schaffen.

[154] Man vermute nicht in diesem historischen Aufweis einen Versuch des Determinismus, bestimmte historische Phänomene als notwendig zu erklären. Der Wirklichkeitsstruktur der Figur gemäß, die der Bewußtseinsentwicklung zugrunde liegt, wird durch die bestimmte (historische) Stelle in der Figur eine Konstellation von Möglichkeiten eröffnet, deren Verwirklichung aber von der Situation, d. h. vor allem auch von den menschlichen Individuen und ihrer Fähigkeit der Verwirklichung abhängt. So hätte z. B. der funktionale Ansatz des Hellenismus sich weiter entwickeln können, wenn nicht bestimmte historische Ereignisse, vor allem der Germaneneinstrom, seine Entfaltung verhindert hätten. Der figurale Ansatz in der okzidentalen Kultur ist in seiner Existenz bedroht durch Residuen der funktionalen Wirklichkeit wie Bürokratismus und Nationalismus. Das Beispiel der altägyptischen Kultur lehrt, daß solche Residuen (dort die im Bereich der Substanzwirklichkeit entstandene Priesterkaste) die Entfaltung des Neuen unterdrücken und die Kulturentwicklung abtöten können.

Gestalt- und die Funktionswirklichkeit, die in diesen beiden Hinsichten ebenfalls in bestimmter Weise charakterisiert sind, wie es schon aus den vorstehenden Untersuchungen hervorging. Hinzu kommt, daß in einer Periode, in der eine bestimmte Wirklichkeitsschicht und die ihr zugehörige Erfahrungsform dominant sind, die in der Entwicklung vorangehenden Wirklichkeiten und Erfahrungsformen wieder regeneriert und genau wie die Sprachprozesse überformend kombiniert werden können. So läßt sich zum Beispiel bei Hölderlin eine Kombination der Substanz- und Gestaltwirklichkeit mit der dominanten Funktionswirklichkeit feststellen.[155] Durch diese Kombinationen ist es möglich, Formen, die in einer vorhergehenden Wirklichkeitsschicht und Erfahrungsstruktur entstanden und ihr spezifisch sind, auch in späteren Wirklichkeitsschichten und Erfahrungsstrukturen wieder zu verwenden, wenn auch abgewandelt.

Das gilt nun auch für die Satire. Sie ist der Substanzwirklichkeit spezifisch; ihre ursprüngliche Aufgabe ist es, das Bewußtsein von der es in seiner Existenz bedrohenden Potenz zu befreien, indem sie diese Potenz fixiert, überträgt, verzerrt, distanziert. In den andern Wirklichkeitsschichten ist Satire jedoch auch möglich; da wird dann das einer späteren Wirklichkeitsschicht angehörige Wirkliche so betrachtet, als ob es zugleich auch Substanzwirklichkeit wäre, oder es wird wirklich als solche erfahren. Der folgende Paragraph wird sich mit den verschiedenen Ausprägungen der Satire unter diesem historischen Gesichtspunkt befassen.

Historischen Charakter tragen endlich die sprachlichen Prozesse, die im gegenwärtigen Paragraphen hauptsächlich zur Diskussion standen; sie sind unmittelbarer Ausdruck des Verhältnisses zwischen dem Bewußtsein und der äußeren Wirklichkeit und laufen deshalb in ihrer Entwicklung der in den Wirklichkeitsschichten und Erfahrungsstrukturen geschilderten Entwicklung parallel. Wie gezeigt, gelten für sie ebenfalls die Möglichkeiten und Gesetze der Überformung. Der Substanzwirklichkeit sind die Verzerrungsprozesse zugeordnet, der Gestaltwirklichkeit die Vergleichsprozesse, der Funktionswirklichkeit die funktionalen Sprachprozesse, der Figurwirklichkeit die figuralen Sprachprozesse. Jeweils frühere können mit späteren Sprachprozessen kombiniert werden. Wie die Satire der Substanzwirklichkeit ursprünglich zugehört, so sind ihr die Verzerrungsprozesse spezifisch, und unsere Untersuchung der späteren Sprachprozesse hat gezeigt, daß auch diese der Satire spezifisch werden können, sofern sie von Verzerrungsprozessen überformt sind. Wir fassen also die Sätze [16–18] so zusammen:

---

[155] Vf.: Der gesetzliche Kalkül. Hölderlins Dichtungslehre. – Tübingen 1962 (Hermaea N.F. 14); 44–48. Was dort als „mythische Wirklichkeit" bezeichnet wird, heißt in der vorliegenden Untersuchung „Gestaltwirklichkeit".

Sprachliche Prozesse sind der Satire spezifisch und konstituieren das Satirische, wenn sie selbst Verzerrungsprozesse sind oder von Verzer- rungsprozessen überformt sind. Ihre Aufgaben und Wirkungen sind in Satz [15] beschrieben. [19]

Das will natürlich nicht heißen, daß in einem satirischen Werk nur sol- che sprachlichen Prozesse verwendet würden. Sie sind es jedoch, die vom Sprachlichen her das spezifisch Satirische konstituieren, während alle an- dern Sprachprozesse, wie gezeigt, divergierende Tendenzen und Leistungen haben.

§ 3 Schreibart und Wirklichkeit

21 Auf Grund der erarbeiteten Begriffe kann nun gezeigt werden, was die Satire als Schreibart bestimmt und von anderen Schreibarten unter- scheidet. Wir ziehen den Terminus „Schreibart" dem der „Gattung" vor, weil sich im Verlaufe der folgenden Gedankengänge herausstellen wird, daß die Hervorhebung mancher Abwandlungen von Schreibarten durch einen Gattungsnamen ziemlich zufällig ist, daß man zum Beispiel auch eine Gattung Erlebnislyrik haben müßte, wenn man eine Gattung Roman als selbständig existierend betrachtet. – Wir wiederholen hier zunächst zusam- menfassend, was sich über die Schreibart der Satire von einem allgemeinen unhistorischen Gesichtspunkt sagen läßt, um dann im Rahmen der wich- tigsten andern Schreibarten die historische Entwicklung der Schreibart Sa- tire anzudeuten. Durch diesen historisch differenzierten Begriff der Schreib- art versuchen wir der Gefahr zu entgehen, der bisher alle Historiker und Theoretiker der Satire zum Opfer gefallen sind und die Hugo Kuhn fol- gendermaßen beschreibt: „Jede Gattungssystematik täuscht eine Imma- nenz der Bedingungen vor, die die Zusammenhänge und die Entwicklungen verfälscht, selbst in den Epochen, aus deren Beispielen sie sich nährt."[156] Wie Kuhn es vorschlägt, gehen wir zunächst „den Weg zurück bis zu menschheitsgeschichtlichen Urformen der lyrischen Ekstase, der epischen Wiederholung und der dramatischen Repräsentation"[157] und, wie wir hin- zufügen dürfen, des satirischen Angriffs, um dann die Strukturwandlungen zu beobachten, die diese Urformen unter dem Einfluß historisch späterer Erfahrungsstrukturen durchmachen. Diese Zweigliederung des Begriffs einer Schreibart nach unhistorisch konstanten und historisch variablen Ge- sichtspunkten scheint mir am ehesten die beschriebene Gefahr abzuwenden.

---

[156] Hugo Kuhn: „Gattungsprobleme der mittelhochdeutschen Literatur." In Hugo Kuhn: Dichtung und Welt im Mittelalter. – Stuttgart 1959, 41–61; 44.
[157] Ebd. 42.

Zeitloses Grundcharakteristikum der Satire ist ihre Auseinandersetzung mit einem unmittelbar gegebenen Wirklichen (Satz [3]). Dieses kann unter der Überformung durch die Gestaltstruktur zusätzlich den Charakter des Beispielhaften, durch die Funktionalität den Charakter des Typischen, durch die Figurwirklichkeit den Charakter des allseitig Möglichen annehmen: auch dieses unhistorische Grundelement kann also historisch affiziert werden.

Die Bedeutung dieses Wirklichen ist zunächst und wesentlich unbekannt-bedrohlich (Satz [4]). Sie kann mit den andern Bedeutungsbereichen kombiniert werden; da diese aber überzeitlich sind, ist die Möglichkeit der vielfältigen Kombination immer gegeben. Es gibt allerdings bestimmte Bevorzugungen in jeder Erfahrungsstruktur: so begegnet man heute meist der Ansicht, die Satire sei moralisch-ethisch ausgerichtet, weil die funktionale Erfahrungsstruktur ihrer beurteilenden, Werte und Maßstäbe setzenden Richtung nach den Bedeutungsbereich des Befreundeten bevorzugt, zu dem auch das Sittliche gehört. Ähnlich bevorzugt die Gestaltwirklichkeit den Bedeutungsbereich des Bekannten: verspottet und verachtet wird das Fremde, Barbarische, Wilde, Unordentliche; Neidharts Lieder sind ein Beispiel dafür, und es hat sich gezeigt, daß nicht das Ethische etwa im Sinne der Sünde oder des Gesetzes seine satirische Richtung ist. In der Figurwirklichkeit vollends besteht gar kein gemeinsamer verbindlicher Gesetzeshintergrund mehr, vor dem ein bestimmtes Verhalten tadelhaft und verwerflich würde; die bevorzugte Bedeutung ist hier die des Eigenen, die Harmonie eines Gegebenen mit sich selbst und mit der Situation.

Zeitlos ist drittens die Repräsentanzstruktur des satirischen Objekts: es ist entweder durch Einschränkung oder Übertragung das Ergebnis einer Verzerrung, die das Bewußtsein auf das drohende Wirkliche ausübt (Satz [7]), und fordert deshalb wie die sprachlichen Verzerrungsprozesse zur Rückübersetzung in die ganze gemeinte Wirklichkeit auf (Satz [8]). Keineswegs wird dieses Objekt in jedem Falle und in jeder Erfahrungsstruktur „zum Typus",[158] sondern es kann wie die Gesamtwirklichkeit unter dem überformenden Einfluß der Erfahrungsstruktur verschiedene Gestalten annehmen: in der Substanzschicht ist es durch Synekdoche gewonnenes Symbol oder durch Übertragung fiktiv delegierter Sündenbock; in der Gestaltschicht nimmt es die Form des realen oder fiktiven Beispiels an; in der Funktionsschicht wird es zum Typ, zur erschauten oder personifizierten Verkörperung eines Gedanklichen; in der Figurschicht zur zufälligen Verwirklichung eines Komplexes von Möglichkeiten. Die Struktur der Objekte ist verschieden je nachdem sie durch Synekdoche oder durch Metapher gewonnen sind: der Bock, auf den das Befleckende gehäuft wird, ist ur-

---

158 Wölfel, Epische Welt und satirische Welt 94.

sprünglich nicht Teil der befleckenden Substanz, sondern wird zu ihrem Träger vom Bewußtsein bestimmt; er trägt also die bedrohliche Bedeutung erst sekundär. Ein durch Einschränkung gewonnenes satirisches Objekt trägt diese Bedeutung schon primär und wird durch den Einschränkungsprozeß nur zum Träger der gesamten Bedrohung gemacht. Diese Unterscheidung ist wichtig bei satirischen Objekten in anderen Wirklichkeitsschichten als der substantialen: das Beispiel, der Typ oder Möglichkeitskomplex, auf die sich der satirische Angriff bezieht, sind nur bei synekdochisch gewonnenen Objekten wirklicher Teil und Träger der Bedrohung; bei metaphorisch gewonnenen Objekten ist das Objekt vielleicht dem wirklich Gemeinten und Angegriffenen ganz fremd. Neidharts Bauernburschen zum Beispiel sind synekdochisch gewonnene Objekte, Teile der titanischen, barbarischen Triebmacht, die das Rittertum bedroht. Die Objekte des ‚Roman de Renard‘ und ‚Reinke de vos‘ jedoch sind zum Beispiel ganz übertragen und müssen erst in die Wirklichkeit zurückübersetzt werden, die damit gemeint ist.

Aus der Repräsentanzstruktur des satirischen Objekts ergibt sich ein viertes zeitloses Grundcharakteristikum der Satire: die Notwendigkeit der Rückübersetzung und die damit verbundene diskontinuierliche Behandlung des satirischen Objekts (Sätze [8–9]). Rückübersetzung in die gemeinte totale Bedrohung, in „eine Mückenplage, eine Pest“ [159] ist beim synekdochisch wie beim metaphorisch gewonnenen Objekt notwendig; bei dem letzteren kommt hinzu, daß er an sich nicht bedrohliche Gegenstand erst als solcher gedeutet wird: man darf ‚Reinke de vos‘ nicht als Tiergeschichte lesen, Wittenwilers ‚Ring‘ nicht als Bauernschwank und Swifts Gulliver‘ nicht als Kinderbuch.

Um die Rückübersetzung durch den Leser oder Hörer zu gewährleisten, muß der Satiriker störende, unlogische, inkonsequente, diskontinuierliche Elemente in die Behandlung des Objekts einführen, die den Leser oder Hörer ständig zur Rückübersetzung anregen und nie in ihm den Gedanken aufkommen lassen, der Satiriker meine wirklich nur das, was er sagt und behandelt. Diese erzieherische Wirkungstendenz, ebenfalls ein zeitloses Charakteristikum der Satire, wirkt sich nun in den verschiedensten Techniken der kalkulierten Diskontinuität aus. So impliziert zum Beispiel schon Aristoteles, die ἰαμβικὴ ἰδέα, der persönliche Spott der frühen attischen Komödie, sei „der Entwicklung geschlossener Fabeln im Wege" gewesen. [160] Die lateinische *satura*, als Fruchtschüssel oder Füllsel verstanden, trägt an

---

159 Haecker, Vorrede zu Satire und Polemik 90.
160 Kroll, Art. „Komödie" in RE XI 1,1218, vgl. 1239. Die Stelle bei Aristoteles *poet.* 1449 b 8. Vgl. auch den Kommentar zu der Stelle in Alfred Gudeman: Aristoteles ΠΕΡΙ ΠΟΙΗΤΙΚΗΣ. – Berlin und Leipzig 1934; 152f.

sich den Charakter des Vermischten, Diskontinuierlichen; das scheint nicht nur für die Gedichtsammlung im ganzen zu gelten, sondern auch für das einzelne Stück darin: aus dieser Tendenz zum Diskontinuierlichen lassen sich wohl die vielen Eingänge in die *Sermones* des Horaz erklären, die mit der besprochenen Hauptsache gar nichts zu tun zu haben scheinen. Juvenal überträgt seinen Zorn auf vergangene Geschehnisse, obwohl er gegenwärtige meint (I,147–49), und erreicht so eine andere Art der Diskontinuität. Neidhart entwickelt eine besondere Technik, seine Liedschlüsse zweideutig zu machen, die die Ironie des ganzen Liedes vom Ende her aufdeckt. Wittenwiler behandelt die Realität unterschiedlich, einmal „realistisch“, einmal bis ins Groteske verzerrend. Brant spielt immer mit der Allegorie und mit den epischen Möglichkeiten des Narrenschiffbildes, er formt die einzelnen Kapitel als scheinbare Einheiten aus, die aber doch gedanklich zusammengehören und erst in ihren komplizierten Zusammenhängen den Gedankengang der gesamten *suasoria* erkennen lassen.[161] Erasmus unterbricht die Ethopoiie seiner Moria und läßt sie in direkten Ausfällen über die Mönche herziehen.[162] Scaliger stellt fest: *Partes in Satyra nullae: quarum legibus ad certum numerum, certamue dispositionem deducaris. Nullum prooemium si non vis, abrupta omnia, non tamen non cohaerentia.*[163] Auch Wölfel beobachtet, „eigentliche Handlung [sei] der ‚schwache Punkt‘ der satirischen Erzählung“,[164] und sieht den „Rang und den Vorzug satirischer Kunstwerke“ bestimmt durch „die virtuose Handhabung perspektivischer Überraschungen . . ., die Technik, durch vielfachen Wechsel der Standpunkte und Aspekte zu wirken, Proportionen zu vertauschen, Verhältnisse umzukehren, den gewöhnlichen Nexus der Dinge zu lösen“.[165] Alle diese Methoden, von Beckmessern so oft als „schwache Punkte“ kritisiert, gehören mit Notwendigkeit zur satirischen Technik, denn sie dienen als Rückübersetzungssignale. Die Diskontinuität, der ständige Wechsel der Darstellungsmittel bewirkt, daß die Satire sich nicht mit einigen festen äußeren Merkmalen als „Gattung“ konstituiert und daß sie sich ständig der Darstellungsmittel anderer Schreibarten bedient. Mit der Zusammenstellung der zeitlosen Charakteristika der Satire sind wir allerdings dabei,

---

[161] Vgl. Vf.: Studien zu Sebastian Brants Narrenschiff, Kap. II.

[162] Darauf macht auch Raymond Macdonald Alden aufmerksam: The Rise of Formal Satire in England under Classical Influence. – Philadelphia 1899 (Publ. of the Univ. of Pennsylvania Series in Philology, Literature, and Archaeology, vol. VII No 2); 25: "In such passages as this, of course, the original scheme of the satire is wholly forgotten, and the type is that of direct rebuke."

[163] Julius Caesar Scaliger: Poetices libri septem. Faksimile-Neudruck der Ausgabe von Lyon 1561 mit einer Einleitung von August Buck. – Stuttgart-Bad Cannstatt 1964; 149b.

[164] Wölfel, Epische Welt und satirische Welt 90.　　　[165] Ebd. 90f.

so etwas wie eine innere Gestalt dieser Schreibart zu umreißen; wir wissen außerdem schon aus der Besprechung der satirischen Objekte und der Sprachprozesse, daß die Satire nur das von anderen Schreibarten übernimmt, was ihr anverwandelt ist oder was in den satirischen Prozeß rück-übersetzbar ist. – Jedenfalls erscheint schon unter dem Aspekt der satirischen Diskontinuität der Name *satura* für die Schreibart außerordentlich glücklich; seine Herkunft aus dem Kult des Ceres wird sich darüber hinaus als bedeutsam erweisen.

Überzeitlich sind die Wirkungsformen oder Reaktionen, die der Satiriker beim Leser hervorzurufen sucht, um ihn in den Angriff auf das gemeinte Wirkliche einzubeziehen; sie sind gewissermaßen die Antworten des Leserbewußtseins auf die unter verschiedenen Bedeutungen erscheinenden Objekte der Satire. Auf einen als bedrohlich erscheinenden Gegenstand antwortet der Leser entweder mit Lachen oder mit Angst: Gelächter erlöst das Bewußtsein von einem momentan Unmöglichen, das das Bewußtsein für kurze Dauer ausschaltet, seiner Dominanz beraubt; je länger dieses Ent-setzen des Bewußtseins andauert, desto schwerer wird das Lachen und schlägt dann in Angst um.[166] Dadurch, daß das Objekt der Satire immer bedrohliche Bedeutung trägt, ob an sich oder durch Übertragung, sind entweder Lachen oder Angst immer Reaktionen, die der Satiriker anstrebt;[167] da der Leser sich nicht gern Angst machen läßt und in der bedrohlichen Situation irgendwie einen Ausweg ins Gelächter sucht, ist die zornige Satire viel schwieriger als die scherzhafte: es bedarf schon eines Meisters wie Juvenal, daß der Leser oder Hörer nicht auf einmal seines Rückübersetzungsauftrags und Angriffs-Engagements vergißt und über den Satiriker zu lachen anfängt, der über einen unbedeutenden Gegenstand sich so ereifert und laut gebärdet. – Wenn das bedrohliche Objekt mit dem Bedeutungsbereich des Bekannten verbunden ist, versucht der Satiriker im Leser oder Hörer Erkenntnis und Einsicht zu erzeugen, „die Welt in ihrer nackten Wahrheit sichtbar zu machen".[168] Dieses Aha-Erlebnis in der Satire,

---

166 Vgl. die Besprechung des Grotesken, Abschnitt 13.

167 Johnson, A Treasury 6: "It cannot be too emphatically stated, that satire does *not* have to arm or disguise itself with comedy." Vgl. auch Wölfel, Epische Welt und satirische Welt 85: „Lachen ist nicht conditio sine qua non der Satire." Eigenartigerweise bezeichnet Wölfel die Satire auf der gleichen Seite pauschal als „lachende Sittenkritik, Verbindung komischer Form mit moralischem Zweck".

168 Wölfel, Epische Welt und satirische Welt 90; das ist natürlich nicht „das einzige Geschäft des Satirikers", wie Wölfel meint. In genauem Widerspruch zu diesem Zitat stehen Wölfels Ausführungen aus S. 95 f.: „Es ist verständlich, daß der Satiriker keine Verpflichtung gegenüber der Erscheinungswelt und ihrer Wirklichkeit kennt; deren Irrealität nannten wir ja als Grundprinzip

diese Entlarvung der Lüge ruft im Leser über die Erkenntnis hinaus entweder Furcht vor dem Erkannten oder eine Art grimmiger Freude und Genugtuung über die Entlarvung hervor, die die Anwesenheit der bedrohlichen Bedeutung im satirischen Objekt kennzeichnet. – Trägt der Gegenstand der Satire über die bedrohliche Bedeutung hinaus die Bedeutung des Befreundeten, so versucht der Satiriker im Leser oder Hörer Verachtung über die Verwerflichkeit des Objekts zu erzielen. Auch damit ist oft das Lachen verbunden: Hohnlachen, spottendes, verächtliches Gelächter. Sehr häufig ist hier aber auch die moralische Entrüstung und, stärker noch, Empörung, die nach Vernichtung des satirischen Objekts ruft,[169] weil es sich nicht nur als unwürdig, sondern als die sittliche Verantwortung negierend und gemeinschaftsbedrohend erweist. – Trägt das bedrohliche satirische Objekt noch die Bedeutung des Eigenen, so versucht der Satiriker es dem Leser oder Hörer gleichgültig und uninteressant zu machen und ihn davon abzuziehen. Verharmlosendes Lachen oder die Technik, das Objekt sich durch seine innere Widersprüchlichkeit selbst vernichten zu lassen, sind häufige Mittel zu diesem Zwecke und erweisen die Anwesenheit der bedrohlichen Bedeutung auch hier.

Während diese Wirkungsformen im geschichtlichen Wandel relativ und unberührt bleiben, zeigen sich als historisch affizierbar die Methoden des Satirikers, sowohl den Angriff auf das Objekt auszuführen wie auch den Leser durch die spezifische Wirkungsform in den Angriff einzubeziehen, d. h. das Objekt als anzugreifendes darzustellen. Ausführlich besprochen wurde bisher nur eine Methode, deren erzieherische Form unter negativem Aspekt der Satire spezifisch ist (Satz [14]): die Methode sprachlicher Verzerrung in ihren verschiedenen Ausprägungen. Wir haben gezeigt, daß diese Methode nicht nur die Wirklichkeit schwächt, sondern auch in unzutreffender Benennung, Metonymie und Synekdoche jeweils durch den Kontext bestimmbare, in Groteske, Ironie, Hyperbel und Emphase spezifisch gerichtete Wirkungsformen hervorbringt. Besprochen wurden auch die im

satirischer Weltauffassung." Es stimmt übrigens nicht, daß Wölfel „Irrealität" der Welt als Grundprinzip genannt hat; der Satz, auf den er wohl verweist, lautet folgendermaßen: „Das ist das erste Grundprinzip des satirischen Weltentwurfs: der Geist der Satire ist ein verneinender Geist, der die Welt aufsucht mit dem Entschluß, sie nicht nur als die fragwürdige, sondern als die fraglos unwürdige zu erfahren" (87). Selbst wenn die Welt „etwas Zweideutiges, ihre Erscheinung ... Maske, Trug, Verstellung" ist (88), hat Wölfel nie gesagt, der Satiriker fasse die Welt als irreal auf.

[169] Schiller, Über naive und sentimentalische Dichtung; Nat.-Ausg. 20,443, scheint das satirische Objekt immer für „empörend" zu halten. Der Grund dafür ist wohl die besprochene Bevorzugung der Bedeutung des Befreundeten in der funktionalen Erfahrungsstruktur, der Schillers Satire-Theorie angehört.

historischen Wandel vorgehenden Verbindungen zwischen Verzerrungsprozessen und den Sprachprozessen, die mit späteren Erfahrungsstrukturen
entstehen. Verzerrungsprozesse sind jedoch nicht die einzigen Methoden
des Satirikers, und schon die Sätze über gelenkte und ungelenkte Satire
[10–11] haben auf das Bestehen anderer Methoden aufmerksam gemacht.
Die Wahl der Methode hängt ab vom Temperament des Satirikers, von
seiner Einschätzung des Publikums und von der Erfahrungsstruktur, die
bestimmte Methoden bevorzugt. In jedem Fall wird aber das angreifende,
schwächende Element der Verzerrungsprozesse die andern Methoden bestimmen und überformen.

Die Verzerrungsprozesse sind zur unmittelbaren Distanzierung von
einer bedrohlichen Wirklichkeit geeignet; der Satiriker wird sie also vor-
züglich dann benutzen, wenn die Bedrohung ihm und seinen Hörern unmittelbar bewußt ist; so blüht zum Beispiel die groteske und die ironische
Satire in Zeiten der Krisis, der kollektiven Angst und Unterdrückung.

Wenn die Bedrohung nicht also explosive Substanz oder erdrückende
Kraft unmittelbar manifest ist, sondern sich maskiert, sieht es der Satiriker
als seine Aufgabe, sie zu entlarven. Entlarvung ist die aggressive Form
der Bekanntmachung, der Erklärung und Aufhellung, also eine Verbindung der nichtsatirischen Methode der erläuternden Bekanntmachung mit
der angreifenden Methode der Distanzierung, woraus wie bei der Überformung der Sprachprozesse durch Verzerrungsprozesse eine spezifisch satirische Methode entsteht. Da die Entlarvung eine verborgene Gefahr, eine
Lüge, ein heimliches Laster oder einen verdeckten Widerspruch aufdecken
kann, erfaßt sie alle Bedeutungsbereiche des Objekts der Satire und kann
entsprechend auch alle Wirkungsformen im Leser erzielen. Die Entlarvung
als Analyse des Scheins und wörtliche Benennung der Verheimlichung ist
eine Form der gelenkten Satire; ihr Risiko ist der Unglaube des Lesers,
der hinter der Oberfläche der Dinge nicht so viel Schreckliches oder Schlim-
mes sehen mag wie der Satiriker, den er dann für hysterisch hält.

Sieht der Satiriker im Bewußtsein seiner Leser oder Hörer die Maßstäbe und Werte bedroht, die die Ordnung der Gemeinschaft begründen,
so hält er es für seine Aufgabe, die bedrohende Macht in ihren repräsentativen Objekten zu verurteilen und zugleich seine Hörer zum Seinsollenden
zu ermahnen. Verurteilung ist die aggressive, Ermahnung die didaktische
Form der Beurteilung, Maßstabsetzung und Sittenregelung; beide sind also
Verbindungen der nichtsatirischen Methode der sittlichen Unterweisung
und Gesetzgebung mit der angreifenden Methode der Distanzierung, so
daß wieder eine spezifisch satirische Form entsteht, die sich hier in zwei
Methoden spaltet. Verurteilung und Ermahnung können sich gegen eine
gefährliche Bedrückung richten, die die Moral der Bedrückten schwächt,
gegen eine Ideologie oder Technik, die die Gemüter fängt und verführt,

428

gegen fremde Verhaltensmaßstäbe, reizende Unsitten, die die Ordnung einer gegebenen Gesellschaft aushöhlen,[170] gegen die seelische Trägheit, die keine Ordnung leistet, weil sie sich nicht dazu aufrafft.[171] So kann sich Verurteilung und Ermahnung auf alle Bedeutungsbereiche beziehen und entsprechend auch alle Wirkungsformen im Hörer hervorbringen. Auch diese Doppelmethode von Verurteilung und belehrender Ermahnung ist gelenkte Satire; bei ihrer Verwendung läuft der Satiriker Gefahr, daß sein Publikum ihn, seinen Eifer, seine Maßstäbe und Ermahnungen nicht ernst nimmt und ihn auslacht.

Sieht der Satiriker im Verhalten und Denken seiner Hörer oder Leser Disharmonien, Unstimmigkeiten, Widersprüche, die sie aus Trägheit und Gleichgültigkeit nicht korrigieren, so hält er es für seine Aufgabe, diese inneren Widersprüche aufzudecken, denn für ihn sind sie Anzeichen einer Korruption des Menschlichen. Der Satiriker wird also die vielen Bereiche möglicher Unstimmigkeiten nach Beispielen durchkämmen und diese Beispiele dann einfach nebeneinanderstellen: „falsches" Verhalten gegenüber den Dingen, in sich widersprüchliches Verhalten, Differenzen zwischen Denken und Handeln, Sagen und Denken, Widersprüche im Sagen oder im Denken selbst. Während er Gesagtes und auch Gedachtes wörtlich zitieren kann, müssen Handlungen und Gesten beschrieben werden; aber auch diese Beschreibungen sind nichts als Zitate, die eben aus dem rein mimischen Nachäffen in die Sprache übersetzt werden müssen. Man kann diese satirische Methode deshalb als zitierende oder mimische bezeichnen; ihre beliebteste Technik ist die Sprachmimik, von der antiken Rhetorik als Ethopoiie gelehrt, von der Satire aller Zeit – man denke nur an Aristophanes, Horaz, Juvenal, Neidhart, Brant, die Dunkelmännerbriefe – mit besonderer Vorliebe verwandt, von Arntzen[172] und Lazarowicz[173] als Erfindung des 18. Jahrhunderts bezeichnet und vom ersteren als einzige Art der Satire

---

170 Ein Beispiel dafür ist Neidhart. Seine Methode ist jedoch selten direkte Verurteilung und Ermahnung, sondern er koppelt sie mit der Ethopoiie, so daß sich der Ermahnende zugleich in seiner inneren Widersprüchlichkeit enthüllt, da er der eigenen Lehre zuwiderhandelt. Dieselbe Methodenverbindung läßt sich bei Wittenwilers Bauernlehrern beobachten.

171 Dafür bietet Brant ein hervorragendes Beispiel. Zu seiner Theorie der Trägheit als des Grundübels im allgemeinen und im spezifischen Fall vgl. ‚Narrenschiff' 97, bes. v. 17–19; 99,151–84.

172 Arntzen, Satirischer Stil 10: „Zum ersten Mal wird hier [in der Satire des 18. Jahrhunderts] – freilich noch mit unzulänglichen Mitteln – der Versuch unternommen, die Verzerrungen der Ordnung nicht bloß zu behaupten, sondern in den Figurationen der Sprache erscheinen zu lassen."

173 Lazarowicz, Verkehrte Welt 213: „Lichtenberg begnügt sich damit, die stilistischen Symptome der Unwahrhaftigkeit zu ‚zitieren' und überläßt es dem Le-

bewertet, die literarisch interessant sei.[174] Den „satirischen Stil, die satirische Struktur" auf das einzuschränken, „was den Widerspruch in sich
trägt oder zu seinem Ausdruck helfen kann",[175] scheint doch nach allem, was
in der vorliegenden Untersuchung gesagt wurde, höchst fragwürdig und ist
nur aus einer Reaktion gegen die langweilige direkt strafende Satire des
17./18. Jahrhunderts zu verstehen. – Die mimische Methode kann durch
Nebeneinanderstellung zweier Zitate oder durch Hervorhebung eines Ele-
mentes in einem Zitat auf Sprachkrankheiten und Ausdrucksverfehlungen
aufmerksam machen, die auf innere Verhärtung, Korruption, Unmensch-
lichkeit schließen lassen; sie kann Selbsttäuschung oder Unwahrhaftigkeiten
aufweisen, Korruption der Begriffe, Werte und Maßstäbe anprangern oder
die Mißhandlung der Sprache selbst sichtbar machen. Die Gefahr solcher
Satire ist, daß der Leser oder Hörer schon zu stumpf ist, um seine eigenen
Widersprüche überhaupt noch zu merken, denn diese satirische Methode ist
wieder ungelenkt wie die verzerrende.

Wie das Studium der Verzerrungsprozesse gezeigt hat, wandelt sich die
Methode unter dem Einfluß der Erfahrungsstrukturen, und so entsteht die
Geschichte einer Methode. Alle vier besprochenen Methoden – Verzerrung, Entlarvung, Verurteilung/Ermahnung, Mimik – haben nun eine solche Geschichte, die wir allerdings hier nicht nachzeichnen können. Man
nehme übrigens nicht an, daß die Untersuchung der Verzerrungsprozesse
etwa die vollständige „Geschichte" dieser Methode geliefert hätte: wir
haben nur den Rahmen angedeutet durch die Kombination mit den vier
Erfahrungsstrukturen, aber nicht beachtet, wie diese sich wieder untereinander kombinieren und so neue kompliziertere Erfahrungsstrukturen
entstehen lassen, wie die Verzerrungsmethoden sich mit anderen Methoden
kombinieren (etwa mit der Mimik zur Karikatur, Parodie, Travestie), und
wie auf diese Weise die Geschichte ihre tatsächliche Vielfältigkeit erhält.

Ein historisches Element der Methoden soll jedoch erwähnt werden:
jede Erfahrungsstruktur begünstigt eine bestimmte Methode, die deshalb
in den Satiren, die der jeweiligen Wirklichkeitsschicht angehören, einen
breiteren Raum einnimmt als die übrigen Methoden. Die Substanzschicht
begünstigt die reine Verzerrung, denn ihre bedrohliche Wirklichkeit manifestiert sich unmittelbar als schreckliche Potenz im Bewußtsein. Die Gestaltschicht begünstigt die Entlarvung, da ihre Wirklichkeit sich als Außenseite, als Akzidenzenkomplex einer unbekannten Substanz darstellt. Die
Funktionsschicht begünstigt die Verurteilung/Ermahnung, weil ihre Er-

---

ser, aus der Redeweise seiner Figuren ihr Wesen zu erschließen. Mit der Erprobung dieses Verfahrens wird er zum Begründer einer neuen satirischen
Gestaltungsweise."

174 Arntzen, Satirischer Stil 8.   175 Arntzen, Nachricht von der Satire 570.

fahrungsstruktur Abhängigkeitssysteme, Wert- und Rangordnungen ausbildet, in die das Einzelne sich einfügen muß, um wirklich zu werden. Verurteilung dessen, was sich nicht einfügt, und Ermahnung zur Aufrechterhaltung der Maßstäbe werden deshalb besonders häufig sein, die strafende
predigende Satire wird den breitesten Raum einnehmen. – Die Figurschicht
endlich begünstigt die mimische Methode, denn ihr einziger Maßstab ist
die innere Konsistenz und Harmonie des Wirklichen, deren Störung bei
der Konfrontation des Disharmonischen im Zitat unmittelbar evident
wird. Die Figur läßt sich nicht erklären oder beurteilen, sie und ihre Zerstörung wird wirklich, wenn das Bewußtsein des Lesers oder Hörers sie
mitvollzieht, denn von ihm hängt die Wirklichkeit ab. Deshalb ist es sinnvoll, wenn Walter Benjamin „ein Buch" fordert, „dessen grenzenlose Kraft
der Satire ihresgleichen nur in der Kraft seiner Sachlichkeit hätte",[176] und
wenn die Satire Karl Kraus' sich immer mehr auf das pure Zitat hin entwickelt. Sein Drama ‚Die letzten Tage der Menschheit' ist nicht bloß Kol-
portage, sondern mimische Satire, in der der Autor nur auswählt und den
Leser oder Hörer völlig zum Satiriker macht.

Damit haben wir das an der Satire umschrieben, was ihr als zeitlose
Möglichkeit gegeben ist. Nicht jede einzelne Satire muß alle diese Züge
aufweisen; vielmehr wird sie aus jedem Phänomenkreis vielleicht nur eine
der besprochenen Möglichkeiten verwirklichen. In allen Phänomenkreisen
sahen wir einen Strukturkomplex sämtliche möglichen Kombinationen
überformen: den Komplex von Substanzwirklichkeit / bedrohlicher Bedeutung / erzieherischer Formtendenz. Wenn wir diese zeitlosen Möglichkeiten
der Satire das Satirische nennen, so können wir folgendermaßen diese
Übersicht über die Phänomenkreise zusammenfassen:

*Das Satirische ist nach Wirklichkeitstendenz, Bedeutung, Objektstruk-
tur, Aussagetendenz, Werkaufbau, Wirkungsform und Methode durch
den strukturgebenden Komplex von Substanzwirklichkeit, bedrohlicher
Bedeutung und erzieherischer Formtendenz bestimmt. [20]*

Alle besprochenen Kombinationen sind möglich und noch eine Vielzahl
komplizierterer Kombinationen, doch die gesammelte Evidenz genügt, um
die Richtigkeit des Satzes zu gewährleisten. Durch diese in bestimmter
Weise strukturierten Phänomenkreise zeichnet sich das Satirische als Möglichkeit zu einer klar umrissenen unverwechselbaren Schreibart ab. Den
Weg dieser Möglichkeit zu einer bestimmten Verwirklichung in einer durch
die jeweilige historische Erfahrungsstruktur bestimmten Form, den Weg
des Satirischen also zur Satire, wollen wir im folgenden wenigstens andeuten. Der dabei notwendige Vergleich mit anderen Schreibarten wird die

---

[176] Zitiert bei Arntzen, Satirischer Stil 36.

bisherige Fixierung des Interesses auf den in Satz [20] genannten strukturgebenden Komplex wieder lösen und so den Einbau der Satire in die Möglichkeiten anderer Schreibarten gestatten.

22   Wendet man die Feststellung, daß das Satirische der Substanzwirklichkeit spezifisch ist, ins Historische, so kommt man zu der Annahme, daß
die Satire in dieser historisch ersten Wirklichkeitsschicht und Erfahrungsstruktur entstanden ist. Da das Satirische nur den bedrohlichen Aspekt des
Unbekannten im Auge hat, nur die negative Richtung der sprachlichen Verzerrungsprozesse ausnützt (Satz [14]), ist eine entsprechende Schreibart
für den faszinierenden Aspekt des Unbekannten, die positive Richtung der
sprachlichen Verzerrungsprozesse anzunehmen: das Hymnische, die Grund-
form des Lyrischen. Hier greift das Bewußtsein das unbekannte Wirkliche
nicht an, sondern versucht es herbeizuziehen, seine wirkende Potenz zu
kräftigen und zu intensivieren; die Verzerrungsprozesse werden nicht zur
Distanzierung, sondern zur Annäherung benutzt; das Bewußtsein versucht
nicht, seine Herrschaft über ein eindringendes gefährlich Unbekanntes zu
behaupten, sondern es möchte sich hingeben, sich verlieren an das wunder-
bar anziehende Unbekannte.

Was hier von der Theorie abgeleitet wurde, findet historisch allenthalben seine Bestätigung, obwohl man sich mangels schriftlicher Überlieferung
meist auf indirekte Zeugnisse stützen muß. So ergibt zum Beispiel der
Iambos, ein Versmaß des ersten griechischen Lyrikers und Satirikers Archilochos und des pseudohomerischen Scherzepos ‚Margites‘, interessante Aufschlüsse: „Jener literarische Gebrauch setzt hinter sich eine noch viel weiter
zurückreichende volkstümliche Übung des Metrums voraus. Wertvolle
Blicke in diese Urschicht gestatten uns einzelne versprengte iambische Kult-
sprüche ..., besonders auch Sprichwortverse ... Wir stoßen da auf uralte,
im Grunde sakrale Formeln attischen Volksbrauchs ..., und zwar tritt
neben dem heiteren Teil etwa der Dionysischen Anthesterien der ernste
Anlaß chthonischen Totenkults auf." [177] In Attika finden sich auch, ange-
gliedert an den Dionysoskult, die Phallossänger, aus deren Liedern Aristoteles *poet.* 1449 a 9–13 die Entstehung der Komödie wie aus den Dithy-
ramben die Entstehung der Tragödie herleitet. „Außer der Anrufung des
Bakchos in einfachen Liedern wird bei den Phallophoren auch die Verspottung der Anwesenden οὓς [ἂν] προέλοιντο erwähnt";[178] wie die Iam-

---

[177] Gerhard, Art. „Iambographen" in RE IX 1,655.
[178] Kroll, Art. „Komödie" 1218f. Vgl. die Interpretation bei Elliott, The Power
   of Satire 5: "The ceremonial had two aspects, as it were: the invocation of
   good influences through the magic potency of the phallus, the expulsion of
   evil influences through the magical potency of abuse."

ben den Doppelaspekt des Ernsten und Lustig-Bissigen tragen, so wechseln bei diesen Phallosprozessionen die hymnische und die satirische Form des Anrufs: Heranziehung des Göttlich-Schönen, Verstoßung des Göttlich-Bedrohlichen, das durch die Umstehenden repräsentiert wird. Satire gehört wie der Hymnos zur urtümlichen Kulthandlung, die für das angerufene Göttliche Raum schafft, indem sie das Schädliche verbannt; die das Angerufene stärkt, indem sie das Schädliche schwächt. Diese ursprüngliche Doppelheit findet sich noch in manchen späteren „Satiren“: sie loben das Gute, Tugendhafte, indem sie zugleich das Böse verdammen. – Archilochos entwickelte seine Lyrik und Satire nicht aus der attischen Kulturtradition, sondern aus einer parallelen in Ionien: „Ionische Demeter- und Dionysosfeste sind es wieder, aus deren lustiger Seite, aus deren obszönen Neckliedern um die Mitte des 7. Jahrhunderts die wirkliche kunstmäßige Iambik des Archilochos ... aufwuchs.“ [179] Dieser Dichter scheint „von väterlicher Seite her zu dem priesterlichen Adel der besonders durch ihren Demeterkult berühmten Insel“ Paros gehört zu haben;[180] „schon der homerische Demeterhymnus 202ff. setzt den Vortrag von derben Neckliedern als Festsitte im Demeterkult voraus, denn die Iambe-Episode soll sie als Prototyp begründen ... Der Dichter hat offenbar die αὐτοσχεδιάσματα der heimischen Demeter- und Dionysosfeste (frg. 9) zu einer festen Kunstform durchgebildet. So erklärt sich hier, wie in der attischen Komödie, die αἰσχρολογία und die Rücksichtslosigkeit der κακοὶ δέννοι (frg. 65, vgl. Herond. VII 104), mit denen der Dichter allbekannte Personen angreift. In dieser Form war man dergleichen gewohnt, die Religion hatte es sanctioniert.“ [181]

So wie Archilochos „nicht nur der rücksichtslose Spötter“ ist, sondern ebensogut „den Ton schlichter, echter Empfindung und leidenschaftlicher Hingabe“ trifft,[182] wie Aristoteles den Anfang der Poesie in satirischer Rüge einerseits (ψόγος) und Hymnos und Enkomion andererseits sieht,[183] wie Rüge und Preisung die Aufgabe altirischer Dichter ist,[184] wie die vorhumanistischen Bezeichnungen für den Dichter sehr häufig in Richtung auf die satirische Aufgabe gingen,[185] so ist auch für den zentraleuropäischen

---

[179] Gerhard, Iambographen 655.

[180] Crusius, Art. „Archilochos“ in RE II 1,490.   [181] Ebd. 504.   [182] Ebd. 502.

[183] Aristoteles poet. 1448 b 24–27.

[184] Elliott, The Power of Satire 39. Er sammelt auch interessantes Material über den altarabischen Dichter (15–18).

[185] Worchester, Art of Satire 148f.: "All ancient literatures hint at the prevalence and dignity of satire in early times. Etymologists have suggested a connection between Old English scop, Old High German scof, 'poet', and our verb, 'to scoff'; between Old Norse skald, 'poet', and our 'scold', German schelten; between Irish fáith ('poet', cognate with Latin vates) and Welsh gwawd, 'mockery'. The popularity of the Zauberlied (incantation) and the

Raum eine ähnliche Urschicht der Dichtung im kultischen Bereich anzunehmen, die in den Komplementärformen von Satire und Hymnos erscheint.
Denn ebenso wie die attischen Phallika antiphonisch zwischen Anrufen
des Gottes und satirischen Ausfällen gegen die Zuschauer abwechseln, so
finden sich zum Beispiel noch in mittelalterlichen Prozessionen antiphoni-
sche Strukturen zwischen heiligen Hymnen und satirischen Verschen, die
die Frauen dazwischen einstreuen;[186] das satirische Element in Fasnet,
Karneval und Fasching ist wohl unbestreitbar, während das hymnische
Element unter christlichem Einfluß fast ganz verschwunden ist, obwohl es
ebenso wie das satirisch-austreibende in den kultischen und rituellen Voll-
zügen dieser alten Frühlingsfeiern noch virtuell vorhanden ist. Flögel weist
auf das ebenfalls archaische Brauchtum des Spruchsprechens hin, das bis
in seine Zeit lebendig war und sowohl Lob- als auch Spott- und Schmäh-
sprüche einschloß.[187] Da sich die Ausdrucksformen der substantialen Erfahrungsstruktur, also die Urformen von Satire und Hymnos, am längsten in
chthonischen und mit Wachstum und Fruchtbarkeit zusammenhängenden
Religionsformen erhalten, ist Bielschowskys Vermutung, Neidharts Lieder
seien aus Frühlingsbräuchen entwickelt, nicht von der Hand zu weisen.[188]
Aus demselben Grunde scheint es bedeutsam und sinnvoll, daß die *lanx
satura* dem Kult der Ceres angehört:[189] so wie im griechischen Raum die
Satire des Archilochos eine Literarisierung von Traditionen aus dem Frucht-
barkeitskult der Demeter ist, so stammt der Name, die gemischte Form und
wohl auch die zwischen Lob und Rüge wechselnde Art der römischen *satura*
aus dem Cereskult.[190]

Spottlied (song of mockery) among the German peoples is well established."
Auf das Verhältnis zwischen Satire und Zauber gehen wir unten ein.

186 C. Lenient: La Satire en France au Moyen Age. – Nouvelle éd. Paris 1893;
3: «En Normandie, pendant les processions, les femmes interrompaient les
hymnes sacrées pour y mêler des couplets satiriques, *nugaces cantilenas.*» In
dieselbe Richtung weisen die vielen von Bielschowsky, Geschichte der deutschen Dorfpoesie 1–22 gesammelten Belege für Überreste altgermanischer
Frühlingsfeiern in Osterprozessionen etc.

187 Flögel, Geschichte der komischen Litteratur I 330f. (Anm. k).

188 Er hat zwar nur die Sommerlieder im Sinn; es gehört jedoch z.B. zum Fastnachtsbrauchtum, gegen den Winter und seine Repräsentanten satirische Angriffe zu führen. Neidharts Abwandlung sowohl der Frühlingsliedtradition
wie auch dieser Wintersatiren ist schon besprochen worden, und in diesem
Sinne ist Bielschowskys Auswertung der Verbindung wohl zu korrigieren.

189 Kroll, Art. „Satura" in RE II A 1,193.

190 Ebenfalls wachstumsfördernden und apotropäischen Zweck scheinen die „alt-
italischen Hochzeitsgesänge" der *Fescennini versus* gehabt zu haben, an denen
„regelmäßig die Ausgelassenheit *(licentia, petulantia)* und Frechheit des Scher-

Nachdem durch diese Zeugnisse indirekt die Existenz der kultischen Phänomene Satire und Hymnos in jener vorliterarisch archaischen Schicht erschlossen wurde, die wir Substanzschicht nannten, soll nun ein Blick auf ihre mögliche Beschaffenheit und Funktion geworfen werden. Wenn in dieser Erfahrungsstruktur das Wirkliche sich als Potenz im Bewußtsein manifestiert, so muß auch das Wort diese Struktur haben, wenn es auf das Wirkliche Einfluß ausüben soll. Es ist also magisches Wort, Zauberwort, Substanz, in der eine gefährliche oder wunderbare Potenz gespeichert ist. Es kann deshalb hymnisch zur Heranziehung des guten Göttlichen, satirisch zur Austreibung des schlimmen Göttlichen dienen und ist damit Teil des kultischen Vollzugs wie die Gebärde und die Handlung, etwa das Schlachten von Opfertieren. Seine Form ist hymnischer Anruf oder satirisch-gehässiger Ausruf, Gebet oder Fluch, Beschwörung oder Bannung. In seiner notwendigen Form, gegenüber der heiligen Substanz, dem *sacrum* in seiner gut-schönen und seiner schädlich-ekelhaften Bedeutung, ist dieses Wort gleichsam reaktiv wie ein Ausruf der Freude oder des Schmerzes; in seiner erzieherischen Form, gegenüber Menschen, kann es die Geltung eines Menschen durch Preisung intensivieren oder als gefährliche satirische Waffe reduzieren oder gar vernichten: die Legende von des Archilochos Tötung des Lykambes und der Neobule und Berichte über die Gefährlichkeit irischer Satiriker[191] gehen in diese Richtung. Man wird heute davon als von „Märchen" sprechen,[192] weil das Wort für unser Bewußtsein nicht mehr als unmittelbar gefährliche Potenz erscheinen kann; in der Erfahrungsstruktur der Substanzwirklichkeit ist das aber der Fall; das Wort der satirischen Verfluchung und Verbannung, gegen einen Menschen gerichtet, vernichtet oder schädigt dessen Bewußtsein und macht ihn von sich selbst aus unfähig, in normalen Verhältnissen weiterzuleben.[193] Diese substantiale Struktur und Funktion des satirischen Wortes bleibt in allen Äußerungen wirklicher Satire bestehen und hat immer dazu beigetragen, den Satiriker zugleich zum verdächtig gefährlichen und ängstlich verhätschelten Individuum in

---

zes *(procax, dicax)* hervorgehoben wird", und deren Name „vereinzelt auch zur Bezeichnung kecker Spottgedichte gebraucht" wurde (Wissowa, Art. „Fescennini versus" in RE VI 2,2222f.). Auch die bekannten Spottverse der römischen Soldaten beim Einzug des Triumphators haben diese Funktion.

[191] Gesammelt bei Elliott, The Power of Satire.

[192] Zum Beispiel Crusius, „Archilochos" 495.

[193] Hölderlin in seinen Anmerkungen zur Übersetzung der ‚Antigonae' des Sophokles unterscheidet das „tödtlichfactische" Wort der Griechen von dem „tödtendfactischen" Wort der Moderne. Vielleicht spielen hier ähnliche Gedankengänge mit (StA 5,270,13f.). Wir unterscheiden den vier Erfahrungsstrukturen gemäß auch vier Wirklichkeitsschichten im Wort.

der Gesellschaft zu machen.[194] Denn dieser Satiriker ist zugleich der hymnisch Wortgewaltige, der den richtig Lebenden zu preisen und damit zu höherer Potenz im Leben und in der Gesellschaft zu heben vermag. Die erzieherische Form von Satire und Hymnos wird also in dieser ersten Schicht an Menschen oder menschlich bedeutende Dinge gerichtet sein, und wie die substantiale Erfahrungsstruktur immer überformend vorhanden bleibt, so behält auch das Satirische und das Lyrische immer eine menschlich-persönliche Richtung. Was den Aussageinhalt dieser frühen Satire und Hymnik anbelangt, so besteht er hauptsächlich in Wiederholungen von Wörtern, die nicht nach Gesichtspunkten ihres gedanklichen Gehaltes, sondern ihrer Potenz gewählt sind und deshalb auf ein modernes Bewußtsein einen wenig sinnvollen Eindruck machen.[195]

23 Die Gestaltwirklichkeit mit ihrer polar-chiastischen Erfahrungsstruktur entwickelt eine neue Schreibart, so wie sie neue Sprachprozesse ausbildet: das Epos. Die epische Struktur ist polar-chiastisch in dem gegenseitigen Begründungsverhältnis von Vergangenheit des Erzählten und Gegenwart des Erzählers und der Zuhörer. Dieses Verhältnis läßt sich am leichtesten am aitiologischen Mythos studieren und von da auf das Epos übertragen.

Der Mythos begründet das Sein eines gegenwärtig Vorhandenen durch das Geschehen in einer heiligen Vergangenheit. So wird zum Beispiel das Vorhandensein dreier Quellen auf der Akropolis und der Ölbaumbau in Attika auf einen Wettstreit zwischen Poseidon und Athena, den Lokalgöttern zurückgeführt, wer von beiden den Athenern besser helfen könne: Poseidon warf seinen Dreizack auf die Akropolis und ließ aus dem dürren Fels Quellen entspringen, Athene pflanzte den lebenswichtigen Ölbaum. Das Gegenwärtige empfängt seine Wirklichkeit aus der heiligen Vergangenheit – genauso wie im vergleichenden Sprachprozeß das Gegenwärtige seine Eigenschaftswirklichkeit aus der Vorstellungsreihe und Idee bekommt, nur daß im Mythos das Verhältnis zeitlich gewandt ist. Wie nun im Sprachprozeß das gegenwärtige eigenschaftliche Ding die Vorstellungsreihe präzisiert und gestaltet, so ist auch der Mythos eine Gestaltung dieser Vergangenheit durch das Gegenwärtige; das wird daran sichtbar, daß diese Gestaltung sich inhaltlich je nach Landschaft und Bedarf wandeln kann, daß sie nicht dogmatischen, sondern nur wahrscheinlichen Charakter trägt.

---

194 Vgl. die Studie von Leonard Feinberg: The Satirist. His Temperament, Motivation, and Influence. – Iowa State U.P., Ames, Iowa 1963.
195 Vgl. Elliott, The Power of Satire 37: "The closer the primitive satires are to magic, the less 'meaning' in the discursive sense, are they likely to have."

Diese polar-chiastische Struktur zeigt sich auch im Epos. Das Erzählte ist eine Vergangenheit, die der Gegenwart an Seinsdichte weit überlegen ist, die in ihrem heroischen Wesen den Mut der zuhörenden Männer erhebt und die den gegenwärtigen Zustand der menschlichen Welt mit begründet hat. Umgekehrt ist sich die Gegenwart bewußt, diese Vergangenheit nicht in ihrer absoluten Wahrheit zu kennen und zu beschreiben, sondern sie zu gestalten nach dem Gesichtspunkt der größten Wahrscheinlichkeit, der richtigsten Erschauung. Das Erzählte ist also nicht seinsbegründend, es ist gestaltendes Wort und bildende Vorstellung; seinsbegründend ist das, über das erzählt wird und das durch das Mittel des gestaltenden Wortes hindurch im Bewußtsein sich manifestiert, aber immer seiner Wirklichkeit nach entfernt und geschwächt bleibt. Das epische Wort ist also zugleich Zugang und Hindernis, es ist Vergegenwärtigung des seienden Vergangenen und zugleich das, was durch seine Vergangenheitsform das Seiende vergangen macht, es ist gestaltende Ordnung vor einer chaotischen Urwirklichkeit, immer von dieser bedroht und immer versuchend, sie in geordneter Entfernung zu halten. – Die Stellung des epischen Erzählers ist in zweifacher Hinsicht polar-chiastisch strukturiert, einmal bezüglich der Gestaltung, die er dem Vergangenen gibt, zum andern bezüglich seines Publikums. Hinsichtlich der Gestaltung ist er wie beim sprachlichen Vergleichsprozeß der Vorstellungsreihe, der allgemeinen Vorstellung verpflichtet, er schafft nicht, sondern er schaut und ruft die Muse um richtige Schau an; das Geschaute ahmt er dann in der Sprache nach,[196] gestaltet es damit in diesem Medium. Seine Gestaltung ist also begründet durch die allgemeine Vorstellung und präzisiert ihrerseits diese allgemeine Vorstellung an den Punkten, die zur Sprache kommen. Er ist nicht schöpferisch im Sinne der Geniezeit, sondern dienend, aber sein Dienst ordnet und gestaltet das Höhere, dem er dient. Hinsichtlich des Publikums hat der Erzähler eine ähnliche Stellung wie hinsichtlich der allgemeinen Vorstellung, denn in gewissem Sinn ist die allgemeine Vorstellung der Inbegriff der Einzelvorstellungen aller Menschen, also auch des Publikums. Der Erzähler ist der Beauftragte, der Repräsentant des Publikums gegenüber der zu erzählenden Vergangenheit, seine gestaltene Einzelvorstellung vertritt die Stelle der allgemeinen Vorstellung des Publikums, aber zugleich gestaltet, artikuliert, präzisiert er durch seine Erzählung die Vorstellung seiner Zuhörer. Die epische Dichtung, als deren bekannteste Vertreter man die homerischen Epen und die germanischen Heldenlieder kennt, hat also durch die Erfahrungsstruktur der Gestaltwirklichkeit, aus der sie hervorgeht, ganz andere Beschaffenheit

---

[196] Diese Erfahrungsstruktur liegt offenbar der Imitationstheorie des Aristoteles zugrunde, *poet.* 1448 b 4ff., ebenso, wenn auch anders gewandt, der Imitationstheorie Platons.

und Funktion als die aus der Substanzwirklichkeit hervorgehende Satire und Hymnik.[197]

Es gibt nun eine Reihe von Verbindungen und Überformungen zwischen substantialen und vergleichenden Strukturen; dadurch entstehen neue Schreibarten und Abwandlungen der alten. Das Drama ist eine Verbindung von substantialer Kulthandlung und episch-mythischer Erzählung. Es entsteht unter dem Einfluß der dionysischen Religion, die innerhalb der Erfahrungsstruktur der Gestaltwirklichkeit eine Wiederbelebung der substantialen Erfahrungsstruktur darstellt; das wird am deutlichsten sichtbar an der schon besprochenen Maske, durch die der Gott anwesend ist. Hier ist die polar-chiastische Struktur aus dem besprochenen Gleichgewicht gekommen und leidend geworden: die Vorstellung ist als hindernde Vor-Stellung, die Gestalt als Verstellung vor der eigentlichen heiligen Substanz bewußt, sie ist von der dahinterliegenden Substanz, deren akzidentielle Oberfläche sie anfangs war, gleichsam abgelöst und zur Maske geworden. Das Drama benützt in bedeutsamer Weise die Maske für die Schauspieler. Dieselbe Veränderung geht mit dem Wort vor: es wird in seiner gestaltenden, ordnenden, medialen Funktion bewußt, die vor das unmittelbar in chaotischer Potenz erscheinende Göttliche eine distanzierende Schicht legt; um also im Dionysoskult die rechte Funktion haben zu können, muß es sich zum substantialen Ruf zurückverwandeln oder in seiner epischen Struktur vernichten. Die Rufe Evoe und Bakche gehören deshalb in den Dionysoskult wie das Drama, in dem sich die Selbstvernichtung des Wortes und der Schreibart der Gestaltwirklichkeit vollzieht. Das Drama verwendet den Mythos, ein Geschehen, das dem Zuschauer als vergangenheitlich bewußt ist, und stellt es als gegenwärtiges Geschehen dar: die Zeitformen von begründender Vergangenheit und gestaltender Gegenwart werden in eins gesetzt; das Geschehen auf der Bühne läßt deshalb das heilig begründende Sein unmittelbar und distanzlos auf das Bewußtsein wirken; seine Wirkung ist aber nicht mehr die eines Gestalteten, Vorgestellten, denn Gestalt und Vorstellung erweisen sich als Maske, als pure Fiktion, nachdem das Verhältnis der Zeitformen gestört ist. Die episch-mythische Gestalt wird also vernichtet zugunsten der unmittelbaren Parusie des Göttlichen, das in der Katastrophe chaotisch aus den Trümmern der Gestalt strahlt. Während die Tragödie diese gewaltsame Form bevorzugt, kommt in der satirischen (alten) Komödie gleich gar kein durchgeführter Mythos zustande. –

---

[197] Käte Hamburgers Trennung des Lyrischen vom Epischen und Dramatischen nach Gesichtspunkten des Verhältnisses zur Wirklichkeit erscheint deshalb als im Ansatz richtig, wenn auch in der Beweisführung und Terminologie manchmal zweifelhaft (Die Logik der Dichtung). Die sonst übliche Gleichordnung der Gattungen oder Grundbegriffe verwischt die bestehenden Unterschiede.

438

Was sich hier an der Verwandlung der Zeitstruktur und der Behandlung des Mythos gezeigt hat, bestimmt nun auch das Schicksal des Erzählers und das Verhältnis des Wortes zum Publikum. Indem die Vergangenheit in die Gegenwart hereingerissen wird, vernichtet sich der Erzähler als den Repräsentanten der Gegenwart selbst; das Wort verliert seine gestaltende Vergangenheitsform und lebt als präsentische Rede und Gegenrede auf der Bühne. Die in ihm ausgedrückte Zeit ist jedoch nicht die wirkliche Gegenwart, die nur durch eine Erzählerfigur gestiftet werden könnte, sondern eine fiktive außerzeitliche Zeit, die zwischen der Vergangenheit des vorgestellten mythischen Ereignisses und der Bühnengegenwart oszilliert. Die Gestalt, die dem Geschehen aufgeprägt ist, hat nicht den von der Erzählergegenwart begründeten Charakter, sondern ebenfalls einen fiktiven Charakter, der sie zur Maske macht für ein eigentlich Gemeintes. Das polar-chiastische Verhältnis zwischen Erzähler und Publikum fällt mit der Erzählergestalt; der Erzähler wird aber in diesem Verhältnis durch den Chor ersetzt. Dieser steht einerseits im Repräsentanzverhältnis zum Publikum und artikuliert die allgemeine Vorstellung, andererseits nimmt er am Geschehen teil und hebt damit die trennende Schicht zwischen Publikum und vergangenheitlicher Handlung auf, die durch den epischen Erzähler hergestellt wird: das Publikum soll also in seiner Vertretung durch den Chor unmittelbar am gesteigerten Sein der Handlung teilhaben und die Parusie des Göttlichen unmittelbar als Potenz im Bewußtsein erfahren.

Überformt werden in der Gestaltwirklichkeit die beiden substantialen Schreibarten von Hymnik und Satire. Das Faszinierende, das die substantiale Hymne nur in Namen und Verzerrungsformen hatte anrufen können, erhält jetzt Gestalt und Vorstellbarkeit durch Vergleichsprozesse, Vorstellungsreihen und mythische Vergangenheitsbezüge. Der Repräsentanzbezug des in der substantialen Erfahrungsstruktur Angerufenen zu dem eigentlich Gemeinten wird polar-chiastisch überformt: ein Gegenwärtiges, im rein vergleichenden Verhältnis ein gestaltgebendes Beispiel von Vorstellungsreihen, wird durch das hymnische Repräsentanzverhältnis zum tatsächlichen Teilhaber an der Vorstellungsreihe und Idee: das Heilige, Ewige, Unerreichbare scheint sich in ihm verkörpert zu haben und wird deshalb enthusiastisch angebetet – Lyrik entsteht. Diesem Gegenstande gegenüber ist der lyrische Dichter der Anrufende, dessen persönliches Bewußtsein also unmittelbar von der unbekannt-faszinierenden Wirklichkeit affiziert ist; zugleich aber ist er der Vertreter des Publikums, der die allgemeine Vorstellung artikuliert: er ruft also für das Publikum den unbekannt-faszinierenden Gegenstand an. Die Wirkungsform wandelt sich damit auch: während das Hymnische als Reaktion auf das faszinierende Göttliche eine notwendige, als *incantatio* eine magisch-nützliche Wirkungsform gehabt hatte und in diesen Formen auch weiter behält, trennt sich davon nun die erzieherische und zum Teil auch schon spielerische Wirkungsform der literarischen, künstlerischen Lyrik ab. Die Behandlung des lyrischen Gegenstandes ist von der Behandlung des epischen und dramatischen Gegenstandes durch ihre Diskontinuität unterschieden: während diese eine in sich geschlossene Form der Vorstellung gestalten, da sie eine vom Bewußtsein erschaute wahrscheinliche Gestaltung zu geben haben, springt das Lyrische zum Beispiel zwischen vorstellender Gestaltung und Anruf hin und her: das lyrische Objekt ist wie das satirische Repräsentant des eigentlich Gemeinten; seine Behandlung ist deshalb wie die des satirischen Objekts diskontinuierlich (Satz [9]). Die lyrische Sprache wechselt ebenfalls zwischen Verzerrungs- und Vergleichsprozessen und der Metapher als ihrer beschriebenen Verbindung. Diese Strukturen des lyrischen Gegenstandes und der Stellung des Lyrikers kann man sowohl in der griechischen wie auch in der europäisch mittelalterlichen Lyrik erkennen, während das Drama im europäisch mittelalterlichen Zeitraum keine so klare Ausgestaltung erfuhr.[198]

Das Satirische wird gleichzeitig mit dem Hymnischen von Archilochos literarisiert und mit der Gestaltwirklichkeit verbunden: das Bedrohliche wird hier nicht mehr nur in seiner Potenzhaftigkeit erfahren, sondern zugleich als so und so Beschaffenes; die Verbindung beider Erfahrungsstrukturen ergibt den satirischen Gegenstand in der Gestaltwirklichkeit: seine Eigenschaften sind so maßlos, so ordnungswidrig, daß er als Gestaltung und Repräsentant der titanischen chaotischen Mächte erscheint, die die gestaltete Welt bedrohen. Die Satire kann deshalb über das Persönliche hinaus auf eine ganze Gruppe gehen, die durch bestimmte ordnungswidrige fremde Merkmale gekennzeichnet ist. Persönliche Satire findet sich bei Archilochos, Hipponax, Lucilius, während sich die alte Komödie neben der persönlichen Satire auch gegen ganze Gruppen wendet und damit politisch aktiv wird. Neidhart, so haben wir beobachtet, wendet sich über Repräsentanten gegen die Gruppen des verbauernden Rittertums und des zum Adel strebenden Bauerntums, weil er in ihnen die weltzerstörende *inordinatio* wirken sieht. – Hinsichtlich der Schreibart bleibt das Satirische entweder in der epigrammatischen Kurzform, die es im Kultischen hatte und in der es sich durch die Jahrhunderte erhalten hat, oder es geht wie das Hymnische überformend mit Schreibarten der Gestaltwirklich-

---

[198] Die Unterschiede der Gestaltwirklichkeit, die sowohl das Griechentum bis Platon als auch die westeuropäischen Völker bis zur Renaissance bestimmt, können hier nicht herausgearbeitet werden. Sie rühren zum großen Teil von der halb angenommenen, halb abgelehnten Überformung durch das funktionale Christentum her, das keine so organische Entwicklung durch die Gestaltwirklichkeit hindurch gestattete, wie sie das Griechentum durchmachte.

440

keit Verbindungen ein. So gibt es das satirische, parodistische, travestierende Epos, die Mythentravestie schon früh; die Komödie mischt alle diese Formen mit dem Epigrammatischen zu einem Drama von ähnlicher exkommunizierender Wirksamkeit wie die Tragödie die Unmittelbarkeit des Heiligen hymnisch herbeibeschwört. Neidharts Lieder verbinden lyrische, epische und dramatische Elemente zu einem eigenen Ganzen. – Die satirische Sprache mischt Verzerrungs- und Vergleichsprozesse und fügt sie in der Metapher zusammen. Der Satiriker greift den ordnungsstörenden Gegenstand persönlich und zugleich als Vertreter der Gemeinschaft an;[199] er fordert deshalb absolute Spott- und Beleidigungsfreiheit wie zum Beispiel die Dichter der alten Komödie und wird von den angegriffenen Machthabern oft mundtot gemacht.[200] Deshalb greift der Satiriker zu stärker epischen Formen, die eine größere Distanz zur Wirklichkeit gewährleisten. Hier müssen aber kräftigere Rückübersetzungssignale eingebaut werden, so zum Beispiel die Tierfabelsatire im ‚Reineke Fuchs‘.[201]

Man sieht also, wie unter der Dominanz der Gestaltwirklichkeit, ihrer Erfahrungsstruktur und Schreibart sich die substantialen Schreibarten von Hymnik und Satire in verschiedene Verbindungen einlassen und nun Ausformungen von Lyrik und Satire erzeugen, die der Gestaltwirklichkeit völlig eigen sind: der zeitlose Begriff einer Schreibart muß durch ihren historischen ergänzt werden. Wir mußten uns hier natürlich damit begnügen, nur eine ganz vage Andeutung dieses historischen Begriffs zu geben: die Verfolgung der *Entwicklung* von Epos, Lyrik, Satire, Drama im Bereich der Gestaltwirklichkeit müßte diesen Begriff noch viel weiter differenzieren.

---

[199] Vgl. Kroll, „Komödie" 1237f.: „... fühlen sich die komischen Dichter als Vertreter des Volksgewissens und betrachten es als ihr Recht und ihre Pflicht, alle mißliebigen Persönlichkeiten und Einrichtungen mit rücksichtslosem Spott zu verfolgen." Wenn es ebd. 1238 heißt: „Wie jede politische Satire ist die Komödie stets in Opposition gegen die jeweiligen Machthaber, sie empfindet die Mängel der Gegenwart lebhaft und verherrlicht im Gegensatz zu ihr die gute alte Zeit, deren Bild sich ständig verschiebt", so ist hier mit unübertrefflicher Deutlichkeit eine Verbindung von direkt das Gegenwärtige angreifender Satire und der mythischen Wahrscheinlichkeit der heiligen Vergangenheit in der Gestaltwirklichkeit beschrieben.

[200] Ein „Gesetz gegen die Spottfreiheit" bereitete der alten Komödie ein Ende (Kroll, ebd. 1235); das römische Zwölftafelgesetz verbot die Abfassung satirischer Lieder.

[201] Im späten Mittelalter entwickelten sich unter dem stärker werdenden funktionalen Einfluß (vgl. Anm. 196) Formen wie die allegorische Satire (‚Roman de la Rose‘) und die katalogisierende Stände- und Lastersatire. Gemäß dem funktionalen Formeinfluß findet sich ein starkes moralisch-strafendes Element in diesen Typen von Satire.

24 Die Funktionsschicht und ihre Erfahrungsstruktur hat keine eigene literarische Hauptform hervorgebracht, nur die nichtliterarische der Abhandlung und deren halbliterarische Abart des Essais. Dagegen erscheinen die früheren Schreibarten in Überformungen durch die funktionale Struktur.

Der Roman ist das funktionalisierte Epos. Er ist in Goethes Worten „eine subjektive Epopöe, in welcher der Verfasser sich die Erlaubnis ausbittet, die Welt nach seiner Weise zu behandeln".[202] Nach welchen Gesichtspunkten er die Welt behandelt, erklärt Henry Fielding in einem der Einleitungskapitel seiner 'History of Tom Jones':

> Wenn sich eine außerordentliche Szene bietet (was, wie wir glauben, oft der Fall sein wird), werden wir weder Mühe noch Papier sparen, sie unserem Leser breit zu eröffnen; sollten jedoch ganze Jahre verfließen, ohne auch nur etwas hervorzubringen, das seiner Beachtung wert wäre, so werden wir uns vor einer Lücke in unserer Historie nicht fürchten, sondern zu wichtigen Dingen weitereilen und solche Zeitspannen gänzlich unbeobachtet lassen. ... Meine Historie scheint manchmal stillezustehn, manchmal zu fliegen. Ich werde mich dafür keinerlei kritischem Gerichtshof verantwortlich halten: denn da ich in Wirklichkeit der Begründer einer neuen literarischen Provinz bin, habe ich die Freiheit, darin die Gesetze zu erlassen, die mir belieben." [203]

Der Gesichtspunkt für Auswahl und Weltbehandlung ist der Wert, den die Episoden für die Geschichte und für das Interesse des Lesers haben. Bestimmend für diesen Wert ist das Bewußtsein des Autors, der ja die Welt bildet und damit die Funktion und Relation ihrer einzelnen Elemente bestimmt. Die äußere Welt ist nicht mehr ein Gegenstand der Schau des Erzählers wie im Epos, sondern ein Arsenal, das dem Dichter weder dem

---

[202] Goethe, Maximen und Reflexionen 938 (Hecker 133). – Goethes Werke, Hamburger Ausgabe, Bd. 12. – Hamburg 1953; 498. Vgl. auch Laurence Sterne: The Life and Opinions of Tristram Shandy. – London 1894; vol. 3, 214; Book IX, Chapter 25: "All I wish is, that it may be a lesson to the world, 'to let people tell their stories their own way'."

[203] "When any extraordinary scene presents itself, (as we trust will often be the case) we shall spare no pains nor paper to open it at large to our reader; but if whole years should pass without producing any thing worthy his notice, we shall not be afraid of a chasm in our history; but shall hasten on to matters of consequence, and leave such periods of time totally unobserved ... My history sometimes seems to stand still, and sometimes to fly. For all which I shall not look on myself as accountable to any court of critical jurisdiction whatever: for as I am, in reality, the founder of a new province of writing, so I am at liberty to make what laws I please therein." Henry Fielding: The History of Tom Jones, a Foundling. II,1. – Oxford 1926; vol. 1,53f.

Stoff, noch weniger aber der Form nach „roh brauchbar" ist.[204] Nur soweit sie vom Dichter funktionalisiert, in den System- und Wertzusammenhang seines Lebens eingefügt sind, kommen die Elemente der Wirklichkeit in den Roman; zugleich aber geben sie sich als historisch, nicht als gemacht und erdichtet: hier zeigt sich, daß dem funktional gebildeten Roman die epische Schau zugrunde liegt. Auch die Stellung des Autors zeigt die Überformung: er ist nicht derjenige, der wie in der Abhandlung das Bewußtsein seines Lesers durch Beweis und Überzeugung zu bestimmen und damit zur Funktion seiner selbst zu machen sucht, wie es die reine funktionale Erfahrungsstruktur vorschreibt; er will vielmehr dem Interesse des Lesers, seiner Belehrung und Unterhaltung dienen: er gibt sich als vom Publikum beauftragt, so wie der epische Erzähler die allgemeine Vorstellung des Publikums repräsentativ artikuliert; aber zugleich belehrt und unterhält er, bringt das Publikum also in ein Abhängigkeitsverhältnis zu sich selbst, und das Mittel der Belehrung und Unterhaltung ist ein von ihm selbst geschaffener Kunstgegenstand. Auch die Form der Darstellung ist gemischt: nicht nur das Geschehen in der Vergangenheit wird dargestellt wie im Epos, sondern der Autor schaltet sich selbst wertend, beurteilend und kommentierend an jeder beliebigen Stelle der Erzählung ein;[205] Vergangenheitsform und Gegenwartsform kommen also nebeneinander vor, obwohl sie nicht wie im Drama identifiziert sind, Sprache der Erzählung und Sprache der Abhandlung mischen und überformen einander. So wie im Drama der Gestaltwirklichkeit die Wirkung der beiden verbundenen Erfahrungsstrukturen kombiniert und dadurch intensiviert wird, so auch im Roman: mit dem epischen Prinzip der geschauten Welt verbindet sich hier das Darstellungsprinzip des Funktionalisierens, Systematisierens: die Welt des Romans ist auf eine im Epos nie mögliche und angestrebte Weise in sich zusammenhängend, geordnet nach Ursache und Wirkung, Wert und Abhängigkeitsverhältnissen, in denen jedes kleinste Element seine Funktion hat. Diese Illusionswelt ist also gänzlich in sich abgeschlossen und künstlich hergestellt, hat aber den Schein des wirklich Geschauten: die Illusionswelt befriedigt deshalb das Bedürfnis des Lesers nach einer geordneten Welt besser als die geschaute des Epos. Hier, in dieser Illusionswelt, in der das

---

204 Jean Paul, Vorschule der Ästhetik § 3, S. 29: „Weder der Stoff der Natur, noch weniger deren Form ist dem Dichter roh brauchbar."

205 Von Franz K. Stanzel: Die typischen Erzählsituationen im Roman. – Wien, Stuttgart 1955 (Wiener Beiträge zur englischen Philologie LXIII) als auktoriale Erzählkunst bezeichnet. Auch noch in der von ihm so genannten personalen Erzählhaltung (wo der Autor möglichst nicht mehr auftritt und seine darstellenden Zwischenbemerkungen auf ein Minimum beschränkt) ist der Autor als Auswählender und Funktionalisierender virtuell anwesend. Vgl. auch Franz K. Stanzel: Typische Formen des Romans. – Göttingen 1964.

Prinzip der Entstehung sich selbst darstellt, kann man erst von einem Kunstwerk sprechen und seinen selbstgeschaffenen Schein von der Wirklichkeit
der Außenwelt absetzen; und das ist, genauer betrachtet, auch erst möglich von dem Zeitpunkt ab, da der Autor sich seines Schaffens voll bewußt
geworden ist: seit dem 18. Jahrhundert.[206] Es stimmt damit zusammen,
daß die Wissenschaft vom Schönen, die Trennung der „Kunst" von den
übrigen Tätigkeits- und Bedeutungsbereichen, im 18. Jahrhundert entstand. Sobald der Romanautor sich wieder Gesetzen verpflichtet, die er
als außerhalb seines Bewußtseins liegend erfährt, ist sein Werk nicht mehr
die in sich geschlossene Welt des Kunstwerks, und das tritt mit dem Realismus des 19. Jahrhunderts ein. Die Beurteilungsweise von Schreibarten nach
ihrem Kunstwerk-Charakter, die ja weitgehend die Literaturbetrachtung
bestimmt, scheint also für alle die literarischen Werke nicht zuzutreffen,
die nicht in der Periode zwischen der Mitte des 18. und der Mitte des
19. Jahrhunderts entstanden sind. Die Ausschließung der wirklichkeits-
bezogenen Satire von den kunstmäßigen Gattungen, die unter diesem Gesichtspunkt vollzogen wurde, gilt berechtigterweise nur für diese kurze
Zeitspanne; sie hätte mit gleicher Berechtigung auch für die Lyrik vollzogen werden müssen, die ja ebenfalls den Kontakt mit der unmittelbaren
Wirklichkeit nie verliert.

Die Überformung des Dramas durch die funktionale Erfahrungsstruktur hat zur Folge, daß die Elemente des Dramas genau wie die des Epos
nach den Gesetzen von Ursache und Wirkung, Wert- und Abhängigkeitsverhältnissen geordnet werden und so eine völlig systematisierte Illusionswelt bilden. Die Abschließung dieser Welt wird auch gegen das Publikum
hin dadurch vollkommen, daß der Chor entweder nur noch innerhalb der
fiktiven Welt steht und wie der Romanautor über das Geschehen reflektiert,
oder daß er gänzlich wegfällt; in keinem Fall ist er mehr Repräsentant des
Publikums, durch dessen Mitspielen der Zuschauer mit in das Geschehen
einbezogen wird. Der Zuschauer wird dadurch von dem Geschehen mitgerissen, daß die Gesetze und Verhältnisse, in denen er spielt, immer mehr
die seines eigenen Lebens sind: das Geschehen des Dramas ist bald nicht
mehr ein vergangenheitlich-entferntes, sondern nähert sich in Stoff und
Szene immer mehr dem Zuschauer an. Das funktionale Bezugszentrum,
von dem alle Elemente abhängen, ist der Punkt in der Darstellung, wo
sich eine funktionale Wertidee, etwa die der Beständigkeit oder die der
Freiheit, mit der Parusie des Unbekannten verbindet, so etwa im trium-
phierenden Tode des beständigen oder freiheitlichen Helden.

---

206 Vorher hatte das epische Prinzip insofern noch größeren Raum eingenommen,
als der Autor sich etwa dem außerhalb des Bewußtseins liegenden Bestim-
mungsbereich der Vernunft verpflichtet fühlte.

Auch die Lyrik wird funktional überformt: sie gestaltet das Faszinierende nicht mehr nur in Vergleichsvorstellungen, sondern durch Urteile und Wertvorstellungen, die unter dem Einfluß des Unbekannt-Faszinierenden bis zum Unerreichbaren, zum Ideal hinaufgesteigert werden. So entsteht Gedankenlyrik, die auch oft Züge der gereimten Abhandlung tragen kann wie etwa Lohensteins zitierte ‚Venus' oder einige Gedichte Schillers. Der Lyriker verpflichtet sich über seine persönliche Begeisterung hinaus dem Ethos einer Gesellschaft, als deren Funktion er sich fühlt (Gesellschaftslyrik); sofern er sich seines eigenen Schöpfertums bewußt wird, verpflichtet er sich dem Erlebnis seines Ich (Erlebnislyrik) oder dem Schöpferischen an sich wie etwa Hölderlin. Die Lyrik meint auch immer ein Wirkliches, das durch die wie auch immer gewählte Darstellungsform hindurch angerufen wird. Der Gesellschaftslyriker hat gegenüber dem Publikum die Funktion, die Regeln und Werte dieser Gesellschaft zu preisen; der Erlebnislyriker artikuliert sein Erlebnis auf der Basis des gemeinsamen Gefühlserlebens (Regeneration der Gestaltstruktur im Funktionalen); der dem Höchsten geeignete Dichter ist wie der substantiale Beter der Repräsentant der Menschheit, deren Potenz sich in ihm zum Rufe an das Unbekannt-Faszinierende sammelt (Regeneration der Substanzstruktur im Funktionalen). – Die Wirkungsform der funktional überformten Lyrik ist meist erzieherisch, d. h. die Sprache fordert zur Rückübersetzung der Verzerrungen auf, bei der dann die Übersetzungsenergie mit ihrer Bedeutungsrichtung im Leser frei wird; häufig findet sich auch die gelenkte Form des Erzieherischen: Beispiele und didaktische Erklärungen. Zunächst gleichwichtig mit diesem *prodesse* erscheint das *delectare,* die spielerische Wirkungsform, das bewußt Kunstmäßige; dieses gewinnt dann im Fortschritt der funktionalen Erfahrungsstruktur die Oberhand, besonders seit der Poet sich seines eigenen Schaffens bewußt geworden ist.

Die funktional überformte Satire endlich greift das Unbekannt-Bedrohliche unter den Gesichtspunkten des Ethisch-Bewertenden, des Ideals und Seinsollens, des moralisch Verwerflichen, Unvernünftigen, Närrischen, Systemwidrig-Revolutionären an; das so gekennzeichnete Wirkliche ist Agent und Funktionär des Urbösen, das die menschlich geordnete Welt zu zerstören trachtet. So haben wir bei Horaz, Persius, Juvenal, Brant grundsätzlich vergleichbare Zeitgefühle in ihrer historischen Situation festgestellt: die Bedrohung der gegenwärtigen Welt durch die Unvernunft und moralische Depravation der Zeitgenossen, die gemäß einer historischen Systematik oder Prophetie eingetreten und damit selbst funktional begründet ist.[207] Der *ad hominem* geführte Angriff der substantialen Satire verwandelt sich dahingehend, daß die angegriffene Person den Cha-

---

[207] Vgl. Kap. III, Abschnitt 16 und 17.

rakter des Typischen bekommt und daß oft nur fiktive Personen oder personifizierte Begriffe attackiert werden. Dagegen präzisiert sich der Ausgangspunkt des Angriffs als Autor, in dessen Persönlichkeit, Urteil, Bewertung und Bezugsetzung die Satire gründet und der bei der diskontinuierlichen Darstellung oft auch die einzige stofflich-formale Kontinuität des Werkes bildet. Die zentrale Wichtigkeit des Autors haben wir vor allem bei Brant festgestellt. Obwohl Wittenwilers ‚Ring' ein satirisches Epos ist, zeigt sich die funktionale Überformung an dem häufigen Auftreten des Autors und an dem sprunghaften, durch seine Beurteilung der Vernunft oder Unvernunft einer Handlung begründeten Wechsel der Darstellungsform zwischen den Polen der Realistik und der Groteske.[208] So wie der Romanautor, statt sich selbst kommentierend darzustellen, eine Person seiner Geschichte zum funktionalen Bezugspunkt delegieren kann, so gibt sich auch der satirische Autor in der funktionalen Erfahrungsstruktur oft die Gestalt eines satirischen Weltkuckers oder Philanders von Sittewald, eines Luftschiffers Gianozzo oder romantischen Nachtwächters. In einem solchen Fall ist es nicht nur möglich, einen reinen und tugendhaften Helden zu haben, an dessen unschuldiger Persönlichkeit sich die Schlechtigkeit der Welt sozusagen selbst verurteilt,[209] sondern auch einen pikaresken Helden, der zwar durch seine anfängliche Reinheit die Schlechtigkeit der Welt exponiert, aber schließlich selbst bis zu gewissem Grade von der Welt korrumpiert wird wie Grimmelshausens Simplicius Simplicissimus und damit selbst der Satire anheimfällt. Endlich ist es möglich, daß der satirische Nachtwächter des Bonaventura sich selbst zum Objekt seines Angriffs macht und sich damit selbst vernichtet. – Die Darstellung der Satire wechselt unter funktionaler Überformung häufig zwischen der unerbittlichen Analyse der Wirklichkeit auf ihre Korruption und Narrheit hin, ihrer Verurteilung und dem Lob des Ideals, von dem die Wirklichkeit sich so sehr unterscheidet. Schillers Definition der Satire bezieht sich also genau und ausschließlich auf die Form der Satire in der funktionalen Erfahrungsstruktur, der er angehörte: „In der Satyre wird die Wirklichkeit als Mangel, dem Ideal als der höchsten Realität gegenüber gestellt."[210]

Wie unter der Erfahrungsstruktur der Gestaltwirklichkeit, so nimmt auch im funktionalen Wirklichkeitsbereich das Frühere eine besondere Gestalt an. Wieder muß betont werden, daß der gegebene Überblick nur andeuten konnte, was im tatsächlichen historischen Verlauf viel feinere Übergänge und Differenzierungen aufweist.

---

[208] Vgl. Kap. II, Abschnitt 32.
[209] Ansätze dazu sind bei Moscheroschs Philander vorhanden; ihm ist jedoch der weise beurteilende Expertus Robertus zur Seite gegeben.
[210] Schiller, Über naive und sentimentalische Dichtung; Nat.-Ausg. 20,442.

25 Die figurale Erfahrungsstruktur bringt neue Formen und Überformungen hervor. Die reine Ausprägung der Erfahrungsstruktur liegt offenbar in dem figuralen Experimentierstil mit dem, was bisher bloßes Medium, bloßer Stoff, bloße Form war. Der Sprache widmen sich in diesem Sinne etwa die Dadaisten, auch Morgenstern, manche Expressionisten, Heisenbüttel und Jonesco mit ihren Exercitien. Die Aufnahme von fremden Sprachen, Berufssprachen, alten Dialekten, Werbeslogans und technischen Gebrauchssprachen in vielen modernen Dichtungen reduziert die jeweils gebrauchte Sprache und Formulierung, ja das in ihr geschehende Denken zur mehr oder weniger zufälligen Verwirklichung einer grundsätzlichen Möglichkeit der Sprache, auf die es eigentlich ankommt. Wie sehr die Struktur des Denkens mit der jeweiligen Sprachstruktur verbunden ist, haben wir in diesen Untersuchungen ausführlich gezeigt. Das figurale Spiel mit der Sprache als Möglichkeit reduziert also auch das Denken, Fühlen, Erfahren, Urteilen etc. auf die zufälligen Verwirklichungen einer grundsätzlichen Möglichkeit all dieser Tätigkeiten, die wir in dieser Untersuchung als Bewußtsein bezeichnet haben. Diese Sprachspiele sind also darauf aus, das Bewußtsein selbst zu erfassen; die Figuren sind, wie etwa an Trakls Gedicht ‚Musik im Mirabell‘ gezeigt, Bewegungs- und Spannungsformen des Bewußtseins, ihrerseits wieder Möglichkeiten, die unzähligen Verwirklichungen zugrundeliegen können. So haben wir in dieser figural überformten Abhandlung bestimmte strukturelle Figuren als durchgängig bestimmend etwa für eine ganze Wirklichkeitsauffassung wirken sehen.

Nicht nur Sprache und Denken werden auf ihre Möglichkeitsform reduziert, auch die „Objekte" der äußeren Wirklichkeit. Man kann das leicht in der Malerei beobachten, die etwa in Collagen einen Zeitungsausschnitt und ein Kistenbrett nicht wegen ihres Informations- oder Nützlichkeitswerts verwendet, sondern etwa wegen des Farbtons und zugleich wegen des Hinausweisens auf eine mögliche Verwendung *als* Zeitung oder Kistenbrett. In der Literatur erscheint das etwa durch die Verwendung von Statistiken und Verordnungen in Döblins ‚Berlin Alexanderplatz‘ oder in der Wetterbeschreibung am Anfang von Musils ‚Mann ohne Eigenschaften‘. Auch die beschriebenen Gegenstände und Personen werden zu Figuren: ihr jeweiliges Sosein erscheint als mehr oder weniger zufällige Verwirklichung einer zugrundeliegenden, nie genau faßbaren Möglichkeit, so etwa in Johnsons ‚Mutmaßungen über Jakob‘ und Frischs ‚Gantenbein‘; bei dem letzteren spielt die Reduktion der Erzählergestalt auf eine Möglichkeit mit vielen Verwirklichungen eine Rolle, da der Erzähler zugleich die Hauptgestalt des Romans ist; dieses Spiel mit der Erzählergestalt, entweder ihre rigorose Fixierung oder ein unabsehbarer Wechsel der Perspektiven, ist ebenfalls sehr häufig. Sogar der Leser wird einbezogen: man läßt ihn versuchsweise zur Romangestalt werden und das im Roman Beschriebene als mögliche Verwirklichung seiner selbst erleben.[211]

Wir haben die Beispiele aus dem Roman genommen und brauchen deshalb dazu nichts weiter anzudeuten. Daß auch das Drama figurale Strukturen aufweist, ist etwa an Jonescos ‚Chaises‘ deutlich. Brechts Drama erscheint als figurale Überformung des funktionalen Dramas: als Lehrstück steht es im Dienste einer Botschaft; diese wird aber nicht wörtlich formuliert, sondern geht als gemeinte Verwirklichung aus einer in ihrer Möglichkeitsstruktur gezeigten Situation hervor. Die „Verfremdungseffekte" dienen dazu, diese Möglichkeitsstruktur dem Zuschauer deutlich zu machen,; der Zuschauer soll dann die optimale Verwirklichung der gezeigten Situation für sich entwerfen und dadurch den richtigen Umgang mit Situationen überhaupt lernen. Der „epische" Aspekt dieses Theaters rührt daher, daß es auf die Situation, die Einzelheit der momentanen Konstellation ankommt und nicht auf ein dramatisches Ziel, das alles funktionalisiert; episch im Sinne des Vergangenheitsbezugs und der Schau des Wirklichen, die den Epiker bei der Situation verweilen läßt, ist dieses Theater nicht, sondern es hat mit dem Epischen eben nur das Verweilen und die Konzentration auf die Situation gemeinsam. Die Parusie des Unbekannten im Drama ist auch nicht auf einen einzelnen Moment wie im funktionalen Drama beschränkt, sondern ist in jeder Situation möglich: wo der Zuschauer das Wesen der Situation als figurale Möglichkeit erfaßt und dies in höchster Intensität, da erlebt er die Darstellung des Bewußtseins als des Unbekannten selbst.

Von figuraler Lyrik haben wir in Trakls ‚Musik im Mirabell‘ schon ein Beispiel besprochen; die Anwesenheit von Figuren, die Verwandlung des Worts in die Möglichkeit von Bedeutungen hat sich gezeigt. Das Gedicht hat keine bestimmte Aussage mehr, sondern kann ihrer viele haben; die Wirkungsform ist wesentlich spielerisch. Auch der lyrische Anruf kann sich nicht mehr an etwas Bestimmtes richten und fällt deshalb als apostrophische Form meist aus. Was das Unbekannt-Faszinierende annähert, ist die Intensität, die durch die Vielheit gleichlaufender Figuren auf den verschiedensten Sprachebenen des Gedichts erreicht wird und die das Bewußtsein des sensitiven Lesers in eine ungeheure Gleichschwingung versetzen kann, wenn er sich dazu bereitet. Das gilt natürlich nicht nur für aufsteigende, „heitere", sondern in gleichem Maße für absteigende, „traurige" Figuren, wie ja überhaupt unter dem Unbekannt-Faszinierenden, dem sich der lyrische Anruf zu nähern versucht, nicht nur das Hell-Enthusiasmierende, sondern auch etwas Hölderlins Todeslust und das elegische Sich-Lösen in der Trauer zu verstehen ist.

Figural überformte Satire invertiert die Voraussetzungen der Lyrik:

---

211 Bei Michel Butor: La Modification. – (Paris 1957).

wenn dort die Annäherung durch addierendes Intensivieren gleichlaufender Figuren oder Ausprägungen einer Figur auf vielen Ebenen erreicht wird, so wird hier die Distanzierung von dem Bedrohlich-Unbekannten durch Aufeinanderprojektion möglichst vieler gegenläufiger oder heterogener Figuren erreicht, die einander gegenseitig schwächen und vernichten. Das Widerwärtige, das satirische Objekt, ist also in sich widersprüchlich angelegt, und es genügt deshalb für den Satiriker schon, es einfach zu zitieren: „er läßt den Irrtum zu Wort kommen, auf daß er im Wort zu Fall komme".[212] Das Bewußtsein des Lesers, wenn es für das Spiel und Widerspiel von Figuren, Richtungen und Spannungen geschärft ist, wird den so als dissonant sich präsentierenden Gegenstand in sich abtun, wird ihn verlachen, kritisieren, verwerfen oder gleichgültig dem Nichts überlassen. Die Form der zitierenden Darstellung, seien es Zitate von Handlungen, Gebärden, Gedanken oder Worten, ist dem Dichter des figuralen Sprachwerks deshalb am angemessensten, weil er an sich gar kein „Ideal" hat wie Schiller, das man präzise formulieren und dem Verwerflichen entgegenstellen könnte. Worauf es ihm ankommt und nur ankommen kann, ist die Richtigkeit eines Gegebenen in sich selbst, die vollkommene innere Konsequenz einer Handlung oder Gedankenreihe, die Harmonie eines Menschen in Handlung und Wort mit sich selbst und mit der Situation, in der er sich befindet. Das satirische Objekt ist also die gebrochene Figur, die sich auf jeder Ebene darstellen und vielfältig verwirklichen kann. Die gebrochene Figur repräsentiert das Nichts, das Bedrohlich-Unbekannte in der figuralen Erfahrungsstruktur.

26   In diesen Andeutungen einer historischen Entwicklung, die über das Allergröbste nicht hinausgehen konnten, hat sich eine historische Ausfaltung der Schreibarten gezeigt. Erstens ist dabei deutlich geworden, daß und warum nicht alle Schreibarten von Anfang an vorhanden und möglich waren und daß manche Schreibarten einen eigenen Gattungsnamen bekommen haben, die nur Überformungen einer früheren Schreibart sind, während andere in der gleichen Stellung keinen eigenen Namen tragen. Es hat sich zweitens gezeigt, daß der zeitlose Begriff einer Schreibart, wie wir ihn für das Satirische im Abschnitt 21 zu formulieren versuchten (vgl. Satz [20]), der Ergänzung durch den historischen bedarf. Von diesem historischen Begriff haben wir für die Satire festgestellt:

Das Satirische wird zur Möglichkeit der Satire für eine bestimmte geschichtliche Periode, sofern es von der Erfahrungsstruktur überformt ist, die in der Periode dominant ist; die substantiale Erfahrungsstruktur bleibt jedoch immer mit der Satire verbunden. [21]

---

[212] Helmut Olles, Von der Anstrengung der Satire 155.

449

Diese Möglichkeit der Satire in jeder Periode wird erst dann zur Wirklichkeit, wenn sie in einem bestimmten Werk verwirklicht ist. Erst hier wird der Begriff eigentlich vollständig, denn der bestimmte Satiriker wählt erstens aus all den in Satz [20] angedeuteten Möglichkeiten eine Konstellation aus, die für das satirische Objekt, die Leser und die gesellschaftliche Situation optimal ist, zweitens gibt ihm die bestimmte Überformungs- und Regenerationssituation in den Erfahrungsstrukturen (die wir in unserem Überblick kaum je berühren, geschweige denn beschreiben konnten) eine mehr oder minder reiche Variationsbreite der Gestaltung, aus der er diejenige Variation auswählt, die nach den obigen Gesichtspunkten ebenfalls optimal ist. In diesem ersten Sinne ist der hier umschriebene Begriff der Satire und mit ihm das ganze Figural von Wirklichkeitsbezügen, Sprachprozessen und Schreibarten in historischer und unhistorischer Betrachtung *vorläufig*, eine Erfassung von Möglichkeiten, die in beinah unzähligen Variationen kombiniert werden können. Welche Möglichkeit aus einem historisch ermöglichten Variationsfeld verschiedener Kombinationen von dem bestimmten Satiriker in diesem Moment verwirklicht wird, das bleibt immer der ganz persönlichen freien Entscheidung des Satirikers selbst überlassen. Wir haben hier eben nur eine Figur, d. h. die Möglichkeit von Verwirklichungen, beschrieben, während die Verwirklichung selbst zwar innerhalb eines bestimmten Feldes bleibt, aber an sich nicht prädizierbar ist, da ihre konstitutive Komponente die freie Tat des individuellen Menschen im historischen Augenblick ist.

Was wir hier für die Satire versucht haben, kann für jede Schreibart geschehen, und wir haben uns mit einigen Andeutungen auch auf die wichtigsten davon bezogen. Es war besonders günstig, die Figur der Satire zu beschreiben, da sie als Stiefkind der Literaturwissenschaft einer Untersuchung bedurfte, da ihr Begriff trotz der langen Tradition literarhistorischer Beschäftigung noch nicht verfestigt ist und da sie endlich als eine der ältesten Schreibarten eine totale Ausfaltung der historischen Zusammenhänge nötig macht, wenn diese hier auch nur andeutungsweise gegeben werden konnte. Eines hofft unsere Untersuchung gezeigt zu haben: daß die ästhetische Theorie, die die Satire auf Grund ihres Bezugs zur Wirklichkeit von der „Kunst" und „Kunstbetrachtung" ausgeschlossen hat, historisch bedingt und heute nicht mehr gültig ist.

LITERATURVERZEICHNIS

Vorbemerkung: In Teil I sind die wichtigsten benutzten Texte nach ihren Ausgaben aufgeführt. Sammlungen und anonym erschienene Werke stehen unter dem Namen des Herausgebers. Römische Ziffern [I–IV] hinter der bibliographischen Angabe verweisen auf das Kapitel der Untersuchung, in dem der Text verwendet wird. – In Teil II ist, getrennt nach Kapiteln, die benutzte Literatur zu den behandelten Autoren und zum Satireproblem gesammelt.

I. BENUTZTE TEXTE

Barack, K. A. (Hrsg.): Des Teufels Netz. Satirisch-didaktisches Gedicht aus der ersten Hälfte des 15. Jahrhunderts. – Stuttgart 1863 (Bibliothek des litterarischen Vereins, LXX). [III]

Bobertag, Felix (Hrsg.): Narrenbuch. – Berlin, Stuttgart 1884 / Darmstadt 1964 (Kürschners Deutsche National-Literatur, Bd. 11). [I, II]

Boner, Ulrich: Der Edelstein, hrsg. v. Franz Pfeiffer. – Leipzig 1844 (Dichtungen des deutschen Mittelalters), Bd. 4). [II]

Brant, Sebastian: Narrenschiff, hrsg. v. Friedrich Zarncke. – Leipzig 1854 / Darmstadt 1964. [II, III]

– Das Narrenschiff. Nach der Erstausgabe (Basel 1494) mit den Zusätzen von 1495 und 1499 hrsg. von Manfred Lemmer. – Tübingen 1962 (Neudrucke deutscher Literaturwerke N.F. 5). [III]

– Das Narrenschiff, hrsg. v. Adam Walther Strobel. – Quedlinburg und Leipzig 1839 (Bibliothek der gesammten deutschen National-Literatur, Bd. 17). [III]

– Das Narrenschiff, hrsg. v. Karl Goedeke. – Leipzig 1872 (Deutsche Dichter des 16. Jahrhunderts, Bd. 7). [III]

– Das Narrenschiff, hrsg. v. Felix Bobertag. – Stuttgart 1889 (Kürschners Deutsche National-Literatur, Bd. 16). [III]

– Das Narrenschiff. Übertragen von H. A. Junghans, durchgesehen und mit Anmerkungen sowie einem Nachwort neu hrsg. v. Hans-Joachim Mähl. – Stuttgart 1964. [III]

– The Ship of Fools, translated into rhyming couplets with introduction and commentary by Edwin H. Zeydel. – New York ²1962. [III]

– Flugblätter, hrsg. v. Paul Heitz, mit einem Nachwort von Franz Schultz. – Straßburg 1915. [III]

– Varia Carmina. – Basel: Olpe 1498 (Exemplar der Harvard University Library). [III]

Butor, Michel: La Modification. – (Paris 1957). [IV]

Cysarz, Herbert (Hrsg.): Vor- und Frühbarock. – Leipzig 1937 / Darmstadt 1964 (Deutsche Literatur in Entwicklungsreihen, Reihe Barock, Barocklyrik Bd. 1). [IV]

„Dictys": Ephemeridos belli Troiani, hrsg. Ferdinand Meister. 1872. [III]

Diehl, Ernst (Hrsg.): Poetarum Romanorum Veterum Reliquiae. – Berlin ⁵1961 (Kleine Texte für Vorlesungen und Übungen, 69). [III]

Diomedes Grammaticus: Artis grammaticae libri III. In: Heinrich Keil: Grammatici Latini, Bd. 1. – Leipzig 1857 / Hildesheim 1961. [III]

Desiderius Erasmus Roterodamus: Colloquia Familiaria, Laus Moriae etc. – Leipzig: Weidmann 1736. [III]

– The Praise of Folly. Translated from the Latin, with an Essay and Commentary, by Hoyt Hopewell Hudson. – Princeton U.P. 1951. [III]

– The Praise of Folly. Translated by John Wilson 1668. Edited with an Introduction by Mrs. P. S. Allen. – Oxford 1931. [III]

Eyb, Albrecht von: Deutsche Schriften, hrsg. v. Max Herrmann. Bd. 1: Das Ehebüchlein. – Berlin 1890 (Schriften zur Germanischen Philologie 4,1). [II]

Fielding, Henry: The History of Tom Jones, a Foundling. – Oxford 1926. [IV]

Fischart, Johann: Geschichtklitterung (Gargantua). Text der Ausgabe letzter Hand von 1590, hrsg. v. Ute Nyssen. – Darmstadt (1963). [IV]

Goethe, Johann Wolfgang v.: Werke. Hamburger Ausgabe, Bd. 12. – Hamburg 1953. [IV]

Gryphius, Andreas: Gesamtausgabe der deutschsprachigen Werke, hrsg. v. Marian Szyrocki und Hugh Powell. Bd. 2 Oden und Epigramme. – Tübingen 1964 (Neudrucke deutscher Literaturwerke N.F. 10). [IV]

Hartmann von Aue: Iwein. Studienausgabe nach Benecke-Lachmann-Wolff 1959. – Berlin 1965. [I]

Hölderlin, Friedrich: Sämtliche Werke. Große Stuttgarter Ausgabe. – Stuttgart 1943ff. [IV]

Horatius Flaccus, Q.: Opera, tertium recognovit Fridericus Klingner. – Leipzig 1959. [III]

Isidorus Hispalensis: Etymologiarum sive originum libri XX, ed. W. M. Lindsay. – Oxford 1957. [III]

Joannes de San Geminiano: Summa de exemplis et similitudinibus rerum. – Venedig: Joannes et Gregorius de Gregoriis 1497 (Exemplar der Newberry Library, Nº 890). [II]

Juvenalis, D. Junius: Saturae, mit krit. Apparat hrsg. v. Ulrich Knoche. – München 1950 (Das Wort der Antike, Bd. 2). [III]

– Satiren. Übertragen und mit Anmerkungen versehen von Ulrich Knoche. – München 1951 (Das Wort der Antike, Bd. 2). [III]

Kant, Immanuel: Gesammelte Schriften. Hrsg. von der Kgl. Preußischen Akademie der Wissenschaften. Bd. 3. – Berlin 1911. [IV]

Keller, Adalbert v.: Fastnachtspiele aus dem 15. Jahrhundert. – Stuttgart 1853 / Darmstadt 1965 (Bibliothek des litterarischen Vereins, XXVIII). [II]

Locher, Jacob Philomusus: Stultifera Nauis. – Basel: Olpe 1498 (Exemplar der John Carter Brown Library, Providence, Long Island). [III]

452

Mann, Thomas: Gesammelte Werke in 12 Bänden. – (Frankfurt 1960ff.). [IV]

Des Minnesangs Frühling. Nach Karl Lachmann, Moritz Haupt und Friedrich Vogt neu bearb. v. Carl v. Kraus. – Leipzig 1944. [I]

Murner, Thomas: Narrenbeschwörung, hrsg. v. M. Spanier. – Halle 1894 (Neudrucke deutscher Litteraturwerke 119–124). [III]

Musil, Robert: Der Mann ohne Eigenschaften, hrsg. v. Adolf Frisé. – Hamburg 1952 (Gesammelte Werke in Einzelausgaben, Bd. 1). [IV]

Neidharts Lieder, hrsg. von Moriz Haupt, neu bearb. v. Edmund Wießner. – Leipzig 1923. [I]

Neidhart: Die Lieder, hrsg. v. Edmund Wießner. – Tübingen 1955 (Altdeutsche Textbibliothek 44). [I]

Neukirch, Benjamin (Hrsg.): Herrn von Hoffmannswaldau und andrer Deutschen auserlesener und bißher ungedruckter Gedichte erster theil. Nach einem Druck vom Jahre 1697 mit einer krit. Einleitung und Lesarten hrsg. von Angelo George de Capua und Ernst Alfred Philippson. – Tübingen 1961 (Neudrucke deutscher Literaturwerke N.F. 1). [IV]

Persius Flaccus, A.: The Satires, with a translation and commentary by John Conington, ed. by H. Nettleship. – Oxford 1874. [III]

– The Satires, translated by W. S. Merwin; introduction and notes by W. S. Anderson. – Bloomington 1961. [III]

Priscianus Grammaticus Caesariensis: Praeexercitamina. In Heinrich Keil: Grammatici Latini, Bd. 3. – Leipzig 1859 / Hildesheim 1961. [II, III]

Quintilianus, Marcus Fabius: Institutionis oratoriae libri XII, ed. Radermacher et Buchheit. – Leipzig 1959. [III]

Rachel, Joachim: Satyrische Gedichte. Nach den Ausgaben von 1664 und 1677 hrsg. v. Karl Drescher. – Halle 1903 (Neudrucke deutscher Litteraturwerke 200 bis 202). [IV)

Rilke, Rainer Maria: Sämtliche Werke, Bd. 1. – (Frankfurt 1955). [IV]

Schott, Peter: Works, ed. by Murray A. and Marian L. Cowie. Vol. 1 Introduction and Text. – Chapel Hill (1963) (Univ. of North Carolina Studies in the Germanic Languages and Literatures, 41). [III]

Sterne, Laurence: The Life and Opinions of Tristram Shandy, Gentleman. Ed. by George Saintsbury. – London 1894. [IV]

Trakl, Georg: Die Dichtungen. – 6. Aufl. Salzburg o.J. [IV]

Valéry, Paul: Oeuvres, éd. par Jean Hytier. – Paris 1957/60 (Bibliothèque de la Plèjade, 127/148). [IV]

Walther von der Vogelweide: Gedichte. 11. unv. Ausgabe mit Bezeichnung der Abweichungen von Lachmann und mit seinen Anmerkungen hrsg. v. Carl v. Kraus. – Berlin 1950. [I]

Weinreich, Otto (Hrsg.): Römische Satiren. Ennius, Lucilius, Varro, Horaz, Persius, Juvenal, Seneca, Petronius. Übersetzt von Otto Weinreich., Chr. M. Wieland, H. Blümner, A. Maisack. Mit einem Essay ‚Zum Verständnis der Werke‘ hrsg. v. Otto Weinreich. – (Hamburg) 1962 (Rowohlts Klassiker, Lateinische Literatur, Bd. 4). [III]

Wießner, Edmund (Hrsg.): Der Bauernhochzeitsschwank. Meier Betz und Metzen hochzit. – Tübingen 1956 (Altdeutsche Textbibliothek 48). [II]

Wittenwiler, Heinrich: Der Ring, hrsg. v. Edmund Wießner. – Leipzig 1931 / Darmstadt 1964 (Deutsche Literatur in Entwicklungsreihen, Reihe Realistik des Spätmittelalters, Bd. 3). [II]

II. BENUTZTE LITERATUR

1. *Zu Kap. I. Neidharts Lieder*

Alewyn, Richard: „Naturalismus bei Neidhart von Reuenthal." ZfdPh 56 (1931), 37–69.

Bielschowsky, Albert: Geschichte der deutschen Dorfpoesie im 13. Jahrhundert. I. Leben und Dichten Neidharts von Reuenthal. – Berlin 1891 (Sonderabdruck aus Acta Germanica II,2).

Böckmann, Paul: Formgeschichte der deutschen Dichtung. I. Von der Sinnbildsprache zur Ausdruckssprache. – Hamburg 1949.

de Boor, Helmut und Richard Newald: Geschichte der deutschen Literatur. Bd. 2: Die höfische Literatur 1170–1250. – München ⁵1962.

Bornemann, Heinrich Wilhelm: Neidhart-Probleme. – Diss. Hamburg 1937.

Brill, Richard: Die Schule Neidharts. Eine Stiluntersuchung. – Berlin 1908 (Palaestra XXXVII).

Burdach, Konrad: Reinmar der Alte und Walther von der Vogelweide. – 2. berichtigte Auflage Halle 1928.

Conrady, Karl Otto: „Neidhart von Reuental: *Ez meiet.*" Die deutsche Lyrik. Form und Geschichte. Hrsg. v. Benno von Wiese. – Düsseldorf 1962, 90–98.

Frings, Theodor: „Minnesang und Troubadours." Der deutsche Minnesang. Aufsätze zu seiner Erforschung, hrsg. v. Hans Fromm. – Darmstadt 1963 (Wege der Forschung XV), 1–57.

Gerhardt, Mia I.: La pastorale. Essai d'analyse littéraire. – Assen 1950.

Goldin, Frederick: "Friderun's Mirror and the Exclusion of the Knight in Neidhart von Reuental." Monatshefte LIV (Dec. 1962), 354–59.

Günther, Johannes: Die Minneparodie bei Neidhart. (Diss. Jena) – Halle 1931.

Gusinde, Konrad: Neidhart mit dem Veilchen. – Breslau 1899 (Germanistische Abhandlungen 17).

Jeanroy, Alfred: Les origines de la poésie lyrique en France au Moyen Age. – Paris ³1925.

Keinz, Friedrich: Die Lieder Neidharts von Reuenthal. Auf Grund von M. Haupts Herstellung, zeitlich gruppiert, mit Erklärungen und einer Einleitung. – 2. verb. Aufl. Leipzig 1910.

Kienast, Richard: „Die deutschsprachige Lyrik des Mittelalters." Deutsche Philologie im Aufriß. 2. Aufl. hrsg. v. Wolfgang Stammler. Bd. 2. – Berlin (1960), 1–131.

Liliencron, Rochus v.: „Über Neidharts höfische Dorfpoesie." ZfdA 6 (1848), 69 bis 117.

Mack, Albert: Der Sprachschatz Neidharts von Reuenthal. – Diss. Tübingen 1910.

Martini, Fritz: Das Bauerntum im deutschen Schrifttum von den Anfängen bis zum 16. Jahrhundert. – Halle 1944.

Meyer, Richard Moritz: Die Reihenfolge der Lieder Neidharts von Reuenthal. – Diss. Berlin 1883.

Naumann, Hans: „Frideruns Spiegel." ZfdA 69 (1932), 297–99.

Osterdell, Johanne: Inhaltliche und stilistische Übereinstimmungen der Lieder Neidharts von Reuental mit den Vagantenliedern der „Carmina Burana". – Diss. Köln 1928.

Otto, Rudolf: Das Heilige. Über das Irrationale in der Idee des Göttlichen und sein Verhältnis zum Rationalen. – Stuttgart 1923.

Paul, Hermann: Deutsche Grammatik. – 3. Aufl. Halle 1957.

Piguet, Edgar: L'évolution de la pastourelle du XIIe siècle à nos jours. – Basel 1927 (Publications de la Société Suisse des Traditions Populaires, 19).

Rieger, Max: „Zu Neidhart von Reuental." ZfdA 48 (1906), 450–70.

Rosenhagen, G.: „Neidhart von Reuental." Die deutsche Literatur des Mittelalters. Verfasserlexikon, hrsg. von Wolfgang Stammler und Karl Langosch, Bd. 3. – Berlin 1943, 501–10.

Schürmann, Ferdinand: Die Entwicklung der parodistischen Richtung bei Neidhart von Reuenthal. – Düren 1898.

Seemüller, Joseph: „Zur Poesie Neidharts." Prager deutsche Studien 8 (1908), 325–38.

Singer, Samuel: Neidhart-Studien. – Tübingen 1920.

Weidmann, Walter: Studien zur Entwicklung von Neidharts Liedern. – Basel 1947 (Basler Studien zur deutschen Sprache und Literatur, 5).

Wießner, Edmund: „Berührungen zwischen Walthers und Neidharts Liedern." ZfdA 84 (1952/53), 241–64.

– Kommentar zu Neidharts Liedern. – Leipzig 1954.

– „Die Preislieder Neidharts und des Tannhäusers auf Herzog Friedrich II. von Babenberg." ZfdA 73 (1936), 117–30.

– Vollständiges Wörterbuch zu Neidharts Liedern. – Leipzig 1954.

Wilmanns, Wilhelm: „Über Neidharts Reihen." ZfdA 29 (1885), 64–85.

Winkler, Karl: Neidhart von Reuental. Leben, Lieben, Lieder. – Kallmünz 1956.

2. Zu Kap. II. Heinrich Wittenwilers ,Ring'

Baechtold, Jakob: Geschichte der deutschen Literatur in der Schweiz. Neudruck der 1. Aufl. von 1892. – Frauenfeld 1919.

Böckmann, Paul: Formgeschichte der deutschen Dichtung. I. Von der Sinnbildsprache zur Ausdruckssprache. – Hamburg 1949.

Boesch, Bruno: „Heinrich Wittenwilers ,Ring'. Weltsicht und Denkform eines bürgerlichen Dichters um 1400." Bodenseebuch 40 (1965), 41–52.

– „Phantasie und Wirklichkeitsfreude in Heinrich Wittenwilers ,Ring'." ZfdPh 67 (1942), 139–61.

– „Zum Stilproblem in Heinrich Wittenwilers ,Ring'." Philologia deutsch: Festschrift zum 70. Geburtstag von Walter Henzen, hrsg. v. Werner Kohlschmidt und Paul Zinsli. – Bern 1965, 63–79.

Brauns, Wilhelm: „Heinrich Wittenweiler, Das Gedicht von der Bauernhochzeit und Hermann von Sachsenheim." ZfdA 73 (1936), 57–75.

Brill, Richard: Die Schule Neidharts. Eine Stiluntersuchung. – Berlin 1908 (Palaestra XXXVII).

Brinkmann, Richard: „Zur Deutung von Wittenwilers ‚Ring'." DVjS 30 (1956), 201–31.

Ermatinger, Emil: Dichtung und Geistesleben der deutschen Schweiz. – München (1933).

Fehrenbach, Charles Gervase: Marriage in Wittenwiler's 'Ring', a Dissertation. – Washington 1941 (The Catholic University of America Studies in German, XV.)

Fränkel, Leo: Art. „Wittenweiler" in Allgemeine Deutsche Biographie, Bd. 43. – Leipzig 1898, 610–16.

Goedeke, Karl: Grundriß zur Geschichte der deutschen Dichtung, Bd. 1. – 2. Aufl. Dresden 1884.

Gusinde, Konrad: Neidhart mit dem Veilchen. – Breslau 1899 (Germanistische Abhandlungen, 17).

Halbach, Kurt Herbert: „Epik des Mittelalters." Deutsche Philologie im Aufriß, hrsg. v. Wolfgang Stammler, Bd. 2. – 2. Aufl. Berlin (1960), 397–684.

Hartl, Eduard: Das Drama des Mittelalters, sein Wesen und Werden. Osterfeiern. – Leipzig 1937 / Darmstadt 1964 (Deutsche Literatur in Entwicklungsreihen, Reihe Drama des Mittelalters, Bd. 1).

Herrmann, Max: Albrecht von Eyb und die Frühzeit des deutschen Humanismus. – Berlin 1893.

Hügli, Hilde: Der deutsche Bauer im Mittelalter, dargestellt nach den deutschen literarischen Quellen vom 11.–15. Jahrhundert. – Bern 1929 (Sprache und Dichtung, Heft 42).

Jones, George Fenwick: "Heinrich Wittenwiler – Nobleman or Burgher?" Monatshefte 45 (1953), 65–75.

– "The Tournaments of Tottenham and Lappenhausen." PMLA 66 (Dec. 1951), 1123–40.

– Wittenwiler's 'Ring' and the Anonymous Scots Poem 'Colkelbie Sow'. Two Comic-Didactic Works from the Fifteenth Century. Translated by George F. Jones. – Chapel Hill 1956 (Univ. of North Carolina Studies in Germanic Languages and Literatures, 18).

Jungbluth, G.: Artikel „Wittenwiler" in Die deutsche Literatur des Mittelalters. Verfasserlexikon, hrsg. v. Wolfgang Stammler und Karl Langosch, Bd. 4. – Berlin 1953, 1037–41.

Keller, Martha: Beiträge zu Wittenwilers ‚Ring'. (Diss. Zürich) – Leipzig, Straßburg, Zürich 1935.

Lausberg, Heinrich: Handbuch der literarischen Rhetorik. Eine Grundlegung der Literaturwissenschaft. – München 1960.

Martini, Fritz: Das Bauerntum im deutschen Schrifttum von den Anfängen bis zum 16. Jahrhundert. – Halle 1944.

– „Heinrich Wittenwilers ‚Ring'." DVjS 20 (1942), 200–235.

Müller, Günther: „Bilder aus der schweizerischen Renaissance-Dichtung. I. Der Ring." Schweizer Rundschau 27 (1927), 782–94.

– Deutsche Dichtung von der Renaissance bis zum Ausgang des Barock. – Wildpark-Potsdam 1927 (Handbuch der Literaturwissenschaft).

456

Nadler, Josef: Literaturgeschichte der deutschen Schweiz. – Leipzig, Zürich 1932.
– „Wittenweiler?" Euphorion 27 (1926), 172–84.
Ranke, Friedrich: „Zum Formwillen und Lebensgefühl in der deutschen Dichtung des späten Mittelalters." DVjS 18 (1940), 307–27.
Rosenfeld, Hellmut: „Die Literatur des ausgehenden Mittelalters in soziologischer Sicht." Wirkendes Wort, Sammelband 2. – Düsseldorf (1963), 287–98. Zuerst in: Wirkendes Wort 5 (1954), Heft 6, 330ff.
Rosenhagen, G. und Hendrikus Sparnaay: „Dörperliche Dichtung." Reallexikon der deutschen Literaturgeschichte, begr. v. Paul Merker und Wolfgang Stammler, 2. Aufl. hrsg. v. Werner Kohlschmidt und Wolfgang Mohr, Bd. 1. – Berlin 1958, 269–74.
Schneider, Hermann und Wolfgang Mohr: „Mittelhochdeutsche Dichtung." Reallexikon der deutschen Literaturgeschichte, 2. Aufl. Bd. 2. – Berlin 1965, 314–35.
Singer, Samuel: Literaturgeschichte der deutschen Schweiz im Mittelalter. – Bern 1916 (Sprache und Dichtung, 17).
– Die mittelalterliche Literatur der deutschen Schweiz. – Frauenfeld, Leipzig 1930.
Sowinski, Bernhard: Der Sinn des „Realismus" in Heinrich Wittenwilers ‚Ring'. – Diss. Köln 1960.
Wessels, P. B.: „Wittenwilers ‚Ring' als Groteske." Wirkendes Wort 10 (1960), Heft 4, 204–14.
Wielandt, Fritz: „Der ‚Ring' und Meister Heinrich von Wittenwil." Bodenseebuch 21 (1934), 19–24.
Wießner, Edmund: „Das Gedicht von der Bauernhochzeit und Heinrich Wittenwilers ‚Ring'." ZfdA 50 (1908), 225–79.
– „Heinrich Wittenwiler." ZfdA 84 (1952), 159–71.
– „Heinrich Wittenwiler: Der Dichter des ‚Ringes'." ZfdA 64 (1927), 145–60.
– Kommentar zu Heinrich Wittenwilers Ring. – Leipzig 1936 / Darmstadt 1964 (Deutsche Literatur in Entwicklungsreihen, Reihe Realistik des Spätmittelalters; Ergänzungsband).
– „‚Metzen Hochzit' und Heinrich Wittenwilers ‚Ring'." ZfdA 74 (1937), 65–72.
– „Neidhart und das Bauernturnier in Heinrich Wittenwilers ‚Ring'." Festschrift Max H. Jellinek zum 29. Mai 1928. – Wien, Leipzig 1928, 191–208.

3. Zu Kap. III. Sebastian Brants ‚Narrenschiff'

Becker, Henrik: Bausteine zur deutschen Literaturgeschichte. Ältere deutsche Dichtung. – Halle/Saale 1957.
Böckmann, Paul: Formgeschichte der deutschen Dichtung. I. Von der Sinnbildsprache zur Ausdruckssprache. – Hamburg 1949.
Cassirer, Ernst: Individuum und Kosmos in der Philosophie der Renaissance. – Darmstadt ²1963.
Claus, Paul: Rhythmik und Metrik in Sebastian Brants Narrenschiff. – Straßburg 1911 (Quellen und Forschungen, Bd. 112).
Eberth, Hans Henrich: Die Sprichwörter in Sebastian Brants Narrenschiff. Ein Beitrag zur deutschen Sprichwortgeschichte. – Greifswald 1933 (Deutsches Werden. Greifswalder Forschungen zur deutschen Geistesgeschichte, 3).

Fraenkel, Eduard: Horace. – Oxford 1957.
Gaier, Ulrich: Studien zu Sebastian Brants Narrenschiff. – Tübingen 1966.
Gilbert, William: "Sebastian Brant: Conservative Humanist." Archiv für Reformationsgeschichte 46 (1955), 145–67.
Gruenter, Rainer: „Die ‚Narrheit' in Sebastian Brants Narrenschiff." Neophilologus 43 (1959), 207–21.
Hankamer, Paul: Deutsche Literaturgeschichte. – Bonner Buchgemeinde 1952.
Heusler, Andreas: Deutsche Versgeschichte, Bd, 3. – Berlin, Leipzig 1929.
Highet, Gilbert: The Anatomy of Satire. – Princeton 1962.
– Juvenal the Satirist. A Study. – Oxford 1954.
Huizinga, Johan: Europäischer Humanismus: Erasmus, übers. v. Werner Kaegi. – Hamburg 1958 (Rowohlts deutsche Enzyklopädie).
Knoche, Ulrich: Die römische Satire. – Göttingen 1957 (Studienhefte zur Altertumswissenschaft, 5).
Könneker, Barbara: „‚Eyn wis man sich do heym behalt.' Zur Interpretation von Sebastian Brants ‚Narrenschiff'." GRM 45 (1964), 46–77.
Kornhardt, Hildegard: Exemplum. Eine bedeutungsgeschichtliche Studie. – Diss. Göttingen 1936.
Lemmer, Manfred: Die Holzschnitte zu Sebastian Brants Narrenschiff. – Leipzig 1964.
Mestwerdt, Paul: Die Anfänge des Erasmus, Humanismus und ‚Devotio moderna'. – Leipzig 1917.
Müller, Günther: Deutsche Dichtung von der Renaissance bis zum Ausgang des Barock. – Wildpark-Potsdam (1927) (Handbuch der Literaturwissenschaft).
Newald, Richard: „Humanismus und Reformation 1490–1600." Annalen der deutschen Literatur, hrsg. v. Heinz Otto Burger. – Stuttgart 1952.
Pompen, Fr. Aurelius: The English Versions of the Ship of Fools. A Contribution to the History of the Early French Renaissance in England. – London 1925.
Rajewski, Mary Alvarita: Sebastian Brant. Studies in Religious Aspects of His Life and Works with Special Reference to the Varia Carmina. – Washington 1944 (The Catholic University of America Studies in German, XX).
Scherer, Wilhelm und Oskar Walzel: Geschichte der deutschen Literatur. – Berlin 1921.
Schmidt, Charles Guillaume Adolphe: Histoire littéraire de l'Alsace, t. 1. – Paris 1879.
Schönfeld, Hermann: „Die kirchliche Satire und religiöse Weltanschauung in Brant's ‚Narrenschiff' und Erasmus' ‚Narrenlob', resp. in den ‚Colloquia'." Modern Language Notes 7 (1892), 39–46, 69–75, 173f.
Spamer, Adolf: „Eine Narrenschiffspredigt aus der Zeit Sebastian Brants." Otto Glauning zum 60. Geburtstag. Festgabe aus Wissenschaft und Bibliothek, Bd. 2. – Leipzig 1938, 113–30.
Stammler, Wolfgang: Von der Mystik zum Barock. 1400–1600. – Stuttgart [2]1950 (Epochen der deutschen Literatur II,1).
Steinmeyer, Elias: „Sebastian Brant." Allgemeine Deutsche Biographie, Bd. 3. – Leipzig 1876, 256–59.
Walshe, M. O'C.: Medieval German Literature. A Survey. – Cambridge, Mass. 1962.

Westermann, Ruth: „Sebastian Brant." Die deutsche Literatur des Mittelalters, Verfasserlexikon, hrsg. v. Wolfgang Stammler, Bd. 1. – Berlin, Leipzig 1933.

Zeydel, Edwin Herman: "Some Literary Aspects of Sebastian Brant's Narrenschiff." Studies in Philology (Chapel Hill) 42 (1945), 21–30.

– "Notes on Sebastian Brants Narrenschiff." Modern Language Notes 58 (1943), 340–46.

4. Zu Kap. IV. Entwurf einer Definition der Satire

Alden, Raymond Macdonald: The Rise of Formal Satire in England under Classical Influence. – Philadelphia 1899 (Publ. of the Univ. of Pennsylvania Series in Philology, Literature and Archaeology, VII 2).

Alewyn, Richard: Johann Beer. Studien zum Roman des 17. Jahrhunderts. – Leipzig 1932.

– „Naturalismus bei Neidhart von Reuental." ZfdPh 56 (1931), 37–69.

Allemann, Beda: Ironie und Dichtung. – Pfullingen (1956).

Arntzen, Helmut: „Deutsche Satire im 20. Jahrhundert." Deutsche Literatur im 20. Jahrhundert. Strukturen und Gestalten. Hrsg. v. Hermann Friedmann und Otto Mann, Bd. 1 Strukturen. – 4. erw. Aufl. Heidelberg 1961, 224–55.

– „Nachricht von der Satire." Neue Rundschau 74 (1963), 561–76.

– Satirischer Stil. Zur Satire Robert Musils im ‚Mann ohne Eigenschaften'. – Bonn 1960 (Abhandlungen zur Kunst-, Musik- und Literaturwissenschaft, 9).

Bieber: Art. „Maske" in: Pauly-Wissowas Realenzyklopädie XIV 2,2070 bis 2120.

Bielschowsky, Albert: Geschichte der deutschen Dorfpoesie im 13. Jahrhundert. I. Leben und Dichten Neidharts von Reuenthal. – Berlin 1891 (Sonderabdruck aus Acta Germanica II,2).

Brahm, Otto: Kritiken und Essays. Ausgewählt, eingeleitet und erläutert von Fritz Martini. – Zürich, Stuttgart (1964) (Klassiker der Kritik).

Brinkmann, Richard: Wirklichkeit und Illusion. Studien über Gehalt und Grenzen des Begriffs Realismus für die erzählende Dichtung des 19. Jahrhunderts. – Tübingen (1957).

Burke, Kenneth: The Philosophy of Literary Form. Studies in Symbolic Action. – Louisiana State U.P. 1941.

Crusius: Art. „Archilochos" in Pauly-Wissowas Realenzyklopädie II,1,487–507.

Elliott, Robert C.: "The Definition of Satire. A Note on Method." Yearbook of Comparative and General Literature 11 (1962), 19–23.

– The Power of Satire: Magic, Ritual, Art. – Princeton U.P. 1960.

Feinberg, Leonard: The Satirist. His Temperament, Motivation, and Influence. – Iowa State U.P., Ames, Iowa 1963.

Flögel, Carl Friedrich: Geschichte der komischen Litteratur, Bd. 1. – Liegnitz, Leipzig 1784.

Gaier, Ulrich: Der gesetzliche Kalkül. Hölderlins Dichtungslehre. – Tübingen 1962 (Hermaea N.F. 14).

Gerhard: Art. „Iambographen" in Pauly-Wissowas Realenzyklopädie IX,1,651 bis 680.

Gottsched, Johann Christoph: Versuch einer Critischen Dichtkunst. Nachdruck der Ausgabe Leipzig 1751. – Darmstadt 1962.

Gudeman, Alfred: Aristoteles ΠΕΡΙ ΠΟΙΗΤΙΚΗΣ. – Berlin, Leipzig 1934.

Haecker, Theodor: „Vorrede zu Satire und Polemik. (1922)" Theodor Haecker: Essays. – München 1958, 89–94.

Hamburger, Käte: Die Logik der Dichtung. – Stuttgart (1957).

Hoffmann, E. T. A.: Dichtungen und Schriften sowie Briefe und Tagebücher. Gesamtausgabe in 15 Bänden, hrsg. v. Walther Harich. Bd. 3. – Weimar 1924.

Ingarden, Roman: Das literarische Kunstwerk. – 2. erw. Aufl. Tübingen 1960.

Jankélévitch, Vladimir: L'Ironie. – Paris (1964).

Johnson, Edgar: A Treasury of Satire. – New York (1945).

Kayser, Wolfgang: Das Groteske. Seine Gestaltung in Malerei und Dichtung. – Oldenburg, Hamburg 1957.

Kroll, Wilhelm: Art. „Komödie" in Pauly-Wissowas Realenzyklopädie XI,1, 1207–80.

– Art. „Satura" in Pauly-Wissowas Realenzyklopädie II A 1,192–200.

Kuhn, Hugo: „Gattungsprobleme der mittelhochdeutschen Literatur." Hugo Kuhn: Dichtung und Welt im Mittelalter. – Stuttgart 1959, 41–61.

Lausberg, Heinrich: Handbuch der literarischen Rhetorik. Eine Grundlegung der Literaturwissenschaft. – München 1960.

Lazarowicz, Klaus: Verkehrte Welt. Vorstudien zu einer Geschichte der deutschen Satire. – Tübingen 1963 (Hermaea N.F. 15).

Lénient, Charles Félix: La Satire en France au Moyen Age. – Nouvelle éd. Paris 1893.

Lukács, Georg: „Kunst und objektive Wahrheit." Georg Lukács: Probleme des Realismus. – Berlin 1955, 5–46.

Markwardt, Bruno: Geschichte der deutschen Poetik. – 2. erw. Aufl. Berlin 1958/1959.

Ohly, Friedrich: „Vom geistigen Sinn des Wortes im Mittelalter." ZfdA 89 (1958), 1–23.

Olles, Helmut: „Von der Anstrengung der Satire." Akzente 1 (1954), 154–63.

Preisendanz, Wolfgang: Humor als dichterische Einbildungskraft. Studien zur Erzählkunst des poetischen Realismus. – München 1963 (Theorie und Geschichte der Literatur und der schönen Künste, 1).

Scaliger, Julius Caesar: Poetices libri 7. Faksimile-Neudruck der Ausgabe von Lyon 1561 mit einer Einleitung von August Buck. – Stuttgart-Bad Cannstatt 1964.

Schiller, Friedrich: „Über naive und sentimentalische Dichtung." Schillers Werke, Nationalausgabe. 20. Band: Philosophische Schriften I. – Weimar 1962; 413–503.

Schlegel, Friedrich: „Gespräch über die Poesie." Friedrich v. Schlegel's sämmtliche Werke. Zweite Original-Ausgabe, Bd. 5. – Wien 1846.

Schneegans, Heinrich: Geschichte der grotesken Satire. – Straßburg 1894.

Schnitzler, Felix Th.: Die Bedeutung der Satire für die Erzählform bei Grimmelshausen. – Masch. Diss. Heidelberg 1955.

Stanzel, Franz K.: Typische Formen des Romans. – Göttingen 1964 (Kleine Vandenhoeck-Reihe, 187).

Stanzel, Franz K.: Die typischen Erzählsituationen im Roman. – Wien, Stuttgart 1955 (Wiener Beiträge zur englischen Philologie, LXIII).

– Die typischen Erzählsituationen im Roman. – Wien, Stuttgart 1955 (Wiener Beiträge zur englischen Philologie, LXIII).

Wissowa: Art. „Fescennini versus" in Pauly-Wissowas Realenzyklopädie VI,2, 2222f.

Wölfel, Kurt: „Epische Welt und satirische Welt. Zur Technik des satirischen Erzählens." Wirkendes Wort 10 (1960), Heft 2, 85–98.

Worcester, David: The Art of Satire. – New York 1960.